CATECHISMO DELLA CHIESA CATTOLICA

CATECHISMO
DELLA
CHIESA CATTOLICA

LIBRERIA EDITRICE VATICANA

In copertina:

Il logo di copertina riproduce un particolare di una pietra sepolcrale cristiana delle catacombe di Domitilla (Roma), risalente alla fine del III secolo.

L'immagine bucolica, di origine pagana, è utilizzata dai cristiani come simbolo del riposo e della beatitudine, che l'anima del defunto trova nella vita eterna.

La figura suggerisce pure il senso globale del Catechismo: il Cristo Buon Pastore, che con la sua autorità (il bastone) conduce e protegge i suoi fedeli (la pecora), li attira con la melodiosa sinfonia della verità (il flauto) e li fa riposare all'ombra dell'« albero della vita », la sua Croce redentrice, che dischiude il Paradiso.

Libreria Editrice Vaticana
00120 Città del Vaticano
Tel. (06) 698.85003 - Fax (06) 698.84716

ISBN 88-209-1888-9 – edizione in brossura
ISBN 88-209-1890-0 – edizione cartonata

ABBREVIAZIONI BIBLICHE

Ab	Abacuc
Abd	Abdia
Ag	Aggeo
Am	Amos
Ap	Apocalisse
At	Atti degli Apostoli
Bar	Baruc
Col	Colossesi
1 Cor	1 Corinzi
2 Cor	2 Corinzi
1 Cr	1 Cronache
2 Cr	2 Cronache
Ct	Cantico dei Cantici
Dn	Daniele
Dt	Deuteronomio
Eb	Ebrei
Ef	Efesini
Es	Esodo
Esd	Esdra
Est	Ester
Ez	Ezechiele
Fil	Filippesi
Fm	Filemone
Gal	Galati
Gb	Giobbe
Gc	Giacomo
Gd	Giuda
Gdc	Giudici
Gdt	Giuditta
Ger	Geremia
Gio	Giona
Gl	Gioele
Gn	Genesi
Gs	Giosuè
Gv	Giovanni
1 Gv	1 Giovanni
2 Gv	2 Giovanni
3 Gv	3 Giovanni
Is	Isaia
Lam	Lamentazioni
Lc	Luca
Lv	Levitico
1 Mac	1 Maccabei
2 Mac	2 Maccabei
Mc	Marco
Mic	Michea
Ml	Malachia
Mt	Matteo
Na	Naum
Ne	Neemia
Nm	Numeri
Os	Osea
Prv	Proverbi
1 Pt	1 Pietro
2 Pt	2 Pietro
Qo	Qoelet (Ecclesiaste)
1 Re	1 Libro dei Re
2 Re	2 Libro dei Re
Rm	Romani
Rt	Rut
Sal	Salmi
1 Sam	1 Samuele
2 Sam	2 Samuele
Sap	Sapienza
Sir	Siracide (Ecclesiastico)
Sof	Sofonia
Tb	Tobia
1 Tm	1 Timoteo
2 Tm	2 Timoteo
1 Ts	1 Tessalonicesi
2 Ts	2 Tessalonicesi
Tt	Tito
Zc	Zaccaria

COSTITUZIONE APOSTOLICA

« FIDEI DEPOSITUM »

per la pubblicazione del

CATECHISMO DELLA CHIESA CATTOLICA

redatto dopo

IL CONCILIO ECUMENICO VATICANO II

GIOVANNI PAOLO II VESCOVO
SERVO DEI SERVI DI DIO
A PERPETUA MEMORIA

Ai Venerabili Fratelli Cardinali, Arcivescovi, Vescovi, Presbiteri, Diaconi e a tutti i Membri del Popolo di Dio

1. Introduzione

CUSTODIRE IL DEPOSITO DELLA FEDE è la missione che il Signore ha affidato alla sua Chiesa e che essa compie in ogni tempo. Il Concilio Ecumenico Vaticano II, aperto trent'anni or sono dal mio predecessore Giovanni XXIII, di felice memoria, aveva come intenzione e come finalità di mettere in luce la missione apostolica e pastorale della Chiesa, e di condurre tutti gli uomini, facendo risplendere la verità del Vangelo, a cercare e ad accogliere l'amore di Cristo che sorpassa ogni conoscenza (cf *Ef* 3,19).

Al Concilio il Papa Giovanni XXIII aveva assegnato come compito principale di meglio custodire e presentare il prezioso deposito della dottrina cristiana, per renderlo più accessibile ai fedeli di Cristo e a tutti gli uomini di buona volontà. Pertanto il Concilio non doveva per prima cosa condannare gli errori dell'epoca, ma innanzitutto impegnarsi a mostrare serenamente la forza e la bellezza della dottrina della fede. « Illuminata dalla luce di questo Concilio — diceva il Papa — la Chiesa [...] si ingrandirà di spirituali ricchezze e, attingendovi forze di nuove energie, guarderà intrepida al futuro [...]. Il nostro dovere [...] è di dedicarci con alacre volontà e senza timore a quell'opera che la nostra età esige, proseguendo così il cammino, che la Chiesa compie da quasi venti secoli ».[1]

[1] GIOVANNI XXIII, Discorso di apertura del Concilio Ecumenico Vaticano II, 11 ottobre 1962: *AAS* 54 (1962), pp. 788-791.

Con l'aiuto di Dio i Padri conciliari hanno potuto elaborare, in quattro anni di lavoro, un considerevole complesso di esposizioni dottrinali e di direttive pastorali offerte a tutta la Chiesa. Pastori e fedeli vi trovano orientamenti per quel « rinnovamento di pensieri, di attività, di costumi e di forza morale, di gaudio e di speranza, che è stato lo scopo stesso del Concilio ».[2]

Dopo la sua conclusione, il Concilio non ha cessato di ispirare la vita della Chiesa. Nel 1985 potevo affermare: « Per me — che ho avuto la grazia speciale di parteciparvi e di collaborare attivamente al suo svolgimento — il Vaticano II è sempre stato, ed è in modo particolare in questi anni del mio Pontificato, il costante punto di riferimento di ogni mia azione pastorale, nell'impegno consapevole di tradurne le direttive in applicazione concreta e fedele, a livello di ogni Chiesa e di tutta la Chiesa. Occorre incessantemente rifarsi a questa sorgente ».[3]

In questo spirito, il 25 gennaio 1985 ho convocato un'Assemblea straordinaria del Sinodo dei Vescovi, in occasione del ventesimo anniversario della chiusura del Concilio. Scopo di questa assemblea era di celebrare le grazie e i frutti spirituali del Concilio Vaticano II, di approfondirne l'insegnamento per meglio aderire ad esso e di promuoverne la conoscenza e l'applicazione.

In questa circostanza i Padri sinodali hanno affermato: « Moltissimi hanno espresso il desiderio che venga composto un catechismo o compendio di tutta la dottrina cattolica per quanto riguarda sia la fede che la morale, perché sia quasi un punto di riferimento per i catechismi o compendi che vengono preparati nelle diverse regioni. La presentazione della dottrina

[2] Paolo VI, Discorso di chiusura del Concilio Ecumenico Vaticano II, 8 dicembre 1965: *AAS* 58 (1966), pp. 7-8.

[3] Giovanni Paolo II, Allocuzione del 25 gennaio 1985: *L'Osservatore Romano,* 27 gennaio 1985.

[4] Rapporto finale del Sinodo straordinario, 7 dicembre 1985, II, B, a, n. 4: *Enchiridion Vaticanum,* vol. 9, p. 1758, n. 1797.

deve essere biblica e liturgica. Deve trattarsi di una sana dottrina, adatta alla vita attuale dei cristiani ».[4] Dopo la chiusura del Sinodo, ho fatto mio questo desiderio, ritenendolo « pienamente rispondente ad un vero bisogno della Chiesa universale e delle Chiese particolari ».[5]

Come non ringraziare di tutto cuore il Signore, in questo giorno in cui possiamo offrire a tutta la Chiesa, con il titolo di « Catechismo della Chiesa Cattolica », questo « testo di riferimento » per una catechesi rinnovata alle vive sorgenti della fede!

Dopo il rinnovamento della Liturgia e la nuova codificazione del Diritto canonico della Chiesa latina e dei canoni delle Chiese orientali cattoliche, questo Catechismo apporterà un contributo molto importante a quell'opera di rinnovamento dell'intera vita ecclesiale, voluta e iniziata dal Concilio Vaticano II.

2. Itinerario e spirito della stesura del testo

Il « Catechismo della Chiesa Cattolica » è frutto di una larghissima collaborazione: è stato elaborato in sei anni di intenso lavoro condotto in uno spirito di attenta apertura e con un appassionato ardore.

Nel 1986 ho affidato a una Commissione di dodici Cardinali e Vescovi, presieduta dal signor Cardinale Joseph Ratzinger, l'incarico di preparare un progetto per il Catechismo richiesto dai Padri del Sinodo. Un Comitato di redazione di sette Vescovi diocesani, esperti di teologia e di catechesi, ha affiancato la Commissione nel suo lavoro.

La Commissione, incaricata di dare le direttive e di vigilare sullo svolgimento dei lavori, ha seguito attentamente tutte le tappe della redazione delle nove successive stesure. Il Comitato

[5] GIOVANNI PAOLO II, Discorso di chiusura del Sinodo straordinario, 7 dicembre 1985, n. 6: *AAS* 78 (1986), p. 435.

di redazione, da parte sua, ha assunto la responsabilità di scrivere il testo, di apportarvi le modifiche richieste dalla Commissione e di esaminare le osservazioni di numerosi teologi, esegeti e catecheti e soprattutto dei Vescovi del mondo intero, al fine di migliorare il testo. Il Comitato è stato un luogo di scambi fruttuosi ed arricchenti per assicurare l'unità e l'omogeneità del testo.

Il progetto è stato fatto oggetto di una vasta consultazione di tutti i Vescovi cattolici, delle loro Conferenze episcopali o dei loro Sinodi, degli Istituti di teologia e di catechetica. Nel suo insieme esso ha avuto un'accoglienza largamente favorevole da parte dell'Episcopato. Si ha ragione di affermare che questo Catechismo è il frutto di una collaborazione di tutto l'Episcopato della Chiesa Cattolica, il quale ha accolto con generosità il mio invito ad assumere la propria parte di responsabilità in un'iniziativa che riguarda da vicino la vita ecclesiale. Tale risposta suscita in me un profondo sentimento di gioia, perché il concorso di tante voci esprime veramente quella che si può chiamare la « sinfonia » della fede. La realizzazione di questo Catechismo riflette in tal modo la natura collegiale dell'Episcopato: testimonia la cattolicità della Chiesa.

3. Distribuzione della materia

Un catechismo deve presentare con fedeltà ed in modo organico l'insegnamento della Sacra Scrittura, della Tradizione vivente nella Chiesa e del Magistero autentico, come pure l'eredità spirituale dei Padri, dei santi e delle sante della Chiesa, per permettere di conoscere meglio il mistero cristiano e di ravvivare la fede del popolo di Dio. Esso deve tener conto delle esplicitazioni della dottrina che nel corso dei tempi lo Spirito Santo ha suggerito alla Chiesa. È anche necessario che aiuti a illuminare con la luce della fede le situazioni nuove e i problemi che nel passato non erano ancora emersi.

Il Catechismo comprenderà quindi cose nuove e cose antiche (cf *Mt* 13,52), poiché la fede è sempre la stessa e insieme è sorgente di luci sempre nuove.

Per rispondere a questa duplice esigenza, il « Catechismo della Chiesa Cattolica » da una parte riprende l'« antico » ordine, quello tradizionale, già seguito dal Catechismo di san Pio V, articolando il contenuto in quattro parti: il *Credo;* la *sacra Liturgia,* con i sacramenti in primo piano; l'*agire cristiano,* esposto a partire dai comandamenti; ed infine la *preghiera cristiana.* Ma, nel medesimo tempo, il contenuto è spesso espresso in un modo « nuovo », per rispondere agli interrogativi della nostra epoca.

Le quattro parti sono legate le une alle altre: il mistero cristiano è l'oggetto della fede (prima parte); è celebrato e comunicato nelle azioni liturgiche (seconda parte); è presente per illuminare e sostenere i figli di Dio nel loro agire (terza parte); fonda la nostra preghiera, la cui espressione privilegiata è il « Padre Nostro », e costituisce l'oggetto della nostra supplica, della nostra lode, della nostra intercessione (quarta parte).

La Liturgia è essa stessa preghiera; la confessione della fede trova il suo giusto posto nella celebrazione del culto. La grazia, frutto dei sacramenti, è la condizione insostituibile dell'agire cristiano, così come la partecipazione alla Liturgia della Chiesa richiede la fede. Se la fede non si sviluppa nelle opere, è morta (cf *Gc* 2,14-16) e non può dare frutti di vita eterna.

Leggendo il « Catechismo della Chiesa Cattolica », si può cogliere la meravigliosa unità del mistero di Dio, del suo disegno di salvezza, come pure la centralità di Gesù Cristo, l'Unigenito Figlio di Dio, mandato dal Padre, fatto uomo nel seno della Santissima Vergine Maria per opera dello Spirito Santo, per essere il nostro Salvatore. Morto e risorto, Egli è sempre presente nella sua Chiesa, particolarmente nei sacramenti; Egli è la sorgente della fede, il modello dell'agire cristiano e il Maestro della nostra preghiera.

4. Valore dottrinale del testo

Il « Catechismo della Chiesa Cattolica », che ho approvato lo scorso 25 giugno e di cui oggi ordino la pubblicazione in virtù dell'autorità apostolica, è un'esposizione della fede della Chiesa e della dottrina cattolica, attestate o illuminate dalla Sacra Scrittura, dalla Tradizione apostolica e dal Magistero della Chiesa. Io lo riconosco come uno strumento valido e legittimo al servizio della comunione ecclesiale e come una norma sicura per l'insegnamento della fede. Possa servire al rinnovamento al quale lo Spirito Santo incessantemente chiama la Chiesa di Dio, Corpo di Cristo, pellegrina verso la luce senza ombre del Regno!

L'approvazione e la promulgazione del « Catechismo della Chiesa Cattolica » costituiscono un servizio che il successore di Pietro vuole rendere alla Santa Chiesa Cattolica, a tutte le Chiese particolari in pace e in comunione con la Sede apostolica di Roma: il servizio cioè di sostenere e confermare la fede di tutti i discepoli del Signore Gesù (cf *Lc* 22,32), come pure di rafforzare i legami dell'unità nella medesima fede apostolica.

Chiedo pertanto ai Pastori della Chiesa e ai fedeli di accogliere questo Catechismo in spirito di comunione e di usarlo assiduamente nel compiere la loro missione di annunziare la fede e di chiamare alla vita evangelica. Questo Catechismo viene loro dato perché serva come testo di riferimento sicuro e autentico per l'insegnamento della dottrina cattolica, e in modo tutto particolare per l'elaborazione dei catechismi locali. Viene pure offerto a tutti i fedeli che desiderano approfondire la conoscenza delle ricchezze inesauribili della salvezza (cf *Gv* 8,32). Intende dare un sostegno agli sforzi ecumenici animati dal santo desiderio dell'unità di tutti i cristiani, mostrando con esattezza il contenuto e l'armoniosa coerenza della fede cattolica. Il « Catechismo della Chiesa Cattolica », infine, è offerto ad ogni uomo che ci domandi ragione della speranza che è in noi (cf *1 Pt* 3,15) e che voglia conoscere ciò che la Chiesa Cattolica crede.

Questo Catechismo non è destinato a sostituire i Catechismi locali debitamente approvati dalle autorità ecclesiastiche, i Vescovi diocesani e le Conferenze episcopali, soprattutto se hanno ricevuto l'approvazione della Sede apostolica. Esso è destinato ad incoraggiare ed aiutare la redazione di nuovi catechismi locali, che tengano conto delle diverse situazioni e culture, ma che custodiscano con cura l'unità della fede e la fedeltà alla dottrina cattolica.

5. Conclusione

Al termine di questo documento che presenta il « Catechismo della Chiesa Cattolica », prego la Santissima Vergine Maria, Madre del Verbo Incarnato e Madre della Chiesa, di sostenere con la sua potente intercessione l'impegno catechistico dell'intera Chiesa ad ogni livello, in questo tempo in cui essa è chiamata ad un nuovo sforzo di evangelizzazione. Possa la luce della vera fede liberare l'umanità dall'ignoranza e dalla schiavitù del peccato per condurla alla sola libertà degna di questo nome (cf *Gv* 8,32): quella della vita in Gesù Cristo sotto la guida dello Spirito Santo, quaggiù e nel Regno dei cieli, nella pienezza della beatitudine della visione di Dio faccia a faccia (cf *1 Cor* 13,12; *2 Cor* 5,6-8)!

Dato il giorno 11 ottobre 1992, trentesimo anniversario dell'apertura del Concilio Ecumenico Vaticano II, quattordicesimo anno del mio pontificato.

Joannes Paulus PP. II

PREFAZIONE

« Padre ... questa è la vita eterna: che conoscano te, l'unico vero Dio, e colui che hai mandato, Gesù Cristo » (*Gv* 17,3). « Dio, nostro Salvatore, ... vuole che tutti gli uomini siano salvati e arrivino alla conoscenza della verità » (*1 Tm* 2,3-4). « Non vi è ... altro nome dato agli uomini sotto il cielo, nel quale è stabilito che possiamo essere salvati » (*At* 4,12) che il Nome di Gesù.

I. La vita dell'uomo - conoscere e amare Dio

1 Dio, infinitamente perfetto e beato in se stesso, per un disegno di pura bontà, ha liberamente creato l'uomo per renderlo partecipe della sua vita beata. Per questo, in ogni tempo e in ogni luogo, egli è vicino all'uomo. Lo chiama e lo aiuta a cercarlo, a conoscerlo, e ad amarlo con tutte le forze. Convoca tutti gli uomini, che il peccato ha disperso, nell'unità della sua famiglia, la Chiesa. Lo fa per mezzo del Figlio suo, che nella pienezza dei tempi ha mandato come Redentore e Salvatore. In lui e mediante lui, Dio chiama gli uomini a diventare, nello Spirito Santo, suoi figli adottivi e perciò eredi della sua vita beata.

2 Affinché questo appello risuonasse per tutta la terra, Cristo ha inviato gli Apostoli che aveva scelto, dando loro il mandato di annunziare il Vangelo: « Andate e ammaestrate tutte le nazioni, battezzandole nel nome del Padre e del Figlio e dello Spirito Santo, insegnando loro ad osservare tutto ciò che vi ho comandato. Ecco, io sono con voi tutti i giorni, fino alla fine del mondo » (*Mt* 28,19-20). Forti di questa missione, gli Apostoli « partirono e predicarono dappertutto, mentre il Signore operava insieme con loro e confermava la parola con i prodigi che l'accompagnavano » (*Mc* 16,20).

3 Coloro che, con l'aiuto di Dio, hanno accolto l'invito di Cristo e vi hanno liberamente risposto, a loro volta sono stati spinti dall'amore di Cristo ad annunziare ovunque nel mondo la Buona Novella. Questo tesoro ricevuto dagli Apostoli è stato fedelmente custodito dai loro successori.

Tutti i credenti in Cristo sono chiamati a trasmetterlo di generazione in generazione, annunziando la fede, vivendola nell'unione fraterna e celebrandola nella Liturgia e nella preghiera.[1]

II. Trasmettere la fede - la catechesi

4 Molto presto si diede il nome di *catechesi* all'insieme degli sforzi intrapresi nella Chiesa per fare discepoli, per aiutare gli uomini a credere che Gesù è il Figlio di Dio, affinché, mediante la fede, essi abbiano la vita nel suo Nome, per educarli ed istruirli in questa vita e così costruire il Corpo di Cristo.[2]

5 « La catechesi è *un'educazione della fede* dei fanciulli, dei giovani e degli adulti, la quale comprende in special modo un insegnamento della dottrina cristiana, generalmente dato in modo organico e sistematico, al fine di iniziarli alla pienezza della vita cristiana ».[3]

6 Senza confondersi formalmente con essi, la catechesi si articola in un certo numero di elementi della missione pastorale della Chiesa, che hanno un aspetto catechetico, che preparano la catechesi o che ne derivano: primo annuncio del Vangelo, o predicazione missionaria allo scopo di suscitare la fede; ricerca delle ragioni per credere; esperienza di vita cristiana; celebrazione dei sacramenti; integrazione nella comunità ecclesiale; testimonianza apostolica e missionaria.[4]

7 « La catechesi è intimamente legata a tutta la vita della Chiesa. Non soltanto l'estensione geografica e l'aumento numerico, ma anche, e più ancora, la crescita interiore della Chiesa, la sua corrispondenza al disegno divino, dipendono essenzialmente da essa ».[5]

8 I periodi di rinnovamento della Chiesa sono anche tempi forti della catechesi. Infatti vediamo che nella grande epoca dei Padri della Chiesa santi vescovi dedicano alla catechesi una parte importante del loro ministero. È l'epoca di san Cirillo di Gerusalemme e di san Giovanni Crisostomo, di sant'Ambrogio e di sant'Agostino, e di parecchi altri Padri, le cui opere catechetiche rimangono esemplari.

[1] Cf *At* 2,42.
[2] Cf Giovanni Paolo II, Esort. ap. *Catechesi tradendae,* 1; 2.
[3] *Ibid.,* 18.
[4] Cf *ibid.*
[5] *Ibid.,* 13.

9 Il ministero della catechesi attinge energie sempre nuove dai Concili. A tal riguardo, il Concilio di Trento rappresenta un esempio da sottolineare: nelle sue costituzioni e nei suoi decreti ha dato priorità alla catechesi; è all'origine del *Catechismo Romano* che porta anche il suo nome e che costituisce un'opera di prim'ordine come compendio della dottrina cristiana; ha suscitato nella Chiesa un'eccellente organizzazione della catechesi; grazie a santi vescovi e teologi, quali san Pietro Canisio, san Carlo Borromeo, san Turibio di Mogrovejo, san Roberto Bellarmino, ha portato alla pubblicazione di numerosi catechismi.

10 Non c'è, quindi, da meravigliarsi del fatto che nel dinamismo generato dal Concilio Vaticano II (che il Papa Paolo VI considerava come il grande catechismo dei tempi moderni), la catechesi della Chiesa abbia di nuovo attirato l'attenzione. Lo testimoniano il *Direttorio catechistico generale* del 1971, le sessioni del Sinodo dei Vescovi dedicate all'evangelizzazione (1974) e alla catechesi (1977), le corrispondenti esortazioni apostoliche, *Evangelii nuntiandi* (1975) e *Catechesi tradendae* (1979). La sessione straordinaria del Sinodo dei Vescovi del 1985 chiese « che fosse redatto un catechismo o compendio di tutta la dottrina cattolica per quanto riguarda sia la fede che la morale ».[6] Il Santo Padre, Giovanni Paolo II, ha fatto suo questo desiderio espresso dal Sinodo dei Vescovi, riconoscendo che esso « risponde appieno ad una vera esigenza della Chiesa universale e delle Chiese particolari »,[7] e si è alacremente adoperato perché il desiderio dei Padri del Sinodo si realizzasse.

III. Lo scopo e i destinatari di questo catechismo

11 Questo catechismo ha lo scopo di presentare una esposizione organica e sintetica dei contenuti essenziali e fondamentali della dottrina cattolica sia sulla fede che sulla morale, alla luce del Concilio Vaticano II e dell'insieme della Tradizione della Chiesa. Le sue fonti principali sono la Sacra Scrittura, i Santi Padri, la Liturgia e il Magistero della Chiesa. Esso è destinato a servire come « un punto di riferimento per i catechismi o compendi che vengono preparati nei diversi paesi ».[8]

12 Questo catechismo è destinato principalmente ai responsabili della catechesi: in primo luogo ai vescovi, quali maestri della fede e pastori della Chiesa. Viene loro offerto come strumento nell'adempimento del loro compito di insegnare al Popolo di Dio. Attraverso i vescovi, si rivolge ai redattori dei catechismi, ai presbiteri e ai catechisti. Sarà di utile lettura anche per tutti gli altri fedeli cristiani.

[6] Sinodo dei Vescovi 1985, Relazione finale II B a 4.
[7] Giovanni Paolo II, Discorso al Sinodo dei Vescovi del 7 dicembre 1985.
[8] Sinodo dei Vescovi 1985, Relazione finale II B a 4.

IV. La struttura di questo catechismo

13 Il piano di questo catechismo si ispira alla grande tradizione dei catechismi che articolano la catechesi attorno a quattro « pilastri »: la professione della fede battesimale (il Simbolo), i sacramenti della fede, la vita di fede (i comandamenti), la preghiera del credente (il « Padre nostro »).

Parte prima: La professione della fede

14 Coloro che per la fede e il Battesimo appartengono a Cristo devono confessare la loro fede battesimale davanti agli uomini.[9] Perciò, il catechismo espone anzitutto in che cosa consiste la Rivelazione, per mezzo della quale Dio si rivolge e si dona all'uomo, e la fede, per mezzo della quale l'uomo risponde a Dio (sezione prima). Il Simbolo della fede riassume i doni che Dio fa all'uomo come Autore di ogni bene, come Redentore, come Santificatore, e li articola attorno ai « tre capitoli » del nostro Battesimo, e cioè la fede in un solo Dio: il Padre Onnipotente, il Creatore; e Gesù Cristo, suo Figlio, nostro Signore e Salvatore; e lo Spirito Santo, nella santa Chiesa (sezione seconda).

Parte seconda: I sacramenti della fede

15 La parte seconda del catechismo espone come la salvezza di Dio, realizzata una volta per tutte da Gesù Cristo e dallo Spirito Santo, è resa presente nelle azioni sacre della Liturgia della Chiesa (sezione prima), particolarmente nei sette sacramenti (sezione seconda).

Parte terza: La vita della fede

16 La parte terza del catechismo presenta il fine ultimo dell'uomo, creato ad immagine di Dio: la beatitudine e le vie per giungervi: un agire retto e libero, con l'aiuto della legge e della grazia di Dio (sezione prima); un agire che realizza il duplice comandamento della carità, esplicitato nei dieci comandamenti di Dio (sezione seconda).

Parte quarta: La preghiera nella vita della fede

17 L'ultima parte del catechismo tratta del senso e dell'importanza della preghiera nella vita dei credenti (sezione prima). Si conclude con un breve commento alle sette domande della preghiera del Signore (sezione seconda). In esse troviamo infatti l'insieme dei beni che dobbiamo sperare e che il nostro Padre celeste ci vuole concedere.

[9] Cf *Mt* 10,32; *Rm* 10,9.

V. Indicazioni pratiche per l'uso di questo catechismo

18 Questo catechismo è concepito come una *esposizione organica* di tutta la fede cattolica. È, dunque, necessario leggerlo come un'unità. Numerosi rimandi all'interno del testo e l'indice analitico alla fine del volume consentono di vedere ogni tema nel suo legame con l'insieme della fede.

19 Spesso, i testi della Sacra Scrittura non sono citati letteralmente: viene solo indicato il riferimento (con *cf*). Per una comprensione approfondita di tali passaggi si deve ricorrere ai testi stessi. Questi riferimenti biblici costituiscono uno strumento di lavoro per la catechesi.

20 L'uso dei *caratteri piccoli* in certi passaggi sta ad indicare che si tratta di annotazioni di tipo storico, apologetico o di esposizioni dottrinali complementari.

21 *Le citazioni* di fonti patristiche, liturgiche, magisteriali o agiografiche sono stampate in caratteri piccoli e rientranti. Esse sono destinate ad arricchire l'esposizione dottrinale. Spesso tali testi sono stati scelti in vista di un uso direttamente catechistico.

22 Alla fine di ogni unità tematica, una serie di testi brevi riassumono in formule concise l'essenziale dell'insegnamento. Questi « in sintesi » hanno lo scopo di offrire suggerimenti alla catechesi locale per formule sintetiche e memorizzabili.

VI. Gli adattamenti necessari

23 L'accento di questo catechismo è posto sull'esposizione dottrinale. Infatti, esso vuole aiutare ad approfondire la conoscenza della fede. Proprio per questo è orientato alla maturazione di questa fede, al suo radicamento nella vita ed alla sua irradiazione attraverso la testimonianza.[10]

24 Per la sua intrinseca finalità, questo catechismo non si propone di attuare gli adattamenti dell'esposizione e dei metodi catechetici che sono richiesti dalle differenze di cultura, di età, di vita spirituale e di situazione sociale ed ecclesiale di coloro cui la catechesi è rivolta. Questi indispensabili adattamenti sono lasciati a catechismi appropriati e, ancor più, a coloro che istruiscono i fedeli:

> Colui che insegna deve « farsi tutto a tutti » (*1 Cor* 9,22) per guadagnare tutti a Gesù Cristo ... In primo luogo non pensi che le anime a lui affidate

[10] Cf GIOVANNI PAOLO II, Esort. ap. *Catechesi tradendae*, 20-22; 25.

> abbiano tutte lo stesso livello. Non si può perciò con un metodo unico ed invariabile istruire e formare i fedeli alla vera devozione. Taluni sono come bambini appena nati, altri cominciano appena a crescere in Cristo, altri infine appaiono effettivamente già adulti... Coloro che sono chiamati al ministero della predicazione devono, nel trasmettere l'insegnamento dei misteri della fede e delle norme dei costumi, adattare opportunamente la propria personale cultura all'intelligenza e alle facoltà degli ascoltatori.[11]

Al di sopra di tutto la carità

25 Per concludere questa presentazione, è opportuno ricordare il seguente principio pastorale enunciato dal *Catechismo Romano:*

> Tutta la sostanza della dottrina e dell'insegnamento deve essere orientata alla carità che non avrà mai fine. Infatti sia che si espongano le verità della fede o i motivi della speranza o i doveri della attività morale, sempre e in tutto va dato rilievo all'amore di nostro Signore, così da far comprendere che ogni esercizio di perfetta virtù cristiana non può scaturire se non dall'amore, come nell'amore ha d'altronde il suo ultimo fine.[12]

[11] *Catechismo Romano,* Prefazione 11.

[12] *Ibid.,* 10.

PARTE PRIMA

LA PROFESSIONE DELLA FEDE

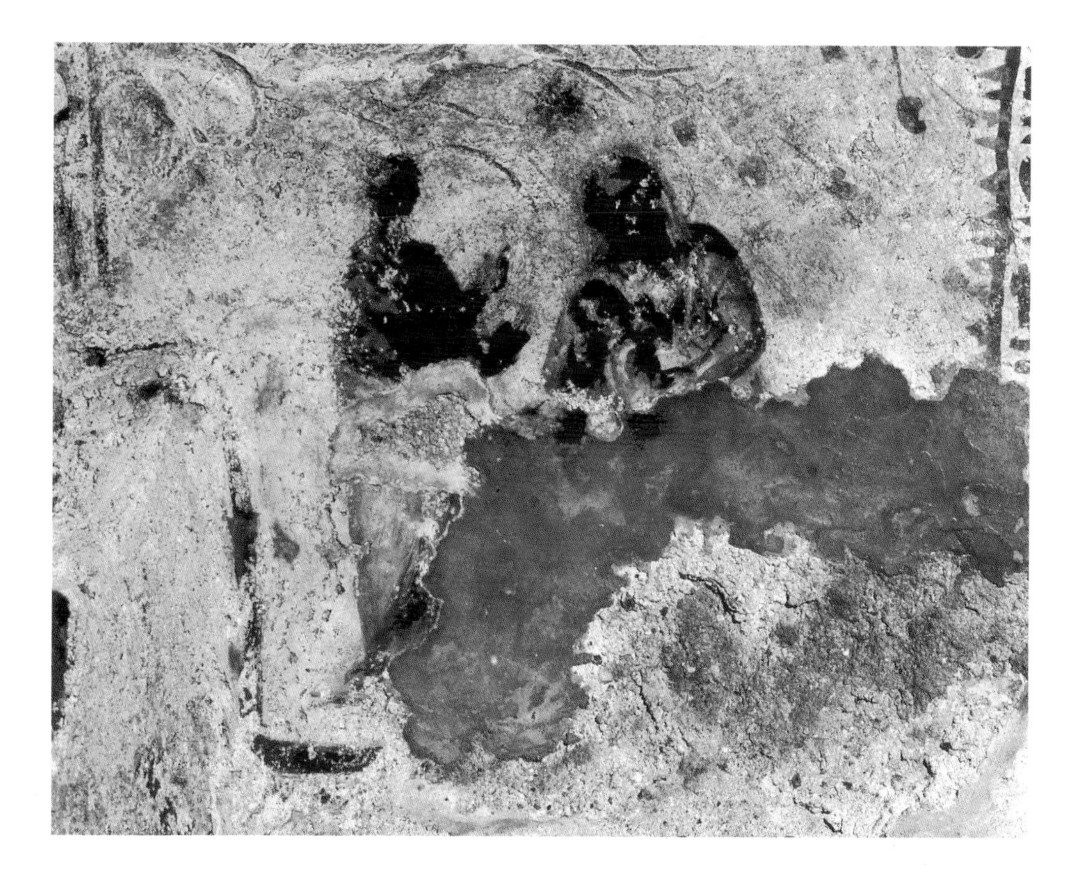

Frammento di un affresco delle catacombe di Priscilla (Roma), dell'inizio del III secolo, prima raffigurazione della Santa Vergine.

Tra le più antiche dell'arte cristiana, questa immagine presenta il mistero dell'Incarnazione del Figlio di Dio, che è al centro della fede cristiana.

A sinistra si scorge una figura d'uomo che indica una stella, posta sopra la Vergine con il bambino: è un profeta, probabilmente Balaam, il quale annunzia che « una stella spunta da Giacobbe e uno scettro sorge da Israele » (*Nm* 24,17). È qui simboleggiata l'attesa dell'Antica Alleanza, ma anche l'implorazione di una umanità decaduta verso un Salvatore e Redentore.

Questa profezia si realizza nella nascita di Gesù, Figlio di Dio fatto uomo, concepito per opera dello Spirito Santo. È la Vergine Maria che lo dà alla luce e lo dona agli uomini. In lei riconosciamo la più pura immagine della Chiesa.

SEZIONE PRIMA

« IO CREDO » – « NOI CREDIAMO »

26 Quando professiamo la nostra fede, cominciamo dicendo: « Io credo » oppure « Noi crediamo ». Perciò, prima di esporre la fede della Chiesa, così come è confessata nel Credo, celebrata nella Liturgia, vissuta nella pratica dei comandamenti e nella preghiera, ci domandiamo che cosa significa « credere ». La fede è la risposta dell'uomo a Dio che gli si rivela e gli si dona, apportando nello stesso tempo una luce sovrabbondante all'uomo in cerca del senso ultimo della vita. Prendiamo anzitutto in considerazione questa ricerca dell'uomo (capitolo primo), poi la Rivelazione divina attraverso la quale Dio si manifesta all'uomo (capitolo secondo), infine la risposta della fede (capitolo terzo).

CAPITOLO PRIMO

L'UOMO È «CAPACE» DI DIO

I. Il desiderio di Dio

27 Il desiderio di Dio è inscritto nel cuore dell'uomo, perché l'uomo è stato creato da Dio e per Dio; e Dio non cessa di attirare a sé l'uomo e soltanto in Dio l'uomo troverà la verità e la felicità che cerca senza posa: 355; 1701 1718

> La ragione più alta della dignità dell'uomo consiste nella sua vocazione alla comunione con Dio. Fin dal suo nascere l'uomo è invitato al dialogo con Dio: non esiste, infatti, se non perché, creato per amore da Dio, da lui sempre per amore è conservato, né vive pienamente secondo verità se non lo riconosce liberamente e se non si affida al suo Creatore.[1]

28 Nel corso della loro storia, e fino ai giorni nostri, gli uomini in molteplici modi hanno espresso la loro ricerca di Dio attraverso le loro credenze ed i loro comportamenti religiosi (preghiere, sacrifici, culti, meditazioni, ecc.). Malgrado le ambiguità che possono presentare, tali forme d'espressione sono così universali che l'uomo può essere definito *un essere religioso:* 843; 2566 2095-2109

> Dio creò da uno solo tutte le nazioni degli uomini, perché abitassero su tutta la faccia della terra. Per essi ha stabilito l'ordine dei tempi e i confini del loro spazio, perché cercassero Dio, se mai arrivino a trovarlo andando come a tentoni, benché non sia lontano da ciascuno di noi. In lui infatti viviamo, ci muoviamo ed esistiamo (*At* 17,26-28).

29 Ma questo «intimo e vitale legame con Dio»[2] può essere dimenticato, misconosciuto e perfino esplicitamente rifiutato dall'uomo. Tali atteggiamenti possono avere origini assai diverse:[3] la ribellione contro la presenza del male nel mondo, l'ignoranza o l'indifferenza religiosa, le preoccupazioni del mondo e delle ricchezze,[4] il cattivo esempio dei credenti, le correnti di 2123-2128

[1] Conc. Ecum. Vat. II, *Gaudium et spes,* 19.
[2] *Ibid.*
[3] Cf *ibid.,* 19-21.
[4] Cf *Mt* 13,22.

398 pensiero ostili alla religione, e infine la tendenza dell'uomo peccatore a nascondersi, per paura, davanti a Dio [5] e a fuggire davanti alla sua chiamata.[6]

30 « Gioisca il cuore di chi cerca il Signore » (*Sal* 105,3). Se l'uomo può dimenticare o rifiutare Dio, Dio però non si stanca di chiamare ogni uomo a cercarlo perché viva e trovi la felicità. Ma tale ricerca esige dall'uomo tutto lo sforzo della sua intelligenza, la rettitudine della sua volontà, « un cuore retto » ed anche la testimonianza di altri che lo guidino nella ricerca di Dio.

2567 845 368

Tu sei grande, Signore, e ben degno di lode; grande è la tua virtù e la tua sapienza incalcolabile. E l'uomo vuole lodarti, una particella del tuo creato che si porta attorno il suo destino mortale, che si porta attorno la prova del suo peccato e la prova che tu resisti ai superbi. Eppure l'uomo, una particella del tuo creato, vuole lodarti. Sei tu che lo stimoli a dilettarsi delle tue lodi, perché ci hai fatti per te e il nostro cuore non ha posa finché non riposa in te.[7]

II. Le vie che portano alla conoscenza di Dio

31 Creato a immagine di Dio, chiamato a conoscere e ad amare Dio, l'uomo che cerca Dio scopre alcune « vie » per arrivare alla conoscenza di Dio. Vengono anche chiamate « prove dell'esistenza di Dio », non nel senso delle prove ricercate nel campo delle scienze naturali, ma nel senso di « argomenti convergenti e convincenti » che permettono di raggiungere vere certezze.

Queste « vie » per avvicinarsi a Dio hanno come punto di partenza la creazione: il mondo materiale e la persona umana.

54; 337 32 Il *mondo:* partendo dal movimento e dal divenire, dalla contingenza, dall'ordine e dalla bellezza del mondo si può giungere a conoscere Dio come origine e fine dell'universo.

San Paolo riguardo ai pagani afferma « Ciò che di Dio si può conoscere è loro manifesto; Dio stesso lo ha loro manifestato. Infatti, dalla creazione del mondo in poi, le sue perfezioni invisibili possono essere contemplate con l'intelletto nelle opere da lui compiute, come la sua eterna potenza e divinità » (*Rm* 1,19-20).[8]

E sant'Agostino: « Interroga la bellezza della terra, del mare, dell'aria rarefatta e dovunque espansa; interroga la bellezza del cielo... interroga tutte queste realtà. Tutte ti risponderanno: guardaci pure e osserva come siamo belle. La loro bellezza è come un loro inno di lode ["confessio"]. Ora, queste

[5] Cf *Gn* 3,8-10.
[6] Cf *Gio* 1,3.
[7] Sant'Agostino, *Confessiones,* 1, 1, 1.
[8] Cf *At* 14,15.17; 17,27-28; *Sap* 13,1-9.

creature, così belle ma pur mutevoli, chi le ha fatte se non uno che è bello ["Pulcher"] in modo immutabile? ».[9]

33 L'*uomo:* con la sua apertura alla verità e alla bellezza, con il suo senso del bene morale, con la sua libertà e la voce della coscienza, con la sua aspirazione all'infinito e alla felicità, l'uomo si interroga sull'esistenza di Dio. In queste aperture egli percepisce segni della propria anima spirituale. « Germe dell'eternità che porta in sé, irriducibile alla sola materia »,[10] la sua anima non può avere la propria origine che in Dio solo. 2500 1730; 1776 1703 366

34 Il mondo e l'uomo attestano che essi non hanno in se stessi né il loro primo principio né il loro fine ultimo, ma che partecipano all'Essere in sé, che non ha né origine né fine. Così, attraverso queste diverse « vie », l'uomo può giungere alla conoscenza dell'esistenza di una realtà che è la causa prima e il fine ultimo di tutto « e che tutti chiamano Dio ».[11] 199

35 L'uomo ha facoltà che lo rendono capace di conoscere l'esistenza di un Dio personale. Ma perché l'uomo possa entrare nella sua intimità, Dio ha voluto rivelarsi a lui e donargli la grazia di poter accogliere questa Rivelazione nella fede. Tuttavia, le « prove » dell'esistenza di Dio possono disporre alla fede ed aiutare a constatare che questa non si oppone alla ragione umana. 50 159

III. La conoscenza di Dio secondo la Chiesa

36 « La santa Chiesa, nostra madre, sostiene e insegna che Dio, principio e fine di tutte le cose, può essere conosciuto con certezza con il lume naturale della ragione umana partendo dalle cose create ».[12] Senza questa capacità, l'uomo non potrebbe accogliere la Rivelazione di Dio. L'uomo ha questa capacità perché è creato « a immagine di Dio ».[13] 355

37 Tuttavia, nelle condizioni storiche in cui si trova, l'uomo incontra molte difficoltà per conoscere Dio con la sola luce della ragione. 1960

Infatti, sebbene la ragione umana, per dirla semplicemente, con le sole sue forze e la sua luce naturale possa realmente pervenire ad una conoscenza vera e certa di un Dio personale, il quale con la sua Provvidenza si prende

[9] Sant'Agostino, *Sermones*, 241, 2: PL 38, 1134.
[10] Conc. Ecum. Vat. II, *Gaudium et spes*, 18; cf 14.
[11] San Tommaso d'Aquino, *Summa theologiae*, I, 2, 3.
[12] Concilio Vaticano I: Denz.-Schönm., 3004; cf 3026; Conc. Ecum. Vat. II, *Dei Verbum*, 6.
[13] Cf *Gn* 1,27.

cura del mondo e lo governa, come pure di una legge naturale inscritta dal Creatore nelle nostre anime, tuttavia la stessa ragione incontra non poche difficoltà ad usare efficacemente e con frutto questa sua capacità naturale. Infatti le verità che concernono Dio e riguardano i rapporti che intercorrono tra gli uomini e Dio, trascendono assolutamente l'ordine delle cose sensibili, e, quando devono tradursi in azioni e informare la vita, esigono devoto assenso e la rinuncia a se stessi. Lo spirito umano, infatti, nella ricerca intorno a tali verità, viene a trovarsi in difficoltà sotto l'influsso dei sensi e della immaginazione ed anche a causa delle tendenze malsane nate dal peccato originale. Da ciò consegue che gli uomini facilmente si persuadono, in tali argomenti, che è falso o quanto meno dubbio ciò che essi non vorrebbero che fosse vero ».[14]

38 Per questo l'uomo ha bisogno di essere illuminato dalla Rivelazione di Dio, non solamente su ciò che supera la sua comprensione, ma anche sulle « verità religiose e morali che, di per sé, non sono inaccessibili alla ragione, affinché nella presente condizione del genere umano possano essere conosciute da tutti senza difficoltà, con ferma certezza e senza mescolanza d'errore ».[15]

2036

IV. Come parlare di Dio?

39 Nel sostenere la capacità che la ragione umana ha di conoscere Dio, la Chiesa esprime la sua fiducia nella possibilità di parlare di Dio a tutti gli uomini e con tutti gli uomini. Questa convinzione sta alla base del suo dialogo con le altre Religioni, con la filosofia e le scienze, come pure con i non credenti e gli atei.

851

40 Essendo la nostra conoscenza di Dio limitata, lo è anche il nostro linguaggio su Dio. Non possiamo parlare di Dio che a partire dalle creature e secondo il nostro modo umano, limitato, di conoscere e di pensare.

41 *Le creature hanno tutte una certa somiglianza con Dio,* in modo particolarissimo l'uomo creato a immagine e somiglianza di Dio. Le molteplici perfezioni delle creature (la loro verità, bontà, bellezza) riflettono dunque la perfezione infinita di Dio. Di conseguenza, noi possiamo parlare di Dio a partire dalle perfezioni delle sue creature, « difatti dalla grandezza e bellezza delle creature per analogia si conosce l'Autore » (*Sap* 13,5).

213; 299

[14] Pio XII, Lett. enc. *Humani generis*: Denz.-Schönm., 3875.
[15] *Ibid.*, 3876; cf Concilio Vaticano I: Denz.-Schönm., 3005; Conc. Ecum. Vat. II, *Dei Verbum,* 6; San Tommaso d'Aquino, *Summa theologiae,* I, 1, 1.

42 *Dio trascende ogni creatura.* Occorre dunque purificare continuamente il nostro linguaggio da ciò che ha di limitato, di immaginoso, di imperfetto per non confondere il Dio « ineffabile, incomprensibile, invisibile, inafferrabile » [16] con le nostre rappresentazioni umane. Le parole umane restano sempre al di qua del Mistero di Dio. 212; 300 370

43 Parlando così di Dio, il nostro linguaggio certo si esprime alla maniera umana, ma raggiunge realmente Dio stesso, senza tuttavia poterlo esprimere nella sua infinita semplicità. Ci si deve infatti ricordare che « non si può rilevare una qualche somiglianza tra Creatore e creatura senza che si debba notare tra di loro una dissomiglianza ancora maggiore »,[17] e che « noi non possiamo cogliere di Dio ciò che Egli è, ma solamente ciò che Egli non è, e come gli altri esseri si pongano in rapporto a lui ».[18] 206

In sintesi

44 *L'uomo è per natura e per vocazione un essere religioso. Poiché viene da Dio e va a Dio, l'uomo non vive una vita pienamente umana, se non vive liberamente il suo rapporto con Dio.*

45 *L'uomo è creato per vivere in comunione con Dio, nel quale trova la propria felicità: « Quando mi sarò unito a Te con tutto me stesso, non esisterà per me dolore e pena. Sarà vera vita la mia, tutta piena di Te ».*[19]

46 *Quando ascolta il messaggio delle creature e la voce della propria coscienza, l'uomo può raggiungere la certezza dell'esistenza di Dio, causa e fine di tutto.*

47 *La Chiesa insegna che il Dio unico e vero, nostro Creatore e Signore, può essere conosciuto con certezza attraverso le sue opere, grazie alla luce naturale della ragione umana.*[20]

48 *Partendo dalle molteplici perfezioni delle creature, similitudini del Dio infinitamente perfetto, possiamo realmente parlare di Dio, anche se il nostro linguaggio limitato non ne esaurisce il Mistero.*

49 *« La creatura senza il Creatore svanisce ».*[21] *Ecco perché i credenti sanno di essere spinti dall'amore di Cristo a portare la luce del Dio vivente a coloro che lo ignorano o lo rifiutano.*

[16] Liturgia di san Giovanni Crisostomo, *Anafora.*
[17] Concilio Lateranense IV: DENZ.-SCHÖNM., 806.
[18] SAN TOMMASO D'AQUINO, *Summa contra gentiles,* 1, 30.
[19] SANT'AGOSTINO, *Confessiones,* 10, 28, 39.
[20] Cf Concilio Vaticano I: DENZ.-SCHÖNM., 3026.
[21] CONC. ECUM. VAT. II, *Gaudium et spes,* 36.

CAPITOLO SECONDO

DIO VIENE INCONTRO ALL'UOMO

36 50 Per mezzo della ragione naturale, l'uomo può conoscere Dio con certezza a partire dalle sue opere. Ma esiste un altro ordine di conoscenza a cui l'uomo non può affatto arrivare con le sue proprie forze, quello della Rivelazione divina.[1] Per una decisione del tutto libera, Dio si rivela e si dona al-
1066 l'uomo svelando il suo Mistero, il suo disegno di benevolenza prestabilito da tutta l'eternità in Cristo a favore di tutti gli uomini. Egli rivela pienamente il suo disegno inviando il suo Figlio prediletto, nostro Signore Gesù Cristo, e lo Spirito Santo.

Articolo 1
LA RIVELAZIONE DI DIO

I. Dio rivela il suo « disegno di benevolenza »

51 « Piacque a Dio nella sua bontà e sapienza rivelare se stesso e far cono-
2823 scere il mistero della sua volontà, mediante il quale gli uomini, per mezzo di Cristo, Verbo fatto carne, nello Spirito Santo hanno accesso al Padre e sono
1996 così resi partecipi della divina natura ».[2]

52 Dio che « abita una luce inaccessibile » (*1 Tm* 6,16) vuole comunicare la propria vita divina agli uomini da lui liberamente creati, per farne figli adottivi nel suo unico Figlio.[3] Rivelando se stesso, Dio vuole rendere gli uomini capaci di rispondergli, di conoscerlo e di amarlo ben più di quanto sarebbero capaci da se stessi.

1953 53 Il disegno divino della Rivelazione si realizza ad un tempo « con eventi
1950 e parole » che sono « intimamente connessi tra loro »[4] e si chiariscono a

[1] Cf Concilio Vaticano I: DENZ.-SCHÖNM., 3015.
[2] CONC. ECUM. VAT. II, *Dei Verbum*, 2.
[3] Cf *Ef* 1,4-5.
[4] CONC. ECUM. VAT. II, *Dei Verbum*, 2.

vicenda. Esso comporta una « pedagogia divina » particolare: Dio si comunica gradualmente all'uomo, lo prepara per tappe a ricevere la Rivelazione soprannaturale che egli fa di se stesso e che culmina nella persona e nella missione del Verbo incarnato, Gesù Cristo.

Sant'Ireneo di Lione parla a più riprese di questa pedagogia divina sotto l'immagine della reciproca familiarità tra Dio e l'uomo: « Il Verbo di Dio pose la sua abitazione tra gli uomini e si è fatto Figlio dell'uomo, per abituare l'uomo a comprendere Dio e per abituare Dio a mettere la sua dimora nell'uomo secondo la volontà del Padre ».[5]

II. Le tappe della Rivelazione

Fin dal principio, Dio si fa conoscere

54 « Dio, il quale crea e conserva tutte le cose per mezzo del Verbo, offre agli uomini nelle cose create una perenne testimonianza di sé. Inoltre, volendo aprire la via della salvezza celeste, fin dal principio manifestò se stesso ai progenitori ».[6] Li ha invitati ad una intima comunione con sé rivestendoli di uno splendore di grazia e di giustizia.

32
374

55 Questa Rivelazione non è stata interrotta dal peccato dei nostri progenitori. Dio, in realtà, « dopo la loro caduta, con la promessa della Redenzione, li risollevò nella speranza della salvezza ed ebbe costante cura del genere umano, per dare la vita eterna a tutti coloro i quali cercano la salvezza con la perseveranza nella pratica del bene ».[7]

397; 410

« Quando, per la sua disobbedienza, l'uomo perse la tua amicizia, tu non l'hai abbandonato in potere della morte... Molte volte hai offerto agli uomini la tua alleanza ».[8]

761

L'Alleanza con Noè

56 Dopo che l'unità del genere umano è stata spezzata dal peccato, Dio cerca prima di tutto di salvare l'umanità passando attraverso ciascuna delle sue parti. L'Alleanza con Noè dopo il diluvio [9] esprime il principio dell'Economia divina verso le « nazioni », ossia gli uomini riuniti in gruppi, « ciascuno secondo la propria lingua e secondo le loro famiglie, nelle loro nazioni » (*Gn* 10,5).[10]

401
1219

[5] Sant'Ireneo di Lione, *Adversus haereses*, 3, 20, 2; cf per esempio 3, 17, 1; 4, 12, 4; 4, 21, 3.
[6] Conc. Ecum. Vat. II, *Dei Verbum*, 3.
[7] *Ibid.*
[8] *Messale Romano*, Preghiera eucaristica IV.
[9] Cf *Gn* 9,9.
[10] Cf *Gn* 10,20-31.

57 Quest'ordine, ad un tempo cosmico, sociale e religioso della pluralità delle nazioni,[11] affidato dalla Provvidenza divina alla custodia degli angeli [12] ha lo scopo di limitare l'orgoglio di una umanità decaduta, la quale, concorde nella malvagità,[13] vorrebbe fare da se stessa la propria unità alla maniera di Babele.[14] Ma, a causa del peccato,[15] sia il politeismo sia l'idolatria della nazione e del suo capo, costituiscono una continua minaccia di perversione pagana per questa Economia provvisoria.

674 58 L'Alleanza con Noè resta in vigore per tutto il tempo delle nazioni,[16] fino alla proclamazione universale del Vangelo. La Bibbia venera alcune grandi figure delle « nazioni », come « Abele il giusto » , il re-sacerdote Melchisedech,[17] figura di Cristo,[18] i giusti « Noè, Daniele e Giobbe » (*Ez* 14,14). La Scrittura mostra così a quale altezza di santità possano giungere coloro che vivono secondo l'Alleanza di Noè nell'attesa che Cristo riunisca « insieme tutti i figli di Dio che erano dispersi » (*Gv* 11,52). 2569

Dio elegge Abramo

145; 2570 59 Per riunire tutta l'umanità dispersa, Dio sceglie Abram chiamandolo fuori dal suo paese, dalla sua parentela, dalla casa di suo padre,[19] per fare di lui Abraham, vale a dire « il padre di una moltitudine di popoli » (*Gn* 17,5): « In te saranno benedette tutte le nazioni della terra » (*Gn* 12,3 LXX).[20]

760 60 Il popolo discendente da Abramo sarà il depositario della promessa fatta ai patriarchi, il popolo della elezione,[21] chiamato a preparare la ricomposizione, un giorno, nell'unità della Chiesa, di tutti i figli di Dio; [22] questo popolo sarà la radice su cui verranno innestati i pagani diventati credenti.[23] 762; 781

61 I patriarchi e i profeti ed altre figure dell'Antico Testamento sono stati e saranno sempre venerati come santi in tutte le tradizioni liturgiche della Chiesa.

[11] Cf *At* 17,26-27.
[12] Cf *Dt* 4,19; *Dt* (LXX) 32,8.
[13] Cf *Sap* 10,5.
[14] Cf *Gn* 11,4-6.
[15] Cf *Rm* 1,18-25.
[16] Cf *Lc* 21,24.
[17] Cf *Gn* 14,18.
[18] Cf *Eb* 7,3.
[19] Cf *Gn* 12,1.
[20] Cf *Gal* 3,8.
[21] Cf *Rm* 11,28.
[22] Cf *Gv* 11,52; 10,16.
[23] Cf *Rm* 11,17-18.24.

Dio forma Israele come suo popolo

62 Dopo i patriarchi, Dio forma Israele quale suo popolo salvandolo dalla schiavitù dell'Egitto. Conclude con lui l'Alleanza del Sinai e gli dà, per mezzo di Mosè, la sua legge, perché lo riconosca e lo serva come l'unico Dio vivo e vero, Padre provvido e giusto giudice, e stia in attesa del Salvatore promesso.[24] 2060 2574 1961

63 Israele è il Popolo sacerdotale di Dio,[25] colui che « porta il Nome del Signore » (*Dt* 28,10). È il Popolo di coloro « a cui Dio ha parlato quale primogenito »,[26] il Popolo dei « fratelli maggiori » nella fede di Abramo. 204; 2801 839

64 Attraverso i profeti, Dio forma il suo Popolo nella speranza della salvezza, nell'attesa di una Alleanza nuova ed eterna destinata a tutti gli uomini [27] e che sarà inscritta nei cuori.[28] I profeti annunziano una radicale redenzione del Popolo di Dio, la purificazione da tutte le sue infedeltà,[29] una salvezza che includerà tutte le nazioni.[30] Saranno soprattutto i poveri e gli umili del Signore [31] che porteranno questa speranza. Le donne sante come Sara, Rebecca, Rachele, Miryam, Debora, Anna, Giuditta ed Ester hanno conservato viva la speranza della salvezza d'Israele. La figura più luminosa in questo è Maria.[32] 711 1965 489

III. Cristo Gesù – « Mediatore e pienezza di tutta la Rivelazione » [33]

Dio ha detto tutto nel suo Verbo

65 « Dio, che aveva già parlato nei tempi antichi molte volte e in diversi modi ai padri per mezzo dei profeti, ultimamente, in questi giorni, ha parlato a noi per mezzo del Figlio » (*Eb* 1,1-2). Cristo, il Figlio di Dio fatto uomo, è la Parola unica, perfetta e definitiva del Padre, il quale in lui dice tutto, e non ci sarà altra parola che quella. San Giovanni della Croce, sulle orme di tanti altri, esprime ciò in maniera luminosa, commentando *Eb* 1,1-2: 102

> Dal momento in cui ci ha donato il Figlio suo, che è la sua unica e definitiva Parola, ci ha detto tutto in una sola volta in questa sola Parola ... Infatti

[24] Cf Conc. Ecum. Vat. II, *Dei Verbum,* 3.
[25] Cf *Es* 19,6.
[26] *Messale Romano,* Venerdì Santo: Preghiera universale VI.
[27] Cf *Is* 2,2-4.
[28] Cf *Ger* 31,31-34; *Eb* 10,16.
[29] Cf *Ez* 36.
[30] Cf *Is* 49,5-6; 53,11.
[31] Cf *Sof* 2,3.
[32] Cf *Lc* 1,38.
[33] Conc. Ecum. Vat. II, *Dei Verbum,* 2.

516 quello che un giorno diceva parzialmente ai profeti, l'ha detto tutto nel suo Figlio, donandoci questo tutto che è il suo Figlio. Perciò chi volesse ancora interrogare il Signore e chiedergli visioni o rivelazioni, non solo commetterebbe una stoltezza, ma offenderebbe Dio, perché non fissa il suo sguardo
2717 unicamente in Cristo e va cercando cose diverse e novità.[34]

Non ci sarà altra Rivelazione

66 « L'Economia cristiana, in quanto è Alleanza Nuova e definitiva, non passerà mai e non è da aspettarsi alcuna nuova Rivelazione pubblica prima della manifestazione gloriosa del Signore nostro Gesù Cristo ».[35] Tuttavia, anche se la Rivelazione è compiuta, non è però completamente esplicitata;
94 toccherà alla fede cristiana coglierne gradualmente tutta la portata nel corso dei secoli.

67 Lungo i secoli ci sono state delle rivelazioni chiamate « private », alcune delle quali sono state riconosciute dall'autorità della Chiesa. Esse non appartengono tut-
84 tavia al deposito della fede. Il loro ruolo non è quello di « migliorare » o di « completare » la Rivelazione definitiva di Cristo, ma di aiutare a viverla più pienamente in una determinata epoca storica. Guidato dal Magistero della Chiesa, il
93 senso dei fedeli sa discernere e accogliere ciò che in queste rivelazioni costituisce un appello autentico di Cristo o dei suoi santi alla Chiesa.

La fede cristiana non può accettare « rivelazioni » che pretendono di superare o correggere la Rivelazione di cui Cristo è il compimento. È il caso di alcune Religioni non cristiane ed anche di alcune recenti sette che si fondano su tali « rivelazioni ».

In sintesi

68 *Per amore, Dio si è rivelato e si è donato all'uomo. Egli offre così una risposta definitiva e sovrabbondante agli interrogativi che l'uomo si pone sul senso e sul fine della propria vita.*

69 *Dio si è rivelato all'uomo comunicandogli gradualmente il suo Mistero attraverso eventi e parole.*

70 *Al di là della testimonianza che dà di se stesso nelle cose create, Dio si è manifestato ai nostri progenitori. Ha loro parlato e, dopo la caduta, ha loro promesso la salvezza*[36] *ed offerto la sua Alleanza.*

[34] San Giovanni della Croce, *Salita al monte Carmelo,* 2, 22, cf *Liturgia delle Ore,* I, Ufficio delle letture del lunedì della seconda settimana di Avvento.
[35] Conc. Ecum. Vat. II, *Dei Verbum,* 4.
[36] Cf *Gn* 3,15.

71 *Dio ha concluso con Noè una Alleanza eterna tra lui e tutti gli esseri viventi.*[37] *Essa durerà tanto quanto durerà il mondo.*

72 *Dio ha eletto Abramo ed ha concluso una Alleanza con lui e la sua discendenza. Ne ha fatto il suo popolo al quale ha rivelato la sua Legge per mezzo di Mosè. Lo ha preparato, per mezzo dei profeti, ad accogliere la salvezza destinata a tutta l'umanità.*

73 *Dio si è rivelato pienamente mandando il suo proprio Figlio, nel quale ha stabilito la sua Alleanza per sempre. Egli è la Parola definitiva del Padre, così che, dopo di lui, non vi sarà più un'altra Rivelazione.*

Articolo 2

LA TRASMISSIONE DELLA RIVELAZIONE DIVINA

74 Dio « vuole che tutti gli uomini siano salvati ed arrivino alla conoscenza della verità » (*1 Tm* 2,4), cioè di Gesù Cristo.[38] È necessario perciò che il Cristo sia annunciato a tutti i popoli e a tutti gli uomini e che in tal modo la Rivelazione arrivi fino ai confini del mondo: 851

> Dio, con la stessa somma benignità, dispose che quanto Egli aveva rivelato per la salvezza di tutte le genti, rimanesse sempre integro e venisse trasmesso a tutte le generazioni.[39]

I. La Tradizione apostolica

75 « Cristo Signore, nel quale trova compimento tutta la Rivelazione del sommo Dio, ordinò agli Apostoli di predicare a tutti, comunicando loro i doni divini, come la fonte di ogni verità salutare e di ogni regola morale, il Vangelo che, prima promesso per mezzo dei profeti, Egli ha adempiuto e promulgato di sua bocca ».[40] 171

La predicazione apostolica...

76 La trasmissione del Vangelo, secondo il comando del Signore, è stata fatta in due modi:

— *oralmente,* « dagli Apostoli, i quali nella predicazione orale, con gli esempi e le istituzioni trasmisero sia ciò che avevano ricevuto dalla

[37] Cf *Gn* 9,16.
[38] Cf *Gv* 14,6.
[39] Conc. Ecum. Vat. II, *Dei Verbum,* 7.
[40] *Ibid.*

bocca, dal vivere insieme e dalle opere di Cristo, sia ciò che avevano imparato per suggerimento dello Spirito Santo »;

— *per iscritto,* « da quegli Apostoli e uomini della loro cerchia, i quali, sotto l'ispirazione dello Spirito Santo, misero in iscritto l'annunzio della salvezza ».[41]

...CONTINUATA ATTRAVERSO LA SUCCESSIONE APOSTOLICA

77 « Affinché il Vangelo si conservasse sempre integro e vivo nella Chiesa, gli Apostoli lasciarono come successori i vescovi, ad essi affidando il loro proprio compito di magistero ».[42] Infatti, « la predicazione apostolica, che è espressa in modo speciale nei libri ispirati, doveva essere conservata con successione continua fino alla fine dei tempi ».[43]

861

78 Questa trasmissione viva, compiuta nello Spirito Santo, è chiamata Tradizione, in quanto è distinta dalla Sacra Scrittura, sebbene ad essa strettamente legata. Per suo tramite « la Chiesa, nella sua dottrina, nella sua vita e nel suo culto, perpetua e trasmette a tutte le generazioni, tutto ciò che essa è, tutto ciò che essa crede ».[44] « Le asserzioni dei santi Padri attestano la vivificante presenza di questa Tradizione, le cui ricchezze sono trasfuse nella pratica e nella vita della Chiesa che crede e che prega ».[45]

174

1124; 2651

79 In tal modo la comunicazione, che il Padre ha fatto di sé mediante il suo Verbo nello Spirito Santo, rimane presente e operante nella Chiesa: « Dio, il quale ha parlato in passato, non cessa di parlare con la Sposa del suo Figlio diletto, e lo Spirito Santo, per mezzo del quale la viva voce del Vangelo risuona nella Chiesa, e per mezzo di questa nel mondo, introduce i credenti a tutta intera la verità e fa risiedere in essi abbondantemente la Parola di Cristo ».[46]

II. Il rapporto tra la Tradizione e la Sacra Scrittura

UNA SORGENTE COMUNE...

80 « La Sacra Tradizione e la Sacra Scrittura sono tra loro strettamente congiunte e comunicanti. Poiché ambedue scaturiscono dalla stessa divina sorgente, esse formano in certo qual modo una cosa sola e tendono allo

[41] CONC. ECUM. VAT. II, *Dei Verbum,* 7.
[42] *Ibid.*
[43] *Ibid.,* 8.
[44] *Ibid.*
[45] *Ibid.*
[46] *Ibid.*

stesso fine ».[47] L'una e l'altra rendono presente e fecondo nella Chiesa il Mistero di Cristo, il quale ha promesso di rimanere con i suoi « tutti i giorni, fino alla fine del mondo » (*Mt* 28,20).

...DUE MODI DIFFERENTI DI TRASMISSIONE

81 « *La Sacra Scrittura* è la Parola di Dio in quanto è messa per iscritto sotto l'ispirazione dello Spirito divino ».

Quanto alla *Sacra Tradizione,* essa conserva « la Parola di Dio, affidata da Cristo Signore e dallo Spirito Santo agli Apostoli », e la trasmette « integralmente ai loro successori, affinché questi, illuminati dallo Spirito di verità, con la loro predicazione fedelmente la conservino, la espongano e la diffondano ».

113

82 Accade così che la Chiesa, alla quale è affidata la trasmissione e l'interpretazione della Rivelazione, « attinga la sua certezza su tutte le cose rivelate non dalla sola Sacra Scrittura. Perciò l'una e l'altra devono essere accettate e venerate con pari sentimento di pietà e di rispetto ».[48]

TRADIZIONE APOSTOLICA E TRADIZIONI ECCLESIALI

83 La Tradizione di cui qui parliamo è quella che viene dagli Apostoli e trasmette ciò che costoro hanno ricevuto dall'insegnamento e dall'esempio di Gesù e ciò che hanno appreso dallo Spirito Santo. In realtà, la prima generazione di cristiani non aveva ancora un Nuovo Testamento scritto e lo stesso Nuovo Testamento attesta il processo della Tradizione vivente.

Vanno distinte da questa le « tradizioni » teologiche, disciplinari, liturgiche o devozionali nate nel corso del tempo nelle Chiese locali. Esse costituiscono forme particolari attraverso le quali la grande Tradizione si esprime in forme adatte ai diversi luoghi e alle diverse epoche. Alla luce della Tradizione apostolica queste « tradizioni » possono essere conservate, modificate oppure anche abbandonate sotto la guida del Magistero della Chiesa.

1202; 2041
2684

III. L'interpretazione del deposito della fede

IL DEPOSITO DELLA FEDE AFFIDATO ALLA TOTALITÀ DELLA CHIESA

84 Il « deposito » (*1 Tm* 6,20)[49] della fede (« depositum fidei »), contenuto nella Sacra Tradizione e nella Sacra Scrittura, è stato affidato dagli Apostoli alla totalità della Chiesa. « Aderendo ad esso tutto il popolo santo, unito ai

857; 871

[47] CONC. ECUM. VAT. II, *Dei Verbum,* 9.
[48] *Ibid.*
[49] Cf *2 Tm* 1,12-14.

suoi Pastori, persevera costantemente nell'insegnamento degli Apostoli e nella comunione, nella frazione del pane e nelle orazioni, in modo che, nel
2033 ritenere, praticare e professare la fede trasmessa, si crei una singolare unità di spirito tra vescovi e fedeli ».[50]

Il Magistero della Chiesa

888-892; 2032-2040

85 « L'ufficio di interpretare autenticamente la Parola di Dio scritta o trasmessa è stato affidato al solo Magistero vivente della Chiesa, la cui autorità è esercitata nel nome di Gesù Cristo »,[51] cioè ai vescovi in comunione con il successore di Pietro, il vescovo di Roma.

86 Questo « Magistero però non è al di sopra della Parola di Dio, ma la serve, insegnando soltanto ciò che è stato trasmesso, in quanto, per divino
688 mandato e con l'assistenza dello Spirito Santo, piamente la ascolta, santamente la custodisce e fedelmente la espone, e da questo unico deposito della fede attinge tutto ciò che propone da credere come rivelato da Dio ».[52]

1548 87 I fedeli, memori della Parola di Cristo ai suoi Apostoli: « Chi ascolta voi, ascolta me » (*Lc* 10,16),[53] accolgono con docilità gli insegnamenti e le
2037 direttive che vengono loro dati, sotto varie forme, dai Pastori.

I dogmi della fede

88 Il Magistero della Chiesa si avvale in pienezza dell'autorità che gli viene da Cristo quando definisce qualche dogma, cioè quando, in una forma che obbliga il popolo cristiano ad un'irrevocabile adesione di fede, propone verità contenute nella Rivelazione divina, oppure verità che a quelle sono necessariamente collegate.

2625 89 Tra i dogmi e la nostra vita spirituale c'è un legame organico. I dogmi sono luci sul cammino della nostra fede, lo rischiarano e lo rendono sicuro. Inversamente, se la nostra vita è retta, la nostra intelligenza e il nostro cuore saranno aperti ad accogliere la luce dei dogmi della fede.[54]

90 I mutui legami e la coerenza dei dogmi si possono trovare nel comples-
114; 158 so della Rivelazione del Mistero di Cristo.[55] « Esiste un ordine o "gerarchia"

[50] Conc. Ecum. Vat. II, *Dei Verbum*, 10.
[51] *Ibid.*
[52] *Ibid.*
[53] Cf Conc. Ecum. Vat. II, *Lumen gentium*, 20.
[54] Cf *Gv* 8,31-32.
[55] Cf Concilio Vaticano I: Denz.-Schönm., 3016: « nexus mysteriorum »; Conc. Ecum. Vat. II, *Lumen gentium*, 25.

nelle verità della dottrina cattolica, essendo diverso il loro nesso col fondamento della fede cristiana ».[56] 234

Il senso soprannaturale della fede

91 Tutti i fedeli sono partecipi della comprensione e della trasmissione della verità rivelata. Hanno ricevuto l'unzione dello Spirito Santo che insegna loro ogni cosa [57] e li guida « alla verità tutta intera » (*Gv* 16,13). 737

92 « La totalità dei fedeli... non può sbagliarsi nel credere, e manifesta questa proprietà mediante il senso soprannaturale della fede in tutto il popolo quando "dai vescovi fino agli ultimi fedeli laici" esprime l'universale suo consenso in materia di fede e di costumi ».[58] 785

93 « Infatti, per quel senso della fede, che è suscitato e sorretto dallo Spirito di verità, il popolo di Dio, sotto la guida del sacro Magistero,... aderisce indefettibilmente "alla fede una volta per tutte trasmessa ai santi", con retto giudizio penetra in essa più a fondo e più pienamente l'applica nella vita ».[59] 889

La crescita nell'intelligenza della fede

94 Grazie all'assistenza dello Spirito Santo, l'intelligenza tanto delle realtà quanto delle parole del deposito della fede può progredire nella vita della Chiesa: 66

— « Con la riflessione e lo studio dei credenti, i quali le meditano in cuor loro »; [60] in particolare « la ricerca teologica... prosegue nella conoscenza profonda della verità rivelata ».[61] 2651

— « Con la profonda intelligenza che » i credenti « provano delle cose spirituali »; [62] « Divina eloquia cum legente crescunt – le parole divine crescono insieme con chi le legge ».[63] 2038; 2518

— « Con la predicazione di coloro i quali, con la successione episcopale, hanno ricevuto un carisma certo di verità ».[64]

95 « È chiaro dunque che la Sacra Tradizione, la Sacra Scrittura e il Magistero della Chiesa, per sapientissima disposizione di Dio, sono tra loro tal-

[56] Conc. Ecum. Vat. II, *Unitatis redintegratio*, 11.
[57] Cf *1 Gv* 2.20.27.
[58] Conc. Ecum. Vat. II. *Lumen gentium*. 12.
[59] *Ibid.*
[60] Conc. Ecum. Vat. II, *Dei Verbum*, 8.
[61] Conc. Ecum. Vat. II, *Gaudium et spes*, 62; cf 44; Id., *Dei Verbum*, 23; 24; Id., *Unitatis redintegratio*. 4.
[62] Conc. Ecum. Vat. II, *Dei Verbum*, 8.
[63] San Gregorio Magno, *Homilia in Ezechielem*, 1, 7, 8: PL 76, 843D.
[64] Conc. Ecum. Vat. II. *Dei Verbum*. 8.

mente connessi e congiunti che non possono indipendentemente sussistere e che tutti insieme, ciascuno secondo il proprio modo, sotto l'azione di un solo Spirito Santo, contribuiscono efficacemente alla salvezza delle anime ».[65]

In sintesi

96 *Ciò che Cristo ha affidato agli Apostoli, costoro l'hanno trasmesso con la predicazione o per iscritto, sotto l'ispirazione dello Spirito Santo, a tutte le generazioni, fino al ritorno glorioso di Cristo.*

97 *« La Sacra Tradizione e la Sacra Scrittura costituiscono un solo sacro deposito della parola di Dio »,*[66] *nel quale, come in uno specchio, la Chiesa pellegrina contempla Dio, fonte di tutte le sue ricchezze.*

98 *« La Chiesa, nella sua dottrina, nella sua vita, nel suo culto, perpetua e trasmette a tutte le generazioni tutto ciò che essa stessa è, tutto ciò che essa crede ».*[67]

99 *Tutto il popolo di Dio, in virtù del suo senso soprannaturale della fede, non cessa di accogliere il dono della Rivelazione divina, di penetrarlo sempre più profondamente e di viverlo più pienamente.*

100 *L'ufficio di interpretare autenticamente la Parola di Dio è stato affidato al solo Magistero della Chiesa, al Papa e ai vescovi in comunione con lui.*

Articolo 3
LA SACRA SCRITTURA

I. Il Cristo – Parola unica della Sacra Scrittura

101 Nella condiscendenza della sua bontà, Dio, per rivelarsi agli uomini, parla loro in parole umane: « Le parole di Dio, infatti, espresse con lingue umane, si sono fatte simili al linguaggio degli uomini, come già il Verbo dell'eterno Padre, avendo assunto le debolezze dell'umana natura, si fece simile agli uomini ».[68]

65; 2763

102 Dio, attraverso tutte le parole della Sacra Scrittura, non dice che una sola Parola, il suo unico Verbo, nel quale dice se stesso interamente.[69]

[65] Conc. Ecum. Vat. II, *Dei Verbum,* 10.
[66] *Ibid.*
[67] *Ibid.,* 8.
[68] *Ibid.,* 13.
[69] Cf *Eb* 1,1-3.

Ricordatevi che uno solo è il discorso di Dio che si sviluppa in tutta la Sacra Scrittura ed uno solo è il Verbo che risuona sulla bocca di tutti gli scrittori santi, il quale essendo in principio Dio presso Dio, non conosce sillabazione perché è fuori del tempo.[70] 426-429

103 Per questo motivo, la Chiesa ha sempre venerato le divine Scritture, come venera il Corpo stesso del Signore. Essa non cessa di porgere ai fedeli il Pane di vita preso dalla mensa della Parola di Dio e del Corpo di Cristo.[71] 1100; 1184 1378

104 Nella Sacra Scrittura, la Chiesa trova incessantemente il suo nutrimento e il suo vigore; [72] infatti attraverso la divina Scrittura essa non accoglie soltanto una parola umana, ma quello che è realmente: la Parola di Dio.[73] « Nei Libri Sacri, infatti, il Padre che è nei cieli viene con molta amorevolezza incontro ai suoi figli ed entra in conversazione con loro ».[74]

II. Ispirazione e verità della Sacra Scrittura

105 *Dio è l'Autore della Sacra Scrittura.* « Le cose divinamente rivelate, che nei libri della Sacra Scrittura sono contenute e presentate, furono consegnate sotto l'ispirazione dello Spirito Santo.

La Santa Madre Chiesa, per fede apostolica, ritiene sacri e canonici tutti interi i libri sia dell'Antico che del Nuovo Testamento, con tutte le loro parti, perché, scritti sotto ispirazione dello Spirito Santo, hanno Dio per autore e come tali sono stati consegnati alla Chiesa ».[75]

106 *Dio ha ispirato gli autori umani dei Libri Sacri.* « Per la composizione dei Libri Sacri, Dio scelse degli uomini, di cui si servì nel possesso delle loro facoltà e capacità, affinché, agendo Egli stesso in essi e per loro mezzo, scrivessero come veri autori tutte e soltanto quelle cose che Egli voleva ».[76]

107 *I libri ispirati insegnano la verità.* « Poiché dunque tutto ciò che gli autori ispirati o agiografi asseriscono, è da ritenersi asserito dallo Spirito Santo, si deve dichiarare, per conseguenza, che i libri della Scrittura insegnano fermamente, fedelmente e senza errore la verità che Dio per la nostra salvezza volle fosse consegnata nelle sacre Lettere ».[77] 702

[70] SANT'AGOSTINO, *Enarratio in Psalmos,* 103, 4, 1.
[71] Cf CONC. ECUM. VAT. II, *Dei Verbum,* 21.
[72] Cf *ibid.,* 24.
[73] Cf *1 Ts* 2,13.
[74] CONC. ECUM. VAT. II, *Dei Verbum,* 21.
[75] *Ibid.,* 11.
[76] *Ibid.*
[77] *Ibid.*

108 La fede cristiana tuttavia non è una « religione del Libro ». Il cristianesimo è la religione della « Parola » di Dio, « non di una parola scritta e muta, ma del Verbo incarnato e vivente ».[78] Perché le parole dei Libri Sacri non restino lettera morta, è necessario che Cristo, Parola eterna del Dio vivente, per mezzo dello Spirito Santo ci « apra la mente all'intelligenza delle Scritture » (*Lc* 24,45).

III. Lo Spirito Santo, interprete della Scrittura

109 Nella Sacra Scrittura, Dio parla all'uomo alla maniera umana. Per una retta interpretazione della Scrittura, bisogna dunque ricercare con attenzione che cosa gli agiografi hanno veramente voluto affermare e che cosa è piaciuto a Dio manifestare con le loro parole.[79]

110 Per comprendere *l'intenzione degli autori sacri,* si deve tener conto delle condizioni del loro tempo e della loro cultura, dei « generi letterari » allora in uso, dei modi di intendere, di esprimersi, di raccontare, consueti nella loro epoca. « La verità infatti viene diversamente proposta ed espressa nei testi in varia maniera storici o profetici, o poetici, o con altri generi di espressione ».[80]

111 Però, essendo la Sacra Scrittura ispirata, c'è un altro principio di retta interpretazione, non meno importante del precedente, senza il quale la Scrittura resterebbe lettera morta: la Sacra Scrittura deve « essere letta e interpretata con l'aiuto dello stesso Spirito mediante il quale è stata scritta ».[81]

Il Concilio Vaticano II indica *tre criteri* per una interpretazione della Scrittura conforme allo Spirito che l'ha ispirata: [82]

128 112 1. *Prestare grande attenzione « al contenuto e all'unità di tutta la Scrittura ».* Infatti, per quanto siano differenti i libri che la compongono, la Scrittura è una in forza dell'unità del disegno di Dio, del quale Cristo Gesù 368 è il centro e il cuore, aperto dopo la sua Pasqua.[83]

Il cuore [84] di Cristo designa la Sacra Scrittura che appunto rivela il cuore di Cristo. Questo cuore era chiuso prima della Passione, perché la Scrittura era oscura. Ma la Scrittura è stata aperta dopo la Passione, affinché coloro che

[78] San Bernardo di Chiaravalle, *Homilia super missus est,* 4, 11: PL 183, 86B.
[79] Cf Conc. Ecum. Vat. II, *Dei Verbum,* 12.
[80] *Ibid.*
[81] *Ibid.*
[82] Cf *ibid.*
[83] Cf *Lc* 24,25-27.44-46.
[84] Cf *Sal* 22,15.

ormai ne hanno l'intelligenza considerino e comprendano come le profezie debbano essere interpretate.[85]

113 2. *Leggere la Scrittura nella « Tradizione vivente di tutta la Chiesa ».* Secondo un detto dei Padri, « sacra Scriptura principalius est in corde Ecclesiae quam in materialibus instrumentis scripta – la Sacra Scrittura è scritta nel cuore della Chiesa prima che su strumenti materiali ». Infatti, la Chiesa porta nella sua Tradizione la memoria viva della Parola di Dio ed è lo Spirito Santo che le dona l'interpretazione di essa secondo il senso spirituale.[86] 81

114 3. *Essere attenti « all'analogia della fede ».*[87] Per « analogia della fede » intendiamo la coesione delle verità della fede tra loro e nella totalità del progetto della Rivelazione. 90

I sensi della Scrittura

115 Secondo un'antica tradizione, si possono distinguere due *sensi* della Scrittura: il senso letterale e quello spirituale, suddiviso quest'ultimo in senso allegorico, morale e anagogico. La piena concordanza dei quattro sensi assicura alla lettura viva della Scrittura nella Chiesa tutta la sua ricchezza.

116 Il *senso letterale.* È quello significato dalle parole della Scrittura e trovato attraverso l'esegesi che segue le regole della retta interpretazione. « Omnes sensus (sc. sacrae Scripturae) fundentur super litteralem – Tutti i sensi della Sacra Scrittura si basano su quello letterale ».[88] 110

117 Il *senso spirituale.* Data l'unità del disegno di Dio, non soltanto il testo della Scrittura, ma anche le realtà e gli avvenimenti di cui parla possono essere dei segni. 1101

1. Il senso *allegorico.* Possiamo giungere ad una comprensione più profonda degli avvenimenti se riconosciamo il loro significato in Cristo; così, la traversata del Mar Rosso è un segno della vittoria di Cristo, e così del Battesimo.[89]

2. Il senso *morale.* Gli avvenimenti narrati nella Scrittura possono condurci ad agire rettamente. Sono stati scritti « per ammonimento nostro » (*1 Cor* 10,11).[90]

3. Il senso *anagogico.* Possiamo vedere certe realtà e certi avvenimenti nel loro significato eterno, che ci conduce (in greco: « anagoge ») verso la nostra Patria. Così la Chiesa sulla terra è segno della Gerusalemme celeste.[91]

[85] San Tommaso d'Aquino, *Expositio in Psalmos,* 21, 11.
[86] « ...secundum spiritualem sensum quem Spiritus donat Ecclesiae »: Origene, *Homiliae in Leviticum,* 5, 5.
[87] Cf *Rm* 12,6.
[88] San Tommaso d'Aquino, *Summa theologiae,* I, 1, 10, ad 1.
[89] Cf *1 Cor* 10,2.
[90] Cf *Eb* 3–4,11.
[91] Cf *Ap* 21,1–22,5.

118 Un distico medievale riassume bene il significato dei quattro sensi:

> Littera gesta docet, quid credas allegoria,
> Moralis quid agas, quo tendas anagogia.
>
> La lettera insegna i fatti, l'allegoria che cosa credere,
> il senso morale che cosa fare, e l'anagogia dove tendere.

119 « È compito degli esegeti contribuire, secondo queste regole, alla più profonda intelligenza ed esposizione del senso della Sacra Scrittura, affinché, con studi in qualche modo preparatori, si maturi il giudizio della Chiesa. Tutto questo, infatti, che concerne il modo di interpretare la Scrittura, è sottoposto in ultima istanza al giudizio della Chiesa, la quale adempie il divino mandato e ministero di conservare ed interpretare la Parola di Dio ».[92]

94

113

> Ego vero Evangelio non crederem, nisi me catholicae Ecclesiae commoveret auctoritas – Non crederei al Vangelo se non mi ci inducesse l'autorità della Chiesa cattolica.[93]

IV. Il Canone delle Scritture

1117

120 È stata la Tradizione apostolica a far discernere alla Chiesa quali scritti dovessero essere compresi nell'elenco dei Libri Sacri.[94] Questo elenco completo è chiamato « Canone » delle Scritture. Comprende per l'Antico Testamento 46 libri (45 se si considerano Geremia e le Lamentazioni come un unico testo) e 27 per il Nuovo Testamento: [95]

Genesi, Esodo, Levitico, Numeri, Deuteronomio, Giosuè, Giudici, Rut, i due libri di Samuele, i due libri dei Re, i due libri delle Cronache, Esdra e Neemia, Tobia, Giuditta, Ester, i due libri dei Maccabei, Giobbe, i Salmi, i Proverbi, il Qoèlet (Ecclesiaste), il Cantico dei Cantici, la Sapienza, il Siracide (Ecclesiastico), Isaia, Geremia, le Lamentazioni, Baruc, Ezechiele, Daniele, Osea, Gioele, Amos, Abdia, Giona, Michea, Naum, Abacuc, Sofonia, Aggeo, Zaccaria, Malachia per l'Antico Testamento;

i Vangeli di Matteo, di Marco, di Luca e di Giovanni, gli Atti degli Apostoli, le Lettere di san Paolo ai Romani, la prima e la seconda ai Corinzi, ai Galati, agli Efesini, ai Filippesi, ai Colossesi, la prima e la seconda ai Tessalonicesi, la prima e la seconda a Timoteo, a Tito, a Filemone, la Lettera agli Ebrei, la Lettera di Giacomo, la prima e la seconda Lettera di Pietro, le tre Lettere di Giovanni, la Lettera di Giuda e l'Apocalisse per il Nuovo Testamento.

[92] Conc. Ecum. Vat. II, *Dei Verbum,* 12.
[93] Sant'Agostino, *Contra epistulam Manichaei quam vocant fundamenti,* 5, 6: PL 42, 176.
[94] Cf Conc. Ecum. Vat. II, *Dei Verbum,* 8.
[95] Cf *Decretum Damasi:* Denz.-Schönm., 179; Concilio di Firenze (1442): *ibid.,* 1334-1336; Concilio di Trento: *ibid.,* 1501-1504.

L'Antico Testamento

121 L'Antico Testamento è una parte ineliminabile della Sacra Scrittura. I suoi libri sono divinamente ispirati e conservano un valore perenne[96] poiché l'Antica Alleanza non è mai stata revocata. 1093

122 Infatti, « l'Economia dell'Antico Testamento era soprattutto ordinata a preparare... l'avvento di Cristo Salvatore dell'universo ». I libri dell'Antico Testamento, « sebbene contengano anche cose imperfette e temporanee », rendono testimonianza di tutta la divina pedagogia dell'amore salvifico di Dio. Essi « esprimono un vivo senso di Dio, una sapienza salutare per la vita dell'uomo e mirabili tesori di preghiere »; in essi infine « è nascosto il mistero della nostra salvezza ».[97] 702 763 708 2568

123 I cristiani venerano l'Antico Testamento come vera Parola di Dio. La Chiesa ha sempre energicamente respinto l'idea di rifiutare l'Antico Testamento con il pretesto che il Nuovo l'avrebbe reso sorpassato (Marcionismo).

Il Nuovo Testamento

124 « La Parola di Dio, che è potenza divina per la salvezza di chiunque crede, si presenta e manifesta la sua forza in modo eminente negli scritti del Nuovo Testamento ».[98] Questi scritti ci consegnano la verità definitiva della Rivelazione divina. Il loro oggetto centrale è Gesù Cristo, il Figlio di Dio incarnato, le sue opere, i suoi insegnamenti, la sua passione e la sua glorificazione, come pure gli inizi della sua Chiesa sotto l'azione dello Spirito Santo.[99]

125 I *Vangeli* sono il cuore di tutte le Scritture « in quanto sono la principale testimonianza relativa alla vita e alla dottrina del Verbo incarnato, nostro Salvatore ».[100] 515

126 Nella formazione dei Vangeli si possono distinguere tre tappe:

1. *La vita e l'insegnamento di Gesù.* La Chiesa ritiene con fermezza che i quattro Vangeli, « di cui afferma senza esitazione la storicità, trasmettono fedelmente quanto Gesù Figlio di Dio, durante la sua vita tra gli uomini, effettivamente operò e insegnò per la loro salvezza eterna, fino al giorno in cui ascese al cielo ».

2. *La tradizione orale.* « Gli Apostoli poi, dopo l'Ascensione del Signore, trasmisero ai loro ascoltatori ciò che egli aveva detto e fatto, con quella più completa intelligenza di cui essi, ammaestrati dagli eventi gloriosi di Cristo e illuminati dalla luce dello Spirito di verità, godevano ». 76

[96] Cf Conc. Ecum. Vat. II, *Dei Verbum,* 14.
[97] *Ibid.,* 15.
[98] *Ibid.,* 17.
[99] Cf *ibid.,* 20.
[100] *Ibid.,* 18.

76 3. *I Vangeli scritti.* « Gli autori sacri scrissero i quattro Vangeli, scegliendo alcune cose tra le molte tramandate a voce o già per iscritto, redigendo una sintesi delle altre o spiegandole con riguardo alla situazione delle Chiese, conservando infine il carattere di predicazione, sempre però in modo tale da riferire su Gesù cose vere e sincere ».[101]

127 Il Vangelo quadriforme occupa nella Chiesa un posto unico; lo testimonia la venerazione di cui lo circonda la Liturgia e la singolarissima attrattiva che in ogni tempo ha esercitato sui santi. 1154

> Non c'è dottrina che sia migliore, più preziosa e più splendida del testo del Vangelo. Considerate e custodite [nel cuore] quanto Cristo, nostro Signore e Maestro, ha insegnato con le sue parole e realizzato con le sue azioni.[102]
> Soprattutto sul *Vangelo* mi soffermo durante le mie preghiere: vi trovo quanto è necessario alla mia povera anima. Vi scopro sempre nuove luci, sensi reconditi e misteriosi.[103] 2705

L'unità dell'Antico e del Nuovo Testamento

128 La Chiesa, fin dai tempi apostolici,[104] e poi costantemente nella sua Tradizione, ha messo in luce l'unità del piano divino nei due Testamenti grazie alla *tipologia*. Questa nelle opere di Dio dell'Antico Testamento ravvisa delle prefigurazioni di ciò che Dio, nella pienezza dei tempi, ha compiuto nella Persona del suo Figlio incarnato 1094 489

129 I cristiani, quindi, leggono l'Antico Testamento alla luce di Cristo morto e risorto. La lettura tipologica rivela l'inesauribile contenuto dell'Antico Testamento. Non deve indurre però a dimenticare che esso conserva il valore suo proprio di Rivelazione che lo stesso nostro Signore ha riaffermato.[105] Pertanto, anche il Nuovo Testamento esige d'essere letto alla luce dell'Antico. La primitiva catechesi cristiana vi farà costantemente ricorso.[106] Secondo un antico detto, il Nuovo Testamento è nascosto nell'Antico, mentre l'Antico è svelato nel Nuovo: « Novum in Vetere latet et in Novo Vetus patet ».[107] 651 2055 1968

130 La tipologia esprime il dinamismo verso il compimento del piano divino, quando « Dio sarà tutto in tutti » (*1 Cor* 15,28). Anche la vocazione dei

[101] Conc. Ecum. Vat. II, *Dei Verbum*, 19.
[102] Santa Cesaria la giovane, *A sainte Richilde et sainte Radegonde:* Sources chrétiennes, 345, 480.
[103] Santa Teresa di Gesù Bambino, *Manoscritti autobiografici*, A, 83v.
[104] Cf *1 Cor* 10,6.11; *Eb* 10,1; *1 Pt* 3,21.
[105] Cf *Mc* 12,29-31.
[106] Cf *1 Cor* 5,6-8; 10,1-11.
[107] Sant'Agostino, *Quaestiones in Heptateucum*, 2, 73: PL 34, 623; cf Conc. Ecum. Vat. II, *Dei Verbum*, 16.

patriarchi e l'Esodo dall'Egitto, per esempio, non perdono il valore che è loro proprio nel piano divino, per il fatto di esserne, al tempo stesso, tappe intermedie.

V. La Sacra Scrittura nella vita della Chiesa

131 « Nella Parola di Dio è insita tanta efficacia e potenza da essere sostegno e vigore della Chiesa, e per i figli della Chiesa saldezza della fede, cibo dell'anima, sorgente pura e perenne della vita spirituale ».[108] « È necessario che i fedeli abbiano largo accesso alla Sacra Scrittura ».[109]

132 « Lo studio della Sacra Scrittura sia dunque come l'anima della sacra teologia. Anche il ministero della Parola, cioè la predicazione pastorale, la catechesi e tutta l'istruzione cristiana, nella quale l'omelia liturgica deve avere un posto privilegiato, si nutre con profitto e santamente vigoreggia con la Parola della Scrittura ».[110]

94

133 La Chiesa « esorta con forza e insistenza tutti i fedeli... ad apprendere "la sublime scienza di Gesù Cristo" (*Fil* 3,8) con la frequente lettura delle divine Scritture. "L'ignoranza delle Scritture, infatti, è ignoranza di Cristo" (San Girolamo) ».[111]

2653
1792

In sintesi

134 *« Omnis Scriptura divina unus liber est, et ille unus liber Christus est, quia omnis Scriptura divina de Christo loquitur, et omnis Scriptura divina in Christo impletur – Tutta la divina Scrittura è un libro solo e quest'unico libro è Cristo; infatti tutta la divina Scrittura parla di Cristo e in Lui trova compimento ».*[112]

135 *« Le Sacre Scritture contengono la Parola di Dio e, perché ispirate, sono veramente Parola di Dio ».*[113]

136 *Dio è l'Autore della Sacra Scrittura nel senso che ispira i suoi autori umani; Egli agisce in loro e mediante loro. Così ci dà la certezza che i loro scritti insegnano senza errore la verità salvifica.*[114]

[108] CONC. ECUM. VAT. II, *Dei Verbum*, 21.
[109] *Ibid.*, 22.
[110] *Ibid.*, 24.
[111] *Ibid.*, 25.
[112] UGO DI SAN VITTORE, *De arca Noe*, 2, 8: PL 176, 642C.
[113] CONC. ECUM. VAT. II, *Dei Verbum*, 24.
[114] Cf *ibid.*, 11.

137 *L'interpretazione delle Scritture ispirate dev'essere innanzi tutto attenta a ciò che Dio, attraverso gli autori sacri, vuole rivelare per la nostra salvezza. « Ciò che è opera dello Spirito, non viene pienamente compreso se non sotto l'azione dello Spirito ».*[115]

138 *La Chiesa riceve e venera come ispirati i 46 libri dell'Antico Testamento e i 27 libri del Nuovo Testamento.*

139 *I quattro Vangeli occupano un posto centrale, per la centralità che Cristo ha in essi.*

140 *Dall'unità del progetto di Dio e della sua Rivelazione deriva l'unità dei due Testamenti: l'Antico Testamento prepara il Nuovo, mentre il Nuovo compie l'Antico; i due si illuminano a vicenda; entrambi sono vera Parola di Dio.*

141 *« La Chiesa ha sempre venerato le divine Scritture come ha fatto per il Corpo stesso del Signore »;* [116] *in ambedue le realtà tutta la vita cristiana trova il proprio nutrimento e la propria regola. « Lampada per i miei passi è la tua Parola, luce sul mio cammino »* (*Sal* 119,105).[117]

[115] Origene, *Homiliae in Exodum,* 4, 5.
[116] Conc. Ecum. Vat. II, *Dei Verbum,* 21.
[117] Cf *Is* 50,4.

CAPITOLO TERZO

LA RISPOSTA DELL'UOMO A DIO

142 *Con la sua Rivelazione* « Dio invisibile nel suo immenso amore parla agli uomini come ad amici e si intrattiene con essi per invitarli ed ammetterli alla comunione con sé ».[1] La risposta adeguata a questo invito è la fede. 1102

143 *Con la fede* l'uomo sottomette pienamente a Dio la propria intelligenza e la propria volontà. Con tutto il suo essere l'uomo dà il proprio assenso a Dio rivelatore.[2] La Sacra Scrittura chiama « obbedienza della fede » questa risposta dell'uomo a Dio che rivela.[3] 2087

Articolo 1

IO CREDO

1814-1816

I. L'obbedienza della fede

144 Obbedire (« ob-audire ») nella fede è sottomettersi liberamente alla Parola ascoltata, perché la sua verità è garantita da Dio, il quale è la Verità stessa. Il modello di questa obbedienza propostoci dalla Sacra Scrittura è Abramo. La Vergine Maria ne è la realizzazione più perfetta.

ABRAMO – « IL PADRE DI TUTTI I CREDENTI »

145 La Lettera agli Ebrei, nel solenne elogio della fede degli antenati, insiste particolarmente sulla fede di Abramo: « Per fede Abramo, chiamato da Dio, *obbedì* partendo per un luogo che doveva ricevere in eredità, e partì senza sapere dove andava » (*Eb* 11,8).[4] Per fede soggiornò come straniero e pellegrino nella Terra promessa.[5] Per fede Sara ricevette la possibilità di 59; 2570 489

[1] CONC. ECUM. VAT. II, *Dei Verbum*, 2.
[2] Cf *ibid.*, 5.
[3] Cf *Rm* 1,5; 16,26.
[4] Cf *Gn* 12,1-4.
[5] Cf *Gn* 23,4.

concepire il figlio della promessa. Per fede, infine, Abramo offrì in sacrificio il suo unico figlio.[6]

1819 146 Abramo realizza così la definizione della fede data dalla Lettera agli Ebrei: « La fede è fondamento delle cose che si sperano e prova di quelle che non si vedono » (*Eb* 11,1). « Abramo ebbe fede in Dio e ciò gli fu accreditato come giustizia » (*Rm* 4,3).[7] Grazie a questa forte fede,[8] Abramo è diventato « padre » di tutti coloro che credono (*Rm* 4,11.18).[9]

147 Di questa fede, l'Antico Testamento è ricco di testimonianze. La Lettera agli Ebrei fa l'elogio della fede esemplare degli antichi che 839 « ricevettero » per essa « una buona testimonianza » (*Eb* 11,2.39). Tuttavia « Dio aveva in vista qualcosa di meglio per noi »: la grazia di credere nel suo Figlio Gesù, « autore e perfezionatore della fede » (*Eb* 11,40; 12,2).

Maria – « Beata colei che ha creduto »

494; 2617 148 La Vergine Maria realizza nel modo più perfetto l'obbedienza della fede. Nella fede, Maria accolse l'annunzio e la promessa a Lei portati dall'angelo Gabriele, credendo che « nulla è impossibile a Dio » (*Lc* 1,37),[10] e dando il proprio consenso: « Sono la serva del Signore, avvenga di me quello che 506 hai detto » (*Lc* 1,38). Elisabetta la salutò così: « Beata colei che ha creduto nell'adempimento delle parole del Signore » (*Lc* 1,45). Per questa fede tutte le generazioni la chiameranno beata.[11]

149 Durante tutta la sua vita, e fino all'ultima prova,[12] quando Gesù, suo 969 Figlio, morì sulla croce, la sua fede non ha mai vacillato. Maria non ha cessato di credere « nell'adempimento » della Parola di Dio. Ecco perché la 507; 829 Chiesa venera in Maria la più pura realizzazione della fede.

II. « So a chi ho creduto » (*2 Tm* 1,12)

Credere in un solo Dio

150 La fede è innanzi tutto una *adesione personale* dell'uomo *a Dio;* al tempo stesso ed inseparabilmente, è *l'assenso libero a tutta la verità che Dio*

[6] Cf *Eb* 11,17.
[7] Cf *Gn* 15,6.
[8] Cf *Rm* 4,20.
[9] Cf *Gn* 15,5.
[10] Cf *Gn* 18,14.
[11] Cf *Lc* 1,48.
[12] Cf *Lc* 2,35.

ha rivelato. In quanto adesione personale a Dio e assenso alla verità da lui rivelata, la fede cristiana differisce dalla fede in una persona umana. È bene e giusto affidarsi completamente a Dio e credere assolutamente a ciò che egli dice. Sarebbe vano e fallace riporre una simile fede in una creatura.[13] 222

Credere in Gesù Cristo, Figlio di Dio

151 Per il cristiano, credere in Dio è inseparabilmente credere in colui che egli ha mandato, « il suo Figlio prediletto » nel quale si è compiaciuto (*Mc* 1,11); Dio ci ha detto di ascoltarlo.[14] Il Signore stesso dice ai suoi discepoli: « Abbiate fede in Dio e abbiate fede anche in me » (*Gv* 14,1). Possiamo credere in Gesù Cristo perché egli stesso è Dio, il Verbo fatto carne: « Dio nessuno l'ha mai visto: proprio il Figlio unigenito, che è nel seno del Padre, lui lo ha rivelato » (*Gv* 1,18). Poiché egli « ha visto il Padre » (*Gv* 6,46), è il solo a conoscerlo e a poterlo rivelare.[15] 424

Credere nello Spirito Santo

152 Non si può credere in Gesù Cristo se non si ha parte al suo Spirito. È lo Spirito Santo che rivela agli uomini chi è Gesù. Infatti « nessuno può dire: "Gesù è Signore" se non sotto l'azione dello Spirito Santo » (*1 Cor* 12,3). « Lo Spirito scruta ogni cosa, anche le profondità di Dio... Nessuno ha mai potuto conoscere i segreti di Dio se non lo Spirito di Dio » (*1 Cor* 2,10-11). Dio solo conosce pienamente Dio. Noi crediamo *nello* Spirito Santo perché è Dio. 243; 683

La Chiesa non cessa di confessare la sua fede in un solo Dio, Padre, Figlio e Spirito Santo. 232

III. Le caratteristiche della fede

La fede è una grazia

153 Quando san Pietro confessa che Gesù è « il Cristo, il Figlio del Dio vivente », Gesù gli dice: « Né la carne né il sangue te l'hanno rivelato, ma il Padre mio che sta nei cieli » (*Mt* 16,17).[16] La fede è un dono di Dio, una virtù soprannaturale da lui infusa. « Perché si possa prestare questa fede, è necessaria la grazia di Dio che previene e soccorre, e gli aiuti interiori dello 552 1814 1996

[13] Cf *Ger* 17,5-6; *Sal* 40,5; 146,3-4.
[14] Cf *Mc* 9,7.
[15] Cf *Mt* 11,27.
[16] Cf *Gal* 1,15; *Mt* 11,25.

2606 Spirito Santo, il quale muova il cuore e lo rivolga a Dio, apra gli occhi della mente, e dia "a tutti dolcezza nel consentire e nel credere alla verità" ».[17]

La fede è un atto umano

154 È impossibile credere senza la grazia e gli aiuti interiori dello Spirito Santo. Non è però meno vero che credere è un atto autenticamente umano. Non è contrario né alla libertà né all'intelligenza dell'uomo far credito a Dio e aderire alle verità da lui rivelate. Anche nelle relazioni umane non è contrario alla nostra dignità credere a ciò che altre persone ci dicono di sé e delle loro intenzioni, e far credito alle loro promesse (come, per esempio, quando un uomo e una donna si sposano), per entrare così in reciproca comunione. Conseguentemente, ancor meno è contrario alla nostra dignità « prestare, con la fede, la piena sottomissione della nostra intelligenza e della nostra volontà a Dio quando si rivela » [18] ed entrare in tal modo in intima comunione con lui.

1749 2126

2008 155 Nella fede, l'intelligenza e la volontà umane cooperano con la grazia divina: « Credere est actus intellectus assentientis veritati divinae ex imperio voluntatis a Deo motae per gratiam – Credere è un atto dell'intelletto che, sotto la spinta della volontà mossa da Dio per mezzo della grazia, dà il proprio consenso alla verità divina ».[19]

La fede e l'intelligenza

156 Il *motivo* di credere non consiste nel fatto che le verità rivelate appaiano come vere e intelligibili alla luce della nostra ragione naturale. Noi crediamo « per l'autorità di Dio stesso che le rivela, il quale non può né ingannarsi né ingannare ». « Nondimeno, perché l'ossequio della nostra fede fosse conforme alla ragione, Dio ha voluto che agli interiori aiuti dello Spirito Santo si accompagnassero anche prove esteriori della sua Rivelazione ».[20] Così i miracoli di Cristo e dei santi,[21] le profezie, la diffusione e la santità della Chiesa, la sua fecondità e la sua stabilità « sono segni certissimi della divina Rivelazione, adatti ad ogni intelligenza », sono « motivi di credibilità » i quali mostrano che l'assenso della fede non è « affatto un cieco moto dello spirito ».[22]

1063; 2465 548 812

[17] Conc. Ecum. Vat. II, *Dei Verbum,* 5.
[18] Concilio Vaticano I: Denz.-Schönm., 3008.
[19] San Tommaso d'Aquino, *Summa theologiae,* II-II, 2, 9; cf Concilio Vaticano I: Denz.-Schönm., 3010.
[20] Concilio Vaticano I: Denz.-Schönm., 3009.
[21] Cf *Mc* 16,20; *Eb* 2,4.
[22] Concilio Vaticano I: Denz.-Schönm., 3008-3010.

157 La fede è *certa,* più certa di ogni conoscenza umana, perché si fonda sulla Parola stessa di Dio, il quale non può mentire. Indubbiamente, le verità rivelate possono sembrare oscure alla ragione e all'esperienza umana, ma « la certezza data dalla luce divina è più grande di quella offerta dalla luce della ragione naturale ».[23] « Diecimila difficoltà non fanno un solo dubbio ».[24] 2088

158 « La fede *cerca di comprendere* »: [25] è caratteristico della fede che il credente desideri conoscere meglio colui nel quale ha posto la sua fede, e comprendere meglio ciò che egli ha rivelato; una conoscenza più penetrante richiederà a sua volta una fede più grande, sempre più ardente d'amore. La grazia della fede apre « gli occhi della mente » (*Ef* 1,18) per una intelligenza viva dei contenuti della Rivelazione, cioè dell'insieme del disegno di Dio e dei misteri della fede, dell'intima connessione che li lega tra loro e con Cristo, centro del Mistero rivelato. Ora, « affinché l'intelligenza della Rivelazione diventi sempre più profonda, lo stesso Spirito Santo perfeziona continuamente la fede per mezzo dei suoi doni ».[26] Così, secondo il detto di sant'Agostino, « credo per comprendere e comprendo per meglio credere ».[27] 2705 1827 90 2518

159 *Fede e scienza.* « Anche se la fede è sopra la ragione, non vi potrà mai essere vera divergenza tra fede e ragione: poiché lo stesso Dio che rivela i misteri e comunica la fede, ha anche deposto nello spirito umano il lume della ragione, questo Dio non potrebbe negare se stesso, né il vero contraddire il vero ».[28] « Perciò la ricerca metodica di ogni disciplina, se procede in maniera veramente scientifica e secondo le norme morali, non sarà mai in reale contrasto con la fede, perché le realtà profane e le realtà della fede hanno origine dal medesimo Dio. Anzi, chi si sforza con umiltà e perseveranza di scandagliare i segreti della realtà, anche senza che egli se ne avveda, viene come condotto dalla mano di Dio, il quale, mantenendo in esistenza tutte le cose, fa che siano quello che sono ».[29] 283 2293

La libertà della fede

160 Per essere umana, la risposta della fede data dall'uomo a Dio deve essere volontaria; « nessuno quindi può essere costretto ad abbracciare la fede contro la sua volontà. Infatti l'atto di fede è volontario per sua stessa natura ».[30] « Dio chiama certo gli uomini a servire lui in spirito e verità, 1738; 2106

[23] San Tommaso d'Aquino, *Summa teologiae,* II-II, 171, 5, ad 3.
[24] John Henry Newman, *Apologia pro vita sua.*
[25] Sant'Anselmo d'Aosta, *Proslogion,* proem: PL 153, 225A.
[26] Conc. Ecum. Vat. II, *Dei Verbum,* 5.
[27] Sant'Agostino, *Sermones,* 43, 7, 9: PL 38, 258.
[28] Concilio Vaticano I: Denz.-Schönm., 3017.
[29] Conc. Ecum. Vat. II, *Gaudium et spes,* 36, 2.
[30] Conc. Ecum. Vat. II, *Dignitatis humanae,* 10; cf *Codice di Diritto Canonico,* 748, 2.

per cui essi sono vincolati in coscienza ma non coartati... Ciò è apparso in sommo grado in Cristo Gesù ».[31] Infatti, Cristo ha invitato alla fede e alla conversione, ma a ciò non ha affatto costretto. Ha reso testimonianza alla verità », ma non ha voluto « imporla con la forza a coloro che la respingevano. Il suo regno... cresce in virtù dell'amore, con il quale Cristo, esaltato in croce, trae a sé gli uomini ».[32]

616

La necessità della fede

432; 1257; 846

161 Credere in Gesù Cristo e in colui che l'ha mandato per la nostra salvezza, è necessario per essere salvati.[33] « Poiché "senza la fede è impossibile essere graditi a Dio" (*Eb* 11,6) e condividere le condizioni di suoi figli, nessuno può essere mai giustificato senza di essa e nessuno conseguirà la vita eterna se non "persevererà in essa sino alla fine" (*Mt* 10,22; 24,13) ».[34]

La perseveranza nella fede

2089; 1037; 2016; 2573; 2849

162 La fede è un dono che Dio fa all'uomo gratuitamente. Noi possiamo perdere questo dono inestimabile. San Paolo, a questo proposito, mette in guardia Timoteo: Combatti « la buona battaglia con fede e buona coscienza, poiché alcuni che l'hanno ripudiata hanno fatto naufragio nella fede » (*1 Tm* 1,18-19). Per vivere, crescere e perseverare nella fede sino alla fine, dobbiamo nutrirla con la Parola di Dio; dobbiamo chiedere al Signore di accrescerla;[35] essa deve operare « per mezzo della carità » (*Gal* 5,6),[36] essere sostenuta dalla speranza[37] ed essere radicata nella fede della Chiesa.

La fede – inizio della vita eterna

1088

163 La fede ci fa gustare come in anticipo la gioia e la luce della visione beatifica, fine del nostro pellegrinare quaggiù. Allora vedremo Dio « a faccia a faccia » (*1 Cor* 13,12), « così come egli è » (*1 Gv* 3,2). La fede, quindi, è già l'inizio della vita eterna:

> Fin d'ora contempliamo come in uno specchio, quasi fossero già presenti, le realtà meravigliose che ci riservano le promesse e che, per la fede, attendiamo di godere.[38]

[31] Conc. Ecum. Vat. II, *Dignitatis humanae*, 11.
[32] *Ibid.*
[33] Cf *Mc* 16,16; *Gv* 3,36; 6,40 e.a.
[34] Concilio Vaticano I: Denz.-Schönm., 3012; cf Concilio di Trento: Denz.-Schönm., 1532.
[35] Cf *Mc* 9,24; *Lc* 17,5; 22,32.
[36] Cf *Gc* 2,14-26.
[37] Cf *Rm* 15,13.
[38] San Basilio di Cesarea, *Liber de Spiritu Sancto*, 15, 36: PG 32, 132; cf San Tommaso d'Aquino, *Summa theologiae*, II-II, 4, 1.

164 Ora, però, « camminiamo nella fede e non ancora in visione » (*2 Cor* 5,7), e conosciamo Dio « come in uno specchio, in maniera confusa..., in modo imperfetto » (*1 Cor* 13,12). La fede, luminosa a motivo di Colui nel quale crede, sovente è vissuta nell'oscurità. La fede può essere messa alla prova. Il mondo nel quale viviamo pare spesso molto lontano da ciò di cui la fede ci dà la certezza; le esperienze del male e della sofferenza, delle ingiustizie e della morte sembrano contraddire la Buona Novella, possono far vacillare la fede e diventare per essa una tentazione.

2846
309; 1502
1006

165 Allora dobbiamo volgerci verso i *testimoni della fede:* Abramo, che credette, « sperando contro ogni speranza » (*Rm* 4,18); la Vergine Maria che, nel « cammino della fede »,[39] è giunta fino alla « notte della fede »[40] partecipando alla sofferenza del suo Figlio e alla notte della sua tomba; e molti altri testimoni della fede. « Circondati da un così gran nugolo di testimoni, deposto tutto ciò che è di peso e il peccato che ci assedia, corriamo con perseveranza nella corsa che ci sta davanti, tenendo fisso lo sguardo su Gesù, autore e perfezionatore della fede » (*Eb* 12,1-2)

2719

Articolo 2

NOI CREDIAMO

166 La fede è un atto personale: è la libera risposta dell'uomo all'iniziativa di Dio che si rivela. La fede però non è un atto isolato. Nessuno può credere da solo, così come nessuno può vivere da solo. Nessuno si è dato la fede da se stesso, così come nessuno da se stesso si è dato l'esistenza. Il credente ha ricevuto la fede da altri e ad altri la deve trasmettere. Il nostro amore per Gesù e per gli uomini ci spinge a parlare ad altri della nostra fede. In tal modo ogni credente è come un anello nella grande catena dei credenti. Io non posso credere senza essere sorretto dalla fede degli altri, e, con la mia fede, contribuisco a sostenere la fede degli altri.

875

167 « Io credo »:[41] è la fede della Chiesa professata personalmente da ogni credente, soprattutto al momento del Battesimo. « Noi crediamo »:[42] è la fede della Chiesa confessata dai vescovi riuniti in Concilio, o, più generalmente, dall'assemblea liturgica dei credenti. « Io credo »: è anche la Chiesa, nostra Madre, che risponde a Dio con la sua fede e che ci insegna a dire: « Io credo », « Noi crediamo ».

1124
2040

[39] Conc. Ecum. Vat. II, *Lumen gentium,* 58.
[40] Giovanni Paolo II, Lett. enc. *Redemptoris Mater,* 18.
[41] Simbolo degli Apostoli
[42] Simbolo di Nicea-Costantinopoli, nell'originale greco.

I. « Guarda, Signore, alla fede della tua Chiesa »

168 È innanzi tutto la Chiesa che crede, e che così regge, nutre e sostiene la mia fede. È innanzi tutto la Chiesa che, ovunque, confessa il Signore,[43] e con essa e in essa, anche noi siamo trascinati e condotti a confessare: « Io cre-
1253 do », « Noi crediamo ». Dalla Chiesa riceviamo la fede e la vita nuova in Cristo mediante il Battesimo. Nel « Rituale Romano » il ministro del Battesimo domanda al catecumeno: « Che cosa chiedi alla Chiesa di Dio? ». E la risposta è: « La fede ». « Che cosa ti dona la fede? ». « La vita eterna ».

169 La salvezza viene solo da Dio; ma, poiché riceviamo la vita della fede attraverso la Chiesa, questa è nostra Madre: « Noi crediamo la Chiesa come
750 Madre della nostra nuova nascita, e non nella Chiesa come se essa fosse
2030 l'autrice della nostra salvezza ».[44] Essendo nostra Madre, la Chiesa è anche l'educatrice della nostra fede.

II. Il linguaggio della fede

170 Noi non crediamo in alcune formule, ma nelle realtà che esse esprimono e che la fede ci permette di « toccare ». « L'atto (di fede) del credente non si ferma all'enunciato, ma raggiunge la realtà (enunciata) ».[45] Tuttavia, queste
186 realtà noi le accostiamo con l'aiuto delle formulazioni della fede. Esse ci permettono di esprimere e di trasmettere la fede, di celebrarla in comunità, di assimilarla e di viverne sempre più intensamente.

171 La Chiesa, che è « colonna e sostegno della verità » (*1 Tm* 3,15), con-
78; 857; 84 serva fedelmente « la fede, che fu trasmessa ai credenti una volta per tutte » (*Gd* 3). È la Chiesa che custodisce la memoria delle Parole di Cristo e trasmette di generazione in generazione la confessione di fede degli Apostoli. Come una madre che insegna ai suoi figli a parlare, e con ciò stesso a com-
185 prendere e a comunicare, la Chiesa, nostra Madre, ci insegna il linguaggio della fede per introdurci nell'intelligenza e nella vita della fede.

III. Una sola fede

813 172 Da secoli, attraverso molte lingue, culture, popoli e nazioni, la Chiesa non cessa di confessare la sua unica fede, ricevuta da un solo Signore, trasmessa mediante un solo Battesimo, radicata nella convinzione che tutti

[43] « Te per orbem terrarum sancta confitetur Ecclesia - Te la santa Chiesa confessa su tutta la terra », cantiamo nel « Te Deum ».
[44] Fausto di Riez, *De Spiritu Sancto,* 1, 2: CSEL 21, 104.
[45] San Tommaso d'Aquino, *Summa theologiae,* II-II, 1, 2, ad 2.

gli uomini non hanno che un solo Dio e Padre.[46] Sant'Ireneo di Lione, testimone di questa fede, dichiara:

173 « In realtà, la Chiesa, sebbene diffusa in tutto il mondo fino alle estremità della terra, avendo ricevuto dagli Apostoli e dai loro discepoli la fede..., conserva questa predicazione e questa fede con cura e, come se abitasse un'unica casa, vi crede in uno stesso identico modo, come se avesse una sola anima ed un cuore solo, e predica le verità della fede, le insegna e le trasmette con voce unanime, come se avesse una sola bocca ».[47] 830

174 « Infatti, se le lingue nel mondo sono varie, il contenuto della Tradizione è però unico e identico. E non hanno altra fede o altra Tradizione né le Chiese che sono in Germania, né quelle che sono in Spagna, né quelle che sono presso i Celti (in Gallia), né quelle dell'Oriente, dell'Egitto, della Libia, né quelle che sono al centro del mondo... ».[48] « Il messaggio della Chiesa è dunque veridico e solido, poiché essa addita a tutto il mondo una sola via di salvezza ».[49] 78

175 « Questa fede che abbiamo ricevuto dalla Chiesa, la conserviamo con cura, perché, sotto l'azione dello Spirito di Dio, essa, come un deposito di grande valore, chiuso in un vaso prezioso, continuamente ringiovanisce e fa ringiovanire anche il vaso che la contiene ».[50]

In sintesi

176 *La fede è un'adesione personale di tutto l'uomo a Dio che si rivela. Comporta un'adesione dell'intelligenza e della volontà alla Rivelazione che Dio ha fatto di sé attraverso le sue opere e le sue parole.*

177 *« Credere » ha perciò un duplice riferimento: alla persona e alla verità; alla verità per la fiducia che si accorda alla persona che l'afferma.*

178 *Non dobbiamo credere in nessun altro se non in Dio, il Padre, il Figlio e lo Spirito Santo.*

179 *La fede è un dono soprannaturale di Dio. Per credere, l'uomo ha bisogno degli aiuti interiori dello Spirito Santo.*

[46] Cf *Ef* 4,4-6.
[47] Sant'Ireneo di Lione, *Adversus haereses,* 1, 10, 1-2.
[48] *Ibid.*
[49] *Ibid.,* 5, 20, 1.
[50] *Ibid.,* 3, 24, 1.

180 *« Credere » è un atto umano, cosciente e libero, che ben s'accorda con la dignità della persona umana.*

181 *« Credere » è un atto ecclesiale. La fede della Chiesa precede, genera, sostiene e nutre la nostra fede. La Chiesa è la Madre di tutti i credenti. « Nessuno può avere Dio per Padre, se non ha la Chiesa per Madre ».*[51]

182 *« Noi crediamo tutto ciò che è contenuto nella Parola di Dio, scritta o tramandata, e che la Chiesa propone a credere come divinamente rivelata ».*[52]

183 *La fede è necessaria alla salvezza. Il Signore stesso lo afferma: « Chi crederà e sarà battezzato sarà salvo, ma chi non crederà sarà condannato »* (*Mc* 16,16).

184 *« La fede è una pregustazione della conoscenza che ci renderà beati nella vita futura ».*[53]

[51] San Cipriano di Cartagine, *De catholicae unitate Ecclesiae:* PL 4, 503A.
[52] Paolo VI, *Credo del popolo di Dio,* 20.
[53] San Tommaso d'Aquino, *Compendium theologiae,* 1, 2.

Il Credo

Simbolo degli Apostoli

Io credo in Dio, Padre onnipotente,
Creatore del cielo e della terra.

E in Gesù Cristo, suo unico Figlio,
nostro Signore,

il quale fu concepito di Spirito Santo,
nacque da Maria Vergine,

patì sotto Ponzio Pilato,
fu crocifisso, morì e fu sepolto;
discese agli inferi;
il terzo giorno risuscitò da morte;
salì al cielo,
siede alla destra di Dio Padre onnipotente:
di là verrà a giudicare i vivi e i morti.

Credo nello Spirito Santo,

la santa Chiesa cattolica,
la comunione dei santi,

la remissione dei peccati,
la risurrezione della carne,
la vita eterna.

Amen.

Credo di Nicea-Costantinopoli

Credo in un solo Dio, Padre onnipotente,
Creatore del cielo e della terra,
di tutte le cose visibili e invisibili.

Credo in un solo Signore, Gesù Cristo,
Unigenito Figlio di Dio,
nato dal Padre prima di tutti i secoli:
Dio da Dio, Luce da Luce,
Dio vero da Dio vero,
generato, non creato,
della stessa sostanza del Padre;
per mezzo di Lui tutte le cose
sono state create.
Per noi uomini e per la nostra salvezza
discese dal cielo,
e per opera dello Spirito Santo
si è incarnato nel seno della Vergine Maria
e si è fatto uomo.
Fu crocifisso per noi sotto Ponzio Pilato,
morì e fu sepolto.

Il terzo giorno è risuscitato,
secondo le Scritture,
è salito al cielo, siede alla destra del Padre.
E di nuovo verrà, nella gloria
per giudicare i vivi e i morti,
e il suo regno non avrà fine.

Credo nello Spirito Santo,
che è Signore e dà la vita,
e procede dal Padre e dal Figlio.
Con il Padre e il Figlio
è adorato e glorificato,
e ha parlato per mezzo dei profeti.

Credo la Chiesa,
una santa cattolica e apostolica.

Professo un solo Battesimo
per il perdono dei peccati.
Aspetto la risurrezione dei morti
e la vita del mondo che verrà.

Amen.

SEZIONE SECONDA

LA PROFESSIONE DELLA FEDE CRISTIANA

I SIMBOLI DELLA FEDE

185 Chi dice « Io credo », dice « Io aderisco a ciò che *noi* crediamo ». La comunione nella fede richiede un linguaggio comune della fede, normativo per tutti e che unisca nella medesima confessione di fede. 171; 949

186 Fin dalle origini, la Chiesa apostolica ha espresso e trasmesso la propria fede in formule brevi e normative per tutti.[1] Ma molto presto la Chiesa ha anche voluto riunire l'essenziale della sua fede in compendi organici e articolati, destinati in particolare ai candidati al Battesimo.

> Il simbolo della fede non fu composto secondo opinioni umane, ma consiste nella raccolta dei punti salienti, scelti da tutta la Scrittura, così da dare una dottrina completa della fede. E come il seme della senape racchiude in un granellino molti rami, così questo compendio della fede racchiude tutta la conoscenza della vera pietà contenuta nell'Antico e nel Nuovo Testamento.[2]

187 Tali sintesi della fede vengono chiamate « professioni di fede », perché riassumono la fede professata dai cristiani. Vengono chiamate « Credo » a motivo di quella che normalmente ne è la prima parola: « Io credo ». Sono anche dette « Simboli della fede ».

188 La parola greca « symbolon » indicava la metà di un oggetto spezzato (per esempio un sigillo) che veniva presentato come un segno di riconoscimento. Le parti rotte venivano ricomposte per verificare l'identità di chi le portava. Il « Simbolo della fede » è quindi un segno di riconoscimento e di comunione tra i credenti. « Symbolon » passò poi a significare raccolta, collezione o sommario. Il « Simbolo della fede » è la raccolta delle principali verità della fede. Da qui deriva il fatto che esso costituisce il primo e fondamentale punto di riferimento della catechesi.

189 La prima « professione di fede » si fa al momento del Battesimo. Il « Simbolo della fede » è innanzi tutto il Simbolo *battesimale*. Poiché il Battesimo viene dato « nel nome del Padre e del Figlio e dello Spirito Santo » (*Mt* 28,19), le verità di fede professate al momento del Battesimo sono articolate in base al loro riferimento alle tre Persone della Santa Trinità. 1237 232

[1] Cf *Rm* 10,9; *1 Cor* 15,3-5.
[2] San Cirillo di Gerusalemme, *Catecheses illuminandorum*, 5, 12: PG 33, 521-524.

190 Il Simbolo è quindi diviso in tre parti: « La prima è consacrata allo studio di Dio Padre e dell'opera mirabile della creazione; la seconda allo studio di Gesù Cristo e del Mistero della Redenzione; la terza allo studio dello Spirito Santo, principio e sorgente della nostra santificazione.[3] Sono questi « i tre capitoli del nostro sigillo (battesimale) ».[4]

191 « Queste tre parti sono distinte, sebbene legate tra loro. In base a un paragone spesso usato dai Padri, noi li chiamiamo *articoli*. Infatti, come nelle nostre membra ci sono certe articolazioni che le distinguono e le separano, così, in questa professione di fede, giustamente e a buon diritto si è data la denominazione di articoli alle verità che dobbiamo credere in particolare e in maniera distinta ».[5] Secondo un'antica tradizione, attestata già da sant'Ambrogio, si è anche soliti contare *dodici* articoli del Credo, simboleggiando con il numero degli Apostoli l'insieme della fede apostolica.[6]

192 Nel corso dei secoli si sono avute numerose professioni o simboli della fede, in risposta ai bisogni delle diverse epoche: i simboli delle varie Chiese apostoliche e antiche,[7] il Simbolo « Quicumque », detto di Sant'Atanasio,[8] le professioni di fede di certi Concili,[9] o di alcuni Pontefici, come: la « fides Damasi » [10] o « Il Credo del Popolo di Dio » di Paolo VI (1968).

193 Nessuno dei Simboli delle diverse tappe della vita della Chiesa può essere considerato sorpassato ed inutile. Essi ci aiutano a vivere e ad approfondire oggi la fede di sempre attraverso i vari compendi che ne sono stati fatti. Fra tutti i Simboli della fede, due occupano un posto specialissimo nella vita della Chiesa:

194 Il *Simbolo degli Apostoli,* così chiamato perché a buon diritto è ritenuto il riassunto fedele della fede degli Apostoli. È l'antico Simbolo battesimale della Chiesa di Roma. La sua grande autorità gli deriva da questo fatto: « È il Simbolo accolto dalla Chiesa di Roma, dove ebbe la sua sede Pietro, il primo tra gli Apostoli, e dove egli portò l'espressione della fede comune ».[11]

[3] *Catechismo Romano,* 1, 1, 3.
[4] SANT'IRENEO DI LIONE, *Demonstratio apostolica,* 100.
[5] *Catechismo Romano,* 1, 1, 4.
[6] Cf SANT'AMBROGIO, *Explanatio Symboli,* 8: PL 17, 1158D.
[7] Cf DENZ.-SCHÖNM., 1-64.
[8] Cf *ibid.*, 75-76.
[9] Concilio di Toledo XI (675): DENZ.-SCHÖNM., 525-541; Concilio Lateranense IV (1215): DENZ.-SCHÖNM., 800-802; Concilio di Lione II (1274): DENZ.-SCHÖNM., 851-861; PIO IV, Bolla *Iniunctum nobis*: DENZ.-SCHÖNM., 1862-1870.
[10] Cf DENZ.-SCHÖNM., 71-72.
[11] SANT'AMBROGIO, *Explanatio Symboli,* 7: PL 17, 1158D.

195 Il *Simbolo detto di Nicea-Costantinopoli,* il quale trae la sua grande autorità dal fatto di essere frutto dei primi due Concili Ecumenici (325 e 381). È tuttora comune a tutte le grandi Chiese dell'Oriente e dell'Occidente. 242; 245; 465

196 La nostra esposizione della fede seguirà il *Simbolo degli Apostoli,* che rappresenta, per così dire, « il più antico catechismo romano ». L'esposizione però sarà completata con costanti riferimenti al *Simbolo di Nicea-Costantinopoli,* in molti punti più esplicito e più dettagliato.

197 Come al giorno del nostro Battesimo, quando tutta la nostra vita è stata affidata alla regola dell'insegnamento,[12] accogliamo il Simbolo della nostra fede, la quale dà la vita. Recitare con fede il Credo, significa entrare in comunione con Dio, il Padre, il Figlio e lo Spirito Santo, ed anche con tutta la Chiesa che ci trasmette la fede e nel seno della quale noi crediamo: 1064

> Questo Simbolo è un sigillo spirituale, è la meditazione del nostro cuore e ne è come una difesa sempre presente: senza dubbio è il tesoro che custodiamo nel nostro animo.[13]

1274

[12] Cf *Rm* 6,17.

[13] Sant'Ambrogio, *Explanatio Symboli,* 1: PL 17, 1155C.

CAPITOLO PRIMO

IO CREDO IN DIO PADRE

198 La nostra professione di fede incomincia con *Dio,* perché Dio è « il primo e l'ultimo » (*Is* 44,6), il Principio e la Fine di tutto. Il Credo incomincia con Dio *Padre,* perché il Padre è la prima Persona divina della Santissima Trinità; il nostro Simbolo incomincia con la creazione del cielo e della terra, perché la creazione è l'inizio e il fondamento di tutte le opere di Dio.

Articolo 1

« IO CREDO IN DIO PADRE ONNIPOTENTE CREATORE DEL CIELO E DELLA TERRA »

Paragrafo 1

IO CREDO IN DIO

199 « Io credo in Dio »: questa prima affermazione della professione di fede è anche la più importante, quella fondamentale. Tutto il Simbolo parla di Dio, e, se parla anche dell'uomo e del mondo, lo fa in rapporto a Dio. Gli articoli del Credo dipendono tutti dal primo, così come i Comandamenti sono l'esplicitazione del primo. Gli altri articoli ci fanno meglio conoscere Dio, quale si è rivelato progressivamente agli uomini. « Giustamente quindi i cristiani affermano per prima cosa di credere in Dio ».[1]

2083

I. « Io credo in un solo Dio »

200 Con queste parole incomincia il Simbolo di Nicea-Costantinopoli. La confessione della Unicità di Dio, che ha la sua radice nella Rivelazione divina nell'Antica Alleanza, è inseparabile da quella dell'esistenza di Dio ed è altrettanto fondamentale. Dio è Unico: non c'è che un solo Dio: « La fede

2085

[1] *Catechismo Romano,* 1, 2, 2.

cristiana crede e professa un solo Dio, unico per natura, per sostanza e per essenza ».[2]

2083 201 A Israele, suo eletto, Dio si è rivelato come l'Unico: « Ascolta, Israele: il Signore è il nostro Dio, il Signore è Uno solo. Tu amerai il Signore tuo Dio con tutto il cuore, con tutta l'anima e con tutte le forze » (*Dt* 6,4-5). Per mezzo dei profeti, Dio invita Israele e tutte le nazioni a volgersi a lui, l'Unico: « Volgetevi a me e sarete salvi, paesi tutti della terra, perché io sono Dio; non ce n'è altri... davanti a me si piegherà ogni ginocchio, per me giurerà ogni lingua. Si dirà: "Solo nel Signore si trovano vittoria e potenza" » (*Is* 45,22-24).[3]

202 Gesù stesso conferma che Dio è « l'unico Signore » e che lo si deve amare con tutto il cuore, con tutta l'anima, con tutta la mente, con tutte le forze.[4] Nello stesso tempo lascia capire che egli pure è « il Signore ».[5] Confessare che « Gesù è Signore » è lo specifico della fede cristiana. Ciò non contrasta con la fede nel Dio Unico. Credere nello Spirito Santo « che è Signore e dà la Vita » non introduce alcuna divisione nel Dio unico:

446
152

> Crediamo fermamente e confessiamo apertamente che uno solo è il vero Dio, eterno e immenso, onnipotente, immutabile, incomprensibile e ineffabile, Padre, Figlio e Spirito Santo: tre Persone, ma una sola Essenza, Sostanza, cioè Natura assolutamente semplice.[6]

42

II. Dio rivela il suo Nome

203 Dio si è rivelato a Israele, suo popolo, facendogli conoscere il suo Nome. Il nome esprime l'essenza, l'identità della persona e il senso della sua vita. Dio ha un nome. Non è una forza anonima. Svelare il proprio nome, è farsi conoscere agli altri; in qualche modo è consegnare se stesso rendendosi accessibile, capace d'essere conosciuto più intimamente e di essere chiamato personalmente.

2143

63 204 Dio si è rivelato al suo popolo progressivamente e sotto diversi nomi; ma la rivelazione del Nome divino fatta a Mosè nella teofania del roveto ardente, alle soglie dell'Esodo e dell'Alleanza del Sinai, si è mostrata come la rivelazione fondamentale per l'Antica e la Nuova Alleanza.

[2] *Catechismo Romano,* 1, 2, 2.
[3] Cf *Fil* 2,10-11.
[4] Cf *Mc* 12,29-30.
[5] Cf *Mc* 12,35-37.
[6] Concilio Lateranense IV (1215): DENZ.-SCHÖNM., 800.

Il Dio vivente

205 Dio chiama Mosè dal mezzo di un roveto che brucia senza consumarsi, e gli dice: « Io sono il Dio di tuo padre, il Dio di Abramo, il Dio di Isacco, il Dio di Giacobbe » (*Es* 3,6). Dio è il Dio dei padri, colui che aveva chiamato e guidato i patriarchi nelle loro peregrinazioni. È il Dio fedele e compassionevole che si ricorda di loro e delle sue promesse; egli viene per liberare i loro discendenti dalla schiavitù. Egli è il Dio che, al di là dello spazio e del tempo, lo può e lo vuole e che, per questo disegno, metterà in atto la sua onnipotenza. 2575 268

« Io sono Colui che sono »

> Mosè disse a Dio: « Ecco, io arrivo dagli Israeliti e dico loro: Il Dio dei vostri padri mi ha mandato a voi. Ma mi diranno: Come si chiama? E io che cosa risponderò loro? ». Dio disse a Mosè: « Io sono colui che sono! ». Poi disse: « Dirai agli Israeliti: Io-Sono mi ha mandato a voi... Questo è il mio nome per sempre: questo è il titolo con cui sarò ricordato di generazione in generazione » (*Es* 3,13-15).

206 Rivelando il suo Nome misterioso di YHWH, « Io sono colui che È » oppure « Io sono colui che Sono » o anche « Io sono chi Io sono », Dio dice chi egli è e con quale nome lo si deve chiamare. Questo Nome divino è misterioso come Dio è Mistero. Ad un tempo è un Nome rivelato e quasi il rifiuto di un nome; proprio per questo esprime, come meglio non si potrebbe, la realtà di Dio, infinitamente al di sopra di tutto ciò che possiamo comprendere o dire: egli è il « Dio nascosto » (*Is* 45,15), il suo Nome è ineffabile,[7] ed è il Dio che si fa vicino agli uomini. 43

207 Rivelando il suo Nome, Dio rivela al tempo stesso la sua fedeltà che è da sempre e per sempre, valida per il passato (« Io sono il Dio dei tuoi padri », *Es* 3,6), come per l'avvenire (« Io sarò con te », *Es* 3,12). Dio che rivela il suo Nome come « Io sono » si rivela come il Dio che è sempre là, presente accanto al suo popolo per salvarlo.

208 Di fronte alla presenza affascinante e misteriosa di Dio, l'uomo scopre la propria piccolezza. Davanti al roveto ardente, Mosè si toglie i sandali e si vela il viso[8] al cospetto della Santità divina. Davanti alla Gloria del Dio tre volte santo, Isaia esclama: « Ohimè! Io sono perduto, perché un uomo dalle labbra impure io sono » (*Is* 6,5). Davanti ai segni divini che Gesù compie, Pietro esclama: « Signore, allontanati da me che sono un peccatore » 724 448

[7] Cf *Gdc* 13,18.
[8] Cf *Es* 3,5-6.

(*Lc* 5,8). Ma poiché Dio è santo, può perdonare all'uomo che davanti a lui si riconosce peccatore: « Non darò sfogo all'ardore della mia ira... perché sono Dio e non uomo, sono il Santo in mezzo a te » (*Os* 11,9). Anche l'apostolo Giovanni dirà: « Davanti a lui rassicureremo il nostro cuore, qualunque cosa esso ci rimproveri. Dio è più grande del nostro cuore e conosce ogni cosa » (*1 Gv* 3,19-20).

388

209 Il Popolo d'Israele non pronuncia il Nome di Dio, per rispetto alla sua santità. Nella lettura della Sacra Scrittura il Nome rivelato è sostituito con il titolo divino « Signore » (« Adonai », in greco « Kyrios »). Con questo titolo si proclamerà la divinità di Gesù: « Gesù è il Signore ».

446

« Dio di misericordia e di pietà »

2116 2577

210 Dopo il peccato di Israele, che si è allontanato da Dio per adorare il vitello d'oro,[9] Dio ascolta l'intercessione di Mosè ed acconsente a camminare in mezzo ad un popolo infedele, manifestando in tal modo il suo amore.[10] A Mosè che chiede di vedere la sua gloria, Dio risponde: « Farò passare davanti a te tutto il mio splendore e proclamerò il mio nome: Signore [YHWH], davanti a te » (*Es* 33,18-19). E il Signore passa davanti a Mosè e proclama: « YHWH, YHWH, Dio misericordioso e pietoso, lento all'ira e ricco di grazia e di fedeltà » (*Es* 34,5-6). Mosè allora confessa che il Signore è un Dio che perdona.[11]

211 Il Nome divino « Io sono » o « Egli è » esprime la fedeltà di Dio il quale, malgrado l'infedeltà del peccato degli uomini e il castigo che merita, « conserva il suo favore per mille generazioni » (*Es* 34,7). Dio rivela di essere « ricco di misericordia » (*Ef* 2,4) arrivando a dare il suo Figlio. Gesù, donando la vita per liberarci dal peccato, rivelerà che anch'egli porta il Nome divino: « Quando avrete innalzato il Figlio dell'uomo, allora saprete che Io sono » (*Gv* 8,28).

604

Dio solo È

212 Lungo i secoli, la fede d'Israele ha potuto sviluppare ed approfondire le ricchezze contenute nella rivelazione del Nome divino. Dio è unico, fuori di lui non ci sono dei.[12] Egli trascende il mondo e la storia. È lui che ha fatto il

42

[9] Cf *Es* 32.
[10] Cf *Es* 33,12-17.
[11] Cf *Es* 34,9.
[12] Cf *Is* 44,6.

cielo e la terra: « essi periranno, ma tu rimani, tutti si logorano come veste... ma tu resti lo stesso e i tuoi anni non hanno fine » (*Sal* 102,27-28). In lui « non c'è variazione né ombra di cambiamento » (*Gc* 1,17). Egli è « colui che è » da sempre e per sempre, e perciò resta sempre fedele a se stesso ed alle sue promesse. 469; 2086

213 La rivelazione del Nome ineffabile « Io sono colui che sono » contiene dunque la verità che Dio solo È. In questo senso già la traduzione dei Settanta e, sulla sua scia, la Tradizione della Chiesa hanno inteso il Nome divino: Dio è la pienezza dell'Essere e di ogni perfezione, senza origine e senza fine. Mentre tutte le creature hanno ricevuto da lui tutto ciò che sono e che hanno, egli solo è il suo stesso essere ed è da se stesso tutto ciò che è. 41

III. Dio, « colui che è », è Verità e Amore

214 Dio, « colui che è », si è rivelato a Israele come colui che è « ricco di grazia e di fedeltà » (*Es* 34,6). Questi due termini esprimono in modo sintetico le ricchezze del Nome divino. In tutte le sue opere Dio mostra la sua benevolenza, la sua bontà, la sua grazia, il suo amore; ma anche la sua affidabilità, la sua costanza, la sua fedeltà, la sua verità. « Rendo grazie al tuo Nome per la tua fedeltà e la tua misericordia » (*Sal* 138,2).[13] Egli è la Verità, perché « Dio è Luce e in lui non ci sono tenebre » (*1 Gv* 1,5); egli è « Amore », come insegna l'apostolo Giovanni (*1 Gv* 4,8). 1062

Dio è la Verità

215 « La verità è principio della tua parola, resta per sempre ogni sentenza della tua giustizia » (*Sal* 119,160). « Ora, Signore, tu sei Dio, e le tue parole sono verità » (*2 Sam* 7,28); per questo le promesse di Dio si realizzano sempre.[14] Dio è la stessa Verità, le sue parole non possono ingannare. Proprio per questo ci si può affidare con piena fiducia alla verità e alla fedeltà della sua Parola in ogni cosa. L'origine del peccato e della caduta dell'uomo fu una menzogna del tentatore, che indusse a dubitare della Parola di Dio, della sua bontà e della sua fedeltà. 2465; 1063; 156; 397

216 La verità di Dio è la sua sapienza che regge tutto l'ordine della creazione e del governo del mondo.[15] Dio che, da solo, « ha fatto cielo e terra » (*Sal* 115,15), può donare, egli solo, la vera conoscenza di ogni cosa creata nella sua relazione con lui.[16] 295; 32

[13] Cf *Sal* 85,11.
[14] Cf *Dt* 7,9.
[15] Cf *Sap* 13,1-9.
[16] Cf *Sap* 7,17-21.

851 2466 217 Dio è veritiero anche quando rivela se stesso: « un insegnamento fedele » è « sulla sua bocca » (*Ml* 2,6). Quando manderà il suo Figlio nel mondo, sarà « per rendere testimonianza alla Verità » (*Gv* 18,37): « Sappiamo che il Figlio di Dio è venuto e ci ha dato l'intelligenza per conoscere il vero Dio » (*1 Gv* 5,20).[17]

Dio è Amore

295 218 Israele, nel corso della sua storia, ha potuto scoprire che uno solo era il motivo per cui Dio gli si era rivelato e lo aveva scelto fra tutti i popoli perché gli appartenesse: il suo amore gratuito.[18] Ed Israele, per mezzo dei profeti, ha compreso che, ancora per amore, Dio non ha mai cessato di salvarlo [19] e di perdonargli la sua infedeltà e i suoi peccati.[20]

239 796 458 219 L'amore di Dio per Israele è paragonato all'amore di un padre per il proprio figlio.[21] È un amore più forte dell'amore di una madre per i suoi bambini.[22] Dio ama il suo Popolo più di quanto uno sposo ami la propria sposa; [23] questo amore vincerà anche le più gravi infedeltà; [24] arriverà fino al dono più prezioso: « Dio ha tanto amato il mondo da dare il suo Figlio unigenito » (*Gv* 3,16).

220 L'amore di Dio è « eterno » (*Is* 54,8): « Anche se i monti si spostassero e i colli vacillassero, non si allontanerebbe da te il mio affetto » (*Is* 54,10). « Ti ho amato di un amore eterno, per questo ti conservo ancora pietà » (*Ger* 31,3).

733 851 257 221 Ma san Giovanni si spingerà oltre affermando: « Dio è Amore » (*1 Gv* 4,8.16): l'Essere stesso di Dio è Amore. Mandando, nella pienezza dei tempi, il suo Figlio unigenito e lo Spirito d'Amore, Dio rivela il suo segreto più intimo: [25] è lui stesso eterno scambio d'amore: Padre, Figlio e Spirito Santo, e ci ha destinati ad esserne partecipi.

[17] Cf *Gv* 17,3.
[18] Cf *Dt* 4,37; 7,8; 10,15.
[19] Cf *Is* 43,1-7.
[20] Cf *Os* 2.
[21] Cf *Os* 11,1.
[22] Cf *Is* 49,14-15.
[23] Cf *Is* 62,4-5.
[24] Cf *Ez* 16; *Os* 11.
[25] Cf *1 Cor* 2,7-16; *Ef* 3,9-12.

IV. Conseguenze della fede nel Dio unico

222 Credere in Dio, l'Unico, ed amarlo con tutto il proprio essere comporta per tutta la nostra vita enormi conseguenze:

223 *Conoscere la grandezza e la maestà di Dio:* « Ecco, Dio è così grande, che non lo comprendiamo » (*Gb* 36,26). Proprio per questo Dio deve essere « servito per primo ».[26]

400

224 *Vivere in rendimento di grazie:* se Dio è l'Unico, tutto ciò che siamo e tutto ciò che abbiamo viene da lui: « Che cosa mai possiedi che tu non abbia ricevuto? » (*1 Cor* 4,7). « Che cosa renderò al Signore per quanto mi ha dato? » (*Sal* 116,12).

2637

225 *Conoscere l'unità e la vera dignità di tutti gli uomini:* tutti sono fatti « a immagine e somiglianza di Dio » (*Gn* 1,26).

356; 360; 1700; 1934

226 *Usare rettamente le cose create:* la fede nell'Unico Dio ci conduce ad usare tutto ciò che non è lui nella misura in cui ci avvicina a lui, e a staccarcene nella misura in cui da lui ci allontana.[27]

339; 2402; 2415

Mio Signore e mio Dio, togli da me quanto mi allontana da te.
Mio Signore e mio Dio, dammi tutto ciò che mi conduce a te.
Mio Signore e mio Dio, toglimi a me e dammi tutto a te.[28]

227 *Fidarsi di Dio in ogni circostanza,* anche nell'avversità. Una preghiera di santa Teresa di Gesù esprime ciò mirabilmente:

313; 2090

Niente ti turbi / niente ti spaventi.
Tutto passa / Dio non cambia.
La pazienza ottiene tutto. / Chi ha Dio
non manca di nulla. / Dio solo basta.[29]

2830
1723

In sintesi

228 *« Ascolta, Israele: il Signore è il nostro Dio, il Signore è uno solo... » (Dt* 6,4; *Mc* 12,29). *« L'Essere supremo deve necessariamente essere unico, cioè senza eguali... Se Dio non è unico, non è Dio ».*[30]

229 *La fede in Dio ci conduce a volgerci a lui solo come alla nostra prima origine e al nostro ultimo fine, e a non anteporre o sostituire nulla a lui.*

[26] Santa Giovanna d'Arco, *Dictum.*
[27] Cf *Mt* 5,29-30; 16,24; 19,23-24.
[28] San Nicolao di Flüe, *Preghiera.*
[29] Santa Teresa di Gesù, *Poesie,* 30.
[30] Tertulliano, *Adversus Marcionem,* 1, 3.

230 *Dio, mentre si rivela, rimane un Mistero ineffabile: « Se lo comprendessi, non sarebbe Dio ».*[31]

231 *Il Dio della nostra fede si è rivelato come* colui che è; *si è fatto conoscere come « ricco di grazia e di misericordia » (Es* 34,6). *Il suo Essere stesso è Verità e Amore.*

Paragrafo 2

IL PADRE

I. « Nel nome del Padre e del Figlio e dello Spirito Santo »

189; 1223 232 I cristiani vengono battezzati « nel nome del Padre e del Figlio e dello Spirito Santo » (*Mt* 28,19). Prima rispondono « Io credo » alla triplice domanda con cui ad essi si chiede di confessare la loro fede nel Padre, nel Figlio e nello Spirito: « Fides omnium christianorum in Trinitate consistit – La fede di tutti i cristiani si fonda sulla Trinità ».[32]

233 I cristiani sono battezzati « nel nome » — e non « nei nomi » — del Padre e del Figlio e dello Spirito Santo;[33] infatti non vi è che un solo Dio, il Padre onnipotente e il Figlio suo unigenito e lo Spirito Santo: la Santissima Trinità.

2157 234 Il mistero della Santissima Trinità è il mistero centrale della fede e della vita cristiana. È il mistero di Dio in se stesso. È quindi la sorgente di tutti gli altri misteri della fede; è la luce che li illumina. È l'insegnamento più 90 fondamentale ed essenziale nella « gerarchia delle verità » di fede.[34] « Tutta la storia della salvezza è la storia del rivelarsi del Dio vero e unico: Padre, 1449 Figlio e Spirito Santo, il quale riconcilia e unisce a sé coloro che sono separati dal peccato ».[35]

235 In questo paragrafo, si esporrà in breve in qual modo è stato rivelato il mistero della Beata Trinità (I), come la Chiesa ha formulato la dottrina della fede in questo mistero (II), e infine, come, attraverso le missioni divine del Figlio e dello Spirito Santo, Dio Padre realizza il suo « benevolo disegno » di creazione, redenzione e santificazione (III).

[31] Sant'Agostino, *Sermones,* 52, 6, 16: PL 38, 360.
[32] San Cesario d'Arles, *Expositio symboli (sermo 9):* CCL 103, 48.
[33] Professione di fede del papa Vigilio nel 552: Denz.-Schönm., 415.
[34] Congregazione per il Clero, *Direttorio catechistico generale,* 43.
[35] *Ibid.,* 47.

236 I Padri della Chiesa fanno una distinzione tra la « Theologia » e l'« Oikonomia », designando con il primo termine il mistero della vita intima del Dio-Trinità, e con il secondo tutte le opere di Dio, con le quali egli si rivela e comunica la sua vita. Attraverso l'« Oikonomia » ci è rivelata la « Theologia »; ma, inversamente, è la « Theologia » che illumina tutta l'« Oikonomia ». Le opere di Dio rivelano chi egli è in se stesso; e, inversamente, il mistero del suo Essere intimo illumina l'intelligenza di tutte le sue opere. Avviene così, analogicamente, tra le persone umane. La persona si mostra attraverso le sue azioni, e, quanto più conosciamo una persona, tanto più comprendiamo le sue azioni. 1066 259

237 La Trinità è un mistero della fede in senso stretto, uno dei « misteri nascosti in Dio, che non possono essere conosciuti se non sono divinamente rivelati ».[36] Indubbiamente Dio ha lasciato tracce del suo essere trinitario nell'opera della creazione e nella sua Rivelazione lungo il corso dell'Antico Testamento. Ma l'intimità del suo Essere come Trinità Santa costituisce un mistero inaccessibile alla sola ragione, come pure alla fede d'Israele, prima dell'Incarnazione del Figlio di Dio e dell'invio dello Spirito Santo. 50

II. La Rivelazione di Dio come Trinità

Il Padre rivelato dal Figlio

238 In molte religioni Dio viene invocato come « Padre ». Spesso la divinità è considerata come« padre degli dèi e degli uomini ». Presso Israele, Dio è chiamato Padre in quanto Creatore del mondo.[37] Ancor più Dio è Padre in forza dell'Alleanza e del dono della Legge fatto a Israele, suo « figlio primogenito » (*Es* 4,22). È anche chiamato Padre del re d'Israele.[38] In modo particolarissimo Egli è « il Padre dei poveri », dell'orfano, della vedova, che sono sotto la sua protezione amorosa.[39] 2443

239 Chiamando Dio con il nome di « Padre », il linguaggio della fede mette in luce soprattutto due aspetti: che Dio è origine primaria di tutto e autorità trascendente, e che, al tempo stesso, è bontà e sollecitudine d'amore per tutti i suoi figli. Questa tenerezza paterna di Dio può anche essere espressa con l'immagine della maternità,[40] che indica ancor meglio l'immanenza di Dio, l'intimità tra Dio e la sua creatura. Il linguaggio della fede si rifà così all'esperienza umana dei genitori che, in certo qual modo, sono per l'uomo i primi rappresentanti di Dio. Tale esperienza, però, mostra anche che i genitori umani possono sbagliare e sfigurare il volto della paternità e della maternità. Conviene perciò ricordare che Dio trascende la distinzione umana dei

[36] Concilio Vaticano I: Denz.-Schönm., 3015.
[37] Cf *Dt* 32,6; *Ml* 2,10.
[38] Cf *2 Sam* 7,14.
[39] Cf *Sal* 68,6.
[40] Cf *Is* 66,13; *Sal* 131,2.

370; 2779 sessi. Egli non è né uomo né donna, Egli è Dio. Trascende pertanto la paternità e la maternità umane,[41] pur essendone l'origine e il modello:[42] Nessuno è padre quanto Dio.

2780 441-445 240 Gesù ha rivelato che Dio è « Padre » in un senso inaudito: non lo è soltanto in quanto Creatore; egli è eternamente Padre in relazione al Figlio suo Unigenito, il quale, a sua volta, non è Figlio che in relazione al Padre: « Nessuno conosce il Figlio se non il Padre, e nessuno conosce il Padre se non il Figlio e colui al quale il Figlio lo voglia rivelare » (*Mt* 11,27).

241 Per questo gli Apostoli confessano Gesù come « il Verbo » che « in principio » « era presso Dio », « il Verbo » che « era Dio » (*Gv* 1,1), come « l'immagine del Dio invisibile » (*Col* 1,15), come l'« irradiazione della sua gloria e impronta della sua sostanza » (*Eb* 1,3).

242 Sulla loro scia, seguendo la Tradizione Apostolica, la Chiesa nel 325, nel primo Concilio Ecumenico di Nicea, ha confessato che il Figlio è 465 « consustanziale » al Padre, cioè un solo Dio con lui. Il secondo Concilio Ecumenico, riunito a Costantinopoli nel 381, ha conservato tale espressione nella sua formulazione del Credo di Nicea ed ha confessato « il Figlio unigenito di Dio, generato dal Padre prima di tutti i secoli, luce da luce, Dio vero da Dio vero, generato non creato, della stessa sostanza del Padre ».[43]

Il Padre e il Figlio rivelati dallo Spirito

243 Prima della sua Pasqua, Gesù annunzia l'invio di un « altro Paraclito » (Difensore), lo Spirito Santo. Lo Spirito che opera fin dalla creazione,[44] 683 che già aveva « parlato per mezzo dei profeti » (Simbolo di Nicea-Costantinopoli), dimorerà presso i discepoli e sarà in loro,[45] per insegnare loro ogni 2780 687 cosa[46] e guidarli « alla verità tutta intera » (*Gv* 16,13). Lo Spirito Santo è in tal modo rivelato come un'altra Persona divina in rapporto a Gesù e al Padre.

244 L'origine eterna dello Spirito si rivela nella sua missione nel tempo. Lo Spirito Santo è inviato agli Apostoli e alla Chiesa sia dal Padre nel nome

[41] Cf *Sal* 27,10.
[42] Cf *Ef* 3,14; *Is* 49,15.
[43] Denz.-Schönm., 150.
[44] Cf *Gn* 1,2.
[45] Cf *Gv* 14,17.
[46] Cf *Gv* 14,26.

del Figlio, sia dal Figlio in persona, dopo il suo ritorno al Padre.[47] L'invio della Persona dello Spirito dopo la glorificazione di Gesù [48] rivela in pienezza il Mistero della Santa Trinità. 732

245 La fede apostolica riguardante lo Spirito è stata confessata dal secondo Concilio Ecumenico nel 381 a Costantinopoli: « Crediamo nello Spirito Santo, che è Signore e dà vita; che procede dal Padre ».[49] Così la Chiesa riconosce il Padre come « la fonte e l'origine di tutta la divinità ».[50] L'origine eterna dello Spirito Santo non è tuttavia senza legame con quella del Figlio: « Lo Spirito Santo, che è la Terza Persona della Trinità, è Dio, uno e uguale al Padre e al Figlio, della stessa sostanza e anche della stessa natura... Tuttavia, non si dice che Egli è soltanto lo Spirito del Padre, ma che è, ad un tempo, lo Spirito del Padre e del Figlio ».[51] Il Credo del Concilio di Costantinopoli della Chiesa confessa: « Con il Padre e con il Figlio è adorato e glorificato ».[52] 152 685

246 La tradizione latina del Credo confessa che lo Spirito « procede dal Padre *e dal Figlio [Filioque]* ». Il Concilio di Firenze, nel 1439, esplicita: « Lo Spirito Santo ha la sua essenza e il suo essere sussistente ad un tempo dal Padre e dal Figlio e... procede eternamente dall'Uno e dall'Altro come da un solo Principio e per una sola spirazione... E poiché tutto quello che è del Padre, lo stesso Padre lo ha donato al suo unico Figlio generandolo, ad eccezione del suo essere Padre, anche questo procedere dello Spirito Santo a partire dal Figlio lo riceve dall'eternità dal suo Padre che ha generato il Figlio stesso ».[53]

247 L'affermazione del *Filioque* mancava nel Simbolo confessato a Costantinopoli nel 381. Ma sulla base di una antica tradizione latina e alessandrina, il Papa san Leone l'aveva già dogmaticamente confessata nel 447,[54] prima che Roma conoscesse e ricevesse, nel 451, durante il Concilio di Calcedonia, il Simbolo del 381. L'uso di questa formula nel Credo è entrato a poco a poco nella Liturgia latina (tra i secoli VIII e XI). L'introduzione del « Filioque » nel Simbolo di Nicea-Costantinopoli da parte della Liturgia latina costituisce tuttavia, ancora oggi, un punto di divergenza con le Chiese ortodosse.

248 La tradizione orientale mette innanzi tutto in rilievo che il Padre, in rapporto allo Spirito, è l'origine prima. Confessando che lo Spirito « procede dal Padre »

[47] Cf *Gv* 14,26; 15,26; 16,14.
[48] Cf *Gv* 7,39.
[49] Denz.-Schönm., 150.
[50] Concilio di Toledo VI (638): Denz.-Schönm., 490.
[51] Concilio di Toledo XI (675): Denz.-Schönm., 527.
[52] Denz.-Schönm., 150.
[53] Concilio di Firenze: Denz.-Schönm., 1300-1301.
[54] Cf San Leone Magno, Lettera *Quam laudabiliter:* Denz.-Schönm., 284.

(*Gv* 15,26), afferma che lo Spirito *procede* dal Padre *attraverso* il Figlio.[55] La tradizione occidentale dà maggior risalto alla comunione consustanziale tra il Padre e il Figlio affermando che lo Spirito procede dal Padre e dal Figlio (Filioque). Lo dice « lecitamente e ragionevolmente »;[56] infatti l'ordine eterno delle Persone divine nella loro comunione consustanziale implica che il Padre sia l'origine prima dello Spirito in quanto « principio senza principio »,[57] ma pure che, in quanto Padre del Figlio Unigenito, Egli con Lui sia « l'unico principio dal quale procede lo Spirito Santo ».[58] Questa legittima complementarietà, se non viene inasprita, non scalfisce l'identità della fede nella realtà del medesimo mistero confessato.

III. La Santa Trinità nella dottrina della fede

La formazione del dogma trinitario

249 La verità rivelata della Santa Trinità è stata, fin dalle origini, alla radice della fede vivente della Chiesa, principalmente per mezzo del Battesimo. Trova la sua espressione nella regola della fede battesimale, formulata nella predicazione, nella catechesi e nella preghiera della Chiesa. Simili formulazioni compaiono già negli scritti apostolici, come ad esempio questo saluto, ripreso nella Liturgia eucaristica: « La grazia del Signore Gesù Cristo, l'amore di Dio e la comunione dello Spirito Santo siano con tutti voi » (*2 Cor* 13,13).[59]

683 189

250 Nel corso dei primi secoli, la Chiesa ha cercato di formulare in maniera più esplicita la sua fede trinitaria, sia per approfondire la propria intelligenza della fede, sia per difenderla contro errori che la alteravano. Fu questa l'opera degli antichi Concili, aiutati dalla ricerca teologica dei Padri della Chiesa e sostenuti dal senso della fede del popolo cristiano.

94

251 Per la formulazione del dogma della Trinità, la Chiesa ha dovuto sviluppare una terminologia propria ricorrendo a nozioni di origine filosofica: « sostanza », « persona » o « ipostasi », « relazione », ecc. Così facendo, non ha sottoposto la fede ad una sapienza umana, ma ha dato un significato nuovo, insolito a questi termini assunti ora a significare anche un Mistero inesprimibile, « infinitamente al di là di tutto ciò che possiamo concepire a misura d'uomo ».[60]

170

252 La Chiesa adopera il termine « sostanza » (reso talvolta anche con « essenza » o « natura ») per designare l'Essere divino nella sua unità, il termine « persona » o « ipostasi » per designare il Padre, il Figlio e lo Spirito

[55] Cf Conc. Ecum. Vat. II, *Ad gentes,* 2.
[56] Concilio di Firenze (1439): Denz.-Schönm., 1302.
[57] Concilio di Firenze (1442): Denz.-Schönm., 1331.
[58] Cf Concilio di Lione II (1274): Denz.-Schönm., 850.
[59] Cf *1 Cor* 12,4-6; *Ef* 4,4-6.
[60] Paolo VI, *Credo del popolo di Dio,* 2.

Santo nella loro reale distinzione reciproca, il termine « relazione » per designare il fatto che la distinzione tra le Persone divine sta nel riferimento delle une alle altre.

Il dogma della Santa Trinità

253 *La Trinità è Una.* Noi non confessiamo tre dèi, ma un Dio solo in tre Persone: « la Trinità consustanziale ».[61] Le Persone divine non si dividono l'unica divinità, ma ciascuna di esse è Dio tutto intero: « Il Padre è tutto ciò che è il Figlio, il Figlio tutto ciò che è il Padre, lo Spirito Santo tutto ciò che è il Padre e il Figlio, cioè un unico Dio quanto alla natura ».[62] « Ognuna delle tre Persone è quella realtà, cioè la sostanza, l'essenza o la natura divina ».[63]

2789
590

254 *Le Persone divine sono realmente distinte tra loro.* « Dio è unico ma non solitario ».[64] « Padre », « Figlio » e « Spirito Santo » non sono semplicemente nomi che indicano modalità dell'Essere divino; essi infatti sono realmente distinti tra loro: « il Figlio non è il Padre, il Padre non è il Figlio, e lo Spirito Santo non è il Padre o il Figlio ».[65] Sono distinti tra loro per le loro relazioni di origine: « È il Padre che genera, il Figlio che è generato, lo Spirito Santo che procede ».[66] *L'Unità divina è Trina.*

468; 689

255 *Le Persone divine sono relative le une alle altre.* La distinzione reale delle Persone divine tra loro, poiché non divide l'unità divina, risiede esclusivamente nelle relazioni che le mettono in riferimento le une alle altre: « Nei nomi relativi delle Persone, il Padre è riferito al Figlio, il Figlio al Padre, lo Spirito Santo all'uno e all'altro; quando si parla di queste tre Persone considerandone le relazioni, si crede tuttavia in una sola natura o sostanza ».[67] Infatti « tutto è una cosa sola in loro, dove non si opponga la relazione ».[68] « Per questa unità il Padre è tutto nel Figlio, tutto nello Spirito Santo; il Figlio tutto nel Padre, tutto nello Spirito Santo; lo Spirito Santo è tutto nel Padre, tutto nel Figlio ».[69]

240

256 Ai catecumeni di Costantinopoli san Gregorio Nazianzeno, detto anche « il Teologo », consegna questa sintesi della fede trinitaria:

236; 684

> Innanzi tutto, conservatemi questo prezioso deposito, per il quale io vivo e combatto, con il quale voglio morire, che mi rende capace di sopportare ogni

84

[61] Concilio di Costantinopoli II (553): Denz.-Schönm., 421.
[62] Concilio di Toledo XI (675): Denz.-Schönm., 530.
[63] Concilio Lateranense IV (1215): Denz.-Schönm., 804.
[64] *Fides Damasi:* Denz.-Schönm., 71.
[65] Concilio di Toledo XI (675): Denz.-Schönm., 530.
[66] Concilio Lateranense IV (1215): Denz.-Schönm., 804.
[67] Concilio di Toledo XI (675): Denz.-Schönm., 528.
[68] Concilio di Firenze (1442): Denz.-Schönm., 1330.
[69] *Ibid.*, 1331.

male e di disprezzare tutti i piaceri: intendo dire la professione di fede nel Padre, nel Figlio e nello Spirito Santo. Io oggi ve la affido. Con essa fra poco vi immergerò nell'acqua e da essa vi trarrò. Ve la dono, questa professione, come compagna e patrona di tutta la vostra vita. Vi do una sola Divinità e Potenza, che è Uno in Tre, e contiene i Tre in modo distinto. Divinità senza differenza di sostanza o di natura, senza grado superiore che eleva, o inferiore che abbassa... Di tre infiniti è l'infinita connaturalità. Ciascuno considerato in sé è Dio tutto intiero... Dio le Tre Persone considerate insieme... Ho appena appena incominciato a pensare all'Unità ed eccomi immerso nello splendore della Trinità. Ho appena incominciato a pensare alla Trinità ed ecco che l'Unità mi sazia...[70]

IV. Le operazioni divine e le missioni trinitarie

257 « O lux, beata Trinitas et principalis Unitas – O luce, Trinità beata e originaria Unità! ».[71] Dio è eterna beatitudine, vita immortale, luce senza tramonto. Dio è Amore: Padre, Figlio e Spirito Santo. Dio liberamente vuol comunicare la gloria della sua vita beata. Tale è il disegno della sua benevolenza,[72] disegno che ha concepito prima della creazione del mondo nel suo Figlio diletto, « predestinandoci ad essere suoi figli adottivi per opera di Gesù Cristo » (*Ef* 1,4-5), cioè « ad essere conformi all'immagine del Figlio suo » (*Rm* 8,29), in forza dello « Spirito da figli adottivi » (*Rm* 8,15). Questo progetto è una « grazia che ci è stata data... fin dall'eternità » (*2 Tm* 1,9-10) e che ha come sorgente l'amore trinitario. Si dispiega nell'opera della creazione, in tutta la storia della salvezza dopo la caduta, nella missione del Figlio e in quella dello Spirito, che si prolunga nella missione della Chiesa.[73]

221 758 292 850

258 Tutta l'Economia divina è l'opera comune delle tre Persone divine. Infatti, la Trinità, come ha una sola e medesima natura, così ha una sola e medesima operazione.[74] « Il Padre, il Figlio e lo Spirito Santo non sono tre principi della creazione, ma un solo principio ».[75] Tuttavia, ogni Persona divina compie l'operazione comune secondo la sua personale proprietà. Così la Chiesa rifacendosi al Nuovo Testamento [76] professa: « Uno infatti è Dio Padre, dal quale sono tutte le cose; uno il Signore Gesù Cristo, mediante il quale sono tutte le cose; uno è lo Spirito Santo, nel quale sono tutte le cose ».[77] Le missioni divine dell'Incarnazione del Figlio e del dono dello

686

[70] San Gregorio Nazianzeno, *Orationes,* 40, 41: PG 36, 417.
[71] *Liturgia delle Ore,* Inno ai Vespri « O lux beata Trinitas ».
[72] Cf *Ef* 1,9.
[73] Cf Conc. Ecum. Vat. II, *Ad gentes,* 2-9.
[74] Cf Concilio di Costantinopoli II (553): Denz.-Schönm., 421.
[75] Concilio di Firenze (1442): Denz.-Schönm., 1331.
[76] Cf *1 Cor* 8,6.
[77] Concilio di Costantinopoli II (553): Denz.-Schönm., 421.

Spirito Santo sono quelle che particolarmente manifestano le proprietà delle Persone divine.

259 Tutta l'Economia divina, opera comune e insieme personale, fa conoscere tanto la proprietà delle Persone divine, quanto la loro unica natura. Parimenti, tutta la vita cristiana è comunione con ognuna delle Persone divine, senza in alcun modo separarle. Chi rende gloria al Padre lo fa per il Figlio nello Spirito Santo; chi segue Cristo, lo fa perché il Padre lo attira [78] e perché lo Spirito lo guida.[79] 236

260 Il fine ultimo dell'intera Economia divina è che tutte le creature entrino nell'unità perfetta della Beata Trinità.[80] Ma fin d'ora siamo chiamati ad essere abitati dalla Santissima Trinità: « Se uno mi ama », dice il Signore, « osserverà la mia Parola e il Padre mio lo amerà e noi verremo a lui e prenderemo dimora presso di lui » (*Gv* 14,23): 1050; 1721 1997

> O mio Dio, Trinità che adoro, aiutami a dimenticarmi completamente, per stabilirmi in te, immobile e serena come se la mia anima fosse già nell'eternità; nulla possa turbare la mia pace né farmi uscire da te, o mio Immutabile, ma che ogni minuto mi porti più addentro nella profondità del tuo Mistero! Pacifica la mia anima; fanne il tuo cielo, la tua dimora amata e il luogo del tuo riposo. Che io non ti lasci mai sola, ma che sia lì, con tutta me stessa, tutta vigile nella mia fede, tutta adorante, tutta offerta alla tua azione creatrice.[81] 2565

In sintesi

261 *Il Mistero della Santissima Trinità è il Mistero centrale della fede e della vita cristiana. Soltanto Dio può darcene la conoscenza rivelandosi come Padre, Figlio e Spirito Santo.*

262 *L'Incarnazione del Figlio di Dio rivela che Dio è il Padre eterno e che il Figlio è consustanziale al Padre, cioè che in lui e con lui è lo stesso unico Dio.*

263 *La missione dello Spirito Santo, che il Padre manda nel nome del Figlio* [82] *e che il Figlio manda « dal Padre » (*Gv 15,26*), rivela che egli è con loro lo stesso unico Dio. « Con il Padre e con il Figlio è adorato e glorificato ».*

[78] Cf *Gv* 6,44.
[79] Cf *Rm* 8,14.
[80] Cf *Gv* 17,21-23.
[81] Beata Elisabetta della Trinità, *Preghiera*.
[82] Cf *Gv* 14,26.

264 *« Lo Spirito Santo procede, primariamente, dal Padre e, per il dono eterno che il Padre ne fa al Figlio, procede dal Padre e dal Figlio in comunione ».*[83]

265 *Attraverso la grazia del Battesimo « nel nome del Padre e del Figlio e dello Spirito Santo », siamo chiamati ad aver parte alla vita della Beata Trinità, quaggiù nell'oscurità della fede, e, oltre la morte, nella luce eterna.*[84]

266 *« Fides autem catholica haec est, ut unum Deum in Trinitate, et Trinitatem in unitate veneremur, neque confundentes personas, neque substantiam separantes: alia enim est persona Patris, alia Filii, alia Spiritus Sancti; sed Patris et Filii et Spiritus Sancti est una divinitas, aequalis gloria, coaeterna maiestas – La fede cattolica consiste nel venerare un Dio solo nella Trinità, e la Trinità nell'Unità, senza confusione di Persone né separazione della sostanza: altra infatti è la Persona del Padre, altra quella del Figlio, altra quella dello Spirito Santo; ma unica è la divinità del Padre e del Figlio e dello Spirito Santo, uguale la gloria, coeterna la maestà ».*[85]

267 *Inseparabili nella loro sostanza, le Persone divine sono inseparabili anche nelle loro operazioni. Ma nell'unica operazione divina ogni Persona manifesta ciò che le è proprio nella Trinità, soprattutto nelle missioni divine dell'Incarnazione del Figlio e del dono dello Spirito Santo.*

Paragrafo 3

L'ONNIPOTENTE

268 Di tutti gli attributi divini, nel Simbolo si nomina soltanto l'onnipotenza di Dio: confessarla è di grande importanza per la nostra vita. Noi crediamo che tale onnipotenza è *universale,* perché Dio, che tutto ha creato,[86] tutto governa e tutto può; *amante,* perché Dio è nostro Padre;[87] *misteriosa,* perché la fede soltanto la può riconoscere allorché « si manifesta nella debolezza » (*2 Cor* 12,9).[88]

222

[83] Sant'Agostino, *De Trinitate,* 15, 26, 47.
[84] Cf Paolo VI, *Credo del popolo di Dio,* 9.
[85] Simbolo « Quicumque »: Denz.-Schönm., 75.
[86] Cf *Gn* 1,1; *Gv* 1,3.
[87] Cf *Mt* 6,9.
[88] Cf *1 Cor* 1,18.

« Egli opera tutto ciò che vuole » (*Sal* 115,3)

269 Le Sacre Scritture affermano a più riprese la potenza *universale* di Dio. Egli è detto « il Potente di Giacobbe » (*Gn* 49,24; *Is* 1,24 e.a.), « il Signore degli eserciti », « il Forte, il Potente » (*Sal* 24,8-10). Se Dio è onnipotente « in cielo e sulla terra » (*Sal* 135,6), è perché lui stesso li ha fatti. Nulla quindi gli è impossibile [89] e dispone della sua opera come gli piace; [90] egli è il Signore dell'universo, di cui ha fissato l'ordine che rimane a lui interamente sottoposto e disponibile; egli è il Padrone della storia: muove i cuori e guida gli avvenimenti secondo il suo beneplacito.[91] « Prevalere con la forza ti è sempre possibile; chi potrà opporsi al potere del tuo braccio? » (*Sap* 11,21). 303

« Hai compassione di tutti, perché tutto tu puoi » (*Sap* 11,23)

270 Dio è il *Padre* onnipotente. La sua paternità e la sua potenza si illuminano a vicenda. Infatti, egli mostra la sua onnipotenza paterna nel modo in cui si prende cura dei nostri bisogni; [92] attraverso l'adozione filiale che ci dona (« sarò per voi come un padre, e voi mi sarete come figli e figlie, dice il Signore onnipotente »: *2 Cor* 6,18); infine attraverso la sua infinita misericordia, dal momento che egli manifesta al massimo grado la sua potenza perdonando liberamente i peccati. 2777 1441

271 L'onnipotenza divina non è affatto arbitraria: « In Dio la potenza e l'essenza, la volontà e l'intelligenza, la sapienza e la giustizia sono una sola ed identica cosa, di modo che nulla può esserci nella potenza divina che non possa essere nella giusta volontà di Dio o nella sua sapiente intelligenza ».[93]

Il mistero dell'apparente impotenza di Dio

272 La fede in Dio Padre onnipotente può essere messa alla prova dall'esperienza del male e della sofferenza. Talvolta Dio può sembrare assente ed incapace di impedire il male. Ora, Dio Padre ha rivelato nel modo più *misterioso* la sua onnipotenza nel volontario abbassamento e nella Risurrezione del Figlio suo, per mezzo dei quali ha vinto il male. Cristo crocifisso è quindi « potenza di Dio e sapienza di Dio. Perché ciò che è stoltezza di Dio è più sapiente degli uomini, e ciò che è debolezza di Dio è più forte degli uomini » (*1 Cor* 1,24-25). Nella Risurrezione e nella esaltazione di Cristo il Padre ha dispiegato « l'efficacia della sua forza » e ha manifestato 309 412 609 648

[89] Cf *Ger* 32,17; *Lc* 1,37.
[90] Cf *Ger* 27,5.
[91] Cf *Est* 4,17b; *Prv* 21,1; *Tb* 13,2.
[92] Cf *Mt* 6,32.
[93] San Tommaso d'Aquino, *Summa theologiae,* I, 25, 5, ad 1.

« la straordinaria grandezza della sua potenza verso di noi credenti » (*Ef* 1,19-22).

273 Soltanto la fede può aderire alle vie misteriose dell'onnipotenza di Dio. Per questa fede, ci si gloria delle proprie debolezze per attirare su di sé la potenza di Cristo.[94] Di questa fede il supremo modello è la Vergine Maria: ella ha creduto che « nulla è impossibile a Dio » (*Lc* 1,37) e ha potuto magnificare il Signore: « Grandi cose ha fatto in me l'Onnipotente e santo è il suo nome » (*Lc* 1,49).

148

274 « La ferma persuasione dell'onnipotenza divina vale più di ogni altra cosa a corroborare in noi il doveroso sentimento della fede e della speranza. La nostra ragione, conquistata dall'idea della divina onnipotenza, assentirà, senza più dubitare, a qualunque cosa sia necessario credere, per quanto possa essere grande e meravigliosa o superiore alle leggi e all'ordine della natura. Anzi, quanto più sublimi saranno le verità da Dio rivelate, tanto più agevolmente riterrà di dovervi assentire ».[95]

1814; 1817
211

In sintesi

275 *Con Giobbe, il giusto, noi confessiamo: « Comprendo che puoi tutto e che nessuna cosa è impossibile per te »* (*Gb* 42, 2).

276 *Fedele alla testimonianza della Scrittura, la Chiesa rivolge spesso la sua preghiera al « Dio onnipotente ed eterno » (« omnipotens sempiterne Deus... »), credendo fermamente che « nulla è impossibile a Dio »* (*Gn* 18,14; *Lc* 1,37; *Mt* 19,26).

277 *Dio manifesta la sua onnipotenza convertendoci dai nostri peccati e ristabilendoci nella sua amicizia con la grazia (« Deus, qui omnipotentiam tuam parcendo maxime et miserando manifestas... – O Dio, che riveli la tua onnipotenza soprattutto con la misericordia e il perdono... »).*[96]

278 *Senza credere che l'Amore di Dio è onnipotente, come credere che il Padre abbia potuto crearci, il Figlio riscattarci, lo Spirito Santo santificarci?*

[94] Cf *2 Cor* 12,9; *Fil* 4,13.
[95] *Catechismo Romano,* 1, 2, 13.
[96] *Messale Romano,* colletta della ventiseiesima domenica.

Paragrafo 4
IL CREATORE

279 « In principio Dio creò il cielo e la terra » (*Gn* 1,1). Con queste solenni parole incomincia la Sacra Scrittura. Il Simbolo della fede le riprende confessando Dio Padre onnipotente come « Creatore del cielo e della terra », « di tutte le cose visibili e invisibili ». Noi parleremo perciò innanzi tutto del Creatore, poi della sua creazione, infine della caduta a causa del peccato, da cui Gesù Cristo, il Figlio di Dio, è venuto a risollevarci.

280 La creazione è il *fondamento* di « tutti i progetti salvifici di Dio », « l'inizio della storia della salvezza »,[97] che culmina in Cristo. Inversamente, il Mistero di Cristo è la luce decisiva sul mistero della creazione: rivela il fine in vista del quale, « in principio, Dio creò il cielo e la terra » (*Gn* 1,1): dalle origini, Dio pensava alla gloria della nuova creazione in Cristo.[98]

288 1043

281 Per questo le letture della Veglia Pasquale, celebrazione della nuova creazione in Cristo, iniziano con il racconto della creazione; parimenti, nella Liturgia Bizantina, il racconto della creazione è sempre la prima lettura delle vigilie delle grandi feste del Signore. Secondo la testimonianza degli antichi, l'istruzione dei catecumeni per il Battesimo segue lo stesso itinerario.[99]

1095

I. La catechesi sulla creazione

282 La catechesi sulla creazione è di capitale importanza. Concerne i fondamenti stessi della vita umana e cristiana: infatti esplicita la risposta della fede cristiana agli interrogativi fondamentali che gli uomini di ogni tempo si sono posti: « Da dove veniamo? » « Dove andiamo? » « Qual è la nostra origine? » « Quale il nostro fine? » « Da dove viene e dove va tutto ciò che esiste? ». Le due questioni, quella dell'origine e quella del fine, sono inseparabili. Sono decisive per il senso e l'orientamento della nostra vita e del nostro agire.

1730

283 La questione delle origini del mondo e dell'uomo è oggetto di numerose ricerche scientifiche, che hanno straordinariamente arricchito le nostre conoscenze sull'età e le dimensioni del cosmo, sul divenire delle forme viventi, sull'apparizione dell'uomo. Tali scoperte ci invitano ad una sempre maggiore ammirazione per la grandezza del Creatore, e a ringraziarlo per tutte le sue opere e per l'intelligenza e la sapienza di cui fa dono agli studiosi e ai ricercatori. Con Salomone costoro possono dire: « Egli mi ha concesso la conoscenza infallibile delle cose, per comprendere la

159 341

[97] Congregazione per il Clero, *Direttorio catechistico generale,* 51.
[98] Cf *Rm* 8,18-23.
[99] Cf Eteria, *Peregrinatio ad loca sancta,* 46: PLS 1, 1047; Sant'Agostino, *De catechizandis rudibus,* 3, 5.

struttura del mondo e la forza degli elementi... perché mi ha istruito la Sapienza, artefice di tutte le cose » (*Sap* 7,17-21).

284 Il grande interesse, di cui sono oggetto queste ricerche, è fortemente stimolato da una questione di altro ordine, che oltrepassa il campo proprio delle scienze naturali. Non si tratta soltanto di sapere quando e come sia sorto materialmente il cosmo, né quando sia apparso l'uomo, quanto piuttosto di scoprire quale sia il senso di tale origine: se cioè sia governata dal caso, da un destino cieco, da una necessità anonima, oppure da un Essere trascendente, intelligente e buono, chiamato Dio. E se il mondo proviene dalla sapienza e dalla bontà di Dio, perché il male? Da dove viene? Chi ne è responsabile? C'è una liberazione da esso?

285 Fin dagli inizi, la fede cristiana è stata messa a confronto con risposte diverse dalla sua circa la questione delle origini. Infatti, nelle religioni e nelle culture antiche si trovano numerosi miti riguardanti le origini. Certi filosofi hanno affermato che tutto è Dio, che il mondo è Dio, o che il divenire del mondo è il divenire di Dio (panteismo); altri hanno detto che il mondo è una emanazione necessaria di Dio, che scaturisce da questa sorgente e ad essa ritorna; altri ancora hanno sostenuto l'esistenza di due princìpi eterni, il Bene e il Male, la Luce e le Tenebre, in continuo conflitto (dualismo, manicheismo); secondo alcune di queste concezioni, il mondo (almeno il mondo materiale) sarebbe cattivo, prodotto di un decadimento, e quindi da respingere o oltrepassare (gnosi); altri ammettono che il mondo sia stato fatto da Dio, ma alla maniera di un orologiaio che, una volta fatto, l'avrebbe abbandonato a se stesso (deismo); altri infine non ammettono alcuna origine trascendente del mondo, ma vedono in esso il puro gioco di una materia che sarebbe sempre esistita (materialismo). Tutti questi tentativi di spiegazione stanno a testimoniare la persistenza e l'universalità del problema delle origini. Questa ricerca è propria dell'uomo.

295
28

286 Indubbiamente, l'intelligenza umana può già trovare una risposta al problema delle origini. Infatti, è possibile conoscere con certezza l'esistenza di Dio Creatore attraverso le sue opere, grazie alla luce della ragione umana,[100] anche se questa conoscenza spesso è offuscata e sfigurata dall'errore. Per questo la fede viene a confermare e a far luce alla ragione nella retta intelligenza di queste verità: « Per fede sappiamo che i mondi furono formati dalla Parola di Dio, sì che da cose non visibili ha preso origine ciò che si vede » (*Eb* 11,3).

32
37

287 La verità della creazione è tanto importante per l'intera vita umana che Dio, nella sua tenerezza, ha voluto rivelare al suo Popolo tutto ciò che al riguardo è necessario conoscere. Al di là della conoscenza naturale che ogni uomo può avere del Creatore,[101] Dio ha progressivamente rivelato a Israele il mistero della creazione. Egli, che ha scelto i patriarchi, che ha fatto uscire Israele dall'Egitto, e che, eleggendo Israele, l'ha creato e formato,[102]

107

[100] Cf Concilio Vaticano I: Denz.-Schönm., 3026.
[101] Cf *At* 17,24-29; *Rm* 1,19-20.
[102] Cf *Is* 43,1.

si rivela come colui al quale appartengono tutti i popoli della terra e l'intera terra, come colui che, solo, « ha fatto cielo e terra » (*Sal* 115,15; 124,8; 134,3).

288 La rivelazione della creazione è così inseparabile dalla rivelazione e dalla realizzazione dell'Alleanza di Dio, l'Unico, con il suo Popolo. La creazione è rivelata come il primo passo verso tale Alleanza, come la prima e universale testimonianza dell'amore onnipotente di Dio.[103] E poi la verità della creazione si esprime con una forza crescente nel messaggio dei profeti,[104] nella preghiera dei Salmi [105] e della Liturgia, nella riflessione della sapienza [106] del Popolo eletto. 280 2569

289 Tra tutte le parole della Sacra Scrittura sulla creazione, occupano un posto singolarissimo i primi tre capitoli della Genesi. Dal punto di vista letterario questi testi possono avere diverse fonti. Gli autori ispirati li hanno collocati all'inizio della Scrittura in modo che esprimano, con il loro linguaggio solenne, le verità della creazione, della sua origine e del suo fine in Dio, del suo ordine e della sua bontà, della vocazione dell'uomo, infine del dramma del peccato e della speranza della salvezza. Lette alla luce di Cristo, nell'unità della Sacra Scrittura e della Tradizione vivente della Chiesa, queste parole restano la fonte principale per la catechesi dei misteri delle « origini »: creazione, caduta, promessa della salvezza. 390 111

II. La creazione – opera della Santissima Trinità

290 « In principio, Dio creò il cielo e la terra » (*Gn* 1,1). Queste prime parole della Scrittura contengono tre affermazioni: il Dio eterno ha dato un inizio a tutto ciò che esiste fuori di lui. Egli solo è Creatore (il verbo « creare » — in ebraico « bara » — ha sempre come soggetto Dio). La totalità di ciò che esiste (espressa nella formula « il cielo e la terra ») dipende da colui che gli dà di essere. 326

291 « In principio era il Verbo... e il Verbo era Dio... Tutto è stato fatto per mezzo di lui e senza di lui niente è stato fatto » (*Gv* 1,1-3). Il Nuovo Testamento rivela che Dio ha creato tutto per mezzo del Verbo eterno, il Figlio suo diletto. « Per mezzo di lui sono state create tutte le cose, quelle nei cieli e quelle sulla terra... Tutte le cose sono state create per mezzo di lui e in vista di lui. Egli è prima di tutte le cose e tutte in lui sussistono » (*Col* 1,16-17). La fede della Chiesa afferma pure l'azione creatrice dello 241 331

[103] Cf *Gn* 15,5; *Ger* 33,19-26.
[104] Cf *Is* 44,24.
[105] Cf *Sal* 104.
[106] Cf *Prv* 8,22-31.

703 Spirito Santo: egli è il « datore di vita »,[107] lo « Spirito Creatore »,[108] la « sorgente di ogni bene ».[109]

292 Lasciata intravvedere nell'Antico Testamento,[110] rivelata nella Nuova Alleanza, l'azione creatrice del Figlio e dello Spirito, inseparabilmente una con quella del Padre, è chiaramente affermata dalla regola di fede della Chiesa: « Non esiste che un solo Dio...: egli è il Padre, è Dio, il Creatore, l'Autore, l'Ordinatore. Egli ha fatto ogni cosa *da se stesso,* cioè con il suo Verbo e la sua Sapienza », « per mezzo del Figlio e dello Spirito », che sono come « le sue mani ».[111] La creazione è l'opera comune della Santissima Trinità. 699; 257

III. « Il mondo è stato creato per la gloria di Dio »

293 È una verità fondamentale che la Scrittura e la Tradizione costantemente insegnano e celebrano: « Il mondo è stato creato per la gloria di Dio ».[112] Dio ha creato tutte le cose, spiega san Bonaventura, « non propter gloriam augendam, sed propter gloriam manifestandam et propter gloriam suam communicandam – non per accrescere la propria gloria, ma per manifestarla e per comunicarla ».[113] Infatti Dio non ha altro motivo per creare se non il suo amore e la sua bontà: « Aperta manu clave amoris creaturæ prodierunt – Aperta la mano dalla chiave dell'amore, le creature vennero alla luce ».[114] E il Concilio Vaticano I spiega: 337; 344; 1361

> 759 Nella sua bontà e con la sua onnipotente virtù, non per aumentare la sua beatitudine, né per acquistare perfezione, ma per manifestarla attraverso i beni che concede alle sue creature, questo solo vero Dio ha, con la più libera delle decisioni, insieme, dall'inizio dei tempi, creato dal nulla l'una e l'altra creatura, la spirituale e la corporale.[115]

2809 294 La gloria di Dio è che si realizzi la manifestazione e la comunicazione della sua bontà, in vista delle quali il mondo è stato creato. Fare di noi i suoi « figli adottivi per opera di Gesù Cristo », è il benevolo disegno « della sua volontà... *a lode e gloria* della sua grazia » (*Ef* 1,5-6). « Infatti la gloria di Dio è l'uomo vivente e la vita dell'uomo è la visione di Dio: se già la Ri- 1722

[107] Simbolo di Nicea-Costantinopoli.
[108] *Liturgia delle Ore*, Inno « Veni, Creator Spiritus ».
[109] Liturgia bizantina, Tropario dei Vespri di Pentecoste.
[110] Cf *Sal* 33,6; 104,30; *Gn* 1,2-3.
[111] SANT'IRENEO DI LIONE, *Adversus haereses,* 2, 30, 9 e 4, 20, 1.
[112] Concilio Vaticano I: DENZ.-SCHÖNM., 3025.
[113] SAN BONAVENTURA, *In libros sententiarum,* 2, 1, 2, 2, 1.
[114] SAN TOMMASO D'AQUINO, *In libros sententiarum,* 2, prol.
[115] Concilio Vaticano I: DENZ.-SCHÖNM., 3002.

velazione di Dio attraverso la creazione procurò la vita a tutti gli esseri che vivono sulla terra, quanto più la manifestazione del Padre per mezzo del Verbo dà la vita a coloro che vedono Dio ».[116] Il fine ultimo della creazione è che Dio, « che di tutti è il Creatore, possa anche essere "tutto in tutti" (*1 Cor* 15,28) procurando ad un tempo la sua gloria e la nostra felicità ».[117] 1992

IV. Il mistero della creazione

Dio crea con sapienza e amore

295 Noi crediamo che il mondo è stato creato da Dio secondo la sua sapienza.[118] Non è il prodotto di una qualsivoglia necessità, di un destino cieco o del caso. Noi crediamo che il mondo trae origine dalla libera volontà di Dio, il quale ha voluto far partecipare le creature al suo essere, alla sua saggezza e alla sua bontà: « Tu hai creato tutte le cose, e per la tua volontà furono create e sussistono » (*Ap* 4,11). « Quanto sono grandi, Signore, le tue opere! Tutto hai fatto con saggezza » (*Sal* 104,24). « Buono è il Signore verso tutti, la sua tenerezza si espande su tutte le creature » (*Sal* 145,9). 216; 1951

Dio crea « dal nulla »

296 Noi crediamo che Dio, per creare, non ha bisogno di nulla di preesistente né di alcun aiuto.[119] La creazione non è neppure una emanazione necessaria della sostanza divina.[120] Dio crea liberamente « dal nulla »: [121] 285

> Che vi sarebbe di straordinario se Dio avesse tratto il mondo da una materia preesistente? Un artigiano umano, quando gli si dà un materiale, ne fa tutto ciò che vuole. Invece la potenza di Dio si manifesta precisamente in questo, che egli parte dal nulla per fare tutto ciò che vuole.[122]

297 La fede nella creazione « dal nulla » è attestata nella Scrittura come una verità piena di promessa e di speranza. Così la madre dei sette figli li incoraggia al martirio: 338

> Non so come siate apparsi nel mio seno; non io vi ho dato lo spirito e la vita, né io ho dato forma alle membra di ciascuno di voi. Senza dubbio il Creatore del mondo, che ha plasmato all'origine l'uomo e ha provveduto alla generazione di tutti, per la sua misericordia vi restituirà di nuovo lo spirito e la vita, come voi ora per le sue leggi non vi curate di voi stessi... Ti scongiuro, figlio, contempla il cielo e la terra, osserva quanto vi è in essi e sappi che Dio

[116] Sant'Ireneo di Lione, *Adversus haereses,* 4, 20, 7.
[117] Conc. Ecum. Vat. II, *Ad gentes,* 2.
[118] Cf *Sap* 9,9.
[119] Cf Concilio Vaticano I: Denz.-Schönm., 3022.
[120] Cf *ibid.,* 3023-3024.
[121] Concilio Lateranense IV: Denz.-Schönm., 800; Concilio Vaticano I: *ibid.,* 3025.
[122] San Teofilo d'Antiochia, *Ad Autolycum,* 2, 4: PG 6, 1052.

li ha fatti non da cose preesistenti; tale è anche l'origine del genere umano (*2 Mac* 7,22-23.28).

1375 298 Dio, poiché può creare dal nulla, può anche, per opera dello Spirito Santo, donare ai peccatori la vita dell'anima, creando in essi un cuore puro,[123] 992 e ai defunti, con la risurrezione, la vita del corpo, egli « che dà vita ai morti e chiama all'esistenza le cose che ancora non esistono » (*Rm* 4,17). E, dal momento che, con la sua Parola, ha potuto far risplendere la luce dalle tenebre,[124] può anche donare la luce della fede a coloro che non lo conoscono.[125]

Dio crea un mondo ordinato e buono

299 Per il fatto che Dio crea con sapienza, la creazione ha un ordine: « Tu 339 hai disposto tutto con misura, calcolo e peso » (*Sap* 11,20). Creata nel e per mezzo del Verbo eterno, « immagine del Dio invisibile » (*Col* 1,15), la creazione è destinata, indirizzata all'uomo, immagine di Dio,[126] chiamato a una relazione personale con Dio. La nostra intelligenza, poiché partecipa alla luce 41; 1147 dell'Intelletto divino, può comprendere ciò che Dio ci dice attraverso la creazione,[127] certo non senza grande sforzo e in spirito di umiltà e di rispetto davanti al Creatore e alla sua opera.[128] Scaturita dalla bontà divina, la creazione partecipa di questa bontà (« E Dio vide che era cosa buona... cosa molto buona »: *Gn* 1,4.10.12.18.21.31). La creazione, infatti, è voluta da Dio come 358 un dono fatto all'uomo, come un'eredità a lui destinata e affidata. La Chiesa, a più riprese, ha dovuto difendere la bontà della creazione, compresa 2415 quella del mondo materiale.[129]

Dio trascende la creazione ed è ad essa presente

42 300 Dio è infinitamente più grande di tutte le sue opere:[130] « Sopra i cieli si 223 innalza » la sua « magnificenza » (*Sal* 8,2), « la sua grandezza non si può misurare » (*Sal* 145,3). Ma poiché egli è il Creatore sovrano e libero, causa prima di tutto ciò che esiste, egli è presente nell'intimo più profondo delle sue creature: « In lui viviamo, ci muoviamo ed esistiamo » (*At* 17,28). Secondo le parole di sant'Agostino, egli è « superior summo meo et interior

[123] Cf *Sal* 51,12.
[124] Cf *Gn* 1,3.
[125] Cf *2 Cor* 4,6.
[126] Cf *Gn* 1,26.
[127] Cf *Sal* 19,2-5.
[128] Cf *Gb* 42,3.
[129] Cf San Leone Magno, Lettera *Quam laudabiliter:* Denz.-Schönm., 286; Concilio di Braga I: *ibid.*, 455-463; Concilio Lateranense IV: *ibid.*, 800; Concilio di Firenze: *ibid.*, 1333; Concilio Vaticano I: *ibid.*, 3002.
[130] Cf *Sir* 43,28.

intimo meo – più intimo della mia parte più intima, più alto della mia parte più alta ».[131]

Dio conserva e regge la creazione

301 Dopo averla creata, Dio non abbandona a se stessa la sua creatura. Non le dona soltanto di essere e di esistere: la conserva in ogni istante nell'essere, le dà la facoltà di agire e la conduce al suo termine. Riconoscere questa completa dipendenza in rapporto al Creatore è fonte di sapienza e di libertà, di gioia, di fiducia:

1951
396

> Tu ami tutte le cose esistenti, e nulla disprezzi di quanto hai creato; se tu avessi odiato qualcosa, non l'avresti neppure creata. Come potrebbe sussistere una cosa se tu non vuoi? O conservarsi se tu non l'avessi chiamata all'esistenza? Tu risparmi tutte le cose, perché tutte son tue, Signore, amante della vita (*Sap* 11,24-26).

V. Dio realizza il suo disegno: la Provvidenza divina

302 La creazione ha la sua propria bontà e perfezione, ma non è uscita dalle mani del Creatore interamente compiuta. È creata « in stato di via » (« in statu viae ») verso una perfezione ultima alla quale Dio l'ha destinata, ma che ancora deve essere raggiunta. Chiamiamo divina Provvidenza le disposizioni per mezzo delle quali Dio conduce la creazione verso questa perfezione.

> Dio conserva e governa con la sua Provvidenza tutto ciò che ha creato, « essa si estende da un confine all'altro con forza, governa con bontà eccellente ogni cosa » (*Sap* 8,1). Infatti « tutto è nudo e scoperto agli occhi suoi » (*Eb* 4,13), anche quello che sarà fatto dalla libera azione delle creature.[132]

303 La testimonianza della Scrittura è unanime: la sollecitudine della divina Provvidenza è *concreta* e *immediata;* essa si prende cura di tutto, dalle più piccole cose fino ai grandi eventi del mondo e della storia. Con forza, i Libri Sacri affermano la sovranità assoluta di Dio sul corso degli avvenimenti: « Il nostro Dio è nei cieli, egli opera tutto ciò che vuole » (*Sal* 115,3); e di Cristo si dice: « Quando egli apre, nessuno chiude, e quando chiude, nessuno apre » (*Ap* 3,7); « molte sono le idee nella mente dell'uomo, ma solo il disegno del Signore resta saldo » (*Prv* 19,21).

269

[131] Sant'Agostino, *Confessiones,* 3, 6, 11.
[132] Concilio Vaticano I: Denz.-Schönm., 3003.

2568

304 Spesso si nota che lo Spirito Santo, autore principale della Sacra Scrittura, attribuisce delle azioni a Dio, senza far cenno a cause seconde. Non si tratta di « un modo di parlare » primitivo, ma di una maniera profonda di richiamare il primato di Dio e la sua signoria assoluta sulla storia e sul mondo [133] educando così alla fiducia in lui. La preghiera dei Salmi è la grande scuola di questa fiducia.[134]

2115

305 Gesù chiede un abbandono filiale alla Provvidenza del Padre celeste, il quale si prende cura dei più elementari bisogni dei suoi figli: « Non affannatevi dunque dicendo: Che cosa mangeremo? Che cosa berremo? Che cosa indosseremo?... Il Padre vostro celeste, infatti, sa che ne avete bisogno. Cercate prima il Regno di Dio e la sua giustizia, e tutte queste cose vi saranno date in aggiunta » (*Mt* 6,31-33).[135]

La Provvidenza e le cause seconde

1884; 1951

306 Dio è il Padrone sovrano del suo disegno. Però, per realizzarlo, si serve anche della cooperazione delle creature. Questo non è un segno di debolezza, bensì della grandezza e della bontà di Dio onnipotente. Infatti Dio alle sue creature non dona soltanto l'esistenza, ma anche la dignità di agire esse stesse, di essere causa e principio le une delle altre, e di collaborare in tal modo al compimento del suo disegno.

106; 373; 1954; 2427; 2738; 618; 1505

307 Dio dà agli uomini anche il potere di partecipare liberamente alla sua Provvidenza, affidando loro la responsabilità di « soggiogare » la terra e di dominarla.[136] In tal modo Dio fa dono agli uomini di essere cause intelligenti e libere per completare l'opera della creazione, perfezionandone l'armonia, per il loro bene e per il bene del loro prossimo. Cooperatori spesso inconsapevoli della volontà divina, gli uomini possono entrare deliberatamente nel piano divino con le loro azioni, le loro preghiere, ma anche con le loro sofferenze.[137] Allora diventano in pienezza « collaboratori di Dio » (*1 Cor* 3,9; *1 Ts* 3,2) e del suo Regno.[138]

308 Dio agisce in tutto l'agire delle sue creature: è una verità inseparabile dalla fede in Dio Creatore. Egli è la causa prima che opera nelle e per mezzo delle cause seconde: « È Dio infatti che suscita » in noi « il volere e l'operare

[133] Cf *Is* 10,5-15; 45,5-7; *Dt* 32,39; *Sir* 11,14.
[134] Cf *Sal* 22; 32; 35; 103; 138; e.a.
[135] Cf *Mt* 10,29-31.
[136] Cf *Gn* 1,26-28.
[137] Cf *Col* 1,24.
[138] Cf *Col* 4,11.

secondo i suoi benevoli disegni » (*Fil* 2,13).[139] Lungi dallo sminuire la dignità della creatura, questa verità la accresce. Infatti la creatura, tratta dal nulla dalla potenza, dalla sapienza e dalla bontà di Dio, niente può se è separata dalla propria origine, perché « la creatura senza il Creatore svanisce »; [140] ancor meno può raggiungere il suo fine ultimo senza l'aiuto della grazia.[141] 970

La Provvidenza e lo scandalo del male

309 Se Dio Padre onnipotente, Creatore del mondo ordinato e buono, si prende cura di tutte le sue creature, perché esiste il male? A questo interrogativo tanto pressante quanto inevitabile, tanto doloroso quanto misterioso, nessuna rapida risposta potrà bastare. È l'insieme della fede cristiana che costituisce la risposta a tale questione: la bontà della creazione, il dramma del peccato, l'amore paziente di Dio che viene incontro all'uomo con le sue Alleanze, con l'Incarnazione redentrice del suo Figlio, con il dono dello Spirito, con il radunare la Chiesa, con la forza dei sacramenti, con la vocazione ad una vita felice, alla quale le creature libere sono invitate a dare il loro consenso, ma alla quale, per un mistero terribile, possono anche sottrarsi. *Non c'è un punto del messaggio cristiano che non sia, per un certo aspetto, una risposta al problema del male.* 164; 385 150 2805

310 Ma perché Dio non ha creato un mondo a tal punto perfetto da non potervi essere alcun male? Nella sua infinita potenza, Dio potrebbe sempre creare qualcosa di migliore.[142] Tuttavia, nella sua sapienza e nella sua bontà infinite, Dio ha liberamente voluto creare un mondo « in stato di via » verso la sua perfezione ultima. Questo divenire, nel disegno di Dio, comporta, con la comparsa di certi esseri la scomparsa di altri, con il più perfetto anche il meno perfetto, con le costruzioni della natura anche le distruzioni. Quindi, insieme con il bene fisico esiste anche *il male fisico,* finché la creazione non avrà raggiunto la sua perfezione.[143] 412 1042-1050 342

311 Gli angeli e gli uomini, creature intelligenti e libere, devono camminare verso il loro destino ultimo per una libera scelta e un amore di preferenza. Essi possono, quindi, deviare. In realtà, hanno peccato. È così che nel mondo è entrato *il male morale,* incommensurabilmente più grave del male fisico. Dio non è in alcun modo, né direttamente né indirettamente, la causa 396 1849

[139] Cf *1 Cor* 12,6.
[140] Conc. Ecum. Vat. II, *Gaudium et spes,* 36.
[141] Cf *Mt* 19,26; *Gv* 15,5; *Fil* 4,13.
[142] Cf San Tommaso d'Aquino, *Summa theologiae,* I, 25, 6.
[143] Cf San Tommaso d'Aquino, *Summa contra gentiles,* 3, 71.

del male morale.[144] Però, rispettando la libertà della sua creatura, lo permette e, misteriosamente, sa trarne il bene:

> Infatti Dio onnipotente..., essendo supremamente buono, non permetterebbe mai che un qualsiasi male esistesse nelle sue opere, se non fosse sufficientemente potente e buono da trarre dal male stesso il bene.[145]

312 Così, col tempo, si può scoprire che Dio, nella sua Provvidenza onnipotente, può trarre un bene dalle conseguenze di un male, anche morale, causato dalle sue creature: « Non siete stati voi », dice Giuseppe ai suoi fratelli, « a mandarmi qui, ma Dio;... se voi avete pensato del male contro di me, Dio ha pensato di farlo servire a un bene... per far vivere un popolo numeroso » (*Gn* 45,8; 50,20).[146] Dal più grande male morale che mai sia stato commesso, il rifiuto e l'uccisione del Figlio di Dio, causata dal peccato di tutti gli uomini, Dio, con la sovrabbondanza della sua grazia,[147] ha tratto i più grandi beni: la glorificazione di Cristo e la nostra Redenzione. Con ciò, però, il male non diventa un bene.

598-600

1994

313 « Tutto concorre al bene di coloro che amano Dio » (*Rm* 8,28). La testimonianza dei santi non cessa di confermare questa verità:

227

> Così santa Caterina da Siena dice a « coloro che si scandalizzano e si ribellano davanti a ciò che loro capita »: « Tutto viene dall'amore, tutto è ordinato alla salvezza dell'uomo, Dio non fa niente se non a questo fine ».[148]
> E san Tommaso Moro, poco prima del martirio, consola la figlia: « Nulla accade che Dio non voglia, e io sono sicuro che qualunque cosa avvenga, per quanto cattiva appaia, sarà in realtà sempre per il meglio ».[149]
> E Giuliana di Norwich: « Imparai dalla grazia di Dio che dovevo rimanere fermamente nella fede, e quindi dovevo saldamente e perfettamente credere che tutto sarebbe finito in bene...: « Tu stessa vedrai che ogni specie di cosa sarà per il bene ».[150]

314 Noi crediamo fermamente che Dio è Signore del mondo e della storia. Ma le vie della sua Provvidenza spesso ci rimangono sconosciute. Solo alla fine, quando avrà termine la nostra conoscenza imperfetta e vedremo Dio « a faccia a faccia » (*1 Cor* 13,12), conosceremo pienamente le vie, lungo le

1040

[144] Cf Sant'Agostino, *De libero arbitrio,* 1, 1, 1: PL 32, 1221-1223; San Tommaso d'Aquino, *Summa teologiae,* I-II, 79, 1.
[145] Sant'Agostino, *Enchiridion de fide, spe et caritate,* 11, 3.
[146] Cf *Tb* 2,12-18 vulg.
[147] Cf *Rm* 5,20.
[148] Santa Caterina da Siena, *Dialoghi,* 4, 138.
[149] San Tommaso More, *Lettera ad Alice Alington di Margaret Roper sul colloquio avuto in carcere con il padre,* cf *Liturgia delle Ore,* III, Ufficio delle letture del 22 giugno.
[150] Giuliana di Norwich, *Rivelazioni dell'amore divino,* 32.

quali, anche attraverso i drammi del male e del peccato, Dio avrà condotto la sua creazione fino al riposo di quel *Sabato* [151] definitivo, in vista del quale ha creato il cielo e la terra. 2550

In sintesi

315 *Nella creazione del mondo e dell'uomo, Dio ha posto la prima e universale testimonianza del suo amore onnipotente e della sua sapienza, il primo annunzio del suo « disegno di benevolenza », che ha il suo fine nella nuova creazione in Cristo.*

316 *Sebbene l'opera della creazione sia particolarmente attribuita al Padre, è ugualmente verità di fede che il Padre, il Figlio e lo Spirito Santo sono il principio unico e indivisibile della creazione.*

317 *Dio solo ha creato l'universo liberamente, direttamente, senza alcun aiuto.*

318 *Nessuna creatura ha il potere infinito necessario per « creare » nel senso proprio del termine, cioè produrre e dare l'essere a ciò che non l'aveva affatto (chiamare all'esistenza « ex nihilo » – dal nulla).*[152]

319 *Dio ha creato il mondo per manifestare e per comunicare la sua gloria. Che le sue creature abbiano parte alla sua verità, alla sua bontà, alla sua bellezza: ecco la gloria per la quale Dio le ha create.*

320 *Dio, che ha creato l'universo, lo conserva nell'esistenza per mezzo del suo Verbo, « questo Figlio che... sostiene tutto con la potenza della sua Parola » (Eb* 1,3), *e per mezzo dello Spirito Creatore che dà vita.*

321 *La divina Provvidenza consiste nelle disposizioni con le quali Dio, con sapienza e amore, conduce tutte le creature al loro fine ultimo.*

322 *Cristo ci esorta all'abbandono filiale alla Provvidenza del nostro Padre celeste* [153] *e l'apostolo san Pietro gli fa eco: gettate « in lui ogni vostra preoccupazione, perché egli ha cura di voi » (1 Pt* 5,7).[154]

323 *La Provvidenza divina agisce anche attraverso l'azione delle creature. Agli esseri umani Dio dona di cooperare liberamente ai suoi disegni.*

324 *Che Dio permetta il male fisico e morale è un mistero che Dio illumina nel suo Figlio, Gesù Cristo, morto e risorto per vincere il male. La fede ci dà la certezza che Dio non permetterebbe il male, se dallo stesso male non traesse il bene, per vie che conosceremo pienamente soltanto nella vita eterna.*

[151] Cf *Gn* 2,2.
[152] Cf Congregazione per l'Educazione Cattolica, Decreto del 27 luglio 1914, *Theses approbatae philosophiae tomisticae:* Denz.-Schönm., 3624.
[153] Cf *Mt* 6,26-34.
[154] Cf *Sal* 55,23.

Paragrafo 5
IL CIELO E LA TERRA

325 Il Simbolo degli Apostoli professa che Dio è « il Creatore del cielo e della terra », e il Simbolo di Nicea-Costantinopoli esplicita: « ...di tutte le cose visibili e invisibili ».

290 326 Nella Sacra Scrittura, l'espressione « cielo e terra » significa: tutto ciò che esiste, l'intera creazione. Indica pure, all'interno della creazione, il legame che ad un tempo unisce e distingue cielo e terra: « La terra » è il mondo
1023; 2794 degli uomini.[155] « Il cielo », o « i cieli », può indicare il firmamento,[156] ma anche il « luogo » proprio di Dio: il nostro « Padre che è nei cieli » (*Mt* 5,16) [157] e, di conseguenza, anche il « cielo » che è la gloria escatologica. Infine, la parola « cielo » indica il « luogo » delle creature spirituali — gli angeli — che circondano Dio.

327 La professione di fede del Concilio Lateranense IV afferma che Dio
296 « fin dal principio del tempo, creò dal nulla l'uno e l'altro ordine di creature, quello spirituale e quello materiale, cioè gli angeli e il mondo terrestre; e poi l'uomo, quasi partecipe dell'uno e dell'altro, composto di anima e di corpo ».[158]

I. Gli angeli

L'ESISTENZA DEGLI ANGELI – UNA VERITÀ DI FEDE

328 L'esistenza degli esseri spirituali, incorporei, che la Sacra Scrittura
150 chiama abitualmente angeli, è una verità di fede. La testimonianza della Scrittura è tanto chiara quanto l'unanimità della Tradizione.

CHI SONO?

329 Sant'Agostino dice a loro riguardo: « Angelus officii nomen est, non naturae. Quaeris nomen huius naturae, spiritus est; quaeris officium, angelus est: ex eo quod est, spiritus est, ex eo quod agit, angelus – La parola angelo designa l'ufficio, non la natura. Se si chiede il nome di questa natura si risponde che è spirito; se si chiede l'ufficio, si risponde che è angelo: è spirito

[155] Cf *Sal* 115,16.
[156] Cf *Sal* 19,2.
[157] Cf *Sal* 115,16.
[158] Concilio Lateranense IV: DENZ.-SCHÖNM., 800; cf Concilio Vaticano I: *ibid.,* 3002 e PAOLO VI, *Credo del popolo di Dio,* 8.

per quello che è, mentre per quello che compie è angelo ».[159] In tutto il loro essere, gli angeli sono *servitori* e messaggeri di Dio. Per il fatto che « vedono sempre la faccia del Padre... che è nei cieli » (*Mt* 18,10), essi sono « potenti esecutori dei suoi comandi, pronti alla voce della sua parola » (*Sal* 103,20).

330 In quanto creature puramente *spirituali,* essi hanno intelligenza e volontà: sono creature personali[160] e immortali.[161] Superano in perfezione tutte le creature visibili. Lo testimonia il fulgore della loro gloria.[162]

Cristo « con tutti i suoi angeli »

331 Cristo è il centro del mondo angelico. Essi sono « i suoi angeli »: « Quando il Figlio dell'uomo verrà nella sua gloria con tutti i suoi angeli... » (*Mt* 25,31). Sono suoi perché creati *per mezzo* di lui e *in vista di* lui: « Poiché per mezzo di lui sono state create tutte le cose, quelle nei cieli e quelle sulla terra, quelle visibili e quelle invisibili: Troni, Dominazioni, Principati e Potestà. Tutte le cose sono state create per mezzo di lui e in vista di lui » (*Col* 1,16). Sono suoi ancor più perché li ha fatti messaggeri del suo disegno di salvezza: « Non sono essi tutti spiriti incaricati di un ministero, inviati per servire coloro che devono ereditare la salvezza? » (*Eb* 1,14).

291

332 Essi, fin dalla creazione[163] e lungo tutta la storia della salvezza, annunciano da lontano o da vicino questa salvezza e servono la realizzazione del disegno salvifico di Dio: chiudono il paradiso terrestre,[164] proteggono Lot,[165] salvano Agar e il suo bambino,[166] trattengono la mano di Abramo;[167] la Legge viene comunicata « per mano degli angeli » (*At* 7,53), essi guidano il Popolo di Dio,[168] annunziano nascite[169] e vocazioni,[170] assistono i profeti,[171] per citare soltanto alcuni esempi. Infine, è l'angelo Gabriele che annunzia la nascita del Precursore e quella dello stesso Gesù.[172]

[159] Sant'Agostino, *Enarratio in Psalmos,* 103, 1, 15.
[160] Cf Pio XII, Lett. enc. *Humani generis:* Denz.-Schönm., 3891.
[161] Cf *Lc* 20,36.
[162] Cf *Dn* 10,9-12.
[163] Cf *Gb* 38,7.
[164] Cf *Gn* 3,24.
[165] Cf *Gn* 19.
[166] Cf *Gn* 21,17.
[167] Cf *Gn* 22,11.
[168] Cf *Es* 23,20-23.
[169] Cf *Gdc* 13.
[170] Cf *Gdc* 6,11-24; *Is* 6,6.
[171] Cf *1 Re* 19,5.
[172] Cf *Lc* 1,11.26.

333 Dall'Incarnazione all'Ascensione, la vita del Verbo incarnato è circondata dall'adorazione e dal servizio degli angeli. Quando Dio « introduce il Primogenito nel mondo, dice: lo adorino tutti gli angeli di Dio » (*Eb* 1,6). Il loro canto di lode alla nascita di Cristo non ha cessato di risuonare nella lode della Chiesa: « Gloria a Dio... » (*Lc* 2,14). Essi proteggono l'infanzia di Gesù,[173] servono Gesù nel deserto,[174] lo confortano durante l'agonia,[175] quando egli avrebbe potuto da loro essere salvato dalla mano dei nemici [176] come un tempo Israele.[177] Sono ancora gli angeli che « evangelizzano » (*Lc* 2,10) annunziando la Buona Novella dell'Incarnazione [178] e della Risurrezione [179] di Cristo. Al ritorno di Cristo, che essi annunziano,[180] saranno là, al servizio del suo giudizio.[181]

559

Gli angeli nella vita della Chiesa

334 Allo stesso modo tutta la vita della Chiesa beneficia dell'aiuto misterioso e potente degli angeli.[182]

1138

335 Nella Liturgia, la Chiesa si unisce agli angeli per adorare il Dio tre volte santo; [183] invoca la loro assistenza (così nel « Supplices te rogamus... » – Ti supplichiamo... – del Canone romano, o nell'« In Paradisum deducant te angeli... » – In Paradiso ti accompagnino gli angeli – della Liturgia dei defunti, o ancora nell'« Inno dei Cherubini » della Liturgia bizantina), e celebra la memoria di alcuni angeli in particolare (san Michele, san Gabriele, san Raffaele, gli angeli custodi).

1020

336 Dall'infanzia [184] fino all'ora della morte [185] la vita umana è circondata dalla loro protezione [186] e dalla loro intercessione.[187] « Ogni fedele ha al proprio fianco un angelo come protettore e pastore, per condurlo alla vita ».[188] Fin da quaggiù, la vita cristiana partecipa, nella fede, alla beata comunità degli angeli e degli uomini, uniti in Dio.

[173] Cf *Mt* 1,20; 2,13.19.
[174] Cf *Mc* 1,12; *Mt* 4,11.
[175] Cf *Lc* 22,43.
[176] Cf *Mt* 26,53.
[177] Cf *2 Mac* 10,29-30; 11,8.
[178] Cf *Lc* 2,8-14.
[179] Cf *Mc* 16,5-7.
[180] Cf *At* 1,10-11.
[181] Cf *Mt* 13,41; 25,31; *Lc* 12,8-9.
[182] Cf *At* 5,18-20; 8,26-29; 10,3-8; 12,6-11; 27,23-25.
[183] *Messale Romano,* « Sanctus ».
[184] Cf *Mt* 18,10.
[185] Cf *Lc* 16,22.
[186] Cf *Sal* 34,8; 91,10-13.
[187] Cf *Gb* 33,23-24; *Zc* 1,12; *Tb* 12,12.
[188] San Basilio di Cesarea, *Adversus Eunomium,* 3, 1: PG 29, 656B.

II. Il mondo visibile

337 È Dio che ha creato il mondo visibile in tutta la sua ricchezza, la sua varietà e il suo ordine. La Scrittura presenta simbolicamente l'opera del Creatore come un susseguirsi di sei giorni di « lavoro » divino, che terminano nel « riposo » del settimo giorno.[189] Il testo sacro, riguardo alla creazione, insegna verità rivelate da Dio per la nostra salvezza,[190] che consentono di « riconoscere la natura intima di tutta la creazione, il suo valore e la sua ordinazione alla lode di Dio ».[191] 290 293

338 *Non esiste nulla che non debba la propria esistenza a Dio Creatore.* Il mondo ha avuto inizio quando è stato tratto dal nulla dalla Parola di Dio; tutti gli esseri esistenti, tutta la natura, tutta la storia umana si radicano in questo evento primordiale: è la genesi della formazione del mondo e dell'inizio del tempo.[192] 297

339 *Ogni creatura ha la sua propria bontà e la sua propria perfezione.* Per ognuna delle opere dei « sei giorni » è detto: « E Dio vide che ciò era buono ». « È dalla loro stessa condizione di creature che le cose tutte ricevono la loro propria consistenza, verità, bontà, le loro leggi proprie e il loro ordine ».[193] Le varie creature, volute nel loro proprio essere, riflettono, ognuna a suo modo, un raggio dell'infinita sapienza e bontà di Dio. Per questo l'uomo deve rispettare la bontà propria di ogni creatura, per evitare un uso disordinato delle cose, che disprezza il Creatore e comporta conseguenze nefaste per gli uomini e per il loro ambiente. 2501 299 226

340 *L'interdipendenza delle creature* è voluta da Dio. Il sole e la luna, il cedro e il piccolo fiore, l'aquila e il passero: le innumerevoli diversità e disuguaglianze stanno a significare che nessuna creatura basta a se stessa, che esse esistono solo in dipendenza le une dalle altre, per completarsi vicendevolmente, al servizio le une delle altre. 1937

341 *La bellezza dell'universo.* L'ordine e l'armonia del mondo creato risultano dalla diversità degli esseri e dalle relazioni esistenti tra loro. L'uomo le scopre progressivamente come leggi della natura. Esse sono oggetto dell'ammirazione degli scienziati. La bellezza della creazione riflette la bellezza infinita del Creatore. Deve ispirare il rispetto e la sottomissione dell'intelligenza e della volontà dell'uomo. 283; 2500

[189] Cf *Gn* 1,1–2,4.
[190] Cf CONC. ECUM. VAT. II, *Dei Verbum,* 11.
[191] CONC. ECUM. VAT. II, *Lumen gentium,* 36.
[192] Cf SANT'AGOSTINO, *De Genesi contra Manichaeos,* 1, 2, 4: PL 35, 175.
[193] CONC. ECUM. VAT. II, *Gaudium et spes,* 36.

342 *La gerarchia delle creature* è espressa dall'ordine dei « sei giorni », che va dal meno perfetto al più perfetto. Dio ama tutte le sue creature,[194] si prende cura di ognuna, perfino dei passeri. Tuttavia, Gesù dice: « Voi valete più di molti passeri » (*Lc* 12,6-7), o ancora: « Quanto è più prezioso un uomo di una pecora! » (*Mt* 12,12).

310

355

343 *L'uomo è il vertice* dell'opera della creazione. Il racconto ispirato lo esprime distinguendo nettamente la creazione dell'uomo da quella delle altre creature.[195]

344 Esiste una *solidarietà fra tutte le creature* per il fatto che tutte hanno il medesimo Creatore e tutte sono ordinate alla sua gloria:

293; 1939; 2416

> Laudato si, mi Signore, cun tutte le tue creature,
> spezialmente messer lo frate Sole
> lo quale è iorno, e allumini noi per lui.
> Ed ello è bello e radiante cun grande splendore:
> de te, Altissimo, porta significazione. ...
>
> Laudato si, mi Signore, per sor Aqua,
> la quale è molto utile e umile e preziosa e casta. ...
>
> Laudato si, mi Signore, per sora nostra matre Terra,
> la quale ne sustenta e governa
> e produce diversi fructi con coloriti fiori ed erba. ...
>
> Laudate e benedicite mi Signore,
> e rengraziate e serviteli cun grande umiltate.[196]

1218

2168

345 *Il Sabato – fine dell'opera dei « sei giorni »*. Il testo sacro dice che « Dio, nel settimo giorno portò a termine il lavoro che aveva fatto » e così « furono portati a compimento il cielo e la terra »; Dio « cessò nel settimo giorno da ogni suo lavoro », « benedisse il settimo giorno e lo consacrò » (*Gn* 2,1-3). Queste parole ispirate sono ricche di insegnamenti salutari:

2169

346 Nella creazione Dio ha posto un fondamento e delle leggi che restano stabili,[197] sulle quali il credente potrà appoggiarsi con fiducia, e che saranno per lui il segno e il pegno della incrollabile fedeltà dell'Alleanza di Dio.[198] Da parte sua, l'uomo dovrà rimaner fedele a questo fondamento e rispettare le leggi che il Creatore vi ha inscritte.

1145-1152

347 La creazione è fatta in vista del Sabato e quindi del culto e dell'adorazione di Dio. Il culto è inscritto nell'ordine della creazione.[199] « Operi Dei nihil praepona-

[194] Cf *Sal* 145,9.
[195] Cf *Gn* 1,26.
[196] San Francesco d'Assisi, *Cantico delle creature*.
[197] Cf *Eb* 4,3-4.
[198] Cf *Ger* 31,35-37; 33,19-26.
[199] Cf *Gn* 1,14.

tur » – Nulla si anteponga all'« Opera di Dio », dice la Regola di san Benedetto, indicando in tal modo il giusto ordine delle preoccupazioni umane.

348 Il Sabato è al cuore della Legge di Israele. Osservare i comandamenti equivale a corrispondere alla sapienza e alla volontà di Dio espresse nell'opera della creazione. 2172

349 *L'ottavo giorno.* Per noi, però, è sorto un giorno nuovo: quello della Risurrezione di Cristo. Il settimo giorno porta a termine la prima creazione. L'ottavo giorno dà inizio alla nuova creazione. Così, l'opera della creazione culmina nell'opera più grande della Redenzione. La prima creazione trova il suo senso e il suo vertice nella nuova creazione in Cristo, il cui splendore supera quello della prima.[200] 2174 1046

In sintesi

350 *Gli angeli sono creature spirituali che incessantemente glorificano Dio e servono i suoi disegni salvifici nei confronti delle altre creature: « Ad omnia bona nostra cooperantur angeli – Gli angeli cooperano ad ogni nostro bene ».*[201]

351 *Gli angeli circondano Cristo, loro Signore. Lo servono soprattutto nel compimento della sua missione di salvezza per tutti gli uomini.*

352 *La Chiesa venera gli angeli che l'aiutano nel suo pellegrinaggio terreno, e che proteggono ogni essere umano.*

353 *Dio ha voluto la diversità delle sue creature e la loro bontà propria, la loro interdipendenza, il loro ordine. Ha destinato tutte le creature materiali al bene del genere umano. L'uomo, e attraverso lui l'intera creazione, sono destinati alla gloria di Dio.*

354 *Rispettare le leggi inscritte nella creazione e i rapporti derivanti dalla natura delle cose, è un principio di saggezza e un fondamento della morale.*

[200] Cf *Messale Romano,* Veglia Pasquale: orazione dopo la prima lettura.
[201] San Tommaso d'Aquino, *Summa theologiae,* I, 114, 3, ad 3.

Paragrafo 6
L'UOMO

1700 343 355 « Dio creò l'uomo a sua immagine; a immagine di Dio lo creò; maschio e femmina li creò » (*Gn* 1,27). L'uomo, nella creazione, occupa un posto unico: egli è « a immagine di Dio » (I); nella sua natura unisce il mondo spirituale e il mondo materiale (II); è creato « maschio e femmina » (III); Dio l'ha stabilito nella sua amicizia (IV).

I. « A immagine di Dio »

356 Di tutte le creature visibili, soltanto l'uomo è « capace di conoscere e 1703; 2258 di amare il proprio Creatore »; [202] « è la sola creatura che Dio abbia voluto per se stessa »; [203] soltanto l'uomo è chiamato a condividere, nella conoscenza e nell'amore, la vita di Dio. A questo fine è stato creato ed è questa la ragione 225 fondamentale della sua dignità.

> Quale fu la ragione che tu ponessi l'uomo in tanta dignità? Certo l'amore inestimabile con il quale hai guardato in te medesimo la tua creatura e ti sei 295 innamorato di lei; per amore infatti tu l'hai creata, per amore tu le hai dato un essere capace di gustare il tuo Bene eterno.[204]

1935 357 Essendo ad immagine di Dio, l'individuo umano ha la dignità di *persona;* non è soltanto qualche cosa, ma qualcuno. È capace di conoscersi, di 1877 possedersi, di liberamente donarsi e di entrare in comunione con altre persone; è chiamato, per grazia, ad una alleanza con il suo Creatore, a dargli una risposta di fede e di amore che nessun altro può dare in sua sostituzione.

299 901 358 Dio ha creato tutto per l'uomo,[205] ma l'uomo è stato creato per servire e amare Dio e per offrirgli tutta la creazione:

> Qual è dunque l'essere che deve venire all'esistenza circondato di una tale considerazione? È l'uomo, grande e meravigliosa figura vivente, più prezioso agli occhi di Dio dell'intera creazione: è l'uomo, è per lui che esistono il cielo e la terra e il mare e la totalità della creazione, ed è alla sua salvezza che Dio ha dato tanta importanza da non risparmiare, per lui, neppure il suo Figlio Unigenito. Dio infatti non ha mai cessato di tutto mettere in atto per far salire l'uomo fino a sé e farlo sedere alla sua destra.[206]

[202] Conc. Ecum. Vat. II, *Gaudium et spes,* 12.
[203] *Ibid.,* 24.
[204] Santa Caterina da Siena, *Dialoghi,* 4, 13, cf *Liturgia delle Ore,* IV, Ufficio delle letture della diciannovesima domenica.
[205] Cf Conc. Ecum. Vat. II, *Gaudium et spes,* 12; 24; 39.
[206] San Giovanni Crisostomo, *Sermones in Genesim,* 2, 1: PG 54, 587D-588A.

359 « In realtà solamente nel Mistero del Verbo incarnato trova vera luce il mistero dell'uomo »:[207] 1701

> Il beato Apostolo ci ha fatto sapere che due uomini hanno dato principio al genere umano, Adamo e Cristo... « Il primo uomo, Adamo, — dice — divenne un essere vivente, ma l'ultimo Adamo divenne spirito datore di vita ». Quel primo fu creato da quest'ultimo, dal quale ricevette l'anima per vivere... Il secondo Adamo plasmò il primo e gli impresse la propria immagine. E così avvenne poi che egli ne prese la natura e il nome, per non dover perdere ciò che egli aveva fatto a sua immagine. C'è un primo Adamo e c'è un ultimo Adamo. Il primo ha un inizio, l'ultimo non ha fine. Proprio quest'ultimo infatti è veramente il primo, dal momento che dice: « Sono io, io solo, il primo e anche l'ultimo ».[208] 388; 411

360 Grazie alla comune origine *il genere umano forma una unità.* Dio infatti « creò da uno solo tutte le nazioni degli uomini » (*At* 17,26):[209] 225; 404; 775 831; 842

> Meravigliosa visione che ci fa contemplare il genere umano nell'unità della sua origine in Dio...; nell'unità della sua natura, composta ugualmente presso tutti di un corpo materiale e di un'anima spirituale; nell'unità del suo fine immediato e della sua missione nel mondo; nell'unità del suo « habitat »: la terra, dei cui beni tutti gli uomini, per diritto naturale, possono usare per sostentare e sviluppare la vita; nell'unità del suo fine soprannaturale: Dio stesso, al quale tutti devono tendere; nell'unità dei mezzi per raggiungere tale fine;... nell'unità del suo riscatto operato per tutti da Cristo.[210]

361 « Questa legge di solidarietà umana e di carità »,[211] senza escludere la ricca varietà delle persone, delle culture e dei popoli, ci assicura che tutti gli uomini sono veramente fratelli. 1939

II. « Corpore et anima unus » – Unità di anima e di corpo

362 La persona umana, creata a immagine di Dio, è un essere insieme corporeo e spirituale. Il racconto biblico esprime questa realtà con un linguaggio simbolico, quando dice che « Dio plasmò l'uomo con polvere del suolo e soffiò nelle sue narici un alito di vita, e l'uomo divenne un essere vivente » (*Gn* 2,7). L'uomo tutto intero è quindi *voluto* da Dio. 1146; 2332

[207] Conc. Ecum. Vat. II, *Gaudium et spes,* 22.
[208] San Pietro Crisologo, *Sermones,* 117: PL 52, 520B, cf *Liturgia delle ore,* IV, Ufficio delle letture del sabato della ventinovesima settimana.
[209] Cf *Tb* 8,6.
[210] Pio XII, Lett. enc. *Summi Pontificatus;* cf Conc. Ecum. Vat. II, *Nostra aetate,* 1.
[211] *Ibid.*

1703 363 Spesso, nella Sacra Scrittura, il termine *anima* indica la *vita* umana,[212] oppure tutta la *persona* umana.[213] Ma designa anche tutto ciò che nell'uomo vi è di più intimo [214] e di maggior valore,[215] ciò per cui più particolarmente egli è immagine di Dio: « anima » significa il *principio spirituale* nell'uomo.

1004 364 *Il corpo* dell'uomo partecipa alla dignità di « immagine di Dio »: è corpo umano proprio perché è animato dall'anima spirituale, ed è la persona umana tutta intera ad essere destinata a diventare, nel Corpo di Cristo, il tempio dello Spirito.[216]

Unità di anima e di corpo, l'uomo sintetizza in sé, per la sua stessa condizione corporale, gli elementi del mondo materiale, così che questi attraverso di lui toccano il loro vertice e prendono voce per lodare in libertà il Creatore. 2289 Allora, non è lecito all'uomo disprezzare la vita corporale; egli anzi è tenuto a considerare buono e degno di onore il proprio corpo, appunto perché creato da Dio e destinato alla risurrezione nell'ultimo giorno.[217]

365 L'unità dell'anima e del corpo è così profonda che si deve considerare l'anima come la « forma » del corpo; [218] ciò significa che grazie all'anima spirituale il corpo composto di materia è un corpo umano e vivente; lo spirito e la materia, nell'uomo, non sono due nature congiunte, ma la loro unione forma un'unica natura.

366 La Chiesa insegna che ogni anima spirituale è creata direttamente da Dio [219] — non è « prodotta » dai genitori — ed è immortale: [220] essa non 1005; 997 perisce al momento della sua separazione dal corpo nella morte, e di nuovo si unirà al corpo al momento della risurrezione finale.

367 Talvolta si dà il caso che l'anima sia distinta dallo spirito. Così san 2083 Paolo prega perché il nostro essere tutto intero, « spirito, anima e corpo, si conservi irreprensibile per la venuta del Signore » (*1 Ts* 5,23). La Chiesa insegna che tale distinzione non introduce una dualità nell'anima.[221] « Spirito » significa che sin dalla sua creazione l'uomo è ordinato al suo fine sopranna-

[212] Cf *Mt* 16,25-26; *Gv* 15,13.
[213] Cf *At* 2,41.
[214] Cf *Mt* 26,38; *Gv* 12,27.
[215] Cf *Mt* 10,28; *2 Mac* 6,30.
[216] Cf *1 Cor* 6,19-20; 15,44-45.
[217] Conc. Ecum. Vat. II, *Gaudium et spes,* 14.
[218] Cf Concilio di Vienne (1312): Denz.-Schönm., 902.
[219] Cf Pio XII, Lett. enc. *Humani generis:* Denz.-Schönm., 3896; Paolo VI, *Credo del popolo di Dio,* 8.
[220] Cf Concilio Lateranense V (1513): Denz.-Schönm., 1440.
[221] Concilio di Costantinopoli IV (870): Denz.-Schönm., 657.

turale,[222] e che la sua anima è capace di essere gratuitamente elevata alla comunione con Dio.[223]

368 La tradizione spirituale della Chiesa insiste anche sul *cuore,* nel senso biblico di « profondità dell'essere »,[224] dove la persona si decide o no per Dio.[225]

478; 582; 1431 1764; 2517; 2562; 2843

III. « Maschio e femmina li creò »

2331-2336

Uguaglianza e diversità volute da Dio

369 L'uomo e la donna sono *creati,* cioè sono *voluti da Dio:* in una perfetta uguaglianza per un verso, in quanto persone umane, e, per l'altro verso, nel loro rispettivo essere di maschio e di femmina. « Essere uomo », « essere donna » è una realtà buona e voluta da Dio: l'uomo e la donna hanno una insopprimibile dignità, che viene loro direttamente da Dio, loro Creatore.[226] L'uomo e la donna sono, con una identica dignità, « a immagine di Dio ». Nel loro « essere-uomo » ed « essere-donna », riflettono la sapienza e la bontà del Creatore.

370 Dio non è a immagine dell'uomo. Egli non è né uomo né donna. Dio è puro spirito, e in lui, perciò, non c'è spazio per le differenze di sesso. Ma le « perfezioni » dell'uomo e della donna riflettono qualche cosa dell'infinita perfezione di Dio: quelle di una madre [227] e quelle di un padre e di uno sposo.[228]

42; 239

« L'uno per l'altro » – « una unità a due »

371 Creati *insieme,* l'uomo e la donna sono voluti da Dio l'uno *per* l'altro. La Parola di Dio ce lo lascia capire attraverso diversi passi del testo sacro. « Non è bene che l'uomo sia solo: gli voglio fare un aiuto che gli sia simile » (*Gn* 2,18). Nessuno degli animali può essere questo « vis-à-vis » dell'uomo.[229] La donna che Dio « plasma » con la costola tolta all'uomo e che conduce all'uomo, strappa all'uomo un grido d'ammirazione, un'esclamazione d'amore e di comunione: « Questa volta essa è carne dalla mia carne e osso dalle

1605

[222] Concilio Vaticano I: Denz.-Schönm., 3005; cf Conc. Ecum. Vat. II, *Gaudium et spes,* 22.
[223] Cf Pio XII, Lett. enc. *Humani generis:* Denz.-Schönm., 3891.
[224] Cf *Ger* 31,33.
[225] Cf *Dt* 6,5; 29,3; *Is* 29,13; *Ez* 36,26; *Mt* 6,21; *Lc* 8,15; *Rm* 5,5.
[226] Cf *Gn* 2,7.22.
[227] Cf *Is* 49,14-15; 66,13; *Sal* 131,2-3.
[228] Cf *Os* 11,1-4; *Ger* 3,4-19.
[229] Cf *Gn* 2,19-20.

mie ossa » (*Gn* 2,23). L'uomo scopre la donna come un altro « io », della stessa umanità.

372 L'uomo e la donna sono fatti « l'uno per l'altro »: non già che Dio li abbia creati « a metà » ed « incompleti »; li ha creati per una comunione di persone, nella quale ognuno può essere « aiuto » per l'altro, perché sono ad un tempo uguali in quanto persone (« osso dalle mie ossa... ») e complementari in quanto maschio e femmina. Nel matrimonio, Dio li unisce in modo che, formando « una sola carne » (*Gn* 2,24), possano trasmettere la vita umana: « Siate fecondi e moltiplicatevi, riempite la terra » (*Gn* 1,28). Trasmettendo ai loro figli la vita umana, l'uomo e la donna, come sposi e genitori, cooperano in un modo unico all'opera del Creatore.[230]

1652; 2366

307

373 Nel disegno di Dio, l'uomo e la donna sono chiamati a « dominare » la terra[231] come « amministratori » di Dio. Questa sovranità non deve essere un dominio arbitrario e distruttivo. A immagine del Creatore, « che ama tutte le cose esistenti » (*Sap* 11,24), l'uomo e la donna sono chiamati a partecipare alla Provvidenza divina verso le altre creature. Da qui la loro responsabilità nei confronti del mondo che Dio ha loro affidato.

2415

IV. L'uomo nel Paradiso

374 Il primo uomo non solo è stato creato buono, ma è stato anche costituito in una tale amicizia con il suo Creatore e in una tale armonia con se stesso e con la creazione, che saranno superate soltanto dalla gloria della nuova creazione in Cristo.

54

375 La Chiesa, interpretando autenticamente il simbolismo del linguaggio biblico alla luce del Nuovo Testamento e della Tradizione, insegna che i nostri progenitori Adamo ed Eva sono stati costituiti in uno stato « di santità e di giustizia originali ».[232] La grazia della santità originale era una « partecipazione alla vita divina ».[233]

1997

376 Tutte le dimensioni della vita dell'uomo erano potenziate dall'irradiamento di questa grazia. Finché fosse rimasto nell'intimità divina, l'uomo non avrebbe dovuto né morire,[234] né soffrire.[235] L'armonia interiore della persona umana, l'armonia tra l'uomo e la donna,[236] infine l'armonia tra la

1008; 1502

[230] Cf Conc. Ecum. Vat. II, *Gaudium et spes,* 50.
[231] Cf *Gn* 1,28.
[232] Concilio di Trento: Denz.-Schönm., 1511.
[233] Conc. Ecum. Vat. II, *Lumen gentium,* 2.
[234] Cf *Gn* 2,17; 3,19.
[235] Cf *Gn* 3,16.
[236] Cf *Gn* 2,25.

prima coppia e tutta la creazione costituiva la condizione detta « giustizia originale ».

377 Il « dominio » del mondo che Dio, fin dagli inizi, aveva concesso all'uomo, si realizzava innanzi tutto nell'uomo stesso come *padronanza di sé.* L'uomo era integro e ordinato in tutto il suo essere, perché libero dalla triplice concupiscenza [237] che lo rende schiavo dei piaceri dei sensi, della cupidigia dei beni terreni e dell'affermazione di sé contro gli imperativi della ragione. 2514

378 Il segno della familiarità dell'uomo con Dio è il fatto che Dio lo colloca nel giardino,[238] dove egli vive « per coltivarlo e custodirlo » (*Gn* 2,15): il lavoro non è una fatica penosa,[239] ma la collaborazione dell'uomo e della donna con Dio nel portare a perfezione la creazione visibile. 2415 2427

379 Per il peccato dei nostri progenitori andrà perduta tutta l'armonia della giustizia originale che Dio, nel suo disegno, aveva previsto per l'uomo.

In sintesi

380 *« Padre santo,... a tua immagine hai formato l'uomo, alle sue mani operose hai affidato l'universo, perché, nell'obbedienza a te, suo Creatore, esercitasse il dominio sul creato ».*[240]

381 *L'uomo è predestinato a riprodurre l'immagine del Figlio di Dio fatto uomo — « immagine del Dio invisibile »* (*Col* 1,15) *— affinché Cristo sia il primogenito di una moltitudine di fratelli e sorelle.*[241]

382 *L'uomo è « unità di anima e di corpo ».*[242] *La dottrina della fede afferma che l'anima spirituale e immortale è creata direttamente da Dio.*

383 *« Dio non creò l'uomo lasciandolo solo: fin da principio "maschio e femmina li creò"* (*Gn* 1,27), *e la loro unione costituisce la prima forma di comunione di persone ».*[243]

384 *La Rivelazione ci fa conoscere lo stato di santità e di giustizia originali dell'uomo e della donna prima del peccato: dalla loro amicizia con Dio derivava la felicità della loro esistenza nel Paradiso.*

[237] Cf *1 Gv* 2,16.
[238] Cf *Gn* 2,8.
[239] Cf *Gn* 3,17-19.
[240] *Messale Romano,* Preghiera eucaristica IV.
[241] Cf *Ef* 1,3-6; *Rm* 8,29.
[242] CONC. ECUM. VAT. II, *Gaudium et spes,* 14.
[243] *Ibid.,* 12.

Paragrafo 7
LA CADUTA

385 Dio è infinitamente buono e tutte le sue opere sono buone. Tuttavia nessuno sfugge all'esperienza della sofferenza, dei mali presenti nella natura — che appaiono legati ai limiti propri delle creature — e soprattutto al pro-
309 blema del male morale. Da dove viene il male? « Quaerebam unde malum et non erat exitus – Mi chiedevo donde il male, e non sapevo darmi risposta », dice sant'Agostino,[244] e la sua sofferta ricerca non troverà sbocco che nella conversione al Dio vivente. Infatti « il mistero dell'iniquità » (*2 Ts* 2,7) si illumina soltanto alla luce del « Mistero della pietà » (*1 Tm* 3,16). La rivela-
457 zione dell'amore divino in Cristo ha manifestato ad un tempo l'estensione del male e la sovrabbondanza della grazia.[245] Dobbiamo, dunque, affrontare
1848 la questione dell'origine del male, tenendo fisso lo sguardo della nostra fede
539 su colui che, solo, ne è il vincitore.[246]

I. « Laddove è abbondato il peccato, ha sovrabbondato la grazia »

La realtà del peccato

386 Nella storia dell'uomo è presente il peccato: sarebbe vano cercare di ignorarlo o di dare altri nomi a questa oscura realtà. Per tentare di com-
1847 prendere che cosa sia il peccato, si deve innanzi tutto riconoscere il *profondo legame dell'uomo con Dio,* perché, al di fuori di questo rapporto, il male del peccato non può venire smascherato nella sua vera identità di rifiuto e di opposizione a Dio, mentre continua a gravare sulla vita dell'uomo e sulla storia.

387 La realtà del peccato, e più particolarmente del peccato delle origini, si chiarisce soltanto alla luce della Rivelazione divina. Senza la conoscenza
1848 di Dio che essa ci dà, non si può riconoscere chiaramente il peccato, e si è tentati di spiegarlo semplicemente come un difetto di crescita, come una debolezza psicologica, un errore, come l'inevitabile conseguenza di una struttura sociale inadeguata, ecc. Soltanto conoscendo il disegno di Dio sul-
1739 l'uomo, si capisce che il peccato è un abuso di quella libertà che Dio dona alle persone create perché possano amare lui e amarsi reciprocamente.

[244] Sant'Agostino, *Confessiones,* 7, 7, 11.
[245] Cf *Rm* 5,20.
[246] Cf *Lc* 11,21-22; *Gv* 16,11; *1 Gv* 3,8.

IL PECCATO ORIGINALE – UNA VERITÀ ESSENZIALE DELLA FEDE

388 Col progresso della Rivelazione viene chiarita anche la realtà del peccato. Sebbene il Popolo di Dio dell'Antico Testamento abbia in qualche modo conosciuto la condizione umana alla luce della storia della caduta narrata dalla Genesi, non era però in grado di comprendere il significato ultimo di tale storia, significato che si manifesta appieno soltanto alla luce della morte e della Risurrezione di Gesù Cristo.[247] Bisogna conoscere Cristo come sorgente della grazia per conoscere Adamo come sorgente del peccato. È lo Spirito Paraclito, mandato da Cristo risorto, che è venuto a convincere « il mondo quanto al peccato » (*Gv* 16,8), rivelando colui che del peccato è il Redentore. 431 208 359 729

389 La dottrina del peccato originale è, per così dire, « il rovescio » della Buona Novella che Gesù è il Salvatore di tutti gli uomini, che tutti hanno bisogno della salvezza e che la salvezza è offerta a tutti grazie a Cristo. La Chiesa, che ha il senso di Cristo,[248] ben sa che non si può intaccare la rivelazione del peccato originale senza attentare al Mistero di Cristo. 422

PER LEGGERE IL RACCONTO DELLA CADUTA

390 Il racconto della caduta (*Gn* 3) utilizza un linguaggio di immagini, ma espone un avvenimento primordiale, un fatto che è accaduto *all'inizio della storia dell'uomo*.[249] La Rivelazione ci dà la certezza di fede che tutta la storia umana è segnata dalla colpa originale liberamente commessa dai nostri progenitori.[250] 289

II. La caduta degli angeli

391 Dietro la scelta disobbediente dei nostri progenitori c'è una voce seduttrice, che si oppone a Dio,[251] la quale, per invidia, li fa cadere nella morte.[252] La Scrittura e la Tradizione della Chiesa vedono in questo essere un angelo caduto, chiamato Satana o diavolo.[253] La Chiesa insegna che all'inizio era un angelo buono, creato da Dio. « Diabolus enim et alii dæmones a Deo qui- 2538

[247] Cf *Rm* 5,12-21.
[248] Cf *1 Cor* 2,16.
[249] Cf CONC. ECUM. VAT. II, *Gaudium et spes,* 13.
[250] Cf Concilio di Trento: DENZ.-SCHÖNM., 1513; PIO XII, Lett. enc. *Humani generis:* DENZ.-SCHÖNM., 3897; PAOLO VI, discorso dell'11 luglio 1966.
[251] Cf *Gn* 3,1-5.
[252] Cf *Sap* 2,24.
[253] Cf *Gv* 8,44; *Ap* 12,9.

dem natura creati sunt boni, sed ipsi per se facti sunt mali – Il diavolo infatti e gli altri demoni sono stati creati da Dio naturalmente buoni, ma da se stessi si sono trasformati in malvagi ».[254]

1850 392 La Scrittura parla di un *peccato* di questi angeli.[255] Tale « caduta » consiste nell'avere, questi spiriti creati, con libera scelta, radicalmente ed irrevocabilmente *rifiutato* Dio e il suo Regno. Troviamo un riflesso di questa ribellione nelle parole rivolte dal tentatore ai nostri progenitori: « Diventerete come Dio » (*Gn* 3,5). « Il diavolo è peccatore fin dal principio » (*1 Gv* 3,8), « padre della menzogna » (*Gv* 8,44). 2482

393 A far sì che il peccato degli angeli non possa essere perdonato è il carattere *irrevocabile* della loro scelta, e non un difetto dell'infinita misericordia divina. « Non c'è possibilità di pentimento per loro dopo la caduta come non c'è possibilità di pentimento per gli uomini dopo la morte ».[256] 1033-1037 1022

394 La Scrittura attesta la nefasta influenza di colui che Gesù chiama « omicida fin dal principio » (*Gv* 8,44), e che ha perfino tentato di distogliere Gesù dalla missione affidatagli dal Padre.[257] « Il Figlio di Dio è apparso per distruggere le opere del diavolo » (*1 Gv* 3,8). Di queste opere, la più grave nelle sue conseguenze è stata la seduzione menzognera che ha indotto l'uomo a disobbedire a Dio. 538-540 550 2846-2849

309 395 La potenza di Satana però non è infinita. Egli non è che una creatura, potente per il fatto di essere puro spirito, ma pur sempre una creatura: non può impedire l'edificazione del Regno di Dio. Sebbene Satana agisca nel mondo per odio contro Dio e il suo Regno in Cristo Gesù, e sebbene la sua azione causi gravi danni — di natura spirituale e indirettamente anche di natura fisica — per ogni uomo e per la società, questa azione è permessa dalla divina Provvidenza, la quale guida la storia dell'uomo e del mondo con forza e dolcezza. La permissione divina dell'attività diabolica è un grande mistero, ma « noi sappiamo che tutto concorre al bene di coloro che amano Dio » (*Rm* 8,28). 1673 412 2850-2854

[254] Concilio Lateranense IV (1215): Denz.-Schönm., 800.
[255] Cf *2 Pt* 2,4.
[256] San Giovanni Damasceno, *De fide orthodoxa,* 2, 4: PG 94, 877C.
[257] Cf *Mt* 4,1-11.

III. Il peccato originale

La prova della libertà

396 Dio ha creato l'uomo a sua immagine e l'ha costituito nella sua amicizia. Creatura spirituale, l'uomo non può vivere questa amicizia che come libera sottomissione a Dio. Questo è il significato del divieto fatto all'uomo di mangiare dell'albero della conoscenza del bene e del male, « perché quando tu ne mangiassi, certamente moriresti » (*Gn* 2,17). « L'albero della conoscenza del bene e del male » (*Gn* 2,17) evoca simbolicamente il limite invalicabile che l'uomo, in quanto creatura, deve liberamente riconoscere e con fiducia rispettare. L'uomo dipende dal Creatore, è sottomesso alle leggi della creazione e alle norme morali che regolano l'uso della libertà.

1730
311
301

Il primo peccato dell'uomo

397 L'uomo, tentato dal diavolo, ha lasciato spegnere nel suo cuore la fiducia nei confronti del suo Creatore [258] e, abusando della propria libertà, ha *disobbedito* al comandamento di Dio. In ciò è consistito il primo peccato dell'uomo.[259] In seguito, ogni peccato sarà una disobbedienza a Dio e una mancanza di fiducia nella sua bontà.

1707; 2541
1850
215

398 Con questo peccato, l'uomo ha *preferito* se stesso a Dio, e, perciò, ha disprezzato Dio: ha fatto la scelta di se stesso contro Dio, contro le esigenze della propria condizione di creatura e conseguentemente contro il suo proprio bene. Creato in uno stato di santità, l'uomo era destinato ad essere pienamente « divinizzato » da Dio nella gloria. Sedotto dal diavolo, ha voluto diventare « come Dio »,[260] ma « senza Dio e anteponendosi a Dio, non secondo Dio ».[261]

2084
2113

399 La Scrittura mostra le conseguenze drammatiche di questa prima disobbedienza. Adamo ed Eva perdono immediatamente la grazia della santità originale.[262] Hanno paura di quel Dio [263] di cui si son fatti una falsa immagine, quella cioè di un Dio geloso delle proprie prerogative.[264]

[258] Cf *Gn* 3,1-11.
[259] Cf *Rm* 5,19.
[260] Cf *Gn* 3,5.
[261] San Massimo il Confessore, *Ambiguorum liber:* PG 91, 1156C.
[262] Cf *Rm* 3,23.
[263] Cf *Gn* 3,9-10.
[264] Cf *Gn* 3,5.

400 L'armonia nella quale essi erano posti, grazie alla giustizia originale, è distrutta; la padronanza delle facoltà spirituali dell'anima sul corpo è infranta; [265] l'unione dell'uomo e della donna è sottoposta a tensioni; [266] i loro rapporti saranno segnati dalla concupiscenza e dalla tendenza all'asservimento.[267] L'armonia con la creazione è spezzata: la creazione visibile è diventata aliena e ostile all'uomo.[268] A causa dell'uomo, la creazione è « sottomessa alla caducità » (*Rm* 8,20). Infine, la conseguenza esplicitamente annunziata nell'ipotesi della disobbedienza [269] si realizzerà: l'uomo tornerà in polvere, quella polvere dalla quale è stato tratto.[270] *La morte entra nella storia dell'umanità.*[271]

1607
2514
602; 1008

401 Dopo questo primo peccato, il mondo è inondato da una vera « invasione » del peccato: il fratricidio commesso da Caino contro Abele; [272] la corruzione universale quale conseguenza del peccato; [273] nella storia d'Israele, il peccato si manifesta frequentemente soprattutto come infedeltà al Dio dell'Alleanza e come trasgressione della Legge di Mosè; anche dopo la Redenzione di Cristo, fra i cristiani, il peccato si manifesta in svariati modi.[274] La Scrittura e la Tradizione della Chiesa richiamano continuamente la presenza e *l'universalità del peccato nella storia* dell'uomo:

1865; 2259
1739

> Quel che ci viene manifestato dalla Rivelazione divina concorda con la stessa esperienza. Infatti, se l'uomo guarda dentro al suo cuore, si scopre anche inclinato al male e immerso in tante miserie che non possono certo derivare dal Creatore che è buono. Spesso, rifiutando di riconoscere Dio quale suo principio, l'uomo ha infranto il debito ordine in rapporto al suo ultimo fine, e al tempo stesso tutto il suo orientamento sia verso se stesso, sia verso gli altri uomini e verso tutte le cose create.[275]

Conseguenze del peccato di Adamo per l'umanità

402 Tutti gli uomini sono coinvolti nel peccato di Adamo. San Paolo lo afferma: « Per la disobbedienza di uno solo, tutti sono stati costituiti peccatori » (*Rm* 5,19); « Come a causa di un solo uomo il peccato è entrato nel mondo e con il peccato la morte, così anche la morte ha raggiunto tutti gli uomini, perché tutti hanno peccato... » (*Rm* 5,12). All'universalità del peccato e della morte l'Apostolo contrappone l'universalità della salvezza in

430; 605

[265] Cf *Gn* 3,7.
[266] Cf *Gn* 3,11-13.
[267] Cf *Gn* 3,16.
[268] Cf *Gn* 3,17.19.
[269] Cf *Gn* 2,17.
[270] Cf *Gn* 3,19.
[271] Cf *Rm* 5,12.
[272] Cf *Gn* 4,3-15.
[273] Cf *Gn* 6,5.12; *Rm* 1,18-32.
[274] Cf *1 Cor* 1-6; *Ap* 2-3.
[275] Conc. Ecum. Vat. II, *Gaudium et spes,* 13.

Cristo: « Come dunque per la colpa di uno solo si è riversata su tutti gli uomini la condanna, così anche per l'opera di giustizia di uno solo si riversa su tutti gli uomini la giustificazione che dà vita » (*Rm* 5,18).

403 Sulle orme di san Paolo la Chiesa ha sempre insegnato che l'immensa miseria che opprime gli uomini e la loro inclinazione al male e alla morte non si possono comprendere senza il loro legame con la colpa di Adamo e prescindendo dal fatto che egli ci ha trasmesso un peccato dal quale tutti nasciamo contaminati e che è « morte dell'anima ».[276] Per questa certezza di fede, la Chiesa amministra il Battesimo per la remissione dei peccati anche ai bambini che non hanno commesso peccati personali.[277]

2606
1250

404 In che modo il peccato di Adamo è diventato il peccato di tutti i suoi discendenti? Tutto il genere umano è in Adamo « sicut unum corpus unius hominis – come un unico corpo di un unico uomo ».[278] Per questa « unità del genere umano » tutti gli uomini sono coinvolti nel peccato di Adamo, così come tutti sono coinvolti nella giustizia di Cristo. Tuttavia, la trasmissione del peccato originale è un mistero che non possiamo comprendere appieno. Sappiamo però dalla Rivelazione che Adamo aveva ricevuto la santità e la giustizia originali non soltanto per sé, ma per tutta la natura umana: cedendo al tentatore, Adamo ed Eva commettono un *peccato personale,* ma questo peccato intacca la *natura umana,* che essi trasmettono *in una condizione decaduta.*[279] Si tratta di un peccato che sarà trasmesso per propagazione a tutta l'umanità, cioè con la trasmissione di una natura umana privata della santità e della giustizia originali. Per questo il peccato originale è chiamato « peccato » in modo analogico: è un peccato « contratto » e non « commesso », uno stato e non un atto.

360
50

405 Il peccato originale, sebbene proprio a ciascuno,[280] in nessun discendente di Adamo ha un carattere di colpa personale. Consiste nella privazione della santità e della giustizia originali, ma la natura umana non è interamente corrotta: è ferita nelle sue proprie forze naturali, sottoposta all'ignoranza, alla sofferenza e al potere della morte, e inclinata al peccato (questa inclinazione al male è chiamata « concupiscenza »). Il Battesimo, donando la vita della grazia di Cristo, cancella il peccato originale e volge di nuovo l'uomo verso Dio; le conseguenze di tale peccato sulla natura indebolita e incline al male rimangono nell'uomo e lo provocano al combattimento spirituale.

2515
1264

[276] Cf Concilio di Trento: DENZ.-SCHÖNM., 1512.
[277] Cf *ibid.,* 1514.
[278] SAN TOMMASO D'AQUINO, *Quaestiones disputatae de malo,* 4, 1.
[279] Cf Concilio di Trento: DENZ.-SCHÖNM., 1511-1512.
[280] Cf *ibid.,* 1513.

406 La dottrina della Chiesa sulla trasmissione del peccato originale è andata precisandosi soprattutto nel V secolo, in particolare sotto la spinta della riflessione di sant'Agostino contro il pelagianesimo, e nel XVI secolo, in opposizione alla Riforma protestante. Pelagio riteneva che l'uomo, con la forza naturale della sua libera volontà, senza l'aiuto necessario della grazia di Dio, potesse condurre una vita moralmente buona; in tal modo riduceva l'influenza della colpa di Adamo a quella di un cattivo esempio. Al contrario, i primi riformatori protestanti insegnavano che l'uomo era radicalmente pervertito e la sua libertà annullata dal peccato delle origini; identificavano il peccato ereditato da ogni uomo con l'inclinazione al male (« concupiscentia »), che sarebbe invincibile. La Chiesa si è pronunciata sul senso del dato rivelato concernente il peccato originale soprattutto nel II Concilio di Orange nel 529 [281] e nel Concilio di Trento nel 1546.[282]

Un duro combattimento

407 La dottrina sul peccato originale — connessa strettamente con quella della Redenzione operata da Cristo — offre uno sguardo di lucido discernimento sulla situazione dell'uomo e del suo agire nel mondo. In conseguenza del peccato dei progenitori, il diavolo ha acquisito un certo dominio sull'uomo, benché questi rimanga libero. Il peccato originale comporta « la schiavitù sotto il dominio di colui che della morte ha il potere, cioè il diavolo ».[283] Ignorare che l'uomo ha una natura ferita, incline al male, è causa di gravi errori nel campo dell'educazione, della politica, dell'azione sociale [284] e dei costumi.

2015 2852 1888

408 Le conseguenze del peccato originale e di tutti i peccati personali degli uomini conferiscono al mondo nel suo insieme una condizione peccaminosa, che può essere definita con l'espressione di san Giovanni: « il peccato del mondo » (*Gv* 1,29). Con questa espressione viene anche significata l'influenza negativa esercitata sulle persone dalle situazioni comunitarie e dalle strutture sociali che sono frutto dei peccati degli uomini.[285]

1865

409 La drammatica condizione del mondo che « giace » tutto « sotto il potere del maligno » (*1 Gv* 5,19),[286] fa della vita dell'uomo una lotta:

2516

> Tutta intera la storia umana è infatti pervasa da una lotta tremenda contro le potenze delle tenebre; lotta incominciata fin dall'origine del mondo, che durerà, come dice il Signore, fino all'ultimo giorno. Inserito in questa batta-

[281] Cf Concilio di Orange II: Denz.-Schönm., 371-372.
[282] Cf Concilio di Trento: Denz.-Schönm., 1510-1516.
[283] *Ibid.*, 1511; cf *Eb* 2,14.
[284] Cf Giovanni Paolo II, Lett. enc. *Centesimus annus*, 25.
[285] Cf Giovanni Paolo II, Esort. ap. *Reconciliatio et paenitentia*, 16.
[286] Cf *1 Pt* 5,8.

glia, l'uomo deve combattere senza soste per poter restare unito al bene, né può conseguire la sua interiore unità se non a prezzo di grandi fatiche, con l'aiuto della grazia di Dio.[287]

IV. « Tu non l'hai abbandonato in potere della morte »

410 Dopo la caduta, l'uomo non è stato abbandonato da Dio. Al contrario, Dio lo chiama,[288] e gli predice in modo misterioso che il male sarà vinto e che l'uomo sarà sollevato dalla caduta.[289] Questo passo della Genesi è stato chiamato « Protovangelo », poiché è il primo annunzio del Messia redentore, di una lotta tra il serpente e la Donna e della vittoria finale di un discendente di lei.

55; 705; 1609
2568
675

411 La Tradizione cristiana vede in questo passo un annunzio del « nuovo Adamo »,[290] che, con la sua obbedienza « fino alla morte di croce » (*Fil* 2,8) ripara sovrabbondantemente la disobbedienza di Adamo.[291] Inoltre, numerosi Padri e dottori della Chiesa vedono nella Donna annunziata nel « protovangelo » la Madre di Cristo, Maria, come « nuova Eva ». Ella è stata colei che, per prima e in una maniera unica, ha beneficiato della vittoria sul peccato riportata da Cristo: è stata preservata da ogni macchia del peccato originale[292] e, durante tutta la sua vita terrena, per una speciale grazia di Dio, non ha commesso alcun peccato.[293]

359
615
491

412 *Ma perché Dio non ha impedito al primo uomo di peccare?* San Leone Magno risponde: « L'ineffabile grazia di Cristo ci ha dato beni migliori di quelli di cui l'invidia del demonio ci aveva privati ».[294] E san Tommaso d'Aquino: « Nulla si oppone al fatto che la natura umana sia stata destinata ad un fine più alto dopo il peccato. Dio permette, infatti, che ci siano i mali per trarre da essi un bene più grande. Da qui il detto di san Paolo: "Laddove è abbondato il peccato, ha sovrabbondato la grazia" (*Rm* 5,20). E il canto dell'Exultet: "O felice colpa, che ha meritato un tale e così grande Redentore!" ».[295]

310; 395
272
1994

[287] Conc. Ecum. Vat. II, *Gaudium et spes,* 37.
[288] Cf *Gn* 3,9.
[289] Cf *Gn* 3,15.
[290] Cf *1 Cor* 15,21-22.45.
[291] Cf *Rm* 5,19-20.
[292] Cf Pio IX, Bolla *Ineffabilis Deus:* Denz.-Schönm., 2803.
[293] Cf Concilio di Trento: Denz.-Schönm., 1573.
[294] San Leone Magno, *Sermones,* 73, 4: PL 54, 396.
[295] San Tommaso d'Aquino, *Summa theologiae,* III, 1, 3, ad 3.

In sintesi

413 *« Dio non ha creato la morte e non gode per la rovina dei viventi... La morte è entrata nel mondo per invidia del diavolo » (Sap* 1,13; 2,24).

414 *Satana o il diavolo e gli altri demoni sono angeli decaduti per avere liberamente rifiutato di servire Dio e il suo disegno. La loro scelta contro Dio è definitiva. Essi tentano di associare l'uomo alla loro ribellione contro Dio.*

415 *« Costituito da Dio in uno stato di giustizia, l'uomo però, tentato dal Maligno, fin dagli inizi della storia abusò della sua libertà, erigendosi contro Dio e bramando di conseguire il suo fine al di fuori di Dio ».*[296]

416 *Per il suo peccato, Adamo, in quanto primo uomo, ha perso la santità e la giustizia originali che aveva ricevute da Dio non soltanto per sé, ma per tutti gli esseri umani.*

417 *Adamo ed Eva alla loro discendenza hanno trasmesso la natura umana ferita dal loro primo peccato, privata, quindi, della santità e della giustizia originali. Questa privazione è chiamata « peccato originale ».*

418 *In conseguenza del peccato originale, la natura umana è indebolita nelle sue forze, sottoposta all'ignoranza, alla sofferenza, al potere della morte, e inclinata al peccato (inclinazione che è chiamata « concupiscenza »).*

419 *« Noi dunque riteniamo, con il Concilio di Trento, che il peccato originale viene trasmesso insieme con la natura umana, "non per imitazione ma per propagazione", e che perciò è "proprio a ciascuno" ».*[297]

420 *La vittoria sul peccato riportata da Cristo ci ha donato beni migliori di quelli che il peccato ci aveva tolto: « Laddove è abbondato il peccato, ha sovrabbondato la grazia »* (*Rm* 5,20).

421 *Secondo la fede dei cristiani, questo mondo è stato « creato » ed è « conservato nell'esistenza dall'amore del Creatore »; questo mondo è « certamente posto sotto la schiavitù del peccato, ma liberato da Cristo crocifisso e risorto, con la sconfitta del Maligno... ».*[298]

[296] Conc. Ecum. Vat. II, *Gaudium et spes,* 13.
[297] Paolo VI, *Credo del popolo di Dio,* 16.
[298] Conc. Ecum. Vat. II, *Gaudium et spes,* 2.

CAPITOLO SECONDO

CREDO IN GESÙ CRISTO, IL FIGLIO UNIGENITO DI DIO

La Buona Novella: Dio ha mandato il suo Figlio

422 « Ma quando venne la pienezza del tempo, Dio mandò il suo Figlio, nato da donna, nato sotto la Legge, per riscattare coloro che erano sotto la Legge, perché ricevessimo l'adozione a figli » (*Gal* 4,4-5). Ecco la Buona Novella riguardante « Gesù Cristo, Figlio di Dio » (*Mc* 1,1): Dio ha visitato il suo popolo,[1] ha adempiuto le promesse fatte ad Abramo ed alla sua discendenza; [2] ed è andato oltre ogni attesa: ha mandato il suo « Figlio prediletto » (*Mc* 1,11). 389 2763

423 Noi crediamo e professiamo che Gesù di Nazaret, nato ebreo da una figlia d'Israele, a Betlemme, al tempo del re Erode il Grande e dell'imperatore Cesare Augusto, di mestiere carpentiere, morto crocifisso a Gerusalemme, sotto il procuratore Ponzio Pilato, mentre regnava l'imperatore Tiberio, è il Figlio eterno di Dio fatto uomo, il quale è « venuto da Dio » (*Gv* 13,3), « disceso dal cielo » (*Gv* 3,13; 6,33), « venuto nella carne » (*1 Gv* 4,2); infatti « il Verbo si fece carne e venne ad abitare in mezzo a noi; e noi vedemmo la sua gloria, gloria come di unigenito dal Padre, pieno di grazia e di verità... Dalla sua pienezza noi tutti abbiamo ricevuto e grazia su grazia » (*Gv* 1,14.16).

424 Mossi dalla grazia dello Spirito Santo e attirati dal Padre, noi, riguardo a Gesù, crediamo e confessiamo: « Tu sei il Cristo, il Figlio del Dio vivente » (*Mt* 16,16). Sulla roccia di questa fede, confessata da san Pietro, Cristo ha fondato la sua Chiesa.[3] 683 552

[1] Cf *Lc* 1,68.
[2] Cf *Lc* 1,55.
[3] Cf *Mt* 16,18; San Leone Magno, *Sermones,* 4, 3: PL 54, 151; 51, 1: PL 54, 309B; 62, 2: PL 54, 350C-351A; 83, 3: PL 54, 432A.

« Annunziare... le imperscrutabili ricchezze di Cristo » (*Ef* 3,8)

425 La trasmissione della fede cristiana è innanzitutto l'annunzio di Gesù Cristo, allo scopo di condurre alla fede in lui. Fin dall'inizio, i primi discepoli sono stati presi dal desiderio ardente di annunziare Cristo: « Noi non possiamo tacere quello che abbiamo visto e ascoltato » (*At* 4,20). Essi invitano gli uomini di tutti i tempi ad entrare nella gioia della loro comunione con Cristo:

850; 858

> Ciò che noi abbiamo udito, ciò che noi abbiamo veduto con i nostri occhi, ciò che noi abbiamo contemplato e ciò che le nostre mani hanno toccato, ossia il Verbo della vita (poiché la vita si è fatta visibile, noi l'abbiamo veduta e di ciò rendiamo testimonianza e vi annunziamo la vita eterna, che era presso il Padre e si è resa visibile a noi), quello che abbiamo veduto e udito, noi lo annunziamo anche a voi, perché anche voi siate in comunione con noi. La nostra comunione è col Padre e col Figlio suo Gesù Cristo. Queste cose vi scriviamo, perché la nostra gioia sia perfetta (*1 Gv* 1,1-4).

Al centro della catechesi: Cristo

1698 426 « Al centro della catechesi noi troviamo essenzialmente una persona: quella di Gesù di Nazaret, unigenito del Padre..., il quale ha sofferto ed è morto per noi e ora, risorto, vive per sempre con noi... Catechizzare... è, dunque, svelare nella persona di Cristo l'intero disegno di Dio... È cercare
513 di comprendere il significato dei gesti e delle parole di Cristo, dei segni da lui operati ».[4] Lo scopo della catechesi: « Mettere... in comunione... con Gesù Cristo: egli solo può condurre all'amore del Padre nello Spirito e può farci
260 partecipare alla vita della Santa Trinità ».[5]

2145 427 « Nella catechesi è Cristo, Verbo incarnato e Figlio di Dio, che viene insegnato, e tutto il resto lo è in riferimento a lui;... solo Cristo insegna, mentre ogni altro lo fa nella misura in cui è il suo portavoce, consentendo a
876 Cristo di insegnare per bocca sua... Ogni catechista dovrebbe poter applicare a se stesso la misteriosa parola di Gesù: "La mia dottrina non è mia, ma di colui che mi ha mandato" (*Gv* 7,16) ».[6]

428 Colui che è chiamato a « insegnare Cristo », deve dunque cercare innanzi tutto quel guadagno che è la « sublimità della conoscenza di Cristo »; bisogna accettare di perdere tutto, « al fine di guadagnare Cristo e di essere trovato in lui », e di « conoscere lui, la potenza della sua Risurrezione, la partecipazione alle sue sofferenze, diventandogli conforme nella morte con la speranza di giungere alla risurrezione dai morti » (*Fil* 3,8-11).

[4] Giovanni Paolo II, Esort. ap. *Catechesi tradendae,* 5.
[5] *Ibid.*
[6] *Ibid.*, 6.

429 Da questa amorosa conoscenza di Cristo nasce irresistibile il desiderio di annunziare, di « evangelizzare », e di condurre altri al « sì » della fede in Gesù Cristo. Nello stesso tempo si fa anche sentire il bisogno di conoscere sempre meglio questa fede. A tal fine, seguendo l'ordine del Simbolo della fede, saranno innanzi tutto presentati i principali titoli di Gesù: Cristo, Figlio di Dio, Signore (articolo 2). Il Simbolo successivamente confessa i principali misteri della vita di Cristo: quelli della sua Incarnazione (articolo 3), quelli della sua Pasqua (articoli 4 e 5), infine quelli della sua glorificazione (articoli 6 e 7). 851

Articolo 2

« E IN GESÙ CRISTO, SUO UNICO FIGLIO, NOSTRO SIGNORE »

I. Gesù

430 *Gesù* in ebraico significa: « Dio salva ». Al momento dell'Annunciazione, l'angelo Gabriele dice che il suo nome proprio sarà Gesù, nome che esprime ad un tempo la sua identità e la sua missione.[7] Poiché Dio solo può rimettere i peccati,[8] è lui che, in Gesù, il suo Figlio eterno fatto uomo, « salverà il suo popolo dai suoi peccati » (*Mt* 1,21). Così, in Gesù, Dio ricapitola tutta la sua storia di salvezza a vantaggio degli uomini. 210 402

431 Nella storia della salvezza, Dio non si è limitato a liberare Israele « dalla condizione servile » (*Dt* 5,6) facendolo uscire dall'Egitto; lo salva anche dal suo peccato. Poiché il peccato è sempre un'offesa fatta a Dio,[9] solo Dio lo può cancellare.[10] Per questo Israele, prendendo sempre più coscienza dell'universalità del peccato, non potrà più cercare la salvezza se non nell'invocazione del nome del Dio Redentore.[11] 1850 1441; 388

432 Il nome di Gesù significa che il Nome stesso di Dio è presente nella persona del Figlio suo [12] fatto uomo per l'universale e definitiva Redenzione dei peccati. È il nome divino che solo reca la salvezza,[13] e può ormai essere 589; 2666 389

[7] Cf *Lc* 1,31.
[8] Cf *Mc* 2,7.
[9] Cf *Sal* 51,6.
[10] Cf *Sal* 51,11.
[11] Cf *Sal* 79,9.
[12] Cf *At* 5,41; *3 Gv* 7.
[13] Cf *Gv* 3,18; *At* 2,21.

invocato da tutti perché, mediante l'Incarnazione, egli si è unito a tutti gli uomini [14] in modo tale che « non vi è altro nome dato agli uomini sotto il cielo nel quale è stabilito che possiamo essere salvati » (*At* 4,12).[15]

161

433 Il Nome del Dio Salvatore era invocato una sola volta all'anno, per l'espiazione dei peccati d'Israele, dal sommo sacerdote, dopo che questi aveva asperso col sangue del sacrificio il propiziatorio del Santo dei Santi.[16] Il propiziatorio era il luogo della presenza di Dio.[17] Quando san Paolo dice di Gesù che « Dio l'ha stabilito a servire come strumento di espiazione... nel suo sangue » (*Rm* 3,25), intende affermare che nella sua umanità « era Dio a riconciliare a sé il mondo in Cristo » (*2 Cor* 5,19).

615

434 La Risurrezione di Gesù glorifica il nome di Dio Salvatore [18] perché ormai è il nome di Gesù che manifesta in pienezza la suprema potenza del « Nome che è al di sopra di ogni altro nome » (*Fil* 2,9-10). Gli spiriti malvagi temono il suo nome [19] ed è nel suo nome che i discepoli di Gesù compiono miracoli; [20] infatti tutto ciò che essi chiedono al Padre nel suo nome, il Padre lo concede.[21]

2812; 2614

435 Il nome di Gesù è al centro della preghiera cristiana. Tutte le orazioni liturgiche terminano con la formula *« per Dominum nostrum Jesum Christum...* – per il nostro Signore Gesù Cristo... ». L'« Ave, Maria » culmina in « e benedetto il frutto del tuo seno, Gesù ». La preghiera del cuore, consueta presso gli orientali e chiamata « preghiera di Gesù », dice: « Signore Gesù Cristo, Figlio di Dio, abbi pietà di me peccatore ». Parecchi cristiani muoiono con la sola parola « Gesù » sulle labbra, come santa Giovanna d'Arco.

2667-2668; 2676

II. Cristo

436 *Cristo* viene dalla traduzione greca del termine ebraico « Messia » che significa « unto ». Non diventa il nome proprio di Gesù se non perché egli compie perfettamente la missione divina da esso significata. Infatti in Israele erano unti nel Nome di Dio coloro che erano a lui consacrati per una mis-

690; 695

[14] Cf *Rm* 10,6-13.
[15] Cf *At* 9,14; *Gc* 2,7.
[16] Cf *Lv* 16,15-16; *Sir* 50,20; *Eb* 9,7.
[17] Cf *Es* 25,22; *Lv* 16,2; *Nm* 7,89; *Eb* 9,5.
[18] Cf *Gv* 12,28.
[19] Cf *At* 16,16-18; 19,13-16.
[20] Cf *Mc* 16,17.
[21] Cf *Gv* 15,16.

sione che egli aveva loro affidato. Era il caso dei re,[22] dei sacerdoti [23] e, in rari casi, dei profeti.[24] Tale doveva essere per eccellenza il caso del Messia che Dio avrebbe mandato per instaurare definitivamente il suo Regno.[25] Il Messia doveva essere unto dallo Spirito del Signore,[26] ad un tempo come re e sacerdote [27] ma anche come profeta.[28] Gesù ha realizzato la speranza messianica di Israele nella sua triplice funzione di sacerdote, profeta e re.

711-716
783

437 L'angelo ha annunziato ai pastori la nascita di Gesù come quella del Messia promesso a Israele: « Oggi vi è nato nella città di Davide un Salvatore che è il Cristo Signore » (*Lc* 2,11). Fin da principio egli è « colui che il Padre ha consacrato e mandato nel mondo » (*Gv* 10,36), concepito come « santo » (*Lc* 1,35) nel grembo verginale di Maria. Giuseppe è stato chiamato da Dio a « prendere » con sé « Maria » sua « sposa », incinta di « quel che è generato in lei... dallo Spirito Santo » (*Mt* 1,20), affinché Gesù, « chiamato Cristo », nasca dalla sposa di Giuseppe nella discendenza messianica di Davide (*Mt* 1,16).[29]

525
486

438 La consacrazione messianica di Gesù rivela la sua missione divina. « È, d'altronde, ciò che indica il suo stesso nome, perché nel nome di Cristo è sottinteso colui che ha unto, colui che è stato unto e l'unzione stessa di cui è stato unto: colui che ha unto è il Padre, colui che è stato unto è il Figlio, ed è stato unto nello Spirito che è l'unzione ».[30] La sua consacrazione messianica eterna si è rivelata nel tempo della sua vita terrena nel momento in cui fu battezzato da Giovanni, quando Dio lo « consacrò in Spirito Santo e potenza » (*At* 10,38) « perché egli fosse fatto conoscere a Israele » (*Gv* 1,31) come suo Messia. Le sue opere e le sue parole lo riveleranno come « il Santo di Dio » (*Mc* 1,24; *Gv* 6,69; *At* 3,14).

727
535

439 Numerosi giudei ed anche alcuni pagani che condividevano la loro speranza hanno riconosciuto in Gesù i tratti fondamentali del « figlio di Davide » messianico promesso da Dio a Israele.[31] Gesù ha accettato il titolo di Messia cui aveva diritto,[32] ma non senza riserve, perché una parte

528-529
547

[22] Cf *1 Sam* 9,16; 10,1; 16,1.12-13; *1 Re* 1,39.
[23] Cf *Es* 29,7; *Lv* 8,12.
[24] Cf *1 Re* 19,16.
[25] Cf *Sal* 2,2; *At* 4,26-27.
[26] Cf *Is* 11,2.
[27] Cf *Zc* 4,14; 6,13.
[28] Cf *Is* 61,1; *Lc* 4,16-21.
[29] Cf *Rm* 1,3; *2 Tm* 2,8; *Ap* 22,16.
[30] Sant'Ireneo di Lione, *Adversus haereses,* 3, 18, 3.
[31] Cf *Mt* 2,2; 9,27; 12,23; 15,22; 20,30; 21,9.15.
[32] Cf *Gv* 4,25-26; 11,27.

dei suoi contemporanei lo intendevano secondo una concezione troppo umana,[33] essenzialmente politica.[34]

552 440 Gesù ha accettato la professione di fede di Pietro che lo riconosceva quale Messia, annunziando la passione ormai vicina del Figlio dell'uomo.[35] Egli ha così svelato il contenuto autentico della sua regalità messianica, nell'identità trascendente del Figlio dell'uomo « che è disceso dal cielo » (*Gv* 3,13),[36] come pure nella sua missione redentrice quale Servo sofferente: « Il Figlio dell'uomo... non è venuto per essere servito, ma per servire e dare la sua vita in riscatto per molti » (*Mt* 20,28).[37] Per questo il vero senso della 550; 445 sua regalità si manifesta soltanto dall'alto della croce.[38] Solo dopo la Risurrezione, la sua regalità messianica potrà essere proclamata da Pietro davanti al popolo di Dio: « Sappia dunque con certezza tutta la casa d'Israele che Dio ha costituito Signore e Cristo quel Gesù che voi avete crocifisso! » (*At* 2,36).

III. Figlio Unigenito di Dio

441 *Figlio di Dio,* nell'Antico Testamento, è un titolo dato agli angeli,[39] al popolo dell'elezione,[40] ai figli d'Israele [41] e ai loro re.[42] In tali casi ha il significato di una filiazione adottiva che stabilisce tra Dio e la sua creatura relazioni di una particolare intimità. Quando il Re-Messia promesso è detto « figlio di Dio »,[43] ciò non implica necessariamente, secondo il senso letterale di quei testi, che egli sia più che umano. Coloro che hanno designato così Gesù in quanto Messia d'Israele [44] forse non hanno inteso dire di più.[45]

442 Non è la stessa cosa per Pietro quando confessa Gesù come « il Cristo, il Figlio del Dio vivente » (*Mt* 16,16), perché Gesù risponde con solen- 552 nità: « Né la carne né il sangue te l'hanno *rivelato,* ma *il Padre mio* che sta nei cieli » (*Mt* 16,17). Parallelamente Paolo, a proposito della sua conversione sulla strada di Damasco, dirà: « Quando colui che mi scelse fin dal seno

[33] Cf *Mt* 22,41-46.
[34] Cf *Gv* 6,15; *Lc* 24,21.
[35] Cf *Mt* 16,16-23.
[36] Cf *Gv* 6,62; *Dn* 7,13.
[37] Cf *Is* 53,10-12.
[38] Cf *Gv* 19,19-22; *Lc* 23,39-43.
[39] Cf *Dt* (LXX) 32,8; *Gb* 1,6.
[40] Cf *Es* 4,22; *Os* 11,1; *Ger* 3,19; *Sir* 36,11; *Sap* 18,13.
[41] Cf *Dt* 14,1; *Os* 2,1.
[42] Cf *2 Sam* 7,14; *Sal* 82,6.
[43] Cf *1 Cr* 17,13; *Sal* 2,7.
[44] Cf *Mt* 27,54.
[45] Cf *Lc* 23,47.

di mia madre e mi chiamò con la sua grazia si compiacque di rivelare a me suo Figlio perché lo annunziassi in mezzo ai pagani... » (*Gal* 1,15-16). « Subito nelle sinagoghe proclamava Gesù Figlio di Dio » (*At* 9,20). Questo sarà fin dagli inizi [46] il centro della fede apostolica [47] professata prima di tutti da Pietro quale fondamento della Chiesa.[48] 424

443 Se Pietro ha potuto riconoscere il carattere trascendente della filiazione divina di Gesù Messia, è perché egli l'ha lasciato chiaramente intendere. Davanti al sinedrio, alla domanda dei suoi accusatori: « Tu dunque sei il Figlio di Dio? », Gesù ha risposto: « Lo dite voi stessi: io lo sono » (*Lc* 22,70).[49] Già molto prima, egli si era designato come « il Figlio » che conosce il Padre,[50] che è distinto dai « servi » che Dio in precedenza ha mandato al suo popolo,[51] superiore agli stessi angeli.[52] Egli ha differenziato la sua filiazione da quella dei suoi discepoli non dicendo mai « Padre nostro » [53] tranne che per comandar loro: « *Voi* dunque pregate così: Padre nostro » (*Mt* 6,9); e ha sottolineato tale distinzione: « Padre mio e Padre vostro » (*Gv* 20,17). 2786

444 I Vangeli riferiscono in due momenti solenni, il Battesimo e la Trasfigurazione di Cristo, la voce del Padre che lo designa come il suo « Figlio prediletto ».[54] Gesù presenta se stesso come « il Figlio unigenito di Dio » (*Gv* 3,16) e con tale titolo afferma la sua preesistenza eterna.[55] Egli chiede la fede « nel Nome del Figlio unigenito di Dio » (*Gv* 3,18). Questa confessione cristiana appare già nell'esclamazione del centurione davanti a Gesù in croce: « Veramente quest'uomo era il Figlio di Dio » (*Mc* 15,39); infatti soltanto nel Mistero pasquale il credente può dare al titolo « Figlio di Dio » il suo pieno significato. 536; 554

445 Dopo la Risurrezione la sua filiazione divina appare nella potenza della sua umanità glorificata: egli è stato costituito « Figlio di Dio con potenza secondo lo Spirito di santificazione mediante la Risurrezione dai morti » (*Rm* 1,4).[56] Gli Apostoli potranno confessare: « Noi vedemmo la sua gloria, gloria come di Unigenito dal Padre, pieno di grazia e di verità » (*Gv* 1,14). 653

[46] Cf *1 Ts* 1,10.
[47] Cf *Gv* 20,31.
[48] Cf *Mt* 16,18.
[49] Cf *Mt* 26,64; *Mc* 14,61.
[50] Cf *Mt* 11,27; 21,37-38.
[51] Cf *Mt* 21,34-36.
[52] Cf *Mt* 24,36.
[53] Cf *Mt* 5,48; 6,8; 7,21; *Lc* 11,13.
[54] Cf *Mt* 3,17; 17,5.
[55] Cf *Gv* 10,36.
[56] Cf *At* 13,33.

IV. Signore

446 Nella traduzione greca dei libri dell'Antico Testamento, il nome ineffabile sotto il quale Dio si è rivelato a Mosè,[57] YHWH, è reso con « Kyrios » [« Signore »]. Da allora *Signore* diventa il nome più abituale per indicare la stessa divinità del Dio di Israele. Il Nuovo Testamento utilizza in questo senso forte il titolo di « Signore » per il Padre, ma, ed è questa la novità, anche per Gesù riconosciuto così egli stesso come Dio.[58]

209

447 Gesù stesso attribuisce a sé, in maniera velata, tale titolo allorché discute con i farisei sul senso del Salmo 110,[59] ma anche in modo esplicito rivolgendosi ai suoi Apostoli.[60] Durante la sua vita pubblica i suoi gesti di potenza sulla natura, sulle malattie, sui demoni, sulla morte e sul peccato, manifestavano la sua sovranità divina.

548

448 Molto spesso, nei Vangeli, alcune persone si rivolgono a Gesù chiamandolo « Signore ». Questo titolo esprime il rispetto e la fiducia di coloro che si avvicinano a Gesù e da lui attendono aiuto e guarigione.[61] Pronunciato sotto la mozione dello Spirito Santo, esprime il riconoscimento del Mistero divino di Gesù.[62] Nell'incontro con Gesù risorto, diventa espressione di adorazione: « Mio Signore e mio Dio! » (*Gv* 20,28). Assume allora una connotazione d'amore e d'affetto che resterà peculiare della tradizione cristiana: « È il Signore! » (*Gv* 21,7).

208; 683
641

449 Attribuendo a Gesù il titolo divino di Signore, le prime confessioni di fede della Chiesa affermano, fin dall'inizio,[63] che la potenza, l'onore e la gloria dovuti a Dio Padre convengono anche a Gesù,[64] perché egli è di « natura divina » (*Fil* 2,6) e che il Padre ha manifestato questa signoria di Gesù risuscitandolo dai morti ed esaltandolo nella sua gloria.[65]

461
653

668-672

450 Fin dall'inizio della storia cristiana, l'affermazione della signoria di Gesù sul mondo e sulla storia[66] comporta anche il riconoscimento che l'uomo non deve sottomettere la propria libertà personale, in modo asso-

[57] Cf *Es* 3,14.
[58] Cf *1 Cor* 2,8.
[59] Cf *Mt* 22,41-46; cf anche *At* 2,34-36; *Eb* 1,13.
[60] Cf *Gv* 13,13.
[61] Cf *Mt* 8,2; 14,30; 15,22; e.a.
[62] Cf *Lc* 1,43; 2,11.
[63] Cf *At* 2,34-36.
[64] Cf *Rm* 9,5; *Tt* 2,13; *Ap* 5,13.
[65] Cf *Rm* 10,9; *1 Cor* 12,3; *Fil* 2,9-11.
[66] Cf *Ap* 11,15.

luto, ad alcun potere terreno, ma soltanto a Dio Padre e al Signore Gesù Cristo: Cesare non è « il Signore ».[67] « La Chiesa crede... di trovare nel suo Signore e Maestro la chiave, il centro e il fine di tutta la storia umana ».[68] 2242

451 La preghiera cristiana è contrassegnata dal titolo « Signore », sia che si tratti dell'invito alla preghiera: « Il Signore sia con voi », sia della conclusione della preghiera: « Per il nostro Signore Gesù Cristo », o anche del grido pieno di fiducia e di speranza: « Maran atha » (« Il Signore viene! »), oppure « Marana tha » (Vieni, Signore! ») (*1 Cor* 16,22), « Amen, vieni, Signore Gesù! » (*Ap* 22,20). 2664-2665 2817

In sintesi

452 *Il Nome « Gesù » significa « Dio che salva ». Il Bambino nato dalla Vergine Maria è chiamato « Gesù » « perché salverà il suo popolo dai suoi peccati »* (*Mt* 1,21): *« Non vi è altro Nome dato agli uomini sotto il cielo nel quale è stabilito che possiamo essere salvati »* (*At* 4,12).

453 *Il nome « Cristo » significa « Unto », « Messia ». Gesù è il Cristo perché Dio lo « consacrò in Spirito Santo e potenza »* (*At* 10,38). *Egli era colui che doveva venire,*[69] *l'oggetto « della speranza d'Israele »* (*At* 28,20).

454 *Il nome « Figlio di Dio » indica la relazione unica ed eterna di Gesù Cristo con Dio suo Padre: egli è il Figlio unigenito del Padre* [70] *e Dio egli stesso.*[71] *Per essere cristiani si deve credere che Gesù Cristo è il Figlio di Dio.*[72]

455 *Il nome « Signore » indica la sovranità divina. Confessare o invocare Gesù come Signore, è credere nella sua divinità. « Nessuno può dire "Gesù è il Signore" se non sotto l'azione dello Spirito Santo »* (*1 Cor* 12,3).

[67] Cf *Mc* 12,17; *At* 5,29.
[68] Conc. Ecum. Vat. II, *Gaudium et spes,* 10; cf 45.
[69] Cf *Lc* 7,19.
[70] Cf *Gv* 1,14.18; 3,16.18.
[71] Cf *Gv* 1,1.
[72] Cf *At* 8,37; *1 Gv* 2,23.

Articolo 3
« GESÙ CRISTO FU CONCEPITO PER OPERA DELLO SPIRITO SANTO, NACQUE DA MARIA VERGINE »

Paragrafo 1
IL FIGLIO DI DIO SI È FATTO UOMO

I. Perché il Verbo si è fatto carne

456 Con il Credo di Nicea-Costantinopoli confessiamo che il Verbo: « *Per noi uomini e per la nostra salvezza* discese dal cielo; per opera dello Spirito Santo si è incarnato nel seno della Vergine Maria e si è fatto uomo ».

607 457 Il Verbo si è fatto carne *per salvarci riconciliandoci con Dio:* è Dio « che ha amato noi e ha mandato il suo Figlio come vittima di espiazione per i nostri peccati » (*1 Gv* 4,10). « Il Padre ha mandato il suo Figlio come Salvatore del mondo » (*1 Gv* 4,14). « Egli è apparso per togliere i peccati » (*1 Gv* 3,5):

385 La nostra natura, malata, richiedeva d'essere guarita; decaduta, d'essere risollevata; morta, di essere risuscitata. Avevamo perduto il possesso del bene; era necessario che ci fosse restituito. Immersi nelle tenebre, occorreva che ci fosse portata la luce; perduti, attendevamo un salvatore; prigionieri, un soccorritore; schiavi, un liberatore. Tutte queste ragioni erano prive d'importanza? Non erano tali da commuovere Dio sì da farlo discendere fino alla nostra natura umana per visitarla, poiché l'umanità si trovava in una condizione tanto miserabile ed infelice? [73]

219 458 Il Verbo si è fatto carne *perché noi così conoscessimo l'amore di Dio:* « In questo si è manifestato l'amore di Dio per noi: Dio ha mandato il suo unigenito Figlio nel mondo perché noi avessimo la vita per lui » (*1 Gv* 4,9). « Dio infatti ha tanto amato il mondo da dare il suo Figlio unigenito, perché chiunque crede in lui non muoia, ma abbia la vita eterna » (*Gv* 3,16).

520; 823; 2012; 1717; 1965 459 Il Verbo si è fatto carne *per essere nostro modello di santità:* « Prendete il mio giogo su di voi e imparate da me... » (*Mt* 11,29). « Io sono la via, la verità e la vita. Nessuno viene al Padre se non per mezzo di me » (*Gv* 14,6). E il Padre, sul monte della Trasfigurazione, comanda: « Ascoltatelo » (*Mc* 9,7).[74] In realtà, egli è il modello delle Beatitudini e la norma della Legge

[73] San Gregorio di Nissa, *Oratio catechetica,* 15: PG 45, 48B.
[74] Cf *Dt* 6,4-5.

nuova: « Amatevi gli uni gli altri come io vi ho amati » (*Gv* 15,12). Questo amore implica l'effettiva offerta di se stessi alla sua sequela.[75]

460 Il Verbo si è fatto carne *perché diventassimo « partecipi della natura divina »* (*2 Pt* 1,4): « Infatti, questo è il motivo per cui il Verbo si è fatto uomo, e il Figlio di Dio, Figlio dell'uomo: perché l'uomo, entrando in comunione con il Verbo e ricevendo così la filiazione divina, diventasse figlio di Dio ».[76] « Infatti il Figlio di Dio si è fatto uomo per farci Dio ».[77] « Unigenitus Dei Filius, suae divinitatis volens nos esse participes, naturam nostram assumpsit, ut homines deos faceret factus homo – L'Unigenito Figlio di Dio, volendo che noi fossimo partecipi della sua divinità, assunse la nostra natura, affinché, fatto uomo, facesse gli uomini dei ».[78]

1265; 1391

1988

II. L'Incarnazione

461 Riprendendo l'espressione di san Giovanni (« Il Verbo si fece carne »: *Gv* 1,14), la Chiesa chiama « Incarnazione » il fatto che il Figlio di Dio abbia assunto una natura umana per realizzare in essa la nostra salvezza. La Chiesa canta il Mistero dell'Incarnazione in un inno riportato da san Paolo:

653; 661

449

> Abbiate in voi gli stessi sentimenti che furono in Cristo Gesù, il quale, pur essendo di natura divina, non considerò un tesoro geloso la sua uguaglianza con Dio; ma spogliò se stesso, assumendo la condizione di servo e divenendo simile agli uomini; apparso in forma umana, umiliò se stesso facendosi obbediente fino alla morte e alla morte di croce (*Fil* 2,5-8).[79]

462 Dello stesso Mistero parla la lettera agli Ebrei:

> Per questo, entrando nel mondo, Cristo dice: Tu non hai voluto né sacrificio né offerta, un corpo invece mi hai preparato. Non hai gradito né olocausti né sacrifici per il peccato. Allora ho detto: Ecco, io vengo... per fare la tua volontà (*Eb* 10,5-7).[80]

463 La fede nella reale Incarnazione del Figlio di Dio è il segno distintivo della fede cristiana: « Da questo potete riconoscere lo spirito di Dio: ogni spirito che riconosce che Gesù Cristo è venuto nella carne, è da Dio » (*1 Gv* 4,2). È la gioiosa convinzione della Chiesa fin dal suo inizio, allorché canta « il grande Mistero della pietà »: « Egli si manifestò nella carne » (*1 Tm* 3,16).

90

[75] Cf *Mc* 8,34.
[76] Sant'Ireneo di Lione, *Adversus haereses,* 3, 19, 1.
[77] Sant'Atanasio di Alessandria, *De Incarnatione,* 54, 3: PG 25, 192B.
[78] San Tommaso d'Aquino, *Opusculum 57 in festo Corporis Christi,* 1.
[79] Cf *Liturgia delle Ore,* Cantico dei Vespri del sabato.
[80] *Eb* 10,5-7 cita il *Sal* 40,7-9 (LXX).

III. Vero Dio e vero uomo

464 L'evento unico e del tutto singolare dell'Incarnazione del Figlio di Dio non significa che Gesù Cristo sia in parte Dio e in parte uomo, né che sia il risultato di una confusa mescolanza di divino e di umano. Egli si è fatto veramente uomo rimanendo veramente Dio. Gesù Cristo è vero Dio e vero uomo. La Chiesa nel corso dei primi secoli ha dovuto difendere e chiarire questa verità di fede contro eresie che la falsificavano. 88

465 Le prime eresie più che la divinità di Cristo hanno negato la sua vera umanità (docetismo gnostico). Fin dall'epoca apostolica la fede cristiana ha insistito sulla vera Incarnazione del Figlio di Dio « venuto nella carne ».[81] Ma nel terzo secolo, la Chiesa ha dovuto affermare contro Paolo di Samosata, in un Concilio riunito ad Antiochia, che Gesù Cristo è Figlio di Dio per natura e non per adozione. Il primo Concilio Ecumenico di Nicea nel 325 professò nel suo Credo che il Figlio di Dio è « generato, non creato, della stessa sostanza ["homousios"] del Padre », e condannò Ario, il quale sosteneva che « il Figlio di Dio veniva dal nulla » [82] e che sarebbe « di un'altra sostanza o di un'altra essenza rispetto al Padre ».[83] 242

466 L'eresia nestoriana vedeva in Cristo una persona umana congiunta alla Persona divina del Figlio di Dio. In contrapposizione ad essa san Cirillo di Alessandria e il terzo Concilio Ecumenico riunito a Efeso nel 431 hanno confessato che « il Verbo, unendo a se stesso ipostaticamente una carne animata da un'anima razionale, si fece uomo ».[84] L'umanità di Cristo non ha altro soggetto che la Persona divina del Figlio di Dio, che l'ha assunta e fatta sua al momento del suo concepimento. Per questo il Concilio di Efeso ha proclamato nel 431 che Maria in tutta verità è divenuta Madre di Dio per il concepimento umano del Figlio di Dio nel suo seno; « Madre di Dio... non certo perché la natura del Verbo o la sua divinità avesse avuto origine dalla santa Vergine, ma, poiché nacque da lei il santo corpo dotato di anima razionale a cui il Verbo è unito sostanzialmente, si dice che il Verbo è nato secondo la carne ».[85] 495

467 I monofisiti affermavano che la natura umana come tale aveva cessato di esistere in Cristo, essendo stata assunta dalla Persona divina del Figlio di

[81] Cf *1 Gv* 4,2-3; *2 Gv* 7.
[82] Concilio di Nicea I: DENZ.-SCHÖNM., 130.
[83] *Ibid.,* 126.
[84] Concilio di Efeso: *ibid.,* 250.
[85] *Ibid.,* 251.

Dio. Opponendosi a questa eresia, il quarto Concilio Ecumenico, a Calcedonia, nel 451, ha confessato:

> Seguendo i santi Padri, all'unanimità noi insegniamo a confessare un solo e medesimo Figlio, il Signore nostro Gesù Cristo, perfetto nella sua divinità e perfetto nella sua umanità, vero Dio e vero uomo, [composto] di anima razionale e di corpo, consostanziale al Padre per la divinità, e consostanziale a noi per l'umanità, « simile in tutto a noi, fuorché nel peccato » (*Eb* 4,15), generato dal Padre prima dei secoli secondo la divinità, e in questi ultimi tempi, per noi e per la nostra salvezza, nato da Maria Vergine e Madre di Dio, secondo l'umanità.
> Un solo e medesimo Cristo, Signore, Figlio unigenito, che noi dobbiamo riconoscere in due nature, senza confusione, senza mutamento, senza divisione, senza separazione. La differenza delle nature non è affatto negata dalla loro unione, ma piuttosto le proprietà di ciascuna sono salvaguardate e riunite in una sola persona e una sola ipostasi.[86]

468 Dopo il Concilio di Calcedonia, alcuni fecero della natura umana di Cristo una sorta di soggetto personale. Contro costoro, il quinto Concilio Ecumenico, a Costantinopoli, nel 553, ha confessato riguardo a Cristo: vi è « una sola ipostasi [o Persona]..., cioè il Signore nostro Gesù Cristo, *Uno della Trinità* ».[87] Tutto, quindi, nell'umanità di Cristo deve essere attribuito alla sua Persona divina come al suo soggetto proprio,[88] non soltanto i miracoli ma anche le sofferenze [89] e così pure la morte: « Il Signore nostro Gesù Cristo, crocifisso nella sua carne, è vero Dio, Signore della gloria e Uno della Santa Trinità ».[90]

254

616

469 La Chiesa così confessa che Gesù è inscindibilmente vero Dio e vero uomo. Egli è veramente il Figlio di Dio che si è fatto uomo, nostro fratello, senza con ciò cessare d'essere Dio, nostro Signore:

212

> « Id quod fuit remansit et quod non fuit assumpsit – Rimase quel che era e quel che non era assunse », canta la Liturgia romana.[91] E la Liturgia di san Giovanni Crisostomo proclama e canta: « O Figlio Unigenito e Verbo di Dio, tu, che sei immortale, per la nostra salvezza ti sei degnato d'incarnarti nel seno della santa Madre di Dio e sempre Vergine Maria; tu, che senza mutamento sei diventato uomo e sei stato crocifisso, o Cristo Dio, tu, che con la tua morte hai sconfitto la morte, tu che sei Uno della santa Trinità, glorificato con il Padre e lo Spirito Santo, salvaci! ».[92]

[86] Concilio di Calcedonia: DENZ.-SCHÖNM., 301-302.
[87] Concilio di Costantinopoli II: DENZ.-SCHÖNM., 424.
[88] Cf già Concilio di Efeso: DENZ.-SCHÖNM., 255.
[89] Cf Concilio di Costantinopoli II: DENZ.-SCHÖNM., 424.
[90] *Ibid.*, 432.
[91] *Liturgia delle Ore*, I, Ufficio delle letture di Natale, cf SAN LEONE MAGNO, *Sermones*, 21, 2-3: PL 54, 192A.
[92] Liturgia bizantina, Tropario « O Monoghenis ».

IV. Come il Figlio di Dio è uomo

470 Poiché nella misteriosa unione dell'Incarnazione « la natura umana è stata assunta, senza per questo venir annientata »,[93] la Chiesa nel corso dei secoli è stata condotta a confessare la piena realtà dell'anima umana, con le sue operazioni di intelligenza e di volontà, e del corpo umano di Cristo. Ma parallelamente ha dovuto di volta in volta ricordare che la natura umana di Cristo appartiene in proprio alla Persona divina del Figlio di Dio che l'ha assunta. Tutto ciò che egli è e ciò che egli fa in essa deriva da « Uno della Trinità ». Il Figlio di Dio, quindi, comunica alla sua umanità il suo modo personale d'esistere nella Trinità. Pertanto, nella sua anima come nel suo corpo, Cristo esprime umanamente i comportamenti divini della Trinità: [94]

516 626

> Il Figlio di Dio... ha lavorato con mani d'uomo, ha pensato con mente d'uomo, ha agito con volontà d'uomo, ha amato con cuore d'uomo. Nascendo da Maria Vergine, egli si è fatto veramente uno di noi, in tutto simile a noi fuorché nel peccato.[95]

2599

L'anima e la conoscenza umana di Cristo

471 Apollinare di Laodicea sosteneva che in Cristo il Verbo aveva preso il posto dell'anima o dello spirito. Contro questo errore la Chiesa ha confessato che il Figlio eterno ha assunto anche un'anima razionale umana.[96]

363

472 L'anima umana che il Figlio di Dio ha assunto è dotata di una vera conoscenza umana. In quanto tale, essa non poteva di per sé essere illimitata: era esercitata nelle condizioni storiche della sua esistenza nello spazio e nel tempo. Per questo il Figlio di Dio, facendosi uomo, ha potuto voler « crescere in sapienza, età e grazia » (*Lc* 2,52) e anche doversi informare intorno a ciò che nella condizione umana non si può apprendere che attraverso l'esperienza.[97] Questo era del tutto consono alla realtà del suo volontario umiliarsi nella « condizione di servo » (*Fil* 2,7).

473 Al tempo stesso, però, questa conoscenza veramente umana del Figlio di Dio esprimeva la vita divina della sua Persona.[98] « La natura umana del Fi-

[93] CONC. ECUM. VAT. II, *Gaudium et spes,* 22.
[94] Cf *Gv* 14,9-10.
[95] CONC. ECUM. VAT. II, *Gaudium et spes,* 22.
[96] Cf DAMASO I, *Lettera ai vescovi orientali:* DENZ.-SCHÖNM., 149.
[97] Cf *Mc* 6,38; 8,27; *Gv* 11,34; ecc.
[98] Cf SAN GREGORIO MAGNO, Lettera *Sicut aqua*: DENZ.-SCHÖNM., 475.

glio di Dio, *non da sé ma per la sua unione con il Verbo,* conosceva e manifestava nella Persona di Cristo tutto ciò che conviene a Dio ».[99] È, innanzi tutto, il caso della conoscenza intima e immediata che il Figlio di Dio fatto uomo ha del Padre suo.[100] Il Figlio di Dio anche nella sua conoscenza umana mostrava la penetrazione divina che egli aveva dei pensieri segreti del cuore degli uomini.[101]

240

474 La conoscenza umana di Cristo, per la sua unione alla Sapienza divina nella Persona del Verbo incarnato, fruiva in pienezza della scienza dei disegni eterni che egli era venuto a rivelare.[102] Ciò che in questo campo dice di ignorare,[103] dichiara altrove di non avere la missione di rivelarlo.[104]

La volontà umana di Cristo

475 Parallelamente, la Chiesa nel sesto Concilio Ecumenico [105] ha dichiarato che Cristo ha due volontà e due operazioni naturali, divine e umane, non opposte, ma cooperanti, in modo che il Verbo fatto carne ha umanamente voluto, in obbedienza al Padre, tutto ciò che ha divinamente deciso con il Padre e con lo Spirito Santo per la nostra salvezza.[106] La volontà umana di Cristo « segue, senza opposizione o riluttanza, o meglio, è sottoposta alla sua volontà divina e onnipotente ».[107]

2008; 2824

Il vero Corpo di Cristo

476 Poiché il Verbo si è fatto carne assumendo una vera umanità, il Corpo di Cristo era delimitato.[108] Perciò l'aspetto umano di Cristo può essere « rappresentato » (*Gal* 3,1). Nel settimo Concilio Ecumenico la Chiesa ha riconosciuto legittimo che venga raffigurato mediante « venerande e sante immagini ».[109]

1159-1162
2129-2132

477 Al tempo stesso la Chiesa ha sempre riconosciuto che nel Corpo di Gesù il « Verbo invisibile apparve visibilmente nella nostra carne ».[110] In realtà, le caratteristiche individuali del Corpo di Cristo esprimono la Persona

[99] San Massimo il Confessore, *Quaestiones et dubia,* 66: PG 90, 840A.
[100] Cf *Mc* 14,36; *Mt* 11,27; *Gv* 1,18; 8,55; ecc.
[101] Cf *Mc* 2,8; *Gv* 2,25; 6,61; ecc.
[102] Cf *Mc* 8,31; 9,31; 10,33-34; 14,18-20.26-30.
[103] Cf *Mc* 13,32.
[104] Cf *At* 1,7.
[105] Concilio di Costantinopoli III (681).
[106] Cf Concilio di Costantinopoli III (681): Denz.-Schönm., 556-559.
[107] *Ibid.,* 556.
[108] Cf Concilio Lateranense (649): Denz.-Schönm., 504.
[109] Concilio di Nicea II (787): Denz.-Schönm., 600-603.
[110] *Messale Romano,* Prefazio di Natale II.

divina del Figlio di Dio. Questi ha fatto a tal punto suoi i lineamenti del suo Corpo umano che, dipinti in una santa immagine, possono essere venerati, perché il credente che venera « l'immagine, venera la realtà di chi in essa è riprodotto ».[111]

Il Cuore del Verbo incarnato

478 Gesù ci ha conosciuti e amati, tutti e ciascuno, durante la sua vita, la sua agonia e la sua passione, e per ognuno di noi si è offerto: « Il Figlio di Dio mi ha amato e ha dato se stesso per me » (*Gal* 2,20). Ci ha amati tutti con un cuore umano. Per questo motivo, il sacro Cuore di Gesù, trafitto a causa dei nostri peccati e per la nostra salvezza,[112] « praecipuus consideratur index et symbolus... illius amoris, quo divinus Redemptor aeternum Patrem hominesque universos continenter adamat – è considerato il segno e simbolo principale... di quell'infinito amore, col quale il Redentore divino incessantemente ama l'eterno Padre e tutti gli uomini ».[113]

487
368; 2669
766

In sintesi

479 *Nel tempo stabilito da Dio, il Figlio unigenito del Padre, la Parola eterna, cioè il Verbo e l'Immagine sostanziale del Padre, si è incarnato: senza perdere la natura divina, ha assunto la natura umana.*

480 *Gesù Cristo è vero Dio e vero uomo, nella unità della sua Persona divina; per questo motivo è l'unico Mediatore tra Dio e gli uomini.*

481 *Gesù Cristo ha due nature, la divina e l'umana, non confuse, ma unite nell'unica Persona del Figlio di Dio.*

482 *Cristo, essendo vero Dio e vero uomo, ha una intelligenza e una volontà umane, perfettamente armonizzate e sottomesse alla sua intelligenza e alla sua volontà divine, che egli ha in comune con il Padre e lo Spirito Santo.*

483 *L'Incarnazione è quindi il Mistero dell'ammirabile unione della natura divina e della natura umana nell'unica Persona del Verbo.*

[111] Concilio di Nicea II (787): Denz.-Schönm., 601.
[112] Cf *Gv* 19,34.
[113] Pio XII, Lett. enc. *Haurietis aquas:* Denz.-Schönm., 3924; cf Id., Lett. enc. *Mystici Corporis: ibid.*, 3812.

Paragrafo 2

« ...CONCEPITO PER OPERA DELLO SPIRITO SANTO, NATO DALLA VERGINE MARIA »

I. Concepito per opera dello Spirito Santo ...

484 L'Annunciazione a Maria inaugura la « pienezza del tempo » (*Gal* 4,4), cioè il compimento delle promesse e delle preparazioni. Maria è chiamata a concepire colui nel quale abiterà « corporalmente tutta la pienezza della divinità » (*Col* 2,9). La risposta divina al suo « Come è possibile? Non conosco uomo » (*Lc* 1,34) è data mediante la potenza dello Spirito: « Lo Spirito Santo scenderà su di te » (*Lc* 1,35). 461 721

485 La missione dello Spirito Santo è sempre congiunta e ordinata a quella del Figlio.[114] Lo Spirito Santo, che è « Signore e dà la vita », è mandato a santificare il grembo della Vergine Maria e a fecondarla divinamente, facendo sì che ella concepisca il Figlio eterno del Padre in un'umanità tratta dalla sua. 689 723

486 Il Figlio unigenito del Padre, essendo concepito come uomo nel seno della Vergine Maria, è « Cristo », cioè unto dallo Spirito Santo,[115] sin dall'inizio della sua esistenza umana, anche se la sua manifestazione avviene progressivamente: ai pastori,[116] ai magi,[117] a Giovanni Battista,[118] ai discepoli.[119] L'intera vita di Gesù Cristo manifesterà dunque « come Dio [lo] consacrò in Spirito Santo e potenza » (*At* 10,38). 437

II. ...nato dalla Vergine Maria

487 Ciò che la fede cattolica crede riguardo a Maria si fonda su ciò che essa crede riguardo a Cristo, ma quanto insegna su Maria illumina, a sua volta, la sua fede in Cristo. 963

La predestinazione di Maria

488 « Dio ha mandato suo Figlio » (*Gal* 4,4), ma per preparargli un corpo,[120] ha voluto la libera collaborazione di una creatura. Per questo, Dio, da tutta

[114] Cf *Gv* 16,14-15.
[115] Cf *Mt* 1,20; *Lc* 1,35.
[116] Cf *Lc* 2,8-20.
[117] Cf *Mt* 2,1-12.
[118] Cf *Gv* 1,31-34.
[119] Cf *Gv* 2,11.
[120] Cf *Eb* 10,5.

l'eternità, ha scelto, perché fosse la Madre del Figlio suo, una figlia d'Israele, una giovane giudea di Nazaret in Galilea, « una vergine promessa sposa di un uomo della casa di Davide, chiamato Giuseppe. La vergine si chiamava Maria » (*Lc* 1,26-27):

> Volle il Padre delle misericordie che l'accettazione di colei che era predestinata a essere la Madre precedesse l'Incarnazione, perché così, come la donna aveva contribuito a dare la morte, la donna contribuisse a dare la vita.[121]

722 489 Nel corso dell'Antica Alleanza, la missione di Maria è stata *preparata* da quella di sante donne. All'inizio c'è Eva: malgrado la sua disobbedienza, 410 ella riceve la promessa di una discendenza che sarà vittoriosa sul Maligno,[122] 145 e quella d'essere la madre di tutti i viventi.[123] In forza di questa promessa, Sara concepisce un figlio nonostante la sua vecchiaia.[124] Contro ogni umana attesa, Dio sceglie ciò che era ritenuto impotente e debole [125] per mostrare la sua fedeltà alla promessa: Anna, la madre di Samuele,[126] Debora, 64 Rut, Giuditta e Ester, e molte altre donne. Maria « primeggia tra gli umili e i poveri del Signore, i quali con fiducia attendono e ricevono da lui la salvezza... Con lei, la eccelsa figlia di Sion, dopo la lunga attesa della Promessa, si compiono i tempi e si instaura la nuova economia ».[127]

L'Immacolata Concezione

490 Per esser la Madre del Salvatore, Maria « da Dio è stata arricchita di doni degni di una così grande carica ».[128] L'angelo Gabriele, al momento del-2676; 2853 l'Annunciazione, la saluta come « piena di grazia » (*Lc* 1,28). In realtà, per poter dare il libero assenso della sua fede all'annunzio della sua vocazione, 2001 era necessario che fosse tutta sorretta dalla grazia di Dio.

491 Nel corso dei secoli la Chiesa ha preso coscienza che Maria, colmata 411 di grazia da Dio,[129] era stata redenta fin dal suo concepimento. È quanto afferma il dogma dell'Immacolata Concezione, proclamato da papa Pio IX nel 1854:

> La beatissima Vergine Maria nel primo istante della sua concezione, per una grazia ed un privilegio singolare di Dio onnipotente, in previsione dei meriti

[121] Conc. Ecum. Vat. II, *Lumen gentium,* 56; cf 61.
[122] Cf *Gn* 3,15.
[123] Cf *Gn* 3,20.
[124] Cf *Gn* 18,10-14; 21,1-2.
[125] Cf *1 Cor* 1,27.
[126] Cf *1 Sam* 1.
[127] Conc. Ecum. Vat. II, *Lumen gentium,* 55.
[128] *Ibid,,* 56.
[129] Cf *Lc* 1,28.

di Gesù Cristo Salvatore del genere umano, è stata preservata intatta da ogni macchia del peccato originale.[130]

492 Questi « splendori di una santità del tutto singolare » di cui Maria è « adornata fin dal primo istante della sua concezione » [131] le vengono interamente da Cristo: ella è « redenta in modo così sublime in vista dei meriti del Figlio suo ».[132] Più di ogni altra persona creata, il Padre l'ha « benedetta con ogni benedizione spirituale, nei cieli, in Cristo » (*Ef* 1,3). In lui l'ha scelta « prima della creazione del mondo, per essere » santa e immacolata « al suo cospetto nella carità » (*Ef* 1,4). 2011 1077

493 I Padri della Tradizione orientale chiamano la Madre di Dio « la Tutta Santa » (« Panaghia »), la onorano come « immune da ogni macchia di peccato, dallo Spirito Santo quasi plasmata e resa una nuova creatura ».[133] Maria, per la grazia di Dio, è rimasta pura da ogni peccato personale durante tutta la sua esistenza.

« Avvenga di me quello che hai detto... »

494 All'annunzio che avrebbe dato alla luce « il Figlio dell'Altissimo » senza conoscere uomo, per la potenza dello Spirito Santo,[134] Maria ha risposto con « l'obbedienza della fede » (*Rm* 1,5), certa che « nulla è impossibile a Dio »: « Io sono la serva del Signore; avvenga di me quello che hai detto » (*Lc* 1,37-38). Così, dando il proprio assenso alla Parola di Dio, « Maria è diventata Madre di Gesù e, abbracciando con tutto l'animo e senza essere ritardata da nessun peccato la volontà divina di salvezza, si è offerta totalmente... alla persona e all'opera del Figlio suo, mettendosi al servizio del Mistero della Redenzione, sotto di lui e con lui, con la grazia di Dio onnipotente »: [135] 2617 148 968

> Come dice sant'Ireneo, « obbedendo divenne causa della salvezza per sé e per tutto il genere umano ». Con lui, non pochi antichi Padri affermano: « Il nodo della disobbedienza di Eva ha avuto la sua soluzione con l'obbedienza di Maria; ciò che la vergine Eva aveva legato con la sua incredulità, la Vergine Maria l'ha sciolto con la sua fede », e, fatto il paragone con Eva, chiamano Maria « la Madre dei viventi » e affermano spesso: « la morte per mezzo di Eva, la vita per mezzo di Maria ».[136] 726

[130] Pio IX, Bolla *Ineffabilis Deus:* Denz.-Schönm., 2803.
[131] Conc. Ecum. Vat. II, *Lumen gentium,* 56.
[132] *Ibid.,* 53.
[133] *Ibid.,* 56.
[134] Cf *Lc* 1,28-37.
[135] Conc. Ecum. Vat. II, *Lumen gentium,* 56.
[136] *Ibid.*; cf Sant'Ireneo di Lione, *Adversus haereses*, 3, 22, 4.

La maternità divina di Maria

495 Maria, chiamata nei Vangeli « la Madre di Gesù » (*Gv* 2,1; 19,25),[137] prima della nascita del Figlio suo è acclamata, sotto la mozione dello Spirito, « la Madre del mio Signore » (*Lc* 1,43). Infatti, colui che Maria ha concepito come uomo per opera dello Spirito Santo e che è diventato veramente suo Figlio secondo la carne, è il Figlio eterno del Padre, la seconda Persona della Santissima Trinità. La Chiesa confessa che Maria è veramente *Madre di Dio* [« Theotokos »].[138]

466; 2677

La verginità di Maria

496 Fin dalle prime formulazioni della fede,[139] la Chiesa ha confessato che Gesù è stato concepito nel seno della Vergine Maria per la sola potenza dello Spirito Santo, ed ha affermato anche l'aspetto corporeo di tale avvenimento: Gesù è stato concepito « senza seme, per opera dello Spirito Santo ».[140] Nel concepimento verginale i Padri ravvisano il segno che si tratta veramente del Figlio di Dio, il quale è venuto in una umanità come la nostra:

> Così, sant'Ignazio di Antiochia (inizio II secolo): « Voi siete fermamente persuasi riguardo a nostro Signore che è veramente della stirpe di Davide secondo la carne,[141] Figlio di Dio secondo la volontà e la potenza di Dio,[142] veramente nato da una Vergine,... veramente è stato inchiodato [alla croce] per noi, nella sua carne, sotto Ponzio Pilato... Veramente ha sofferto, così come veramente è risorto ».[143]

497 I racconti evangelici [144] considerano la concezione verginale un'opera divina che supera ogni comprensione e ogni possibilità umana: [145] « Quel che è generato in lei viene dallo Spirito Santo », dice l'angelo a Giuseppe riguardo a Maria, sua sposa (*Mt* 1,20). La Chiesa vede in ciò il compimento della promessa divina fatta per bocca del profeta Isaia: « Ecco, la vergine concepirà e partorirà un figlio ».[146]

498 Il silenzio del Vangelo secondo san Marco e delle Lettere del Nuovo Testamento sul concepimento verginale di Maria è stato talvolta causa di perplessità. Ci si

[137] Cf *Mt* 13,55.
[138] Cf Concilio di Efeso: Denz.-Schönm., 251.
[139] Cf Denz.-Schönm., 10-64.
[140] Concilio Lateranense (649): Denz.-Schönm., 503.
[141] Cf *Rm* 1,3.
[142] Cf *Gv* 1,13.
[143] Sant'Ignazio di Antiochia, *Epistula ad Smyrnaeos,* 1-2.
[144] Cf *Mt* 1,18-25; *Lc* 1,26-38.
[145] Cf *Lc* 1,34.
[146] *Is* 7,14, secondo la traduzione greca di *Mt* 1,23.

è potuto anche chiedere se non si trattasse di leggende o di elaborazioni teologiche senza pretese di storicità. A ciò si deve rispondere: La fede nel concepimento verginale di Gesù ha incontrato vivace opposizione, sarcasmi o incomprensione da parte dei non-credenti, giudei e pagani: [147] essa non trovava motivo nella mitologia pagana né in qualche adattamento alle idee del tempo. Il senso di questo avvenimento è accessibile soltanto alla fede, la quale lo vede in quel « nesso che lega tra loro i vari misteri »,[148] nell'insieme dei Misteri di Cristo, dalla sua Incarnazione alla sua Pasqua. Sant'Ignazio di Antiochia già testimonia tale legame: « Il principe di questo mondo ha ignorato la verginità di Maria e il suo parto, come pure la morte del Signore: tre Misteri sublimi che si compirono nel silenzio di Dio ».[149]

90
2717

Maria « sempre Vergine »

499 L'approfondimento della fede nella maternità verginale ha condotto la Chiesa a confessare la verginità reale e perpetua di Maria [150] anche nel parto del Figlio di Dio fatto uomo.[151] Infatti la nascita di Cristo « non ha diminuito la sua verginale integrità, ma l'ha consacrata ».[152] La Liturgia della Chiesa celebra Maria come la « Aeiparthenos », « sempre Vergine ».[153]

500 A ciò si obietta talvolta che la Scrittura parla di fratelli e di sorelle di Gesù.[154] La Chiesa ha sempre ritenuto che tali passi non indichino altri figli della Vergine Maria: infatti Giacomo e Giuseppe, « fratelli di Gesù » (*Mt* 13,55) sono i figli di una Maria discepola di Cristo,[155] la quale è designata in modo significativo come « l'altra Maria » (*Mt* 28,1). Si tratta di parenti prossimi di Gesù, secondo un'espressione non inusitata nell'Antico Testamento.[156]

501 Gesù è l'unico Figlio di Maria. Ma la maternità spirituale di Maria [157] si estende a tutti gli uomini che egli è venuto a salvare: « Ella ha dato alla luce un Figlio, che Dio ha fatto « il primogenito di una moltitudine di fratelli » (*Rm* 8,29), cioè dei fedeli, e alla cui nascita e formazione ella coopera con amore di madre ».[158]

969
970

[147] Cf San Giustino, *Dialogus cum Tryphone Judaeo,* 99, 7; Origene, *Contra Celsum,* 1, 32. 69; e.a.
[148] Concilio Vaticano I: Denz.-Schönm., 3016.
[149] Sant'Ignazio di Antiochia, *Epistula ad Ephesios,* 19, 1; cf *1 Cor* 2,8.
[150] Cf Concilio di Costantinopoli II: Denz.-Schönm., 427.
[151] Cf San Leone Magno, Lettera *Lectis dilectionis tuae*: Denz-Schönm., 291; 294; Pelagio I, Lettera *Humani generis: ibid.,* 442; Concilio Lateranense (649): *ibid.,* 503; Concilio di Toledo XVI: *ibid.,* 571; Pio IV, Cost. *Cum quorumdam hominum: ibid.,* 1880.
[152] Conc. Ecum. Vat. II, *Lumen gentium,* 57.
[153] Cf *ibid.,* 52.
[154] Cf *Mc* 3,31-35; 6,3; *1 Cor* 9,5; *Gal* 1,19.
[155] Cf *Mt* 27,56.
[156] Cf *Gn* 13,8; 14,16; 29,15; ecc.
[157] Cf *Gv* 19,26-27; *Ap* 12,17.
[158] Conc. Ecum. Vat. II, *Lumen gentium,* 63.

La maternità verginale di Maria nel disegno di Dio

90 502 Lo sguardo della fede può scoprire, in connessione con l'insieme della Rivelazione, le ragioni misteriose per le quali Dio, nel suo progetto salvifico, ha voluto che suo Figlio nascesse da una Vergine. Queste ragioni riguardano tanto la Persona e la missione redentrice di Cristo, quanto l'accettazione di tale missione da parte di Maria in favore di tutti gli uomini.

422 503 La verginità di Maria manifesta l'iniziativa assoluta di Dio nell'Incarnazione. Gesù come Padre non ha che Dio.[159] « La natura umana che egli ha assunto non l'ha mai separato dal Padre... Per natura Figlio del Padre secondo la divinità, per natura Figlio della Madre secondo l'umanità, ma propriamente Figlio di Dio nelle sue due nature ».[160]

504 Gesù è concepito per opera dello Spirito Santo nel seno della Vergine
359 Maria perché egli è *il nuovo Adamo* [161] che inaugura la nuova creazione: « Il primo uomo tratto dalla terra è di terra, il secondo uomo viene dal cielo » (*1 Cor* 15,47). L'umanità di Cristo, fin dal suo concepimento, è ricolma dello Spirito Santo perché Dio gli « dà lo Spirito senza misura » (*Gv* 3,34). « Dalla pienezza » di lui, capo dell'umanità redenta,[162] « noi tutti abbiamo ricevuto e grazia su grazia » (*Gv* 1,16).

505 Gesù, il nuovo Adamo, inaugura con il suo concepimento verginale *la nuova*
1265 *nascita* dei figli di adozione nello Spirito Santo per la fede. « Come è possibile? » (*Lc* 1,34).[163] La partecipazione alla vita divina non proviene « da sangue, né da volere di carne, né da volere di uomo, ma da Dio » (*Gv* 1,13). L'accoglienza di questa vita è verginale perché è interamente donata all'uomo dallo Spirito. Il senso sponsale della vocazione umana in rapporto a Dio [164] si compie perfettamente nella maternità verginale di Maria.

148 506 Maria è vergine perché la sua verginità è *il segno della sua fede* « che non era
1814 alterata da nessun dubbio » e del suo totale abbandono alla volontà di Dio.[165] Per la sua fede ella diviene la Madre del Salvatore: « Beatior est Maria percipiendo fidem Christi quam concipiendo carnem Christi - Maria è più felice di ricevere la fede di Cristo che di concepire la carne di Cristo ».[166]

967 507 Maria è ad un tempo vergine e madre perché è la figura e la realizzazione più perfetta della Chiesa: [167] « La Chiesa... per mezzo della Parola di Dio accolta con fedel-

[159] Cf *Lc* 2,48-49.
[160] Concilio del Friuli (796): Denz.-Schönm., 619.
[161] Cf *1 Cor* 15,45.
[162] Cf *Col* 1,18.
[163] Cf *Gv* 3,9.
[164] Cf *2 Cor* 11,2.
[165] Cf Conc. Ecum. Vat. II, *Lumen gentium*, 63 e *1 Cor* 7,34-35.
[166] Sant'Agostino, *De sancta virginitate*, 3: PL 40, 398.
[167] Cf Conc. Ecum. Vat. II, *Lumen gentium*, 63.

tà diventa essa pure madre, poiché con la predicazione e il Battesimo genera a una vita nuova e immortale i figli, concepiti ad opera dello Spirito Santo e nati da Dio. Essa pure è la vergine che custodisce integra e pura la fede data allo Sposo ».[168] 149

In sintesi

508 *Nella discendenza di Eva, Dio ha scelto la Vergine Maria perché fosse la Madre del suo Figlio. « Piena di grazia », ella è « il frutto più eccelso della Redenzione »:* [169] *fin dal primo istante del suo concepimento, è interamente preservata da ogni macchia del peccato originale ed è rimasta immune da ogni peccato personale durante tutta la sua vita.*

509 *Maria è veramente « Madre di Dio », perché è la Madre del Figlio eterno di Dio fatto uomo, Dio lui stesso.*

510 *Maria è rimasta « Vergine nel concepimento del Figlio suo, Vergine nel parto, Vergine incinta, Vergine madre, Vergine perpetua »:* [170] *con tutto il suo essere, ella è « la serva del Signore »* (*Lc* 1,38).

511 *Maria Vergine « cooperò alla salvezza dell'uomo con libera fede e obbedienza ».*[171] *Ha detto il suo « fiat » « loco totius humanae naturae – in nome di tutta l'umanità »:*[172] *per la sua obbedienza, è diventata la nuova Eva, madre dei viventi.*

Paragrafo 3
I MISTERI DELLA VITA DI CRISTO

512 Il Simbolo della fede, a proposito della vita di Cristo, non parla che dei Misteri dell'Incarnazione (concezione e nascita) e della Pasqua (passione, crocifissione, morte, sepoltura, discesa agli inferi, risurrezione, ascensione). Non dice nulla, in modo esplicito, dei Misteri della vita nascosta e della vita pubblica di Gesù, ma gli articoli della fede concernenti l'Incarnazione e la Pasqua di Gesù, illuminano *tutta* la vita terrena di Cristo. « Tutto quello che Gesù fece e insegnò dal principio fino al giorno in cui... fu assunto in cielo » (*At* 1,1-2) deve essere visto alla luce dei Misteri del Natale e della Pasqua. 1163

[168] Conc. Ecum. Vat. II, *Lumen gentium,* 64.
[169] Conc. Ecum. Vat. II, *Sacrosanctum concilium,* 103.
[170] Sant'Agostino, *Sermones,* 186, 1: PL 38, 999.
[171] Conc. Ecum. Vat. II, *Lumen gentium,* 56.
[172] San Tommaso d'Aquino, *Summa theologiae,* III, 30, 1.

426 561 513 La catechesi, secondo le circostanze, svilupperà tutta la ricchezza dei Misteri di Gesù. Qui basta indicare alcuni elementi comuni a tutti i Misteri della vita di Cristo (I), per accennare poi ai principali Misteri della vita nascosta (II) e pubblica (III) di Gesù.

I. Tutta la vita di Cristo è Mistero

514 Non compaiono nei Vangeli molte cose che interessano la curiosità umana a riguardo di Gesù. Quasi niente vi si dice della sua vita a Nazaret, e anche di una notevole parte della sua vita pubblica non si fa parola.[173] Ciò che è contenuto nei Vangeli, è stato scritto « perché crediate che Gesù è il Cristo, il Figlio di Dio, e perché, credendo, abbiate la vita nel suo Nome » (*Gv* 20,31).

126 515 I Vangeli sono scritti da uomini che sono stati tra i primi a credere[174] e che vogliono condividere con altri la loro fede. Avendo conosciuto, nella fede, chi è Gesù, hanno potuto scorgere e fare scorgere in tutta la sua vita terrena le tracce del suo Mistero. Dalle fasce della sua nascita,[175] fino all'aceto della sua passione[176] e al sudario della Risurrezione,[177] tutto nella vita di Gesù è segno del suo Mistero. Attraverso i suoi gesti, i suoi miracoli, le sue parole, è stato rivelato che « in lui abita corporalmente tutta la pienezza della divinità » (*Col* 2,9). In tal modo la sua umanità appare come « il sacramento », cioè il segno e lo strumento della sua divinità e della salvezza che egli reca: ciò che era visibile nella sua vita terrena condusse al Mistero invisibile della sua filiazione divina e della sua missione redentrice. (609; 774; 477)

I tratti comuni dei Misteri di Gesù

65 516 Tutta la vita di Cristo è *Rivelazione* del Padre: le sue parole e le sue azioni, i suoi silenzi e le sue sofferenze, il suo modo di essere e di parlare. Gesù può dire: « Chi vede me, vede il Padre » (*Gv* 14,9), e il Padre: « Questi è il Figlio mio, l'eletto; ascoltatelo » (*Lc* 9,35). Poiché il nostro Signore si è fatto uomo per compiere la volontà del Padre,[178] i più piccoli tratti dei suoi Misteri ci manifestano « l'amore di Dio per noi » (*1 Gv* 4,9). (2708)

606 517 Tutta la vita di Cristo è Mistero di *Redenzione*. La Redenzione è frutto innanzi tutto del sangue della croce,[179] ma questo Mistero opera nell'intera

[173] Cf *Gv* 20,30.
[174] Cf *Mc* 1,1; *Gv* 21,24.
[175] Cf *Lc* 2,7.
[176] Cf *Mt* 27,48.
[177] Cf *Gv* 20,7.
[178] Cf *Eb* 10,5-7.
[179] Cf *Ef* 1,7; *Col* 1,13-14; *1 Pt* 1,18-19.

vita di Cristo: già nella sua Incarnazione, per la quale, facendosi povero, ci ha arricchiti con la sua povertà; [180] nella sua vita nascosta che, con la sua sottomissione,[181] ripara la nostra insubordinazione; nella sua parola che purifica i suoi ascoltatori; [182] nelle guarigioni e negli esorcismi che opera, mediante i quali « ha preso le nostre infermità e si è addossato le nostre malattie » (*Mt* 8,17); [183] nella sua Risurrezione, con la quale ci giustifica.[184] 1115

518 Tutta la vita di Cristo è Mistero di *Ricapitolazione*. Quanto Gesù ha fatto, detto e sofferto, aveva come scopo di ristabilire nella sua primitiva vocazione l'uomo decaduto: 668; 2748

> Allorché si è incarnato e si è fatto uomo, ha ricapitolato in se stesso la lunga storia degli uomini e in breve ci ha procurato la salvezza, così che noi recuperassimo in Gesù Cristo ciò che avevamo perduto in Adamo, cioè d'essere ad immagine e somiglianza di Dio.[185] Per questo appunto Cristo è passato attraverso tutte le età della vita, restituendo con ciò a tutti gli uomini la comunione con Dio.[186]

La nostra comunione ai Misteri di Gesù

519 Tutta la ricchezza di Cristo « è destinata ad ogni uomo e costituisce il bene di ciascuno ».[187] Cristo non ha vissuto la sua vita per sé, ma *per noi*, dalla sua Incarnazione « per noi uomini e per la nostra salvezza » fino alla sua morte « per i nostri peccati » (*1 Cor* 15,3) e alla sua Risurrezione « per la nostra giustificazione » (*Rm* 4,25). E anche adesso, è « nostro avvocato presso il Padre » (*1 Gv* 2,1), « essendo sempre vivo per intercedere » a nostro favore (*Eb* 7,25). Con tutto ciò che ha vissuto e sofferto per noi una volta per tutte, egli resta sempre « al cospetto di Dio in nostro favore » (*Eb* 9,24). 793 602 1085

520 Durante tutta la sua vita, Gesù si mostra come *nostro modello*: [188] è « l'uomo perfetto » [189] che ci invita a diventare suoi discepoli e a seguirlo; con il suo abbassamento, ci ha dato un esempio da imitare,[190] con la sua preghiera, 459 359 2607

[180] Cf *2 Cor* 8,9.
[181] Cf *Lc* 2,51.
[182] Cf *Gv* 15,3.
[183] Cf *Is* 53,4.
[184] Cf *Rm* 4,25.
[185] Sant'Ireneo di Lione, *Adversus haereses,* 3, 18, 1.
[186] *Ibid.,* 3, 18, 7; cf 2, 22, 4.
[187] Giovanni Paolo II, Lett. enc. *Redemptor hominis,* 11.
[188] Cf *Rm* 15,5; *Fil* 2,5.
[189] Conc. Ecum. Vat. II, *Gaudium et spes,* 38.
[190] Cf *Gv* 13,15.

attira alla preghiera,[191] con la sua povertà, chiama ad accettare liberamente la spogliazione e le persecuzioni.[192]

521 Tutto ciò che Cristo ha vissuto, egli fa sì che noi possiamo *viverlo in lui* e che egli *lo viva in noi.* « Con l'Incarnazione il Figlio di Dio si è unito in certo modo a ogni uomo ».[193] Siamo chiamati a formare una cosa sola con lui; egli ci fa comunicare come membra del suo Corpo a ciò che ha vissuto nella sua carne per noi e come nostro modello:

2715
1391

> Noi dobbiamo sviluppare continuamente in noi e, in fine, completare gli stati e i Misteri di Gesù. Dobbiamo poi pregarlo che li porti lui stesso a compimento in noi e in tutta la sua Chiesa... Il Figlio di Dio desidera una certa partecipazione e come un'estensione e continuazione in noi e in tutta la sua Chiesa dei suoi Misteri mediante le grazie che vuole comunicarci e gli effetti che intende operare in noi attraverso i suoi Misteri. E con questo mezzo egli vuole completarli in noi.[194]

II. I Misteri dell'infanzia e della vita nascosta di Gesù

Le preparazioni

522 La venuta del Figlio di Dio sulla terra è un avvenimento di tale portata che Dio lo ha voluto preparare nel corso dei secoli. Riti e sacrifici, figure e simboli della « Prima Alleanza » (*Eb* 9,15), li fa convergere tutti verso Cristo; lo annunzia per bocca dei profeti che si succedono in Israele; risveglia inoltre nel cuore dei pagani l'oscura attesa di tale venuta.

711; 762

712-720

523 *San Giovanni Battista* è l'immediato precursore del Signore,[195] mandato a preparargli la via.[196] « Profeta dell'Altissimo » (*Lc* 1,76), di tutti i profeti è il più grande [197] e l'ultimo; [198] egli inaugura il Vangelo; [199] saluta la venuta di Cristo fin dal seno di sua madre [200] e trova la sua gioia nell'essere « l'amico dello sposo » (*Gv* 3,29), che designa come « l'Agnello di Dio... che toglie il peccato del mondo » (*Gv* 1,29). Precedendo Gesù « con lo spirito e la forza

[191] Cf *Lc* 11,1.
[192] Cf *Mt* 5,11-12.
[193] Conc. Ecum. Vat. II, *Gaudium et spes,* 22.
[194] San Giovanni Eudes, *Tractatus de regno Iesu,* cf *Liturgia delle Ore,* IV, Ufficio delle letture del venerdì della trentatreesima settimana.
[195] Cf *At* 13,24.
[196] Cf *Mt* 3,3.
[197] Cf *Lc* 7,26.
[198] Cf *Mt* 11,13.
[199] Cf *At* 1,22; *Lc* 16,16.
[200] Cf *Lc* 1,41.

di Elia » (*Lc* 1,17), gli rende testimonianza con la sua predicazione, il suo battesimo di conversione ed infine con il suo martirio.[201]

524 La Chiesa, celebrando ogni anno la *Liturgia dell'Avvento,* attualizza questa attesa del Messia: mettendosi in comunione con la lunga preparazione della prima venuta del Salvatore, i fedeli ravvivano l'ardente desiderio della sua seconda venuta.[202] Con la celebrazione della nascita e del martirio del Precursore, la Chiesa si unisce al suo desiderio: « egli deve crescere e io invece diminuire » (*Gv* 3,30).

1171

Il Mistero del Natale

525 Gesù è nato nell'umiltà di una stalla, in una famiglia povera; [203] semplici pastori sono i primi testimoni dell'avvenimento. In questa povertà si manifesta la gloria del cielo.[204] La Chiesa non cessa di cantare la gloria di questa notte:

437; 2443

> La Vergine oggi dà alla luce l'Eterno
> e la terra offre una grotta all'Inaccessibile.
> Gli angeli e i pastori a lui inneggiano
> e i magi, guidati dalla stella, vengono ad adorarlo.
> Tu sei nato per noi
> Piccolo Bambino, Dio eterno! [205]

526 « Diventare come i bambini » in rapporto a Dio è la condizione per entrare nel Regno; [206] per questo ci si deve abbassare,[207] si deve diventare piccoli; anzi, bisogna « rinascere dall'alto » (*Gv* 3,7), essere generati da Dio [208] per « diventare figli di Dio » (*Gv* 1,12). Il Mistero del Natale si compie in noi allorché Cristo « si forma » in noi.[209] Natale è il Mistero di questo « meraviglioso scambio »:

> O admirabile commercium! Creator generis humani, animatum corpus sumens, de virgine nasci dignatus est; et procedens homo sine semine, largitus est nobis suam deitatem – O meraviglioso scambio! Il Creatore ha preso un'anima e un corpo, è nato da una vergine; fatto uomo senza opera d'uomo, ci dona la sua divinità.[210]

460

[201] Cf *Mc* 6,17-29.
[202] Cf *Ap* 22,17.
[203] Cf *Lc* 2,6-7.
[204] Cf *Lc* 2,8-20.
[205] Kontakion di Romano il Melode.
[206] Cf *Mt* 18,3-4.
[207] Cf *Mt* 23,12.
[208] Cf *Gv* 1,13.
[209] Cf *Gal* 4,19.
[210] *Liturgia delle Ore*, I, Antifona dei Vespri nell'Ottava di Natale.

I Misteri dell'infanzia di Gesù

580, 1214

527 La *Circoncisione* di Gesù, otto giorni dopo la nascita,[211] è segno del suo inserimento nella discendenza di Abramo, nel popolo dell'Alleanza, della sua sottomissione alla Legge,[212] della sua abilitazione al culto d'Israele al quale parteciperà durante tutta la vita. Questo segno è prefigurazione della « circoncisione di Cristo » che è il Battesimo.[213]

439, 711-716, 122

528 L'*Epifania* è la manifestazione di Gesù come Messia d'Israele, Figlio di Dio e Salvatore del mondo. Insieme con il battesimo di Gesù nel Giordano e con le nozze di Cana,[214] essa celebra l'adorazione di Gesù da parte dei « magi » venuti dall'Oriente.[215] In questi « magi », che rappresentano le religioni pagane circostanti, il Vangelo vede le primizie delle nazioni che nell'Incarnazione accolgono la Buona Novella della salvezza. La venuta dei magi a Gerusalemme per adorare il re dei giudei [216] mostra che essi, alla luce messianica della stella di Davide,[217] cercano in Israele colui che sarà il re delle nazioni.[218] La loro venuta sta a significare che i pagani non possono riconoscere Gesù e adorarlo come Figlio di Dio e Salvatore del mondo se non volgendosi ai giudei [219] e ricevendo da loro la promessa messianica quale è contenuta nell'Antico Testamento.[220] L'Epifania manifesta che « la grande massa delle genti » entra « nella famiglia dei Patriarchi » [221] e ottiene la « dignità israelitica ».[222]

583, 439, 614

529 La *Presentazione di Gesù al Tempio* [223] lo mostra come il Primogenito che appartiene al Signore.[224] In Simeone e Anna è tutta l'attesa di Israele che viene all'*Incontro* con il suo Salvatore (la tradizione bizantina chiama così questo avvenimento). Gesù è riconosciuto come il Messia tanto a lungo atteso, « luce delle genti » e « gloria di Israele », ma anche come « segno di contraddizione ». La spada di dolore predetta a Maria annunzia l'altra offerta, perfetta e unica, quella della croce, la quale darà la salvezza « preparata da Dio davanti a tutti i popoli ».

[211] Cf *Lc* 2,21.
[212] Cf *Gal* 4,4.
[213] Cf *Col* 2,11-13.
[214] Cf *Liturgia delle Ore*, I, Antifona del Magnificat dei secondi Vespri dell'Epifania.
[215] Cf *Mt* 2,1.
[216] Cf *Mt* 2,2.
[217] Cf *Nm* 24,17; *Ap* 22,16.
[218] Cf *Nm* 24,17-19.
[219] Cf *Gv* 4,22.
[220] Cf *Mt* 2,4-6.
[221] San Leone Magno, *Sermones,* 23: PL 54, 224B, cf *Liturgia delle Ore,* I, Ufficio delle letture dell'Epifania.
[222] *Messale Romano,* Veglia pasquale: orazione dopo la terza lettura.
[223] Cf *Lc* 2,22-39.
[224] Cf *Es* 13,12-13.

530 La *fuga in Egitto* e la strage degli innocenti [225] manifestano l'opposizione delle tenebre alla luce: « Venne fra la sua gente, ma i suoi non l'hanno accolto » (*Gv* 1,11). L'intera vita di Cristo sarà sotto il segno della persecuzione. I suoi condividono con lui questa sorte.[226] Il suo ritorno dall'Egitto [227] ricorda l'Esodo [228] e presenta Gesù come il liberatore definitivo. 574

I Misteri della vita nascosta di Gesù

531 Durante la maggior parte della sua vita, Gesù ha condiviso la condizione della stragrande maggioranza degli uomini: un'esistenza quotidiana senza apparente grandezza, vita di lavoro manuale, vita religiosa giudaica sottomessa alla Legge di Dio,[229] vita nella comunità. Riguardo a tutto questo periodo ci è rivelato che Gesù era « sottomesso » ai suoi genitori e che « cresceva in sapienza, età e grazia davanti a Dio e agli uomini » (*Lc* 2,51-52). 2427

532 Nella sottomissione di Gesù a sua madre e al suo padre legale si realizza l'osservanza perfetta del quarto comandamento. Tale sottomissione è l'immagine nel tempo della obbedienza filiale al suo Padre celeste. La quotidiana sottomissione di Gesù a Giuseppe e a Maria annunziava e anticipava la sottomissione del Giovedì Santo: « Non... la mia volontà... » (*Lc* 22,42). L'obbedienza di Cristo nel quotidiano della vita nascosta inaugurava già l'opera di restaurazione di ciò che la disobbedienza di Adamo aveva distrutto.[230] 2214-2220 612

533 La vita nascosta di Nazaret permette ad ogni uomo di essere in comunione con Gesù nelle vie più ordinarie della vita quotidiana:

> Nazaret è la scuola dove si è iniziati a comprendere la vita di Gesù, cioè la scuola del Vangelo... In primo luogo essa ci insegna il *silenzio*. Oh! se rinascesse in noi la stima del silenzio, atmosfera ammirabile e indispensabile dello spirito... Essa ci insegna il modo di *vivere in famiglia*. Nazaret ci ricordi cos'è la famiglia, cos'è la comunione di amore, la sua bellezza austera e semplice, il suo carattere sacro e inviolabile... Infine impariamo una lezione di *lavoro*. Oh! dimora di Nazaret, casa del « Figlio del falegname »! Qui soprattutto desideriamo comprendere e celebrare la legge, severa certo, ma redentrice della fatica umana... Infine vogliamo salutare gli operai di tutto il mondo e mostrar loro il grande modello, il loro divino fratello.[231]

2717 2204 2427

[225] Cf *Mt* 2,13-18.
[226] Cf *Gv* 15,20.
[227] Cf *Mt* 2,15.
[228] Cf *Os* 11,1.
[229] Cf *Gal* 4,4.
[230] Cf *Rm* 5,19.
[231] Paolo VI, discorso del 5 gennaio 1964 a Nazaret, cf *Liturgia delle Ore*, I, Ufficio delle Letture della festa della Santa Famiglia.

583 534 Il *ritrovamento di Gesù nel Tempio*[232] è il solo avvenimento che rompe il silenzio dei Vangeli sugli anni nascosti di Gesù. Gesù vi lascia intravvedere 2599 il mistero della sua totale consacrazione a una missione che deriva dalla sua filiazione divina: « Non sapevate che io devo occuparmi delle cose del Padre mio? » (*Lc* 2,49). Maria e Giuseppe « non compresero » queste parole, ma le 964 accolsero nella fede, e Maria « serbava tutte queste cose nel suo cuore » (*Lc* 2,51) nel corso degli anni in cui Gesù rimase nascosto nel silenzio di una vita ordinaria.

III. I Misteri della vita pubblica di Gesù

Il battesimo di Gesù

535 L'inizio[233] della vita pubblica di Gesù è il suo battesimo da parte di Gio- 719-720 vanni nel Giordano.[234] Giovanni predicava « un battesimo di conversione per il perdono dei peccati » (*Lc* 3,3). Una folla di peccatori, pubblicani e soldati,[235] farisei e sadducei[236] e prostitute[237] vengono a farsi battezzare da lui. Ed ecco comparire Gesù. Il Battista esita, Gesù insiste: riceve il battesimo. Allora 701 lo Spirito Santo, sotto forma di colomba, scende su Gesù e « una voce dal cielo » dice: « Questi è il Figlio mio prediletto ».[238] È la manifestazione 438 (« Epifania ») di Gesù come Messia di Israele e Figlio di Dio.

536 Il battesimo di Gesù è, da parte di lui, l'accettazione e l'inaugurazione 606 della sua missione di Servo sofferente. Egli si lascia annoverare tra i peccatori;[239] è già « l'Agnello di Dio che toglie il peccato del mondo » (*Gv* 1,29); già 1224 anticipa il « battesimo » della sua morte cruenta.[240] Già viene ad adempiere « ogni giustizia » (*Mt* 3,15), cioè si sottomette totalmente alla volontà del Padre suo: accetta per amore il battesimo di morte per la remissione dei no- 444 stri peccati.[241] A tale accettazione risponde la voce del Padre che nel Figlio suo 727 si compiace.[242] Lo Spirito, che Gesù possiede in pienezza fin dal suo conce- 739 pimento, si posa e rimane su di lui.[243] Egli ne sarà la sorgente per tutta l'umanità. Al suo battesimo, « si aprirono i cieli » (*Mt* 3,16) che il peccato di

[232] Cf *Lc* 2,41-52.
[233] Cf *Lc* 3,23.
[234] Cf *At* 1,22.
[235] Cf *Lc* 3,10-14.
[236] Cf *Mt* 3,7.
[237] Cf *Mt* 21,32.
[238] Cf *Mt* 3,13-17.
[239] Cf *Is* 53,12.
[240] Cf *Mc* 10,38; *Lc* 12,50.
[241] Cf *Mt* 26,39.
[242] Cf *Lc* 3,22; *Is* 42,1.
[243] Cf *Gv* 1,32-33; cf *Is* 11,2.

Adamo aveva chiuso; e le acque sono santificate dalla discesa di Gesù e dello Spirito, preludio della nuova creazione.

537 Con il Battesimo, il cristiano è sacramentalmente assimilato a Gesù, il quale con il suo battesimo anticipa la sua morte e la sua Risurrezione; il cristiano deve entrare in questo mistero di umile abbassamento e pentimento, discendere nell'acqua con Gesù, per risalire con lui, rinascere dall'acqua e dallo Spirito per diventare, nel Figlio, figlio amato dal Padre e « camminare in una vita nuova » (*Rm* 6,4): 1262

> Scendiamo nella tomba insieme con Cristo per mezzo del Battesimo, in modo da poter anche risorgere insieme con lui; scendiamo con lui per poter anche risalire con lui; risaliamo con lui, per poter anche essere glorificati con lui.[244] 628
>
> Tutto ciò che è avvenuto in Cristo ci fa comprendere che, dopo l'immersione nell'acqua, lo Spirito Santo vola su di noi dall'alto del cielo e che, adottati dalla Voce del Padre, diventiamo figli di Dio.[245]

La tentazione di Gesù

538 I Vangeli parlano di un tempo di solitudine di Gesù nel deserto, immediatamente dopo che ebbe ricevuto il battesimo da Giovanni: « Sospinto » dallo Spirito nel deserto, Gesù vi rimane quaranta giorni digiunando; sta con le fiere e gli angeli lo servono.[246] Terminato questo periodo, Satana lo tenta tre volte cercando di mettere alla prova la sua disposizione filiale verso Dio. Gesù respinge tali assalti che ricapitolano le tentazioni di Adamo nel Paradiso e quelle d'Israele nel deserto, e il diavolo si allontana da lui « per ritornare al tempo fissato » (*Lc* 4,13). 394 518

539 Gli evangelisti rilevano il senso salvifico di questo misterioso avvenimento. Gesù è il nuovo Adamo, rimasto fedele mentre il primo ha ceduto alla tentazione. Gesù compie perfettamente la vocazione d'Israele: contrariamente a coloro che in passato provocarono Dio durante i quaranta anni nel deserto,[247] Cristo si rivela come il Servo di Dio obbediente in tutto alla divina volontà. Così Gesù è vincitore del diavolo: egli ha « legato l'uomo forte » per riprendergli il suo bottino.[248] La vittoria di Gesù sul tentatore nel deserto anticipa la vittoria della passione, suprema obbedienza del suo amore filiale per il Padre. 397 385 609

[244] San Gregorio Nazianzeno, *Orationes,* 40, 9: PG 36, 369B.
[245] Sant'Ilario di Poitiers, *In evangelium Matthaei,* 2: PL 9, 927.
[246] Cf *Mc* 1,12-13.
[247] Cf *Sal* 95,10.
[248] Cf *Mc* 3,27.

2119 540 La tentazione di Gesù manifesta quale sia la messianicità del Figlio di Dio, in opposizione a quella propostagli da Satana e che gli uomini [249] desiderano attribuirgli. Per questo Cristo ha vinto il tentatore *per noi:* « Infatti non abbiamo un sommo sacerdote che non sappia compatire le nostre infermità, essendo stato lui stesso provato in ogni cosa, a somiglianza di noi, escluso il peccato » (*Eb* 4,15). La Chiesa ogni anno si unisce al Mistero di Gesù nel deserto con i quaranta giorni della *Quaresima.*

519; 2849

1438

« Il Regno di Dio è vicino »

541 « Dopo che Giovanni fu arrestato, Gesù si recò nella Galilea predicando il Vangelo di Dio e diceva: "Il tempo è compiuto e il Regno di Dio è vicino: convertitevi e credete al Vangelo" » (*Mc* 1,15). « Cristo, per adempiere la volontà del Padre, ha inaugurato in terra il Regno dei cieli ».[250] Ora, la volontà del Padre è di « elevare gli uomini alla partecipazione della vita divina ».[251] Lo fa radunando gli uomini attorno al Figlio suo, Gesù Cristo. Questa assemblea è la Chiesa, la quale in terra costituisce « il germe e l'inizio » del Regno di Dio.[252]

2816

763

669; 768; 865

2233 542 Cristo è al centro di questa riunione degli uomini nella « famiglia di Dio ». Li convoca attorno a sé con la sua Parola, con i suoi « segni » che manifestano il Regno di Dio, con l'invio dei suoi discepoli. Egli realizzerà la venuta del suo Regno soprattutto con il grande Mistero della sua Pasqua: la sua morte in croce e la sua Risurrezione. « Quando sarò elevato da terra, attirerò tutti a me » (*Gv* 12,32). « Tutti gli uomini sono chiamati a questa unione con Cristo ».[253]

789

L'annunzio del Regno di Dio

543 *Tutti gli uomini* sono chiamati ad entrare nel Regno. Annunziato dapprima ai figli di Israele,[254] questo Regno messianico è destinato ad accogliere gli uomini di tutte le nazioni.[255] Per accedervi, è necessario accogliere la Parola di Gesù:

764

> La Parola del Signore è paragonata appunto al seme che viene seminato in un campo: quelli che l'ascoltano con fede e appartengono al piccolo gregge

[249] Cf *Mt* 16,21-23.
[250] Conc. Ecum. Vat. II, *Lumen gentium,* 3.
[251] *Ibid.,* 2.
[252] Cf *ibid.,* 5.
[253] *Ibid.,* 3.
[254] Cf *Mt* 10,5-7.
[255] Cf *Mt* 8,11; 28,19.

di Cristo hanno accolto il Regno stesso di Dio; poi il seme per virtù propria germoglia e cresce fino al tempo del raccolto.[256]

544 Il Regno appartiene *ai poveri e ai piccoli,* cioè a coloro che l'hanno accolto con un cuore umile. Gesù è mandato per « annunziare ai poveri un lieto messaggio » (*Lc* 4,18).[257] Li proclama beati, perché « di essi è il Regno dei cieli » (*Mt* 5,3); ai « piccoli » il Padre si è degnato di rivelare ciò che rimane nascosto ai sapienti e agli intelligenti.[258] Gesù condivide la vita dei poveri, dalla mangiatoia alla croce; conosce la fame,[259] la sete[260] e l'indigenza.[261] Anzi, arriva a identificarsi con ogni tipo di poveri e fa dell'amore operante verso di loro la condizione per entrare nel suo Regno.[262] 709 2443 2546

545 Gesù invita *i peccatori* alla mensa del Regno: « Non sono venuto per chiamare i giusti, ma i peccatori » (*Mc* 2,17).[263] Li invita alla conversione, senza la quale non si può entrare nel Regno, ma nelle parole e nelle azioni mostra loro l'infinita misericordia del Padre suo per loro[264] e l'immensa « gioia » che si fa « in cielo per un peccatore convertito » (*Lc* 15,7). La prova suprema di tale amore sarà il sacrificio della propria vita « in remissione dei peccati » (*Mt* 26,28). 1443 588; 1846 1439

546 Gesù chiama ad entrare nel Regno servendosi delle *parabole,* elemento tipico del suo insegnamento.[265] Con esse egli invita al banchetto del Regno,[266] ma chiede anche una scelta radicale: per acquistare il Regno, è necessario « vendere » tutto;[267] le parole non bastano, occorrono i fatti.[268] Le parabole sono come specchi per l'uomo: accoglie la Parola come un terreno arido o come un terreno buono?[269] Che uso fa dei talenti ricevuti?[270] Al cuore delle parabole stanno velatamente Gesù e la presenza del Regno in questo mondo. Occorre entrare nel Regno, cioè diventare discepoli di Cristo per « cono- 2613 542

256 Conc. Ecum. Vat. II, *Lumen gentium,* 5.
257 Cf *Lc* 7,22.
258 Cf *Mt* 11,25.
259 Cf *Mc* 2,23-26; *Mt* 21,18.
260 Cf *Gv* 4,6-7; 19,28.
261 Cf *Lc* 9,58.
262 Cf *Mt* 25,31-46.
263 Cf *1 Tm* 1,15.
264 Cf *Lc* 15,11-32.
265 Cf *Mc* 4,33-34.
266 Cf *Mt* 22,1-14.
267 Cf *Mt* 13,44-45.
268 Cf *Mt* 21,28-32.
269 Cf *Mt* 13,3-9.
270 Cf *Mt* 25,14-30.

scere i Misteri del Regno dei cieli » (*Mt* 13,11). Per coloro che rimangono « fuori »,[271] tutto resta enigmatico.[272]

I segni del Regno di Dio

670 439
547 Gesù accompagna le sue parole con numerosi « miracoli, prodigi e segni » (*At* 2,22), i quali manifestano che in lui il Regno è presente. Attestano che Gesù è il Messia annunziato.[273]

156 2616 574 447
548 I segni compiuti da Gesù testimoniano che il Padre lo ha mandato.[274] Essi sollecitano a credere in lui.[275] A coloro che gli si rivolgono con fede, egli concede ciò che domandano.[276] Allora i miracoli rendono più salda la fede in colui che compie le opere del Padre suo: testimoniano che egli è il Figlio di Dio.[277] Ma possono anche essere motivo di scandalo.[278] Non mirano a soddisfare la curiosità e i desideri di qualcosa di magico. Nonostante i suoi miracoli tanto evidenti, Gesù è rifiutato da alcuni;[279] lo si accusa perfino di agire per mezzo dei demoni.[280]

1503 440
549 Liberando alcuni uomini dai mali terreni della fame,[281] dell'ingiustizia,[282] della malattia e della morte,[283] Gesù ha posto dei segni messianici; egli non è venuto tuttavia per eliminare tutti i mali di quaggiù,[284] ma per liberare gli uomini dalla più grave delle schiavitù: quella del peccato,[285] che li ostacola nella loro vocazione di figli di Dio e causa tutti i loro asservimenti umani.

394 1673
550 La venuta del Regno di Dio è la sconfitta del regno di Satana:[286] « Se io scaccio i demoni per virtù dello Spirito di Dio, è certo giunto fra voi il Regno di Dio » (*Mt* 12,28). Gli *esorcismi* di Gesù liberano alcuni uomini dal tormento dei demoni.[28] Anticipano la grande vittoria di Gesù sul « principe di questo mondo » (*Gv* 12,31). Il Regno di Dio sarà definitiva-

[271] Cf *Mc* 4,11.
[272] Cf *Mt* 13,10-15.
[273] Cf *Lc* 7,18-23.
[274] Cf *Gv* 5,36; 10,25.
[275] Cf *Gv* 10,38.
[276] Cf *Mc* 5,25-34; 10,52; ecc.
[277] Cf *Gv* 10,31-38.
[278] Cf *Mt* 11,6.
[279] Cf *Gv* 11,47-48.
[280] Cf *Mc* 3,22.
[281] Cf *Gv* 6,5-15.
[282] Cf *Lc* 19,8.
[283] Cf *Mt* 11,5.
[284] Cf *Lc* 12,13.14; *Gv* 18,36.
[285] Cf *Gv* 8,34-36.
[286] Cf *Mt* 12,26.
[287] Cf *Lc* 8,26-39.

mente stabilito per mezzo della croce di Cristo: « Regnavit a ligno Deus – Dio regnò dalla croce ».[288] 440; 2816

« Le chiavi del Regno »

551 Fin dagli inizi della vita pubblica, Gesù sceglie dodici uomini perché stiano con lui e prendano parte alla sua missione;[289] li fa partecipi della sua autorità e li manda « ad annunziare il Regno di Dio e a guarire gli infermi » (*Lc* 9,2). Restano per sempre associati al Regno di Cristo, che, per mezzo di essi, guida la Chiesa: 858 765

> Io preparo per voi un Regno, come il Padre l'ha preparato per me; perché possiate mangiare e bere alla mia mensa nel mio Regno, e siederete in trono a giudicare le dodici tribù d'Israele (*Lc* 22,29-30).

552 Nel collegio dei Dodici Simon Pietro occupa il primo posto.[290] Gesù a lui ha affidato una missione unica. Grazie ad una rivelazione concessagli dal Padre, Pietro aveva confessato: « Tu sei il Cristo, il Figlio del Dio vivente ». Nostro Signore allora gli aveva detto: « Tu sei Pietro e su questa pietra edificherò la mia Chiesa e le porte degli inferi non prevarranno contro di essa » (*Mt* 16,18). Cristo, « Pietra viva » (*1 Pt* 2,4), assicura alla sua Chiesa fondata su Pietro la vittoria sulle potenze di morte. Pietro, a causa della fede da lui confessata, resterà la roccia incrollabile della Chiesa. Avrà la missione di custodire la fede nella sua integrità e di confermare i suoi fratelli.[291] 880 153; 442 424

553 Gesù ha conferito a Pietro un potere specifico: « A te darò le chiavi del Regno dei cieli, e tutto ciò che legherai sulla terra sarà legato nei cieli, e tutto ciò che scioglierai sulla terra sarà sciolto nei cieli » (*Mt* 16,19). Il « potere delle chiavi » designa l'autorità per governare la casa di Dio, che è la Chiesa. Gesù, « il Buon Pastore » (*Gv* 10,11) ha confermato questo incarico dopo la Risurrezione: « Pasci le mie pecorelle » (*Gv* 21,15-17). Il potere di « legare e sciogliere » indica l'autorità di assolvere dai peccati, di pronunciare giudizi in materia di dottrina, e prendere decisioni disciplinari nella Chiesa. Gesù ha conferito tale autorità alla Chiesa attraverso il ministero degli Apostoli[292] e particolarmente di Pietro, il solo cui ha esplicitamente affidato le chiavi del Regno. 381 1445 641; 881

[288] Inno « Vexilla Regis ».
[289] Cf *Mc* 3,13-19.
[290] Cf *Mc* 3,16; 9,2; *Lc* 24,34; *1 Cor* 15,5.
[291] Cf *Lc* 22,32.
[292] Cf *Mt* 18,18.

Un anticipo del Regno: la Trasfigurazione

554 Dal giorno in cui Pietro ha confessato che Gesù è il Cristo, il Figlio del Dio vivente, il Maestro « cominciò a dire apertamente ai suoi discepoli che doveva andare a Gerusalemme, e soffrire molto... e venire ucciso e risuscitare il terzo giorno » (*Mt* 16,21). Pietro protesta a questo annunzio,[293] gli altri addirittura non lo comprendono.[294] In tale contesto si colloca l'episodio misterioso della Trasfigurazione di Gesù [295] su un alto monte, davanti a tre testimoni da lui scelti: Pietro, Giacomo e Giovanni. Il volto e la veste di Gesù diventano sfolgoranti di luce, appaiono Mosè ed Elia che parlano « della sua dipartita che avrebbe portato a compimento a Gerusalemme » (*Lc* 9,31). Una nube li avvolge e una voce dal cielo dice: « Questi è il Figlio mio, l'eletto; ascoltatelo » (*Lc* 9,35).

697; 2600

444

555 Per un istante, Gesù mostra la sua gloria divina, confermando così la confessione di Pietro. Rivela anche che, per « entrare nella sua gloria » (*Lc* 24,26), deve passare attraverso la croce a Gerusalemme. Mosè ed Elia avevano visto la gloria di Dio sul Monte; la Legge e i profeti avevano annunziato le sofferenze del Messia.[296] La passione di Gesù è proprio la volontà del Padre: il Figlio agisce come Servo di Dio.[297] La nube indica la presenza dello Spirito Santo: « Tota Trinitas apparuit: Pater in voce; Filius in homine, Spiritus in nube clara – Apparve tutta la Trinità: il Padre nella voce, il Figlio nell'uomo, lo Spirito nella nube luminosa »: [298]

2576; 2583

257

> Tu ti sei trasfigurato sul monte, e, nella misura in cui ne erano capaci, i tuoi discepoli hanno contemplato la tua gloria, Cristo Dio, affinché, quando ti avrebbero visto crocifisso, comprendessero che la tua passione era volontaria ed annunziassero al mondo che tu sei veramente l'irradiazione del Padre.[299]

556 Alla soglia della vita pubblica: il battesimo; alla soglia della Pasqua: la Trasfigurazione. Col battesimo di Gesù « declaratum fuit mysterium primae regenerationis – fu manifestato il mistero della prima rigenerazione: il nostro Battesimo »; la Trasfigurazione « est sacramentum secundae regenerationis – è il sacramento della seconda rigenerazione: la nostra risurrezione ».[300] Fin d'ora noi partecipiamo alla Risurrezione del Signore mediante lo Spirito Santo che agisce nel sacramento del Corpo di Cristo. La Trasfigurazione ci offre un anticipo della venuta gloriosa di Cristo « il quale trasfigurerà il no-

1003

[293] Cf *Mt* 16,22-23.
[294] Cf *Mt* 17,23; *Lc* 9,45.
[295] Cf *Mt* 17,1-8 par.; *2 Pt* 1,16-18.
[296] Cf *Lc* 24,27.
[297] Cf *Is* 42,1.
[298] San Tommaso d'Aquino, *Summa theologiae,* III, 45, 4, ad 2.
[299] Liturgia bizantina, Kontakion della festa della Trasfigurazione.
[300] San Tommaso d'Aquino, *Summa theologiae,* III, 45, 4, ad 2.

stro misero corpo per conformarlo al suo corpo glorioso » (*Fil* 3,21). Ma ci ricorda anche che « è necessario attraversare molte tribolazioni per entrare nel Regno di Dio » (*At* 14,22):

> Pietro non lo capiva ancora quando sul monte desiderava vivere con Cristo. Questa felicità Cristo te la riservava dopo la morte, o Pietro. Ora invece egli stesso ti dice: Discendi ad affaticarti sulla terra, a servire sulla terra, a essere disprezzato, a essere crocifisso sulla terra. È discesa la Vita per essere uccisa; è disceso il Pane per sentire la fame; è discesa la Via, perché sentisse la stanchezza del cammino; è discesa la sorgente per aver sete; e tu rifiuti di soffrire? [301]

La salita di Gesù a Gerusalemme

557 « Mentre stavano compiendosi i giorni in cui sarebbe stato tolto dal mondo, [Gesù] si diresse decisamente verso Gerusalemme » (*Lc* 9,51).[302] Con questa decisione, indicava che saliva a Gerusalemme pronto a morire. A tre riprese aveva annunziato la sua passione e la sua Risurrezione.[303] Dirigendosi verso Gerusalemme dice: « Non è possibile che un profeta muoia fuori di Gerusalemme » (*Lc* 13,33).

558 Gesù ricorda il martirio dei profeti che erano stati messi a morte a Gerusalemme.[304] Tuttavia, non desiste dall'invitare Gerusalemme a raccogliersi attorno a lui: « Gerusalemme... quante volte ho voluto raccogliere i tuoi figli, come una gallina raccoglie i pulcini sotto le ali, e voi non avete voluto! » (*Mt* 23,37b). Quando arriva in vista di Gerusalemme, Gesù piange sulla città ed ancora una volta manifesta il desiderio del suo cuore: « Se avessi compreso anche tu, in questo giorno, la via della pace! Ma ormai è stata nascosta ai tuoi occhi » (*Lc* 19,41-42).

L'ingresso messianico di Gesù a Gerusalemme

559 Come Gerusalemme accoglierà il suo Messia? Dopo essersi sempre sottratto ai tentativi del popolo di farlo re,[305] Gesù sceglie il tempo e prepara nei dettagli il suo ingresso messianico nella città di « Davide, suo padre » (*Lc* 1,32).[306] È acclamato come il figlio di Davide, colui che porta la salvezza (« Hosanna » significa: « Oh, sì, salvaci! », « donaci la salvezza! »). Ora, « Re della gloria » (*Sal* 24,7-10) entra nella sua città cavalcando un asino: [307]

[301] Sant'Agostino, *Sermones,* 78, 6: PL 38, 492-493.
[302] Cf *Gv* 13,1.
[303] Cf *Mc* 8,31-33; 9,31-32; 10,32-34.
[304] Cf *Mt* 23,37a.
[305] Cf *Gv* 6,15.
[306] Cf *Mt* 21,1-11.
[307] Cf *Zc* 9,9.

egli non conquista la Figlia di Sion, figura della sua Chiesa, né con l'astuzia né con la violenza, ma con l'umiltà che rende testimonianza alla Verità.[308] Per questo i soggetti del suo Regno, in quel giorno, sono i fanciulli [309] e i « poveri di Dio », i quali lo acclamano come gli angeli lo avevano annunziato ai pastori.[310] La loro acclamazione, « Benedetto colui che viene nel Nome del Signore » (*Sal* 118,26), è ripresa dalla Chiesa nel « Sanctus » della Liturgia eucaristica come introduzione al memoriale della Pasqua del Signore.

333
1352

550; 2816
560 *L'ingresso di Gesù a Gerusalemme* manifesta l'avvento del Regno che il Re-Messia si accinge a realizzare con la Pasqua della sua morte e Risurrezione. Con la celebrazione dell'entrata di Gesù in Gerusalemme, la domenica delle Palme, la Liturgia della Chiesa dà inizio alla Settimana Santa.
1169

In sintesi

561 *« Tutta la vita di Cristo fu un insegnamento continuo: i suoi silenzi, i suoi miracoli, i suoi gesti, la sua preghiera, il suo amore per l'uomo, la sua predilezione per i piccoli e per i poveri, l'accettazione del sacrificio totale sulla croce per la Redenzione del mondo, la sua Risurrezione sono l'attuazione della sua Parola e il compimento della Rivelazione ».*[311]

562 *I discepoli di Cristo devono conformarsi a lui, finché egli sia formato in loro.*[312] *« Per ciò siamo assunti ai Misteri della sua vita, resi conformi a lui, morti e risuscitati con lui, finché con lui regneremo ».*[313]

563 *Pastori o magi, non si può incontrare Dio quaggiù che inginocchiandosi davanti alla mangiatoia di Betlemme e adorandolo nascosto nella debolezza di un bambino.*

564 *Con la sua sottomissione a Maria e a Giuseppe, come pure con il suo umile lavoro durante i lunghi anni di Nazaret, Gesù ci dà l'esempio della santità nella vita quotidiana della famiglia e del lavoro.*

565 *Dall'inizio della sua vita pubblica al momento del suo battesimo, Gesù è il « Servo » totalmente consacrato all'opera redentrice che avrà il compimento nel « battesimo » della sua passione.*

[308] Cf *Gv* 18,37.
[309] Cf *Mt* 21,15-16; *Sal* 8,3.
[310] Cf *Lc* 19,38; 2,14.
[311] Giovanni Paolo II, Esort. ap. *Catechesi tradendae,* 9.
[312] Cf *Gal* 4,19.
[313] Conc. Ecum. Vat. II, *Lumen gentium,* 7.

566 *La tentazione nel deserto mostra Gesù, Messia umile che trionfa su Satana in forza della sua piena adesione al disegno di salvezza voluto dal Padre.*

567 *Il Regno dei cieli è stato inaugurato in terra da Cristo. « Si manifesta chiaramente agli uomini nelle parole, nelle opere, nella persona di Cristo ».*[314] *La Chiesa è il germe e l'inizio di questo Regno. Le sue chiavi sono affidate a Pietro.*

568 *La Trasfigurazione di Gesù ha come fine di consolidare la fede degli Apostoli in vista della passione: la salita sull'« alto monte » prepara la salita al Calvario. Cristo, Capo della Chiesa, manifesta ciò che il suo Corpo contiene e irradia nei sacramenti: « la speranza della gloria »* (*Col* 1,27).[315]

569 *Gesù è salito a Gerusalemme volontariamente, pur sapendo che vi sarebbe morto di morte violenta a causa della grande ostilità dei peccatori.*[316]

570 *L'ingresso di Gesù a Gerusalemme è la manifestazione dell'avvento del Regno che il Re-Messia, accolto nella sua città dai fanciulli e dagli umili di cuore, si accinge a realizzare con la Pasqua della sua morte e Risurrezione.*

Articolo 4

« GESÙ CRISTO PATÌ SOTTO PONZIO PILATO, FU CROCIFISSO, MORÌ E FU SEPOLTO »

571 Il Mistero pasquale della croce e della Risurrezione di Cristo è al centro della Buona Novella che gli Apostoli, e la Chiesa dopo di loro, devono annunziare al mondo. Il disegno salvifico di Dio si è compiuto una volta per tutte [317] con la morte redentrice del Figlio suo Gesù Cristo. 1067

572 La Chiesa resta fedele all'« interpretazione di tutte le Scritture » data da Gesù stesso sia prima, sia dopo la sua Pasqua: « Non bisognava che il Cristo sopportasse queste sofferenze per entrare nella sua gloria? » (*Lc* 24,26-27.44-45). Le sofferenze di Gesù hanno preso la loro forma sto- 599

[314] Conc. Ecum. Vat. II, *Lumen gentium*, 5.
[315] Cf San Leone Magno, *Sermones*, 51, 3: PL 54, 310C.
[316] Cf *Eb* 12,3.
[317] Cf *Eb* 9,26.

rica concreta dal fatto che egli è stato « riprovato dagli anziani, dai sommi sacerdoti e dagli scribi » (*Mc* 8,31), i quali lo hanno consegnato « ai pagani » perché fosse « schernito e flagellato e crocifisso » (*Mt* 20,19).

158 573 La fede può dunque cercare di indagare le circostanze della morte di Gesù, fedelmente riferite dai Vangeli [318] e illuminate da altre fonti storiche, al fine di una migliore comprensione del senso della Redenzione.

Paragrafo 1
GESÙ E ISRAELE

530 574 Fin dagli inizi del ministero pubblico di Gesù, alcuni farisei e alcuni sostenitori di Erode, con dei sacerdoti e degli scribi, si sono accordati per farlo morire.[319] Per certe sue azioni,[320] Gesù è apparso ad alcuni malintenzionati sospetto di possessione demoniaca.[321] Lo si accusa di bestemmia [322] e di falso profetismo,[323] crimini religiosi che la Legge puniva con la pena di morte sotto forma di lapidazione.[324]
591

575 Molte azioni e parole di Gesù sono dunque state un « segno di contraddizione » (*Lc* 2,34) per le autorità religiose di Gerusalemme, quelle che il Vangelo di san Giovanni spesso chiama « i Giudei »,[325] ancor più che per il comune popolo di Dio (*Gv* 7,48-49). Certamente, i suoi rapporti con i farisei non furono esclusivamente polemici. Ci sono dei farisei che lo mettono in guardia in ordine al pericolo che corre.[326] Gesù loda alcuni di loro, come lo scriba di Mc 12,34, e mangia più volte in casa di farisei.[327] Gesù conferma dottrine condivise da questa élite religiosa del popolo di Dio: la risurrezione dei morti,[328] le forme di pietà (elemosina, preghiera e digiuno),[329] e l'abitudine di rivolgersi a Dio come Padre, la centralità del comandamento dell'amore di Dio e del prossimo.[330]
993

[318] Cf Conc. Ecum. Vat. II, *Dei Verbum*, 19.
[319] Cf *Mc* 3,6.
[320] Cacciata di demoni, cf *Mt* 12,24; perdono dei peccati, cf *Mc* 2,7; guarigioni in giorno di sabato, cf *Mc* 3,1-6; interpretazione originale dei precetti di purità della Legge, cf *Mc* 7,14-23; familiarità con i pubblicani e i pubblici peccatori, cf *Mc* 2,14-17.
[321] Cf *Mc* 3,22; *Gv* 8,48; 10,20.
[322] Cf *Mc* 2,7; *Gv* 5,18; 10,33.
[323] Cf *Gv* 7,12; 7,52.
[324] Cf *Gv* 8,59; 10,31.
[325] Cf *Gv* 1,19; 2,18; 5,10; 7,13; 9,22; 18,12; 19,38; 20,19.
[326] Cf *Lc* 13,31.
[327] Cf *Lc* 7,36; 14,1.
[328] Cf *Mt* 22,23-34; *Lc* 20,39.
[329] Cf *Mt* 6,2-18.
[330] Cf *Mc* 12,28-34.

576 Agli occhi di molti in Israele, Gesù sembra agire contro le istituzioni fondamentali del Popolo eletto:

— L'obbedienza alla Legge nell'integralità dei suoi precetti scritti e, per i farisei, nell'interpretazione della tradizione orale.
— La centralità del Tempio di Gerusalemme come luogo santo dove Dio abita in un modo privilegiato.
— La fede nell'unico Dio del quale nessun uomo può condividere la gloria.

I. Gesù e la Legge

577 Gesù ha fatto una solenne precisazione all'inizio del Discorso della Montagna, quando ha presentato, alla luce della grazia della Nuova Alleanza, la Legge data da Dio sul Sinai al momento della Prima Alleanza: 1965

> Non pensate che io sia venuto ad abolire la Legge o i Profeti; non sono venuto per abolire, ma per dare compimento. In verità vi dico: finché non siano passati il cielo e la terra, non passerà neppure un iota o un segno dalla Legge, senza che tutto sia compiuto. Chi dunque trasgredirà uno solo di questi precetti, anche minimi, e insegnerà agli uomini a fare altrettanto, sarà considerato minimo nel Regno dei cieli. Chi invece li osserverà e li insegnerà agli uomini, sarà considerato grande nel Regno dei cieli (*Mt* 5,17-19). 1967

578 Gesù, il Messia d'Israele, il più grande quindi nel Regno dei cieli, aveva il dovere di osservare la Legge, praticandola nella sua integralità fin nei minimi precetti, secondo le sue stesse parole. Ed è anche il solo che l'abbia potuto fare perfettamente.[331] Gli Ebrei, secondo quanto essi stessi confessano, non hanno mai potuto osservare la Legge nella sua integralità senza trasgredire il più piccolo precetto.[332] Per questo, ogni anno, alla festa dell'Espiazione, i figli d'Israele chiedono perdono a Dio per le loro trasgressioni della Legge. In realtà, la Legge costituisce un tutto unico e, come ricorda san Giacomo, « chiunque osservi tutta la Legge, ma la trasgredisca in un punto solo, diventa colpevole di tutto » (*Gc* 2,10).[333] 1953

579 Il principio dell'integralità dell'osservanza della Legge, non solo nella lettera ma nel suo spirito, era caro ai farisei. Mettendolo in forte risalto per Israele, essi hanno condotto molti Ebrei del tempo di Gesù a uno zelo religioso estremo.[334] E questo, se non voleva risolversi in una casistica « ipocrita »,[335] non poteva che preparare il

[331] Cf *Gv* 8,46.
[332] Cf *Gv* 7,19; *At* 13,38-41; 15,10.
[333] Cf *Gal* 3,10; 5,3.
[334] Cf *Rm* 10,2.
[335] Cf *Mt* 15,3-7; *Lc* 11,39-54.

Popolo a quell'inaudito intervento di Dio che sarà l'osservanza perfetta della Legge da parte dell'unico Giusto al posto di tutti i peccatori.[336]

580 L'adempimento perfetto della Legge poteva essere soltanto l'opera del divino Legislatore nato sotto la Legge nella Persona del Figlio.[337] Con Gesù, la Legge non appare più incisa su tavole di pietra ma scritta nel « cuore » (*Ger* 31,33) del Servo che, proclamando « il diritto con fermezza » (*Is* 42,3), diventa l'« Alleanza del Popolo » (*Is* 42,6). Gesù compie la Legge fino a prendere su di sé « la maledizione della Legge » (*Gal* 3,13), in cui erano incorsi coloro che non erano rimasti fedeli « a tutte le cose scritte nel libro della Legge » (*Gal* 3,10); infatti la morte di Cristo intervenne « per la redenzione delle colpe commesse sotto la Prima Alleanza » (*Eb* 9,15).

527

581 Gesù è apparso agli occhi degli Ebrei e dei loro capi spirituali come un « rabbi ».[338] Spesso egli ha usato argomentazioni che rientravano nel quadro dell'interpretazione rabbinica della Legge.[339] Ma al tempo stesso, Gesù non poteva che urtare i dottori della Legge; infatti, non si limitava a proporre la sua interpretazione accanto alle loro: « Egli insegnava come uno che ha autorità e non come i loro scribi » (*Mt* 7,29). In lui, è la Parola stessa di Dio, risuonata sul Sinai per dare a Mosè la Legge scritta, a farsi di nuovo sentire sul Monte delle Beatitudini.[340] Essa non abolisce la Legge, ma la porta a compimento dandone in maniera divina l'interpretazione definitiva: « Avete inteso che fu detto agli antichi... ma io vi dico » (*Mt* 5,33-34). Con questa stessa autorità divina, Gesù sconfessa certe « tradizioni degli uomini » (*Mc* 7,8) care ai farisei i quali annullano « la Parola di Dio » (*Mc* 7,13).

2054

582 Spingendosi oltre, Gesù dà compimento alla Legge sulla purità degli alimenti, tanto importante nella vita quotidiana giudaica, svelandone il senso « pedagogico »[341] con una interpretazione divina: « Tutto ciò che entra nell'uomo dal di fuori non può contaminarlo... Dichiarava così mondi tutti gli alimenti... Ciò che esce dall'uomo, questo sì contamina l'uomo. Dal di dentro infatti, cioè dal cuore dell'uomo, escono le intenzioni cattive » (*Mc* 7,18-21). Dando con autorità divina l'interpretazione definitiva della Legge, Gesù si è trovato a scontrarsi con certi dottori della Legge, i quali non ne accettavano la sua interpretazione, sebbene fosse garantita dai segni divini che la accompagnavano.[342] Ciò vale soprattutto per la questione del sabato: Gesù ricorda, ricorrendo spesso ad argomentazioni rabbiniche,[343] che il riposo del sabato non viene violato dal servizio di Dio[344] o del prossimo,[345] servizio che le guarigioni da lui operate compiono.

368 548 2173

[336] Cf *Is* 53,11; *Eb* 9,15.
[337] Cf *Gal* 4,4.
[338] Cf *Gv* 11,28; 3,2; *Mt* 22,23-24.34-36.
[339] Cf *Mt* 12,5; 9,12; *Mc* 2,23-27; *Lc* 6,6-9; *Gv* 7,22-23.
[340] Cf *Mt* 5,1.
[341] Cf *Gal* 3,24.
[342] Cf *Gv* 5,36; 10,25.37-38; 12,37.
[343] Cf *Mc* 2,25-27; *Gv* 7,22-24.
[344] Cf *Mt* 12,5; *Nm* 28,9.
[345] Cf *Lc* 13,15-16; 14,3-4.

II. Gesù e il Tempio

583 Gesù, come prima di lui i profeti, ha manifestato per il Tempio di Gerusalemme il più profondo rispetto. Vi è stato presentato da Giuseppe e Maria quaranta giorni dopo la nascita (*Lc* 2,22-39). All'età di dodici anni decide di rimanere nel Tempio, per ricordare ai suoi genitori che egli deve occuparsi delle cose del Padre suo.[346] Vi è salito ogni anno, almeno per la Pasqua, durante la sua vita nascosta; [347] lo stesso suo ministero pubblico è stato ritmato dai suoi pellegrinaggi a Gerusalemme per le grandi feste giudaiche.[348]

529
534

584 Gesù è salito al Tempio come al luogo privilegiato dell'incontro con Dio. Per lui il Tempio è la dimora del Padre suo, una casa di preghiera, e si accende di sdegno per il fatto che il cortile esterno è diventato un luogo di commercio.[349] Se scaccia i mercanti dal Tempio, a ciò è spinto dall'amore geloso per il Padre suo: « "Non fate della casa di mio Padre un luogo di mercato". I discepoli si ricordarono che sta scritto: "Lo zelo per la tua casa mi divora" (*Gv* 2,16-17). Dopo la sua Risurrezione, gli Apostoli hanno conservato un religioso rispetto per il Tempio.[350]

2599

585 Alla vigilia della sua passione, Gesù ha però annunziato la distruzione di questo splendido edificio, di cui non sarebbe rimasta pietra su pietra.[351] In ciò vi è l'annunzio di un segno degli ultimi tempi che stanno per iniziare con la sua Pasqua.[352] Ma questa profezia ha potuto essere riferita in maniera deformata da falsi testimoni al momento del suo interrogatorio presso il sommo sacerdote [353] e ripetuta come ingiuria mentre era inchiodato sulla croce.[354]

586 Lungi dall'essere stato ostile al Tempio [355] dove ha dato l'essenziale del suo insegnamento,[356] Gesù ha voluto pagare la tassa per il Tempio associandosi a Pietro,[357] che aveva posto come fondamento di quella che sarebbe stata la sua Chiesa.[358] Ancor più, egli si è identificato con il Tempio presentandosi

[346] Cf *Lc* 2,46-49.
[347] Cf *Lc* 2,41.
[348] Cf *Gv* 2,13-14; 5,1.14; 7,1.10.14; 8,2; 10,22-23.
[349] Cf *Mt* 21,13.
[350] Cf *At* 2,46; 3,1; 5,20.21; ecc.
[351] Cf *Mt* 24,1-2.
[352] Cf *Mt* 24,3; *Lc* 13,35.
[353] Cf *Mc* 14,57-58.
[354] Cf *Mt* 27,39-40.
[355] Cf *Mt* 8,4; 23,21; *Lc* 17,14; *Gv* 4,22.
[356] Cf *Gv* 18,20.
[357] Cf *Mt* 17,24-27.
[358] Cf *Mt* 16,18.

797 come la dimora definitiva di Dio in mezzo agli uomini.[359] Per questo la sua uccisione nel corpo [360] annunzia la distruzione del Tempio, distruzione che manifesterà l'entrata in una nuova età della storia della salvezza: « È giunto 1179 il momento in cui né su questo monte, né in Gerusalemme adorerete il Padre » (*Gv* 4,21).[361]

III. Gesù e la fede d'Israele nel Dio unico e Salvatore

587 Se la Legge e il Tempio di Gerusalemme hanno potuto essere occasione di « contraddizione » [362] da parte di Gesù per le autorità religiose di Israele, è però il suo ruolo nella redenzione dei peccati, opera divina per eccellenza, a rappresentare per costoro la vera pietra d'inciampo.[363]

588 Gesù ha scandalizzato i farisei mangiando con i pubblicani e i peccatori [364] con la stessa familiarità con cui pranzava con loro.[365] Contro quelli tra i farisei « che presumevano di essere giusti e disprezzavano gli altri » (*Lc* 18,9),[366] Gesù ha affermato: « Io non sono venuto a chiamare i giusti, ma 545 i peccatori a convertirsi » (*Lc* 5,32). Si è spinto oltre, proclamando davanti ai farisei che, essendo il peccato universale,[367] coloro che presumono di non aver bisogno di salvezza, sono ciechi sul proprio conto.[368]

589 Gesù ha suscitato scandalo soprattutto per aver identificato il proprio comportamento misericordioso verso i peccatori con l'atteggiamento di Dio stesso a loro riguardo.[369] È arrivato a lasciar intendere che, sedendo a mensa con i peccatori,[370] li ammetteva al banchetto messianico.[371] Ma è soprattutto perdonando i peccati, che Gesù ha messo le autorità religiose di Israele di fronte a un dilemma. Infatti, come costoro, inorriditi, giustamente affer- 431; 1441 mano, solo Dio può rimettere i peccati.[372] Perdonando i peccati, Gesù o bestemmia perché è un uomo che si fa uguale a Dio,[373] oppure dice il vero e 432 la sua Persona rende presente e rivela il Nome di Dio.[374]

[359] Cf *Gv* 2,21; *Mt* 12,6.
[360] Cf *Gv* 2,18-22.
[361] Cf *Gv* 4,23-24; *Mt* 27,51; *Eb* 9,11; *Ap* 21,22.
[362] Cf *Lc* 2,34.
[363] Cf *Lc* 20,17-18; *Sal* 118,22.
[364] Cf *Lc* 5,30.
[365] Cf *Lc* 7,36; 11,37; 14,1.
[366] Cf *Gv* 7,49; 9,34.
[367] Cf *Gv* 8,33-36.
[368] Cf *Gv* 9,40-41.
[369] Cf *Mt* 9,13; *Os* 6,6.
[370] Cf *Lc* 15,1-2.
[371] Cf *Lc* 15,23-32.
[372] Cf *Mc* 2,7.
[373] Cf *Gv* 5,18; 10,33.
[374] Cf *Gv* 17,6.26.

590 Soltanto l'identità divina della Persona di Gesù può giustificare un'esigenza assoluta come questa: « Chi non è con me è contro di me » (*Mt* 12,30); altrettanto quando egli dice che in lui c'è « più di Giona... più di Salomone » (*Mt* 12,41-42), « c'è qualcosa più grande del Tempio » (*Mt* 12,6); quando ricorda, a proprio riguardo, che Davide ha chiamato il Messia suo Signore,[375] e quando afferma: « Prima che Abramo fosse, Io Sono » (*Gv* 8,58); e anche: « Io e il Padre siamo una cosa sola » (*Gv* 10,30). 253

591 Gesù ha chiesto alle autorità religiose di Gerusalemme di credere in lui a causa delle opere del Padre che egli compiva.[376] Un tale atto di fede, però, doveva passare attraverso una misteriosa morte a se stessi per una rinascita « dall'alto » (*Gv* 3,7), sotto lo stimolo della grazia divina.[377] Una simile esigenza di conversione di fronte a un così sorprendente compimento delle promesse [378] permette di capire il tragico disprezzo del sinedrio che ha stimato Gesù meritevole di morte perché bestemmiatore.[379] I suoi membri agivano così per « ignoranza » [380] e al tempo stesso per l'« indurimento » (*Mc* 3,5; *Rm* 11,25) dell'incredulità.[381] 526 574

In sintesi

592 *Gesù non ha abolito la Legge del Sinai, ma l'ha portata a compimento* [382] *con una tale perfezione* [383] *da rivelarne il senso ultimo* [384] *e da riscattarne le trasgressioni.*[385]

593 *Gesù ha venerato il Tempio salendovi in occasione delle feste giudaiche di pellegrinaggio e ha amato di un amore geloso questa dimora di Dio in mezzo agli uomini. Il Tempio prefigura il suo Mistero. Se ne predice la distruzione, è per manifestare la sua propria uccisione e l'inizio di una nuova epoca della storia della salvezza, nella quale il suo Corpo sarà il Tempio definitivo.*

[375] Cf *Mt* 12,36.37.
[376] Cf *Gv* 10,36-38.
[377] Cf *Gv* 6,44.
[378] Cf *Is* 53,1.
[379] Cf *Mc* 3,6; *Mt* 26,64-66.
[380] Cf *Lc* 23,34; *At* 3,17-18.
[381] Cf *Rm* 11,20.
[382] Cf *Mt* 5,17-19.
[383] Cf *Gv* 8,46.
[384] Cf *Mt* 5,33ss.
[385] Cf *Eb* 9,15.

594 *Gesù ha compiuto azioni, quale il perdono dei peccati, che lo hanno rivelato come il Dio Salvatore.*[386] *Alcuni Giudei, i quali non riconoscevano il Dio fatto uomo,*[387] *ma vedevano in lui « un uomo » che si faceva « Dio »* (*Gv* 10,33), *l'hanno giudicato un bestemmiatore.*

Paragrafo 2
GESÙ MORÌ CROCIFISSO

I. Il processo di Gesù

Divisioni delle autorità ebraiche a riguardo di Gesù

595 Tra le autorità religiose di Gerusalemme non ci sono stati solamente il fariseo Nicodemo [388] o il notabile Giuseppe di Arimatea ad essere, di nascosto, discepoli di Gesù,[389] ma a proposito di lui [390] sono sorti dissensi per lungo tempo al punto che alla vigilia stessa della sua passione, san Giovanni può dire di essi che « molti credettero in lui » anche se in maniera assai imperfetta (*Gv* 12,42). La cosa non ha nulla di sorprendente se si tiene presente che all'indomani della Pentecoste « un gran numero di sacerdoti aderiva alla fede » (*At* 6,7) e che « alcuni della setta dei farisei erano diventati credenti » (*At* 15,5) al punto che san Giacomo può dire a san Paolo che « parecchie migliaia di Giudei sono venuti alla fede e tutti sono gelosamente attaccati alla Legge » (*At* 21,20).

596 Le autorità religiose di Gerusalemme non sono state unanimi nella condotta da tenere nei riguardi di Gesù.[391] I farisei hanno minacciato di scomunica coloro che lo avrebbero seguito.[392] A coloro che temevano che tutti avrebbero creduto in lui e i Romani sarebbero venuti e avrebbero distrutto il loro Luogo santo e la loro nazione [393] il sommo sacerdote Caifa propose profetizzando: È « meglio che muoia un solo uomo per il popolo e non perisca la nazione intera » (*Gv* 11,49-50). Il Sinedrio, avendo dichiarato Gesù « reo di morte » (*Mt* 26,66) in quanto bestemmiatore, ma avendo perduto il diritto di mettere a morte,[394] consegna Gesù ai Romani accusandolo di rivolta politica,[395] cosa che lo metterà alla pari con Barabba

1753

[386] Cf *Gv* 5,16-18.
[387] Cf *Gv* 1,14.
[388] Cf *Gv* 7,50.
[389] Cf *Gv* 19,38-39.
[390] Cf *Gv* 9,16-17; 10,19-21.
[391] Cf *Gv* 9,16; 10,19.
[392] Cf *Gv* 9,22.
[393] Cf *Gv* 11,48.
[394] Cf *Gv* 18,31.
[395] Cf *Lc* 23,2.

accusato di « sommossa » (*Lc* 23,19). Sono anche minacce politiche quelle che i sommi sacerdoti esercitano su Pilato perché egli condanni a morte Gesù.[396]

Gli Ebrei non sono collettivamente responsabili della morte di Gesù

597 Tenendo conto della complessità storica del processo di Gesù espressa nei racconti evangelici, e quale possa essere il peccato personale dei protagonisti del processo (Giuda, il Sinedrio, Pilato), che Dio solo conosce, non si può attribuirne la responsabilità all'insieme degli Ebrei di Gerusalemme, malgrado le grida di una folla manipolata[397] e i rimproveri collettivi contenuti negli appelli alla conversione dopo la Pentecoste.[398] Gesù stesso perdonando sulla croce[399] e Pietro sul suo esempio, hanno riconosciuto l'« ignoranza » (*At* 3,17) degli Ebrei di Gerusalemme ed anche dei loro capi. Ancor meno si può, a partire dal grido del popolo: « Il suo sangue ricada sopra di noi e sopra i nostri figli » (*Mt* 27,25) che è una formula di ratificazione,[400] estendere la responsabilità agli altri Ebrei nel tempo e nello spazio: 1735

> Molto bene la Chiesa ha dichiarato nel Concilio Vaticano II: « Quanto è stato commesso durante la Passione non può essere imputato né indistintamente a tutti gli Ebrei allora viventi, né agli Ebrei del nostro tempo... Gli Ebrei non devono essere presentati né come rigettati da Dio, né come maledetti, come se ciò scaturisse dalla Sacra Scrittura ».[401] 839

Tutti i peccatori furono gli autori della Passione di Cristo

598 La Chiesa, nel magistero della sua fede e nella testimonianza dei suoi santi, non ha mai dimenticato che « ogni singolo peccatore è realmente causa e strumento delle... sofferenze » del divino Redentore.[402] Tenendo conto del fatto che i nostri peccati offendono Cristo stesso,[403] la Chiesa non esita ad imputare ai cristiani la responsabilità più grave nel supplizio di Gesù, responsabilità che troppo spesso essi hanno fatto ricadere unicamente sugli Ebrei:

> È chiaro che più gravemente colpevoli sono coloro che più spesso ricadono nel peccato. Se infatti le nostre colpe hanno tratto Cristo al supplizio della 1851

[396] Cf *Gv* 19,12.15.21.
[397] Cf *Mc* 15,11.
[398] Cf *At* 2,23.36; 3,13-14; 4,10; 5,30; 7,52; 10,39; 13,27-28; *1 Ts* 2,14-15.
[399] Cf *Lc* 23,34.
[400] Cf *At* 5,28; 18,6.
[401] Conc. Ecum. Vat. II, *Nostra aetate*, 4.
[402] *Catechismo Romano*, 1, 5, 11; cf *Eb* 12,3.
[403] Cf *Mt* 25,45; *At* 9,4-5.

croce, coloro che si immergono nell'iniquità crocifiggono nuovamente, per quanto sta in loro, il Figlio di Dio e lo scherniscono [404] con un delitto ben più grave in loro che non negli Ebrei. Questi infatti — afferma san Paolo — non avrebbero crocifisso Gesù se lo avessero conosciuto come re divino.[405] Noi cristiani, invece, pur confessando di conoscerlo, di fatto lo rinneghiamo con le nostre opere e leviamo contro di lui le nostre mani violente e peccatrici.[406]

E neppure i demoni lo crocifissero, ma sei stato tu con essi a crocifiggerlo, e ancora lo crocifiggi, quando ti diletti nei vizi e nei peccati.[407]

II. La morte redentrice di Cristo nel disegno divino della salvezza

« Gesù consegnato secondo il disegno prestabilito di Dio »

599 La morte violenta di Gesù non è stata frutto del caso in un concorso sfavorevole di circostanze. Essa appartiene al mistero del disegno di Dio, come spiega san Pietro agli Ebrei di Gerusalemme fin dal suo primo discorso di Pentecoste: « Egli fu consegnato a voi secondo il prestabilito disegno e la prescienza di Dio » (*At* 2,23). Questo linguaggio biblico non significa che quelli che hanno « consegnato » Gesù (*At* 3,13) siano stati solo esecutori passivi di una vicenda scritta in precedenza da Dio.

517

600 Tutti i momenti del tempo sono presenti a Dio nella loro attualità. Egli stabilì dunque il suo disegno eterno di « predestinazione » includendovi la risposta libera di ogni uomo alla sua grazia: « Davvero in questa città si radunarono insieme contro il tuo santo servo Gesù, che hai unto come Cristo, Erode e Ponzio Pilato con le genti e i popoli d'Israele [408] per compiere ciò che la tua mano e la tua volontà avevano preordinato che avvenisse » (*At* 4,27-28). Dio ha permesso gli atti derivati dal loro accecamento [409] al fine di compiere il suo disegno di salvezza.[410]

312

« Morto per i nostri peccati secondo le Scritture »

601 Questo disegno divino di salvezza attraverso la messa a morte del Servo, il Giusto,[411] era stato anticipatamente annunziato nelle Scritture come un

[404] Cf *Eb* 6,6.
[405] Cf *1 Cor* 2,8.
[406] *Catechismo Romano,* 1, 5, 11.
[407] San Francesco d'Assisi, *Admonitio,* 5, 3.
[408] Cf *Sal* 2,1-2.
[409] Cf *Mt* 26,54; *Gv* 18,36; 19,11.
[410] Cf *At* 3,17-18.
[411] Cf *Is* 53,11; *At* 3,14.

mistero di redenzione universale, cioè di riscatto che libera gli uomini dalla schiavitù del peccato.[412] San Paolo professa, in una confessione di fede che egli dice di avere « ricevuto », che « Cristo morì per i nostri peccati *secondo le Scritture* » (*1 Cor* 15,3).[413] La morte redentrice di Gesù compie in particolare la profezia del Servo sofferente.[414] Gesù stesso ha presentato il senso della sua vita e della sua morte alla luce del Servo sofferente.[415] Dopo la Risurrezione, egli ha dato questa interpretazione delle Scritture ai discepoli di Emmaus,[416] poi agli stessi Apostoli.[417]

652
713

« Dio l'ha fatto peccato per noi »

602 San Pietro può, di conseguenza, formulare così la fede apostolica nel disegno divino della salvezza: « Voi sapete che non a prezzo di cose corruttibili, come l'argento e l'oro, foste liberati dalla vostra vuota condotta ereditata dai vostri padri, ma con il sangue prezioso di Cristo, come di agnello senza difetti e senza macchia. Egli fu predestinato, già prima della fondazione del mondo, ma si è manifestato negli ultimi tempi per voi » (*1 Pt* 1,18-20). I peccati degli uomini, conseguenti al peccato originale, sono sanzionati dalla morte.[418] Inviando il suo proprio Figlio nella condizione di servo,[419] quella di una umanità decaduta e votata alla morte a causa del peccato,[420] « colui che non aveva conosciuto peccato, Dio lo trattò da peccato in nostro favore, perché noi potessimo diventare per mezzo di lui giustizia di Dio » (*2 Cor* 5,21).

400
519

603 Gesù non ha conosciuto la riprovazione come se egli stesso avesse peccato.[421] Ma nell'amore redentore che sempre lo univa al Padre,[422] egli ci ha assunto nella nostra separazione da Dio a causa del peccato al punto da poter dire a nome nostro sulla croce: « Mio Dio, mio Dio, perché mi hai abbandonato? » (*Mc* 15,34; *Sal* 22,2). Avendolo reso così solidale con noi peccatori, « Dio non ha risparmiato il proprio Figlio, ma lo ha dato per tutti noi » (*Rm* 8,32) affinché noi fossimo « riconciliati con lui per mezzo della morte del Figlio suo » (*Rm* 5,10).

2572

[412] Cf *Is* 53,11-12; *Gv* 8,34-36.
[413] Cf *At* 3,18; 7,52; 13,29; 26,22-23.
[414] Cf *Is* 53,7-8 e *At* 8,32-35.
[415] Cf *Mt* 20,28.
[416] Cf *Lc* 24,25-27.
[417] Cf *Lc* 24, 44-45.
[418] Cf *Rm* 5,12; *1 Cor* 15,56.
[419] Cf *Fil* 2,7.
[420] Cf *Rm* 8,3.
[421] Cf *Gv* 8,46.
[422] Cf *Gv* 8,29.

Dio ha l'iniziativa dell'amore redentore universale

211 2009 1825

604 Nel consegnare suo Figlio per i nostri peccati, Dio manifesta che il suo disegno su di noi è un disegno di amore benevolo che precede ogni merito da parte nostra. « In questo sta l'amore: non siamo stati noi ad amare Dio, ma è lui che ha amato noi e ha mandato il suo Figlio come vittima di espiazione per i nostri peccati » (*1 Gv* 4,10).[423] « Dio dimostra il suo amore verso di noi, perché mentre eravamo ancora peccatori, Cristo è morto per noi » (*Rm* 5,8).

402 634; 2793

605 Questo amore è senza esclusioni; Gesù l'ha richiamato a conclusione della parabola della pecorella smarrita: « Così il Padre vostro celeste non vuole che si perda neanche uno solo di questi piccoli » (*Mt* 18,14). Egli afferma di « dare la sua vita in riscatto *per molti* » (*Mt* 20,28); quest'ultimo termine non è restrittivo: oppone l'insieme dell'umanità all'unica persona del Redentore che si consegna per salvarla.[424] La Chiesa, seguendo gli Apostoli,[425] insegna che Cristo è morto per tutti senza eccezioni: « Non vi è, non vi è stato, non vi sarà alcun uomo per il quale Cristo non abbia sofferto ».[426]

III. Cristo ha offerto se stesso al Padre per i nostri peccati

Tutta la vita di Cristo è offerta al Padre

517 536

606 Il Figlio di Dio « disceso dal cielo non per fare » la sua « volontà ma quella di colui che » l'ha « mandato » (*Gv* 6,38), « entrando nel mondo dice:.. Ecco, io vengo... per fare, o Dio, la tua volontà... Ed è appunto per quella volontà che noi siamo stati santificati, per mezzo dell'offerta del Corpo di Gesù Cristo, fatta una volta per sempre » (*Eb* 10,5-10). Dal primo istante della sua Incarnazione, il Figlio abbraccia nella sua missione redentrice il disegno divino di salvezza: « Mio cibo è fare la volontà di colui che mi ha mandato e compiere la sua opera » (*Gv* 4,34). Il sacrificio di Gesù « per i peccati di tutto il mondo » (*1 Gv* 2,2) è l'espressione della sua comunione d'amore con il Padre: « Il Padre mi ama perché io offro la mia vita » (*Gv* 10,17). « Bisogna che il mondo sappia che io amo il Padre e faccio quello che il Padre mi ha comandato » (*Gv* 14,31).

457

607 Questo desiderio di abbracciare il disegno di amore redentore del Padre suo anima tutta la vita di Gesù [427] perché la sua Passione redentrice è la ragion d'essere della sua Incarnazione: « Padre, salvami da quest'ora? Ma per

[423] Cf *1 Gv* 4,19.
[424] Cf *Rm* 5,18-19.
[425] Cf *2 Cor* 5,15; *1 Gv* 2,2.
[426] Concilio di Quierzy (853): Denz.-Schönm., 624.
[427] Cf *Lc* 12,50; 22,15; *Mt* 16,21-23.

questo sono giunto a quest'ora! » (*Gv* 12,27). « Non devo forse bere il calice che il Padre mi ha dato? » (*Gv* 18,11). E ancora sulla croce, prima che tutto sia compiuto,[428] egli dice: « Ho sete » (*Gv* 19,28).

« L'Agnello che toglie il peccato del mondo »

608 Dopo aver accettato di dargli il battesimo tra i peccatori,[429] Giovanni Battista ha visto e mostrato in Gesù « l'Agnello di Dio... che toglie il peccato del mondo » (*Gv* 1,29).[430] Egli manifesta così che Gesù è insieme il Servo sofferente che si lascia condurre in silenzio al macello [431] e porta il peccato delle moltitudini [432] e l'agnello pasquale simbolo della redenzione di Israele al tempo della prima Pasqua.[433] Tutta la vita di Cristo esprime la sua missione: « servire e dare la propria vita in riscatto per molti » (*Mc* 10,45).

523
517

Gesù liberamente fa suo l'amore redentore del Padre

609 Accogliendo nel suo cuore umano l'amore del Padre per gli uomini, Gesù « li amò sino alla fine » (*Gv* 13,1) « perché nessuno ha un amore più grande di questo: dare la propria vita per i propri amici » (*Gv* 15,13). Così nella sofferenza e nella morte, la sua umanità è diventata lo strumento libero e perfetto del suo amore divino che vuole la salvezza degli uomini.[434] Infatti, egli ha liberamente accettato la sua passione e la sua morte per amore del Padre suo e degli uomini che il Padre vuole salvare: « Nessuno mi toglie la vita, ma la offro da me stesso » (*Gv* 10,18). Di qui la sovrana libertà del Figlio di Dio quando va liberamente verso la morte.[435]

478
515
272; 539

Alla Cena Gesù ha anticipato l'offerta libera della sua vita

610 La libera offerta che Gesù fa di se stesso ha la sua più alta espressione nella Cena consumata con i Dodici Apostoli [436] nella « notte in cui veniva tradito » (*1 Cor* 11,23). La vigilia della sua passione, Gesù, quand'era ancora libero, ha fatto di quest'ultima Cena con i suoi Apostoli il memoriale della volontaria offerta di sé al Padre [437] per la salvezza degli uomini: « Questo è

766
1337

[428] Cf *Gv* 19,30.
[429] Cf *Lc* 3,21; *Mt* 3,14-15.
[430] Cf *Gv* 1,36.
[431] Cf *Is* 53,7; *Ger* 11,19.
[432] Cf *Is* 53,12.
[433] Cf *Es* 12,3-14; e anche *Gv* 19,36; *1 Cor* 5,7.
[434] Cf *Eb* 2,10.17-18; 4,15; 5,7-9.
[435] Cf *Gv* 18,4-6; *Mt* 26,53.
[436] Cf *Mt* 26,20.
[437] Cf *1 Cor* 5,7.

il mio Corpo che è *dato* per voi » (*Lc* 22,19). « Questo è il mio Sangue dell'Alleanza, *versato* per molti, in remissione dei peccati » (*Mt* 26,28).

1364 611 L'Eucaristia che egli istituisce in questo momento sarà il « memoriale » [438] del suo sacrificio. Gesù nella sua offerta include gli Apostoli 1341; 1566 e chiede loro di perpetuarla.[439] Con ciò, Gesù istituisce i suoi Apostoli sacerdoti della Nuova Alleanza: « Per loro io consacro me stesso, perché siano anch'essi consacrati nella verità » (*Gv* 17,19).[440]

L'agonia del Getsemani

612 Il calice della Nuova Alleanza, che Gesù ha anticipato alla Cena offrendo se stesso,[441] in seguito egli lo accoglie dalle mani del Padre nell'agonia 532; 2600 al Getsemani [442] facendosi « obbediente fino alla morte » (*Fil* 2,8).[443] Gesù prega: « Padre mio, se è possibile, passi da me questo calice! » (*Mt* 26,39). Egli esprime così l'orrore che la morte rappresenta per la sua natura umana. Questa, infatti, come la nostra, è destinata alla vita eterna; in più, a differenza della nostra, è perfettamente esente dal peccato [444] che causa la morte; [445] ma soprattutto è assunta dalla Persona divina dell'« Autore della vita » (*At* 3,15), del « Vivente » (*Ap* 1,17).[446] Accettando nella sua volontà umana 1009 che sia fatta la volontà del Padre,[447] Gesù accetta la sua morte in quanto redentrice, per « portare i nostri peccati nel suo corpo sul legno della croce » (*1 Pt* 2,24).

La morte di Cristo è il sacrificio unico e definitivo

1366 613 La morte di Cristo è contemporaneamente il *sacrificio pasquale* che compie la redenzione definitiva degli uomini [448] per mezzo dell'« Agnello che toglie il peccato del mondo » (*Gv* 1,29) [449] e il *sacrificio della Nuova Alleanza* [450]

[438] Cf *1 Cor* 11,25.
[439] Cf *Lc* 22,19.
[440] Cf Concilio di Trento: Denz.-Schönm., 1752; 1764.
[441] Cf *Lc* 22,20.
[442] Cf *Mt* 26,42.
[443] Cf *Eb* 5,7-8.
[444] Cf *Eb* 4,15.
[445] Cf *Rm* 5,12.
[446] Cf *Gv* 1,4; 5,26.
[447] Cf *Mt* 26,42.
[448] Cf *1 Cor* 5,7; *Gv* 8,34-36.
[449] Cf *1 Pt* 1,19.
[450] Cf *1 Cor* 11,25.

che di nuovo mette l'uomo in comunione con Dio [451] riconciliandolo con lui mediante il sangue « versato per molti in remissione dei peccati » (*Mt* 26,28).[452] 2009

614 Questo sacrificio di Cristo è unico: compie e supera tutti i sacrifici.[453] Esso è innanzitutto un dono dello stesso Dio Padre che consegna il Figlio suo per riconciliare noi con lui.[454] Nel medesimo tempo è offerta del Figlio di Dio fatto uomo che, liberamente e per amore,[455] offre la propria vita [456] al Padre suo nello Spirito Santo [457] per riparare la nostra disobbedienza. 529; 1330 2100

Gesù sostituisce la sua obbedienza alla nostra disobbedienza

615 « Come per la disobbedienza di uno solo tutti sono stati costituiti peccatori, così anche per l'obbedienza di uno solo tutti saranno costituiti giusti » (*Rm* 5,19). Con la sua obbedienza fino alla morte, Gesù ha compiuto la sostituzione del Servo sofferente che offre « se stesso in *espiazione* », mentre porta « il peccato di molti », e li giustifica addossandosi « la loro iniquità ».[458] Gesù ha riparato per i nostri errori e dato soddisfazione al Padre per i nostri peccati.[459] 1850 433 411

Sulla croce, Gesù consuma il suo sacrificio

616 È l'amore « sino alla fine » (*Gv* 13,1) che conferisce valore di redenzione e di riparazione, di espiazione e di soddisfazione al sacrificio di Cristo. Egli ci ha tutti conosciuti e amati nell'offerta della sua vita.[460] « L'amore del Cristo ci spinge, al pensiero che uno è morto per tutti e quindi tutti sono morti » (*2 Cor* 5,14). Nessun uomo, fosse pure il più santo, era in grado di prendere su di sé i peccati di tutti gli uomini e di offrirsi in sacrificio per tutti. L'esistenza in Cristo della Persona divina del Figlio, che supera e nel medesimo tempo abbraccia tutte le persone umane e lo costituisce Capo di tutta l'umanità, rende possibile il suo sacrificio redentore *per tutti*. 478 468 519

617 « Sua sanctissima passione in ligno crucis nobis justificationem meruit – La sua santissima passione sul legno della croce ci meritò la giustificazione » insegna il Concilio di Trento [461] sottolineando il carattere unico del sacri- 1992

[451] Cf *Es* 24,8.
[452] Cf *Lv* 16,15-16.
[453] Cf *Eb* 10,10.
[454] Cf *1 Gv* 4,10.
[455] Cf *Gv* 15,13.
[456] Cf *Gv* 10,17-18.
[457] Cf *Eb* 9,14.
[458] Cf *Is* 53,10-12.
[459] Cf Concilio di Trento: Denz.-Schönm., 1529.
[460] Cf *Gal* 2,20; *Ef* 5,2.25.
[461] Denz.-Schönm., 1529.

ficio di Cristo come « causa di salvezza eterna » (*Eb* 5,9). E la Chiesa venera la croce cantando: « O crux, ave, spes unica – Ave, o croce, unica speranza ».[462]

1235

LA NOSTRA PARTECIPAZIONE AL SACRIFICIO DI CRISTO

618 La croce è l'unico sacrificio di Cristo, che è il solo « mediatore tra Dio e gli uomini » (*1 Tm* 2,5). Ma, poiché nella sua Persona divina incarnata, « si è unito in certo modo ad ogni uomo »,[463] egli offre « a tutti la possibilità di venire in contatto, nel modo che Dio conosce, con il mistero pasquale ».[464] Egli chiama i suoi discepoli a prendere la loro croce e a seguirlo,[465] poiché patì per noi, lasciandoci un esempio, perché ne seguiamo le orme.[466] Infatti egli vuole associare al suo sacrificio redentore quelli stessi che ne sono i primi beneficiari.[467] Ciò si compie in maniera eminente per sua Madre, associata più intimamente di qualsiasi altro al mistero della sua sofferenza redentrice.[468]

1368; 1460

307; 2100

964

Al di fuori della croce non vi è altra scala per salire al cielo.[469]

In sintesi

619 *« Cristo è morto per i nostri peccati secondo le Scritture »* (*1 Cor* 15,3).

620 *La nostra salvezza proviene dall'iniziativa d'amore di Dio per noi poiché « è lui che ha amato noi e ha mandato il suo Figlio come vittima di espiazione per i nostri peccati »* (*1 Gv* 4,10). *« È stato Dio infatti a riconciliare a sé il mondo in Cristo »* (*2 Cor* 5,19).

621 *Gesù si è liberamente offerto per la nostra salvezza. Questo dono egli lo significa e lo realizza in precedenza durante l'ultima Cena: « Questo è il mio Corpo che è dato per voi »* (*Lc* 22,19).

622 *In questo consiste la redenzione di Cristo: egli « è venuto per... dare la sua vita in riscatto per molti »* (*Mt* 20,28), *cioè ad amare « i suoi sino alla fine »* (*Gv* 13,1) *perché essi siano « liberati dalla » loro « vuota condotta ereditata dai » loro « padri »* (*1 Pt* 1,18).

[462] Inno « Vexilla Regis ».
[463] CONC. ECUM. VAT. II, *Gaudium et spes,* 22.
[464] *Ibid.*
[465] Cf *Mt* 16,24.
[466] Cf *1 Pt* 2,21.
[467] Cf *Mc* 10,39; *Gv* 21,18-19; *Col* 1,24.
[468] Cf *Lc* 2,35.
[469] Santa Rosa da Lima; cf P. HANSEN, *Vita mirabilis,* Louvain 1668.

623 *Mediante la sua obbedienza di amore al Padre « fino alla morte di croce »* (*Fil* 2,8), *Gesù compie la missione espiatrice*[470] *del Servo sofferente che giustifica molti addossandosi la loro iniquità.*[471]

Paragrafo 3
GESÙ CRISTO FU SEPOLTO

624 « Per la grazia di Dio, egli » ha provato « la morte a vantaggio di tutti » (*Eb* 2,9). Nel suo disegno di salvezza, Dio ha disposto che il Figlio suo non solamente morisse « per i nostri peccati » (*1 Cor* 15,3) ma anche « provasse la morte », ossia conoscesse lo stato di morte, lo stato di separazione tra la sua anima e il suo Corpo per il tempo compreso tra il momento in cui egli è spirato sulla croce e il momento in cui è risuscitato. Questo stato di Cristo morto è il Mistero del sepolcro e della discesa agli inferi. È il Mistero del Sabato Santo in cui Cristo deposto nel sepolcro[472] manifesta il grande riposo sabbatico di Dio[473] dopo il compimento[474] della salvezza degli uomini che mette in pace l'universo intero.[475]

1005
362
349

Cristo nel sepolcro con il suo Corpo

625 La permanenza di Cristo nella tomba costituisce il legame reale tra lo stato di passibilità di Cristo prima della Pasqua e il suo stato attuale glorioso di risorto. È la medesima Persona del « Vivente » che può dire: « Io ero morto, ma ora vivo per sempre » (*Ap* 1,18).

> Dio [il Figlio] non ha impedito che la morte separasse l'anima dal corpo, come naturalmente avviene, ma egli li ha di nuovo ricongiunti l'uno all'altra con la Risurrezione, al fine di *essere lui stesso, nella sua Persona, il punto d'incontro della morte e della vita* arrestando in sé la decomposizione della natura causata dalla morte e divenendo lui stesso principio di riunione per le parti separate.[476]

626 Poiché l'« Autore della vita » che è stato ucciso[477] è anche il Vivente che « è risuscitato »,[478] necessariamente la Persona divina del Figlio di Dio ha

[470] Cf *Is* 53,10.
[471] Cf *Is* 53,11; *Rm* 5,19.
[472] Cf *Gv* 19,42.
[473] Cf *Eb* 4,4-9.
[474] Cf *Gv* 19,30.
[475] Cf *Col* 1,18-20.
[476] San Gregorio di Nissa, *Oratio catechetica,* 16: PG 45, 52B.
[477] Cf *At* 3,15.
[478] Cf *Lc* 24,5-6.

470; 650 continuato ad assumere la sua anima e il suo corpo separati tra di loro dalla morte:

> La Persona unica non si è trovata divisa in due persone dal fatto che alla morte di Cristo l'anima è stata separata dalla carne; poiché il corpo e l'anima di Cristo sono esistiti al medesimo titolo fin da principio nella Persona del Verbo; e nella morte, sebbene separati l'uno dall'altra, sono restati ciascuno con la medesima ed unica Persona del Verbo.[479]

« Non lascerai che il tuo Santo veda la corruzione »

1009 627 La morte di Cristo è stata una vera morte in quanto ha messo fine alla sua esistenza umana terrena. Ma a causa dell'unione che il suo Corpo ha mantenuto con la Persona del Figlio, non si è trattato di uno spogliamento 1683 mortale come gli altri, perché « la virtù divina ha preservato il Corpo di Cristo dalla corruzione ».[480] Di Cristo si può dire contemporaneamente: « Fu eliminato dalla terra dei viventi » (*Is* 53,8) e: « Il mio corpo riposa al sicuro, perché non abbandonerai la mia vita nel sepolcro, né lascerai che il tuo santo veda la corruzione » (*Sal* 16,9-10).[481] La Risurrezione di Gesù « il terzo giorno » (*1 Cor* 15,4; *Lc* 24,46) [482] ne era la prova perché si credeva che la corruzione si manifestasse a partire dal quarto giorno.[483]

« Sepolti con Cristo... »

537 628 Il Battesimo, il cui segno originale e plenario è l'immersione, significa efficacemente la discesa nella tomba del cristiano che muore al peccato con Cristo in vista di una vita nuova: « Per mezzo del Battesimo siamo dunque 1215 stati sepolti insieme a lui nella morte, perché come Cristo fu risuscitato dai morti per mezzo della gloria del Padre, così anche noi possiamo camminare in una vita nuova » (*Rm* 6,4).[484]

In sintesi

629 *A beneficio di ogni uomo Gesù ha provato la morte.*[485] *Colui che è morto e che è stato sepolto è veramente il Figlio di Dio fatto uomo.*

[479] San Giovanni Damasceno, *De fide orthodoxa,* 3, 27: PG 94, 1098A.
[480] San Tommaso d'Aquino, *Summa theologiae,* III, 51, 3.
[481] Cf *At* 2,26-27.
[482] Cf *Mt* 12,40; *Gio* 2,1; *Os* 6,2.
[483] Cf *Gv* 11,39.
[484] Cf *Col* 2,12; *Ef* 5,26.
[485] Cf *Eb* 2,9.

630 *Durante la permanenza di Cristo nella tomba, la sua Persona divina ha continuato ad assumere sia la sua anima che il suo corpo, separati però tra di loro dalla morte. È per questo che il corpo di Cristo morto non ha conosciuto la corruzione.*[486]

Articolo 5

« GESÙ CRISTO DISCESE AGLI INFERI, RISUSCITÒ DAI MORTI IL TERZO GIORNO »

631 Gesù era disceso nelle regioni inferiori della terra: « Colui che discese è lo stesso che anche ascese » (*Ef* 4,10). Il Simbolo degli Apostoli professa in uno stesso articolo di fede la discesa di Cristo agli inferi e la sua Risurrezione dai morti il terzo giorno, perché nella sua Pasqua egli dall'abisso della morte ha fatto scaturire la vita:

> Cristo, tuo Figlio,
> che, risuscitato dai morti,
> fa risplendere sugli uomini la sua luce serena,
> e vive e regna nei secoli dei secoli. Amen.[487]

Paragrafo 1

CRISTO DISCESE AGLI INFERI

632 Le frequenti affermazioni del Nuovo Testamento secondo le quali Gesù « è risuscitato dai morti » (*At* 3,15; *Rm* 8,11; *1 Cor* 15,20) presuppongono che, preliminarmente alla Risurrezione, egli abbia dimorato nel soggiorno dei morti.[488] È il senso primo che la predicazione apostolica ha dato alla discesa di Gesù agli inferi: Gesù ha conosciuto la morte come tutti gli uomini e li ha raggiunti con la sua anima nella dimora dei morti. Ma egli vi è disceso come Salvatore, proclamando la Buona Novella agli spiriti che vi si trovavano prigionieri.[489]

633 La Scrittura chiama inferi, shéol o ade [490] il soggiorno dei morti dove Cristo morto è disceso, perché quelli che vi si trovano sono privati della vi-

[486] Cf *At* 13,37.
[487] *Messale Romano,* Veglia Pasquale, Exultet.
[488] Cf *Eb* 13,20.
[489] Cf *1 Pt* 3,18-19.
[490] Cf *Fil* 2,10; *At* 2,24; *Ap* 1,18; *Ef* 4,9.

sione di Dio.[491] Tale infatti è, nell'attesa del Redentore, la sorte di tutti i morti, cattivi o giusti; [492] il che non vuol dire che la loro sorte sia identica, come dimostra Gesù nella parabola del povero Lazzaro accolto nel « seno di Abramo ».[493] « Furono appunto le anime di questi giusti in attesa del Cristo a essere liberate da Gesù disceso all'inferno ».[494] Gesù non è disceso agli inferi per liberare i dannati [495] né per distruggere l'inferno della dannazione,[496] ma per liberare i giusti che l'avevano preceduto.[497]

1033

634 « La Buona Novella è stata annunciata anche ai morti... » (*1 Pt* 4,6). La discesa agli inferi è il pieno compimento dell'annunzio evangelico della salvezza. È la fase ultima della missione messianica di Gesù, fase condensata nel tempo ma immensamente ampia nel suo reale significato di estensione dell'opera redentrice a tutti gli uomini di tutti i tempi e di tutti i luoghi, perché tutti coloro i quali sono salvati sono stati resi partecipi della Redenzione.

605

635 Cristo, dunque, è disceso nella profondità della morte [498] affinché i morti udissero la voce del Figlio di Dio e, ascoltandola, vivessero.[499] Gesù « l'Autore della vita » (*At* 3,15) ha ridotto « all'impotenza, mediante la morte, colui che della morte ha il potere, cioè il diavolo » liberando « così tutti quelli che per timore della morte erano soggetti a schiavitù per tutta la vita » (*Eb* 2,14-15). Ormai Cristo risuscitato ha « potere sopra la morte e sopra gli inferi » (*Ap* 1,18) e « nel nome di Gesù ogni ginocchio » si piega « nei cieli, sulla terra e sotto terra » (*Fil* 2,10).

> Oggi sulla terra c'è grande silenzio, grande silenzio e solitudine. Grande silenzio perché il Re dorme: la terra è rimasta sbigottita e tace perché il Dio fatto carne si è addormentato ed ha svegliato coloro che da secoli dormivano... Egli va a cercare il primo padre, come la pecora smarrita. Egli vuole scendere a visitare quelli che siedono nelle tenebre e nell'ombra di morte. Dio e il Figlio suo vanno a liberare dalle sofferenze Adamo ed Eva, che si trovano in prigione... « Io sono il tuo Dio, che per te sono diventato tuo figlio. Svegliati, tu che dormi! Infatti non ti ho creato perché rimanessi prigioniero nell'inferno. Risorgi dai morti. Io sono la Vita dei morti ».[500]

[491] Cf *Sal* 6,6; 88,11-13.
[492] Cf *Sal* 89,49; *1 Sam* 28,19; *Ez* 32,17-32.
[493] Cf *Lc* 16,22-26.
[494] *Catechismo Romano,* 1, 6, 3.
[495] Cf Concilio di Roma (745): DENZ.-SCHÖNM., 587.
[496] Cf BENEDETTO XII, Opuscolo *Cum dudum:* DENZ.-SCHÖNM., 1011; CLEMENTE VI, Lettera *Super quibusdam: ibid.,* 1077.
[497] Cf Concilio di Toledo IV (625): DENZ.-SCHÖNM., 485; cf anche *Mt* 27,52-53.
[498] Cf *Mt* 12,40; *Rm* 10,7; *Ef* 4,9.
[499] Cf *Gv* 5,25.
[500] Da un'antica « Omelia sul Sabato Santo »: PG 43, 440A.452C, cf *Liturgia delle Ore,* II, Ufficio delle letture del Sabato Santo.

In sintesi

636 *Con l'espressione « Gesù discese agli inferi », il Simbolo professa che Gesù è morto realmente e che, mediante la sua morte per noi, egli ha vinto la morte e il diavolo « che della morte ha il potere »* (*Eb* 2,14).

637 *Cristo morto, con l'anima unita alla sua Persona divina è disceso alla dimora dei morti. Egli ha aperto le porte del cielo ai giusti che l'avevano preceduto.*

Paragrafo 2

IL TERZO GIORNO RISUSCITÒ DAI MORTI

638 « Noi vi annunziamo la Buona Novella che la promessa fatta ai padri si è compiuta, poiché Dio l'ha attuata per noi, loro figli, risuscitando Gesù » (*At* 13,32-33). La Risurrezione di Gesù è la verità culminante della nostra fede in Cristo, creduta e vissuta come verità centrale dalla prima comunità cristiana, trasmessa come fondamentale dalla Tradizione, stabilita dai documenti del Nuovo Testamento, predicata come parte essenziale del Mistero pasquale insieme con la croce:

90

651; 991

> Cristo è risuscitato dai morti.
> Con la sua morte ha vinto la morte,
> Ai morti ha dato la vita.[501]

I. L'avvenimento storico e trascendente

639 Il mistero della Risurrezione di Cristo è un avvenimento reale che ha avuto manifestazioni storicamente constatate, come attesta il Nuovo Testamento. Già verso l'anno 56 san Paolo può scrivere ai cristiani di Corinto: « Vi ho trasmesso dunque, anzitutto, quello che anch'io ho ricevuto: che cioè Cristo morì per i nostri peccati secondo le Scritture, fu sepolto ed è risuscitato il terzo giorno secondo le Scritture, e che apparve a Cefa e quindi ai Dodici » (*1 Cor* 15,3-4). L'Apostolo parla qui della *tradizione viva della Risurrezione* che egli aveva appreso dopo la sua conversione alle porte di Damasco.[502]

IL SEPOLCRO VUOTO

640 « Perché cercate tra i morti colui che è vivo? Non è qui, è risuscitato » (*Lc* 24,5-6). Nel quadro degli avvenimenti di Pasqua, il primo elemento che

[501] Liturgia bizantina, Tropario di Pasqua.
[502] Cf *At* 9,3-18.

si incontra è il sepolcro vuoto. Non è in sé una prova diretta. L'assenza del corpo di Cristo nella tomba potrebbe spiegarsi altrimenti.[503] Malgrado ciò, il sepolcro vuoto ha costituito per tutti un segno essenziale. La sua scoperta da parte dei discepoli è stato il primo passo verso il riconoscimento dell'evento della Risurrezione. Dapprima è il caso delle pie donne,[504] poi di Pietro.[505] « Il discepolo... che Gesù amava » (*Gv* 20,2) afferma che, entrando nella tomba vuota e scorgendo « le bende per terra » (*Gv* 20,6), « vide e credette » (*Gv* 20,8). Ciò suppone che egli abbia constatato, dallo stato in cui si trova-
999 va il sepolcro vuoto,[506] che l'assenza del corpo di Gesù non poteva essere opera umana e che Gesù non era semplicemente ritornato ad una vita terrena come era avvenuto per Lazzaro.[507]

Le apparizioni del Risorto

641 Maria di Magdala e le pie donne che andavano a completare l'imbalsamazione del Corpo di Gesù,[508] sepolto in fretta la sera del Venerdì Santo a causa del sopraggiungere del Sabato,[509] sono state le prime ad incontrare il Risorto.[510] Le donne furono così le prime messaggere della Risurrezione di Cristo per gli stessi Apostoli.[511] A loro Gesù appare in seguito: prima a Pietro,
553 poi ai Dodici.[512] Pietro, chiamato a confermare la fede dei suoi fratelli,[513] vede dunque il Risorto prima di loro ed è sulla sua testimonianza che la
448 comunità esclama: « Davvero il Signore è risorto ed è apparso a Simone » (*Lc* 24,34).

642 Tutto ciò che è accaduto in quelle giornate pasquali impegna ciascuno degli Apostoli — e Pietro in modo del tutto particolare — nella costruzione dell'era nuova che ha inizio con il mattino di Pasqua. Come testimoni del
659; 881 Risorto essi rimangono le pietre di fondazione della sua Chiesa. La fede della prima comunità dei credenti è fondata sulla testimonianza di uomini concreti, conosciuti dai cristiani e, nella maggior parte, ancora vivi in mezzo a
860 loro. Questi testimoni della Risurrezione di Cristo [514] sono prima di tutto Pietro e i Dodici, ma non solamente loro: Paolo parla chiaramente di più di

[503] Cf *Gv* 20,13; *Mt* 28,11-15.
[504] Cf *Lc* 24,3.22-23.
[505] Cf *Lc* 24,12.
[506] Cf *Gv* 20,5-7.
[507] Cf *Gv* 11,44.
[508] Cf *Mc* 16,1; *Lc* 24,1.
[509] Cf *Gv* 19,31.42.
[510] Cf *Mt* 28,9-10; *Gv* 20,11-18.
[511] Cf *Lc* 24,9-10.
[512] Cf *1 Cor* 15,5.
[513] Cf *Lc* 22,31-32.
[514] Cf *At* 1,22.

cinquecento persone alle quali Gesù è apparso in una sola volta, oltre che a Giacomo e a tutti gli Apostoli.[515]

643 Davanti a queste testimonianze è impossibile interpretare la Risurrezione di Cristo al di fuori dell'ordine fisico e non riconoscerla come un avvenimento storico. Risulta dai fatti che la fede dei discepoli è stata sottoposta alla prova radicale della passione e della morte in croce del loro Maestro da lui stesso preannunziata.[516] Lo sbigottimento provocato dalla passione fu così grande che i discepoli (almeno alcuni di loro) non credettero subito alla notizia della Risurrezione. Lungi dal presentarci una comunità presa da una esaltazione mistica, i Vangeli ci presentano i discepoli smarriti[517] e spaventati,[518] perché non hanno creduto alle pie donne che tornavano dal sepolcro e « quelle parole parvero loro come un vaneggiamento » (*Lc* 24,11).[519] Quando Gesù si manifesta agli Undici la sera di Pasqua, li rimprovera « per la loro incredulità e durezza di cuore, perché non avevano creduto a quelli che lo avevano visto risuscitato » (*Mc* 16,14).

644 Anche messi davanti alla realtà di Gesù risuscitato, i discepoli dubitano ancora,[520] tanto la cosa appare loro impossibile: credono di vedere un fantasma.[521] « Per la grande gioia ancora non credevano ed erano stupefatti » (*Lc* 24,41). Tommaso conobbe la medesima prova del dubbio[522] e, quando vi fu l'ultima apparizione in Galilea riferita da Matteo, « alcuni... dubitavano » (*Mt* 28,17). Per questo l'ipotesi secondo cui la Risurrezione sarebbe stata un « prodotto » della fede (o della credulità) degli Apostoli, non ha fondamento. Al contrario, la loro fede nella Risurrezione è nata — sotto l'azione della grazia divina — dall'esperienza diretta della realtà di Gesù Risorto.

Lo stato dell'umanità di Cristo risuscitata

645 Gesù risorto stabilisce con i suoi discepoli rapporti diretti, attraverso il contatto[523] e la condivisione del pasto.[524] Li invita a riconoscere da ciò che egli non è un fantasma,[525] ma soprattutto a constatare che il corpo risuscitato con il quale si presenta a loro è il medesimo che è stato martoriato e crocifisso, poiché porta ancora i segni della passione.[526] Questo corpo autentico e reale possiede però al tempo stesso le proprietà nuove di un corpo glorioso;

999

[515] Cf *1 Cor* 15,4-8.
[516] Cf *Lc* 22,31-32.
[517] Avevano il « volto triste »: *Lc* 24,17.
[518] Cf *Gv* 20,19.
[519] Cf *Mc* 16,11.13.
[520] Cf *Lc* 24,38.
[521] Cf *Lc* 24,39.
[522] Cf *Gv* 20,24-27.
[523] Cf *Lc* 24,39; *Gv* 20,27.
[524] Cf *Lc* 24,30.41-43; *Gv* 21,9.13-15.
[525] Cf *Lc* 24,39.
[526] Cf *Lc* 24,40; *Gv* 20,20.27.

esso non è più situato nello spazio e nel tempo, ma può rendersi presente a suo modo dove e quando vuole,[527] poiché la sua umanità non può più essere trattenuta sulla terra e ormai non appartiene che al dominio divino del Padre.[528] Anche per questa ragione Gesù risorto è sovranamente libero di apparire come vuole: sotto l'aspetto di un giardiniere [529] o sotto altre sembianze,[530] che erano familiari ai discepoli, e ciò per suscitare la loro fede.[531]

646 La Risurrezione di Cristo non fu un ritorno alla vita terrena, come lo fu per le risurrezioni che egli aveva compiute prime della Pasqua: quelle della figlia di Giairo, del giovane di Naim, di Lazzaro. Questi fatti erano avvenimenti miracolosi, ma le persone miracolate ritrovavano, per il potere di Gesù, una vita terrena « ordinaria ». Ad un certo momento esse sarebbero morte di nuovo. La Risurrezione di Cristo è essenzialmente diversa. Nel suo Corpo risuscitato egli passa dallo stato di morte ad un'altra vita al di là del tempo e dello spazio. Il Corpo di Gesù è, nella Risurrezione, colmato della potenza dello Spirito Santo; partecipa alla vita divina nello stato della sua gloria, sì che san Paolo può dire di Cristo che egli è « l'uomo celeste ».[532]

934
549

La Risurrezione come evento trascendente

647 « O notte — canta l'« Exultet » di Pasqua — tu solo hai meritato di conoscere il tempo e l'ora in cui Cristo è risorto dagli inferi ». Infatti, nessuno è stato testimone oculare dell'avvenimento stesso della Risurrezione e nessun evangelista lo descrive. Nessuno ha potuto dire come essa sia avvenuta fisicamente. Ancor meno fu percettibile ai sensi la sua essenza più intima, il passaggio ad un'altra vita. Avvenimento storico constatabile attraverso il segno del sepolcro vuoto e la realtà degli incontri degli Apostoli con Cristo risorto, la Risurrezione resta non di meno, in ciò in cui trascende e supera la storia, al cuore del Mistero della fede. Per questo motivo Cristo risorto non si manifesta al mondo, ma ai suoi discepoli,[533] « a quelli che erano saliti con lui dalla Galilea a Gerusalemme », i quali « ora sono i suoi testimoni davanti al popolo » (*At* 13,31).

1000

[527] Cf *Mt* 28,9.16-17; *Lc* 24,15.36; *Gv* 20,14.19.26; 21,4.
[528] Cf *Gv* 20,17.
[529] Cf *Gv* 20,14-15.
[530] Cf *Mc* 16,12.
[531] Cf *Gv* 20,14.16; 21,4.7.
[532] Cf *1 Cor* 15,35-50.
[533] Cf *Gv* 14,22.

II. La Risurrezione – opera della Santissima Trinità

648 La Risurrezione di Cristo è oggetto di fede in quanto è un intervento trascendente di Dio stesso nella creazione e nella storia. In essa, le tre Persone divine agiscono insieme e al tempo stesso manifestano la loro propria originalità. Essa si è compiuta per la potenza del Padre che « ha risuscitato » (*At* 2,24) Cristo, suo Figlio, e in questo modo ha introdotto in maniera perfetta la sua umanità con il suo Corpo nella Trinità. Gesù viene definitivamente « costituito Figlio di Dio con potenza secondo lo Spirito di santificazione mediante la Risurrezione dai morti » (*Rm* 1,3-4). San Paolo insiste sulla manifestazione della potenza di Dio [534] per l'opera dello Spirito che ha vivificato l'umanità morta di Gesù e l'ha chiamata allo stato glorioso di Signore.

258 989 663 445 272

649 Quanto al Figlio, egli opera la sua propria Risurrezione in virtù della sua potenza divina. Gesù annunzia che il Figlio dell'uomo dovrà molto soffrire, morire ed in seguito risuscitare (senso attivo della parola).[535] Altrove afferma esplicitamente: « Io offro la mia vita, per poi riprenderla... ho il potere di offrirla e il potere di riprenderla » (*Gv* 10,17-18). « Noi crediamo... che Gesù è morto e risuscitato » (*1 Ts* 4,14).

650 I Padri contemplano la Risurrezione a partire dalla Persona divina di Cristo che è rimasta unita alla sua anima e al suo corpo separati tra loro dalla morte: « Per l'unità della natura divina che permane presente in ciascuna delle due parti dell'uomo, queste si riuniscono di nuovo. Così la morte si è prodotta per la separazione del composto umano e la Risurrezione per l'unione delle due parti separate ».[536]

626 1005

III. Senso e portata salvifica della Risurrezione

651 « Se Cristo non è risuscitato, allora è vana la nostra predicazione e vana anche la vostra fede » (*1 Cor* 15,14). La Risurrezione costituisce anzitutto la conferma di tutto ciò che Cristo stesso ha fatto e insegnato. Tutte le verità, anche le più inaccessibili allo spirito umano, trovano la loro giustificazione se, risorgendo, Cristo ha dato la prova definitiva, che aveva promesso, della sua autorità divina.

129 274

[534] Cf *Rm* 6,4; *2 Cor* 13,4; *Fil* 3,10; *Ef* 1,19-22; *Eb* 7,16.
[535] Cf *Mc* 8,31; 9,9-31; 10,34.
[536] San Gregorio di Nissa, *In Christi resurrectionem,* 1: PG 46, 617B; cf anche « Statuta Ecclesiae Antiqua »: Denz.-Schönm., 325; Anastasio II, Lettera *In prolixitate epistolae: ibid.,* 359; Ormisda, Lettera *Inter ea quae: ibid.,* 369; Concilio di Toledo XI: *ibid.,* 539.

652 La Risurrezione di Cristo è *compimento delle promesse* dell'Antico Testamento[537] e di Gesù stesso durante la sua vita terrena.[538] L'espressione « secondo le Scritture » (*1 Cor* 15,3-4 e Simbolo di Nicea-Costantinopoli) indica che la Risurrezione di Cristo realizzò queste predizioni.

994
601

445 653 La verità della *divinità di Gesù* è confermata dalla sua Risurrezione. Egli aveva detto: « Quando avrete innalzato il Figlio dell'uomo, allora saprete che Io Sono » (*Gv* 8,28). La Risurrezione del Crocifisso dimostrò che egli era veramente « Io Sono », il Figlio di Dio e Dio egli stesso. San Paolo ha potuto dichiarare ai Giudei: « La promessa fatta ai nostri padri si è compiuta, poiché Dio l'ha attuata per noi... risuscitando Gesù, come anche sta scritto nel Salmo secondo: "Mio Figlio sei tu, oggi ti ho generato" » (*At* 13,32-33).[539] La Risurrezione di Cristo è strettamente legata al Mistero dell'Incarnazione del Figlio di Dio. Ne è il compimento secondo il disegno eterno di Dio.

461; 422

654 Vi è un duplice aspetto nel Mistero pasquale: con la sua morte Cristo ci libera dal peccato, con la sua Risurrezione ci dà accesso ad una nuova vita. Questa è dapprima *la giustificazione* che ci mette nuovamente nella grazia di Dio[540] « perché, come Cristo fu risuscitato dai morti per mezzo della gloria del Padre, così anche noi possiamo camminare in una vita nuova » (*Rm* 6,4). Essa consiste nella vittoria sulla morte del peccato e nella nuova partecipazione alla grazia.[541] Essa compie *l'adozione filiale* poiché gli uomini diventano fratelli di Cristo, come Gesù stesso chiama i suoi discepoli dopo la sua Risurrezione: « Andate ad annunziare ai miei fratelli » (*Mt* 28,10; *Gv* 20,17). Fratelli non per natura, ma per dono della grazia, perché questa filiazione adottiva procura una reale partecipazione alla vita del Figlio unico, la quale si è pienamente rivelata nella sua Risurrezione.

1987
1996

655 Infine, la Risurrezione di Cristo — e lo stesso Cristo risorto — è principio e sorgente della *nostra risurrezione futura:* « Cristo è risuscitato dai morti, primizia di coloro che sono morti...; e come tutti muoiono in Adamo, così tutti riceveranno la vita in Cristo » (*1 Cor* 15, 20-22). Nell'attesa di questo compimento, Cristo risuscitato vive nel cuore dei suoi fedeli. In lui i cristiani gustano « le meraviglie del mondo futuro » (*Eb* 6,5) e la loro vita è trasportata da Cristo nel seno della vita divina:[542] « Egli è morto per tutti, perché quelli che vivono non vivano più per se stessi, ma per colui che è morto e risuscitato per loro » (*2 Cor* 5,15).

989
1002

537 Cf *Lc* 24,26-27.44-48.
538 Cf *Mt* 28,6; *Mc* 16,7; *Lc* 24,6-7.
539 Cf *Sal* 2,7.
540 Cf *Rm* 4,25.
541 Cf *Ef* 2,4-5; *1 Pt* 1,3.
542 Cf *Col* 3,1-3.

In sintesi

656 *La fede nella Risurrezione ha per oggetto un avvenimento storicamente attestato dai discepoli che hanno realmente incontrato il Risorto, ed insieme misteriosamente trascendente in quanto entrata dell'umanità di Cristo nella gloria di Dio.*

657 *La tomba vuota e le bende per terra significano già per se stesse che il Corpo di Cristo è sfuggito ai legami della morte e della corruzione, per la potenza di Dio. Esse preparano i discepoli all'incontro con il Risorto.*

658 *Cristo, « il primogenito di coloro che risuscitano dai morti »* (*Col* 1,18), *è il principio della nostra Risurrezione, fin d'ora per la giustificazione della nostra anima,*[543] *più tardi per la vivificazione del nostro corpo.*[544]

Articolo 6
« GESÙ SALÌ AL CIELO, SIEDE ALLA DESTRA DI DIO PADRE ONNIPOTENTE »

659 « Il Signore Gesù, dopo aver parlato con loro, fu assunto in cielo e sedette alla destra di Dio » (*Mc* 16,19). Il Corpo di Cristo è stato glorificato fin dall'istante della sua Risurrezione, come lo provano le proprietà nuove e soprannaturali di cui ormai gode in permanenza.[545] Ma durante i quaranta giorni nei quali egli mangia e beve familiarmente con i suoi discepoli[546] e li istruisce sul Regno,[547] la sua gloria resta ancora velata sotto i tratti di una umanità ordinaria.[548] L'ultima apparizione di Gesù termina con l'entrata irreversibile della sua umanità nella gloria divina simbolizzata dalla nube[549] e dal cielo[550] ove egli siede ormai alla destra di Dio.[551] In un modo del tutto eccezionale ed unico egli si mostrerà a Paolo « come a un aborto » (*1 Cor* 15,8) in un'ultima apparizione che costituirà apostolo Paolo stesso.[552]

645 66 697 642

660 Il carattere velato della gloria del Risorto durante questo tempo traspare nelle sue misteriose parole a Maria Maddalena: « Non sono ancora salito al Padre: ma va' dai miei fratelli e di' loro: Io salgo al Padre mio e Pa-

[543] Cf *Rm* 6,4.
[544] Cf *Rm* 8,11.
[545] Cf *Lc* 24,31; *Gv* 20,19.26.
[546] Cf *At* 10,41.
[547] Cf *At* 1,3.
[548] Cf *Mc* 16,12; *Lc* 24,15; *Gv* 20,14-15; 21,4.
[549] Cf *At* 1,9; cf anche *Lc* 9,34-35; *Es* 13,22.
[550] Cf *Lc* 24,51.
[551] Cf *Mc* 16,19; *At* 2,33; 7,56; cf anche *Sal* 110,1.
[552] Cf *1 Cor* 9,1; *Gal* 1,16.

dre vostro, Dio mio e Dio vostro » (*Gv* 20,17). Questo indica una differenza di manifestazione tra la gloria di Cristo risorto e quella di Cristo esaltato alla destra del Padre. L'avvenimento ad un tempo storico e trascendente dell'Ascensione segna il passaggio dall'una all'altra.

661 Quest'ultima tappa rimane strettamente unita alla prima, cioè alla discesa dal cielo realizzata nell'Incarnazione. Solo colui che è « uscito dal Padre » può far ritorno al Padre: Cristo.[553] « Nessuno è mai salito al cielo fuorché il Figlio dell'uomo che è disceso dal cielo » (*Gv* 3,13).[554] Lasciata alle sue forze naturali, l'umanità non ha accesso alla « Casa del Padre » (*Gv* 14,2), alla vita e alla felicità di Dio. Soltanto Cristo ha potuto aprire all'uomo questo accesso « per darci la serena fiducia che dove è lui, Capo e Primogenito, saremo anche noi, sue membra, uniti nella stessa gloria ».[555]

461 792

662 « Io, quando sarò elevato da terra, attirerò tutti a me » (*Gv* 12,32). L'elevazione sulla croce significa e annunzia l'elevazione dell'Ascensione al cielo. Essa ne è l'inizio. Gesù Cristo, l'unico Sacerdote della nuova ed eterna Alleanza, « non è entrato in un santuario fatto da mani d'uomo..., ma nel cielo stesso, per comparire ora al cospetto di Dio in nostro favore » (*Eb* 9,24). In cielo Cristo esercita il suo sacerdozio in permanenza, « essendo egli sempre vivo per intercedere » a favore di « quelli che per mezzo di lui si accostano a Dio » (*Eb* 7,25). Come « sommo sacerdote dei beni futuri » (*Eb* 9,11) egli è il centro e l'attore principale della Liturgia che onora il Padre nei cieli.[556]

1545 1137

663 Cristo, ormai, *siede alla destra del Padre*. « Per destra del Padre intendiamo la gloria e l'onore della divinità, ove colui che esisteva come Figlio di Dio prima di tutti i secoli come Dio e consustanziale al Padre, s'è assiso corporalmente dopo che si è incarnato e la sua carne è stata glorificata ».[557]

648

664 L'essere assiso alla destra del Padre significa l'inaugurazione del regno del Messia, compimento della visione del profeta Daniele riguardante il Figlio dell'uomo: « [Il Vegliardo] gli diede potere, gloria e regno; tutti i popoli, nazioni e lingue lo servivano; il suo potere è un potere eterno, che non tramonta mai, e il suo regno è tale che non sarà mai distrutto » (*Dn* 7,14). A partire da questo momento, gli Apostoli sono divenuti i testimoni del « Regno che non avrà fine ».[558]

541

[553] Cf *Gv* 16,28.
[554] Cf *Ef* 4,8-10.
[555] *Messale Romano,* Prefazio dell'Ascensione I.
[556] Cf *Ap* 4,6-11.
[557] San Giovanni Damasceno, *De fide orthodoxa,* 4, 2, 2: PG 94, 1104D.
[558] Simbolo di Nicea-Costantinopoli.

In sintesi

665 *L'Ascensione di Cristo segna l'entrata definitiva dell'umanità di Gesù nel dominio celeste di Dio da dove ritornerà,*[559] *ma che nel frattempo lo cela agli occhi degli uomini.*[560]

666 *Gesù Cristo, Capo della Chiesa, ci precede nel Regno glorioso del Padre perché noi, membra del suo Corpo, viviamo nella speranza di essere un giorno eternamente con lui.*

667 *Gesù Cristo, essendo entrato una volta per tutte nel santuario del cielo, intercede incessantemente per noi come il mediatore che ci assicura la perenne effusione dello Spirito Santo.*

Articolo 7
« DI LÀ VERRÀ A GIUDICARE I VIVI E I MORTI »

I. Egli ritornerà nella gloria

CRISTO REGNA GIÀ ATTRAVERSO LA CHIESA...

668 « Per questo Cristo è morto e ritornato alla vita: per essere il Signore dei morti e dei vivi » (*Rm* 14,9). L'Ascensione di Cristo al cielo significa la sua partecipazione, nella sua umanità, alla potenza e all'autorità di Dio stesso. Gesù Cristo è Signore: egli detiene tutto il potere nei cieli e sulla terra. Egli è « al di sopra di ogni principato e autorità, di ogni potenza e dominazione » perché il Padre « tutto ha sottomesso ai suoi piedi » (*Ef* 1,21-22). Cristo è il Signore del cosmo[561] e della storia. In lui la storia dell'uomo come pure tutta la creazione trovano la loro « ricapitolazione »,[562] il loro compimento trascendente.

450 518

669 Come Signore, Cristo è anche il Capo della Chiesa che è il suo Corpo.[563] Elevato al cielo e glorificato, avendo così compiuto pienamente la sua missione, egli permane sulla terra, nella sua Chiesa. La Redenzione è la sorgente dell'autorità che Cristo, in virtù dello Spirito Santo, esercita sulla Chiesa,[564]

792 1088

[559] Cf *At* 1,11.
[560] Cf *Col* 3,3.
[561] Cf *Ef* 4,10; *1 Cor* 15,24.27-28.
[562] Cf *Ef* 1,10.
[563] Cf *Ef* 1,22.
[564] Cf *Ef* 4,11-13.

541 la quale è « il Regno di Cristo già presente in mistero ». La Chiesa « di questo Regno costituisce in terra il germe e l'inizio ».[565]

670 Dopo l'Ascensione, il disegno di Dio è entrato nel suo compimento. Noi siamo già nell'« ultima ora » (*1 Gv* 2,18).[566] « Già dunque è arrivata a noi 1042 l'ultima fase dei tempi e la rinnovazione del mondo è stata irrevocabilmente fissata e in un certo modo è realmente anticipata in questo mondo; difatti la 825 Chiesa già sulla terra è adornata di una santità vera, anche se imperfetta ».[567] 547 Il Regno di Cristo manifesta già la sua presenza attraverso i segni miracolosi [568] che ne accompagnano l'annunzio da parte della Chiesa.[569]

...NELL'ATTESA CHE TUTTO SIA A LUI SOTTOMESSO

671 Già presente nella sua Chiesa, il Regno di Cristo non è tuttavia ancora compiuto « con potenza e gloria grande » (*Lc* 21,27) [570] mediante la venuta del Re sulla terra. Questo Regno è ancora insidiato dalle potenze inique,[571] anche se esse sono già state vinte radicalmente dalla Pasqua di Cristo. Fino al momento in cui tutto sarà a lui sottomesso,[572] « fino a che non vi saranno i nuovi 1043; 769 cieli e la terra nuova, nei quali la giustizia ha la sua dimora, la Chiesa pelle- 773 grinante, nei suoi sacramenti e nelle sue istituzioni, che appartengono all'età presente, porta la figura fugace di questo mondo, e vive tra le creature, le quali sono in gemito e nel travaglio del parto sino ad ora e attendono la manifestazione dei figli di Dio ».[573] Per questa ragione i cristiani pregano, soprat- 1043; 2046; tutto nell'Eucaristia [574] per affrettare il ritorno di Cristo [575] dicendogli: « Vieni, 2817 Signore » (*1 Cor* 16,22; *Ap* 22,17.20).

672 Prima dell'Ascensione Cristo ha affermato che non era ancora il momento del costituirsi glorioso del Regno messianico atteso da Israele,[576] Regno che doveva portare a tutti gli uomini, secondo i profeti,[577] l'ordine definitivo della giustizia, dell'amore e della pace. Il tempo presente è, secondo il 732 Signore, il tempo dello Spirito e della testimonianza,[578] ma anche un tempo

[565] Conc. Ecum. Vat. II, *Lumen gentium,* 3; 5.
[566] Cf *1 Pt* 4,7.
[567] Conc. Ecum. Vat. II, *Lumen gentium,* 48.
[568] Cf *Mc* 16,17-18.
[569] Cf *Mc* 16,20.
[570] Cf *Mt* 25,31.
[571] Cf *2 Ts* 2,7.
[572] Cf *1 Cor* 15,28.
[573] Conc. Ecum. Vat. II, *Lumen gentium,* 48.
[574] Cf *1 Cor* 11,26.
[575] Cf *2 Pt* 3,11-12.
[576] Cf *At* 1,6-7.
[577] Cf *Is* 11,1-9.
[578] Cf *At* 1,8.

ancora segnato dalla « necessità » (*1 Cor* 7,26) e dalla prova del male,[579] che non risparmia la Chiesa [580] e inaugura i combattimenti degli ultimi tempi.[581] È un tempo di attesa e di vigilanza.[582] 2612

La venuta gloriosa di Cristo, speranza di Israele

673 Dopo l'Ascensione, la venuta di Cristo nella gloria è imminente,[583] anche se non spetta a noi « conoscere i tempi e i momenti che il Padre ha riservato alla sua scelta » (*At* 1,7).[584] Questa venuta escatologica può compiersi in qualsiasi momento [585] anche se essa e la prova finale che la precederà sono « impedite ».[586] 1040; 1048

674 La venuta del Messia glorioso è sospesa in ogni momento della storia [587] al riconoscimento di lui da parte di « tutto Israele » (*Rm* 11,26; *Mt* 23,39) a causa dell'« indurimento di una parte » (*Rm* 11,25) nell'incredulità [588] verso Gesù. San Pietro dice agli Ebrei di Gerusalemme dopo la Pentecoste: « Pentitevi dunque e cambiate vita, perché siano cancellati i vostri peccati e così possano giungere i tempi della consolazione da parte del Signore ed egli mandi quello che vi aveva destinato come Messia, cioè Gesù. Egli dev'esser accolto in cielo fino ai tempi della restaurazione di tutte le cose, come ha detto Dio fin dall'antichità, per bocca dei suoi santi profeti » (*At* 3,19-21). E san Paolo gli fa eco: « Se infatti il loro rifiuto ha segnato la riconciliazione del mondo, quale potrà mai essere la loro riammissione se non una risurrezione dai morti? » (*Rm* 11,15). « La partecipazione totale » degli Ebrei (*Rm* 11,12) alla salvezza messianica a seguito della partecipazione totale dei pagani [589] permetterà al Popolo di Dio di arrivare « alla piena maturità di Cristo » (*Ef* 4,13) nella quale « Dio sarà tutto in tutti » (*1 Cor* 15,28). 840 58

L'ultima prova della Chiesa

675 Prima della venuta di Cristo, la Chiesa deve passare attraverso una prova finale che scuoterà la fede di molti credenti.[590] La persecuzione che accompagna il suo pellegrinaggio sulla terra [591] svelerà il « Mistero di 769

[579] Cf *Ef* 5,16.
[580] Cf *1 Pt* 4,17.
[581] Cf *1 Gv* 2,18; 4,3; *1 Tm* 4,1.
[582] Cf *Mt* 25,1-13; *Mc* 13,33-37.
[583] Cf *Ap* 22,20.
[584] Cf *Mc* 13,32.
[585] Cf *Mt* 24,44; *1 Ts* 5,2.
[586] Cf *2 Ts* 2,3-12.
[587] Cf *Rm* 11,31.
[588] Cf *Rm* 11,20.
[589] Cf *Rm* 11,25; *Lc* 21,24.
[590] Cf *Lc* 18,8; *Mt* 24,12.
[591] Cf *Lc* 21,12; *Gv* 15,19-20.

iniquità » sotto la forma di una impostura religiosa che offre agli uomini una soluzione apparente ai loro problemi, al prezzo dell'apostasia dalla verità. La massima impostura religiosa è quella dell'Anti-Cristo, cioè di uno pseudo-messianismo in cui l'uomo glorifica se stesso al posto di Dio e del suo Messia venuto nella carne.[592]

676 Questa impostura anti-cristica si delinea già nel mondo ogniqualvolta si pretende di realizzare nella storia la speranza messianica che non può esser portata a compimento che al di là di essa, attraverso il giudizio escatologico; anche sotto la sua forma mitigata, la Chiesa ha rigettato questa falsificazione del Regno futuro sot- 2425 to il nome di « millenarismo »,[593] soprattutto sotto la forma politica di un messianismo secolarizzato « intrinsecamente perverso ».[594]

1340 677 La Chiesa non entrerà nella gloria del Regno che attraverso quest'ultima Pasqua, nella quale seguirà il suo Signore nella sua morte e Risurrezione.[593] Il Regno non si compirà dunque attraverso un trionfo storico della Chiesa [596] secondo un progresso ascendente, ma attraverso una vittoria di 2853 Dio sullo scatenarsi ultimo del male [597] che farà discendere dal cielo la sua Sposa.[598] Il trionfo di Dio sulla rivolta del male prenderà la forma dell'ultimo Giudizio [599] dopo l'ultimo sommovimento cosmico di questo mondo che passa.[600]

1038-1041

II. Per giudicare i vivi e i morti

678 In linea con i profeti [601] e Giovanni Battista [602] Gesù ha annunziato nella 1470 sua predicazione il Giudizio dell'ultimo Giorno. Allora saranno messi in luce la condotta di ciascuno [603] e il segreto dei cuori.[604] Allora verrà condannata l'incredulità colpevole che non ha tenuto in alcun conto la grazia offerta da Dio.[605] L'atteggiamento verso il prossimo rivelerà l'accoglienza o il rifiuto

[592] Cf *2 Ts* 2,4-12; *1 Ts* 5,2-3; *2 Gv* 7; *1 Gv* 2,18.22.
[593] Cf CONGREGAZIONE PER LA DOTTRINA DELLA FEDE, Decreto del 19 luglio 1944, *De Millenarismo:* DENZ.-SCHÖNM., 3839.
[594] Cf PIO XI, Lett. enc. *Divini Redemptoris,* che condanna il « falso misticismo » di questa « contraffazione della redenzione degli umili »; CONC. ECUM. VAT. II, *Gaudium et spes,* 20-21.
[595] Cf *Ap* 19,1-9.
[596] Cf *Ap* 13,8.
[597] Cf *Ap* 20,7-10.
[598] Cf *Ap* 21,2-4.
[599] Cf *Ap* 20,12.
[600] Cf *2 Pt* 3,12-13.
[601] Cf *Dn* 7,10; *Gl* 3-4; *Ml* 3,19.
[602] Cf *Mt* 3,7-12.
[603] Cf *Mc* 12,38-40.
[604] Cf *Lc* 12,1-3; *Gv* 3,20-21; *Rm* 2,16; *1 Cor* 4,5.
[605] Cf *Mt* 11,20-24; 12,41-42.

della grazia e dell'amore divino.[606] Gesù dirà nell'ultimo giorno: « Ogni volta che avete fatto queste cose ad uno solo di questi miei fratelli più piccoli, l'avete fatto a me » (*Mt* 25,40).

679 Cristo è Signore della vita eterna. Il pieno diritto di giudicare definitivamente le opere e i cuori degli uomini appartiene a lui in quanto Redentore del mondo. Egli ha « acquisito » questo diritto con la sua croce. Anche il Padre « ha rimesso ogni giudizio al Figlio » (*Gv* 5,22).[607] Ora, il Figlio non è venuto per giudicare, ma per salvare [608] e per donare la vita che è in lui.[609] È per il rifiuto della grazia nella vita presente che ognuno si giudica già da se stesso,[610] riceve secondo le sue opere [611] e può anche condannarsi per l'eternità rifiutando lo Spirito d'amore.[612]

1021

In sintesi

680 *Cristo Signore regna già attraverso la Chiesa, ma tutte le cose di questo mondo non gli sono ancora sottomesse. Il trionfo del Regno di Cristo non avverrà senza un ultimo assalto delle potenze del male.*

681 *Nel Giorno del Giudizio, alla fine del mondo, Cristo verrà nella gloria per dare compimento al trionfo definitivo del bene sul male che, come il grano e la zizzania, saranno cresciuti insieme nel corso della storia.*

682 *Cristo glorioso, venendo alla fine dei tempi a giudicare i vivi e i morti, rivelerà la disposizione segreta dei cuori e renderà a ciascun uomo secondo le sue opere e secondo l'accoglienza o il rifiuto della grazia.*

[606] Cf *Mt* 5,22; 7,1-5.
[607] Cf *Gv* 5,27; *Mt* 25,31; *At* 10,42; 17,31; *2 Tm* 4,1.
[608] Cf *Gv* 3,17.
[609] Cf *Gv* 5,26.
[610] Cf *Gv* 3,18; 12,48.
[611] Cf *1 Cor* 3,12-15.
[612] Cf *Mt* 12,32; *Eb* 6,4-6; 10,26-31.

CAPITOLO TERZO

CREDO NELLO SPIRITO SANTO

424; 2670 683 « Nessuno può dire "Gesù è Signore" se non sotto l'azione dello Spirito Santo » (*1 Cor* 12,3). « Dio ha mandato nei nostri cuori lo Spirito del suo Figlio che grida: Abbà, Padre! » (*Gal* 4,6). Questa conoscenza di fede è possibile solo nello Spirito Santo. Per essere in contatto con Cristo, bisogna dapprima essere stati toccati dallo Spirito Santo. È lui che ci precede e suscita in noi la fede. In forza del nostro Battesimo, primo sacramento della fede, la Vita, che ha la sua sorgente nel Padre e ci è offerta nel Figlio, ci viene comunicata intimamente e personalmente dallo Spirito Santo nella Chiesa:

152

249

Il Battesimo ci accorda la grazia della nuova nascita in Dio Padre per mezzo del Figlio suo nello Spirito Santo. Infatti coloro che hanno lo Spirito di Dio sono condotti al Verbo, ossia al Figlio; ma il Figlio li presenta al Padre, e il Padre procura loro l'incorruttibilità. Dunque, senza lo Spirito, non è possibile vedere il Figlio di Dio, e, senza il Figlio, nessuno può avvicinarsi al Padre, perché la conoscenza del Padre è il Figlio, e la conoscenza del Figlio di Dio avviene per mezzo dello Spirito Santo.[1]

684 Lo Spirito Santo con la sua grazia è il primo nel destare la nostra fede e nel suscitare la vita nuova che consiste nel conoscere il Padre e colui che ha mandato, Gesù Cristo.[2] Tuttavia è l'ultimo nella rivelazione delle Persone della Santa Trinità. San Gregorio Nazianzeno, « il Teologo », spiega questa progressione con la pedagogia della « condiscendenza » divina:

236

L'Antico Testamento proclamava chiaramente il Padre, più oscuramente il Figlio. Il Nuovo ha manifestato il Figlio, ha fatto intravvedere la divinità dello Spirito. Ora lo Spirito ha diritto di cittadinanza in mezzo a noi e ci accorda una visione più chiara di se stesso. Infatti non era prudente, quando non si professava ancora la divinità del Padre, proclamare apertamente il Figlio e, quando non era ancora ammessa la divinità del Figlio, aggiungere lo Spirito Santo come un fardello supplementare, per usare un'espressione un

[1] SANT'IRENEO DI LIONE, *Demonstratio apostolica,* 7.
[2] Cf *Gv* 17,3.

po' ardita... Solo attraverso un cammino di avanzamento e di progressso « di gloria in gloria », la luce della Trinità sfolgorerà in più brillante trasparenza.[3]

685 Credere nello Spirito Santo significa dunque professare che lo Spirito Santo è una delle Persone della Santa Trinità, consustanziale al Padre e al Figlio, « con il Padre e il Figlio adorato e glorificato » (Simbolo di Nicea-Costantinopoli). Per questo motivo si è trattato del mistero divino dello Spirito Santo nella « teologia » trinitaria. Qui, dunque, si considererà lo Spirito Santo solo nell'« Economia » divina. 236

686 Lo Spirito Santo è all'opera con il Padre e il Figlio dall'inizio al compimento del disegno della nostra salvezza. Tuttavia è solo negli « ultimi tempi », inaugurati con l'Incarnazione redentrice del Figlio, che egli viene rivelato e donato, riconosciuto e accolto come Persona. Allora questo disegno divino, compiuto in Cristo, « Primogenito » e Capo della nuova creazione, potrà realizzarsi nell'umanità con l'effusione dello Spirito: la Chiesa, la comunione dei santi, la remissione dei peccati, la risurrezione della carne, la vita eterna. 258

Articolo 8

« CREDO NELLO SPIRITO SANTO »

687 « I segreti di Dio nessuno li ha mai potuti conoscere se non lo Spirito di Dio » (*1 Cor* 2,11). Ora, il suo Spirito, che lo rivela, ci fa conoscere Cristo, suo Verbo, sua Parola vivente, ma non dice se stesso. Colui che « ha parlato per mezzo dei profeti » ci fa udire la Parola del Padre. Lui, però, non lo sentiamo. Non lo conosciamo che nel movimento in cui ci rivela il Verbo e ci dispone ad accoglierlo nella fede. Lo Spirito di Verità che ci svela Cristo non parla da sé.[4] Un tale annientamento, propriamente divino, spiega il motivo per cui « il mondo non può ricevere » lo Spirito, « perché non lo vede e non lo conosce », mentre coloro che credono in Cristo lo conoscono perché « dimora » presso di loro.[5] 243

688 La Chiesa, comunione vivente nella fede degli Apostoli che essa trasmette, è il luogo della nostra conoscenza dello Spirito Santo:

— nelle Scritture, che egli ha ispirato;

— nella Tradizione di cui i Padri della Chiesa sono i testimoni sempre attuali;

[3] San Gregorio Nazianzeno, *Orationes theologicae,* 5, 26: PG 36, 161C.
[4] Cf *Gv* 16,13.
[5] Cf *Gv* 14,17.

— nel Magistero della Chiesa che egli assiste;

— nella Liturgia sacramentale, attraverso le sue parole e i suoi simboli, in cui lo Spirito Santo ci mette in comunione con Cristo;

— nella preghiera, nella quale intercede per noi;

— nei carismi e nei ministeri che edificano la Chiesa;

— nei segni di vita apostolica e missionaria;

— nella testimonianza dei santi, in cui egli manifesta la sua santità e continua l'opera della salvezza.

I. La missione congiunta del Figlio e dello Spirito

689 Colui che il Padre « ha mandato nei nostri cuori, lo Spirito del suo Figlio » (*Gal* 4,6) è realmente Dio. Consustanziale al Padre e al Figlio, ne è inseparabile, tanto nella vita intima della Trinità quanto nel suo dono d'amore per il mondo. Ma adorando la Trinità Santa, vivificante, consustanziale e indivisibile, la fede della Chiesa professa anche la distinzione delle Persone. Quando il Padre invia il suo Verbo, invia sempre il suo Soffio: missione congiunta in cui il Figlio e lo Spirito Santo sono distinti ma inseparabili. Certo, è Cristo che appare, egli, l'Immagine visibile del Dio invisibile, ma è lo Spirito Santo che lo rivela.

245 254 485

690 Gesù è Cristo, « unto », perché lo Spirito ne è l'Unzione e tutto ciò che avviene a partire dall'Incarnazione sgorga da questa pienezza.[6] Infine, quando Cristo è glorificato,[7] può, a sua volta, dal Padre, inviare lo Spirito a coloro che credono in lui: comunica loro la sua Gloria,[8] cioè lo Spirito Santo che lo glorifica.[9] La missione congiunta si dispiegherà da allora in poi nei figli adottati dal Padre nel Corpo del suo Figlio: la missione dello Spirito di adozione sarà di unirli a Cristo e di farli vivere in lui:

436 788

> La nozione di unzione suggerisce... che non c'è alcuna distanza tra il Figlio e lo Spirito. Infatti, come tra la superficie del corpo e l'unzione dell'olio né la ragione né la sensazione conoscono intermediari, così è immediato il contatto del Figlio con lo Spirito; di conseguenza colui che sta per entrare in contatto con il Figlio mediante la fede, deve necessariamente dapprima entrare in contatto con l'olio. Nessuna parte infatti è priva dello Spirito Santo. Ecco perché la confessione della Signoria del Figlio avviene nello Spirito Santo

448

[6] Cf *Gv* 3,34.
[7] Cf *Gv* 7,39.
[8] Cf *Gv* 17,22.
[9] Cf *Gv* 16,14.

per coloro che la ricevono, dato che lo Spirito Santo viene da ogni parte incontro a coloro che si approssimano per la fede.[10]

II. Il nome, gli appellativi e i simboli dello Spirito Santo

Il nome proprio dello Spirito Santo

691 « Spirito Santo », tale è il nome proprio di colui che noi adoriamo e glorifichiamo con il Padre e il Figlio. La Chiesa lo ha ricevuto dal Signore e lo professa nel Battesimo dei suoi nuovi figli.[11]

Il termine « Spirito » traduce il termine ebraico « Ruah », che nel suo senso primario significa soffio, aria, vento. Gesù utilizza proprio l'immagine sensibile del vento per suggerire a Nicodemo la novità trascendente di colui che è il Soffio di Dio, lo Spirito divino in persona.[12] D'altra parte, Spirito e Santo sono attributi divini comuni alle Tre Persone divine. Ma, congiungendo i due termini, la Scrittura, la Liturgia e il linguaggio teologico designano la Persona ineffabile dello Spirito Santo, senza possibilità di equivoci con gli altri usi dei termini « spirito » e « santo ».

Gli appellativi dello Spirito Santo

692 Gesù, quando annunzia e promette la venuta dello Spirito Santo, lo chiama « Paraclito », letteralmente: « Colui che è chiamato vicino », « ad-vocatus » (*Gv* 14,16.26; 15,26; 16,7). « Paraclito » viene abitualmente tradotto « Consolatore », essendo Gesù il primo consolatore.[13] Il Signore stesso chiama lo Spirito Santo « Spirito di verità » (*Gv* 16,13). 1433

693 Oltre al suo nome proprio, che è il più usato negli Atti degli Apostoli e nelle Lettere, in san Paolo troviamo gli appellativi: lo Spirito della promessa,[14] lo Spirito di adozione,[15] lo « Spirito di Cristo » (*Rm* 8,9), « lo Spirito del Signore » (*2 Cor* 3,17), « lo Spirito di Dio » (*Rm* 8,9.14; 15,19; *1 Cor* 6,11; 7,40), e in san Pietro, « lo Spirito della gloria » (*1 Pt* 4,14).

I simboli dello Spirito Santo

694 *L'acqua.* Il simbolismo dell'acqua significa l'azione dello Spirito Santo nel Battesimo, poiché dopo l'invocazione dello Spirito Santo, essa diviene il segno sacra- 1218

[10] San Gregorio di Nissa, *De Spiritu Sancto,* 3, 1: PG 45, 1321A-B.
[11] Cf *Mt* 28,19.
[12] Cf *Gv* 3,5-8.
[13] Cf *1 Gv* 2,1.
[14] Cf *Gal* 3,14; *Ef* 1,13.
[15] Cf *Rm* 8,15; *Gal* 4,6.

mentale efficace della nuova nascita: come la gestazione della nostra prima nascita si è operata nell'acqua, allo stesso modo l'acqua battesimale significa realmente che la nostra nascita alla vita divina ci è donata nello Spirito Santo. Ma « battezzati in un solo Spirito », noi « ci siamo » anche « abbeverati a un solo Spirito » (*1 Cor* 12,13): lo Spirito, dunque, è anche personalmente l'acqua viva che scaturisce da Cristo crocifisso come dalla sua sorgente [16] e che in noi zampilla per la Vita eterna.[17]

2652

1293 436 1504 794

695 *L'unzione*. Il simbolismo dell'unzione con l'olio è talmente significativa dello Spirito Santo da divenirne il sinonimo.[18] Nell'iniziazione cristiana essa è il segno sacramentale della Confermazione, chiamata giustamente nelle Chiese d'Oriente « Crismazione ». Ma per coglierne tutta la forza, bisogna tornare alla prima unzione compiuta dallo Spirito Santo: quella di Gesù. Cristo [« Messia », in ebraico] significa « Unto » dallo Spirito di Dio. Nell'Antica Alleanza ci sono stati degli « unti » del Signore,[19] primo fra tutti il re Davide.[20] Ma Gesù è l'Unto di Dio in una maniera unica: l'umanità che il Figlio assume è totalmente « unta di Spirito Santo ». Gesù è costituito « Cristo » dallo Spirito Santo.[21] La Vergine Maria concepisce Cristo per opera dello Spirito Santo, il quale, attraverso l'angelo, lo annunzia come Cristo fin dalla nascita [22] e spinge Simeone ad andare al Tempio per vedere il Cristo del Signore; [23] è lui che ricolma Cristo,[24] è sua la forza che esce da Cristo negli atti di guarigione e di risanamento.[25] È lui, infine, che risuscita Cristo dai morti.[26] Allora, costituito pienamente « Cristo » nella sua Umanità vittoriosa della morte,[27] Gesù effonde a profusione lo Spirito Santo, finché « i santi » costituiranno, nella loro unione all'Umanità del Figlio di Dio, l'« Uomo perfetto, nella misura che conviene alla piena maturità di Cristo » (*Ef* 4,13): « il Cristo totale », secondo l'espressione di sant'Agostino.

1127 2586 718

696 *Il fuoco*. Mentre l'acqua significava la nascita e la fecondità della Vita donata nello Spirito Santo, il fuoco simbolizza l'energia trasformante degli atti dello Spirito Santo. Il profeta Elia, che « sorse simile al fuoco » e la cui « parola bruciava come fiaccola » (*Sir* 48,1), con la sua preghiera attira il fuoco del cielo sul sacrificio del monte Carmelo,[28] figura del fuoco dello Spirito Santo che trasforma ciò che tocca. Giovanni Battista, che cammina innanzi al Signore « con lo spirito e la forza di Elia » (*Lc* 1,17) annunzia Cristo come colui che « battezzerà in Spirito Santo e fuoco » (*Lc* 3,16), quello Spirito di cui Gesù dirà: « Sono venuto a portare il fuoco sulla terra; e come vorrei che fosse già acceso! » (*Lc* 12,49). È sotto la forma di « lingue come di fuoco » che lo Spirito Santo si posa sui discepoli il mattino di Pentecoste e li

[16] Cf *Gv* 19,34; *1 Gv* 5,8.
[17] Cf *Gv* 4,10-14; 7,38; *Es* 17,1-6; *Is* 55,1; *Zac* 14,8; *1 Cor* 10,4; *Ap* 21,6; 22,17.
[18] Cf *1 Gv* 2,20.27; *2 Cor* 1,21.
[19] Cf *Es* 30,22-32.
[20] Cf *1 Sam* 16,13.
[21] Cf *Lc* 4,18-19; *Is* 61,1.
[22] Cf *Lc* 2,11.
[23] Cf *Lc* 2,26-27.
[24] Cf *Lc* 4,1.
[25] Cf *Lc* 6,19; 8,46.
[26] Cf *Rm* 1,4; 8,11.
[27] Cf *At* 2,36.
[28] Cf *1 Re* 18,38-39.

riempie di sé (*At* 2,3-4). La tradizione spirituale riterrà il simbolismo del fuoco come uno dei più espressivi dell'azione dello Spirito Santo.[29] « Non spegnete lo Spirito » (*1 Ts* 5,19).

697 *La nube e la luce.* Questi due simboli sono inseparabili nelle manifestazioni dello Spirito Santo. Fin dalle teofanie dell'Antico Testamento, la Nube, ora oscura, ora luminosa, rivela il Dio vivente e salvatore, velando la trascendenza della sua Gloria: con Mosè sul monte Sinai,[30] presso la Tenda del Convegno [31] e durante il cammino nel deserto; [32] con Salomone al momento della dedicazione del Tempio.[33] Ora, queste figure sono portate a compimento da Cristo nello Spirito Santo. È questi che scende sulla Vergine Maria e su di lei stende la « sua ombra », affinché ella concepisca e dia alla luce Gesù.[34] Sulla montagna della Trasfigurazione è lui che viene nella nube che avvolge Gesù, Mosè e Elia, Pietro, Giacomo e Giovanni, e « dalla nube » esce una voce che dice: « Questi è il mio Figlio, l'eletto; ascoltatelo » (*Lc* 9,34-35). Infine, è la stessa Nube che sottrae Gesù allo sguardo dei discepoli il giorno dell'Ascensione [35] e che lo rivelerà Figlio dell'uomo nella sua gloria il giorno della sua venuta.[36]

484
554
659

698 *Il sigillo* è un simbolo vicino a quello dell'Unzione. Infatti su Cristo « Dio ha messo il suo sigillo » (*Gv* 6,27), e in lui il Padre segna anche noi con il suo sigillo.[37] Poiché indica l'effetto indelebile dell'Unzione dello Spirito Santo nei sacramenti del Battesimo, della Confermazione e dell'Ordine, l'immagine del sigillo [« sphragis »] è stata utilizzata in certe tradizioni teologiche per esprimere il « carattere » indelebile impresso da questi tre sacramenti che non possono essere ripetuti.

1295-1296
1121

699 *La mano.* Imponendo le mani Gesù guarisce i malati [38] e benedice i bambini.[39] Nel suo Nome, gli Apostoli compiranno gli stessi gesti.[40] Ancor di più, è mediante l'imposizione delle mani da parte degli Apostoli che viene donato lo Spirito Santo.[41] La Lettera agli Ebrei mette l'imposizione delle mani tra gli « articoli fondamentali » del suo insegnamento.[42] La Chiesa ha conservato questo segno dell'effusione onnipotente dello Spirito Santo nelle epiclesi sacramentali.

292
1288
1300; 1573; 1668

700 *Il dito.* « Con il dito di Dio » Gesù scaccia « i demoni » (*Lc* 11,20). Se la Legge di Dio è stata scritta su tavole di pietra « dal dito di Dio » (*Es* 31,18), « la lettera di Cristo », affidata alle cure degli Apostoli, è « scritta con lo Spirito del Dio vivente,

2056

[29] Cf San Giovanni della Croce, *Fiamma viva d'amore.*
[30] Cf *Es* 24,15-18.
[31] Cf *Es* 33,9-10.
[32] Cf *Es* 40,36-38; *1 Cor* 10,1-2.
[33] Cf *1 Re* 8,10-12.
[34] Cf *Lc* 1,35.
[35] Cf *At* 1,9.
[36] Cf *Lc* 21,27.
[37] Cf *2 Cor* 1,22; *Ef* 1,13; 4,30.
[38] Cf *Mc* 6,5; 8,23.
[39] Cf *Mc* 10,16.
[40] Cf *Mc* 16,18; *At* 5,12; 14,3.
[41] Cf *At* 8,17-19; 13,3; 19,6.
[42] Cf *Eb* 6,2.

non su tavole di pietra, ma sulle tavole di carne dei... cuori » (*2 Cor* 3,3). L'inno « Veni, Creator Spiritus » invoca lo Spirito Santo come « digitus paternae dexterae – dito della destra del Padre ».

701 *La colomba.* Alla fine del diluvio (il cui simbolismo riguarda il Battesimo), la colomba fatta uscire da Noè torna, portando nel becco un freschissimo ramoscello d'ulivo, segno che la terra è di nuovo abitabile.[43] Quando Cristo risale dall'acqua del suo battesimo, lo Spirito Santo, sotto forma di colomba, scende su di lui e in lui rimane.[44] Lo Spirito scende e prende dimora nel cuore purificato dei battezzati. In alcune chiese, la santa Riserva eucaristica è conservata in una custodia metallica a forma di colomba (il *columbarium*) appeso al di sopra dell'altare. Il simbolo della colomba per indicare lo Spirito Santo è tradizionale nell'iconografia cristiana.

1219 535

III. Lo Spirito e la Parola di Dio nel tempo delle promesse

702 Dalle origini fino alla « pienezza del tempo » (*Gal* 4,4), la missione congiunta del Verbo e dello Spirito del Padre rimane *nascosta,* ma è all'opera. Lo Spirito di Dio va preparando il tempo del Messia, e l'uno e l'altro, pur non essendo ancora pienamente rivelati, vi sono già promessi, affinché siano attesi e accolti al momento della loro manifestazione. Per questo, quando la Chiesa legge l'Antico Testamento,[45] vi cerca [46] ciò che lo Spirito, « che ha parlato per mezzo dei profeti », vuole dirci di Cristo.

122 107

243 Con il termine « profeti », la fede della Chiesa intende in questo caso tutti coloro che furono ispirati dallo Spirito Santo nella redazione dei Libri Sacri, sia dell'Antico sia del Nuovo Testamento. La tradizione giudaica distingue la Legge [i primi cinque libri o Pentateuco], i Profeti [corrispondenti ai nostri libri detti storici e profetici] e gli Scritti [soprattutto sapienziali, in particolare i Salmi].[47]

Nella creazione

292 703 La Parola di Dio e il suo Soffio sono all'origine dell'essere e della vita di ogni creatura: [48]

> È proprio dello Spirito Santo governare, santificare e animare la creazione, perché egli è Dio consustanziale al Padre e al Figlio... Egli ha potere sulla

[43] Cf *Gn* 8,8-12.
[44] Cf *Mt* 3,16 par.
[45] Cf *2 Cor* 3,14.
[46] Cf *Gv* 5,39.46.
[47] Cf *Lc* 24,44.
[48] Cf *Sal* 33,6; 104,30; *Gn* 1,2; 2,7; *Qo* 3,20-21; *Ez* 37,10.

vita, perché, essendo Dio, custodisce la creazione nel Padre per mezzo del Figlio.[49] 291

704 « Quanto all'uomo, Dio l'ha plasmato con le sue proprie mani [cioè il Figlio e lo Spirito Santo]... e sulla carne plasmata disegnò la sua propria forma, in modo che anche ciò che era visibile portasse la forma divina.[50] 356

Lo Spirito della promessa

705 Sfigurato dal peccato e dalla morte, l'uomo rimane « a immagine di Dio », a immagine del Figlio, ma è privo « della Gloria di Dio » (*Rm* 3,23), della « somiglianza ». La Promessa fatta ad Abramo inaugura l'Economia della salvezza, al termine della quale il Figlio stesso assumerà « l'immagine »[51] e la restaurerà nella « somiglianza » con il Padre, ridonandole la Gloria, lo Spirito « che dà la vita ». 410 2809

706 Contro ogni speranza umana, Dio promette ad Abramo una discendenza, come frutto della fede e della potenza dello Spirito Santo.[52] In essa saranno benedetti tutti i popoli della terra.[53] Questa discendenza sarà Cristo,[54] nel quale l'effusione dello Spirito Santo riunirà « insieme i figli di Dio che erano dispersi » (*Gv* 11,52). Impegnandosi con giuramento,[55] Dio si impegna già al dono del suo Figlio Prediletto[56] e al dono « dello Spirito Santo che era stato promesso... in attesa della completa redenzione di coloro che Dio si è acquistato » (*Ef* 1,13-14).[57] 60

Nelle Teofanie e nella Legge

707 Le Teofanie [manifestazioni di Dio] illuminano il cammino della Promessa, dai Patriarchi a Mosè e da Giosuè fino alle visioni che inaugurano la missione dei grandi profeti. La tradizione cristiana ha sempre riconosciuto che in queste Teofanie si lasciava vedere e udire il Verbo di Dio, ad un tempo rivelato e « adombrato » nella nube dello Spirito Santo.

708 Questa pedagogia di Dio appare specialmente nel dono della Legge.[58] La lettera della Legge è stata donata come un « pedagogo » per condurre il 1961-1964 122

[49] Liturgia bizantina, Tropario del mattino delle domeniche del secondo modo.
[50] Sant'Ireneo di Lione, *Demonstratio apostolica,* 11.
[51] Cf *Gv* 1,14; *Fil* 2,7.
[52] Cf *Gn* 18,1-15; *Lc* 1,26-38.54-55; *Gv* 1,12-13; *Rm* 4,16-21.
[53] Cf *Gn* 12,3.
[54] Cf *Gal* 3,16.
[55] Cf *Lc* 1,73.
[56] Cf *Gn* 22,17-19; *Rm* 8,32; *Gv* 3,16.
[57] Cf *Gal* 3,14.
[58] Cf *Es* 19-20; *Dt* 1-11; 29-30.

Popolo a Cristo (*Gal* 3,24). Tuttavia, la sua impotenza a salvare l'uomo, privo della « somiglianza » divina, e l'accresciuta conoscenza del peccato che da essa deriva [59] suscitano il desiderio dello Spirito Santo. I gemiti dei Salmi lo testimoniano. 2585

Nel Regno e nell'esilio

709 La Legge, segno della Promessa e dell'Alleanza, avrebbe dovuto reggere il cuore e le istituzioni del Popolo nato dalla fede di Abramo. « Se vorrete ascoltare la mia voce e custodirete la mia alleanza, sarete per me un regno di sacerdoti e una nazione santa » (*Es* 19,5-6).[60] Ma, dopo Davide, Israele cede alla tentazione di divenire un regno come le altre nazioni. Ora il Regno, oggetto della promessa fatta a Davide,[61] sarà l'opera dello Spirito Santo e apparterrà ai poveri secondo lo Spirito. 2579 544

710 La dimenticanza della Legge e l'infedeltà all'Alleanza conducono alla morte: è l'esilio, apparente smentita delle promesse, di fatto misteriosa fedeltà del Dio salvatore e inizio della restaurazione promessa, ma secondo lo Spirito. Era necessario che il Popolo di Dio subisse questa purificazione; [62] l'esilio immette già l'ombra della croce nel disegno di Dio, e il « resto » dei poveri che ritorna dall'esilio è una delle figure più trasparenti della Chiesa.

L'attesa del Messia e del suo Spirito

711 « Ecco, faccio una cosa nuova » (*Is* 43,19). Cominciano a delinearsi due linee profetiche, fondate l'una sull'attesa del Messia, l'altra sull'annunzio di uno Spirito nuovo; esse convergono sul piccolo « resto », il popolo dei poveri,[63] che attende nella speranza il « conforto d'Israele » e la « redenzione di Gerusalemme » (*Lc* 2,25.38). 4; 522

Si è visto precedentemente come Gesù compia le profezie che lo riguardano. Qui ci si limita a quelle in cui è più evidente la relazione fra il Messia e il suo Spirito.

439 712 I tratti del volto del *Messia* atteso cominciano a emergere nel Libro dell'Emmanuele [64], in particolare in *Is* 11,1-2:

> Un germoglio spunterà dal tronco di Jesse,
> un virgulto germoglierà dalle sue radici.

[59] Cf *Rm* 3,20.
[60] Cf *1 Pt* 2,9.
[61] Cf *2 Sam* 7; *Sal* 89; *Lc* 1,32-33.
[62] Cf *Lc* 24,26.
[63] Cf *Sof* 2,3.
[64] Cf *Is* 6-12; « Quando Isaia vide la Gloria » di Cristo: *Gv* 12,41.

Su di lui si poserà lo spirito del Signore,
spirito di sapienza e di intelligenza, spirito di consiglio e di fortezza,
spirito di conoscenza e di timore del Signore.

713 I tratti del Messia sono rivelati soprattutto nei canti del Servo.[65] Questi canti annunziano il significato della Passione di Gesù, e indicano così in quale modo egli avrebbe effuso lo Spirito Santo per vivificare la moltitudine: non dall'esterno, ma assumendo la nostra « condizione di servi ».[66] Prendendo su di sé la nostra morte, può comunicarci il suo Spirito di vita. 601

714 Per questo Cristo inaugura l'annunzio della Buona Novella facendo suo questo testo di Isaia (*Lc* 4,18-19): [67]

Lo Spirito del Signore Dio è su di me,
perché il Signore mi ha consacrato con l'unzione;
mi ha mandato a portare il lieto annunzio ai miseri,
a fasciare le piaghe dei cuori spezzati,
a proclamare la libertà degli schiavi,
la scarcerazione dei prigionieri,
a promulgare l'anno di misericordia del Signore.

715 I testi profetici concernenti direttamente l'invio dello Spirito Santo sono oracoli in cui Dio parla al cuore del suo Popolo nel linguaggio della Promessa, con gli accenti dell'amore e della fedeltà.[68] Secondo queste promesse, negli « ultimi tempi », lo Spirito del Signore rinnoverà il cuore degli uomini scrivendo in essi una Legge nuova; radunerà e riconcilierà i popoli dispersi e divisi; trasformerà la primitiva creazione e Dio vi abiterà con gli uomini nella pace. 214 1965

716 Il popolo dei « poveri »,[69] gli umili e i miti, totalmente abbandonati ai disegni misteriosi del loro Dio, coloro che attendono la giustizia, non degli uomini ma del Messia, è alla fine la grande opera della missione nascosta dello Spirito Santo durante il tempo delle promesse per preparare la venuta di Cristo. È il loro cuore, purificato e illuminato dallo Spirito, che si esprime nei Salmi. In questi poveri, lo Spirito prepara al Signore « un popolo ben disposto » (*Lc* 1,17). 368

[65] *Is* 42,1-9; cf *Mt* 12,18-21; *Gv* 1,32-34, poi *Is* 49,1-6; cf *Mt* 3,17; *Lc* 2,32, infine *Is* 50,4-10 e 52,13–53,12.
[66] Cf *Fil* 2,7.
[67] Cf *Is* 61,1-2.
[68] Cf *Ez* 11,19; 36,25-28; 37,1-14; *Ger* 31,31-34; e *Gl* 3,1-5, di cui san Pietro proclamerà il compimento il mattino di Pentecoste: cf *At* 2,17-21.
[69] Cf *Sof* 2,3; *Sal* 22,27; 34,3; *Is* 49,13; 61,1; ecc.

IV. Lo Spirito di Cristo nella pienezza del tempo

Giovanni, Precursore, Profeta e Battista

523 717 « Venne un uomo mandato da Dio e il suo nome era Giovanni » (*Gv* 1,6). Giovanni è « pieno di Spirito Santo fin dal seno di sua madre » (*Lc* 1,15.41) per opera dello stesso Cristo che la Vergine Maria aveva da poco concepito per opera dello Spirito Santo. La « visitazione » di Maria ad Elisabetta diventa così visita di Dio al suo popolo.[70]

696 718 Giovanni è « quell'Elia che deve venire » (*Mt* 17,10-13); il fuoco dello Spirito abita in lui e lo fa « correre avanti » [come « precursore »] al Signore che viene. In Giovanni il Precursore, lo Spirito Santo termina di « preparare al Signore un popolo ben disposto » (*Lc* 1,17).

719 Giovanni è « più che un profeta » (*Lc* 7,26). In lui lo Spirito Santo termina di « parlare per mezzo dei profeti ». Giovanni chiude il ciclo dei profeti inaugurato da Elia.[71] 2684 Egli annunzia che la Consolazione di Israele è prossima; è la « voce » del Consolatore che viene (*Gv* 1,23).[72] Come farà lo Spirito di verità, egli viene « come testimone per rendere testimonianza alla Luce » (*Gv* 1,7).[73] In Giovanni, lo Spirito compie così le indagini dei profeti e il desiderio degli angeli: [74] « L'uomo sul quale vedrai scendere e rimanere lo Spirito è colui che battezza in Spirito Santo. E io ho visto e ho reso testimonianza 536 che questi è il Figlio di Dio... Ecco l'Agnello di Dio » (*Gv* 1,33-36).

720 Infine, con Giovanni Battista lo Spirito Santo inaugura, prefigurandolo, ciò che realizzerà con Cristo e in Cristo: ridonare all'uomo « la somi- 535 glianza » divina. Il battesimo di Giovanni era per la conversione, quello nell'acqua e nello Spirito sarà una nuova nascita.[75]

« Gioisci, piena di grazia »

721 Maria, la tutta Santa Madre di Dio, sempre Vergine, è il capolavoro della missione del Figlio e dello Spirito nella pienezza del tempo. Per la prima volta nel disegno della salvezza e perché il suo Spirito l'ha preparata, il 484 Padre trova la *Dimora* dove il suo Figlio e il suo Spirito possono abitare tra gli uomini. In questo senso la Tradizione della Chiesa ha spesso letto rife-

[70] Cf *Lc* 1,68.
[71] *Mt* 11,13-14.
[72] Cf *Is* 40,1-3.
[73] Cf *Gv* 15,26; 5,33.
[74] Cf *1 Pt* 1,10-12.
[75] Cf *Gv* 3,5.

rendoli a Maria i più bei testi sulla Sapienza: [76] Maria è cantata e rappresentata nella Liturgia come « Sede della Sapienza ». In lei cominciano a manifestarsi le « meraviglie di Dio », che lo Spirito compirà in Cristo e nella Chiesa.

722 Lo Spirito Santo ha *preparato* Maria con la sua grazia. Era conveniente che fosse « piena di grazia » la Madre di Colui nel quale « abita corporalmente tutta la pienezza della Divinità » (*Col* 2,9). Per pura grazia ella è stata concepita senza peccato come la creatura più umile e più capace di accogliere il Dono ineffabile dell'Onnipotente. A giusto titolo l'angelo Gabriele la saluta come la « Figlia di Sion »: « Gioisci ».[77] È il rendimento di grazie di tutto il Popolo di Dio, e quindi della Chiesa, che Maria eleva al Padre, nello Spirito, nel suo cantico,[78] quando ella porta in sé il Figlio eterno. 489 2676

723 In Maria, lo Spirito Santo *realizza* il disegno misericordioso del Padre. È con lo Spirito e per opera sua che la Vergine concepisce e dà alla luce il Figlio di Dio. La sua verginità diventa fecondità unica in virtù della potenza dello Spirito e della fede.[79] 485 506

724 In Maria, lo Spirito Santo *manifesta* il Figlio del Padre divenuto Figlio della Vergine. Ella è il roveto ardente della Teofania definitiva: ricolma di Spirito Santo, mostra il Verbo nell'umiltà della sua carne ed è ai poveri [80] e alle primizie dei popoli [81] che lo fa conoscere. 208 2619

725 Infine, per mezzo di Maria, lo Spirito Santo comincia a *mettere in comunione* con Cristo gli uomini, oggetto dell'amore misericordioso di Dio.[82] Gli umili sono sempre i primi a riceverlo: i pastori, i magi, Simeone e Anna, gli sposi di Cana e i primi discepoli. 963

726 Al termine di questa missione dello Spirito, Maria diventa la « Donna », nuova Eva, « madre dei viventi », Madre del « Cristo totale ».[83] In quanto tale, ella è presente con i Dodici, « assidui e concordi nella preghiera » (*At* 1,14), all'alba degli « ultimi tempi » che lo Spirito inaugura il mattino di Pentecoste manifestando la Chiesa. 494; 2618

[76] Cf *Prv* 8,1–9,6; *Sir* 24.
[77] Cf *Sof* 3,14; *Zac* 2,14.
[78] Cf *Lc* 1,46-55.
[79] Cf *Lc* 1,26-38; *Rm* 4,18-21; *Gal* 4,26-28.
[80] Cf *Lc* 1,15-19.
[81] Cf *Mt* 2,11.
[82] Cf *Lc* 2,14.
[83] Cf *Gv* 19,25-27.

Gesù Cristo

438 695 536 727 Tutta la missione del Figlio e dello Spirito Santo nella pienezza del tempo è racchiusa nel fatto che il Figlio è l'Unto dello Spirito del Padre dal momento dell'Incarnazione: Gesù è Cristo, il Messia.

Tutto il secondo articolo del Simbolo della fede deve essere letto in questa luce. L'intera opera di Cristo è missione congiunta del Figlio e dello Spirito Santo. Qui si menzionerà soltanto ciò che concerne la promessa dello Spirito Santo da parte di Gesù e il dono dello Spirito da parte del Signore glorificato.

728 Gesù rivela in pienezza lo Spirito Santo solo dopo che è stato egli stesso glorificato con la sua Morte e Risurrezione. Tuttavia, lo lascia gradualmente intravvedere anche nel suo insegnamento alle folle, quando rivela che la sua carne sarà cibo per la vita del mondo.[84] Inoltre lo lascia intuire a Nicodemo,[85] alla Samaritana [86] e a coloro che partecipano alla festa delle Capanne.[87] 2615 Ai suoi discepoli ne parla apertamente a proposito della preghiera [88] e della testimonianza che dovranno dare.[89]

729 Solo quando giunge l'Ora in cui sarà glorificato, Gesù *promette* la venuta dello Spirito Santo, poiché la sua Morte e la sua Risurrezione saranno il compimento della Promessa fatta ai Padri:[90] lo Spirito di verità, l'altro Paraclito, sarà donato dal Padre per la preghiera di Gesù; sarà mandato dal Padre nel nome di Gesù; Gesù lo invierà quando sarà presso il Padre, perché è uscito dal Padre. Lo Spirito Santo verrà, noi lo conosceremo, sarà con noi per sempre, dimorerà con noi; ci insegnerà ogni cosa e ci ricorderà tutto ciò che Cristo ci ha detto e gli renderà testimonianza; ci condurrà alla verità 388; 1433 tutta intera e glorificherà Cristo; convincerà il mondo quanto al peccato, alla giustizia e al giudizio.

730 Infine viene l'Ora di Gesù: [91] Gesù consegna il suo spirito nelle mani del Padre [92] nel momento in cui con la sua morte vince la morte, in modo che, « risuscitato dai morti per mezzo della gloria del Padre » (*Rm* 6,4), egli *dona* subito lo Spirito Santo « alitando » sui suoi discepoli.[93] A partire da questa

[84] Cf *Gv* 6,27.51.62-63.
[85] Cf *Gv* 3,5-8.
[86] Cf *Gv* 4,10.14.23-24.
[87] Cf *Gv* 7,37-39.
[88] Cf *Lc* 11,13.
[89] Cf *Mt* 10,19-20.
[90] Cf *Gv* 14,16-17.26; 15,26; 16,7-15; 17,26.
[91] Cf *Gv* 13,1; 17,1.
[92] Cf *Lc* 23,46; *Gv* 19,30.
[93] Cf *Gv* 20,22.

Ora, la missione di Cristo e dello Spirito diviene la missione della Chiesa: « Come il Padre ha mandato me, anch'io mando voi » (*Gv* 20,21).[94] 850

V. Lo Spirito e la Chiesa negli ultimi tempi

La Pentecoste

731 Il giorno di Pentecoste (al termine delle sette settimane pasquali), la Pasqua di Cristo si compie nell'effusione dello Spirito Santo, che è manifestato, donato e comunicato come Persona divina: dalla sua pienezza, Cristo, Signore, effonde a profusione lo Spirito.[95] 2623 767 1302

732 In questo giorno è pienamente rivelata la Trinità Santa. Da questo giorno, il Regno annunziato da Cristo è aperto a coloro che credono in lui: nell'umiltà della carne e nella fede, essi partecipano già alla comunione della Trinità Santa. Con la sua venuta, che non ha fine, lo Spirito Santo introduce il mondo negli « ultimi tempi », il tempo della Chiesa, il Regno già ereditato, ma non ancora compiuto: 244 672

> Abbiamo visto la vera Luce, abbiamo ricevuto lo Spirito celeste, abbiamo trovato la vera fede: adoriamo la Trinità indivisibile, perché ci ha salvati.[96]

Lo Spirito Santo – il Dono di Dio

733 « Dio è Amore » (*1 Gv* 4,8.16) e l'Amore è il primo dono, quello che contiene tutti gli altri. Questo amore, Dio l'ha « riversato nei nostri cuori per mezzo dello Spirito Santo che ci è stato donato » (*Rm* 5,5). 218

734 Poiché noi siamo morti, o, almeno, feriti per il peccato, il primo effetto del dono dell'Amore è la remissione dei nostri peccati. È « la comunione dello Spirito Santo » (*2 Cor* 13,13) che nella Chiesa ridona ai battezzati la somiglianza divina perduta a causa del peccato. 1987

735 Egli dona allora la « caparra » o le « primizie » della nostra eredità;[97] la vita stessa della Trinità Santa che consiste nell'amare come egli ci ha amati.[98]

[94] Cf *Mt* 28,19; *Lc* 24,47-48; *At* 1,8.
[95] Cf *At* 2,33-36.
[96] Liturgia bizantina, Tropario dei Vespri di Pentecoste, ripreso nelle Liturgie eucaristiche dopo la Comunione.
[97] Cf *Rm* 8,23; *2 Cor* 1,21.
[98] Cf *1 Gv* 4,11-12.

1822 Questo amore [99] è il principio della vita nuova in Cristo, resa possibile dal fatto che abbiamo « forza dallo Spirito Santo » (*At* 1,8).

736 È per questa potenza dello Spirito che i figli di Dio possono portare 1832 frutto. Colui che ci ha innestati sulla vera Vite, farà sì che portiamo « il frutto dello Spirito [che] è amore, gioia, pace, pazienza, benevolenza, bontà, fedeltà, mitezza, dominio di sé » (*Gal* 5,22-23). « Lo Spirito è la nostra vita »: quanto più rinunciamo a noi stessi,[100] tanto più « camminiamo secondo lo Spirito » (*Gal* 5,25):

> Con lo Spirito Santo, che rende spirituali, c'è la riammissione al Paradiso, il ritorno alla condizione di figlio, il coraggio di chiamare Dio Padre, il diventare partecipe della grazia di Cristo, l'essere chiamato figlio della luce, il condividere la gloria eterna.[101]

Lo Spirito Santo e la Chiesa

737 La missione di Cristo e dello Spirito Santo si compie nella Chiesa, 787-798 Corpo di Cristo e tempio dello Spirito Santo. Questa missione congiunta associa ormai i seguaci di Cristo alla sua comunione con il Padre nello Spirito 1093-1109 Santo: lo Spirito *prepara* gli uomini, li previene con la sua grazia per attirarli a Cristo. *Manifesta* loro il Signore risorto, ricorda loro la sua parola, apre il loro spirito all'intelligenza della sua Morte e Risurrezione. *Rende* loro *presente* il Mistero di Cristo, soprattutto nell'Eucaristia, al fine di riconciliarli e di *metterli in comunione* con Dio perché portino « molto frutto » (*Gv* 15,5.8.16).

738 In questo modo la missione della Chiesa non si aggiunge a quella di 850 Cristo e dello Spirito Santo, ma ne è il sacramento: con tutto il suo essere e 777 in tutte le sue membra essa è inviata ad annunziare e testimoniare, attualizzare e diffondere il mistero della comunione della Santa Trinità (sarà questo l'argomento del prossimo articolo):

> Noi tutti che abbiamo ricevuto l'unico e medesimo spirito, cioè lo Spirito Santo, siamo uniti tra di noi e con Dio. Infatti, sebbene, presi separatamente, siamo in molti e in ciascuno di noi Cristo faccia abitare lo Spirito del Padre e suo, tuttavia unico e indivisibile è lo Spirito. Egli riunisce nell'unità spiriti che tra loro sono distinti... e fa di tutti in se stesso un'unica e medesima cosa. Come la potenza della santa umanità di Cristo rende concorporei coloro nei quali si trova, allo stesso modo l'unico e indivisibile Spirito di Dio che abita in tutti, conduce tutti all'unità spirituale.[102]

[99] La carità di *1 Cor* 13.
[100] Cf *Mt* 16,24-26.
[101] San Basilio di Cesarea, *Liber de Spiritu Sancto,* 15, 36: PG 32, 132.
[102] San Cirillo di Alessandria, *Commentarius in Joannem,* 12: PG 74, 560-561.

739 Poiché lo Spirito Santo è l'Unzione di Cristo, è Cristo, Capo del Corpo, a diffonderlo nelle sue membra per nutrirle, guarirle, organizzarle nelle loro mutue funzioni, vivificarle, inviarle per la testimonianza, associarle alla sua offerta al Padre e alla sua intercessione per il mondo intero. È per mezzo dei sacramenti della Chiesa che Cristo comunica alle membra del suo Corpo il suo Spirito Santo e santificatore (questo sarà l'argomento della seconda parte del Catechismo).

1076

740 Queste « meraviglie di Dio », offerte ai credenti nei sacramenti della Chiesa, portano i loro frutti nella vita nuova, in Cristo, secondo lo Spirito (questo sarà l'argomento della terza parte del Catechismo).

741 « Lo Spirito viene in aiuto alla nostra debolezza, perché nemmeno sappiamo che cosa sia conveniente domandare, ma lo Spirito stesso intercede per noi, con gemiti inesprimibili » (*Rm* 8,26). Lo Spirito Santo, artefice delle opere di Dio, è il Maestro della preghiera (questo sarà l'argomento della quarta parte del Catechismo).

In sintesi

742 *« E che voi siete figli ne è prova il fatto che Dio ha mandato nei nostri cuori lo Spirito del suo Figlio che grida: Abbà, Padre »* (*Gal* 4,6).

743 *Dall'inizio alla fine dei tempi, quando Dio invia suo Figlio, invia sempre il suo Spirito: la loro missione è congiunta e inseparabile.*

744 *Nella pienezza del tempo, lo Spirito Santo porta a compimento in Maria tutte le preparazioni alla venuta di Cristo nel Popolo di Dio. Mediante l'opera dello Spirito Santo in lei, il Padre dona al mondo l'Emmanuele, « Dio-con-noi »* (*Mt* 1,23).

745 *Il Figlio di Dio è consacrato Cristo [Messia] attraverso l'Unzione dello Spirito Santo nell'Incarnazione.*[103]

746 *Per la sua morte e Risurrezione, Gesù è costituito « Signore e Cristo » nella gloria* (*At* 2,36). *Dalla sua pienezza, egli effonde lo Spirito Santo sugli Apostoli e sulla Chiesa.*

747 *Lo Spirito Santo, che Cristo, Capo, diffonde nelle sue membra, edifica, anima e santifica la Chiesa, sacramento della comunione della Santissima Trinità e degli uomini.*

[103] Cf *Sal* 2,6-7.

Articolo 9
« CREDO LA SANTA CHIESA CATTOLICA »

748 « Cristo è la luce delle genti, e questo sacro Concilio, adunato nello Spirito Santo, ardentemente desidera che la luce di Cristo, riflessa sul volto della Chiesa, illumini tutti gli uomini, annunziando il Vangelo a ogni creatura ». Con queste parole si apre la « Costituzione dogmatica sulla Chiesa » del Concilio Vaticano II. Con ciò il Concilio indica che l'articolo di fede sulla Chiesa dipende interamente dagli articoli concernenti Gesù Cristo. La Chiesa non ha altra luce che quella di Cristo. Secondo un'immagine cara ai Padri della Chiesa, essa è simile alla luna, la cui luce è tutta riflesso del sole.

749 L'articolo sulla Chiesa dipende anche interamente da quello sullo Spirito Santo, che lo precede. « In quello, infatti, lo Spirito Santo ci appare come la fonte totale di ogni santità; in questo, il divino Spirito ci appare come la sorgente della santità della Chiesa ».[104] Secondo l'espressione dei Padri, la Chiesa è il luogo « dove fiorisce lo Spirito ».[105]

811 750 Credere che la Chiesa è « Santa » e « Cattolica » e che è « Una » e « Apostolica » (come aggiunge il Simbolo di Nicea-Costantinopoli) è inseparabile dalla fede in Dio Padre, Figlio e Spirito Santo. Nel Simbolo degli Apostoli professiamo di credere una Chiesa Santa (« Credo... Ecclesiam »), 169 e non *nella* Chiesa, per non confondere Dio e le sue opere e per attribuire chiaramente alla bontà di Dio tutti i doni che egli ha riversato nella sua Chiesa.[106]

Paragrafo 1
LA CHIESA NEL DISEGNO DI DIO

I. I nomi e le immagini della Chiesa

751 La parola « Chiesa » [« ekklèsia », dal greco « ek-kalein » – « chiamare fuori »] significa « convocazione ». Designa assemblee del popolo,[107] generalmente di carattere religioso. È il termine frequentemente usato nell'Antico Testamento greco per indicare l'assemblea del popolo eletto riunita

[104] *Catechismo Romano,* 1, 10, 1.
[105] Sant'Ippolito di Roma, *Traditio apostolica,* 35.
[106] Cf *Catechismo Romano,* 1, 10, 22.
[107] Cf *At* 19,39.

davanti a Dio, soprattutto l'assemblea del Sinai, dove Israele ricevette la Legge e fu costituito da Dio come suo popolo santo.[108] Definendosi « Chiesa », la prima comunità di coloro che credevano in Cristo si riconosce erede di quell'assemblea. In essa, Dio « convoca » il suo Popolo da tutti i confini della terra. Il termine « Kyriakè », da cui sono derivati « Church », « Kirche », significa « colei che appartiene al Signore ».

752 Nel linguaggio cristiano, il termine « Chiesa » designa l'assemblea liturgica,[109] ma anche la comunità locale [110] o tutta la comunità universale dei credenti.[111] Di fatto questi tre significati sono inseparabili. La « Chiesa » è il popolo che Dio raduna nel mondo intero. Essa esiste nelle comunità locali e si realizza come assemblea liturgica, soprattutto eucaristica. Essa vive della Parola e del Corpo di Cristo, divenendo così essa stessa Corpo di Cristo.

1140
832; 830

I simboli della Chiesa

753 Nella Sacra Scrittura troviamo moltissime immagini e figure tra loro connesse mediante le quali la Rivelazione parla del mistero insondabile della Chiesa. Le immagini dell'Antico Testamento sono variazioni di un'idea di fondo, quella del « Popolo di Dio ». Nel Nuovo Testamento [112] tutte queste immagini trovano un nuovo centro, per il fatto che Cristo diventa il « Capo » di questo Popolo,[113] che è quindi il suo Corpo. Attorno a questo centro si sono raggruppate immagini « desunte sia dalla vita pastorale o agricola, sia dalla costruzione di edifici o anche dalla famiglia e dagli sponsali ».[114]

781
789

754 « Così la Chiesa è l'*ovile,* la cui porta unica e necessaria è Cristo.[115] È pure il gregge, di cui Dio stesso ha preannunziato che sarebbe il pastore [116] e le cui pecore, anche se governate da pastori umani, sono però incessantemente condotte al pascolo e nutrite dallo stesso Cristo, il Pastore buono e il Principe dei pastori,[117] il quale ha dato la sua vita per le pecore.[118]

857

[108] Cf *Es* 19.
[109] Cf *1 Cor* 11,18; 14,19.28.34.35.
[110] Cf *1 Cor* 1,2; 16,1.
[111] Cf *1 Cor* 15,9; *Gal* 1,13; *Fil* 3,6.
[112] Cf *Ef* 1,22; *Col* 1,18.
[113] Cf Conc. Ecum. Vat. II, *Lumen gentium,* 9.
[114] *Ibid.,* 6.
[115] Cf *Gv* 10,1-10.
[116] Cf *Is* 40,11; *Ez* 34,11ss.
[117] Cf *Gv* 10,11; *1 Pt* 5,4.
[118] Cf *Gv* 10,11-15.

755 La Chiesa è il podere o *campo* di Dio.[119] In quel campo cresce l'antico olivo, la cui santa radice sono stati i patriarchi e nel quale è avvenuta e avverrà la riconciliazione dei Giudei e delle genti.[120] Essa è stata piantata dal celeste Agricoltore come vigna scelta.[121] Cristo è la vera Vite, che dà vita e fecondità ai tralci, cioè a noi, che per mezzo della Chiesa rimaniamo in lui e senza di lui nulla possiamo fare.[122]

795

756 Più spesso ancora la Chiesa è detta l'*edificio* di Dio.[123] Il Signore stesso si è paragonato alla pietra che i costruttori hanno rigettata, ma che è divenuta la pietra angolare.[124] Sopra quel fondamento la Chiesa è stata costruita dagli Apostoli [125] e da esso riceve stabilità e coesione. Questa costruzione viene chiamata in varie maniere: casa di Dio,[126] nella quale abita la sua *famiglia*, la dimora di Dio nello Spirito,[127] "la dimora di Dio con gli uomini" (*Ap* 21,3), e soprattutto *tempio* santo, rappresentato da santuari di pietra, che è lodato dai santi Padri e che la Liturgia giustamente paragona alla Città santa, la nuova Gerusalemme. In essa, infatti, quali pietre viventi, veniamo a formare su questa terra un tempio spirituale.[128] E questa Città santa Giovanni la contempla mentre nel finale rinnovamento del mondo essa scende dal cielo, da presso Dio, "preparata come una sposa che si è ornata per il suo sposo" (*Ap* 21,1-2).

857 797 1045

507 796 1616

757 La Chiesa che è chiamata "Gerusalemme che è in alto" e "madre nostra" (*Gal* 4,26),[129] viene pure descritta come l'immacolata *sposa* dell'Agnello immacolato,[130] sposa che Cristo "ha amato... e per la quale ha dato se stesso, al fine di renderla santa" (*Ef* 5,25-26), che si è associata con patto indissolubile e che incessantemente "nutre e... cura" (*Ef* 5,29) ».[131]

II. Origine, fondazione e missione della Chiesa

257

758 Per scrutare il mistero della Chiesa, è bene considerare innanzitutto la sua origine nel disegno della Santissima Trinità e la sua progressiva realizzazione nella storia.

Un disegno nato nel cuore del Padre

293

759 « L'eterno Padre, con liberissimo e arcano disegno di sapienza e di bontà, ha creato l'universo, ha decretato di elevare gli uomini alla partecipa-

[119] Cf *1 Cor* 3,9.
[120] Cf *Rm* 11,13-26.
[121] Cf *Mt* 21,33-43 par.; *Is* 5,1ss.
[122] Cf *Gv* 15,1-5.
[123] Cf *1 Cor* 3,9.
[124] Cf *Mt* 21,42 par.; *At* 4,11; *1 Pt* 2,7; *Sal* 118,22.
[125] Cf *1 Cor* 3,11.
[126] Cf *1 Tm* 3,15.
[127] Cf *Ef* 2,19-22.
[128] Cf *1 Pt* 2,5.
[129] Cf *Ap* 12,17.
[130] Cf *Ap* 19,7; 21,2.9; 22,17.
[131] Conc. Ecum. Vat. II, *Lumen gentium*, 6.

zione della sua vita divina », alla quale chiama tutti gli uomini nel suo Figlio: « I credenti in Cristo li ha voluti convocare nella santa Chiesa ». Questa « famiglia di Dio » si costituisce e si realizza gradualmente lungo le tappe della storia umana, secondo le disposizioni del Padre: la Chiesa, infatti, « prefigurata sino dal principio del mondo, mirabilmente preparata nella storia del popolo d'Israele e nell'Antica Alleanza, e istituita "negli ultimi tempi", è stata manifestata dall'effusione dello Spirito e avrà glorioso compimento alla fine dei secoli ».[132] 1655

La Chiesa – prefigurata fin dall'origine del mondo

760 « Il mondo fu creato in vista della Chiesa », dicevano i cristiani dei primi tempi.[133] Dio ha creato il mondo in vista della comunione alla sua vita divina, comunione che si realizza mediante la « convocazione » degli uomini in Cristo, e questa « convocazione » è la Chiesa. La Chiesa è il fine di tutte le cose[134] e le stesse vicissitudini dolorose, come la caduta degli Angeli e il peccato dell'uomo, furono permesse da Dio solo in quanto occasione e mezzo per dispiegare tutta la potenza del suo braccio, tutta l'immensità d'amore che voleva donare al mondo: 294 309

> Come la volontà di Dio è un atto, e questo atto si chiama mondo, così la sua intenzione è la salvezza dell'uomo, ed essa si chiama Chiesa.[135]

La Chiesa – preparata nell'Antica Alleanza

761 La convocazione del Popolo di Dio ha inizio nel momento in cui il peccato distrugge la comunione degli uomini con Dio e quella degli uomini tra di loro. La convocazione della Chiesa è, per così dire, la reazione di Dio di fronte al caos provocato dal peccato. Questa riunificazione si realizza segretamente in seno a tutti i popoli: « Chi teme » Dio « e pratica la giustizia, a qualunque popolo appartenga, è a lui accetto » (*At* 10,35).[136] 55

762 La *preparazione* remota della riunione del Popolo di Dio comincia con la vocazione di Abramo, al quale Dio promette che diverrà padre di « un 122; 522 60

[132] Conc. Ecum. Vat. II, *Lumen gentium*, 2.
[133] Cf Erma, *Visiones pastoris*, 2, 4, 1; cf Aristide, *Apologia*, 16, 6; San Giustino, *Apologiae*, 2, 7.
[134] Cf Sant'Epifanio, *Panarion seu adversus LXXX haereses*, 1, 1, 5: PG 41, 181C.
[135] Clemente d'Alessandria, *Paedagogus*, 1, 6.
[136] Cf Conc. Ecum. Vat. II, *Lumen gentium*, 9; 13; 16.

grande popolo » (*Gn* 12,2).[137] La preparazione immediata comincia con l'elezione di Israele come Popolo di Dio.[138] Con la sua elezione, Israele deve essere
64 il segno della riunione futura di tutte le nazioni.[139] Ma già i profeti accusano Israele di aver rotto l'Alleanza e di essersi comportato come una prostituta.[140] Essi annunziano un'Alleanza Nuova ed Eterna.[141] « Cristo istituì questo Nuovo Patto ».[142]

La Chiesa – istituita da Gesù Cristo

763 È compito del Figlio realizzare, nella pienezza dei tempi, il piano di salvezza del Padre; è questo il motivo della sua « missione ».[143] « Il Signore
541 Gesù diede inizio alla sua Chiesa predicando la Buona Novella, cioè la venuta del Regno di Dio da secoli promesso nelle Scritture ».[144] Per compiere la volontà del Padre, Cristo inaugurò il Regno dei cieli sulla terra. La Chiesa è « il Regno di Cristo già presente in mistero ».[145]

764 « Questo Regno si manifesta chiaramente agli uomini nelle parole,
543 nelle opere e nella presenza di Cristo ».[146] Accogliere la parola di Gesù significa accogliere « il Regno stesso di Dio ».[147] Il germe e l'inizio del Regno sono il « piccolo gregge » (*Lc* 12,32) di coloro che Gesù è venuto a convocare attorno a sé e di cui egli stesso è il pastore.[148] Essi costituiscono la vera famiglia di
1691 Gesù.[149] A coloro che ha così radunati attorno a sé, ha insegnato un modo
2558 nuovo di comportarsi, ma anche una preghiera loro propria.[150]

765 Il Signore Gesù ha dotato la sua comunità di una struttura che rimar-
860; 551 rà fino al pieno compimento del Regno. Innanzitutto vi è la scelta dei Dodici con Pietro come loro capo.[151] Rappresentando le dodici tribù

[137] Cf *Gn* 15,5-6.
[138] Cf *Es* 19,5-6; *Dt* 7,6.
[139] Cf *Is* 2,2-5; *Mi* 4,1-4.
[140] Cf *Os* 1; *Is* 1,2-4; *Ger* 2; ecc.
[141] Cf *Ger* 31,31-34; *Is* 55,3.
[142] Conc. Ecum. Vat. II, *Lumen gentium*, 9.
[143] Cf *ibid.*, 3; Id., *Ad gentes*, 3.
[144] Conc. Ecum. Vat. II., *Lumen gentium*, 5.
[145] *Ibid.*, 3.
[146] *Ibid.*, 5.
[147] *Ibid.*
[148] Cf *Mt* 10,16; 26,31; *Gv* 10,1-21.
[149] Cf *Mt* 12,49.
[150] Cf *Mt* 5-6.
[151] Cf *Mc* 3,14-15.

d'Israele,[152] essi sono i basamenti della nuova Gerusalemme.[153] I Dodici [154] e gli altri discepoli [155] partecipano alla missione di Cristo, al suo potere, ma anche alla sua sorte.[156] Attraverso tutte queste azioni Cristo prepara ed edifica la sua Chiesa.

766 Ma la Chiesa è nata principalmente dal dono totale di Cristo per la nostra salvezza, anticipato nell'istituzione dell'Eucaristia e realizzato sulla croce. L'inizio e la crescita della Chiesa « sono simboleggiati dal sangue e dall'acqua che uscirono dal costato aperto di Gesù crocifisso ».[157] « Infatti dal costato di Cristo dormiente sulla croce è scaturito il mirabile sacramento di tutta la Chiesa ».[158] Come Eva è stata formata dal costato di Adamo addormentato, così la Chiesa è nata dal cuore trafitto di Cristo morto sulla croce.[159]

813 610; 1340 617 478

La Chiesa – manifestata dallo Spirito Santo

767 « Compiuta l'opera che il Padre aveva affidato al Figlio sulla terra, il giorno di Pentecoste fu inviato lo Spirito Santo per santificare continuamente la Chiesa ».[160] Allora « la Chiesa fu manifestata pubblicamente alla moltitudine » ed « ebbe inizio attraverso la predicazione la diffusione del Vangelo ».[161] Essendo « convocazione » di tutti gli uomini alla salvezza, la Chiesa è missionaria per sua natura, inviata da Cristo a tutti i popoli, per farli discepoli.[162]

731 849

768 Perché la Chiesa possa realizzare la sua missione, lo Spirito Santo « la provvede di diversi doni gerarchici e carismatici, con i quali la dirige ».[163] « La Chiesa perciò, fornita dei doni del suo fondatore e osservando fedelmente i suoi precetti di carità, di umiltà e di abnegazione, riceve la missione di annunziare e instaurare in tutte le genti il Regno di Cristo e di Dio, e di questo Regno costituisce in terra il germe e l'inizio ».[164]

541

[152] Cf *Mt* 19,28; *Lc* 22,30.
[153] Cf *Ap* 21,12-14.
[154] Cf *Mc* 6,7.
[155] Cf *Lc* 10,1-2.
[156] Cf *Mt* 10,25; *Gv* 15,20.
[157] Conc. Ecum. Vat. II, *Lumen gentium,* 3.
[158] Conc. Ecum. Vat. II, *Sacrosanctum concilium,* 5.
[159] Cf Sant'Ambrogio, *Expositio Evangelii secundum Lucam,* 2, 85-89: PL 15, 1583-1586.
[160] Conc. Ecum. Vat. II, *Lumen gentium,* 4.
[161] Conc. Ecum. Vat. II, *Ad gentes,* 4.
[162] Cf *Mt* 28,19-20; Conc. Ecum. Vat. II, *Ad gentes,* 2; 5-6.
[163] Conc. Ecum. Vat. II, *Lumen gentium,* 4.
[164] *Ibid.,* 5.

La Chiesa – pienamente compiuta nella gloria

769 « La Chiesa... non avrà il suo compimento se non nella gloria del cielo »,[165] al momento del ritorno glorioso di Cristo. Fino a quel giorno, « la Chiesa prosegue il suo pellegrinaggio fra le persecuzioni del mondo e le consolazioni di Dio ».[166] Quaggiù si sente in esilio, lontana dal Signore; [167] « anela al Regno perfetto e con tutte le sue forze spera e brama di unirsi al suo Re nella gloria ».[168] Il compimento della Chiesa — e per suo mezzo del mondo — nella gloria non avverrà se non attraverso molte prove. Allora soltanto, « tutti i giusti, a partire da Adamo, "dal giusto Abele fino all'ultimo eletto", saranno riuniti presso il Padre nella Chiesa universale ».[169]

671 2818 675 1045

III. Il mistero della Chiesa

770 La Chiesa è nella storia, ma nello stesso tempo la trascende. È unicamente « con gli occhi della fede » [170] che si può scorgere nella sua realtà visibile una realtà contemporaneamente spirituale, portatrice di vita divina.

812

La Chiesa – insieme visibile e spirituale

771 « Cristo, unico mediatore, ha costituito sulla terra la sua Chiesa santa, comunità di fede, di speranza e di carità, come un organismo visibile; incessantemente la sostenta e per essa diffonde su tutti la verità e la grazia ». La Chiesa è ad un tempo:

— « la società costituita di organi gerarchici e il Corpo mistico di Cristo;
— l'assemblea visibile e la comunità spirituale;
— la Chiesa della terra e la Chiesa ormai in possesso dei beni celesti ».

827 1880 954

Queste dimensioni « formano una sola complessa realtà risultante di un elemento umano e di un elemento divino ».[171]

> La Chiesa ha la caratteristica di essere nello stesso tempo umana e divina, visibile ma dotata di realtà invisibili, fervente nell'azione e dedita alla contemplazione, presente nel mondo e, tuttavia, pellegrina; tutto questo in modo che quanto in lei è umano sia ordinato e subordinato al divino, il visibile al-

[165] Conc. Ecum. Vat. II, *Lumen gentium,* 48.
[166] Sant'Agostino, *De civitate Dei,* 18, 51; cf Conc. Ecum. Vat. II, *Lumen gentium,* 8.
[167] Cf *2 Cor* 5,6; Conc. Ecum. Vat. II, *Lumen gentium,* 6.
[168] Conc. Ecum. Vat. II, *Lumen gentium,* 5.
[169] *Ibid.,* 2.
[170] *Catechismo Romano,* 1, 10, 20.
[171] Conc. Ecum. Vat. II, *Lumen gentium,* 8.

l'invisibile, l'azione alla contemplazione, la realtà presente alla città futura verso la quale siamo incamminati.[172]

O umiltà! O sublimità! Tabernacolo di Cedar, santuario di Dio; abitazione terrena, celeste reggia; dimora di fango, sala regale; corpo di morte, tempio di luce; infine, rifiuto per i superbi, ma sposa di Cristo! Bruna sei, ma bella, o figlia di Gerusalemme: se anche la fatica e il dolore del lungo esilio ti sfigura, ti adorna tuttavia la bellezza celeste.[173]

La Chiesa – mistero dell'unione degli uomini con Dio

772 È nella Chiesa che Cristo compie e rivela il suo proprio Mistero come il fine del disegno di Dio: « ricapitolare in Cristo tutte le cose » (*Ef* 1,10). San Paolo chiama « mistero grande » (*Ef* 5,32) l'unione sponsale di Cristo con la Chiesa. Poiché essa è unita a Cristo come al suo Sposo,[174] la Chiesa diventa essa stessa a sua volta Mistero.[175] Contemplando in essa il Mistero, san Paolo scrive: « Cristo in voi, speranza della gloria » (*Col* 1,27). 518 796

773 Nella Chiesa tale comunione degli uomini con Dio mediante la carità che « non avrà mai fine » (*1 Cor* 13,8) è lo scopo cui tende tutto ciò che in essa è mezzo sacramentale, legato a questo mondo destinato a passare.[176] « La sua struttura è completamente ordinata alla santità delle membra di Cristo. E la santità si misura secondo il "grande Mistero", nel quale la Sposa risponde col dono dell'amore al dono dello Sposo ».[177] Maria precede tutti noi « sulla via verso la santità » che è il mistero della Chiesa come « la Sposa senza macchia né ruga » (*Ef* 5,27). Per questo motivo « la dimensione mariana della Chiesa precede la sua dimensione petrina ».[178] 671 972

La Chiesa – sacramento universale di salvezza

774 La parola greca « *mysterion* » è stata tradotta in latino con due termini: « *mysterium* » e « *sacramentum* ». Nell'interpretazione ulteriore, il termine « sacramentum » esprime più precisamente il segno visibile della realtà nascosta della salvezza, indicata dal termine « mysterium ». In questo senso, Cristo stesso è il Mistero della salvezza: « Non est enim aliud Dei mysterium, nisi Christus – Non v'è altro Mistero di Dio, se non Cristo ».[179] L'opera salvifica della sua umanità santa e santificante è il sacramento della salvezza che si manifesta e agisce nei sacramenti della Chiesa 1075 515

[172] Conc. Ecum. Vat. II, *Sacrosanctum concilium,* 2.
[173] San Bernardo di Chiaravalle, *In Canticum sermones,* 27, 14: PL 183, 920D.
[174] Cf *Ef* 5,25-27.
[175] Cf *Ef* 3,9-11.
[176] Cf Conc. Ecum. Vat. II, *Lumen gentium,* 48.
[177] Giovanni Paolo II, Lett. ap. *Mulieris dignitatem,* 27.
[178] *Ibid.*
[179] Sant'Agostino, *Epistulae,* 187, 11, 34: PL 33, 845.

2014 (che le Chiese d'Oriente chiamano anche « i santi Misteri »). I sette sacramenti sono i segni e gli strumenti mediante i quali lo Spirito Santo diffonde la grazia di Cristo, 1116 che è il Capo, nella Chiesa, che è il suo Corpo. La Chiesa, dunque, contiene e comunica la grazia invisibile che essa significa. È in questo senso analogico che viene chiamata « sacramento ».

775 « La Chiesa è in Cristo come sacramento, cioè segno e strumento dell'intima unione con Dio e dell'unità di tutto il genere umano ».[180] Essere il sacramento dell'*intima unione degli uomini* con Dio: ecco il primo fine della Chiesa. Poiché la comunione tra gli uomini si radica nell'unione con Dio, la 360 Chiesa è anche il sacramento dell'*unità del genere umano*. In essa, tale unità è già iniziata poiché essa raduna uomini « di ogni nazione, razza, popolo e lingua » (*Ap* 7,9); nello stesso tempo, la Chiesa è « segno e strumento » della piena realizzazione di questa unità che deve ancora compiersi.

1088 776 In quanto sacramento, la Chiesa è strumento di Cristo. Nelle sue mani essa è lo « strumento della Redenzione di tutti »,[181] « il sacramento universale della salvezza »,[182] attraverso il quale Cristo « svela e insieme realizza il mistero dell'amore di Dio verso l'uomo ».[183] Essa « è il progetto visibile dell'amore di Dio per l'umanità »,[184] progetto che vuole « la costituzione di tutto il genere umano nell'unico Popolo di Dio, la sua riunione nell'unico Corpo di Cristo, la sua edificazione nell'unico tempio dello Spirito Santo ».[185]

In sintesi

777 *La parola « Chiesa » significa « convocazione ». Designa l'assemblea di coloro che la Parola di Dio convoca per formare il Popolo di Dio e che, nutriti dal Corpo di Cristo, diventano essi stessi Corpo di Cristo.*

778 *La Chiesa è ad un tempo via e fine del disegno di Dio: prefigurata nella creazione, preparata nell'Antica Alleanza, fondata dalle parole e dalle azioni di Gesù Cristo, realizzata mediante la sua croce redentrice e la sua Risurrezione, essa è manifestata come mistero di salvezza con l'effusione dello Spirito Santo. Avrà il suo compimento nella gloria del cielo come assemblea di tutti i redenti della terra.*[186]

[180] Conc. Ecum. Vat. II, *Lumen gentium,* 1.
[181] *Ibid.,* 9.
[182] *Ibid.,* 48.
[183] Conc. Ecum. Vat. II, *Gaudium et spes,* 45.
[184] Paolo VI, discorso del 22 giugno 1973.
[185] Conc. Ecum. Vat. II, *Ad gentes,* 7; cf Id., *Lumen gentium,* 17.
[186] Cf *Ap* 14,4.

779 *La Chiesa è ad un tempo visibile e spirituale, società gerarchica e Corpo Mistico di Cristo. È « una », formata di un elemento umano e di un elemento divino. Questo è il suo mistero, che solo la fede può accogliere.*

780 *La Chiesa è in questo mondo il sacramento della salvezza, il segno e lo strumento della comunione di Dio e degli uomini.*

Paragrafo 2

LA CHIESA - POPOLO DI DIO, CORPO DI CRISTO, TEMPIO DELLO SPIRITO SANTO

I. La Chiesa – Popolo di Dio

781 « In ogni tempo e in ogni nazione è accetto a Dio chiunque lo teme e opera la sua giustizia. Tuttavia piacque a Dio di santificare e salvare gli uomini non individualmente e senza alcun legame tra loro, ma volle costituire di loro un Popolo, che lo riconoscesse nella verità e santamente lo servisse. Si scelse quindi per sé il popolo israelita, stabilì con lui un'alleanza e lo formò progressivamente... Tutto questo però avvenne in preparazione e in figura di quella Nuova e perfetta Alleanza che doveva concludersi in Cristo... cioè la Nuova Alleanza nel suo sangue, chiamando gente dai Giudei e dalle nazioni, perché si fondesse in unità non secondo la carne, ma nello Spirito ».[187]

LE CARATTERISTICHE DEL POPOLO DI DIO

782 Il Popolo di Dio presenta caratteristiche che lo distinguono nettamente da tutti i raggruppamenti religiosi, etnici, politici o culturali della storia: 871

— È il Popolo *di Dio:* Dio non appartiene in proprio ad alcun popolo. Ma egli da coloro che un tempo erano non-popolo ha acquistato un popolo: « la stirpe eletta, il sacerdozio regale, la nazione santa » (*1 Pt* 2,9). 2787

— Si diviene *membri* di questo Popolo non per la nascita fisica, ma per la « nascita dall'alto », « dall'acqua e dallo Spirito » (*Gv* 3,3-5), cioè mediante la fede in Cristo e il Battesimo. 1267

— Questo Popolo ha per *Capo* [Testa] Gesù Cristo [Unto, Messia]: poiché la medesima Unzione, lo Spirito Santo, scorre dal Capo al Corpo, esso è « il Popolo messianico ». 695

— « Questo Popolo ha per *condizione* la dignità e la libertà dei figli di Dio, nel cuore dei quali dimora lo Spirito Santo come nel suo tempio ». 1741

[187] CONC. ECUM. VAT. II, *Lumen gentium,* 9.

1972 — « Ha per *legge* il nuovo precetto di amare come lo stesso Cristo ci ha amati ».[188] È la legge « nuova » dello Spirito Santo.[189]

849 — Ha per *missione* di essere il sale della terra e la luce del mondo.[190] « Costituisce per tutta l'umanità un germe validissimo di unità, di speranza e di salvezza ».

769 — « E, da ultimo, ha per *fine* il Regno di Dio, incominciato in terra dallo stesso Dio, e che deve essere ulteriormente dilatato, finché alla fine dei secoli sia da lui portato a compimento ».[191]

Un popolo sacerdotale, profetico e regale

783 Gesù Cristo è colui che il Padre ha unto con lo Spirito Santo e ha costituito « Sacerdote, Profeta e Re ». L'intero Popolo di Dio partecipa a queste tre funzioni di Cristo e porta le responsabilità di missione e di servizio che ne derivano.[192] (436, 873)

784 Entrando nel Popolo di Dio mediante la fede e il Battesimo, si è resi partecipi della vocazione unica di questo Popolo, la vocazione *sacerdotale*: « Cristo Signore, pontefice assunto di mezzo agli uomini, fece del nuovo popolo "un regno e dei sacerdoti per Dio, suo Padre". Infatti, per la rigenerazione e l'unzione dello Spirito Santo i battezzati vengono *consacrati* a formare una dimora spirituale e un sacerdozio santo ».[193] (1268, 1546)

785 « Il Popolo santo di Dio partecipa pure alla funzione *profetica* di Cristo ». Ciò soprattutto per il senso soprannaturale della fede che è di tutto il Popolo, laici e gerarchia, quando « aderisce indefettibilmente alla fede una volta per tutte trasmessa ai santi »[194] e ne approfondisce la comprensione e diventa testimone di Cristo in mezzo a questo mondo. (92)

786 Il Popolo di Dio partecipa infine alla funzione *regale* di Cristo. Cristo esercita la sua regalità attirando a sé tutti gli uomini mediante la sua Morte e la sua Risurrezione.[195] Cristo, Re e Signore dell'universo, si è fatto il servo di tutti, non essendo « venuto per essere servito, ma per servire e dare la sua vita in riscatto per molti » (*Mt* 20,28). Per il cristiano « regnare » è « servire » Cristo,[196] soprattutto « nei poveri e nei sofferenti », nei quali la Chiesa (2449)

[188] Cf *Gv* 13,34.
[189] Cf *Rm* 8,2; *Gal* 5,25.
[190] Cf *Mt* 5,13-16.
[191] Conc. Ecum. Vat. II, *Lumen gentium,* 9.
[192] Cf Giovanni Paolo II, Lett. enc. *Redemptor hominis,* 18-21.
[193] Conc. Ecum. Vat. II, *Lumen gentium,* 10.
[194] *Ibid.,* 12.
[195] Cf *Gv* 12,32.
[196] Cf Conc. Ecum. Vat. II, *Lumen gentium,* 36.

riconosce « l'immagine del suo Fondatore, povero e sofferente ».[197] Il Popolo di Dio realizza la sua « dignità regale » vivendo conformemente a questa vocazione di servire con Cristo. 2443

Tutti quelli che sono rinati in Cristo conseguono dignità regale per il segno della croce. Con l'unzione dello Spirito Santo sono consacrati sacerdoti. Non c'è quindi solo quel servizio specifico proprio del nostro ministero, perché tutti i cristiani, rivestiti di un carisma spirituale e usando della loro ragione, si riconoscono membra di questa stirpe regale e partecipi della funzione sacerdotale. Non è forse funzione regale il fatto che un'anima governi il suo corpo in sottomissione a Dio? Non è forse funzione sacerdotale consacrare al Signore una coscienza pura e offrirgli sull'altare del proprio cuore i sacrifici immacolati del nostro culto?.[198]

II. La Chiesa – Corpo di Cristo

La Chiesa è comunione con Gesù

787 Fin dall'inizio Gesù ha associato i suoi discepoli alla sua vita; [199] ha loro rivelato il Mistero del Regno; [200] li ha resi partecipi della sua missione, della sua gioia [201] e delle sue sofferenze.[202] Gesù parla di una comunione ancora più intima tra sé e coloro che lo seguiranno: « Rimanete in me e io in voi... Io sono la vite, voi i tralci » (*Gv* 15,4-5). Annunzia inoltre una comunione misteriosa e reale tra il suo proprio Corpo e il nostro: « Chi mangia la mia carne e beve il mio sangue dimora in me e io in lui » (*Gv* 6,56). 755

788 Quando la sua presenza visibile è stata tolta ai discepoli, Gesù non li ha lasciati orfani.[203] Ha promesso di restare con loro sino alla fine dei tempi,[204] ha mandato loro il suo Spirito.[205] In un certo senso, la comunione con Gesù è diventata più intensa: « Comunicando infatti il suo Spirito, costituisce misticamente come suo Corpo i suoi fratelli, chiamati da tutte le genti ».[206] 690

789 Il paragone della Chiesa con il corpo illumina l'intimo legame tra la Chiesa e Cristo. Essa non è soltanto radunata *attorno a lui;* è unificata *in lui,* nel suo Corpo. Tre aspetti della Chiesa-Corpo di Cristo vanno sottolineati 521

[197] Conc. Ecum. Vat. II, *Lumen gentium,* 8.
[198] San Leone Magno, *Sermones,* 4, 1: PL 54, 149.
[199] Cf *Mc* 1,16-20; 3,13-19.
[200] Cf *Mt* 13,10-17.
[201] Cf *Lc* 10,17-20.
[202] Cf *Lc* 22,28-30.
[203] Cf *Gv* 14,18.
[204] Cf *Mt* 28,20.
[205] Cf *Gv* 20,22; *At* 2,23.
[206] Conc. Ecum. Vat. II, *Lumen gentium,* 7.

in modo particolare: l'unità di tutte le membra tra di loro in forza della loro unione a Cristo; Cristo Capo del Corpo; la Chiesa, Sposa di Cristo.

« Un solo corpo »

790 I credenti che rispondono alla Parola di Dio e diventano membra del Corpo di Cristo, vengono strettamente uniti a Cristo: « in quel Corpo la vita di Cristo si diffonde nei credenti che attraverso i sacramenti vengono uniti in modo arcano ma reale a Cristo che ha sofferto ed è stato glorificato ».[207] Ciò è particolarmente vero del Battesimo, in virtù del quale siamo uniti alla Morte e alla Risurrezione di Cristo,[208] e dell'Eucaristia, mediante la quale « partecipando realmente al Corpo del Signore » « siamo elevati alla comunione con lui e tra di noi ».[209]

947 1227 1329

791 L'unità del corpo non elimina la diversità delle membra: « Nell'edificazione del Corpo di Cristo vige la diversità delle membra e delle funzioni. Uno è lo Spirito, il quale per l'utilità della Chiesa distribuisce i suoi vari doni con magnificenza proporzionata alla sua ricchezza e alle necessità dei servizi ». L'unità del Corpo mistico genera e stimola tra i fedeli la carità: « E quindi se un membro soffre, soffrono con esso tutte le altre membra; se un membro è onorato, ne gioiscono con esso tutte le altre membra ».[210] Infine, l'unità del Corpo mistico vince tutte le divisioni umane: « Quanti siete stati battezzati in Cristo, vi siete rivestiti di Cristo. Non c'è più né giudeo né greco; non c'è più schiavo né libero; non c'è più uomo né donna, poiché tutti voi siete uno in Cristo Gesù » (*Gal* 3,27-28).

814 1937

« Capo di questo Corpo è Cristo »

792 Cristo « è il Capo del Corpo, cioè della Chiesa » (*Col* 1,18). È il Principio della creazione e della redenzione. Elevato alla gloria del Padre, ha « il primato su tutte le cose » (*Col* 1,18), principalmente sulla Chiesa, per mezzo della quale estende il suo regno su tutte le cose.

669 1119

793 *Egli ci unisce alla sua Pasqua.* Tutte le membra devono sforzarsi di conformarsi a lui finché in esse « non sia formato Cristo » (*Gal* 4,19). « Per ciò siamo assunti ai misteri della sua vita... Come il corpo al Capo veniamo associati alle sue sofferenze e soffriamo con lui per essere con lui glorificati ».[211]

661 519

[207] Conc. Ecum. Vat. II, *Lumen gentium,* 7.
[208] Cf *Rm* 6,4-5; *1 Cor* 12,13.
[209] Conc. Ecum. Vat. II, *Lumen gentium,* 7.
[210] *Ibid.*
[211] *Ibid.*

794 *Egli provvede alla nostra crescita.*[212] Per farci crescere verso di lui, nostro Capo,[213] Cristo dispone nel suo Corpo, la Chiesa, i doni e i ministeri attraverso i quali noi ci aiutiamo reciprocamente lungo il cammino della salvezza. 872

795 Cristo e la Chiesa formano, dunque, il *« Cristo totale »* [« Christus totus »]. La Chiesa è una con Cristo. I santi hanno una coscienza vivissima di tale unità: 695

> Rallegriamoci, rendiamo grazie a Dio, non soltanto perché ci ha fatti diventare cristiani, ma perché ci ha fatto diventare Cristo stesso. Vi rendete conto, fratelli, di quale grazia ci ha fatto Dio, donandoci Cristo come Capo? Esultate, gioite, siamo divenuti Cristo. Se egli è il Capo, noi siamo le membra: siamo un uomo completo, egli e noi... Pienezza di Cristo: il Capo e le membra. Qual è la Testa, e quali sono le membra? Cristo e la Chiesa.[214]
>
> Redemptor noster unam se personam cum sancta Ecclesia, quam assumpsit, exhibuit – Il nostro Redentore presentò se stesso come unica persona unita alla santa Chiesa, da lui assunta.[215]
>
> Caput et membra, quasi una persona mystica – Capo e membra sono, per così dire, una sola persona mistica.[216] 1474
>
> Una parola di santa Giovanna d'Arco ai suoi giudici riassume la fede dei santi Dottori ed esprime il giusto sentire del credente: « A mio avviso, Gesù Cristo e la Chiesa sono un tutt'uno, e non bisogna sollevare difficoltà ».[217]

La Chiesa è la Sposa di Cristo

796 L'unità di Cristo e della Chiesa, Capo e membra del Corpo, implica anche la distinzione dei due in una relazione personale. Questo aspetto spesso viene espresso con l'immagine dello Sposo e della Sposa. Il tema di Cristo Sposo della Chiesa è stato preparato dai profeti e annunziato da Giovanni Battista.[218] Il Signore stesso si è definito come lo « Sposo » (*Mc* 2,19).[219] L'Apostolo presenta la Chiesa e ogni fedele, membro del suo Corpo, come una Sposa « fidanzata » a Cristo Signore, per formare con lui un solo Spirito.[220] Essa è la Sposa senza macchia dell'Agnello immacolato;[221] che Cristo ha amato » e per la quale « ha dato se stesso..., per renderla santa » 757 219 772 1602 1616

[212] Cf *Col* 2,19.
[213] Cf *Ef* 4,11-16.
[214] Sant'Agostino, *In Evangelium Johannis tractatus,* 21, 8.
[215] San Gregorio Magno, *Moralia in Job,* praef., 1, 6, 4: PL 75, 525A.
[216] San Tommaso d'Aquino, *Summa theologiae,* III, 48, 2, ad 1.
[217] Santa Giovanna d'Arco, in *Actes du procès.*
[218] Cf *Gv* 3,29.
[219] Cf *Mt* 22,1-14; 25,1-13.
[220] Cf *1 Cor* 6,15-17; *2 Cor* 11,2.
[221] Cf *Ap* 22,17; *Ef* 1,4; 5,27.

(*Ef* 5,25-26), che ha unito a sé con una Alleanza eterna e di cui non cessa di prendersi cura come del suo proprio Corpo.[222]

> Ecco il Cristo totale, capo e corpo, uno solo formato da molti... Sia il capo a parlare, o siano le membra, è sempre Cristo che parla: parla nella persona del capo [« ex persona capitis »], parla nella persona del corpo [« ex persona corporis »]. Che cosa, infatti, sta scritto? « Saranno due in una carne sola. Questo mistero è grande; lo dico in riferimento a Cristo e alla Chiesa » (*Ef* 5,31-32). E Cristo stesso nel Vangelo: « Non sono più due, ma una carne sola » (*Mt* 19,6). Difatti, come ben sapete, queste persone sono sì due, ma poi diventano una sola nell'unione sponsale... *Dice di essere « sposo » in quanto capo, e « sposa » in quanto corpo.*[223]

III. La Chiesa – Tempio dello Spirito Santo

813 797 « Quod est spiritus noster, id est anima nostra, ad membra nostra, hoc est Spiritus Sanctus ad membra Christi, ad corpus Christi, quod est Ecclesia – Quello che il nostro spirito, ossia la nostra anima, è per le nostre membra, lo stesso è lo Spirito Santo per le membra di Cristo, per il Corpo di Cristo, che è la Chiesa ».[224] « Bisogna attribuire allo Spirito di Cristo, come ad un principio nascosto, il fatto che tutte le parti del Corpo siano unite tanto fra loro quanto col loro sommo Capo, poiché egli risiede tutto intero nel Capo, tutto intero nel Corpo, tutto intero in ciascuna delle sue membra ».[225] Lo 586 Spirito Santo fa della Chiesa « il tempio del Dio vivente » (*2 Cor* 6,16).[226]

> È alla Chiesa che è stato affidato il « Dono di Dio »... In essa è stata posta la comunione con Cristo, cioè lo Spirito Santo, caparra dell'incorruttibilità, confermazione della nostra fede, scala per ascendere a Dio... Infatti, dove è la Chiesa, ivi è anche lo Spirito di Dio e dove è lo Spirito di Dio, ivi è la Chiesa e ogni grazia.[227]

737 1091-1109 798 Lo Spirito Santo è « il principio di ogni azione vitale e veramente salvifica in ciascuna delle diverse membra del Corpo ».[228] Egli opera in molti modi l'edificazione dell'intero Corpo nella carità:[229] mediante la Parola di Dio « che ha il potere di edificare » (*At* 20,32); mediante il Battesimo con il quale forma il Corpo di Cristo;[230] mediante i sacramenti che fanno crescere e guari-

[222] Cf *Ef* 5,29.
[223] Sant'Agostino, *Enarratio in Psalmos,* 74, 4.
[224] Sant'Agostino, *Sermones,* 267, 4: PL 38, 1231D.
[225] Pio XII, Lett. enc. *Mystici Corporis:* Denz.-Schönm., 3808.
[226] Cf *1 Cor* 3,16-17; *Ef* 2,21.
[227] Sant'Ireneo di Lione, *Adversus haereses,* 3, 24, 1.
[228] Pio XII, Lett. enc. *Mystici Corporis:* Denz.-Schönm., 3808.
[229] Cf *Ef* 4,16.
[230] Cf *1 Cor* 12,13.

scono le membra di Cristo; mediante « la grazia degli Apostoli » che, fra i vari doni, « viene al primo posto »; [231] mediante le virtù che fanno agire secondo il bene, e infine mediante le molteplici grazie speciali [chiamate « carismi »], con le quali rende i fedeli « adatti e pronti ad assumersi varie opere o uffici, utili al rinnovamento della Chiesa e allo sviluppo della sua costruzione ».[232] 791

I carismi

799 Straordinari o semplici e umili, i carismi sono grazie dello Spirito Santo che, direttamente o indirettamente, hanno un'utilità ecclesiale, ordinati come sono all'edificazione della Chiesa, al bene degli uomini e alle necessità del mondo. 951; 2003

800 I carismi devono essere accolti con riconoscenza non soltanto da chi li riceve, ma anche da tutti i membri della Chiesa. Infatti sono una meravigliosa ricchezza di grazia per la vitalità apostolica e per la santità di tutto il Corpo di Cristo, purché si tratti di doni che provengono veramente dallo Spirito Santo e siano esercitati in modo pienamente conforme agli autentici impulsi dello stesso Spirito, cioè secondo la carità, vera misura dei carismi.[233]

801 È in questo senso che si dimostra sempre necessario il discernimento dei carismi. Nessun carisma dispensa dal riferirsi e sottomettersi ai Pastori della Chiesa, « ai quali spetta specialmente, non di estinguere lo Spirito, ma di esaminare tutto e ritenere ciò che è buono »,[234] affinché tutti i carismi, nella loro diversità e complementarietà, cooperino all'« utilità comune » (*1 Cor* 12,7).[235] 894 1905

In sintesi

802 *Gesù Cristo « ha dato se stesso per noi, per riscattarci da ogni iniquità e formarsi un Popolo puro che gli appartenga »* (*Tt* 2,14).

803 *« Voi siete la stirpe eletta, il sacerdozio regale, la nazione santa, il Popolo che Dio si è acquistato »* (*1 Pt* 2,9).

[231] Conc. Ecum. Vat. II, *Lumen gentium,* 7.
[232] *Ibid.,* 12; cf Id., *Apostolicam actuositatem,* 3.
[233] Cf *1 Cor* 13.
[234] Conc. Ecum. Vat. II, *Lumen gentium,* 12.
[235] Cf *ibid.,* 30; Giovanni Paolo II, Esort. ap. *Christifideles laici,* 24.

804 *Si entra nel Popolo di Dio mediante la fede e il Battesimo. « Tutti gli uomini sono chiamati a formare il nuovo Popolo di Dio »,*[236] *affinché, in Cristo, « gli uomini costituiscano... una sola famiglia e un solo Popolo di Dio ».*[237]

805 *La Chiesa è il Corpo di Cristo. Per mezzo dello Spirito e della sua azione nei sacramenti, soprattutto l'Eucaristia, Cristo, morto e risorto, costituisce la comunità dei credenti come suo Corpo.*

806 *Nell'unità di questo Corpo c'è diversità di membra e di funzioni. Tutte le membra sono legate le une alle altre, particolarmente a quelle che soffrono, che sono povere e perseguitate.*

807 *La Chiesa è questo Corpo, di cui Cristo è il Capo: essa vive di lui, in lui e per lui; egli vive con essa e in essa.*

808 *La Chiesa è la Sposa di Cristo: egli l'ha amata e ha dato se stesso per lei. L'ha purificata con il suo sangue. Ha fatto di lei la Madre feconda di tutti i figli di Dio.*

809 *La Chiesa è il Tempio dello Spirito Santo. Lo Spirito è come l'anima del Corpo Mistico, principio della sua vita, dell'unità nella diversità e della ricchezza dei suoi doni e carismi.*

810 *« Così la Chiesa universale si presenta come "un Popolo adunato dall'unità del Padre, del Figlio e dello Spirito Santo" ».*[238]

Paragrafo 3

LA CHIESA È UNA, SANTA, CATTOLICA E APOSTOLICA

750

811 « Questa è l'unica Chiesa di Cristo, che nel Simbolo professiamo una, santa, cattolica e apostolica ».[239] Questi quattro attributi, legati inseparabilmente tra di loro,[240] indicano tratti essenziali della Chiesa e della sua missione. La Chiesa non se li conferisce da se stessa; è Cristo che, per mezzo dello Spirito Santo, concede alla sua Chiesa di essere una, santa, cattolica e apostolica, ed è ancora lui che la chiama a realizzare ciascuna di queste caratteristiche.

832; 865

[236] Conc. Ecum. Vat. II, *Lumen gentium,* 13.
[237] Conc. Ecum. Vat. II, *Ad gentes,* 1.
[238] Conc. Ecum. Vat. II, *Lumen gentium,* 4.
[239] *Ibid.,* 8.
[240] Cf Congregazione per la Dottrina della Fede, Lettera ai vescovi d'Inghilterra del 16 settembre 1864: Denz.-Schönm., 2888.

812 Soltanto la fede può riconoscere che la Chiesa trae tali caratteristiche dalla sua origine divina. Tuttavia le loro manifestazioni storiche sono segni che parlano chiaramente alla ragione umana. « La Chiesa », ricorda il Concilio Vaticano I, « a causa della sua eminente santità,... della sua cattolica unità, della sua incrollabile stabilità, è per se stessa un grande e perenne motivo di credibilità e una irrefragabile testimonianza della sua missione divina ».[241]

156; 770

I. La Chiesa è una

« Il sacro Mistero dell'unità della Chiesa » [242]

813 *La Chiesa è una per la sua origine:* « Il supremo modello e il principio di questo Mistero è l'unità nella Trinità delle Persone di un solo Dio Padre e Figlio nello Spirito Santo ».[243] La Chiesa è una *per il suo Fondatore:* « Il Figlio incarnato, infatti,... per mezzo della sua croce ha riconciliato tutti gli uomini con Dio,... ristabilendo l'unità di tutti i popoli in un solo Popolo e in un solo corpo ».[244] La Chiesa è una *per la sua anima:* « Lo Spirito Santo, che abita nei credenti e tutta riempie e regge la Chiesa, produce quella meravigliosa comunione dei fedeli e tanto intimamente tutti unisce in Cristo, da essere il principio dell'unità della Chiesa ».[245] È dunque proprio dell'essenza stessa della Chiesa di essere una:

172

766

797

> Che stupendo mistero! Vi è un solo Padre dell'universo, un solo Logos dell'universo e anche un solo Spirito Santo, ovunque identico; vi è anche una sola vergine divenuta madre, e io amo chiamarla Chiesa.[246]

814 Fin dal principio, questa Chiesa « una » si presenta tuttavia con una grande *diversità,* che proviene sia dalla varietà dei doni di Dio sia dalla molteplicità delle persone che li ricevono. Nell'unità del Popolo di Dio si radunano le diversità dei popoli e delle culture. Tra i membri della Chiesa esiste una diversità di doni, di funzioni, di condizioni e modi di vita; « nella comunione ecclesiastica vi sono legittimamente delle Chiese particolari, che godono di proprie tradizioni ».[247] La grande ricchezza di tale diversità non si oppone all'unità della Chiesa. Tuttavia, il peccato e il peso delle sue conseguenze minacciano continuamente il dono dell'unità. Anche l'Apostolo deve esor-

791; 873

1202

832

[241] Concilio Vaticano I: Denz.-Schönm., 3013.
[242] Conc. Ecum. Vat. II, *Unitatis redintegratio,* 2.
[243] *Ibid.*
[244] Conc. Ecum. Vat. II, *Gaudium et spes,* 78.
[245] Conc. Ecum. Vat. II, *Unitatis redintegratio,* 2.
[246] Clemente d'Alessandria, *Paedagogus,* 1, 6.
[247] Conc. Ecum. Vat. II, *Lumen gentium,* 13.

tare a « conservare l'unità dello Spirito per mezzo del vincolo della pace » (*Ef* 4,3).

1827 815 Quali sono i vincoli dell'unità? « Al di sopra di tutto... la carità, che è il vincolo di perfezione » (*Col* 3,14). Ma l'unità della Chiesa nel tempo è
830; 837 assicurata anche da legami visibili di comunione:

173 — la professione di una sola fede ricevuta dagli Apostoli;

— la celebrazione comune del culto divino, soprattutto dei sacramenti;

— la successione apostolica mediante il sacramento dell'Ordine, che custodisce la concordia fraterna della famiglia di Dio.[248]

816 « L'unica Chiesa di Cristo... » è quella « che il Salvatore nostro, dopo la sua Risurrezione, diede da pascere a Pietro, affidandone a lui e agli altri Apostoli la diffusione e la guida... Questa Chiesa, in questo mondo costituita e organizzata come una società, sussiste ["subsistit in"] nella Chiesa cattolica, governata dal successore di Pietro e dai vescovi in comunione con lui »:[249]

Il decreto sull'Ecumenismo del Concilio Vaticano II esplicita: « Solo per mezzo della cattolica Chiesa di Cristo, che è lo strumento generale della sal-
830 vezza, si può ottenere tutta la pienezza dei mezzi di salvezza. In realtà al solo Collegio apostolico con a capo Pietro crediamo che il Signore ha affidato tutti i beni della Nuova Alleanza, per costituire l'unico Corpo di Cristo sulla terra, al quale bisogna che siano pienamente incorporati tutti quelli che già in qualche modo appartengono al Popolo di Dio ».[250]

Le ferite dell'unità

817 Di fatto, « in questa Chiesa di Dio una e unica sono sorte fino dai primissimi tempi alcune scissioni, che l'Apostolo riprova con gravi parole come degne di condanna; ma nei secoli posteriori sono nati dissensi più ampi e comunità non piccole si sono staccate dalla piena comunione della Chiesa cattolica, talora non senza colpa di uomini d'entrambe le parti ».[251] Le
2089 scissioni che feriscono l'unità del Corpo di Cristo (cioè l'eresia, l'apostasia e lo scisma)[252] non avvengono senza i peccati degli uomini:

Ubi peccata sunt, ibi est multitudo, ibi schismata, ibi haereses, ibi discussiones. Ubi autem virtus, ibi singularitas, ibi unio, ex quo omnium credentium

[248] Cf Conc. Ecum. Vat. II, *Unitatis redintegratio,* 2; Id., *Lumen gentium,* 14; *Codice di Diritto Canonico,* 205.
[249] Conc. Ecum. Vat. II, *Lumen gentium,* 8.
[250] Conc. Ecum. Vat. II, *Unitatis redintegratio,* 3.
[251] *Ibid.*
[252] Cf *Codice di Diritto Canonico,* 751.

erat cor unum et anima una – Dove c'è il peccato, lì troviamo la molteplicità, lì gli scismi, lì le eresie, lì le controversie. Dove, invece, regna la virtù, lì c'è unità, lì comunione, grazie alle quali tutti i credenti erano un cuor solo e un'anima sola.[253]

818 Coloro che oggi nascono in comunità sorte da tali scissioni « e sono istruiti nella fede di Cristo... non possono essere accusati del peccato di separazione, e la Chiesa cattolica li abbraccia con fraterno rispetto e amore... Giustificati nel Battesimo dalla fede, sono incorporati a Cristo e perciò sono a ragione insigniti del nome di cristiani e dai figli della Chiesa cattolica sono giustamente riconosciuti come fratelli nel Signore ».[254]

1271

819 Inoltre, « parecchi elementi di santificazione e di verità »[255] « si trovano fuori dei confini visibili della Chiesa cattolica, come la Parola di Dio scritta, la vita della grazia, la fede, la speranza e la carità, e altri doni interiori dello Spirito Santo ed elementi visibili ».[256] Lo Spirito di Cristo si serve di queste Chiese e comunità ecclesiali come di strumenti di salvezza, la cui forza deriva dalla pienezza di grazia e di verità che Cristo ha dato alla Chiesa cattolica. Tutti questi beni provengono da Cristo e a lui conducono[257] e « spingono verso l'unità cattolica ».[258]

Verso l'unità

820 L'unità, Cristo l'ha donata alla sua Chiesa fin dall'inizio. Noi crediamo che sussista, « senza possibilità di essere perduta, nella Chiesa cattolica e speriamo che crescerà ogni giorno più sino alla fine dei secoli ».[259] Cristo fa sempre alla sua Chiesa il dono dell'unità, ma la Chiesa deve sempre pregare e impegnarsi per custodire, rafforzare e perfezionare l'unità che Cristo vuole per lei. Per questo Gesù stesso ha pregato nell'ora della sua Passione e non cessa di pregare il Padre per l'unità dei suoi discepoli: « ...Come tu, Padre, sei in me e io in te, siano anch'essi in noi una cosa sola, perché il mondo creda che tu mi hai mandato » (*Gv* 17,21). Il desiderio di ritrovare l'unità di tutti i cristiani è un dono di Cristo e un appello dello Spirito Santo.[260]

2748

[253] Origene, *Homiliae in Ezechielem,* 9, 1.
[254] Conc. Ecum. Vat. II, *Unitatis redintegratio,* 3.
[255] Conc. Ecum. Vat. II, *Lumen gentium,* 8.
[256] Conc. Ecum. Vat. II, *Unitatis redintegratio,* 3; cf Id., *Lumen gentium,* 15.
[257] Cf Conc. Ecum. Vat. II, *Unitatis redintegratio,* 3.
[258] Conc. Ecum. Vat. II, *Lumen gentium,* 8.
[259] Conc. Ecum. Vat. II, *Unitatis redintegratio,* 4.
[260] Cf *ibid.,* 1.

821 Per rispondervi adeguatamente sono necessari:

— un *rinnovamento* permanente della Chiesa in una accresciuta fedeltà alla sua vocazione. Tale rinnovamento è la forza del movimento verso l'unità; [261]

827 — la *conversione del cuore* per « condurre una vita più conforme al Vangelo »,[262] poiché è l'infedeltà delle membra al dono di Cristo a causare le divisioni;

2791 — la *preghiera in comune;* infatti la « conversione del cuore » e la « santità della vita, insieme con le preghiere private e pubbliche per l'unità dei cristiani, si devono ritenere come l'anima di tutto il movimento ecumenico e si possono giustamente chiamare ecumenismo spirituale »; [263]

— la *reciproca conoscenza fraterna;* [264]

— la *formazione ecumenica* dei fedeli e specialmente dei preti; [265]

— il *dialogo* tra i teologi e gli incontri tra i cristiani delle differenti Chiese e comunità; [266]

— la *cooperazione* tra cristiani nei diversi ambiti del servizio agli uomini.[267]

822 La cura di ristabilire l'unione « riguarda tutta la Chiesa, sia i fedeli che i pastori ».[268] Ma bisogna anche essere consapevoli « che questo santo proposito di riconciliare tutti i cristiani nell'unità della Chiesa di Cristo, una e unica, supera le forze e le doti umane ». Perciò riponiamo tutta la nostra speranza « nell'orazione di Cristo per la Chiesa, nell'amore del Padre per noi e nella forza dello Spirito Santo ».[269]

II. La Chiesa è santa

823 « Noi crediamo che la Chiesa... è indefettibilmente santa. Infatti
459 Cristo, Figlio di Dio, il quale col Padre e lo Spirito è proclamato "il solo
796 Santo", ha amato la Chiesa come sua sposa e ha dato se stesso per essa, al fine di santificarla, e l'ha unita a sé come suo Corpo e l'ha riempita col dono dello Spirito Santo, per la gloria di Dio ».[270] La Chiesa è dunque « il Popolo
946 santo di Dio »,[271] e i suoi membri sono chiamati « santi ».[272]

[261] Cf Conc. Ecum. Vat. II, *Unitatis redintegratio,* 6.
[262] *Ibid.,* 7.
[263] *Ibid.,* 8.
[264] Cf *ibid.,* 9.
[265] Cf *ibid.,* 10.
[266] Cf *ibid.,* 4; 9; 11.
[267] Cf *ibid.,* 12.
[268] *Ibid.,* 5.
[269] *Ibid.,* 24.
[270] Conc. Ecum. Vat. II, *Lumen gentium,* 39.
[271] *Ibid.,* 12.
[272] Cf *At* 9,13; *1 Cor* 6,1; 16,1.

824 La Chiesa, unita a Cristo, da lui è santificata; per mezzo di lui e in lui diventa anche *santificante*. Tutte le attività della Chiesa convergono, come a loro fine, « verso la santificazione degli uomini e la glorificazione di Dio in Cristo ».[273] È nella Chiesa che si trova « tutta la pienezza dei mezzi di salvezza ».[274] È in essa che « per mezzo della grazia di Dio acquistiamo la santità ».[275] 816

825 « La Chiesa già sulla terra è adornata di una santità vera, anche se imperfetta ».[276] Nei suoi membri, la santità perfetta deve ancora essere raggiunta. « Muniti di tanti e così mirabili mezzi di salvezza, tutti i fedeli d'ogni stato e condizione sono chiamati dal Signore, ognuno per la sua via, a quella perfezione di santità di cui è perfetto il Padre celeste ».[277] 670 2013

826 *La carità* è l'anima della santità alla quale tutti sono chiamati: essa « dirige tutti i mezzi di santificazione, dà loro forma e li conduce al loro fine »:[278] 1827 2658

> Compresi che la Chiesa aveva un corpo, composto di varie membra, e non mancava il membro più nobile e più necessario. Compresi che la Chiesa *aveva un cuore, un cuore ardente d'Amore*. Capii che *solo l'Amore spingeva all'azione le membra della Chiesa e che, spento questo Amore*, gli Apostoli non avrebbero più annunziato il Vangelo, i Martiri non avrebbero più versato il loro sangue... Compresi che *l'Amore abbracciava in sé tutte le vocazioni, che l'Amore era tutto, che si estendeva a tutti i tempi e a tutti i luoghi, ... in una parola, che l'Amore è eterno!*[279] 864

827 « Mentre Cristo "santo, innocente, immacolato", non conobbe il peccato, ma venne allo scopo di espiare i soli peccati del popolo, la Chiesa che *comprende nel suo seno i peccatori*, santa e insieme sempre bisognosa di purificazione, incessantemente si applica alla penitenza e al suo rinnovamento ».[280] Tutti i membri della Chiesa, compresi i suoi ministri, devono riconoscersi peccatori.[281] In tutti, sino alla fine dei tempi, la zizzania del peccato si trova ancora mescolata al buon grano del Vangelo.[282] La Chiesa 1425-1429 821

[273] Conc. Ecum. Vat. II, *Sacrosanctum concilium*, 10.
[274] Conc. Ecum. Vat. II, *Unitatis redintegratio*, 3.
[275] Conc. Ecum. Vat. II, *Lumen gentium*, 48.
[276] *Ibid.*
[277] *Ibid.*, 11.
[278] *Ibid.*, 42.
[279] Santa Teresa di Gesù Bambino, *Manoscritti autobiografici*, B 3v.
[280] Conc. Ecum. Vat. II, *Lumen gentium*, 8; cf Id., *Unitatis redintegratio*, 3; 6.
[281] Cf *1 Gv* 1,8-10.
[282] Cf *Mt* 13,24-30.

raduna dunque dei peccatori raggiunti dalla salvezza di Cristo, ma sempre in via di santificazione:

> La Chiesa è santa, pur comprendendo nel suo seno dei peccatori, giacché essa non possiede altra vita se non quella della grazia: appunto vivendo della sua vita, i suoi membri si santificano, come, sottraendosi alla sua vita, cadono nei peccati e nei disordini, che impediscono l'irradiazione della sua santità. Perciò la Chiesa soffre e fa penitenza per tali peccati, da cui peraltro ha il potere di guarire i suoi figli con il sangue di Cristo e il dono dello Spirito Santo.[283]

1173 828 *Canonizzando* alcuni fedeli, ossia proclamando solennemente che tali fedeli hanno praticato in modo eroico le virtù e sono vissuti nella fedeltà alla grazia di Dio, la Chiesa riconosce la potenza dello Spirito di santità che è in lei, e sostiene la speranza dei fedeli offrendo loro i santi quali modelli e intercessori.[284] « I santi e le sante sono sempre stati sorgente e origine di rinnovamento nei momenti più difficili della storia della Chiesa ».[285] Infatti, « la 2045 santità è la sorgente segreta e la misura infallibile della sua attività apostolica e del suo slancio missionario ».[286]

1172 829 « Mentre la Chiesa ha già raggiunto nella beatissima Vergine la perfezione che la rende senza macchia e senza ruga, i fedeli si sforzano ancora di crescere nella santità debellando il peccato; e per questo innalzano gli occhi 972 a Maria »: [287] in lei la Chiesa è già la tutta santa.

III. La Chiesa è cattolica

Che cosa vuol dire « cattolica »?

830 La parola « cattolica » significa « universale » nel senso di « secondo la totalità » o « secondo l'integralità ». La Chiesa è cattolica in un duplice senso.

È cattolica perché in essa è presente Cristo. « Là dove è Cristo Gesù, ivi 795 è la Chiesa cattolica ».[288] In essa sussiste la pienezza del Corpo di Cristo unito 815-816 al suo Capo,[289] e questo implica che essa riceve da lui « in forma piena e totale i mezzi di salvezza » [290] che egli ha voluto: confessione di fede retta e completa,

[283] Paolo VI, *Credo del popolo di Dio,* 19.
[284] Cf Conc. Ecum. Vat. II, *Lumen gentium,* 40; 48-51.
[285] Giovanni Paolo II, Esort. ap. *Christifideles laici,* 16.
[286] *Ibid.,* 17.
[287] Conc. Ecum. Vat. II, *Lumen gentium,* 65.
[288] Sant'Ignazio di Antiochia, *Epistula ad Smyrnaeos,* 8, 2.
[289] Cf *Ef* 1,22-23.
[290] Conc. Ecum. Vat. II, *Ad gentes,* 6.

vita sacramentale integrale e ministero ordinato nella successione apostolica. La Chiesa, in questo senso fondamentale, era cattolica il giorno di Pentecoste [291] e lo sarà sempre fino al giorno della Parusia.

831 Essa è cattolica perché è inviata in missione da Cristo alla totalità del genere umano: [292] 849

> Tutti gli uomini sono chiamati a formare il nuovo Popolo di Dio. Perciò questo Popolo, restando uno e unico, si deve estendere a tutto il mondo e a tutti i secoli, affinché si adempia l'intenzione della volontà di Dio, il quale in principio ha creato la natura umana una, e vuole radunare insieme infine i suoi figli, che si erano dispersi... Questo carattere di universalità che adorna il Popolo di Dio, è un dono dello stesso Signore, e con esso la Chiesa cattolica efficacemente e senza soste tende a ricapitolare tutta l'umanità, con tutti i suoi beni, in Cristo capo nell'unità del suo Spirito.[293] 360 518

Ogni Chiesa particolare è « cattolica »

832 La « Chiesa di Cristo è veramente presente in tutte le legittime assemblee locali di fedeli, le quali, aderendo ai loro pastori, sono anche esse chiamate Chiese del Nuovo Testamento... In esse con la predicazione del Vangelo di Cristo vengono radunati i fedeli e si celebra il mistero della Cena del Signore... In queste comunità, sebbene spesso piccole e povere o che vivono nella dispersione, è presente Cristo, per virtù del quale si raccoglie la Chiesa una, santa, cattolica e apostolica ».[294] 814 811

833 Per Chiesa particolare, che è la diocesi (o l'eparchia), si intende una comunità di fedeli cristiani in comunione nella fede e nei sacramenti con il loro vescovo ordinato nella successione apostolica.[295] Queste Chiese particolari sono « formate a immagine della Chiesa universale »; in esse e a partire da esse « esiste la sola e unica Chiesa cattolica ».[296] 886

834 Le Chiese particolari sono pienamente cattoliche per la comunione con una di loro: la Chiesa di Roma, « che presiede alla carità ».[297] « È sempre stato necessario che ogni Chiesa, cioè i fedeli di ogni luogo, si volgesse alla Chiesa romana in forza del suo sacro primato ».[298] « Infatti, dalla discesa del 882; 1369

[291] Cf Conc. Ecum. Vat. II, *Ad gentes,* 4.
[292] Cf *Mt* 28,19.
[293] Conc. Ecum. Vat. II, *Lumen gentium,* 13.
[294] *Ibid.,* 26.
[295] Cf Conc. Ecum. Vat. II, *Christus Dominus,* 11; *Codice di Diritto Canonico,* 368-369.
[296] Conc. Ecum. Vat. II, *Lumen gentium,* 23.
[297] Sant'Ignazio di Antiochia, *Epistula ad Romanos,* 1, 1.
[298] Sant'Ireneo di Lione, *Adversus haereses,* 3, 3, 2: ripreso dal Concilio Vaticano I: Denz.-Schönm., 3057.

Verbo Incarnato verso di noi, tutte le Chiese cristiane sparse in ogni luogo hanno ritenuto e ritengono la grande Chiesa che è qui [a Roma] come unica base e fondamento perché, secondo le promesse del Salvatore, le porte degli inferi non hanno mai prevalso su di essa ».[299]

835 « Ma dobbiamo ben guardarci dal concepire la Chiesa universale come la somma o, per così dire, la federazione di Chiese particolari. È la stessa Chiesa che, essendo universale per vocazione e per missione, quando getta le sue radici nella varietà dei terreni culturali, sociali, umani, assume in ogni parte del mondo fisionomie ed espressioni esteriori diverse ».[300] La ricca varietà di discipline ecclesiastiche, di riti liturgici, di patrimoni teologici e spirituali propri alle « Chiese locali tra loro concordi, dimostra con maggior evidenza la cattolicità della Chiesa indivisa ».[301] 1202

Chi appartiene alla Chiesa cattolica?

831 836 « Tutti gli uomini sono chiamati a questa cattolica unità del Popolo di Dio..., alla quale in vario modo appartengono o sono ordinati sia i fedeli cattolici, sia gli altri credenti in Cristo, sia, infine, tutti gli uomini, che dalla grazia di Dio sono chiamati alla salvezza ».[302]

771 837 « Sono pienamente incorporati nella società della Chiesa quelli che, avendo lo Spirito di Cristo, accettano integra la sua struttura e tutti i mezzi di salvezza in essa istituiti, e nel suo organismo visibile sono uniti con Cristo 882; 815 — che la dirige mediante il sommo pontefice e i vescovi — dai vincoli della professione di fede, dei sacramenti, del governo ecclesiastico e della comunione. Non si salva, però, anche se incorporato alla Chiesa, colui che, non perseverando nella carità, rimane sì in seno alla Chiesa col "corpo" ma non col "cuore" ».[303]

818 838 « Con coloro che, battezzati, sono sì insigniti del nome cristiano, ma non professano la fede integrale o non conservano l'unità della comunione sotto il successore di Pietro, la Chiesa sa di essere per più ragioni unita ».[304] 1271 « Quelli infatti che credono in Cristo e hanno ricevuto debitamente il Battesimo sono costituiti in una certa comunione, sebbene imperfetta, con la Chiesa cattolica ».[305] *Con le Chiese ortodosse,* questa comunione è così pro-

[299] San Massimo il Confessore, *Opuscula theologica et polemica:* PG 91, 137-140.
[300] Paolo VI, Esort. ap. *Evangelii nuntiandi,* 62.
[301] Conc. Ecum. Vat. II, *Lumen gentium,* 23.
[302] *Ibid.,* 13.
[303] *Ibid.,* 14.
[304] *Ibid.,* 15.
[305] Conc. Ecum. Vat. II, *Unitatis redintegratio,* 3.

fonda « che le manca ben poco per raggiungere la pienezza che autorizza una celebrazione comune della Eucaristia del Signore ».[306] 1399

LA CHIESA E I NON CRISTIANI

839 « Quelli che non hanno ancora ricevuto il Vangelo, in vari modi sono ordinati al Popolo di Dio ».[307] 856

Il rapporto della Chiesa con il popolo ebraico. La Chiesa, Popolo di Dio nella Nuova Alleanza, scrutando il suo proprio mistero, scopre il proprio legame con gli Ebrei,[308] che Dio « scelse primi fra tutti gli uomini ad accogliere la sua parola ».[309] A differenza delle altre religioni non cristiane, la fede ebraica è già risposta alla rivelazione di Dio nella Antica Alleanza. È al popolo ebraico che appartengono « l'adozione a figli, la gloria, le alleanze, la legislazione, il culto, le promesse, i patriarchi; da essi proviene Cristo secondo la carne » (*Rm* 9,4-5) perché « i doni e la chiamata di Dio sono irrevocabili! » (*Rm* 11,29). 63 147

840 Del resto, quando si considera il futuro, il popolo di Dio dell'Antica Alleanza e il nuovo popolo di Dio tendono a fini analoghi: l'attesa della venuta (o del ritorno) del Messia. Ma tale attesa è, da una parte, rivolta al ritorno del Messia, morto e risorto, riconosciuto come Signore e Figlio di Dio, dall'altra è rivolta alla venuta del Messia, i cui tratti rimangono velati, alla fine dei tempi: si ha un'attesa accompagnata dall'ignoranza o dal misconoscimento di Gesù Cristo. 674 597

841 *Le relazioni della Chiesa con i Musulmani.* « Il disegno della salvezza abbraccia anche coloro che riconoscono il Creatore, e tra questi in primo luogo i Musulmani, i quali, professando di tenere la fede di Abramo, adorano con noi un Dio unico, misericordioso, che giudicherà gli uomini nel giorno finale ».[310]

842 *Il legame della Chiesa con le religioni non cristiane* è anzitutto quello della comune origine e del comune fine del genere umano: 360

> Infatti tutti i popoli costituiscono una sola comunità. Essi hanno una sola origine poiché Dio ha fatto abitare l'intero genere umano su tutta la faccia della terra; essi hanno anche un solo fine ultimo, Dio, del quale la provvidenza, la testimonianza di bontà e il disegno di salvezza si estendono a tutti, finché gli eletti si riuniscano nella città santa.[311]

[306] PAOLO VI, discorso del 14 dicembre 1975; cf CONC. ECUM. VAT. II, *Unitatis redintegratio,* 13-18.
[307] CONC. ECUM. VAT. II, *Lumen gentium,* 16.
[308] Cf CONC. ECUM. VAT. II, *Nostra aetate,* 4.
[309] *Messale Romano,* Venerdì Santo: preghiera universale VI.
[310] CONC. ECUM. VAT. II, *Lumen gentium,* 16; cf ID., *Nostra aetate,* 3.
[311] CONC. ECUM. VAT. II, *Nostra aetate,* 1.

28 843 La Chiesa riconosce nelle altre religioni la ricerca, ancora « nelle ombre e nelle immagini », « di un Dio ignoto » ma vicino, « poiché è lui che dà a tutti vita e respiro ad ogni cosa, e... vuole che tutti gli uomini siano salvi ».
856 Pertanto la Chiesa considera « tutto ciò che di buono e di vero » si trova nelle religioni « come una preparazione al Vangelo, e come dato da colui che illumina ogni uomo, affinché abbia finalmente la vita ».[312]

844 Ma nel loro comportamento religioso, gli uomini mostrano anche li-
29 miti ed errori che sfigurano in loro l'immagine di Dio:

> Molto spesso gli uomini, ingannati dal maligno, hanno vaneggiato nei loro ragionamenti e hanno scambiato la verità divina con la menzogna, servendo la creatura piuttosto che il Creatore, oppure vivendo e morendo senza Dio in questo mondo, sono esposti alla disperazione finale.[313]

845 Proprio per riunire di nuovo tutti i suoi figli, dispersi e sviati dal pec-
30 cato, il Padre ha voluto convocare l'intera umanità nella Chiesa del Figlio suo. La Chiesa è il luogo in cui l'umanità deve ritrovare l'unità e la salvezza.
953 È il « mondo riconciliato ».[314] È la nave che, « pleno dominicae crucis velo Sancti Spiritus flatu in hoc bene navigat mundo – spiegate le vele della croce del Signore al soffio dello Spirito Santo, naviga sicura in questo mondo »; [315]
1219 secondo un'altra immagine, cara ai Padri della Chiesa, è l'Arca di Noè che, sola, salva dal diluvio.[316]

« Fuori della Chiesa non c'è salvezza »

846 Come bisogna intendere questa affermazione spesso ripetuta dai Padri della Chiesa? Formulata in modo positivo, significa che ogni salvezza viene da Cristo-Capo per mezzo della Chiesa che è il suo Corpo:

> Il santo Concilio... insegna, appoggiandosi sulla Sacra Scrittura e sulla Tradizione, che questa Chiesa pellegrinante è necessaria alla salvezza. Infatti solo Cristo, presente per noi nel suo Corpo, che è la Chiesa, è il mediatore e la
> 161; 1257 via della salvezza; ora egli, inculcando espressamente la necessità della fede e del Battesimo, ha insieme confermata la necessità della Chiesa, nella quale gli uomini entrano mediante il Battesimo come per la porta. Perciò non potrebbero salvarsi quegli uomini, i quali, non ignorando che la Chiesa cattoli-

312 Conc. Ecum. Vat. II, *Lumen gentium,* 16; cf Id., *Nostra aetate,* 2; Paolo VI, Esort. ap. *Evangelii nuntiandi,* 53.
313 Conc. Ecum. Vat. II, *Lumen gentium,* 16.
314 Sant'Agostino, *Sermones,* 96, 7, 9: PL 38, 588.
315 Sant'Ambrogio, *De virginitate,* 18, 188: PL 16, 297B.
316 Cf *1 Pt* 3,20-21.

ca è stata da Dio per mezzo di Gesù Cristo fondata come necessaria, non avessero tuttavia voluto entrare in essa o in essa perseverare.[317]

847 Questa affermazione non si riferisce a coloro che, senza loro colpa, ignorano Cristo e la Chiesa:

> Infatti, quelli che senza colpa ignorano il Vangelo di Cristo e la sua Chiesa, e tuttavia cercano sinceramente Dio, e sotto l'influsso della grazia si sforzano di compiere con le opere la volontà di Dio, conosciuta attraverso il dettame della coscienza, possono conseguire la salvezza eterna.[318]

848 « Benché Dio, attraverso vie a lui note, possa portare gli uomini, che senza loro colpa ignorano il Vangelo, alla fede, senza la quale è impossibile piacergli,[319] è tuttavia compito imprescindibile della Chiesa, ed insieme sacro diritto, evangelizzare »[320] tutti gli uomini. 1260

La missione – un'esigenza della cattolicità della Chiesa

849 *Il mandato missionario.* « Inviata da Dio alle genti per essere "sacramento universale di salvezza", la Chiesa, per le esigenze più profonde della sua cattolicità e obbedendo all'ordine del suo fondatore, si sforza d'annunciare il Vangelo a tutti gli uomini »:[321] « Andate dunque e ammaestrate tutte le nazioni, battezzandole nel nome del Padre e del Figlio e dello Spirito Santo, insegnando loro ad osservare tutto ciò che vi ho comandato. Ecco, io sono con voi tutti i giorni, fino alla fine del mondo » (*Mt* 28,19-20). 738; 767

850 *L'origine e lo scopo della missione.* Il mandato missionario del Signore ha la sua ultima sorgente nell'amore eterno della Santissima Trinità: « La Chiesa pellegrinante per sua natura è missionaria, in quanto essa trae origine dalla missione del Figlio e dalla missione dello Spirito Santo, secondo il disegno di Dio Padre ».[322] E il fine ultimo della missione altro non è che di rendere partecipi gli uomini della comunione che esiste tra il Padre e il Figlio nel loro Spirito d'amore.[323] 257 730

851 *Il motivo della missione.* Da sempre la Chiesa ha tratto l'obbligo e la forza del suo slancio missionario dall'*amore* di Dio per tutti gli uomini: 221

317 Conc. Ecum. Vat. II, *Lumen gentium,* 14.
318 *Ibid.,* 16; cf Congregazione per la Dottrina della Fede, Lettera all'arcivescovo di Boston dell'8 agosto 1949: Denz.-Schönm., 3866-3872.
319 Cf *Eb* 11,6.
320 Conc. Ecum. Vat. II, *Ad gentes,* 7.
321 *Ibid.,* 1.
322 *Ibid.,* 2.
323 Cf Giovanni Paolo II, Lett. enc. *Redemptoris missio,* 23.

429 « poiché l'amore di Cristo ci spinge... » (*2 Cor* 5,14).[324] Infatti Dio « vuole che tutti gli uomini siano salvati e arrivino alla conoscenza della verità » 74; 217; 2104 (*1 Tm* 2,4). Dio vuole la salvezza di tutti attraverso la conoscenza della *verità*. La salvezza si trova nella verità. Coloro che obbediscono alla mozione 890 dello Spirito di verità sono già sul cammino della salvezza; ma la Chiesa, alla quale questa verità è stata affidata, deve andare incontro al loro desiderio offrendola loro. Proprio perché crede al disegno universale di salvezza, la Chiesa deve essere missionaria.

852 *Le vie della missione*. « Lo Spirito Santo è il protagonista di tutta la missione ecclesiale ».[325] È lui che conduce la Chiesa sulle vie della missione. Essa « continua e sviluppa nel corso della storia la missione del Cristo stesso, inviato a portare la Buona Novella ai poveri; sotto l'influsso dello Spiri- 2044 to di Cristo, essa deve procedere per la stessa strada seguita da Cristo, la strada cioè della povertà, dell'obbedienza, del servizio e del sacrificio di sé..., fino alla morte, da cui uscì vincitore » con la risurrezione.[326] È così che « il 2473 sangue dei martiri è seme di cristiani ».[327]

853 Ma « anche in questo nostro tempo sa bene la Chiesa quanto distanti siano tra loro il messaggio ch'essa reca e l'umana debolezza di coloro cui è affidato il Van- 1428 gelo ».[328] Solo applicandosi incessantemente « alla penitenza e al rinnovamento »[329] e « camminando per l'angusta via della croce »,[330] il Popolo di Dio può estendere il regno di Cristo.[331] Infatti, « come Cristo ha compiuto la sua opera di Redenzione attra- 2443 verso la povertà e le persecuzioni, così pure la Chiesa è chiamata a prendere la stessa via per comunicare agli uomini i frutti della salvezza ».[332]

854 Per mezzo della sua stessa missione, la Chiesa « cammina insieme con l'umanità tutta e sperimenta assieme al mondo la medesima sorte terrena, ed è come il fermento e quasi l'anima della società umana, destinata a rinnovarsi in Cristo e a tra- 2105 sformarsi in famiglia di Dio ».[333] L'impegno missionario esige dunque la *pazienza*. Incomincia con l'annunzio del Vangelo ai popoli e ai gruppi che ancora non credono a Cristo;[334] prosegue con la costituzione di comunità cristiane che siano « segni della presenza di Dio nel mondo »,[335] e con la fondazione di Chiese locali;[336] avvia un

[324] Cf Conc. Ecum. Vat. II, *Apostolicam actuositatem*, 6; Giovanni Paolo II, Lett. enc. *Redemptoris missio*, 11.
[325] Giovanni Paolo II, Lett. enc. *Redemptoris missio*, 21.
[326] Conc. Ecum. Vat. II, *Ad gentes*, 5.
[327] Tertulliano, *Apologeticus*, 50.
[328] Conc. Ecum. Vat. II, *Gaudium et spes*, 43.
[329] Conc. Ecum. Vat. II, *Lumen gentium*, 8; cf 15.
[330] Conc. Ecum. Vat. II, *Ad gentes*, 1.
[331] Cf Giovanni Paolo II, Lett. enc. *Redemptoris missio*, 12-20.
[332] Conc. Ecum. Vat. II, *Lumen gentium*, 8.
[333] Conc. Ecum. Vat. II, *Gaudium et spes*, 40.
[334] Cf Giovanni Paolo II, Lett. enc. *Redemptoris missio*, 42-47.
[335] Conc. Ecum. Vat. II, *Ad gentes*, 15.
[336] Cf Giovanni Paolo II, Lett. enc. *Redemptoris missio*, 48-49.

processo di inculturazione per incarnare il Vangelo nelle culture dei popoli;[337] non mancherà di conoscere anche degli insuccessi. « Per quanto riguarda gli uomini, i gruppi e i popoli, solo gradatamente la Chiesa li raggiunge e li penetra, e li assume così nella pienezza cattolica ».[338] 204

855 La missione della Chiesa richiede lo sforzo verso *l'unità dei cristiani.*[339] Infatti, « le divisioni dei cristiani impediscono che la Chiesa stessa attui la pienezza della cattolicità ad essa propria in quei figli, che le sono bensì uniti col Battesimo, ma sono separati dalla sua piena comunione. Anzi, alla Chiesa stessa, diventa più difficile esprimere sotto ogni aspetto la pienezza della cattolicità proprio nella realtà della vita ».[340] 821

856 L'attività missionaria implica *un dialogo rispettoso* con coloro che non accettano ancora il Vangelo.[341] I credenti possono trarre profitto per se stessi da questo dialogo, imparando a conoscere meglio « tutto ciò che di verità e di grazia era già riscontrabile, per una nascosta presenza di Dio, in mezzo alle genti ».[342] Se infatti essi annunziano la Buona Novella a coloro che la ignorano, è per consolidare, completare ed elevare la verità e il bene che Dio ha diffuso tra gli uomini e i popoli, e per purificarli dall'errore e dal male « per la gloria di Dio, la confusione del demonio e la felicità dell'uomo ».[343] 839 843

IV. La Chiesa è apostolica

857 La Chiesa è apostolica, perché è fondata sugli Apostoli, e ciò in un triplice senso: 75

- essa è stata e rimane costruita sul « fondamento degli Apostoli » (*Ef* 2,20),[344] testimoni scelti e mandati in missione da Cristo stesso;[345]
- custodisce e trasmette, con l'aiuto dello Spirito che abita in essa, l'insegnamento,[346] il buon deposito, le sane parole udite dagli Apostoli;[347] 171
- fino al ritorno di Cristo, continua ad essere istruita, santificata e guidata dagli Apostoli grazie ai loro successori nella missione pastorale: il collegio dei vescovi, « coadiuvato dai sacerdoti ed unito al successore di Pietro e supremo pastore della Chiesa ».[348] 880

[337] Cf Giovanni Paolo II, Lett. enc. *Redemptoris missio,* 52-54.
[338] Conc. Ecum. Vat. II, *Ad gentes,* 6.
[339] Cf Giovanni Paolo II, Lett. enc. *Redemptoris missio,* 50.
[340] Conc. Ecum. Vat. II, *Unitatis redintegratio,* 4.
[341] Cf Giovanni Paolo II, Lett. enc. *Redemptoris missio,* 55.
[342] Conc. Ecum. Vat. II, *Ad gentes,* 9.
[343] *Ibid.*
[344] Cf *Ap* 21,14.
[345] Cf *Mt* 28,16-20; *At* 1,8; *1 Cor* 9,1; 15,7-8; *Gal* 1,1; ecc.
[346] Cf *At* 2,42.
[347] Cf *2 Tm* 1,13-14.
[348] Conc. Ecum. Vat. II, *Ad gentes,* 5.

1575 Pastore eterno, tu non abbandoni il tuo gregge, ma lo custodisci e proteggi sempre per mezzo dei tuoi santi Apostoli, e lo conduci attraverso i tempi, sotto la guida di coloro che tu stesso hai eletto vicari del tuo Figlio e hai costituito pastori.[349]

La missione degli Apostoli

551 858 Gesù è l'Inviato del Padre. Fin dall'inizio del suo ministero, « chiamò a sé quelli che egli volle... Ne costituì Dodici che stessero con lui e anche per mandarli a predicare » (*Mc* 3,13-14). Da quel momento, essi saranno i suoi « inviati » [è questo il significato del termine greco « apostoloi »]. In loro 425; 1086 Gesù continua la sua missione: « Come il Padre ha mandato me, anch'io mando voi » (*Gv* 20,21).[350] Il loro ministero è quindi la continuazione della sua missione: « Chi accoglie voi, accoglie me », dice ai Dodici (*Mt* 10,40).[351]

859 Gesù li unisce alla missione che ha ricevuto dal Padre. Come « il Figlio da sé non può fare nulla » (*Gv* 5,19.30), ma riceve tutto dal Padre che lo ha inviato, così coloro che Gesù invia non possono fare nulla senza di lui,[352] dal quale ricevono il mandato della missione e il potere di compierla. Gli 876 Apostoli di Cristo sanno di essere resi da Dio « ministri adatti di una Nuova Alleanza » (*2 Cor* 3,6), « ministri di Dio » (*2 Cor* 6,4), « ambasciatori per Cristo » (*2 Cor* 5,20), « ministri di Cristo e amministratori dei misteri di Dio » (*1 Cor* 4,1).

860 Nella missione degli Apostoli c'è un aspetto che non può essere tra- 642 smesso: essere i testimoni scelti della Risurrezione del Signore e le fondamenta della Chiesa. Ma vi è anche un aspetto permanente della loro missione. Cristo ha promesso di rimanere *con loro* sino alla fine del mondo.[353] La 765 « missione divina, affidata da Cristo agli Apostoli, dovrà durare sino alla fine dei secoli, poiché il Vangelo che essi devono trasmettere è per la Chiesa 1536 principio di tutta la sua vita in ogni tempo. Per questo gli Apostoli... ebbero cura di costituirsi dei successori ».[354]

I vescovi successori degli Apostoli

861 « Perché la missione loro affidata venisse continuata dopo la loro 77 morte, [gli Apostoli] lasciarono quasi in testamento ai loro immediati coo-

[349] *Messale Romano,* Prefazio degli Apostoli I.
[350] Cf *Gv* 13,20; 17,18.
[351] Cf *Lc* 10,16.
[352] Cf *Gv* 15,5.
[353] Cf *Mt* 28,20.
[354] Conc. Ecum. Vat. II, *Lumen gentium,* 20.

peratori l'incarico di completare e consolidare l'opera da essi incominciata, raccomandando loro di attendere a tutto il gregge, nel quale lo Spirito Santo li aveva posti per pascere la Chiesa di Dio. Essi stabilirono dunque questi uomini e in seguito diedero disposizione che, quando essi fossero morti, altri uomini provati prendessero la successione del loro ministero ».[355] 1087

862 « Come quindi permane l'ufficio dal Signore concesso singolarmente a Pietro, il primo degli Apostoli, e da trasmettersi ai suoi successori, così permane l'ufficio degli Apostoli di pascere la Chiesa, da esercitarsi ininterrottamente dal sacro ordine dei vescovi ». Perciò la Chiesa insegna che « i vescovi per divina istituzione sono succeduti al posto degli Apostoli, quali pastori della Chiesa: chi li ascolta, ascolta Cristo, chi li disprezza, disprezza Cristo e colui che Cristo ha mandato ».[356] 880 1556

L'APOSTOLATO

863 Tutta la Chiesa è apostolica in quanto rimane in comunione di fede e di vita con la sua origine attraverso i successori di san Pietro e degli Apostoli. Tutta la Chiesa è apostolica, in quanto è « inviata » in tutto il mondo; tutti i membri della Chiesa, sia pure in modi diversi, partecipano a questa missione. « La vocazione cristiana infatti è per sua natura anche vocazione all'apostolato ». « Si chiama apostolato » « tutta l'attività del Corpo mistico » ordinata alla « diffusione del regno di Cristo su tutta la terra ».[357] 900 2472

864 « Siccome la fonte e l'origine di tutto l'apostolato della Chiesa è Cristo, mandato dal Padre, è evidente che la fecondità dell'apostolato », sia quello dei ministri ordinati sia quello « dei laici, dipende dalla loro unione vitale con Cristo ».[358] Secondo le vocazioni, le esigenze dei tempi, i vari doni dello Spirito Santo, l'apostolato assume le forme più diverse. Ma la carità, attinta soprattutto nell'Eucaristia, rimane sempre « come l'anima di tutto l'apostolato ».[359] 828 824 1324

865 La Chiesa è *una, santa, cattolica* e *apostolica* nella sua identità profonda e ultima, perché in essa già esiste e si compirà alla fine dei tempi « il Regno dei cieli », « il Regno di Dio »,[360] che è venuto nella Persona di Cristo e che misteriosamente cresce nel cuore di coloro che a lui sono incorporati, 811 541

[355] CONC. ECUM. VAT. II, *Lumen gentium,* 20; cf SAN CLEMENTE DI ROMA, *Epistula ad Corinthios,* 42; 44.
[356] CONC. ECUM. VAT. II, *Lumen gentium,* 20.
[357] CONC. ECUM. VAT. II, *Apostolicam actuositatem,* 2.
[358] Cf *Gv* 15,5; CONC. ECUM. VAT. II, *Apostolicam actuositatem,* 4.
[359] CONC. ECUM. VAT. II, *Apostolicam actuositatem,* 3.
[360] Cf *Ap* 19,6.

fino alla sua piena manifestazione escatologica. Allora *tutti* gli uomini da lui redenti, in lui resi « *santi* e immacolati al cospetto » di Dio « nella carità » (*Ef* 1,4) saranno riuniti come *l'unico* Popolo di Dio, « la sposa dell'Agnello » (*Ap* 21,9), « la città santa » che scende « dal cielo, da Dio, risplendente della gloria di Dio » (*Ap* 21,10-11); e « le mura della città poggiano su dodici basamenti, sopra i quali sono i dodici nomi dei *dodici Apostoli dell'Agnello* » (*Ap* 21,14).

In sintesi

866 *La Chiesa è* una: *essa ha un solo Signore, professa una sola fede, nasce da un solo Battesimo, forma un solo Corpo, vivificato da un solo Spirito, in vista di un'unica speranza,*[361] *al compimento della quale saranno superate tutte le divisioni.*

867 *La Chiesa è* santa: *il Dio Santissimo è il suo autore; Cristo, suo Sposo, ha dato se stesso per lei, per santificarla; lo Spirito di santità la vivifica. Benché comprenda in sé uomini peccatori, è senza macchia: « ex maculatis immaculata ». Nei santi risplende la sua santità; in Maria è già la tutta santa.*

868 *La Chiesa è* cattolica: *essa annunzia la totalità della fede; porta in sé e amministra la pienezza dei mezzi di salvezza; è mandata a tutti i popoli; si rivolge a tutti gli uomini; abbraccia tutti i tempi; « per sua natura è missionaria ».*[362]

869 *La Chiesa è* apostolica: *è costruita su basamenti duraturi: « i dodici Apostoli dell'Agnello »* (*Ap* 21,14); *è indistruttibile;*[363] *è infallibilmente conservata nella verità: Cristo la governa per mezzo di Pietro e degli altri Apostoli, presenti nei loro successori, il Papa e il collegio dei vescovi.*

870 *« Questa è l'unica Chiesa di Cristo, che nel Simbolo professiamo una, santa, cattolica e apostolica »... Essa « sussiste nella Chiesa cattolica, governata dal successore di Pietro e dai vescovi in comunione con lui, ancorché al di fuori del suo organismo visibile si trovino parecchi elementi di santificazione e di verità ».*[364]

[361] Cf *Ef* 4,3-5.
[362] CONC. ECUM. VAT. II, *Ad gentes,* 2.
[363] Cf *Mt* 16,18.
[364] CONC. ECUM. VAT. II, *Lumen gentium,* 8.

Paragrafo 4
I FEDELI – GERARCHIA, LAICI, VITA CONSACRATA

871 « I fedeli sono coloro che, essendo stati incorporati a Cristo mediante il Battesimo, sono costituiti Popolo di Dio e perciò, resi partecipi nel modo loro proprio dell'ufficio sacerdotale, profetico e regale di Cristo, sono chiamati ad attuare, secondo la condizione propria di ciascuno, la missione che Dio ha affidato alla Chiesa da compiere nel mondo ».[365]

1268-1269
782-786

872 « Fra tutti i fedeli, in forza della loro rigenerazione in Cristo, sussiste una vera uguaglianza nella dignità e nell'agire, e per tale uguaglianza tutti cooperano all'edificazione del Corpo di Cristo, secondo la condizione e i compiti propri di ciascuno ».[366]

1934
794

873 Le differenze stesse che il Signore ha voluto stabilire fra le membra del suo Corpo sono in funzione della sua unità e della sua missione. Infatti « c'è nella Chiesa diversità di ministeri, ma unità di missione. Gli Apostoli e i loro successori hanno avuto da Cristo l'ufficio di insegnare, santificare, reggere in suo nome e con la sua autorità. Ma i laici, resi partecipi dell'ufficio sacerdotale, profetico e regale di Cristo, nella missione di tutto il Popolo di Dio assolvono compiti propri nella Chiesa e nel mondo ».[367] Infine dai ministri sacri e dai laici « provengono fedeli i quali, con la professione dei consigli evangelici... sono consacrati in modo speciale a Dio e danno incremento alla missione salvifica della Chiesa ».[368]

814; 1937

I. La costituzione gerarchica della Chiesa

Perché il ministero ecclesiale?

874 È Cristo stesso l'origine del ministero nella Chiesa. Egli l'ha istituita, le ha dato autorità e missione, orientamento e fine:

1544

> Cristo Signore, per pascere e sempre più accrescere il Popolo di Dio, ha istituito nella sua Chiesa vari ministeri, che tendono al bene di tutto il corpo. I ministri infatti, che sono dotati di sacra potestà, sono a servizio dei loro fratelli, perché tutti coloro che appartengono al Popolo di Dio... arrivino alla salvezza.[369]

[365] *Codice di Diritto Canonico,* 204, 1; cf Conc. Ecum. Vat. II, *Lumen gentium,* 31.
[366] *Codice di Diritto Canonico,* 208; cf Conc. Ecum. Vat. II, *Lumen gentium,* 32.
[367] Conc. Ecum. Vat. II, *Apostolicam actuositatem,* 2.
[368] *Codice di Diritto Canonico,* 207, 2.
[369] Conc. Ecum. Vat. II, *Lumen gentium,* 18.

875 « E come potranno credere, senza averne sentito parlare? E come potranno sentirne parlare senza uno che lo annunzi? E come lo annunzieranno, senza essere prima inviati? » (*Rm* 10,14-15). Nessuno, né individuo né comunità, può annunziare a se stesso il Vangelo. « La fede dipende... dalla predicazione » (*Rm* 10,17). Nessuno può darsi da sé il mandato e la missione di annunziare il Vangelo. L'inviato del Signore parla e agisce non per autorità propria, ma in forza dell'autorità di Cristo; non come membro della comunità, ma parlando ad essa in nome di Cristo. Nessuno può conferire a se stesso la grazia, essa deve essere data e offerta. Ciò suppone che vi siano ministri della grazia, autorizzati e abilitati da Cristo. Da lui essi ricevono la missione e la facoltà [la « sacra potestà »] di agire « in persona di Cristo Capo ». La tradizione della Chiesa chiama « sacramento » questo ministero, attraverso il quale gli inviati di Cristo compiono e danno per dono di Dio quello che da se stessi non possono né compiere né dare. Il ministero della Chiesa viene conferito mediante uno specifico sacramento.

166 1548 1536

876 Alla natura sacramentale del ministero ecclesiale è intrinsecamente legato il *carattere di servizio*. I ministri, infatti, in quanto dipendono interamente da Cristo, il quale conferisce missione e autorità, sono veramente « servi di Cristo »,[370] ad immagine di lui che ha assunto liberamente per noi « la condizione di servo » (*Fil* 2,7). Poiché la parola e la grazia di cui sono i ministri non sono le loro, ma quelle di Cristo che le ha loro affidate per gli altri, essi si faranno liberamente servi di tutti.[371]

1551 427

877 Allo stesso modo, è proprio della natura sacramentale del ministero ecclesiale avere un *carattere collegiale*. Infatti il Signore Gesù, fin dall'inizio del suo ministero, istituì i Dodici, che « furono ad un tempo il seme del Nuovo Israele e l'origine della sacra gerarchia ».[372] Scelti insieme, sono anche mandati insieme, e la loro unione fraterna sarà al servizio della comunione fraterna di tutti i fedeli; essa sarà come un riflesso e una testimonianza della comunione delle persone divine.[373] Per questo ogni vescovo esercita il suo ministero in seno al collegio episcopale, in comunione col vescovo di Roma, successore di san Pietro e capo del collegio; i sacerdoti esercitano il loro ministero in seno al presbiterio della diocesi, sotto la direzione del loro vescovo.

1559

878 Infine è proprio della natura sacramentale del ministero ecclesiale avere un *carattere personale*. Se i ministri di Cristo agiscono in comunione,

[370] Cf *Rm* 1,1.
[371] Cf *1 Cor* 9,19.
[372] Conc. Ecum. Vat. II, *Ad gentes*, 5.
[373] Cf *Gv* 17,21-23.

agiscono però sempre anche in maniera personale. Ognuno è chiamato personalmente: « Tu seguimi » (*Gv* 21,22)[374] per essere, nella missione comune, testimone personale, personalmente responsabile davanti a colui che conferisce la missione, agendo « in Sua persona » e per delle persone: « Io ti battezzo nel nome del Padre... »; « Io ti assolvo... ». 1484

879 Pertanto il ministero sacramentale nella Chiesa è, ad un tempo, un servizio collegiale e personale, esercitato in nome di Cristo. Ciò si verifica sia nei legami tra il collegio episcopale e il suo capo, il successore di san Pietro, sia nel rapporto tra la responsabilità pastorale del vescovo per la sua Chiesa particolare e la sollecitudine di tutto il collegio episcopale per la Chiesa universale.

Il collegio episcopale e il suo capo, il Papa

880 Cristo, istituì i Dodici « sotto la forma di un collegio o di un gruppo stabile, del quale mise a capo Pietro, scelto di mezzo a loro ».[375] « Come san Pietro e gli altri Apostoli costituirono, per istituzione del Signore, un unico collegio apostolico, similmente il romano Pontefice, successore di Pietro, e i vescovi, successori degli Apostoli, sono tra loro uniti ».[376] 552; 862

881 Del solo Simone, al quale diede il nome di Pietro, il Signore ha fatto la pietra della sua Chiesa. A lui ne ha affidato le chiavi;[377] l'ha costituito pastore di tutto il gregge.[378] « Ma l'incarico di legare e di sciogliere, che è stato dato a Pietro, risulta essere stato pure concesso al collegio degli Apostoli, unito col suo capo ».[379] Questo ufficio pastorale di Pietro e degli altri Apostoli costituisce uno dei fondamenti della Chiesa; è continuato dai vescovi sotto il primato del Papa. 553 642

882 Il *Papa,* vescovo di Roma e successore di san Pietro, « è il perpetuo e visibile principio e fondamento dell'unità sia dei vescovi sia della moltitudine dei fedeli ».[380] « Infatti il romano Pontefice, in virtù del suo ufficio di vicario di Cristo e di pastore di tutta la Chiesa, ha sulla Chiesa la potestà piena, suprema e universale, che può sempre esercitare liberamente ».[381] 834 1369 837

[374] Cf *Mt* 4,19.21; *Gv* 1,43.
[375] Conc. Ecum. Vat. II, *Lumen gentium,* 19.
[376] *Ibid.,* 22; cf *Codice di Diritto Canonico,* 330.
[377] Cf *Mt* 16,18-19.
[378] Cf *Gv* 21,15-17.
[379] Conc. Ecum. Vat. II, *Lumen gentium,* 22.
[380] *Ibid.,* 23.
[381] *Ibid.,* 22; cf Id., *Christus Dominus,* 2; 9.

883 « Il *collegio o corpo episcopale* non ha... autorità, se non lo si concepisce insieme con il romano Pontefice..., quale suo capo ». Come tale, questo collegio « è pure soggetto di suprema e piena potestà su tutta la Chiesa: potestà che non può essere esercitata se non con il consenso del romano Pontefice ».[382]

884 « Il collegio dei vescovi esercita in modo solenne la potestà sulla Chiesa universale nel Concilio Ecumenico ».[383] « Mai si ha Concilio Ecumenico, che come tale non sia confermato o almeno accettato dal successore di Pietro ».[384]

885 « [Il collegio episcopale] in quanto composto da molti, esprime la varietà e l'universalità del popolo di Dio; in quanto raccolto sotto un solo capo, esprime l'unità del gregge di Cristo ».[385]

1560 833 886 « I *vescovi*..., singolarmente presi, sono il principio visibile e il fondamento dell'unità nelle loro Chiese particolari ».[386] In quanto tali « esercitano il loro pastorale governo sopra la porzione del Popolo di Dio che è stata loro affidata »,[387] coadiuvati dai presbiteri e dai diaconi. Ma, in quanto membri del collegio episcopale, ognuno di loro è partecipe della sollecitudine per tutte le Chiese,[388] e la esercita innanzi tutto « reggendo bene la propria Chiesa come porzione della Chiesa universale », contribuendo così « al bene di tutto il Corpo mistico che è pure il corpo delle Chiese ».[389] Tale 2448 sollecitudine si estenderà particolarmente ai poveri,[390] ai perseguitati per la fede, come anche ai missionari che operano in tutta la terra.

887 Le Chiese particolari vicine e di cultura omogenea formano province ecclesiastiche o realtà più vaste chiamate patriarcati o regioni.[391] I vescovi di questi raggruppamenti possono riunirsi in sinodi o in concilii provinciali. Così pure, le conferenze episcopali possono, oggi, contribuire in modo molteplice e fecondo a che « lo spirito collegiale si attui concretamente ».[392]

382 Conc. Ecum. Vat. II, *Lumen gentium*, 22; cf *Codice di Diritto Canonico*, 336.
383 *Codice di Diritto Canonico*, 337, 1.
384 Conc. Ecum. Vat. II, *Lumen gentium*, 22.
385 *Ibid.*
386 *Ibid.*, 23.
387 *Ibid.*
388 Cf Conc. Ecum. Vat. II, *Christus Dominus*, 3.
389 Conc. Ecum. Vat. II, *Lumen gentium*, 23.
390 Cf *Gal* 2,10.
391 Cf Canone degli Apostoli, 34.
392 Conc. Ecum. Vat. II, *Lumen gentium*, 23.

L'UFFICIO DI INSEGNARE

85-87; 2032-2040

888 I vescovi, con i presbiteri, loro cooperatori, « hanno anzitutto il dovere di annunziare a tutti il Vangelo di Dio »,[393] secondo il comando del Signore.[394] Essi sono « gli araldi della fede, che portano a Cristo nuovi discepoli, sono i dottori autentici » della fede apostolica, « rivestiti dell'autorità di Cristo ».[395]

2068

889 Per mantenere la Chiesa nella purezza della fede trasmessa dagli Apostoli, Cristo, che è la Verità, ha voluto rendere la sua Chiesa partecipe della propria infallibilità. Mediante il « senso soprannaturale della fede », il Popolo di Dio « aderisce indefettibilmente alla fede », sotto la guida del Magistero vivente della Chiesa.[396]

92

890 La missione del Magistero è legata al carattere definitivo dell'Alleanza che Dio in Cristo ha stretto con il suo Popolo; deve salvaguardarlo dalle deviazioni e dai cedimenti, e garantirgli la possibilità oggettiva di professare senza errore l'autentica fede. Il compito pastorale del Magistero è quindi ordinato a vigilare affinché il Popolo di Dio rimanga nella verità che libera. Per compiere questo servizio, Cristo ha dotato i pastori del carisma d'infallibilità in materia di fede e di costumi. L'esercizio di questo carisma può avere parecchie modalità.

851

1785

891 « Di questa infallibilità il romano Pontefice, capo del collegio dei vescovi, fruisce in virtù del suo ufficio, quando, quale supremo pastore e dottore di tutti i fedeli, che conferma nella fede i suoi fratelli, proclama con un atto definitivo una dottrina riguardante la fede o la morale... L'infallibilità promessa alla Chiesa risiede pure nel corpo episcopale, quando questi esercita il supremo Magistero col successore di Pietro » soprattutto in un Concilio Ecumenico.[397] Quando la Chiesa, mediante il suo Magistero supremo, propone qualche cosa « da credere come rivelato da Dio » [398] e come insegnamento di Cristo, « a tali definizioni si deve aderire con l'ossequio della fede ».[399] Tale infallibilità abbraccia l'intero deposito della Rivelazione divina.[400]

892 L'assistenza divina è inoltre data ai successori degli Apostoli, che insegnano in comunione con il successore di Pietro, e, in modo speciale, al vescovo di Roma, pastore di tutta la Chiesa, quando, pur senza arrivare ad

393 CONC. ECUM. VAT. II, *Presbyterorum ordinis*, 4.
394 Cf *Mc* 16,15.
395 CONC. ECUM. VAT. II, *Lumen gentium*, 25.
396 Cf *ibid.*, 12; ID., *Dei Verbum*, 10.
397 CONC. ECUM. VAT. II, *Lumen gentium*, 25; cf Concilio Vaticano I: DENZ.-SCHÖNM., 3074.
398 CONC. ECUM. VAT. II, *Dei Verbum*, 10.
399 CONC. ECUM. VAT. II, *Lumen gentium*, 25.
400 Cf *ibid.*

una definizione infallibile e senza pronunciarsi in « maniera definitiva », propongono, nell'esercizio del Magistero ordinario, un insegnamento che porta ad una migliore intelligenza della Rivelazione in materia di fede e di costumi. A questo insegnamento ordinario i fedeli devono « aderire col religioso ossequio dello spirito »[401] che, pur distinguendosi dall'ossequio della fede, tuttavia ne è il prolungamento.

L'ufficio di santificare

893 Il vescovo « è il dispensatore della grazia del supremo sacerdozio »,[402] specialmente nell'Eucaristia che egli stesso offre o di cui assicura l'offerta mediante i presbiteri, suoi cooperatori. L'Eucaristia, infatti, è il centro della vita della Chiesa particolare. Il vescovo e i presbiteri santificano la Chiesa con la loro preghiera e il loro lavoro, con il ministero della Parola e dei sacramenti. La santificano con il loro esempio, « non spadroneggiando sulle persone » loro « affidate », ma facendosi « modelli del gregge » (*1 Pt* 5,3), in modo che « possano, insieme col gregge loro affidato, giungere alla vita eterna ».[403]

1561

L'ufficio di governare

894 « I vescovi reggono le Chiese particolari, come vicari e delegati di Cristo, col consiglio, la persuasione, l'esempio, ma anche con l'autorità e la sacra potestà »,[404] che però dev'essere da loro esercitata allo scopo di edificare, nello spirito di servizio che è proprio del loro Maestro.[405]

801

1558

895 « Questa potestà che personalmente esercitano in nome di Cristo, è propria, ordinaria e immediata, quantunque il suo esercizio sia in definitiva regolato dalla suprema autorità della Chiesa ».[406] Ma i vescovi non devono essere considerati come dei vicari del Papa, la cui autorità ordinaria e immediata su tutta la Chiesa non annulla quella dei vescovi, ma anzi la conferma e la difende. Tale autorità deve esercitarsi in comunione con tutta la Chiesa sotto la guida del Papa.

896 Il Buon Pastore sarà il modello e la « forma » dell'ufficio pastorale del vescovo. Cosciente delle proprie debolezze, « il vescovo può compatire quelli che sono nell'ignoranza o nell'errore. Non rifugga dall'ascoltare » coloro che dipendono da lui e « che cura come veri figli suoi... I fedeli poi devono

1550

[401] Conc. Ecum. Vat. II, *Lumen gentium*, 25.
[402] *Ibid.*, 26.
[403] *Ibid.*
[404] *Ibid.*, 27.
[405] Cf *Lc* 22,26-27.
[406] Conc. Ecum. Vat. II, *Lumen gentium*, 27.

aderire al vescovo come la Chiesa a Gesù Cristo e come Gesù Cristo al Padre »:[407]

> Seguite tutti il vescovo, come Gesù Cristo [segue] il Padre, e il presbiterio come gli Apostoli; quanto ai diaconi, rispettateli come la legge di Dio. Nessuno compia qualche azione riguardante la Chiesa, senza il vescovo.[408]

II. I fedeli laici

897 « Col nome di laici si intendono qui tutti i fedeli a esclusione dei membri dell'ordine sacro e dello stato religioso riconosciuto dalla Chiesa, i fedeli cioè, che, dopo essere stati incorporati a Cristo col Battesimo e costituiti Popolo di Dio, e nella loro misura resi partecipi della funzione sacerdotale, profetica e regale di Cristo, per la loro parte compiono, nella Chiesa e nel mondo, la missione propria di tutto il popolo cristiano ».[409] 873

La vocazione dei laici

898 « Per loro vocazione è proprio dei laici cercare il Regno di Dio trattando le cose temporali e ordinandole secondo Dio... A loro quindi particolarmente spetta di illuminare e ordinare tutte le realtà temporali, alle quali essi sono strettamente legati, in modo che sempre siano fatte secondo Cristo, e crescano e siano di lode al Creatore e al Redentore ».[410] 2105

899 L'iniziativa dei cristiani laici è particolarmente necessaria quando si tratta di scoprire, di ideare mezzi per permeare delle esigenze della dottrina e della vita cristiana le realtà sociali, politiche ed economiche. Questa iniziativa è un elemento normale della vita della Chiesa: 2442

> I fedeli laici si trovano sulla linea più avanzata della vita della Chiesa; grazie a loro, la Chiesa è il principio vitale della società. Per questo essi soprattutto devono avere una coscienza sempre più chiara non soltanto di appartenere alla Chiesa, ma di essere la Chiesa, cioè la comunità dei fedeli sulla terra sotto la guida dell'unico capo, il Papa, e dei vescovi in comunione con lui. Essi sono la Chiesa.[411]

900 I laici, come tutti i fedeli, in virtù del Battesimo e della Confermazione, ricevono da Dio l'incarico dell'apostolato; pertanto hanno l'obbligo e godono del diritto, individualmente o riuniti in associazioni, di impegnarsi 863

[407] Conc. Ecum. Vat. II, *Lumen gentium,* 27.
[408] Sant'Ignazio di Antiochia, *Epistula ad Smyrnaeos,* 8, 1.
[409] Conc. Ecum. Vat. II, *Lumen gentium,* 31.
[410] *Ibid.,* 31.
[411] Pio XII, discorso del 20 febbraio 1946: citato da Giovanni Paolo II, Esort. ap. *Christifideles laici,* 9.

affinché il messaggio divino della salvezza sia conosciuto e accolto da tutti gli uomini e su tutta la terra; tale obbligo è ancora più pressante nei casi in cui solo per mezzo loro gli uomini possono ascoltare il Vangelo e conoscere Cristo. Nelle comunità ecclesiali, la loro azione è così necessaria che, senza di essa, l'apostolato dei pastori, la maggior parte delle volte, non può raggiungere il suo pieno effetto.[412]

La partecipazione dei laici all'ufficio sacerdotale di Cristo

784; 1268 901 « I laici, essendo dedicati a Cristo e consacrati dallo Spirito Santo, sono in modo mirabile chiamati e istruiti perché lo Spirito produca in essi frutti sempre più copiosi. Tutte infatti le opere, le preghiere e le iniziative apostoliche, la vita coniugale e familiare, il lavoro giornaliero, il sollievo spirituale e corporale, se sono compiute nello Spirito, e persino le molestie della vita se sono sopportate con pazienza, diventano « sacrifici spirituali graditi a Dio per mezzo di Gesù Cristo » (*1 Pt* 2,5); e queste cose nella celebrazione dell'Eucaristia sono piissimamente offerte al Padre insieme all'oblazione del Corpo del Signore. Così anche i laici, operando santamente 358 dappertutto come adoratori, consacrano a Dio il mondo stesso ».[413]

902 In modo particolare i genitori partecipano all'ufficio di santificazione « conducendo la vita coniugale secondo lo spirito cristiano e attendendo all'educazione cristiana dei figli ».[414]

1143 903 I laici, se hanno le doti richieste, possono essere assunti stabilmente ai ministeri di lettori e di accoliti.[415] « Ove le necessità della Chiesa lo suggeriscano, in mancanza di ministri, anche i laici, pur senza essere lettori o accoliti, possono supplire alcuni dei loro uffici, cioè esercitare il ministero della Parola, presiedere alle preghiere liturgiche, amministrare il Battesimo e distribuire la sacra Comunione, secondo le disposizioni del diritto ».[416]

La loro partecipazione all'ufficio profetico di Cristo

785 904 « Cristo... adempie la sua funzione profetica... non solo per mezzo della gerarchia... ma anche per mezzo dei laici, che perciò costituisce suoi testi- 22 moni » dotandoli « del senso della fede e della grazia della parola »:[417]

[412] Cf Conc. Ecum. Vat. II, *Lumen gentium,* 33.
[413] *Ibid.,* 34; cf 10.
[414] *Codice di Diritto Canonico,* 835, 4.
[415] Cf *ibid.,* 230, 1.
[416] *Ibid.,* 230, 3.
[417] Conc. Ecum. Vat. II, *Lumen gentium,* 35.

Istruire qualcuno per condurlo alla fede è il compito di ogni predicatore e anche di ogni credente.[418]

905 I laici compiono la loro missione profetica anche mediante l'evangelizzazione, cioè con l'annunzio di Cristo « fatto con la testimonianza della vita e con la parola ». Questa azione evangelizzatrice ad opera dei laici « acquista una certa nota specifica e una particolare efficacia, dal fatto che viene compiuta nelle comuni condizioni del secolo »:[419] 2044

Tale apostolato non consiste nella sola testimonianza della vita: il vero apostolo cerca le occasioni per annunziare Cristo con la parola, sia ai credenti... sia agli infedeli.[420] 2472

906 Tra i fedeli laici coloro che ne sono capaci e che vi si preparano possono anche prestare la loro collaborazione alla formazione catechistica,[421] all'insegnagnamento delle scienze sacre,[422] ai mezzi di comunicazione sociale.[423] 2495

907 « In modo proporzionato alla scienza, alla competenza e al prestigio di cui godono, essi hanno il diritto, e anzi talvolta anche il dovere, di manifestare ai sacri pastori il loro pensiero su ciò che riguarda il bene della Chiesa; e di renderlo noto agli altri fedeli, salva restando l'integrità della fede e dei costumi e il rispetto verso i pastori, tenendo inoltre presente l'utilità comune e la dignità della persona ».[424]

La loro partecipazione all'ufficio regale di Cristo

908 Mediante la sua obbedienza fino alla morte,[425] Cristo ha comunicato ai suoi discepoli il dono della libertà regale, « perché con l'abnegazione di sé e la vita santa vincano in se stessi il regno del peccato ».[426] 786

Colui che sottomette il proprio corpo e governa la sua anima senza lasciarsi sommergere dalle passioni è padrone di sé: può essere chiamato re perché è capace di governare la propria persona; è libero e indipendente e non si lascia imprigionare da una colpevole schiavitù.[427]

909 « Inoltre i laici, anche mettendo in comune la loro forza, risanino le istituzioni e le condizioni di vita del mondo, se ve ne sono che spingano i 1887

[418] San Tommaso d'Aquino, *Summa theologiae,* III, 71, 4, ad 3.
[419] Conc. Ecum. Vat. II, *Lumen gentium,* 35.
[420] Conc. Ecum. Vat. II, *Apostolicam actuositatem,* 6; cf Id., *Ad gentes,* 15.
[421] Cf *Codice di Diritto Canonico,* 774; 776; 780.
[422] Cf *ibid.,* 229.
[423] Cf *ibid.,* 823, 1.
[424] *Ibid.,* 212, 3.
[425] Cf *Fil* 2,8-9.
[426] Conc. Ecum. Vat. II, *Lumen gentium,* 36.
[427] Sant'Ambrogio, *Expositio Psalmi CXVIII,* 14, 30: PL 15, 1403A.

costumi al peccato, così che tutte siano rese conformi alle norme della giustizia e, anziché ostacolare, favoriscano l'esercizio delle virtù. Così agendo impregneranno di valore morale la cultura e i lavori dell'uomo ».[428]

910 « I laici possono anche sentirsi chiamati o essere chiamati a collaborare con i loro pastori nel servizio della comunità ecclesiale, per la crescita e la vitalità della medesima, esercitando ministeri diversissimi, secondo la grazia e i carismi che il Signore vorrà loro dispensare ».[429] 799

911 Nella Chiesa, « i fedeli possono cooperare a norma del diritto all'esercizio della potestà di governo » [430] e questo mediante la loro presenza nei Concili particolari,[431] nei Sinodi diocesani,[432] nei Consigli pastorali; [433] nell'esercizio « in solidum » della cura pastorale di una parrocchia; [434] nella collaborazione ai Consigli degli affari economici; [435] nella partecipazione ai tribunali ecclesiastici.[436]

2245 912 I fedeli devono « distinguere accuratamente tra i diritti e i doveri, che loro incombono in quanto sono aggregati alla Chiesa, e quelli che loro competono in quanto membri della società umana. Cerchino di metterli in armonia, ricordandosi che in ogni cosa temporale devono essere guidati dalla coscienza cristiana, poiché nessuna attività umana, neanche in materia temporale, può essere sottratta al dominio di Dio ».[437]

913 « Così ogni laico, in ragione degli stessi doni ricevuti, è un testimone e insieme uno strumento vivo della missione della Chiesa stessa "secondo la misura del dono di Cristo" (*Ef* 4,7) ».[438]

III. La vita consacrata

2103 914 « Lo stato [di vita] che è costituito dalla professione dei consigli evangelici, pur non appartenendo alla struttura gerarchica della Chiesa, interessa tuttavia indiscutibilmente alla sua vita e alla sua santità ».[439]

[428] Conc. Ecum. Vat. II, *Lumen gentium,* 36.
[429] Paolo VI, Esort. ap. *Evangelii nuntiandi,* 73.
[430] *Codice di Diritto Canonico,* 129, 2.
[431] Cf *ibid.,* 443, 4.
[432] Cf *ibid.,* 463, 1. 2.
[433] Cf *ibid.,* 511; 536.
[434] Cf *ibid.,* 517, 2.
[435] Cf *ibid.,* 492, 1; 536.
[436] Cf *ibid.,* 1421, 2.
[437] Conc. Ecum. Vat. II, *Lumen gentium,* 36.
[438] *Ibid.,* 33.
[439] *Ibid.,* 44.

CONSIGLI EVANGELICI, VITA CONSACRATA

915 I consigli evangelici, nella loro molteplicità, sono proposti ad ogni discepolo di Cristo. La perfezione della carità, alla quale tutti i fedeli sono chiamati, comporta per coloro che liberamente accolgono la vocazione alla vita consacrata, l'obbligo di praticare la castità nel celibato per il Regno, la povertà e l'obbedienza. È la *professione* di tali consigli, in uno stato di vita stabile riconosciuto dalla Chiesa, che caratterizza la « vita consacrata » a Dio.[440]

1973-1974

916 Lo stato religioso appare quindi come uno dei modi di conoscere una consacrazione « più intima », che si radica nel Battesimo e dedica totalmente a Dio.[441] Nella vita consacrata, i fedeli di Cristo si propongono, sotto la mozione dello Spirito Santo, di seguire Cristo più da vicino, di donarsi a Dio amato sopra ogni cosa e, tendendo alla perfezione della carità a servizio del Regno, di significare e annunziare nella Chiesa la gloria del mondo futuro.[442]

2687 933

UN GRANDE ALBERO DAI MOLTI RAMI

917 « Come in un albero piantato da Dio e in un modo mirabile e molteplice ramificatosi nel campo del Signore, sono cresciute varie forme di vita solitaria o comune e varie famiglie, che si sviluppano sia per il profitto dei loro membri, sia per il bene di tutto il Corpo di Cristo ».[443]

2684

918 « Fin dai primi tempi della Chiesa vi furono uomini e donne che per mezzo della pratica dei consigli evangelici intesero seguire Cristo con maggiore libertà e imitarlo più da vicino e condussero, ciascuno a loro modo, una vita consacrata a Dio. Molti di essi, dietro l'impulso dello Spirito Santo, o vissero una vita solitaria o fondarono famiglie religiose, che la Chiesa con la sua autorità volentieri accolse e approvò ».[444]

919 I vescovi si premureranno sempre di discernere i nuovi doni della vita consacrata affidati dallo Spirito Santo alla sua Chiesa; l'approvazione di nuove forme di vita consacrata è riservata alla Sede Apostolica.[445]

LA VITA EREMITICA

920 Senza professare sempre pubblicamente i tre consigli evangelici, gli eremiti, « in una più rigorosa separazione dal mondo, nel silenzio della soli-

[440] Cf CONC. ECUM. VAT. II, *Lumen gentium,* 42-43; ID., *Perfectae caritatis,* 1.
[441] Cf CONC. ECUM. VAT. II, *Perfectae caritatis,* 5.
[442] Cf *Codice di Diritto Canonico,* 573.
[443] CONC. ECUM. VAT. II, *Lumen gentium,* 43.
[444] CONC. ECUM. VAT. II, *Perfectae caritatis,* 1.
[445] Cf *Codice di Diritto Canonico,* 605.

tudine e nella continua preghiera e nella penitenza, dedicano la propria vita alla lode di Dio e alla salvezza del mondo ».[446]

2719 921 Essi indicano a ciascuno quell'aspetto interiore del mistero della Chiesa che è l'intimità personale con Cristo. Nascosta agli occhi degli uomini, la vita dell'eremita è predicazione silenziosa di colui al quale ha consegnato la sua vita, poiché egli è tutto per lui. È una chiamata particolare a trovare nel 2015 deserto, proprio nel combattimento spirituale, la gloria del Crocifisso.

Le vergini consacrate

1618-1620 922 Fin dai tempi apostolici, ci furono vergini cristiane che, chiamate dal Signore a dedicarsi esclusivamente a lui [447] in una maggiore libertà di cuore, di corpo e di spirito, hanno preso la decisione, approvata dalla Chiesa, di vivere nello stato di verginità « per il Regno dei cieli » (*Mt* 19,12).

923 « Emettendo il santo proposito di seguire Cristo più da vicino, [le ver- 1537 gini] dal vescovo diocesano sono consacrate a Dio secondo il rito liturgico approvato e, unite in mistiche nozze a Cristo Figlio di Dio, si dedicano al 1672 servizio della Chiesa ».[448] Mediante questo rito solenne,[449] « la vergine è costituita persona consacrata » quale « segno trascendente dell'amore della Chiesa verso Cristo, immagine escatologica della Sposa celeste e della vita futura ».[450]

924 « Assimilato alle altre forme di vita consacrata »,[451] l'ordine delle vergini stabilisce la donna che vive nel mondo (o la monaca) nella preghiera, nella penitenza, nel servizio dei fratelli e nel lavoro apostolico, secondo lo stato e i rispettivi carismi offerti ad ognuna.[452] Le vergini consacrate possono associarsi al fine di mantenere più fedelmente il loro proposito.[453]

La vita religiosa

925 Nata in Oriente nei primi secoli del cristianesimo [454] e continuata negli istituti canonicamente eretti dalla Chiesa,[455] la vita religiosa si distingue dalle

[446] *Codice di Diritto Canonico,* 603, 1.
[447] Cf *1 Cor* 7,34-36.
[448] *Codice di Diritto Canonico,* 604, 1.
[449] *Consecratio virginum.*
[450] Pontificale romano, *Consacrazione delle vergini,* Premesse, 1.
[451] *Codice di Diritto canonico,* 604, 1.
[452] Pontificale romano, *Consacrazione delle vergini,* Premesse, 2.
[453] Cf *Codice di Diritto Canonico,* 604, 2.
[454] Cf Conc. Ecum. Vat. II, *Unitatis redintegratio,* 15.
[455] Cf *Codice di Diritto Canonico,* 573.

altre forme di vita consacrata per l'aspetto cultuale, la professione pubblica dei consigli evangelici, la vita fraterna condotta in comune, la testimonianza resa all'unione di Cristo e della Chiesa.[456] 1672

926 La vita religiosa sgorga dal mistero della Chiesa. È un dono che la Chiesa riceve dal suo Signore e che essa offre come uno stato di vita stabile al fedele chiamato da Dio nella professione dei consigli. Così la Chiesa può manifestare Cristo e insieme riconoscersi Sposa del Salvatore. Alla vita religiosa, nelle sue molteplici forme, è chiesto di esprimere la carità stessa di Dio, nel linguaggio del nostro tempo. 796

927 Tutti i religiosi, esenti o no,[457] sono annoverati fra i cooperatori del vescovo diocesano nel suo ufficio pastorale.[458] La fondazione e l'espansione missionaria della Chiesa richiedono la presenza della vita religiosa in tutte le sue forme fin dagli inizi dell'evangelizzazione.[459] « La storia attesta i grandi meriti delle famiglie religiose nella propagazione della fede e nella formazione di nuove Chiese, dalle antiche istituzioni monastiche e dagli Ordini medievali fino alle moderne Congregazioni ».[460] 854

Gli istituti secolari

928 « L'Istituto secolare è un istituto di vita consacrata in cui i fedeli, vivendo nel mondo, tendono alla perfezione della carità e si impegnano per la santificazione del mondo, soprattutto operando all'interno di esso ».[461]

929 Mediante una « vita perfettamente e interamente consacrata a [tale] santificazione »,[462] i membri di questi istituti « partecipano della funzione evangelizzatrice della Chiesa », « nel mondo e dal mondo », in cui la loro presenza agisce « come un fermento ».[463] La loro testimonianza di vita cristiana mira a ordinare secondo Dio le realtà temporali e vivificare il mondo con la forza del Vangelo. Essi assumono con vincoli sacri i consigli evangelici e custodiscono tra loro la comunione e la fraternità che sono proprie al loro modo di vita secolare.[464] 901

[456] Cf *Codice di Diritto Canonico,* 607.
[457] Cf *ibid.,* 591.
[458] Cf Conc. Ecum. Vat. II, *Christus Dominus,* 33-35.
[459] Cf Conc. Ecum. Vat. II, *Ad gentes,* 18; 40.
[460] Giovanni Paolo II, Lett. enc. *Redemptoris missio,* 69.
[461] *Codice di Diritto Canonico,* 710.
[462] Pio XII, Cost. ap. *Provida Mater.*
[463] Conc. Ecum. Vat. II, *Perfectae caritatis,* 11.
[464] Cf *Codice di Diritto Canonico,* 713, 2.

Le società di vita apostolica

930 Alle diverse forme di vita consacrata « sono assimilate le società di vita apostolica i cui membri, senza i voti religiosi, perseguono il fine apostolico proprio della società e, conducendo vita fraterna in comunità secondo un proprio stile, tendono alla perfezione della carità mediante l'osservanza delle costituzioni. Fra queste vi sono società i cui membri assumono i consigli evangelici », secondo le loro costituzioni.[465]

Consacrazione e missione: annunziare il Re che viene

931 Consegnato a Dio sommamente amato, colui che già era stato votato a lui dal Battesimo, si trova in tal modo più intimamente consacrato al servizio divino e dedito al bene della Chiesa. Con lo stato di consacrazione a Dio, la Chiesa manifesta Cristo e mostra come lo Spirito Santo agisca in essa in modo mirabile. Coloro che professano i consigli evangelici hanno, dunque, come prima missione, quella di vivere la loro consacrazione. Ma « dal momento che si dedicano al servizio della Chiesa in forza della stessa consacrazione, sono tenuti all'obbligo di prestare l'opera loro in modo speciale nell'azione missionaria, con lo stile proprio dell'Istituto ».[466]

775 932 Nella Chiesa che è come il sacramento, cioè il segno e lo strumento della vita di Dio, la vita consacrata appare come un segno particolare del mistero della Redenzione. Seguire e imitare Cristo « più da vicino », manifestare « più chiaramente » il suo annientamento, significa trovarsi « più profondamente » presenti, nel cuore di Cristo, ai propri contemporanei. Coloro, infatti, che camminano in questa via « più stretta » stimolano con il proprio esempio i loro fratelli e « testimoniano in modo splendido che il mondo non può essere trasfigurato e offerto a Dio senza lo spirito delle beatitudini ».[467]

933 Che tale testimonianza, sia pubblica, come nello stato religioso, oppure più discreta, o addirittura segreta, la venuta di Cristo rimane per tutti i consacrati l'origine e l'orientamento della loro vita: (672)

769

> Poiché il Popolo di Dio non ha qui città permanente,... lo stato religioso... rende visibile per tutti i credenti la presenza, già in questo mondo, dei beni celesti; meglio testimonia la vita nuova ed eterna acquistata dalla Redenzione di Cristo, e meglio preannunzia la futura risurrezione e la gloria del Regno celeste ».[468]

[465] *Codice di Diritto Canonico,* 731, 1. 2.
[466] *Ibid.,* 783; cf Giovanni Paolo II, Lett. enc. *Redemptoris missio,* 69.
[467] Conc. Ecum. Vat. II, *Lumen gentium,* 31.
[468] *Ibid.,* 44.

In sintesi

934 *« Per istituzione divina vi sono nella Chiesa i ministri sacri, che nel diritto sono chiamati anche chierici; gli altri fedeli poi sono chiamati anche laici. Dagli uni e dagli altri provengono fedeli i quali, con la professione dei consigli evangelici... sono consacrati in modo speciale a Dio e danno incremento alla missione salvifica della Chiesa ».*[469]

935 *Per annunziare la fede e instaurare il suo Regno, Cristo invia i suoi Apostoli e i loro successori. Li rende partecipi della sua missione. Da lui ricevono il potere di agire in sua persona.*

936 *Il Signore ha fatto di san Pietro il fondamento visibile della sua Chiesa. A lui ne ha affidato le chiavi. Il vescovo della Chiesa di Roma, successore di san Pietro, è « capo del collegio dei vescovi, vicario di Cristo e pastore qui in terra della Chiesa universale ».*[470]

937 *Il Papa « è per divina istituzione rivestito di un potere supremo, pieno, immediato e universale per il bene delle anime ».*[471]

938 *I vescovi, costituiti per mezzo dello Spirito Santo, succedono agli Apostoli. « Singolarmente presi, sono il principio visibile e il fondamento dell'unità nelle loro Chiese particolari ».*[472]

939 *Aiutati dai presbiteri, loro cooperatori, e dai diaconi, i vescovi hanno l'ufficio di insegnare autenticamente la fede, di celebrare il culto divino, soprattutto l'Eucarestia, e di guidare la loro Chiesa da veri pastori. È inerente al loro ufficio anche la sollecitudine per tutte le Chiese, con il Papa e sotto di lui.*

940 *I laici, essendo proprio del loro stato che « vivano nel mondo e in mezzo agli affari secolari, sono chiamati da Dio affinché, ripieni di spirito cristiano, a modo di fermento esercitino nel mondo il loro apostolato ».*[473]

941 *I laici partecipano al sacerdozio di Cristo: sempre più uniti a lui, dispiegano la grazia del Battesimo e della Confermazione in tutte le dimensioni della vita personale, familiare, sociale ed ecclesiale, e realizzano così la chiamata alla santità rivolta a tutti i battezzati.*

[469] *Codice di Diritto Canonico,* 207, 1. 2.
[470] *Ibid.,* 331.
[471] Conc. Ecum. Vat. II, *Christus Dominus,* 2.
[472] Conc. Ecum. Vat. II, *Lumen gentium,* 23.
[473] Conc. Ecum. Vat. II, *Apostolicam actuositatem,* 2.

942 *Grazie alla loro missione profetica, « i laici sono chiamati anche ad essere testimoni di Cristo in mezzo a tutti, e cioè pure in mezzo alla società umana ».*[474]

943 *Grazie alla loro missione regale, i laici hanno il potere di vincere in se stessi e nel mondo il regno del peccato con l'abnegazione di sé e la santità della loro vita.*[475]

944 *La vita consacrata a Dio si caratterizza mediante la professione pubblica dei consigli evangelici di povertà, castità e obbedienza in uno stato di vita stabile riconosciuto dalla Chiesa.*

945 *Consegnato a Dio sommamente amato, colui che era già stato destinato a lui dal Battesimo, si trova, nello stato di vita consacrata, più intimamente votato al servizio divino e dedito al bene di tutta la Chiesa.*

Paragrafo 5

1474-1477

LA COMUNIONE DEI SANTI

946 Dopo aver confessato « la santa Chiesa cattolica », il Simbolo degli Apostoli aggiunge « la comunione dei santi ». Questo articolo è, per certi 823 aspetti, una esplicitazione del precedente: « Che cosa è la Chiesa se non l'assemblea di tutti i santi? ».[476] La comunione dei santi è precisamente la Chiesa.

947 « Poiché tutti i credenti formano un solo corpo, il bene degli uni è comunicato agli altri... Allo stesso modo bisogna credere che esista una comunione di beni nella Chiesa. Ma il membro più importante è Cristo, poiché è 790 il Capo... Pertanto, il bene di Cristo è comunicato a tutte le membra; ciò avviene mediante i sacramenti della Chiesa ».[477] « L'unità dello Spirito, da cui la Chiesa è animata e retta, fa sì che tutto quanto essa possiede sia comune a tutti coloro che vi appartengono ».[478]

948 Il termine « comunione dei santi » ha pertanto due significati, stretta- 1331 mente legati: « comunione alle cose sante ["sancta"] » e « comunione tra le persone sante ["sancti"] ».

« Sancta sanctis! » — le cose sante ai santi — viene proclamato dal celebrante nella maggior parte delle liturgie orientali, al momento dell'elevazione dei santi

[474] Cf Conc. Ecum. Vat. II, *Gaudium et spes,* 43.
[475] Cf Conc. Ecum. Vat. II, *Lumen gentium,* 36.
[476] Niceta, *Explanatio symboli,* 10: PL 52, 871B.
[477] San Tommaso d'Aquino, *Expositio in symbolum apostolicum,* 10.
[478] *Catechismo Romano,* 1, 10, 24.

Doni, prima della distribuzione della Comunione. I fedeli ["sancti"] vengono nutriti del Corpo e del Sangue di Cristo ["sancta"] per crescere nella comunione dello Spirito Santo ["koinonia"] e comunicarla al mondo.

I. La comunione dei beni spirituali

949 Nella prima comunità di Gerusalemme, i discepoli « erano assidui nell'ascoltare l'insegnamento degli Apostoli e nell'unione fraterna, nella frazione del pane e nelle preghiere » (*At* 2,42).

La *comunione nella fede*. La fede dei fedeli è la fede *della Chiesa* ricevuta dagli Apostoli, tesoro di vita che si accresce mentre viene condiviso. 185

950 La *comunione dei sacramenti*. « Il frutto di tutti i sacramenti appartiene così a tutti i fedeli, i quali per mezzo dei sacramenti stessi, come altrettante arterie misteriose, sono uniti e incorporati in Cristo. Soprattutto il Battesimo è al tempo stesso porta per cui si entra nella Chiesa e vincolo dell'unione a Cristo... La comunione dei santi significa questa unione operata dai sacramenti... Il nome di "comunione" conviene a tutti i sacramenti in quanto ci uniscono a Dio...; più propriamente però esso si addice all'Eucaristia che in modo affatto speciale attua questa intima e vitale comunione soprannaturale ».[479] 1130 1331

951 La *comunione dei carismi*. Nella comunione della Chiesa, lo Spirito Santo « dispensa pure tra i fedeli di ogni ordine grazie speciali » per l'edificazione della Chiesa.[480] Ora « a ciascuno è data una manifestazione particolare dello Spirito per l'utilità comune » (*1 Cor* 12,7). 799

952 « *Ogni cosa era fra loro comune* » (*At* 4,32). « Il cristiano veramente tale nulla possiede di così strettamente suo che non lo debba ritenere in comune con gli altri, pronto quindi a sollevare la miseria dei fratelli più poveri ».[481] Il cristiano è un amministratore dei beni del Signore.[482] 2402

953 La *comunione della carità*. Nella « comunione dei santi » « nessuno di noi vive per se stesso e nessuno muore per se stesso » (*Rm* 14,7). « Se un membro soffre, tutte le membra soffrono insieme; e se un membro è onorato, tutte le membra gioiscono con lui. Ora voi siete corpo di Cristo e sue membra, ciascuno per la sua parte » (*1 Cor* 12,26-27). « La carità non cerca il suo interesse » (*1 Cor* 13,5).[483] Il più piccolo dei nostri atti compiuto nella 1827 2011

[479] *Catechismo Romano,* 1, 10, 24.
[480] CONC. ECUM. VAT. II, *Lumen gentium,* 12.
[481] *Catechismo Romano,* 1, 10, 27.
[482] Cf *Lc* 16,1-3.
[483] Cf *1 Cor* 10,24.

carità ha ripercussioni benefiche per tutti, in forza di questa solidarietà con tutti gli uomini, vivi o morti, solidarietà che si fonda sulla comunione dei santi. Ogni peccato nuoce a questa comunione. 845; 1469

II. La comunione della Chiesa del cielo e della terra

771; 1031; 1023

954 *I tre stati della Chiesa.* « Fino a che il Signore non verrà nella sua gloria e tutti gli angeli con lui e, distrutta la morte, non gli saranno sottomesse tutte le cose, alcuni dei suoi discepoli sono pellegrini sulla terra, altri che sono passati da questa vita stanno purificandosi, altri infine godono della gloria contemplando "chiaramente Dio uno e trino, qual è" »:[484]

> Tutti però, sebbene in grado e modo diverso, comunichiamo nella stessa carità di Dio e del prossimo e cantiamo al nostro Dio lo stesso inno di gloria. Tutti quelli che sono di Cristo, infatti, avendo il suo Spirito formano una sola Chiesa e sono tra loro uniti in lui.[485]

955 « L'unione... di coloro che sono in cammino coi fratelli morti nella pace di Cristo non è minimamente spezzata, anzi, secondo la perenne fede della Chiesa, è consolidata dalla comunicazione dei beni spirituali ».[486]

1370; 2683

956 *L'intercessione dei santi.* « A causa infatti della loro più intima unione con Cristo i beati rinsaldano tutta la Chiesa nella santità... non cessano di intercedere per noi presso il Padre, offrendo i meriti acquistati in terra mediante Gesù Cristo, unico Mediatore tra Dio e gli uomini... La nostra debolezza quindi è molto aiutata dalla loro fraterna sollecitudine »:[487]

> Non piangete. Io vi sarò più utile dopo la mia morte e vi aiuterò più efficacemente di quando ero in vita.[488]
>
> Passerò il mio cielo a fare del bene sulla terra.[489]

1173

957 *La comunione con i santi.* « Non veneriamo la memoria dei santi solo a titolo d'esempio, ma più ancora perché l'unione di tutta la Chiesa nello Spirito sia consolidata dall'esercizio della fraterna carità. Poiché come la cristiana comunione tra coloro che sono in cammino ci porta più vicino a Cristo, così la comunione con i santi ci unisce a Cristo, dal quale, come

[484] CONC. ECUM. VAT. II, *Lumen gentium,* 49.
[85] *Ibid.*
[6] *Ibid.*
[7] *Ibid.*
[4] San Domenico morente ai suoi frati, cf GIORDANO DI SASSONIA, *Libellus de principiis Ordinis praedicatorum,* 93.
[39] SANTA TERESA DI GESÙ BAMBINO, *Novissima verba.*

dalla fonte e dal capo, promana tutta la grazia e tutta la vita dello stesso Popolo di Dio »:[490]

> Noi adoriamo Cristo quale Figlio di Dio, mentre ai martiri siamo giustamente devoti in quanto discepoli e imitatori del Signore e per la loro suprema fedeltà verso il loro re e maestro; e sia dato anche a noi di farci loro compagni e condiscepoli.[491]

958 *La comunione con i defunti.* « La Chiesa di quelli che sono in cammino, riconoscendo benissimo questa comunione di tutto il corpo mistico di Gesù Cristo, fino dai primi tempi della religione cristiana ha coltivato con una grande pietà la memoria dei defunti e, poiché "santo e salutare è il pensiero di pregare per i defunti perché siano assolti dai peccati" (*2 Mac* 12,45), ha offerto per loro anche i suoi suffragi ».[492] La nostra preghiera per loro può non solo aiutarli, ma anche rendere efficace la loro intercessione in nostro favore.

1371

1032; 1689

959 *Nell'unica famiglia di Dio.* Tutti noi che « siamo figli di Dio e costituiamo in Cristo una sola famiglia, mentre comunichiamo tra di noi nella mutua carità e nell'unica lode della Trinità santissima, corrispondiamo all'intima vocazione della Chiesa ».[493]

1027

In sintesi

960 *La Chiesa è « comunione dei santi »: questa espressione designa primariamente le « cose sante »* ["*sancta*"], *e innanzi tutto l'Eucaristia con la quale « viene rappresentata e prodotta l'unità dei fedeli, che costituiscono un solo corpo in Cristo ».*[494]

961 *Questo termine designa anche la comunione delle « persone sante »* ["*sancti*"] *nel Cristo che è « morto per tutti », in modo che quanto ognuno fa o soffre in e per Cristo porta frutto per tutti.*

962 *« Noi crediamo alla comunione di tutti i fedeli di Cristo, di coloro che sono pellegrini su questa terra, dei defunti che compiono la loro purificazione e dei beati del cielo; tutti insieme formano una sola Chiesa; noi crediamo che in questa comunione l'amore misericordioso di Dio e dei suoi santi ascolta costantemente le nostre preghiere ».*[495]

[490] Conc. Ecum. Vat. II, *Lumen gentium,* 50.
[491] San Policarpo di Smirne, in *Martyrium Polycarpi,* 17.
[492] Conc. Ecum. Vat. II, *Lumen gentium,* 50.
[493] *Ibid.,* 51.
[494] *Ibid.,* 3.
[495] Paolo VI, *Credo del popolo di Dio,* 30.

Paragrafo 6

MARIA – MADRE DI CRISTO, MADRE DELLA CHIESA

484-507; 721-726 963 Dopo aver parlato del ruolo della Vergine Maria nel Mistero di Cristo e dello Spirito, è ora opportuno considerare il suo posto nel Mistero della Chiesa. « Infatti la Vergine Maria... è riconosciuta e onorata come la vera Madre di Dio e del Redentore... Insieme però... è veramente "Madre delle membra" [di Cristo]... perché ha cooperato con la sua carità alla nascita dei fedeli nella Chiesa, i quali di quel Capo sono le membra ».[496] « ...Maria Madre di Cristo, Madre della Chiesa ».[497]

I. La maternità di Maria verso la Chiesa

INTERAMENTE UNITA AL FIGLIO SUO...

964 Il ruolo di Maria verso la Chiesa è inseparabile dalla sua unione a Cristo e da essa direttamente deriva. « Questa unione della Madre col Figlio nell'opera della Redenzione si manifesta dal momento della concezione verginale di Cristo fino alla morte di lui ».[498] Essa viene particolarmente manifestata nell'ora della sua Passione:

534
> La beata Vergine ha avanzato nel cammino della fede e ha conservato fedelmente la sua unione col Figlio sino alla croce, dove, non senza un disegno divino, se ne stette ritta, soffrì profondamente col suo Figlio unigenito e si 618 associò con animo materno al sacrificio di lui, amorosamente consenziente all'immolazione della vittima da lei generata; e finalmente, dallo stesso Cristo Gesù morente in croce fu data come madre al discepolo con queste parole: « Donna, ecco il tuo figlio » (*Gv* 19,26).[499]

965 Dopo l'Ascensione del suo Figlio, Maria « con le sue preghiere aiutò le primizie della Chiesa ».[500] Riunita con gli Apostoli e alcune donne, « anche Maria implorava con le sue preghiere il dono dello Spirito, che l'aveva già presa sotto la sua ombra nell'Annunciazione ».[501]

... ANCHE NELLA SUA ASSUNZIONE...

491 966 « Infine, l'immacolata Vergine, preservata immune da ogni macchia di colpa originale, finito il corso della sua vita terrena, fu assunta alla celeste

[496] SANT'AGOSTINO, *De sancta virginitate,* 6: PL 40, 399, cit. in CONC. ECUM. VAT. II, *Lumen gentium,* 53.
[497] PAOLO VI, discorso del 21 novembre 1964.
[498] CONC. ECUM. VAT. II, *Lumen gentium,* 57.
[499] *Ibid.,* 58.
[500] *Ibid.,* 69.
[501] *Ibid.,* 59.

gloria col suo corpo e con la sua anima, e dal Signore esaltata come la Regina dell'universo, perché fosse più pienamente conformata al Figlio suo, il Signore dei dominanti, il vincitore del peccato e della morte ».[502] L'Assunzione della Santa Vergine è una singolare partecipazione alla Risurrezione del suo Figlio e un'anticipazione della risurrezione degli altri cristiani:

> Nella tua maternità hai conservato la verginità, nella tua dormizione non hai abbandonato il mondo, o Madre di Dio; hai raggiunto la sorgente della Vita, tu che hai concepito il Dio vivente e che con le tue preghiere libererai le nostre anime dalla morte.[503]

... Ella è nostra Madre nell'ordine della grazia

967 Per la sua piena adesione alla volontà del Padre, all'opera redentrice del suo Figlio, ad ogni mozione dello Spirito Santo, la Vergine Maria è il modello della fede e della carità per la Chiesa. « Per questo è riconosciuta quale sovreminente e del tutto singolare membro della Chiesa »[504] « ed è la figura ["typus"] della Chiesa ».[505] 2679 507

968 Ma il suo ruolo in rapporto alla Chiesa e a tutta l'umanità va ancora più lontano. « Ella ha cooperato in modo tutto speciale all'opera del Salvatore, con l'obbedienza, la fede, la speranza e l'ardente carità, per restaurare la vita soprannaturale delle anime. Per questo è stata per noi la Madre nell'ordine della grazia ».[506] 494

969 « Questa maternità di Maria nell'economia della grazia perdura senza soste dal momento del consenso prestato nella fede al tempo dell'Annunciazione, e mantenuto senza esitazioni sotto la croce, fino al perpetuo coronamento di tutti gli eletti. Difatti, assunta in cielo ella non ha deposto questa missione di salvezza, ma con la sua molteplice intercessione continua ad ottenerci i doni della salvezza eterna... Per questo la beata Vergine è invocata nella Chiesa con i titoli di avvocata, ausiliatrice, soccorritrice, mediatrice ».[507] 501 149 1370

970 « La funzione materna di Maria verso gli uomini in nessun modo oscura o diminuisce » l'« unica mediazione di Cristo, ma ne mostra l'efficacia. Infatti ogni salutare influsso della beata Vergine... sgorga dalla sovrabbondanza dei meriti di Cristo, si fonda sulla mediazione di lui, da essa assolutamente dipende e attinge tutta la sua efficacia ».[508] « Nessuna creatura infatti può mai essere paragonata col Verbo incar- 2008

[502] Conc. Ecum. Vat. II, *Lumen gentium,* 59; cf la proclamazione del dogma dell'Assunzione della Beata Vergine Maria da parte del Papa Pio XII nel 1950: Denz.-Schönm., 3903.
[503] Liturgia bizantina, Tropario della festa della Dormizione (15 agosto).
[504] Conc. Ecum. Vat. II, *Lumen gentium,* 53.
[505] *Ibid.,* 63.
[506] *Ibid.,* 61.
[507] *Ibid.,* 62.
[508] *Ibid.,* 60.

1545 · 308

nato e Redentore; ma come il sacerdozio di Cristo è in vari modi partecipato dai sacri ministri e dal Popolo fedele, e come l'unica bontà di Dio è realmente diffusa in vari modi nelle creature, così anche l'unica mediazione del Redentore non esclude, ma suscita nelle creature una varia cooperazione partecipata dall'unica fonte ».[509]

2673-2679

II. Il culto della Santa Vergine

1172 · 2678

971 *« Tutte le generazioni mi chiameranno beata »* (*Lc* 1,48). « La pietà della Chiesa verso la Santa Vergine è elemento intrinseco del culto cristiano ».[510] La Santa Vergine « viene dalla Chiesa giustamente onorata con un culto speciale. In verità dai tempi più antichi la beata Vergine è venerata col titolo di "Madre di Dio", sotto il cui presidio i fedeli, pregandola, si rifugiano in tutti i loro pericoli e le loro necessità... Questo culto..., sebbene del tutto singolare, differisce essenzialmente dal culto di adorazione, prestato al Verbo incarnato come al Padre e allo Spirito Santo, e particolarmente lo promuove »;[511] esso trova la sua espressione nelle feste liturgiche dedicate alla Madre di Dio[512] e nella preghiera mariana come il santo Rosario, « compendio di tutto quanto il Vangelo ».[513]

III. Maria – Icona escatologica della Chiesa

773 · 829

972 Dopo aver parlato della Chiesa, della sua origine, della sua missione e del suo destino, non sapremmo concludere meglio che volgendo lo sguardo verso Maria per contemplare in lei ciò che la Chiesa è nel suo Mistero, nel suo « pellegrinaggio della fede », e quello che sarà nella patria al termine del suo cammino, dove l'attende, nella « gloria della Santissima e indivisibile Trinità », « nella comunione di tutti i santi »[514] colei che la Chiesa venera come la Madre del suo Signore e come sua propria Madre:

2853

> La Madre di Gesù, come in cielo, glorificata ormai nel corpo e nell'anima, è l'immagine e la primizia della Chiesa che dovrà avere il suo compimento nell'età futura, così sulla terra brilla come un segno di sicura speranza e di consolazione per il popolo di Dio in cammino.[515]

In sintesi

973 *Pronunziando il « fiat » dell'Annunciazione e dando il suo consenso al Mistero dell'Incarnazione, Maria già collabora a tutta l'opera che il*

[509] Conc. Ecum. Vat. II, *Lumen gentium*, 62.
[510] Paolo VI, Esort. ap. *Marialis cultus*, 56.
[511] Conc. Ecum. Vat. II, *Lumen gentium*, 66.
[512] Conc. Ecum. Vat. II., *Sacrosanctum concilium*, 103.
[513] Cf Paolo VI, Esort. ap. *Marialis cultus*, 42.
[514] Conc. Ecum. Vat. II, *Lumen gentium*, 69.
[515] *Ibid.*, 68.

Figlio suo deve compiere. Ella è Madre dovunque egli è Salvatore e Capo del Corpo Mistico.

974 *La Santissima Vergine Maria, dopo aver terminato il corso della sua vita terrena, fu elevata, corpo e anima, alla gloria del cielo, dove già partecipa alla gloria della Risurrezione del suo Figlio, anticipando la risurrezione di tutte le membra del suo Corpo.*

975 *« Noi crediamo che la Santissima Madre di Dio, nuova Eva, Madre della Chiesa, continua in cielo il suo ruolo materno verso le membra di Cristo ».*[516]

Articolo 10

« CREDO LA REMISSIONE DEI PECCATI »

976 Il Simbolo degli Apostoli lega la fede nel perdono dei peccati alla fede nello Spirito Santo, ma anche alla fede nella Chiesa e nella comunione dei santi. Proprio donando ai suoi Apostoli lo Spirito Santo, Cristo risorto ha loro conferito il suo potere divino di perdonare i peccati: « Ricevete lo Spirito Santo; a chi rimetterete i peccati saranno rimessi e a chi non li rimetterete, resteranno non rimessi » (*Gv* 20,22-23).

(La seconda parte del Catechismo tratterà esplicitamente del perdono dei peccati per mezzo del Battesimo, del sacramento della Penitenza e degli altri sacramenti, specialmente dell'Eucaristia. Pertanto qui è sufficiente richiamare brevemente qualche dato fondamentale).

I. Un solo Battesimo per la remissione dei peccati

1263

977 Nostro Signore ha legato il perdono dei peccati alla fede e al Battesimo: « Andate in tutto il mondo e predicate il Vangelo ad ogni creatura. Chi crederà e sarà battezzato sarà salvo » (*Mc* 16,15-16). Il Battesimo è il primo e principale sacramento per il perdono dei peccati perché ci unisce a Cristo « messo a morte per i nostri peccati e... risuscitato per la nostra giustificazione » (*Rm* 4,25), affinché « anche noi possiamo camminare in una vita nuova » (*Rm* 6,4).

978 « La remissione dei peccati nella Chiesa avviene innanzitutto quando l'anima professa per la prima volta la fede. Con l'acqua battesimale, infatti, viene concesso un perdono talmente ampio che non rimane più alcuna colpa — né originale né ogni altra contratta posteriormente — e viene rimessa ogni pena da scontare. La grazia del Battesimo, peraltro, non libera la nostra natura dalla sua debolezza; anzi non vi è quasi nessuno » che non debba lottare « contro la concupiscenza, fomite continuo del peccato ».[517]

1264

[516] Paolo VI, *Credo del popolo di Dio,* 15.
[517] *Catechismo Romano,* 1, 11, 3.

979 In tale combattimento contro l'inclinazione al male, chi potrebbe « resistere con tanta energia e con tanta vigilanza da riuscire ad evitare ogni ferita » del peccato? « Fu quindi necessario che nella Chiesa vi fosse la potestà di rimettere i peccati anche in modo diverso dal sacramento del Battesimo. Per questa ragione Cristo consegnò alla Chiesa le chiavi del Regno dei cieli, in virtù delle quali potesse perdonare a qualsiasi peccatore pentito i peccati commessi dopo il Battesimo, fino all'ultimo giorno della vita ».[518]

1446

1422-1484

980 È per mezzo del sacramento della Penitenza che il battezzato può essere riconciliato con Dio e con la Chiesa:

> I Padri hanno giustamente chiamato la Penitenza « un battesimo laborioso ».[519] Per coloro che sono caduti dopo il Battesimo questo sacramento della Penitenza è necessario alla salvezza come lo stesso Battesimo per quelli che non sono stati ancora rigenerati.[520]

II. Il potere delle chiavi

981 Cristo dopo la sua Risurrezione ha inviato i suoi Apostoli a predicare « nel suo nome... a tutte le genti la conversione e il perdono dei peccati » (*Lc* 24,47). Tale « ministero della riconciliazione » (*2 Cor* 5,18) non viene compiuto dagli Apostoli e dai loro successori solamente annunziando agli uomini il perdono di Dio meritato per noi da Cristo e chiamandoli alla conversione e alla fede, ma anche comunicando loro la remissione dei peccati per mezzo del Battesimo e riconciliandoli con Dio e con la Chiesa grazie al potere delle chiavi ricevuto da Cristo:

1444

553

> La Chiesa ha ricevuto le chiavi del Regno dei cieli, affinché in essa si compia la remissione dei peccati per mezzo del sangue di Cristo e dell'azione dello Spirito Santo. In questa Chiesa l'anima, che era morta a causa dei peccati, rinasce per vivere con Cristo, la cui grazia ci ha salvati.[521]

1463

982 Non c'è nessuna colpa, per grave che sia, che non possa essere perdonata dalla santa Chiesa. « Non si può ammettere che ci sia un uomo, per quanto infame e scellerato, che non possa avere con il pentimento la certezza del perdono ».[522] Cristo, che è morto per tutti gli uomini, vuole che, nella sua Chiesa, le porte del perdono siano sempre aperte a chiunque si allontana dal peccato.[523]

605

[518] *Catechismo Romano,* 1, 11, 4.
[519] San Gregorio Nazianzeno, *Orationes,* 39, 17: PG 36, 356A.
[520] Concilio di Trento: Denz.-Schönm., 1672.
[521] Sant'Agostino, *Sermones,* 214, 11: PL 38, 1071-1072.
[522] *Catechismo Romano,* 1, 11, 5.
[523] Cf *Mt* 18,21-22.

983 La catechesi si sforzerà di risvegliare e coltivare nei fedeli la fede nella incomparabile grandezza del dono che Cristo risorto ha fatto alla sua Chiesa: la missione e il potere di perdonare veramente i peccati, mediante il ministero degli Apostoli e dei loro successori. 1442

Il Signore vuole che i suoi discepoli abbiano i più ampi poteri; vuole che i suoi servi facciano in suo nome ciò che faceva egli stesso, quando era sulla terra.[524] 1465

I sacerdoti hanno ricevuto un potere che Dio non ha concesso né agli angeli né agli arcangeli... Quello che i sacerdoti compiono quaggiù, Dio lo conferma lassù.[525]

Se nella Chiesa non ci fosse la remissione dei peccati, non ci sarebbe nessuna speranza, nessuna speranza di una vita eterna e di una liberazione eterna. Rendiamo grazie a Dio che ha fatto alla sua Chiesa un tale dono.[526]

In sintesi

984 *Il Credo mette in relazione « la remissione dei peccati » con la professione di fede nello Spirito Santo. Infatti, Cristo risorto ha affidato agli Apostoli il potere di perdonare i peccati quando ha loro donato lo Spirito Santo.*

985 *Il Battesimo è il primo e principale sacramento per il perdono dei peccati: ci unisce a Cristo morto e risorto e ci dona lo Spirito Santo.*

986 *Secondo la volontà di Cristo, la Chiesa possiede il potere di perdonare i peccati dei battezzati e lo esercita per mezzo dei vescovi e dei sacerdoti normalmente nel sacramento della Penitenza.*

987 *« I sacerdoti e i sacramenti sono gli strumenti per il perdono dei peccati; strumenti per mezzo dei quali Gesù Cristo, autore e dispensatore della salvezza, opera in noi la remissione dei peccati e genera la grazia ».*[527]

Articolo 11

« CREDO LA RISURREZIONE DELLA CARNE »

988 Il Credo cristiano — professione della nostra fede in Dio Padre, Figlio e Spirito Santo, e nella sua azione creatrice, salvifica e santificante — culmina nella proclamazione della risurrezione dei morti alla fine dei tempi, e nella vita eterna.

[524] SANT'AMBROGIO, *De poenitentia,* 1, 34: PL 16, 477A.
[525] SAN GIOVANNI CRISOSTOMO, *De sacerdotio,* 3, 5: PG 48, 643A.
[526] SANT'AGOSTINO, *Sermones,* 213, 8: PL 38, 1064.
[527] *Catechismo Romano,* 1, 11, 6.

989 Noi fermamente crediamo e fermamente speriamo che, come Cristo è veramente risorto dai morti e vive per sempre, così pure i giusti, dopo la loro morte, vivranno per sempre con Cristo risorto, e che egli li risusciterà nell'ultimo giorno.[528] Come la sua, anche la nostra risurrezione sarà opera della Santissima Trinità:

655

648

> Se lo Spirito di colui che ha risuscitato Gesù dai morti abita in voi, colui che ha risuscitato Cristo dai morti darà la vita anche ai vostri corpi mortali per mezzo del suo Spirito che abita in voi (*Rm* 8,11).[529]

990 Il termine « carne » designa l'uomo nella sua condizione di debolezza e di mortalità.[530] La « risurrezione della carne » significa che, dopo la morte, non ci sarà soltanto la vita dell'anima immortale, ma che anche i nostri « corpi mortali » (*Rm* 8,11) riprenderanno vita.

364

638

991 Credere nella risurrezione dei morti è stato un elemento essenziale della fede cristiana fin dalle sue origini. « Fiducia christianorum resurrectio mortuorum; illam credentes, sumus – La risurrezione dei morti è la fede dei cristiani: credendo in essa siamo tali »: [531]

> Come possono dire alcuni tra voi che non esiste risurrezione dei morti? Se non esiste risurrezione dai morti, neanche Cristo è risuscitato! Ma se Cristo non è risuscitato, allora è vana la nostra predicazione ed è vana anche la vostra fede... Ora, invece, Cristo è risuscitato dai morti, primizia di coloro che sono morti (*1 Cor* 15,12-14.20).

I. La Risurrezione di Cristo e la nostra

Rivelazione progressiva della Risurrezione

992 La risurrezione dei morti è stata rivelata da Dio al suo Popolo progressivamente. La speranza nella risurrezione corporea dei morti si è imposta come una conseguenza intrinseca della fede in un Dio Creatore di tutto intero l'uomo, anima e corpo. Il Creatore del cielo e della terra è anche colui che mantiene fedelmente la sua Alleanza con Abramo e con la sua discendenza. È in questa duplice prospettiva che comincerà ad esprimersi la fede nella risurrezione. Nelle loro prove i martiri Maccabei confessano:

297

> Il Re del mondo, dopo che saremo morti per le sue leggi, ci risusciterà a vita nuova ed eterna (*2 Mac* 7,9). È bello morire a causa degli uomini, per attendere da Dio l'adempimento delle speranze di essere da lui di nuovo risuscitati (*2 Mac* 7,14).[532]

[528] Cf *Gv* 6,39-40.
[529] Cf *1 Ts* 4,14; *1 Cor* 6,14; *2 Cor* 4,14; *Fil* 3,10-11.
[530] Cf *Gn* 6,3; *Sal* 56,5; *Is* 40,6.
[531] Tertulliano, *De resurrectione carnis,* 1, 1.
[532] Cf *2 Mac* 7,29; *Dn* 12,1-13.

993 I farisei [533] e molti contemporanei del Signore [534] speravano nella risurrezione. Gesù la insegna con fermezza. Ai sadducei che la negano risponde: « Non siete voi forse in errore dal momento che non conoscete le Scritture, né la potenza di Dio? » (*Mc* 12,24). La fede nella risurrezione riposa sulla fede in Dio che « non è un Dio dei morti, ma dei viventi! » (*Mc* 12,27). 575 205

994 Ma c'è di più. Gesù lega la fede nella risurrezione alla sua stessa Persona: « Io sono la Risurrezione e la Vita » (*Gv* 11,25). Sarà lo stesso Gesù a risuscitare nell'ultimo giorno coloro che avranno creduto in lui [535] e che avranno mangiato il suo Corpo e bevuto il suo Sangue.[536] Egli fin d'ora ne dà un segno e una caparra facendo tornare in vita alcuni morti,[537] annunziando con ciò la sua stessa Risurrezione, la quale però sarà di un altro ordine. Di tale avvenimento senza eguale parla come del « segno di Giona » (*Mt* 12, 39), del segno del tempio: [538] annunzia la sua Risurrezione al terzo giorno dopo essere stato messo a morte.[539] 646 652

995 Essere testimone di Cristo è essere « testimone della sua Risurrezione » (*At* 1,22),[540] aver « mangiato e bevuto con lui dopo la sua Risurrezione dai morti » (*At* 10,41). La speranza cristiana nella risurrezione è contrassegnata dagli incontri con Cristo risorto. Noi risusciteremo come lui, con lui, per mezzo di lui. 860 655

996 Fin dagli inizi, la fede cristiana nella risurrezione ha incontrato incomprensioni ed opposizioni.[541] « In nessun altro argomento la fede cristiana incontra tanta opposizione come a proposito della risurrezione della carne ».[542] Si accetta abbastanza facilmente che, dopo la morte, la vita della persona umana continui in un modo spirituale. Ma come credere che questo corpo, la cui mortalità è tanto evidente, possa risorgere per la vita eterna? 643

COME RISUSCITANO I MORTI?

997 *Che cosa significa « risuscitare »?* Con la morte, separazione dell'anima e del corpo, il corpo dell'uomo cade nella corruzione, mentre la sua anima va incontro a Dio, pur restando in attesa di essere riunita al suo corpo glorificato. Dio nella sua onnipotenza restituirà definitivamente la vita incorruttibile ai nostri corpi riunendoli alle nostre anime, in forza della Risurrezione di Gesù. 366

[533] Cf *At* 23,6.
[534] Cf *Gv* 11,24.
[535] Cf *Gv* 5,24-25; 6,40.
[536] Cf *Gv* 6,54.
[537] Cf *Mc* 5,21-42: *Lc* 7,11-17; *Gv* 11.
[538] Cf *Gv* 2,19-22.
[539] Cf *Mc* 10,34.
[540] Cf *At* 4,33.
[541] Cf *At* 17,32; *1 Cor* 15,12-13.
[542] SANT'AGOSTINO, *Enarratio in Psalmos,* 88, 2, 5.

1038 998 *Chi risusciterà?* Tutti gli uomini che sono morti: « quanti fecero il bene per una risurrezione di vita e quanti fecero il male per una risurrezione di condanna » (*Gv* 5,29).[543]

640 999 *Come?* Cristo è risorto con il suo proprio corpo: « Guardate le mie mani e i miei piedi: sono proprio io! » (*Lc* 24,39); ma egli non è ritornato ad 645 una vita terrena. Allo stesso modo, in lui, « tutti risorgeranno coi corpi di cui ora sono rivestiti »,[544] ma questo corpo sarà trasfigurato in corpo glorioso,[545] in « corpo spirituale » (*1 Cor* 15,44):

> Ma qualcuno dirà: « Come risuscitano i morti? Con quale corpo verranno? ». Stolto! Ciò che tu semini non prende vita, se prima non muore, e quello che semini non è il corpo che nascerà, ma un semplice chicco... Si semina corruttibile e risorge incorruttibile... È necessario infatti che questo corpo corruttibile si vesta di incorruttibilità e questo corpo mortale si vesta di immortalità (*1 Cor* 15,35-37.42.53).

647 1000 Il « come » supera le possibilità della nostra immaginazione e del nostro intelletto; è accessibile solo nella fede. Ma la nostra partecipazione all'Eucaristia ci fa già pregustare la trasfigurazione del nostro corpo per opera di Cristo:

> Come il pane che è frutto della terra, dopo che è stata invocata su di esso la benedizione divina, non è più pane comune, ma Eucaristia, composta di due 1405 realtà, una terrena, l'altra celeste, così i nostri corpi che ricevono l'Eucaristia non sono più corruttibili, dal momento che portano in sé il germe della risurrezione.[546]

1038 1001 *Quando?* Definitivamente « nell'ultimo giorno » (*Gv* 6,39-40.44.54; 11,24); « alla fine del mondo ».[547] Infatti, la risurrezione dei morti è intima-673 mente associata alla Parusia di Cristo:

> Perché il Signore stesso, a un ordine, alla voce dell'arcangelo e al suono della tromba di Dio, discenderà dal cielo. E prima risorgeranno i morti in Cristo (*1 Ts* 4,16).

Risuscitati con Cristo

1002 Se è vero che Cristo ci risusciterà « nell'ultimo giorno », è anche vero che, per un certo aspetto, siamo già risuscitati con Cristo. Infatti, grazie allo

[543] Cf *Dn* 12,2.
[544] Concilio Lateranense IV: Denz.-Schönm., 801.
[545] Cf *Fil* 3,21.
[546] Sant'Ireneo di Lione, *Adversus haereses,* 4, 18, 4-5.
[547] Conc. Ecum. Vat. II, *Lumen gentium,* 48.

Spirito Santo, la vita cristiana, fin d'ora su questa terra, è una partecipazione alla morte e alla Risurrezione di Cristo: 655

> Con lui infatti siete stati sepolti insieme nel Battesimo, in lui anche siete stati insieme risuscitati per la fede nella potenza di Dio, che lo ha risuscitato dai morti... Se siete risorti con Cristo, cercate le cose di lassù, dove si trova Cristo assiso alla destra di Dio (*Col* 2,12; 3,1).

1003 I credenti, uniti a Cristo mediante il Battesimo, partecipano già realmente alla vita celeste di Cristo risorto,[548] ma questa vita rimane « nascosta con Cristo in Dio » (*Col* 3,3). « Con lui, [Dio] ci ha anche risuscitati e ci ha fatti sedere nei cieli, in Cristo Gesù » (*Ef* 2,6). Nutriti del suo Corpo nell'Eucaristia, apparteniamo già al Corpo di Cristo. Quando risusciteremo nell'ultimo giorno saremo anche noi « manifestati con lui nella gloria » (*Col* 3,4). 1227 2796

1004 Nell'attesa di quel giorno, il corpo e l'anima del credente già partecipano alla dignità di essere « in Cristo »; di qui l'esigenza di rispetto verso il proprio corpo, ma anche verso quello degli altri, particolarmente quando soffre: 364 1397

> Il corpo è per il Signore e il Signore è per il corpo. Dio poi che ha risuscitato il Signore, risusciterà anche noi con la sua potenza. Non sapete che i vostri corpi sono membra di Cristo?... Non appartenete a voi stessi... Glorificate dunque Dio nel vostro corpo (*1 Cor* 6,13-15.19-20).

II. Morire in Cristo Gesù

1005 Per risuscitare con Cristo, bisogna morire con Cristo, bisogna « andare in esilio dal corpo e abitare presso il Signore » (*2 Cor* 5,8). In questo « essere sciolto » (*Fil* 1,23) che è la morte, l'anima viene separata dal corpo. Essa sarà riunita al suo corpo il giorno della risurrezione dei morti.[549] 624 650

La morte

1006 « In faccia alla morte l'enigma della condizione umana diventa sommo ».[550] Per un verso la morte corporale è naturale, ma per la fede essa in realtà è « salario del peccato » (*Rm* 6,23).[551] E per coloro che muoiono nella grazia di Cristo, è una partecipazione alla morte del Signore, per poter partecipare anche alla sua Risurrezione.[552] 164; 1500

548 Cf *Fil* 3,20.
549 Cf Paolo VI, *Credo del popolo di Dio,* 28.
550 Conc. Ecum. Vat. II, *Gaudium et spes,* 18.
551 Cf *Gn* 2,17.
552 Cf *Rm* 6,3-9; *Fil* 3,10-11.

1007 *La morte è il termine della vita terrena.* Le nostre vite sono misurate dal tempo, nel corso del quale noi cambiamo, invecchiamo e, come per tutti gli esseri viventi della terra, la morte appare come la fine normale della vita. Questo aspetto della morte comporta un'urgenza per le nostre vite: infatti il far memoria della nostra mortalità serve anche a ricordarci che abbiamo soltanto un tempo limitato per realizzare la nostra esistenza.

Ricordati del tuo Creatore nei giorni della tua giovinezza... prima che ritorni la polvere alla terra, com'era prima, e lo spirito torni a Dio che lo ha dato (*Qo* 12,1.7).

401 1008 *La morte è conseguenza del peccato.* Interprete autentico delle affermazioni della Sacra Scrittura [553] e della Tradizione, il Magistero della Chiesa insegna che la morte è entrata nel mondo a causa del peccato dell'uomo.[554] Sebbene l'uomo possedesse una natura mortale, Dio lo destinava a non 376 morire. La morte fu dunque contraria ai disegni di Dio Creatore ed essa entrò nel mondo come conseguenza del peccato.[555] « La morte corporale, dalla quale l'uomo sarebbe stato esentato se non avesse peccato » [556] è pertanto « l'ultimo nemico » dell'uomo a dover essere vinto.[557]

1009 *La morte è trasformata da Cristo.* Anche Gesù, il Figlio di Dio, ha 612 subìto la morte, propria della condizione umana. Ma, malgrado la sua angoscia di fronte ad essa,[558] egli la assunse in un atto di totale e libera sottomissione alla volontà del Padre suo. L'obbedienza di Gesù ha trasformato la maledizione della morte in benedizione.[559]

1681-1690 **Il senso della morte cristiana**

1010 Grazie a Cristo, la morte cristiana ha un significato positivo. « Per me il vivere è Cristo e il morire un guadagno » (*Fil* 1,21). « Certa è questa parola: se moriamo con lui, vivremo anche con lui » (*2 Tm* 2,11). Qui sta la novità essenziale della morte cristiana: mediante il Battesimo, il cristiano è 1220 già sacramentalmente « morto con Cristo », per vivere di una vita nuova; e se noi moriamo nella grazia di Cristo, la morte fisica consuma questo « morire con Cristo » e compie così la nostra incorporazione a lui nel suo atto redentore.

Per me è meglio morire per (« eis ») Gesù Cristo, che essere re fino ai confini della terra. Io cerco colui che morì per noi; io voglio colui che per noi

[553] Cf *Gn* 2,17; 3,3; 3,19; *Sap* 1,13; *Rm* 5,12; 6,23.
[554] Cf Concilio di Trento: Denz.-Schönm., 1511.
[555] Cf *Sap* 2,23-24.
[556] Conc. Ecum. Vat. II, *Gaudium et spes,* 18.
[557] Cf *1 Cor* 15,26.
[558] Cf *Mc* 14,33-34; *Eb* 5,7-8.
[559] Cf *Rm* 5,19-21.

risuscitò. Il momento in cui sarò partorito è imminente... Lasciate che io raggiunga la pura luce; giunto là, sarò veramente un uomo.[560]

1011 Nella morte, Dio chiama a sé l'uomo. Per questo il cristiano può provare nei riguardi della morte un desiderio simile a quello di san Paolo: « il desiderio di essere sciolto dal corpo per essere con Cristo » (*Fil* 1,23); e può trasformare la sua propria morte in un atto di obbedienza e di amore verso il Padre, sull'esempio di Cristo.[561]

1025

Il mio amore è crocifisso;... un'acqua viva mormora dentro di me e mi dice: « Vieni al Padre! ».[562]

Voglio vedere Dio, ma per vederlo bisogna morire.[563]

Non muoio, entro nella vita.[564]

1012 La visione cristiana della morte [565] è espressa in modo impareggiabile nella liturgia della Chiesa:

Ai tuoi fedeli, Signore, la vita non è tolta, ma trasformata; e mentre si distrugge la dimora di questo esilio terreno, viene preparata un'abitazione eterna nel cielo.[566]

1013 La morte è la fine del pellegrinaggio terreno dell'uomo, è la fine del tempo della grazia e della misericordia che Dio gli offre per realizzare la sua vita terrena secondo il disegno divino e per decidere il suo destino ultimo. Quando è « finito l'unico corso della nostra vita terrena »,[567] noi non ritorneremo più a vivere altre vite terrene. « È stabilito per gli uomini che muoiano una sola volta » (*Eb* 9,27). Non c'è « reincarnazione » dopo la morte.

1014 La Chiesa ci incoraggia a prepararci all'ora della nostra morte (« Dalla morte improvvisa, liberaci, Signore »: Litanie dei santi), a chiedere alla Madre di Dio di intercedere per noi « nell'ora della nostra morte » (Ave Maria) e ad affidarci a san Giuseppe, patrono della buona morte:

2676-2677

In ogni azione, in ogni pensiero, dovresti comportarti come se tu dovessi morire oggi stesso; se avrai la coscienza retta, non avrai molta paura di morire. Sarebbe meglio star lontano dal peccato che fuggire la morte. Se oggi non sei preparato a morire, come lo sarai domani? [568]

[560] Sant'Ignazio di Antiochia, *Epistula ad Romanos,* 6, 1-2.
[561] Cf *Lc* 23,46.
[562] Sant'Ignazio di Antiochia, *Epistula ad Romanos,* 7, 2.
[563] Santa Teresa di Gesù, *Libro della mia vita,* 1.
[564] Santa Teresa di Gesù Bambino, *Novissima verba.*
[565] Cf *1 Ts* 4,13-14.
[566] *Messale Romano,* Prefazio dei defunti, I.
[567] Conc. Ecum. Vat. II, *Lumen gentium,* 48.
[568] *Imitazione di Cristo,* 1, 23, 1.

Laudato si, mi Signore, per sora nostra Morte corporale,
da la quale nullo omo vivente po' scampare.
Guai a quelli che morranno ne le peccata mortali!;
beati quelli che trovarà
ne le tue sanctissime voluntati,
ca la morte seconda no li farrà male.[569]

In sintesi

1015 *« La carne è il cardine della salvezza ».*[570] *Noi crediamo in Dio che è il Creatore della carne; crediamo nel Verbo fatto carne per riscattare la carne; crediamo nella risurrezione della carne, compimento della creazione e della redenzione della carne.*

1016 *Con la morte l'anima viene separata dal corpo, ma nella risurrezione Dio tornerà a dare la vita incorruttibile al nostro corpo trasformato, riunendolo alla nostra anima. Come Cristo è risorto e vive per sempre, così tutti noi risusciteremo nell'ultimo giorno.*

1017 *« Crediamo nella vera risurrezione della carne che abbiamo ora ».*[571] *Mentre, tuttavia, si semina nella tomba un corpo corruttibile, risuscita un corpo incorruttibile,*[572] *un « corpo spirituale »* (*1 Cor* 15,44).

1018 *In conseguenza del peccato originale, l'uomo deve subire « la morte corporale, dalla quale sarebbe stato esentato se non avesse peccato ».*[573]

1019 *Gesù, il Figlio di Dio, ha liberamente subìto la morte per noi in una sottomissione totale e libera alla volontà di Dio, suo Padre. Con la sua morte ha vinto la morte, aprendo così a tutti gli uomini la possibilità della salvezza.*

Articolo 12
« CREDO LA VITA ETERNA »

1523-1525 1020 Per il cristiano, che unisce la propria morte a quella di Gesù, la morte è come un andare verso di lui ed entrare nella vita eterna. Quando la Chiesa ha pronunciato, per l'ultima volta, le parole di perdono dell'assoluzione di Cristo sul cristiano morente, l'ha segnato, per l'ultima volta, con

[569] San Francesco d'Assisi, *Cantico delle creature.*
[570] Tertulliano, *De resurrectione carnis,* 8, 2.
[571] Concilio di Lione II: Denz.-Schönm., 854.
[572] Cf *1 Cor* 15,42.
[573] Conc. Ecum. Vat. II, *Gaudium et spes,* 18.

una unzione fortificante e gli ha dato Cristo nel viatico come nutrimento per il viaggio, a lui si rivolge con queste dolci e rassicuranti parole:

> Parti, anima cristiana, da questo mondo, nel nome di Dio Padre onnipotente che ti ha creato, nel nome di Gesù Cristo, Figlio del Dio vivo, che è morto per te sulla croce, nel nome dello Spirito Santo, che ti è stato dato in dono; la tua dimora sia oggi nella pace della santa Gerusalemme, con la Vergine Maria, Madre di Dio, con san Giuseppe, con tutti gli angeli e i santi... Tu possa tornare al tuo Creatore, che ti ha formato dalla polvere della terra. Quando lascerai questa vita, ti venga incontro la Vergine Maria con gli angeli e i santi... Mite e festoso ti appaia il volto di Cristo e possa tu contemplarlo per tutti i secoli in eterno.[574]

2677; 336

I. Il giudizio particolare

1021 La morte pone fine alla vita dell'uomo come tempo aperto all'accoglienza o al rifiuto della grazia divina apparsa in Cristo.[575] Il Nuovo Testamento parla del giudizio principalmente nella prospettiva dell'incontro finale con Cristo alla sua seconda venuta, ma afferma anche, a più riprese, l'immediata retribuzione che, dopo la morte, sarà data a ciascuno in rapporto alle sue opere e alla sua fede. La parabola del povero Lazzaro [576] e la parola detta da Cristo in croce al buon ladrone [577] così come altri testi del Nuovo Testamento [578] parlano di una sorte ultima dell'anima [579] che può essere diversa per le une e per le altre.

1038 679

1022 Ogni uomo fin dal momento della sua morte riceve nella sua anima immortale la retribuzione eterna, in un giudizio particolare che mette la sua vita in rapporto a Cristo, per cui o passerà attraverso una purificazione,[580] o entrerà immediatamente nella beatitudine del cielo,[581] oppure si dannerà immediatamente per sempre.[582]

393

> Alla sera della vita, saremo giudicati sull'amore.[583]

1470

[574] Rituale romano, *Rito delle esequie,* Raccomandazione dell'anima.
[575] Cf *2 Tm* 1,9-10.
[576] Cf *Lc* 16,22.
[577] Cf *Lc* 23,43.
[578] Cf *2 Cor* 5,8; *Fil* 1,23; *Eb* 9,27; 12,23.
[579] Cf *Mt* 16,26.
[580] Cf Concilio di Lione II: Denz.-Schönm., 857-858; Concilio di Firenze II: *ibid.,* 1304-1306; Concilio di Trento: *ibid.,* 1820.
[581] Cf Benedetto XII, Cost. *Benedictus Deus:* Denz.-Schönm., 1000-1001; Giovanni XXII, Bolla *Ne super his: ibid.,* 990.
[582] Cf Benedetto XII, Cost. *Benedictus Deus:* Denz.-Schönm., 1002.
[583] Cf San Giovanni della Croce, *Parole di luce e di amore,* 1,57.

II. Il Cielo

1023 Coloro che muoiono nella grazia e nell'amicizia di Dio e che sono perfettamente purificati, vivono per sempre con Cristo. Sono per sempre simili a Dio, perché lo vedono « così come egli è » (*1 Gv* 3,2), faccia a faccia: [584]

954

> Con la nostra apostolica autorità definiamo che, per disposizione generale di Dio, le anime di tutti i santi morti prima della passione di Cristo... e quelle di tutti i fedeli morti dopo aver ricevuto il santo Battesimo di Cristo, nelle quali al momento della morte non c'era o non ci sarà nulla da purificare, oppure, se in esse ci sarà stato o ci sarà qualcosa da purificare, quando, dopo la morte, si saranno purificate..., anche prima della risurrezione dei loro corpi e del giudizio universale — e questo dopo l'Ascensione del Signore e Salvatore Gesù Cristo al cielo — sono state, sono e saranno in cielo, associate al Regno dei cieli e al Paradiso celeste con Cristo, insieme con i santi angeli. E dopo la passione e la morte del nostro Signore Gesù Cristo, esse hanno visto e vedono l'essenza divina in una visione intuitiva e anche a faccia a faccia, senza la mediazione di alcuna creatura.[585]

260; 326; 2734; 1718

1024 Questa vita perfetta, questa comunione di vita e di amore con la Santissima Trinità, con la Vergine Maria, gli angeli e tutti i beati è chiamata « il cielo ». Il cielo è il fine ultimo dell'uomo e la realizzazione delle sue aspirazioni più profonde, lo stato di felicità suprema e definitiva.

1011

1025 Vivere in cielo è « essere con Cristo ».[586] Gli eletti vivono « in lui », ma conservando, anzi, trovando la loro vera identità, il loro proprio nome: [587]

> Vita est enim esse cum Christo; ideo ubi Christus, ibi vita, ibi regnum – La vita, infatti, è stare con Cristo, perché dove c'è Cristo, là c'è la vita, là c'è il Regno.[588]

1026 Con la sua morte e la sua Risurrezione Gesù Cristo ci ha « aperto » il cielo. La vita dei beati consiste nel pieno possesso dei frutti della Redenzione compiuta da Cristo, il quale associa alla sua glorificazione celeste coloro che hanno creduto in lui e che sono rimasti fedeli alla sua volontà. Il cielo è la beata comunità di tutti coloro che sono perfettamente incorporati in lui.

793

959; 1720

1027 Questo mistero di comunione beata con Dio e con tutti coloro che sono in Cristo supera ogni possibilità di comprensione e di descrizione. La Scrittura ce ne parla con immagini: vita, luce, pace, banchetto di nozze, vino

[584] Cf *1 Cor* 13,12; *Ap* 22,4.
[585] Benedetto XII, Cost. *Benedictus Deus:* Denz.-Schönm., 1000; cf Conc. Ecum. Vat. II, *Lumen gentium,* 49.
[586] Cf *Gv* 14,3; *Fil* 1,23; *1 Ts* 4,17.
[587] Cf *Ap* 2,17.
[588] Sant'Ambrogio, *Expositio Evangelii secundum Lucam,* 10, 121: PL 15, 1834A.

del Regno, casa del Padre, Gerusalemme celeste, paradiso: « Quelle cose che occhio non vide, né orecchio udì, né mai entrarono in cuore di uomo, queste ha preparato Dio per coloro che lo amano » (*1 Cor* 2,9).

1028 A motivo della sua trascendenza, Dio non può essere visto quale è se non quando egli stesso apre il suo Mistero alla contemplazione immediata dell'uomo e gliene dona la capacità. Questa contemplazione di Dio nella sua gloria celeste è chiamata dalla Chiesa « la visione beatifica »: 1722 163

> Questa sarà la tua gloria e la tua felicità: essere ammesso a vedere Dio, avere l'onore di partecipare alle gioie della salvezza e della luce eterna insieme con Cristo, il Signore tuo Dio,... godere nel Regno dei cieli, insieme con i giusti e gli amici di Dio, le gioie dell'immortalità raggiunta.[589]

1029 Nella gloria del cielo i beati continuano a compiere con gioia la volontà di Dio in rapporto agli altri uomini e all'intera creazione. Regnano già con Cristo; con lui « regneranno nei secoli dei secoli » (*Ap* 22,5).[590] 956 668

III. La purificazione finale o Purgatorio

1030 Coloro che muoiono nella grazia e nell'amicizia di Dio, ma sono imperfettamente purificati, sebbene siano certi della loro salvezza eterna, vengono però sottoposti, dopo la loro morte, ad una purificazione, al fine di ottenere la santità necessaria per entrare nella gioia del cielo.

1031 La Chiesa chiama *Purgatorio* questa purificazione finale degli eletti, che è tutt'altra cosa dal castigo dei dannati. La Chiesa ha formulato la dottrina della fede relativa al Purgatorio soprattutto nei Concilii di Firenze[591] e di Trento.[592] La Tradizione della Chiesa, rifacendosi a certi passi della Scrittura,[593] parla di un fuoco purificatore: 954; 1472

> Per quanto riguarda alcune colpe leggere, si deve credere che c'è, prima del Giudizio, un fuoco purificatore; infatti colui che è la Verità afferma che, se qualcuno pronuncia una bestemmia contro lo Spirito Santo, non gli sarà perdonata né in questo secolo, né in quello futuro (*Mt* 12,31). Da questa affermazione si deduce che certe colpe possono essere rimesse in questo secolo, ma certe altre nel secolo futuro.[594]

1032 Questo insegnamento poggia anche sulla pratica della preghiera per i defunti di cui la Sacra Scrittura già parla: « Perciò [Giuda Maccabeo] fece 958

[589] San Cipriano di Cartagine, *Epistulae,* 56, 10, 1: PL 4, 357B.
[590] Cf *Mt* 25,21.23.
[591] Cf Denz.-Schönm., 1304.
[592] Cf *ibid.,* 1820; 1580.
[593] Cf ad esempio, *1 Cor* 3,15; *1 Pt* 1,7.
[594] San Gregorio Magno, *Dialoghi,* 4, 39.

offrire il sacrificio espiatorio per i morti, perché fossero assolti dal peccato » (*2 Mac* 12,46). Fin dai primi tempi, la Chiesa ha onorato la memoria dei defunti e ha offerto per loro suffragi, in particolare il sacrificio eucaristico,[595] affinché, purificati, possano giungere alla visione beatifica di Dio. La Chiesa raccomanda anche le elemosine, le indulgenze e le opere di penitenza a favore dei defunti:

1371

1479

> Rechiamo loro soccorso e commemoriamoli. Se i figli di Giobbe sono stati purificati dal sacrificio del loro padre,[596] perché dovremmo dubitare che le nostre offerte per i morti portino loro qualche consolazione? Non esitiamo a soccorrere coloro che sono morti e ad offrire per loro le nostre preghiere.[597]

IV. L'inferno

1033 Non possiamo essere uniti a Dio se non scegliamo liberamente di amarlo. Ma non possiamo amare Dio se pecchiamo gravemente contro di lui, contro il nostro prossimo o contro noi stessi: « Chi non ama rimane nella morte. Chiunque odia il proprio fratello è omicida, e voi sapete che nessun omicida possiede in se stesso la vita eterna » (*1 Gv* 3,15). Nostro Signore ci avverte che saremo separati da lui se non soccorriamo nei loro gravi bisogni i poveri e i piccoli che sono suoi fratelli.[598] Morire in peccato mortale senza essersene pentiti e senza accogliere l'amore misericordioso di Dio, significa rimanere separati per sempre da lui per una nostra libera scelta. Ed è questo stato di definitiva auto-esclusione dalla comunione con Dio e con i beati che viene designato con la parola « inferno ».

1861

393
633

1034 Gesù parla ripetutamente della « Geenna », del « fuoco inestinguibile »,[599] che è riservato a chi sino alla fine della vita rifiuta di credere e di convertirsi, e dove possono perire sia l'anima che il corpo.[600] Gesù annunzia con parole severe che egli « manderà i suoi angeli, i quali raccoglieranno... tutti gli operatori di iniquità e li getteranno nella fornace ardente » (*Mt* 13,41-42), e che pronunzierà la condanna: « Via, lontano da me, maledetti, nel fuoco eterno! » (*Mt* 25,41).

393

1035 La Chiesa nel suo insegnamento afferma l'esistenza dell'inferno e la sua eternità. Le anime di coloro che muoiono in stato di peccato mortale, dopo la morte discendono immediatamente negli inferi, dove subiscono le pene dell'inferno, « il fuoco eterno ».[601] La pena principale dell'inferno consi-

[595] Cf Concilio di Lione II: DENZ.-SCHÖNM., 856.
[596] Cf *Gb* 1,5.
[597] SAN GIOVANNI CRISOSTOMO, *Homiliae in primam ad Corinthios,* 41, 5: PG 61, 594-595.
[598] Cf *Mt* 25,31-46.
[599] Cf *Mt* 5,22.29; 13,42.50; *Mc* 9,43-48.
[600] Cf *Mt* 10,28.
[601] Cf Simbolo « Quicumque »: DENZ.-SCHNÖM., 76; Sinodo di Costantinopoli: *ibid.,* 409.411;

ste nella separazione eterna da Dio, nel quale soltanto l'uomo può avere la vita e la felicità per le quali è stato creato e alle quali aspira.

1036 Le affermazioni della Sacra Scrittura e gli insegnamenti della Chiesa riguardanti l'inferno sono un *appello alla responsabilità* con la quale l'uomo deve usare la propria libertà in vista del proprio destino eterno. Costituiscono nello stesso tempo un *pressante appello alla conversione:* « Entrate per la porta stretta, perché larga è la porta e spaziosa la via che conduce alla perdizione, e molti sono quelli che entrano per essa; quanto stretta invece è la porta e angusta la via che conduce alla Vita, e quanto pochi sono quelli che la trovano! » (*Mt* 7,13-14).

1734
1428

> Siccome non conosciamo né il giorno né l'ora, bisogna, come ci avvisa il Signore, che vegliamo assiduamente, affinché, finito l'unico corso della nostra vita terrena, meritiamo con lui di entrare al banchetto nuziale ed essere annoverati tra i beati, né ci si comandi, come a servi cattivi e pigri, di andare al fuoco eterno, nelle tenebre esteriori dove « ci sarà pianto e stridore di denti ».[602]

1037 Dio non predestina nessuno ad andare all'inferno;[603] questo è la conseguenza di una avversione volontaria a Dio (un peccato mortale), in cui si persiste sino alla fine. Nella liturgia eucaristica e nelle preghiere quotidiane dei fedeli, la Chiesa implora la misericordia di Dio, il quale non vuole « che alcuno perisca, ma che tutti abbiano modo di pentirsi » (*2 Pt* 3,9):

162
1014; 1821

> Accetta con benevolenza, o Signore, l'offerta che ti presentiamo noi tuoi ministri e tutta la tua famiglia: disponi nella tua pace i nostri giorni, salvaci dalla dannazione eterna, e accoglici nel gregge degli eletti.[604]

V. Il Giudizio finale

678-679

1038 La risurrezione di tutti i morti, « dei giusti e degli ingiusti » (*At* 24,15), precederà il Giudizio finale. Sarà « l'ora in cui tutti coloro che sono nei sepolcri udranno la sua voce [del Figlio dell'Uomo] e ne usciranno: quanti fecero il bene per una risurrezione di vita e quanti fecero il male per una risurrezione di condanna » (*Gv* 5,28-29). Allora Cristo « verrà nella sua gloria, con tutti i suoi angeli... E saranno riunite davanti a lui tutte le genti, ed egli separerà gli uni dagli altri, come il pastore separa le pecore dai capri, e porrà le pecore alla sua destra e i capri alla sinistra... E se ne andranno, questi al supplizio eterno, e i giusti alla vita eterna » (*Mt* 25,31.32.46).

1001
998

Concilio Lateranense IV: *ibid.*, 801; Concilio di Lione II: *ibid.*, 858; BENEDETTO XII, Cost. *Benedictus Deus: ibid.*, 1002; Concilio di Firenze (1442): *ibid.*, 1351; Concilio di Trento: *ibid.*, 1575; PAOLO VI, *Credo del popolo di Dio*, 12.

[602] CONC. ECUM. VAT. II, *Lumen gentium*, 48.

[603] Cf Concilio di Orange II: DENZ.-SCHÖNM., 397; Concilio di Trento: *ibid.*, 1567.

[604] *Messale Romano*, Canone Romano.

678 1039 Davanti a Cristo che è la Verità sarà definitivamente messa a nudo la verità sul rapporto di ogni uomo con Dio.[605] Il Giudizio finale manifesterà, fino alle sue ultime conseguenze, il bene che ognuno avrà compiuto o avrà omesso di compiere durante la sua vita terrena:

> Tutto il male che fanno i cattivi viene registrato a loro insaputa. Il giorno in cui Dio non tacerà (*Sal* 50,3)... egli si volgerà verso i malvagi e dirà loro: « Io avevo posto sulla terra i miei poverelli, per voi. Io, loro capo, sedevo nel cielo alla destra di mio Padre, ma sulla terra le mie membra avevano fame. Se voi aveste donato alle mie membra, il vostro dono sarebbe giunto fino al capo. Quando ho posto i miei poverelli sulla terra, li ho costituiti come vostri fattorini perché portassero le vostre buone opere nel mio tesoro: voi non avete posto nulla nelle loro mani, per questo non possedete nulla presso di me.[606]

1040 Il Giudizio finale avverrà al momento del ritorno glorioso di Cristo. 637 Soltanto il Padre ne conosce l'ora e il giorno, egli solo decide circa la sua venuta. Per mezzo del suo Figlio Gesù pronunzierà allora la sua parola definitiva su tutta la storia. Conosceremo il senso ultimo di tutta l'opera della creazione e di tutta l'Economia della salvezza, e comprenderemo le mirabili 314 vie attraverso le quali la Provvidenza divina avrà condotto ogni cosa verso il suo fine ultimo. Il Giudizio finale manifesterà che la giustizia di Dio trionfa su tutte le ingiustizie commesse dalle sue creature e che il suo amore è più forte della morte.[607]

1432 1041 Il messaggio del Giudizio finale chiama alla conversione fin tanto che Dio dona agli uomini « il momento favorevole, il giorno della salvezza » (*2 Cor* 6,2). Ispira il santo timor di Dio. Impegna per la giustizia del Regno 2854 di Dio. Annunzia la « beata speranza » (*Tt* 2,13) del ritorno del Signore il quale « verrà per essere glorificato nei suoi santi ed essere riconosciuto mirabile in tutti quelli che avranno creduto » (*2 Ts* 1,10).

VI. La speranza dei cieli nuovi e della terra nuova

769 1042 Alla fine dei tempi, il Regno di Dio giungerà alla sua pienezza. Dopo il Giudizio universale i giusti regneranno per sempre con Cristo, glorificati 670 in corpo e anima, e lo stesso universo sarà rinnovato:

> Allora la Chiesa... avrà il suo compimento... nella gloria del cielo, quando verrà il tempo della restaurazione di tutte le cose e quando col genere umano

[605] Cf *Gv* 12,49.
[606] Sant'Agostino, *Sermones*, 18, 4, 4: PL 38, 130-131.
[607] Cf *Ct* 8,6.

anche tutto il mondo, il quale è intimamente unito con l'uomo e per mezzo di lui arriva al suo fine, sarà perfettamente ricapitolato in Cristo.[608] 310

1043 Questo misterioso rinnovamento, che trasformerà l'umanità e il mondo, dalla Sacra Scrittura è definito con l'espressione: « i nuovi cieli e una terra nuova » (*2 Pt* 3,13).[609] Sarà la realizzazione definitiva del disegno di Dio di « ricapitolare in Cristo tutte le cose, quelle del cielo come quelle della terra » (*Ef* 1,10). 671 280 518

1044 In questo nuovo universo,[610] la Gerusalemme celeste, Dio avrà la sua dimora in mezzo agli uomini. Egli « tergerà ogni lacrima dai loro occhi; non ci sarà più la morte, né lutto, né lamento, né affanno perché le cose di prima sono passate » (*Ap* 21,4).[611]

1045 *Per l'uomo* questo compimento sarà la realizzazione definitiva dell'unità del genere umano, voluta da Dio fin dalla creazione e di cui la Chiesa nella storia è « come sacramento ».[612] Coloro che saranno uniti a Cristo formeranno la comunità dei redenti, la « Città santa » di Dio (*Ap* 21,2), « la Sposa dell'Agnello » (*Ap* 21,9). Essa non sarà più ferita dal peccato, dalle impurità,[613] dall'amor proprio, che distruggono o feriscono la comunità terrena degli uomini. La visione beatifica, nella quale Dio si manifesterà in modo inesauribile agli eletti, sarà sorgente perenne di gaudio, di pace e di reciproca comunione. 775 1404

1046 *Quanto al cosmo,* la Rivelazione afferma la profonda comunione di destino fra il mondo materiale e l'uomo:

> La creazione stessa attende con impazienza la rivelazione dei figli di Dio... e nutre la speranza di essere lei pure liberata dalla schiavitù della corruzione... Sappiamo bene infatti che tutta la creazione geme e soffre fino ad oggi nelle doglie del parto; essa non è la sola, ma anche noi, che possediamo le primizie dello Spirito, gemiamo interiormente aspettando l'adozione a figli, la redenzione del nostro corpo (*Rm* 8,19-23). 349

1047 Anche l'universo visibile, dunque, è destinato ad essere trasformato, « affinché il mondo stesso, restaurato nel suo stato primitivo, sia, senza più alcun ostacolo, al servizio dei giusti », partecipando alla loro glorificazione in Gesù Cristo risorto.[614]

[608] Conc. Ecum. Vat. II, *Lumen gentium,* 48.
[609] Cf *Ap* 21,1.
[610] Cf *Ap* 21,5.
[611] Cf *Ap* 21,27.
[612] Conc. Ecum. Vat. II, *Lumen gentium,* 1.
[613] Cf *Ap* 21,27.
[614] Sant'Ireneo di Lione, *Adversus haereses,* 5, 32, 1.

673 1048 « *Ignoriamo il tempo in cui avranno fine* la terra e l'umanità, e non sappiamo il modo in cui sarà trasformato l'universo. Passa certamente l'aspetto di questo mondo, deformato dal peccato. Sappiamo, però, dalla Rivelazione che Dio prepara una nuova abitazione e una terra nuova, in cui abita la giustizia, e la cui felicità sazierà sovrabbondantemente tutti i desideri di pace che salgono nel cuore degli uomini ».[615]

1049 « Tuttavia l'attesa di una terra nuova non deve indebolire, bensì piuttosto stimolare la sollecitudine nel lavoro relativo alla terra presente, dove cresce quel corpo dell'umanità nuova che già riesce a offrire una certa prefigurazione che adombra il mondo nuovo. Pertanto, benché si debba accuratamente distinguere il progresso terreno dallo sviluppo del Regno di Cristo, tuttavia, nella misura in cui può contribuire a meglio ordinare l'umana società, tale progresso è di grande importanza ».[616] 2820

1709 1050 « Infatti... tutti i buoni frutti della natura e della nostra operosità, dopo che li avremo diffusi sulla terra nello Spirito del Signore e secondo il suo precetto, li ritroveremo poi di nuovo, ma purificati da ogni macchia, illuminati e trasfigurati, allorquando Cristo rimetterà al Padre il Regno eterno e universale ».[617] Dio allora sarà « tutto in tutti » (*1 Cor* 15,28), nella *vita eterna:* 260

> La vita, nella sua stessa realtà e verità, è il Padre, che attraverso il Figlio nello Spirito Santo, riversa come fonte su tutti noi i suoi doni celesti. E per la sua bontà promette veramente anche a noi uomini i beni divini della vita eterna.[618]

In sintesi

1051 *Ogni uomo riceve nella sua anima immortale la propria retribuzione eterna fin dalla sua morte, in un giudizio particolare ad opera di Cristo, giudice dei vivi e dei morti.*

1052 *« Noi crediamo che le anime di tutti coloro che muoiono nella grazia di Cristo... costituiscono il Popolo di Dio nell'al di là della morte, la quale sarà definitivamente sconfitta nel giorno della risurrezione, quando queste anime saranno riunite ai propri corpi ».*[619]

615 Conc. Ecum. Vat. II, *Gaudium et spes,* 39.
616 *Ibid.*
617 *Ibid.*; cf Id., *Lumen gentium,* 2.
618 San Cirillo di Gerusalemme, *Catecheses illuminandorum,* 18, 29: PG 33, 1049, cf *Liturgia delle Ore,* III, Ufficio delle letture del giovedì della diciassettesima settimana.
619 Paolo VI, *Credo del popolo di Dio,* 28.

1053 *« Noi crediamo che la moltitudine delle anime, che sono riunite attorno a Gesù e a Maria in Paradiso, forma la Chiesa del cielo, dove esse nella beatitudine eterna vedono Dio così com'è e dove sono anche associate, in diversi gradi, con i santi angeli al governo divino esercitato da Cristo glorioso, intercedendo per noi e aiutando la nostra debolezza con la loro fraterna sollecitudine ».*[620]

1054 *Coloro che muoiono nella grazia e nell'amicizia di Dio, ma imperfettamente purificati, benché sicuri della loro salvezza eterna, vengono sottoposti, dopo la morte, ad una purificazione, al fine di ottenere la santità necessaria per entrare nella gioia di Dio.*

1055 *In virtù della « comunione dei santi », la Chiesa raccomanda i defunti alla misericordia di Dio e per loro offre suffragi, in particolare il santo Sacrificio eucaristico.*

1056 *Seguendo l'esempio di Cristo, la Chiesa avverte i fedeli della « triste e penosa realtà della morte eterna »,*[621] *chiamata anche « inferno ».*

1057 *La pena principale dell'inferno consiste nella separazione eterna da Dio; in Dio soltanto l'uomo può avere la vita e la felicità per le quali è stato creato e alle quali aspira.*

1058 *La Chiesa prega perché nessuno si perda: « Signore, non permettere che sia mai separato da te ». Se è vero che nessuno può salvarsi da se stesso, è anche vero che Dio « vuole che tutti gli uomini siano salvati »* (*1 Tm* 2,4) *e che per lui « tutto è possibile »* (*Mt* 19,26).

1059 *« La santissima Chiesa romana crede e confessa fermamente che nel giorno del Giudizio tutti gli uomini compariranno col loro corpo davanti al tribunale di Cristo per rendere conto delle loro azioni ».*[622]

1060 *Alla fine dei tempi, il Regno di Dio giungerà alla sua pienezza. Allora i giusti regneranno con Cristo per sempre, glorificati in corpo e anima, e lo stesso universo materiale sarà trasformato. Dio allora sarà « tutto in tutti »* (*1 Cor* 15,28), *nella vita eterna.*

[620] PAOLO VI, *Credo del popolo di Dio*, 29.
[621] CONGREGAZIONE PER IL CLERO, *Direttorio catechistico generale*, 69.
[622] Concilio di Lione II: DENZ.-SCHÖNM., 859; cf Concilio di Trento: *ibid.*, 1549.

« AMEN »

1061 Il Credo, come pure l'ultimo libro della Sacra Scrittura,[623] termina con la parola ebraica *Amen.* La si trova frequentemente alla fine delle preghiere del Nuovo Testamento. Anche la Chiesa termina le sue preghiere con « Amen ». 2856

1062 In ebraico, « Amen » si ricongiunge alla stessa radice della parola « credere ». Tale radice esprime la solidità, l'affidabilità, la fedeltà. Si capisce allora perché l'« Amen » può esprimere tanto la fedeltà di Dio verso di noi quanto la nostra fiducia in lui. 214

215 1063 Nel profeta Isaia si trova l'espressione « Dio di verità », letteralmente « Dio dell'Amen », cioè il Dio fedele alle sue promesse: « Chi vorrà essere benedetto nel paese, vorrà esserlo per il Dio fedele » (*Is* 65,16). Nostro Signore usa spesso il termine « Amen »,[624] a volte in forma doppia,[625] per sottolineare l'affidabilità del suo insegnamento, la sua autorità fondata sulla verità di Dio. 156

1064 L'« Amen » finale del *Credo* riprende quindi e conferma le due parole con cui inizia: « Io credo ». Credere significa dire « Amen » alle parole, alle promesse, ai comandamenti di Dio, significa fidarsi totalmente di colui che è l'« Amen » d'infinito amore e di perfetta fedeltà. La vita cristiana di ogni giorno sarà allora l'« Amen » all'« Io credo » della professione di fede del nostro Battesimo: 197; 2101

> Il Simbolo sia per te come uno specchio. Guardati in esso, per vedere se tu credi tutto quello che dichiari di credere e rallegrati ogni giorno per la tua fede.[626]

1065 Gesù Cristo stesso è l'« Amen » (*Ap* 3,14). Egli è l'« Amen » definitivo dell'amore del Padre per noi; assume e porta alla sua pienezza il nostro « Amen » al Padre: « Tutte le promesse di Dio in lui sono divenute « sì ». Per questo sempre attraverso lui sale a Dio il nostro Amen per la sua gloria » (*2 Cor* 1,20):

> Per lui, con lui e in lui,
> a te, Dio Padre onnipotente,
> nell'unità dello Spirito Santo,
> ogni onore e gloria
> per tutti i secoli dei secoli.
>
> **AMEN!**

[623] Cf *Ap* 22,21.
[624] Cf *Mt* 6,2.5.16.
[625] Cf *Gv* 5,19.
[626] Sant'Agostino, *Sermones,* 58, 11, 13: PL 38, 399.

Affresco delle catacombe dei Santi Pietro e Marcellino (Roma), dell'inizio del IV secolo.

La scena rappresenta l'incontro di Gesù con la donna da dodici anni sofferente per emorragie: toccando il mantello di Gesù, viene guarita dalla « potenza che era uscita da lui » (*Mc* 5,30).

Nell'immagine si può scorgere il segno della potenza divina e salvifica del Figlio di Dio, che, mediante la vita sacramentale, salva la persona umana nella sua totalità, spirito e corpo.

I sacramenti della Chiesa continuano nel tempo le opere che Cristo ha compiuto durante la sua vita terrena. In essi si manifesta e si realizza la potenza che esce dal Corpo di Cristo, che è la Chiesa, per guarirci dalla ferita del peccato, per donarci la vita nuova in Cristo e farla crescere.

PARTE SECONDA

LA CELEBRAZIONE DEL MISTERO CRISTIANO

Perché la Liturgia?

1066 Nel Simbolo della fede, la Chiesa confessa il Mistero della Santa Trinità e il suo « benevolo disegno » [1] su tutta la creazione: il Padre compie il « Mistero della sua volontà » donando il suo Figlio diletto e il suo Santo Spirito per la salvezza del mondo e per la gloria del suo Nome. Questo è il Mistero di Cristo,[2] rivelato e realizzato nella storia secondo un piano, una « disposizione » sapientemente ordinata che san Paolo chiama « l'Economia del Mistero » [3] e che la tradizione patristica chiamerà « l'Economia del Verbo incarnato » o « l'Economia della salvezza ».

50

236

1067 « Quest'opera della Redenzione umana e della perfetta glorificazione di Dio, che ha il suo preludio nelle mirabili gesta divine operate nel popolo dell'Antico Testamento, è stata compiuta da Cristo Signore, specialmente per mezzo del Mistero pasquale della sua beata Passione, Risurrezione da morte e gloriosa Ascensione, Mistero col quale "morendo ha distrutto la nostra morte e risorgendo ci ha ridonato la vita". Infatti dal costato di Cristo dormiente sulla croce è scaturito il mirabile sacramento di tutta la Chiesa ».[4] Per questo, nella Liturgia, la Chiesa celebra principalmente il Mistero pasquale per mezzo del quale Cristo ha compiuto l'opera della nostra salvezza.

571

1068 Questo Mistero di Cristo la Chiesa annunzia e celebra nella sua Liturgia, affinché i fedeli ne vivano e ne rendano testimonianza nel mondo:

> La Liturgia, infatti, mediante la quale, massimamente nel divino sacrificio dell'Eucaristia, « si attua l'opera della nostra Redenzione », contribuisce in sommo grado a che i fedeli esprimano nella loro vita e manifestino agli altri il Mistero di Cristo e la genuina natura della vera Chiesa.[5]

Che cosa significa il termine Liturgia?

1069 Il termine « Liturgia » significa originalmente « opera pubblica », « servizio da parte del/e in favore del popolo ». Nella tradizione cristiana vuole significare che il Popolo di Dio partecipa all'« opera di Dio ».[6] Attraverso la Liturgia Cristo, nostro Redentore e Sommo Sacerdote,

[1] Cf *Ef* 1,9.
[2] Cf *Ef* 3,4.
[3] Cf *Ef* 3,9.
[4] Conc. Ecum. Vat. II, *Sacrosanctum concilium,* 5.
[5] *Ibid.,* 2.
[6] Cf *Gv* 17,4.

continua nella sua Chiesa, con essa e per mezzo di essa, l'opera della nostra Redenzione.

1070 Il termine « Liturgia » nel Nuovo Testamento è usato per designare non soltanto la celebrazione del culto divino,[7] ma anche l'annunzio del Vangelo[8] e la carità in atto.[9] In tutti questi casi, si tratta del servizio di Dio e degli uomini. Nella celebrazione liturgica, la Chiesa è serva, a immagine del suo Signore, l'unico « Liturgo »,[10] poiché partecipa del suo sacerdozio (culto) profetico (annunzio) e regale (servizio della carità):

783

> Giustamente perciò la Liturgia è ritenuta quell'esercizio dell'ufficio sacerdotale di Gesù Cristo, mediante il quale con segni sensibili viene significata e, in modo proprio a ciascuno, realizzata la santificazione dell'uomo, e viene esercitato dal Corpo Mistico di Gesù Cristo, cioè dal Capo e dalle sue membra, il culto pubblico integrale. Perciò ogni celebrazione liturgica, in quanto opera di Cristo sacerdote e del suo Corpo, che è la Chiesa, è azione sacra per eccellenza, e nessun'altra azione della Chiesa ne uguaglia l'efficacia allo stesso titolo e allo stesso grado.[11]

La Liturgia come fonte di Vita

1071 Opera di Cristo, la Liturgia è anche un'azione della sua *Chiesa.* Essa realizza e manifesta la Chiesa come segno visibile della Comunione di Dio e degli uomini per mezzo di Cristo. Impegna i fedeli nella Vita nuova della comunità. Esige « che i fedeli vi prendano parte consapevolmente, attivamente e fruttuosamente ».[12]

1692

1072 « La sacra Liturgia non esaurisce tutta l'azione della Chiesa »:[13] essa deve essere preceduta dalla evangelizzazione, dalla fede e dalla conversione; allora è in grado di portare i suoi frutti nella vita dei fedeli: la Vita nuova secondo lo Spirito, l'impegno nella missione della Chiesa ed il servizio della sua unità.

Preghiera e Liturgia

1073 La Liturgia è anche partecipazione alla preghiera di Cristo, rivolta al Padre nello Spirito Santo. In essa ogni preghiera cristiana trova la sua

[7] Cf *At* 13,2; *Lc* 1,23.
[8] Cf *Rm* 15,16; *Fil* 2,14-17.30.
[9] Cf *Rm* 15,27; *2 Cor* 9,12; *Fil* 2,25.
[10] Cf *Eb* 8,2.6.
[11] Conc. Ecum. Vat. II, *Sacrosanctum concilium,* 7.
[12] *Ibid.,* 11.
[13] *Ibid.,* 9.

sorgente e il suo termine. Per mezzo della Liturgia, l'uomo interiore è radicato e fondato [14] nel « grande amore con il quale il Padre ci ha amati » (*Ef* 2,4) nel suo Figlio diletto. Ciò che viene vissuto e interiorizzato da ogni preghiera, in ogni tempo, « nello Spirito » (*Ef* 6,18) è la stessa « meraviglia di Dio ». 2558

Catechesi e Liturgia

1074 « La Liturgia è il culmine verso cui tende l'azione della Chiesa e, insieme, la fonte da cui promana tutta la sua virtù ».[15] Essa è quindi il luogo privilegiato della catechesi del Popolo di Dio. « La catechesi è intrinsecamente collegata con tutta l'azione liturgica e sacramentale, perché è nei sacramenti, e soprattutto nell'Eucaristia, che Gesù Cristo agisce in pienezza per la trasformazione degli uomini ».[16]

1075 La catechesi liturgica mira a introdurre nel Mistero di Cristo (essa è infatti « mistagogia »), in quanto procede dal visibile all'invisibile, dal significante a ciò che è significato, dai « sacramenti » ai « misteri ». Una tale catechesi spetta ai catechismi locali e regionali. Il presente catechismo, che vuole essere al servizio di tutta la Chiesa, nella diversità dei suoi riti e delle sue culture,[17] presenterà ciò che è fondamentale e comune a tutta la Chiesa riguardo alla Liturgia come mistero e come celebrazione (sezione prima); quindi i sette sacramenti e i sacramentali (sezione seconda). 426 774

[14] Cf *Ef* 3,16-17.
[15] Conc. Ecum. Vat. II, *Sacrosanctum concilium,* 10.
[16] Giovanni Paolo II, Esort. ap. *Catechesi tradendae,* 23.
[17] Cf Conc. Ecum. Vat. II, *Sacrosanctum concilium,* 3-4.

SEZIONE PRIMA

L'ECONOMIA SACRAMENTALE

1076 Il giorno di Pentecoste, con l'effusione dello Spirito Santo, la Chiesa viene manifestata al mondo.[1] Il dono dello Spirito inaugura un tempo nuovo nella « dispensazione del Mistero »: il tempo della Chiesa, nel quale Cristo manifesta, rende presente e comunica la sua opera di salvezza per mezzo della Liturgia della sua Chiesa, « finché egli venga » (*1 Cor* 11,26). In questo tempo della Chiesa, Cristo vive e agisce ora nella sua Chiesa e con essa in una maniera nuova, propria di questo tempo nuovo. Egli agisce per mezzo dei sacramenti; è ciò che la Tradizione comune dell'Oriente e dell'Occidente chiama « l'Economia sacramentale »; questa consiste nella comunicazione (o « dispensazione ») dei frutti del Mistero pasquale di Cristo nella celebrazione della Liturgia « sacramentale » della Chiesa.

739

È perciò importante mettere in luce per prima cosa questa « dispensazione sacramentale » (capitolo primo). In tal modo appariranno più chiaramente la natura e gli aspetti essenziali della celebrazione liturgica (capitolo secondo).

[1] Cf Conc. Ecum. Vat. II, *Sacrosanctum concilium,* 6; Id., *Lumen gentium,* 2.

CAPITOLO PRIMO

IL MISTERO PASQUALE NEL TEMPO DELLA CHIESA

Articolo 1

LA LITURGIA - OPERA DELLA SANTA TRINITÀ

I. Il Padre, Sorgente e Fine della Liturgia

1077 « Benedetto sia Dio, Padre del Signore nostro Gesù Cristo, che ci ha benedetti con ogni benedizione spirituale nei cieli, in Cristo. In lui ci ha scelti prima della creazione del mondo, per essere santi e immacolati al suo cospetto nella carità, predestinandoci a essere suoi figli adottivi per opera di Gesù Cristo, secondo il beneplacito della sua volontà. E questo a lode e gloria della sua grazia, che ci ha dato nel suo Figlio diletto » (*Ef* 1,3-6). 492

1078 Benedire è un'azione divina che dà la vita e di cui il Padre è la sorgente. La sua benedizione è insieme parola e dono (« bene-dictio », « eu-logia »). Riferito all'uomo, questo termine significherà l'adorazione e la consegna di sé al proprio Creatore nell'azione di grazie. 2626

1079 Dall'inizio alla fine dei tempi, tutta l'opera di Dio è *benedizione*. Dal poema liturgico della prima creazione ai cantici della Gerusalemme celeste, gli autori ispirati annunziano il disegno della salvezza come una immensa benedizione divina.

1080 In principio, Dio benedice gli esseri viventi, specialmente l'uomo e la donna. L'alleanza con Noè e con tutti gli esseri animati rinnova questa benedizione di fecondità, nonostante il peccato dell'uomo, a causa del quale il suolo è « maledetto ». Ma è a partire da Abramo che la benedizione divina penetra la storia degli uomini, che andava verso la morte, per farla ritornare alla vita, alla sua sorgente: grazie alla fede del « padre dei credenti » che accoglie la benedizione, è inaugurata la storia della salvezza.

1081 Le benedizioni divine si manifestano in eventi mirabili e salvifici: la nascita di Isacco, l'uscita dall'Egitto (Pasqua ed Esodo), il dono della Terra promessa, l'elezione di Davide, la presenza di Dio nel tempio, l'esilio purificatore e il ritorno del « piccolo resto ». La Legge, i Profeti e i Salmi, che tessono la Liturgia del Popolo eletto, ricordano queste benedizioni divine e nello stesso tempo rispondono ad esse con le benedizioni di lode e di rendimento di grazie.

1082 Nella Liturgia della Chiesa, la benedizione divina è pienamente rivelata e comunicata: il Padre è riconosciuto e adorato come la Sorgente e il Termine di tutte le benedizioni della creazione e della salvezza; nel suo Verbo, incarnato, morto e risorto per noi, egli ci colma delle sue benedizioni, e per suo mezzo effonde nei nostri cuori il Dono che racchiude tutti i doni: lo Spirito Santo.

2627 1083 Si comprende allora la duplice dimensione della Liturgia cristiana come risposta di fede e di amore alle « benedizioni spirituali » di cui il Padre ci fa dono. Da una parte, la Chiesa, unita al suo Signore e sotto l'azione dello Spirito Santo,[2] benedice il Padre per il « suo ineffabile Dono » (*2 Cor* 9,15) con l'adorazione, la lode e l'azione di grazie. Dall'altra, e fino al pieno compimento del disegno di Dio, la Chiesa non cessa di presentare al Padre 1360 « l'offerta dei propri doni » e d'implorare che mandi lo Spirito Santo sull'offerta, su se stessa, sui fedeli e sul mondo intero, affinché, per la comunione alla Morte e alla Risurrezione di Cristo Sacerdote e per la potenza dello Spirito, queste benedizioni divine portino frutti di vita « a lode e gloria della sua grazia » (*Ef* 1,6).

II. L'Opera di Cristo nella Liturgia

Cristo glorificato...

662 1084 « Assiso alla destra del Padre » da dove effonde lo Spirito Santo nel suo Corpo che è la Chiesa, Cristo agisce ora attraverso i sacramenti, da lui istituiti per comunicare la sua grazia. I sacramenti sono segni sensibili (pa- 1127 role e azioni), accessibili alla nostra attuale umanità. Essi realizzano in modo efficace la grazia che significano, mediante l'azione di Cristo e la potenza dello Spirito Santo.

1085 Nella Liturgia della Chiesa Cristo significa e realizza principalmente il suo Mistero pasquale. Durante la sua vita terrena, Gesù annunziava con il suo insegnamento e anticipava con le sue azioni il suo Mistero pasquale. Venuta la sua Ora,[3] egli vive l'unico avvenimento della storia che non passa: Gesù muore, è sepolto, risuscita dai morti e siede alla destra del Padre « una volta per tutte » (*Rm* 6,10; *Eb* 7,27; 9,12). È un evento reale, accaduto nella

[2] Cf *Lc* 10,21.
[3] Cf *Gv* 13,1; 17,1.

nostra storia, ma è unico: tutti gli altri avvenimenti della storia accadono una volta, poi passano, inghiottiti nel passato. Il Mistero pasquale di Cristo, invece, non può rimanere soltanto nel passato, dal momento che con la sua morte egli ha distrutto la morte, e tutto ciò che Cristo è, tutto ciò che ha compiuto e sofferto per tutti gli uomini, partecipa dell'eternità divina e perciò abbraccia tutti i tempi e in essi è reso presente. L'evento della croce e della Risurrezione *rimane* e attira tutto verso la Vita. 519 1165

... DALLA CHIESA DEGLI APOSTOLI...

1086 « Come il Cristo fu inviato dal Padre, così anch'egli ha inviato gli Apostoli, ripieni di Spirito Santo, non solo perché, predicando il Vangelo a tutti gli uomini, annunziassero che il Figlio di Dio con la sua morte e Risurrezione ci ha liberati dal potere di Satana e dalla morte e trasferiti nel regno del Padre, ma anche perché attuassero, per mezzo del Sacrificio e dei sacramenti, sui quali s'impernia tutta la vita liturgica, l'opera della salvezza che annunziavano ».[4] 858

1087 Pertanto, donando lo Spirito Santo agli Apostoli, Cristo risorto conferisce loro il proprio potere di santificazione:[5] diventano segni sacramentali di Cristo. Per la potenza dello stesso Spirito Santo, essi conferiscono tale potere ai loro successori. Questa « successione apostolica » struttura tutta la vita liturgica della Chiesa; essa stessa è sacramentale, trasmessa attraverso il sacramento dell'Ordine. 861 1536

... È PRESENTE NELLA LITURGIA TERRESTRE...

1088 « Per realizzare un'opera così grande » — la "dispensazione" o comunicazione della sua opera di salvezza — « Cristo è sempre presente nella sua Chiesa, in modo speciale nelle azioni liturgiche. È presente nel Sacrificio della Messa sia nella persona del ministro, "egli che, offertosi una volta sulla croce, offre ancora se stesso per il ministero dei sacerdoti", sia soprattutto sotto le specie eucaristiche. È presente con la sua virtù nei sacramenti, di modo che quando uno battezza è Cristo stesso che battezza. È presente nella sua Parola, giacché è lui che parla quando nella Chiesa si legge la Sacra Scrittura. È presente, infine, quando la Chiesa prega e loda, lui che ha promesso: "Dove sono due o tre riuniti nel mio nome, là sono io, in mezzo a loro" (*Mt* 18,20) ».[6] 776 669 1373

1089 « In quest'opera così grande, con la quale viene resa a Dio una gloria perfetta e gli uomini vengono santificati, Cristo associa sempre a sé la Chie-

[4] CONC. ECUM. VAT. II, *Sacrosanctum concilium,* 6.
[5] Cf *Gv* 20,21-23.
[6] CONC. ECUM. VAT. II, *Sacrosanctum concilium,* 7.

796 sa, sua Sposa amatissima, la quale prega il suo Signore e per mezzo di lui rende il culto all'Eterno Padre ».[7]

... CHE PARTECIPA ALLA LITURGIA CELESTE

1137-1139 1090 « Nella Liturgia terrena noi partecipiamo, pregustandola, a quella celeste, che viene celebrata nella santa città di Gerusalemme, verso la quale tendiamo come pellegrini, dove il Cristo siede alla destra di Dio quale ministro dei santi e del vero tabernacolo; con tutte le schiere della milizia celeste cantiamo al Signore l'inno di gloria; ricordando con venerazione i santi, speriamo di ottenere un qualche posto con essi; aspettiamo, quale Salvatore, il Signore nostro Gesù Cristo, fino a quando egli comparirà, nostra vita, e noi appariremo con lui nella gloria ».[8]

III. Lo Spirito Santo e la Chiesa nella Liturgia

1091 Nella Liturgia lo Spirito Santo è il pedagogo della fede del Popolo di Dio, l'artefice di quei « capolavori di Dio » che sono i sacramenti della Nuova Alleanza. Il desiderio e l'opera dello Spirito nel cuore della Chiesa è che noi viviamo della vita del Cristo risorto. Quando egli incontra in noi la risposta di fede da lui suscitata, si realizza una vera cooperazione. Grazie ad essa, la Liturgia diventa l'opera comune dello Spirito Santo e della Chiesa. (798)

1092 In questa comunicazione sacramentale del Mistero di Cristo, lo Spirito Santo agisce allo stesso modo che negli altri tempi dell'Economia della salvezza: egli prepara la Chiesa ad incontrare il suo Signore; ricorda e manifesta Cristo alla fede dell'assemblea; rende presente e attualizza il Mistero di Cristo per mezzo della sua potenza trasformatrice; infine, lo Spirito di comunione unisce la Chiesa alla vita e alla missione di Cristo. (737)

LO SPIRITO SANTO PREPARA AD ACCOGLIERE CRISTO

1093 Nell'Economia sacramentale lo Spirito Santo dà compimento alle figure dell'*Antica Alleanza*. Poiché la Chiesa di Cristo era « mirabilmente preparata nella storia del popolo d'Israele e nell'Antica Alleanza »,[9] la Liturgia della Chiesa conserva come parte integrante e insostituibile, facendoli propri, alcuni elementi del culto dell'Antica Alleanza: (762)

121 — in modo particolare la lettura dell'Antico Testamento;

2585 — la preghiera dei Salmi;

[7] CONC. ECUM. VAT. II, *Sacrosanctum concilium,* 7.
[8] *Ibid.,* 8; cf ID., *Lumen gentium,* 50.
[9] CONC. ECUM. VAT. II, *Lumen gentium,* 2.

— e, soprattutto, il memoriale degli eventi salvifici e delle realtà prefigurative che hanno trovato il loro compimento nel Mistero di Cristo (la Promessa e l'Alleanza, l'Esodo e la Pasqua, il Regno ed il Tempio, l'Esilio ed il Ritorno). 1081

1094 Proprio su questa armonia dei due Testamenti [10] si articola la catechesi pasquale del Signore [11] e in seguito quella degli Apostoli e dei Padri della Chiesa. Tale catechesi svela ciò che rimaneva nascosto sotto la lettera dell'Antico Testamento: il Mistero di Cristo. Essa è chiamata « tipologica » in quanto rivela la novità di Cristo a partire dalle « figure » (tipi) che lo annunziavano nei fatti, nelle parole e nei simboli della prima Alleanza. Attraverso questa rilettura nello Spirito di Verità a partire da Cristo, le figure vengono svelate.[12] Così, il diluvio e l'arca di Noè prefiguravano la salvezza per mezzo del Battesimo,[13] come pure la Nube e la traversata del Mar Rosso; l'acqua dalla roccia era figura dei doni spirituali di Cristo; [14] la manna nel deserto prefigurava l'Eucaristia, « il vero Pane dal cielo ».[15] 128-130

1095 Per questo la Chiesa, specialmente nei tempi di Avvento, di Quaresima e soprattutto nella notte di Pasqua, rilegge e rivive tutti questi grandi eventi della storia della salvezza nell'« oggi » della sua Liturgia. Ma questo esige pure che la catechesi aiuti i fedeli ad aprirsi a tale intelligenza « spirituale » dell'Economia della salvezza, come la Liturgia della Chiesa la manifesta e ce la fa vivere. 281 117

1096 *Liturgia ebraica e Liturgia cristiana.* Una migliore conoscenza della fede e della vita religiosa del popolo ebraico, quali sono professate e vissute ancora al presente, può aiutare a comprendere meglio certi aspetti della Liturgia cristiana. Per gli ebrei e per i cristiani la Sacra Scrittura è una parte essenziale delle loro liturgie: per la proclamazione della Parola di Dio, la risposta a questa Parola, la preghiera di lode e di intercessione per i vivi e per i morti, il ricorso alla misericordia divina. La Liturgia della Parola, nella sua specifica struttura, ha la sua origine nella preghiera ebraica. La preghiera delle Ore e altri testi e formulari liturgici hanno in essa i loro corrispettivi, come pure le stesse formule delle nostre preghiere più degne di venerazione, tra le quali il « Pater » [Padre nostro]. Anche le preghiere eucaristiche si ispirano a modelli della tradizione ebraica. Il rapporto tra la Liturgia ebraica e quella cristiana, ma anche le differenze tra i loro contenuti, sono particolarmente visibili nelle grandi feste dell'anno liturgico, come la Pasqua. Cristiani ed ebrei celebrano la Pasqua: Pasqua della storia, tesa verso il futuro, presso gli ebrei; presso i cristiani, Pasqua compiuta nella morte e nella Risurrezione di Cristo, anche se ancora in attesa della definitiva consumazione. 1174 1352 840

[10] Cf Conc. Ecum. Vat. II, *Dei Verbum,* 14-16.
[11] Cf *Lc* 24,13-49.
[12] Cf *2 Cor* 3,14-16.
[13] Cf *1 Pt* 3,21.
[14] Cf *1 Cor* 10,1-6.
[15] Cf *Gv* 6,32.

1097 Nella *Liturgia della Nuova Alleanza,* ogni azione liturgica, specialmente la celebrazione dell'Eucaristia e dei sacramenti, è un incontro tra Cristo e la Chiesa. L'assemblea liturgica riceve la propria unità dalla « comunione dello Spirito Santo » che riunisce i figli di Dio nell'unico Corpo di Cristo. Essa supera le affinità umane, razziali, culturali e sociali.

1098 L'assemblea deve *prepararsi* ad incontrare il suo Signore, essere « un popolo ben disposto ». Questa preparazione dei cuori è l'opera comune dello Spirito Santo e dell'assemblea, in particolare dei suoi ministri. La grazia 1430 dello Spirito Santo cerca di risvegliare la fede, la conversione del cuore e l'adesione alla volontà del Padre. Queste disposizioni sono il presupposto per l'accoglienza delle altre grazie offerte nella celebrazione stessa e per i frutti di vita nuova che essa è destinata a produrre in seguito.

Lo Spirito Santo ricorda il Mistero di Cristo

1099 Lo Spirito e la Chiesa cooperano per manifestare Cristo e la sua opera di salvezza nella Liturgia. Specialmente nell'Eucaristia, e in modo analogo negli altri sacramenti, la Liturgia è Memoriale del Mistero della salvezza. 91 Lo Spirito Santo è la memoria viva della Chiesa.[16]

1134 1100 La *Parola di Dio.* Lo Spirito Santo ricorda in primo luogo all'assemblea liturgica il senso dell'evento della salvezza dando vita alla Parola di Dio che viene annunziata per essere accolta e vissuta:

103; 131

> Massima è l'importanza della Sacra Scrittura nel celebrare la Liturgia. Da essa infatti vengono tratte le letture da spiegare nell'omelia e i Salmi da cantare; del suo afflato e del suo spirito sono permeate le preci, le orazioni e gli inni liturgici, e da essa prendono significato le azioni e i segni.[17]

1101 È lo Spirito Santo che dona ai lettori e agli uditori, secondo le dispo- 117 sizioni dei loro cuori, l'intelligenza spirituale della Parola di Dio. Attraverso le parole, le azioni e i simboli che costituiscono la trama di una celebrazione, egli mette i fedeli e i ministri in relazione viva con Cristo, Parola e Immagine del Padre, affinché possano far passare nella loro vita il significato di ciò che ascoltano, contemplano e compiono nella celebrazione.

1102 « In virtù della parola salvatrice la fede... si alimenta nel cuore dei credenti, e con la fede ha inizio e cresce la comunità dei credenti ».[18] L'annunzio della Parola di Dio non si limita ad un insegnamento: essa sollecita la

[16] Cf *Gv* 14,26.
[17] Conc. Ecum. Vat. II, *Sacrosanctum concilium,* 24.
[18] Conc. Ecum. Vat. II, *Presbyterorum ordinis,* 4.

risposta della fede, come adesione e impegno, in vista dell'Alleanza tra Dio e il suo Popolo. È ancora lo Spirito Santo che elargisce la grazia della fede, la fortifica e la fa crescere nella comunità. L'assemblea liturgica è prima di tutto comunione nella fede. 143

1103 L'*Anamnesi.* La celebrazione liturgica si riferisce sempre agli interventi salvifici di Dio nella storia. « L'Economia della rivelazione avviene con eventi e parole intimamente connessi tra loro... Le parole dichiarano le opere e chiariscono il mistero in esse contenuto ».[19] Nella Liturgia della Parola lo Spirito Santo « ricorda » all'assemblea tutto ciò che Cristo ha fatto per noi. Secondo la natura delle azioni liturgiche e le tradizioni rituali delle Chiese, una celebrazione « fa memoria » delle meraviglie di Dio attraverso una Anamnesi più o meno sviluppata. Lo Spirito Santo, che in tal modo risveglia la memoria della Chiesa, suscita di conseguenza l'azione di grazie e la lode (*Dossologia*). 1362

Lo Spirito Santo attualizza il Mistero di Cristo

1104 La Liturgia cristiana non soltanto ricorda gli eventi che hanno operato la nostra salvezza; essa li attualizza, li rende presenti. Il Mistero pasquale di Cristo viene celebrato, non ripetuto; sono le celebrazioni che si ripetono; in ciascuna di esse ha luogo l'effusione dello Spirito Santo che attualizza l'unico Mistero. 1085

1105 L'*Epiclesi* (« invocazione-su ») è l'intercessione con la quale il sacerdote supplica il Padre di inviare lo Spirito Santificatore affinché le offerte diventino il Corpo e il Sangue di Cristo e i fedeli, ricevendole, divengano essi pure un'offerta viva a Dio. 1153

1106 Insieme con l'Anamnesi, l'Epiclesi è il cuore di ogni celebrazione sacramentale, in modo particolare dell'Eucaristia:

> Tu chiedi in che modo il pane diventa Corpo di Cristo e il vino... Sangue di Cristo? Te lo dico io: lo Spirito Santo irrompe e realizza ciò che supera ogni parola e ogni pensiero... Ti basti sapere che questo avviene per opera dello Spirito Santo, allo stesso modo che dalla Santa Vergine e per mezzo dello Spirito Santo il Signore, da se stesso e in se stesso, assunse la carne.[20] 1375

1107 La forza trasformatrice dello Spirito Santo nella Liturgia affretta la venuta del Regno e la consumazione del Mistero della salvezza. Nell'attesa e nella speranza egli ci fa realmente anticipare la piena comunione della Santissima Trinità. Mandato dal Padre che esaudisce l'Epiclesi della Chiesa, 2816

[19] Conc. Ecum. Vat. II, *Dei Verbum,* 2.
[20] San Giovanni Damasceno, *De fide orthodoxa,* 4, 13: PG 94, 1142A.

lo Spirito dona la vita a coloro che l' accolgono, e costituisce per essi, fin d'ora, « la caparra » della loro eredità.[21]

LA COMUNIONE DELLO SPIRITO SANTO

1108 Il fine della missione dello Spirito Santo in ogni azione liturgica è quello di mettere in comunione con Cristo per formare il suo Corpo. Lo Spirito Santo è come la linfa della Vigna del Padre che porta il suo frutto nei tralci.[22] Nella Liturgia si attua la più stretta cooperazione tra lo Spirito Santo e la Chiesa. Egli, lo Spirito di comunione, rimane nella Chiesa in modo indefettibile, e per questo la Chiesa è il grande sacramento della comunione divina che riunisce i figli di Dio dispersi. Il frutto dello Spirito nella Liturgia è inseparabilmente comunione con la Santa Trinità e comunione fraterna.[23]

788 1091 775

1109 L'Epiclesi è anche preghiera per la piena realizzazione della comunione dell'assemblea al Mistero di Cristo. « La grazia del Signore Gesù Cristo, l'amore di Dio e la comunione dello Spirito Santo » (*2 Cor* 13,13) devono rimanere sempre con noi e portare frutti al di là della celebrazione eucaristica. La Chiesa prega dunque il Padre di inviare lo Spirito Santo, perché faccia della vita dei fedeli un'offerta viva a Dio attraverso la trasformazione spirituale a immagine di Cristo, la sollecitudine per l'unità della Chiesa e la partecipazione alla sua missione per mezzo della testimonianza e del servizio della carità.

1368

In sintesi

1110 *Nella Liturgia della Chiesa Dio Padre è benedetto e adorato come la sorgente di tutte le benedizioni della creazione e della salvezza, con le quali ci ha benedetti nel suo Figlio, per donarci lo Spirito dell'adozione filiale.*

1111 *L'opera di Cristo nella Liturgia è sacramentale perché il suo Mistero di salvezza vi è reso presente mediante la potenza del suo Santo Spirito; perché il suo Corpo, che è la Chiesa, è come il sacramento (segno e strumento) nel quale lo Spirito Santo dispensa il Mistero della salvezza; perché, attraverso le sue azioni liturgiche, la Chiesa pellegrina nel tempo partecipa già, pregustandola, alla Liturgia celeste.*

1112 *La missione dello Spirito Santo nella Liturgia della Chiesa è di preparare l'assemblea a incontrare Cristo; di ricordare e manifestare*

[21] Cf *Ef* 1,14; *2 Cor* 1,22.
[22] Cf *Gv* 15,1-17; *Gal* 5,22.
[23] Cf *1 Gv* 1,3-7.

Cristo alla fede dell'assemblea; di rendere presente e attualizzare, con la sua potenza trasformatrice, l'opera salvifica di Cristo, e di far fruttificare il dono della comunione nella Chiesa.

Articolo 2

IL MISTERO PASQUALE NEI SACRAMENTI DELLA CHIESA

1113 Tutta la vita liturgica della Chiesa gravita attorno al Sacrificio eucaristico e ai sacramenti.[24] Nella Chiesa vi sono sette sacramenti: il Battesimo, la Confermazione o Crismazione, l'Eucaristia, la Penitenza, l'Unzione degli infermi, l'Ordine, il Matrimonio.[25] In questo articolo viene trattato ciò che è comune ai sette sacramenti della Chiesa, dal punto di vista dottrinale. Quanto è loro comune riguardo alla celebrazione sarà esposto nel capitolo secondo, mentre ciò che è proprio a ciascuno di essi costituirà l'oggetto della sezione seconda. 1210

I. I sacramenti di Cristo

1114 « Attenendoci alla dottrina delle Sacre Scritture, alle tradizioni apostoliche e all'unanime pensiero... dei Padri », noi professiamo « che i sacramenti della nuova Legge sono stati istituiti tutti da Gesù Cristo nostro Signore ».[26]

1115 Le parole e le azioni di Gesù nel tempo della sua vita nascosta e del suo ministero pubblico erano già salvifiche. Esse anticipavano la potenza del suo Mistero pasquale. Annunziavano e preparavano ciò che egli avrebbe donato alla Chiesa quando tutto fosse stato compiuto. I misteri della vita di Cristo costituiscono i fondamenti di ciò che, ora, Cristo dispensa nei sacramenti mediante i ministri della sua Chiesa, poiché « ciò che era visibile nel nostro Salvatore è passato nei suoi misteri ».[27] 512-560

1116 « Forze che escono » dal Corpo di Cristo,[28] sempre vivo e vivificante, azioni dello Spirito Santo operante nel suo Corpo che è la Chiesa, i sacramenti sono i « capolavori di Dio » nella Nuova ed Eterna Alleanza. 1504 774

[24] Cf Conc. Ecum. Vat. II, *Sacrosanctum concilium,* 6.
[25] Cf Concilio di Lione II: Denz.-Schönm., 860; Concilio di Firenze: *ibid.,* 1310; Concilio di Trento: *ibid.,* 1601.
[26] Concilio di Trento: Denz.-Schönm., 1600-1601.
[27] San Leone Magno, *Sermones,* 74, 2: PL 54, 398A.
[28] Cf *Lc* 5,17; 6,19; 8,46.

II. I sacramenti della Chiesa

1117 Per mezzo dello Spirito che la guida « alla verità tutta intera » (*Gv* 16,13), la Chiesa ha riconosciuto a poco a poco questo tesoro ricevuto da Cristo e ne ha precisato la « dispensazione », come ha fatto per il canone delle divine Scritture e la dottrina della fede, quale fedele amministratrice dei misteri di Dio.[29] Così la Chiesa, nel corso dei secoli, è stata in grado di discernere che, tra le sue celebrazioni liturgiche, ve ne sono sette le quali costituiscono, nel senso proprio del termine, sacramenti istituiti dal Signore.

120

1118 I sacramenti sono « della Chiesa » in un duplice significato: sono « da essa » e « per essa ». Sono « dalla Chiesa » per il fatto che questa è il sacramento dell'azione di Cristo che opera in lei grazie alla missione dello Spirito Santo. E sono « per la Chiesa », sono cioè quei « sacramenti che fanno la Chiesa »,[30] in quanto manifestano e comunicano agli uomini, soprattutto nell'Eucaristia, il Mistero della comunione del Dio Amore, Uno in tre Persone.

1396

792

1119 Poiché con il Cristo-Capo forma « quasi un'unica persona mistica »,[31] la Chiesa agisce nei sacramenti come « comunità sacerdotale », « organicamente strutturata ».[32] Mediante il Battesimo e la Confermazione, il popolo sacerdotale è reso idoneo a celebrare la Liturgia; d'altra parte alcuni fedeli, « insigniti dell'Ordine sacro, sono posti in nome di Cristo a pascere la Chiesa con la parola e la grazia di Dio ».[33]

1547

1120 Il ministero ordinato o sacerdozio *ministeriale*[34] è al servizio del sacerdozio battesimale. Esso garantisce che, nei sacramenti, è proprio il Cristo che agisce per mezzo dello Spirito Santo a favore della Chiesa. La missione di salvezza affidata dal Padre al proprio Figlio incarnato è affidata agli Apostoli e da essi ai loro successori; questi ricevono lo Spirito di Gesù per operare in suo nome e in persona di lui.[35] Il ministro ordinato è dunque il legame sacramentale che collega l'azione liturgica a ciò che hanno detto e fatto gli Apostoli, e, tramite loro, a ciò che ha detto e operato Cristo, sorgente e fondamento dei sacramenti.

[29] Cf *Mt* 13,52; *1 Cor* 4,1.
[30] Sant'Agostino, *De civitate Dei,* 22, 17; cf San Tommaso d'Aquino, *Summa theologiae,* III, 64, 2, ad 3.
[31] Pio XII, Lett. enc. *Mystici Corporis.*
[32] Conc. Ecum. Vat. II, *Lumen gentium,* 11.
[33] *Ibid.*
[34] Cf *ibid.,* 10.
[35] Cf *Gv* 20,21-23; *Lc* 24,47; *Mt* 28,18-20.

1121 I tre sacramenti del Battesimo, della Confermazione e dell'Ordine conferiscono, oltre la grazia, un *carattere* sacramentale o « sigillo » in forza del quale il cristiano partecipa al sacerdozio di Cristo e fa parte della Chiesa secondo stati e funzioni diverse. Questa configurazione a Cristo e alla Chiesa, realizzata dallo Spirito, è indelebile;[36] essa rimane per sempre nel cristiano come disposizione positiva alla grazia, come promessa e garanzia della protezione divina e come vocazione al culto divino e al servizio della Chiesa. Tali sacramenti non possono dunque mai essere ripetuti.

1272; 1304; 1582

III. I sacramenti della fede

1122 Cristo ha inviato i suoi Apostoli perché « nel suo Nome », siano « predicati a tutte le genti la conversione e il perdono dei peccati » (*Lc* 24,47). « Ammaestrate tutte le nazioni, battezzandole nel nome del Padre e del Figlio e dello Spirito Santo » (*Mt* 28,19). La missione di battezzare, dunque la missione sacramentale, è implicita nella missione di evangelizzare, poiché il sacramento è preparato *dalla Parola di Dio e dalla fede,* la quale è consenso a questa Parola:

849

1236

> Il Popolo di Dio viene adunato innanzitutto per mezzo della Parola del Dio vivente... La predicazione della Parola è necessaria per lo stesso ministero dei sacramenti, trattandosi di sacramenti della fede, la quale nasce e si alimenta con la Parola.[37]

1123 « I sacramenti sono ordinati alla santificazione degli uomini, all'edificazione del Corpo di Cristo, e, infine, a rendere culto a Dio; in quanto segni, hanno poi anche la funzione di istruire. Non solo suppongono la fede, ma con le parole e gli elementi rituali la nutrono, la irrobustiscono e la esprimono; perciò vengono chiamati sacramenti *della fede* ».[38]

1154

1124 La fede della Chiesa precede la fede del credente, che è invitato ad aderirvi. Quando la Chiesa celebra i sacramenti, confessa la fede ricevuta dagli Apostoli. Da qui l'antico adagio: « *Lex orandi, lex credendi* ».[39] La legge della preghiera è la legge della fede, la Chiesa crede come prega. La Liturgia è un elemento costitutivo della santa e vivente Tradizione.[40]

166

1327

78

1125 Per questo motivo nessun rito sacramentale può essere modificato o manipolato dal ministro o dalla comunità a loro piacimento. Neppure

1205

[36] Concilio di Trento: DENZ.-SCHÖNM., 1609.
[37] CONC. ECUM. VAT. II, *Presbyterorum ordinis,* 4.
[38] CONC. ECUM. VAT. II, *Sacrosanctum concilium,* 59.
[39] Oppure: « Legem credendi lex statuat supplicandi », secondo PROSPERO DI AQUITANIA, *Epistulae,* 217 (V secolo): PL 45, 1031.
[40] Cf CONC. ECUM. VAT. II, *Dei Verbum,* 8.

l'autorità suprema nella Chiesa può cambiare la Liturgia a sua discrezione, ma unicamente nell'obbedienza della fede e nel religioso rispetto del mistero della Liturgia.

1126 Inoltre, poiché i sacramenti esprimono e sviluppano la comunione di fede nella Chiesa, la *lex orandi* è uno dei criteri essenziali del dialogo che cerca di ricomporre l'unità dei cristiani.[41]

815

IV. I sacramenti della salvezza

1127 Degnamente celebrati nella fede, i sacramenti conferiscono la grazia che significano.[42] Sono *efficaci* perché in essi agisce Cristo stesso: è lui che battezza, è lui che opera nei suoi sacramenti per comunicare la grazia che il sacramento significa. Il Padre esaudisce sempre la preghiera della Chiesa del suo Figlio, la quale, nell'Epiclesi di ciascun sacramento, esprime la propria fede nella potenza dello Spirito. Come il fuoco trasforma in sé tutto ciò che tocca, così lo Spirito Santo trasforma in vita divina ciò che è sottomesso alla sua potenza.

1084 1105 696

1128 È questo il significato dell'affermazione della Chiesa: [43] i sacramenti agiscono *ex opere operato* (lett. « per il fatto stesso che l'azione viene compiuta »), cioè in virtù dell'opera salvifica di Cristo, compiuta una volta per tutte. Ne consegue che « il sacramento non è realizzato dalla giustizia dell'uomo che lo conferisce o lo riceve, ma dalla potenza di Dio ».[44] Quando un sacramento viene celebrato in conformità all'intenzione della Chiesa, la potenza di Cristo e del suo Spirito agisce in esso e per mezzo di esso, indipendentemente dalla santità personale del ministro. Tuttavia i frutti dei sacramenti dipendono anche dalle disposizioni di colui che li riceve.

1584

1129 La Chiesa afferma che per i credenti i sacramenti della Nuova Alleanza sono *necessari alla salvezza*.[45] La « grazia sacramentale » è la grazia dello Spirito Santo donata da Cristo e propria di ciascun sacramento. Lo Spirito guarisce e trasforma coloro che li ricevono conformandoli al Figlio di Dio. Il frutto della vita sacramentale è che lo Spirito di adozione deifica [46] i fedeli unendoli vitalmente al Figlio unico, il Salvatore.

1257 2003 460

[41] Cf Conc. Ecum. Vat. II, *Unitatis redintegratio,* 2 e 15.
[42] Cf Concilio di Trento: Denz.-Schönm., 1605 e 1606.
[43] Cf *ibid.,* 1608.
[44] San Tommaso d'Aquino, *Summa theologiae,* III, 68, 8.
[45] Cf Concilio di Trento: Denz.-Schönm., 1604.
[46] Cf *2 Pt* 1,4.

V. I sacramenti della vita eterna

1130 La Chiesa celebra il Mistero del suo Signore « finché egli venga » e « Dio sia tutto in tutti » (*1 Cor* 11,26; 15,28). Dall'età apostolica la Liturgia è attirata verso il suo termine dal gemito dello Spirito nella Chiesa: « Marana tha! » (*1 Cor* 16,22). La Liturgia condivide così il desiderio di Gesù: « Ho desiderato ardentemente di mangiare questa Pasqua con voi... finché essa non si compia nel regno di Dio » (*Lc* 22,15-16). Nei sacramenti di Cristo la Chiesa già riceve la caparra della sua eredità, già partecipa alla vita eterna, pur « nell'attesa della beata speranza e della manifestazione della gloria del nostro grande Dio e Salvatore Gesù Cristo » (*Tt* 2,13). « Lo Spirito e la Sposa dicono: Vieni!... Vieni, Signore Gesù! » (*Ap* 22,17.20).

2817

950

San Tommaso riassume così le diverse dimensioni del segno sacramentale: « Il sacramento è segno commemorativo del passato, ossia della passione del Signore; è segno dimostrativo del frutto prodotto in noi dalla sua passione, cioè della grazia; è segno profetico, che preannunzia la gloria futura ».[47]

In sintesi

1131 *I sacramenti sono segni efficaci della grazia, istituiti da Cristo e affidati alla Chiesa, attraverso i quali ci viene elargita la vita divina. I riti visibili con i quali i sacramenti sono celebrati significano e realizzano le grazie proprie di ciascun sacramento. Essi portano frutto in coloro che li ricevono con le disposizioni richieste.*

1132 *La Chiesa celebra i sacramenti come comunità sacerdotale strutturata mediante il sacerdozio battesimale e quello dei ministri ordinati.*

1133 *Lo Spirito Santo prepara ai sacramenti per mezzo della Parola di Dio e della fede che accoglie la Parola nei cuori ben disposti. Allora, i sacramenti fortificano ed esprimono la fede.*

1134 *Il frutto della vita sacramentale è ad un tempo personale ed ecclesiale. Da una parte tale frutto è, per ogni fedele, vivere per Dio in Cristo Gesù; dall'altra costituisce per la Chiesa una crescita nella carità e nella sua missione di testimonianza.*

[47] San Tommaso d'Aquino, *Summa theologiae,* III, 60, 3.

CAPITOLO SECONDO

LA CELEBRAZIONE SACRAMENTALE DEL MISTERO PASQUALE

1135 La catechesi della Liturgia implica prima di tutto la comprensione dell'economia sacramentale (capitolo primo). A questa luce si rivela la novità della sua *celebrazione*. In questo capitolo si tratterà dunque della celebrazione dei sacramenti della Chiesa. Si esporrà ciò che, nella diversità delle tradizioni liturgiche, è comune alla celebrazione dei sette sacramenti; quanto invece è specifico di ciascuno di essi sarà presentato più avanti. Questa catechesi fondamentale delle celebrazioni sacramentali risponderà alle prime domande che i fedeli si pongono a proposito di questo argomento:

— chi celebra?

— come celebrare?

— quando celebrare?

— dove celebrare?

Articolo 1

CELEBRARE LA LITURGIA DELLA CHIESA

I. Chi celebra?

795 1090 1136 La Liturgia è « azione » di « *Cristo tutto intero* » (« Christus totus »). Coloro che qui la celebrano, al di là dei segni, sono già nella Liturgia celeste, dove la celebrazione è totalmente comunione e festa.

2642 I CELEBRANTI DELLA LITURGIA CELESTE

1137 L'Apocalisse di san Giovanni, letta nella Liturgia della Chiesa, ci rivela prima di tutto « un trono nel cielo, e sul trono Uno... seduto » (*Ap* 4,2):

« il Signore » (*Is* 6,1).[1] Poi l'Agnello, « immolato e ritto » (*Ap* 5,6):[2] il Cristo crocifisso e risorto, l'unico Sommo Sacerdote del vero santuario,[3] lo stesso « che offre e che viene offerto, che dona ed è donato ».[4] Infine, il « fiume di acqua viva » che scaturisce « dal trono di Dio e dell'Agnello » (*Ap* 22,1), uno dei simboli più belli dello Spirito Santo.[5]

662

1138 « Ricapitolati » in Cristo, partecipano al servizio della lode di Dio e al compimento del suo disegno: le Potenze celesti,[6] tutta la creazione (i quattro esseri Viventi), i servitori dell'Antica e della Nuova Alleanza (i ventiquattro Vegliardi), il nuovo Popolo di Dio (i centoquarantaquattromila),[7] in particolare i martiri « immolati a causa della Parola di Dio » (*Ap* 6,9-11), e la santissima Madre di Dio,[8] infine « una moltitudine immensa, che nessuno » può contare, « di ogni nazione, razza, popolo e lingua » (*Ap* 7,9).

335

1370

1139 È a questa Liturgia eterna che lo Spirito e la Chiesa ci fanno partecipare quando celebriamo, nei sacramenti, il Mistero della salvezza.

I celebranti della Liturgia sacramentale

1140 È tutta la *Comunità,* il Corpo di Cristo unito al suo Capo, che celebra. « Le azioni liturgiche non sono azioni private, ma celebrazioni della Chiesa, che è "sacramento di unità", cioè popolo santo radunato e ordinato sotto la guida dei vescovi. Perciò [tali azioni] appartengono all'intero Corpo della Chiesa, lo manifestano e lo implicano; i singoli membri poi vi sono interessati in diverso modo, secondo la diversità degli stati, degli uffici e dell'attuale partecipazione ».[9] Per questo « ogni volta che i riti comportano, secondo la particolare natura di ciascuno, una celebrazione comunitaria con la presenza e la partecipazione attiva dei fedeli, si inculchi che questa è da preferirsi, per quanto è possibile, alla celebrazione individuale e quasi privata degli stessi ».[10]

752; 1348

1372

1141 L'assemblea che celebra è la comunità dei battezzati i quali, « per la rigenerazione e l'unzione dello Spirito Santo, vengono consacrati a formare una dimora spirituale e un sacerdozio santo, per offrire... sacrifici spiri-

[1] Cf *Ez* 1,26-28.
[2] Cf *Gv* 1,29.
[3] Cf *Eb* 4,14-15; 10,19-21; ecc.
[4] Liturgia di San Giovanni Crisostomo, *Anafora.*
[5] Cf *Gv* 4,10-14; *Ap* 21,6.
[6] Cf *Ap* 4-5; *Is* 6,2-3.
[7] Cf *Ap* 7,1-8; 14,1.
[8] La Donna: cf *Ap* 12; la Sposa dell'Agnello: cf *Ap* 21,9.
[9] Conc. Ecum. Vat. II, *Sacrosanctum concilium,* 26.
[10] *Ibid.,* 27.

1120 tuali ».[11] Questo « sacerdozio comune » è quello di Cristo, unico Sacerdote, partecipato da tutte le sue membra: [12]

> La Madre Chiesa desidera ardentemente che tutti i fedeli vengano guidati a quella piena, consapevole e attiva partecipazione delle celebrazioni liturgiche, che è richiesta dalla natura stessa della Liturgia e alla quale il popolo cristiano, « stirpe eletta, sacerdozio regale, nazione santa, popolo di acqui-
> 1268 sto » (*1 Pt* 2,9) [13] ha diritto e dovere in forza del Battesimo.[14]

1142 Ma « le membra non hanno tutte la stessa funzione » (*Rm* 12,4). Alcuni sono chiamati da Dio, nella Chiesa e dalla Chiesa, ad un servizio speciale della comunità. Questi servitori sono scelti e consacrati mediante il sacramento dell'Ordine, con il quale lo Spirito Santo li rende idonei ad operare nella persona di Cristo-Capo per il servizio di tutte le membra della
1549 Chiesa.[15] Il ministro ordinato è come « l'icona » di Cristo Sacerdote. Poiché il sacramento della Chiesa si manifesta pienamente nell'Eucaristia, è soprat-
1561 tutto nel presiedere l'Eucaristia che si manifesta il ministero del vescovo e, in comunione con lui, quello dei presbiteri e dei diaconi.

1143 Al fine di servire le funzioni del sacerdozio comune dei fedeli, vi sono
903 inoltre altri *ministeri particolari,* non consacrati dal sacramento dell'Ordine, la cui funzione è determinata dai vescovi secondo le tradizioni liturgiche e le necessità pastorali. « Anche i ministranti, i lettori, i commentatori, e tutti i
1672 membri del coro svolgono un vero ministero liturgico ».[16]

1144 In questo modo, nella celebrazione dei sacramenti, tutta l'assemblea è « liturga », ciascuno secondo la propria funzione, ma nell'« unità dello Spirito » che agisce in tutti. « Nelle celebrazioni liturgiche ciascuno, ministro o fedele, svolgendo il proprio ufficio, compia solo e tutto ciò che, secondo la natura del rito e le norme liturgiche, è di sua competenza ».[17]

II. Come celebrare?

1333-1340 Segni e simboli

1145 Una celebrazione sacramentale è intessuta di segni e di simboli.
53 Secondo la pedagogia divina della salvezza, il loro significato si radica nell'opera della creazione e nella cultura umana, si precisa negli eventi

[11] Conc. Ecum. Vat. II, *Lumen gentium,* 10.
[12] Cf *ibid.,* 10; 34; Id., *Presbyterorum ordinis,* 2.
[13] Cf *1 Pt* 2,4-5.
[14] Conc. Ecum. Vat. II, *Sacrosanctum concilium,* 14.
[15] Cf Conc. Ecum. Vat. II, *Presbyterorum ordinis,* 2 e 15.
[16] Conc. Ecum. Vat. II, *Sacrosanctum concilium,* 29.
[17] *Ibid.,* 28.

dell'Antica Alleanza e si rivela pienamente nella persona e nell'opera di Cristo.

1146 *Segni del mondo degli uomini.* Nella vita umana segni e simboli occupano un posto importante. In quanto essere corporale e spirituale insieme, l'uomo esprime e percepisce le realtà spirituali attraverso segni e simboli materiali. In quanto essere sociale, l'uomo ha bisogno di segni e di simboli per comunicare con gli altri per mezzo del linguaggio, di gesti, di azioni. La stessa cosa avviene nella sua relazione con Dio.

362; 2702

1879

1147 Dio parla all'uomo attraverso la creazione visibile. L'universo materiale si presenta all'intelligenza dell'uomo perché vi legga le tracce del suo Creatore.[18] La luce e la notte, il vento e il fuoco, l'acqua e la terra, l'albero e i frutti parlano di Dio, simboleggiano ad un tempo la sua grandezza e la sua vicinanza.

299

1148 In quanto creature, queste realtà sensibili possono diventare il luogo in cui si manifesta l'azione di Dio che santifica gli uomini, e l'azione degli uomini che rendono a Dio il loro culto. Ugualmente avviene per i segni e i simboli della vita sociale degli uomini: lavare e ungere, spezzare il pane e condividere il calice possono esprimere la presenza santificante di Dio e la gratitudine dell'uomo verso il suo Creatore.

1149 Le grandi religioni dell'umanità testimoniano, spesso in modo impressionante, tale senso cosmico e simbolico dei riti religiosi. La Liturgia della Chiesa presuppone, integra e santifica elementi della creazione e della cultura umana conferendo loro la dignità di segni della grazia, della nuova creazione in Gesù Cristo.

843

1150 *Segni dell'Alleanza.* Il popolo eletto riceve da Dio segni e simboli distintivi che caratterizzano la sua vita liturgica: non sono più soltanto celebrazioni di cicli cosmici e di gesti sociali, ma segni dell'Alleanza, simboli delle grandi opere compiute da Dio per il suo popolo. Tra questi segni liturgici dell'Antica Alleanza si possono menzionare la circoncisione, l'unzione e la consacrazione dei re e dei sacerdoti, l'imposizione delle mani, i sacrifici, e soprattutto la Pasqua. In questi segni la Chiesa riconosce una prefigurazione dei sacramenti della Nuova Alleanza.

1334

1151 *Segni assunti da Cristo.* Nella sua predicazione il Signore Gesù si serve spesso dei segni della creazione per far conoscere i misteri del Regno di Dio.[19] Compie le guarigioni o dà rilievo alla sua predicazione con segni

1335

[18] Cf *Sap* 13,1; *Rm* 1,19-20; *At* 14,17.
[19] Cf *Lc* 8,10.

materiali o gesti simbolici.[20] Conferisce un nuovo significato ai fatti e ai segni dell'Antica Alleanza, specialmente all'Esodo e alla Pasqua,[21] poiché egli stesso è il significato di tutti questi segni.

1152 *Segni sacramentali.* Dopo la Pentecoste, è mediante i segni sacramentali della sua Chiesa che lo Spirito Santo opera la santificazione. I sacramenti della Chiesa non aboliscono, ma purificano e integrano tutta la ricchezza dei segni e dei simboli del cosmo e della vita sociale. Inoltre essi danno compimento ai tipi e alle figure dell'Antica Alleanza, significano e attuano la salvezza operata da Cristo, prefigurano e anticipano la gloria del cielo.

Parole e azioni

1153 Ogni celebrazione sacramentale è un incontro dei figli di Dio con il loro Padre, in Cristo e nello Spirito Santo, e tale incontro si esprime come un dialogo, attraverso azioni e parole. Anche se le azioni simboliche già per se stesse sono un linguaggio, è tuttavia necessario che la Parola di Dio e la risposta della fede accompagnino e vivifichino queste azioni, perché il seme del Regno porti il suo frutto nella terra buona. Le azioni liturgiche significano ciò che la Parola di Dio esprime: l'iniziativa gratuita di Dio e, nello stesso tempo, la risposta di fede del suo popolo.

53

1100

1154 *La Liturgia della Parola* è parte integrante delle celebrazioni sacramentali. Per nutrire la fede dei credenti, devono essere valorizzati i segni della Parola di Dio: il libro della Parola (lezionario o evangeliario), la venerazione di cui è fatta oggetto (processione, incenso, candele), il luogo da cui viene annunziata (ambone), la sua proclamazione udibile e comprensibile, l'omelia del ministro che ne prolunga la proclamazione, le risposte dell'assemblea (acclamazioni, salmi di meditazione, litanie, confessione di fede...).

103

1155 Inseparabili in quanto segni e insegnamento, la parola e l'azione liturgiche lo sono anche in quanto realizzano ciò che significano. Lo Spirito Santo non si limita a dare l'intelligenza della Parola di Dio suscitando la fede; attraverso i sacramenti egli realizza anche le « meraviglie » di Dio annunziate dalla Parola; rende presente e comunica l'opera del Padre compiuta dal Figlio diletto.

1127

Canto e musica

1156 « La tradizione musicale di tutta la Chiesa costituisce un tesoro di inestimabile valore, che eccelle tra le altre espressioni dell'arte, specialmente

[20] Cf *Gv* 9,6; *Mc* 7,33-35; 8,22-25.
[21] Cf *Lc* 9,31; 22,7-20.

per il fatto che il canto sacro, unito alle parole, è parte necessaria ed integrale della Liturgia solenne ».[22] La composizione e il canto dei Salmi ispirati, frequentemente accompagnati da strumenti musicali, sono già strettamente legati alle celebrazioni liturgiche dell'Antica Alleanza. La Chiesa continua e sviluppa questa tradizione: Intrattenetevi « a vicenda con salmi, inni, cantici spirituali, cantando e inneggiando al Signore con tutto il vostro cuore » (*Ef* 5,19).[23] « Chi canta prega due volte ».[24]

1157 Il canto e la musica svolgono la loro funzione di segni in una maniera tanto più significativa quanto più sono strettamente uniti all'azione liturgica,[25] secondo tre criteri principali: la bellezza espressiva della preghiera, l'unanime partecipazione dell'assemblea nei momenti previsti e il carattere solenne della celebrazione. In questo modo essi partecipano alla finalità delle parole e delle azioni liturgiche: la gloria di Dio e la santificazione dei fedeli:[26]

2502

> Quante lacrime versate ascoltando gli accenti dei tuoi inni e cantici, che risuonavano dolcemente nella tua Chiesa! Una commozione violenta: quegli accenti fluivano nelle mie orecchie e distillavano nel mio cuore la verità, eccitandovi un caldo sentimento di pietà. Le lacrime che scorrevano mi facevano bene.[27]

1158 L'armonia dei segni (canto, musica, parole e azioni) è qui tanto più significativa e feconda quanto più si esprime nella *ricchezza culturale* propria del Popolo di Dio che celebra.[28] Per questo « si promuova con impegno il canto popolare religioso, in modo che nei pii e sacri esercizi, e nelle stesse azioni liturgiche », secondo le norme della Chiesa, « possano risuonare le voci dei fedeli ».[29] Tuttavia, « i testi destinati al canto sacro siano conformi alla dottrina cattolica, anzi siano presi di preferenza dalla Sacra Scrittura e dalle fonti liturgiche ».[30]

1201
1674

Le sacre immagini

476-477; 2129-2132

1159 La sacra immagine, l'Icona liturgica, rappresenta soprattutto *Cristo*. Essa non può rappresentare il Dio invisibile e incomprensibile; è stata

[22] Conc. Ecum. Vat. II, *Sacrosanctum concilium,* 112.
[23] Cf *Col* 3,16-17.
[24] Cf Sant'Agostino, *Enarratio in Psalmos,* 72, 1.
[25] Cf Conc. Ecum. Vat. II, *Sacrosanctum concilium,* 112.
[26] *Ibid.*
[27] Sant'Agostino, *Confessiones,* 9, 6, 14.
[28] Cf Conc. Ecum. Vat. II, *Sacrosanctum concilium,* 119.
[29] *Ibid.,* 118.
[30] *Ibid.,* 121.

l'Incarnazione del Figlio di Dio ad inaugurare una nuova « economia » delle immagini:

> Un tempo Dio, non avendo né corpo, né figura, non poteva in alcun modo essere rappresentato da una immagine. Ma ora che si è fatto vedere nella carne e che ha vissuto con gli uomini, posso fare una immagine di ciò che ho visto di Dio... A viso scoperto, noi contempliamo la gloria del Signore.[31]

1160 L'iconografia cristiana trascrive attraverso l'immagine il messaggio evangelico che la Sacra Scrittura trasmette attraverso la Parola. Immagine e Parola si illuminano a vicenda:

> In poche parole, noi intendiamo custodire gelosamente intatte tutte le tradizioni della Chiesa, sia scritte che orali. Una di queste riguarda la raffigurazione del modello mediante una immagine, in quanto si accordi con la lettera del messaggio evangelico, in quanto serva a confermare la vera e non fantomatica Incarnazione del Verbo di Dio e procuri a noi analogo vantaggio, perché le cose rinviano l'una all'altra in ciò che raffigurano come in ciò che senza ambiguità esse significano.[32]

1161 Tutti i segni della celebrazione liturgica sono riferiti a Cristo: lo sono anche le sacre immagini della Santa Madre di Dio e dei Santi, poiché significano Cristo che in loro è glorificato. Esse manifestano « il nugolo di testimoni » (*Eb* 12,1) che continuano a partecipare alla salvezza del mondo e ai quali noi siamo uniti, soprattutto nella celebrazione sacramentale. Attraverso le loro icone, si rivela alla nostra fede l'uomo creato « a immagine di Dio », e trasfigurato « a sua somiglianza »,[33] come pure gli angeli, anch'essi ricapitolati in Cristo:

> Procedendo sulla via regia, seguendo la dottrina divinamente ispirata dei nostri santi padri e la tradizione della Chiesa cattolica — riconosciamo, infatti, che lo Spirito Santo abita in essa — noi definiamo con ogni rigore e cura che, a somiglianza della raffigurazione della croce preziosa e vivificante, così le venerande e sante immagini, sia dipinte che in mosaico o in quasiasi altro materiale adatto, debbono essere esposte nelle sante chiese di Dio, sulle sacre suppellettili, sui sacri paramenti, sulle pareti e sulle tavole, nelle case e nelle vie; siano esse l'immagine del signore Dio e salvatore nostro Gesù Cristo, o quella dell'immacolata signora nostra, la santa Madre di Dio, dei santi angeli, di tutti i santi e giusti.[34]

2502 1162 « La bellezza e il colore delle immagini sono uno stimolo per la mia preghiera. È una festa per i miei occhi, così come lo spettacolo della campa-

[31] San Giovanni Damasceno, *De sacris imaginibus orationes,* 1, 16: PG 96, 1245A.
[32] Concilio di Nicea II: *Conciliorum oecumenicorum decreta,* 111.
[33] Cf *Rm* 8,29; *1 Gv* 3,2.
[34] Concilio di Nicea II: Denz.-Schönm., 600.

gna sprona il mio cuore a rendere gloria a Dio ».[35] La contemplazione delle sante icone, unita alla meditazione della Parola di Dio e al canto degli inni liturgici, entra nell'armonia dei segni della celebrazione in modo che il mistero celebrato si imprima nella memoria del cuore e si esprima poi nella novità di vita dei fedeli.

III. Quando celebrare?

Il tempo liturgico

1163 « La santa Madre Chiesa considera suo dovere celebrare con sacra memoria in determinati giorni nel corso dell'anno, l'opera salvifica del suo Sposo divino. Ogni settimana, nel giorno a cui ha dato il nome di « domenica », fa la memoria della Risurrezione del Signore, che una volta all'anno, unitamente alla sua beata Passione, celebra a Pasqua, la più grande delle solennità. Nel ciclo annuale poi presenta tutto il mistero di Cristo... Ricordando in tal modo i misteri della Redenzione, essa apre ai fedeli le ricchezze delle azioni salvifiche e dei meriti del suo Signore, così che siano resi in qualche modo presenti in ogni tempo, perché i fedeli possano venirne a contatto ed essere ripieni della grazia della salvezza ».[36]

512

1164 Fin dalla legge mosaica il Popolo di Dio ha conosciuto feste in data fissa, a partire dalla Pasqua, per commemorare le stupende azioni del Dio Salvatore, rendergliene grazie, perpetuarne il ricordo e insegnare alle nuove generazioni a conformare ad esse la loro condotta di vita. Nel tempo della Chiesa, posto tra la Pasqua di Cristo, già compiuta una volta per tutte, e la sua consumazione nel Regno di Dio, la Liturgia celebrata in giorni fissi è totalmente impregnata della novità del Mistero di Cristo.

1165 Quando la Chiesa celebra il Mistero di Cristo, una parola scandisce la sua preghiera: *Oggi!,* come eco della preghiera che le ha insegnato il suo Signore [37] e dell'invito dello Spirito Santo.[38] Questo « oggi » del Dio vivente in cui l'uomo è chiamato ad entrare è l'« Ora » della Pasqua di Gesù, che attraversa tutta la storia e ne è il cardine:

2659; 2836

1085

> La vita si è posata su tutti gli esseri e tutti sono investiti da una grande luce; l'Oriente degli orienti ha invaso l'universo, e Colui che era « prima della stella del mattino » e prima degli astri, immortale e immenso, il grande

[35] San Giovanni Damasceno, *De sacris imaginibus orationes,* 1, 27: PG 94, 1268B.
[36] Conc. Ecum. Vat. II, *Sacrosanctum concilium,* 102.
[37] Cf *Mt* 6,11.
[38] Cf *Eb* 3,7–4,11; *Sal* 95,7.

Cristo, brilla su tutti gli esseri più del sole. Perciò, per noi che crediamo in lui, sorge un giorno di luce, lungo, eterno, che non si spegne più: la Pasqua mistica.[39]

2174-2188

Il Giorno del Signore

1166 « Secondo la tradizione apostolica, che trae origine dal giorno stesso della Risurrezione di Cristo, la Chiesa celebra il Mistero pasquale ogni otto giorni, in quello che si chiama giustamente Giorno del Signore o domenica ».[40] Il giorno della Risurrezione di Cristo è ad un tempo il « primo giorno della settimana », memoriale del primo giorno della creazione, e l'« ottavo giorno » in cui Cristo, dopo il suo « riposo » del grande Sabato, inaugura il Giorno « che il Signore ha fatto », il « giorno che non conosce tramonto ».[41] La « cena del Signore » ne costituisce il centro, poiché in essa l'intera comunità dei fedeli incontra il Signore risorto che la invita al suo banchetto:[42]

1343

> Il giorno del Signore, il giorno della Risurrezione, il giorno dei cristiani, è il nostro giorno. È chiamato giorno del Signore proprio per questo: perché in esso il Signore è salito vittorioso presso il Padre. I pagani lo chiamano giorno del sole: ebbene, anche noi lo chiamiamo volentieri in questo modo: oggi infatti è sorta la luce del mondo, oggi è apparso il sole di giustizia i cui raggi ci portano la salvezza.[43]

1167 La domenica è per eccellenza il giorno dell'Assemblea liturgica, giorno in cui i fedeli si riuniscono « perché, ascoltando la Parola di Dio e partecipando all'Eucaristia, facciano memoria della Passione, della Risurrezione e della gloria del Signore Gesù, e rendano grazie a Dio che li ha "rigenerati per una speranza viva per mezzo della Risurrezione di Gesù Cristo dai morti" »:[44]

> O Cristo, quando contempliamo le meraviglie compiute in questo giorno della domenica della tua santa Risurrezione, noi diciamo: Benedetto il giorno di domenica, perché in esso ha avuto inizio la creazione... la salvezza del mondo... il rinnovamento del genere umano... In esso il cielo e la terra si sono rallegrati e l'universo intero si è riempito di luce. Benedetto il giorno di domenica, perché in esso furono aperte le porte del paradiso in modo che Adamo e tutti coloro che ne furono allontanati vi possano entrare senza timore.[45]

[39] Sant'Ippolito di Roma, *De paschate,* 1-2.
[40] Conc. Ecum. Vat. II, *Sacrosanctum concilium,* 106.
[41] Liturgia bizantina.
[42] Cf *Gv* 21,12; *Lc* 24,30.
[43] San Girolamo, *In die dominica Paschae homilia:* CCL 78, 550, 52.
[44] Conc. Ecum. Vat. II, *Sacrosanctum concilium,* 106.
[45] Fanqîth, Ufficio siro-antiocheno, vol. 6, prima parte dell'estate, p. 193 b.

L'anno liturgico

1168 A partire dal Triduo Pasquale, come dalla sua fonte di luce, il tempo nuovo della Risurrezione permea tutto l'anno liturgico del suo splendore. Progressivamente, da un versante e dall'altro di questa fonte, l'anno è trasfigurato dalla Liturgia. Essa costituisce realmente l'« anno di grazia del Signore » (*Lc* 4,19). L'Economia della salvezza è all'opera nello svolgersi del tempo, ma dopo il suo compimento nella Pasqua di Gesù e nell'effusione dello Spirito Santo, la conclusione della storia è anticipata, « pregustata », e il Regno di Dio entra nel nostro tempo. 2698

1169 Per questo la *Pasqua* non è semplicemente una festa tra le altre: è la « Festa delle feste », la « Solennità delle solennità », come l'Eucaristia è il Sacramento dei sacramenti (il Grande sacramento). Sant'Atanasio la chiama « la Grande domenica »,[46] come la Settimana santa in Oriente è chiamata « la Grande Settimana ». Il Mistero della Risurrezione, nel quale Cristo ha annientato la morte, permea della sua potente energia il nostro vecchio tempo, fino a quando tutto gli sia sottomesso. 1330 560

1170 Nel Concilio di Nicea (anno 325) tutte le Chiese si sono accordate perché la Pasqua cristiana sia celebrata la domenica che segue il plenilunio (14 Nisan) dopo l'equinozio di primavera. La riforma del calendario in Occidente (chiamato « gregoriano », dal nome del papa Gregorio XIII, nel 1582) ha introdotto un divario di parecchi giorni rispetto al calendario orientale. Le Chiese occidentali e orientali cercano oggi un accordo per ritornare a celebrare alla stessa data il giorno della Risurrezione del Signore.

1171 L'anno liturgico è il dispiegarsi dei diversi aspetti dell'unico Mistero pasquale. Questo è vero soprattutto per il ciclo delle feste relative al Mistero dell'Incarnazione (Annunciazione, Natale, Epifania) le quali fanno memoria degli inizi della nostra salvezza e ci comunicano le primizie del Mistero di Pasqua. 524

Il Santorale nell'anno liturgico

1172 « Nella celebrazione di questo ciclo annuale dei misteri di Cristo, la santa Chiesa venera con speciale amore la beata Maria Madre di Dio, congiunta indissolubilmente con l'opera salvifica del Figlio suo; in Maria ammira ed esalta il frutto più eccelso della Redenzione, e contempla con gioia, come in una immagine purissima, ciò che essa tutta desidera e spera di essere ».[47] 971 2030

[46] Sant'Atanasio di Alessandria, *Epistula festivalis,* 329: PG 26, 1366A.
[47] Conc. Ecum. Vat. II, *Sacrosanctum concilium,* 103.

957 1173 Quando, nel ciclo annuale, la Chiesa fa memoria dei martiri e degli altri santi, essa « proclama il Mistero pasquale » in coloro « che hanno sofferto con Cristo e con lui sono glorificati; propone ai fedeli i loro esempi, che attraggono tutti al Padre per mezzo di Cristo, e implora per i loro meriti i benefici di Dio ».[48]

La Liturgia delle Ore

1174 Il Mistero di Cristo, la sua Incarnazione e la sua Pasqua, che celebriamo nell'Eucaristia, soprattutto nell'Assemblea domenicale, penetra e trasfigura il tempo di ogni giorno attraverso la celebrazione della Liturgia 2698 delle Ore, « l'Ufficio divino ».[49] Nella fedeltà alle esortazioni apostoliche di « pregare incessantemente »,[50] questa celebrazione « è costituita in modo da santificare tutto il corso del giorno e della notte per mezzo della lode di Dio ».[51] Essa costituisce la « preghiera pubblica della Chiesa »[52] nella quale i fedeli (chierici, religiosi e laici) esercitano il sacerdozio regale dei battezzati. Celebrata « nella forma approvata » dalla Chiesa, la Liturgia delle Ore « è veramente la voce della Sposa stessa che parla allo Sposo, anzi è la preghiera di Cristo, con il suo Corpo, al Padre ».[53]

1175 La Liturgia delle Ore è destinata a diventare la preghiera di tutto il Popolo di Dio. In essa Cristo stesso « continua » ad esercitare il suo « ufficio sacerdotale per mezzo della sua stessa Chiesa »;[54] ciascuno vi prende parte secondo il ruolo che riveste nella Chiesa e le circostanze della propria vita: i sacerdoti in quanto « impegnati nel sacro ministero pastorale », poiché sono chiamati a rimanere « assidui alla preghiera e al ministero della Parola »;[55] i religiosi e le religiose in forza del carisma della loro vita di consacrazione;[56] tutti i fedeli secondo le loro possibilità. « I pastori d'anime procurino che le Ore principali, specialmente i Vespri, siano celebrate in chiesa con partecipazione comune, nelle domeniche e feste più solenni. Si raccomanda che pure i laici recitino l'Ufficio divino o con i sacerdoti, o riuniti tra loro, o anche da soli ».[57]

1176 Celebrare la Liturgia delle Ore richiede non soltanto di far concorda- 2700 re la voce con il cuore che prega, ma anche di procurarsi « una più ricca istruzione liturgica e biblica, specialmente riguardo ai Salmi ».[58]

[48] Conc. Ecum. Vat. II, *Sacrosanctum concilium,* 104; cf *ibid.,* 108 e 111.
[49] Cf *ibid.,* 83-101.
[50] Cf *1 Ts* 5,17; *Ef* 6,18.
[51] Conc. Ecum. Vat. II, *Sacrosanctum concilium,* 84.
[52] *Ibid.,* 98.
[53] *Ibid.,* 84.
[54] *Ibid.,* 83.
[55] Cf *ibid.,* 86; 96; Id., *Presbyterorum ordinis,* 5.
[56] Cf Conc. Ecum. Vat. II, *Sacrosanctum concilium,* 98.
[57] *Ibid.,* 100.
[58] *Ibid.,* 90.

1177 Gli inni e le preghiere litaniche della Liturgia delle Ore inseriscono la preghiera dei Salmi nel tempo della Chiesa, dando espressione al simbolismo dell'ora della giornata, del tempo liturgico o della festa celebrata. Inoltre la lettura della Parola di Dio ad ogni Ora (con i responsori o i tropari che seguono ad essa), e, in certe Ore, le letture dei Padri e dei maestri spirituali, rivelano in modo più profondo il senso del mistero celebrato, sono di aiuto alla comprensione dei Salmi e preparano alla preghiera silenziosa. La *lectio divina,* nella quale la Parola di Dio è letta e meditata per trasformarsi in preghiera, è così radicata nella celebrazione liturgica.

2586

1178 La Liturgia delle Ore, che costituisce quasi un prolungamento della celebrazione eucaristica, non esclude ma richiede come complementari le varie devozioni del Popolo di Dio, in modo particolare l'adorazione e il culto del Santissimo Sacramento.

1378

IV. Dove celebrare?

1179 Il culto « in spirito e verità » (*Gv* 4,24) della Nuova Alleanza non è legato ad un luogo esclusivo. Tutta la terra è santa e affidata ai figli degli uomini. Quando i fedeli si riuniscono in uno stesso luogo, la realtà più importante è costituita dalle « pietre vive », messe insieme « per la costruzione di un edificio spirituale » (*1 Pt* 2,4-5). Il Corpo di Cristo risorto è il tempio spirituale da cui sgorga la sorgente d'acqua viva. Incorporati a Cristo dallo Spirito Santo, « noi siamo il tempio del Dio vivente » (*2 Cor* 6,16).

586

1180 Quando non viene ostacolato l'esercizio della libertà religiosa,[59] i cristiani costruiscono edifici destinati al culto divino. Tali chiese visibili non sono semplici luoghi di riunione, ma significano e manifestano la Chiesa che vive in quel luogo, dimora di Dio con gli uomini riconciliati e uniti in Cristo.

2106

1181 « La casa di preghiera — in cui l'Eucaristia è celebrata e conservata; in cui i fedeli si riuniscono; in cui la presenza del Figlio di Dio nostro Salvatore, che si è offerto per noi sull'altare del sacrificio, viene venerata a sostegno e consolazione dei fedeli — dev'essere nitida e adatta alla preghiera e alle sacre funzioni ».[60] In questa « casa di Dio », la verità e l'armonia dei segni che la costituiscono devono manifestare Cristo che in quel luogo è presente e agisce.[61]

2691

[59] Cf Conc. Ecum. Vat. II, *Dignitatis humanae,* 4.
[60] Conc. Ecum. Vat. II, *Presbyterorum ordinis,* 5; cf Id., *Sacrosanctum concilium,* 122-127.
[61] Cf Conc. Ecum. Vat. II, *Sacrosanctum concilium,* 7.

617; 1383 1182 L'*altare* della Nuova Alleanza è la croce del Signore[62] dalla quale scaturiscono i sacramenti del Mistero pasquale. Sull'altare, che è il centro della chiesa, viene reso presente il sacrificio della croce sotto i segni sacramentali. Esso è anche la Mensa del Signore, alla quale è invitato il Popolo di Dio.[63] In alcune liturgie orientali, l'altare è anche il simbolo della Tomba (Cristo è veramente morto e veramente risorto).

1379 2120 1183 Il *tabernacolo,* nelle chiese, deve essere situato « in luogo distintissimo, col massimo onore ».[64] « La nobiltà, la disposizione e la sicurezza del tabernacolo eucaristico »[65] devono favorire l'adorazione del Signore realmente presente nel santissimo Sacramento dell'altare.

1241 Il *sacro Crisma* (Myron), la cui unzione è il segno sacramentale del sigillo del dono dello Spirito Santo, è tradizionalmente conservato e venerato in un luogo sicuro della chiesa. Vi si può collocare anche l'olio dei catecumeni e quello degli infermi.

1184 La *sede* (cattedra) del vescovo o del sacerdote « deve mostrare il compito che egli ha di presiedere l'assemblea e di guidare la preghiera ».[66]

103 L'*ambone:* « L'importanza della Parola di Dio esige che vi sia nella chiesa un luogo adatto dal quale essa venga annunciata e verso il quale, durante la Liturgia della Parola, spontaneamente si rivolga l'attenzione dei fedeli ».[67]

1185 Il raduno del Popolo di Dio ha inizio con il Battesimo; la chiesa deve quindi avere un luogo per la celebrazione del *Battesimo* (battistero) e favorire il ricordo delle promesse battesimali (acqua benedetta).

Il rinnovamento della vita battesimale esige la *penitenza.* La chiesa deve perciò prestarsi all'espressione del pentimento e all'accoglienza del perdono, e questo comporta un luogo adatto per accogliere i penitenti.

2717 La chiesa deve anche essere uno spazio che invita al raccoglimento e alla preghiera silenziosa, la quale prolunga e interiorizza la grande preghiera dell'Eucaristia.

1130 1186 Infine, la chiesa ha un significato escatologico. Per entrare nella casa di Dio bisogna varcare una *soglia,* simbolo del passaggio dal mondo ferito dal peccato al mondo della vita nuova al quale tutti gli uomini sono chiamati. La chiesa visibile è simbolo della casa paterna verso la quale il Popolo di Dio è in cammino e dove il Padre « tergerà ogni lacrima dai loro occhi » (*Ap* 21,4). Per questo la chiesa è anche la casa di *tutti* i figli di Dio, aperta e pronta ad accogliere.

[62] Cf *Eb* 13,10.
[63] Cf *Principi e norme per l'uso del Messale Romano,* 259.
[64] Paolo VI, Lett. enc. *Mysterium fidei.*
[65] Conc. Ecum. Vat. II, *Sacrosanctum concilium,* 128.
[66] *Principi e norme per l'uso del Messale Romano,* 271.
[67] *Ibid.,* 272.

In sintesi

1187 *La Liturgia è l'opera del Cristo totale, Capo e Corpo. Il nostro Sommo Sacerdote la celebra ininterrottamente nella Liturgia celeste, con la santa Madre di Dio, gli Apostoli, tutti i santi e la moltitudine degli uomini già entrati nel Regno.*

1188 *Nella celebrazione liturgica tutta l'assemblea è « liturga », ciascuno secondo la propria funzione. Il sacerdozio battesimale è quello di tutto il Corpo di Cristo. Tuttavia alcuni fedeli sono ordinati mediante il sacramento dell'Ordine per rappresentare Cristo come Capo del Corpo.*

1189 *La celebrazione liturgica comporta segni e simboli relativi alla creazione (luce, acqua, fuoco), alla vita umana (lavare, ungere, spezzare il pane) e alla storia della salvezza (i riti della Pasqua). Inseriti nel mondo della fede e assunti dalla forza dello Spirito Santo, questi elementi cosmici, questi riti umani, queste gesta memoriali di Dio diventano portatori dell'azione di salvezza e di santificazione compiuta da Cristo.*

1190 *La Liturgia della Parola è parte integrante della celebrazione. Il significato della celebrazione viene espresso dalla Parola di Dio che è annunziata e dall'impegno della fede che ad essa risponde.*

1191 *Il canto e la musica sono strettamente connessi con l'azione liturgica. I criteri della loro valida utilizzazione sono: la bellezza espressiva della preghiera, la partecipazione unanime dell'assemblea e il carattere sacro della celebrazione.*

1192 *Le sacre immagini, presenti nelle nostre chiese e nelle nostre case, hanno la funzione di risvegliare e nutrire la nostra fede nel Mistero di Cristo. Attraverso l'icona di Cristo e delle sue opere di salvezza, è lui che noi adoriamo. Attraverso le sacre immagini della santa Madre di Dio, degli angeli e dei santi, veneriamo le persone che in esse sono rappresentate.*

1193 *La domenica, « Giorno del Signore », è il giorno principale della celebrazione dell'Eucaristia, poiché è il giorno della Risurrezione. È il giorno per eccellenza dell'assemblea liturgica, il giorno della famiglia cristiana, il giorno della gioia e del riposo dal lavoro. È « il fondamento e il nucleo di tutto l'anno liturgico ».*[68]

[68] CONC. ECUM. VAT. II, *Sacrosanctum concilium*, 106.

1194 *La Chiesa « nel ciclo annuale presenta tutto il Mistero di Cristo, dall'Incarnazione e Natività fino all'Ascensione, al giorno di Pentecoste e all'attesa della beata speranza e del ritorno del Signore ».*[69]

1195 *Facendo memoria dei santi, in primo luogo della santa Madre di Dio, poi degli apostoli, dei martiri e degli altri santi, in giorni fissi dell'anno liturgico, la Chiesa sulla terra manifesta di essere unita alla Liturgia celeste; rende gloria a Cristo perché ha compiuto la salvezza nei suoi membri glorificati; il loro esempio le è di stimolo nel cammino verso il Padre.*

1196 *I fedeli che celebrano la Liturgia delle Ore si uniscono a Cristo, nostro Sommo Sacerdote, mediante la preghiera dei Salmi, la meditazione della Parola di Dio, la preghiera dei cantici e delle benedizioni, per essere associati alla sua preghiera incessante e universale che glorifica il Padre e implora il dono dello Spirito Santo sul mondo intero.*

1197 *Cristo è il vero Tempio di Dio, « il luogo in cui abita la sua gloria »; per mezzo della grazia di Dio anche i cristiani diventano templi dello Spirito Santo, le pietre vive con le quali viene edificata la Chiesa.*

1198 *Nella sua condizione terrena, la Chiesa ha bisogno di luoghi in cui la comunità possa radunarsi: le nostre chiese visibili, luoghi santi, immagini della Città santa, la celeste Gerusalemme verso la quale siamo in cammino come pellegrini.*

1199 *In queste chiese la Chiesa celebra il culto pubblico a gloria della Santissima Trinità, ascolta la Parola di Dio e canta le sue lodi, eleva la sua preghiera, offre il Sacrificio di Cristo, sacramentalmente presente in mezzo all'assemblea. Queste chiese sono inoltre luoghi di raccoglimento e di preghiera personale.*

Articolo 2

DIVERSITÀ LITURGICA E UNITÀ DEL MISTERO

TRADIZIONI LITURGICHE E CATTOLICITÀ DELLA CHIESA

1200 Dalla prima comunità di Gerusalemme fino alla Parusia, le Chiese di Dio, fedeli alla fede apostolica, celebrano, in ogni luogo, lo stesso Mistero pasquale. Il Mistero celebrato nella Liturgia è uno, ma variano le forme nelle quali esso è celebrato. 2625

[69] CONC. ECUM. VAT. II, *Sacrosanctum concilium*, 102.

1201 È tale l'insondabile ricchezza del Mistero di Cristo che nessuna tradizione liturgica può esaurirne l'espressione. La storia dello sbocciare e dello svilupparsi di questi riti testimonia una stupefacente complementarietà. Quando le Chiese hanno vissuto queste tradizioni liturgiche in comunione tra loro nella fede e nei sacramenti della fede, si sono reciprocamente arricchite crescendo nella fedeltà alla Tradizione e alla missione comune a tutta la Chiesa.[70]

2663
1158

1202 Le varie tradizioni liturgiche hanno avuto origine proprio in funzione della missione della Chiesa. Le Chiese di una stessa area geografica e culturale sono giunte a celebrare il Mistero di Cristo con espressioni particolari, culturalmente caratterizzate: nella tradizione del « deposito della fede » (*2 Tm* 1,14), nel simbolismo liturgico, nell'organizzazione della comunione fraterna, nella comprensione teologica dei misteri e in varie forme di santità. In questo modo Cristo, Luce e Salvezza di tutti i popoli, viene manifestato attraverso la vita liturgica di una Chiesa al popolo e alla cultura ai quali essa è inviata e nei quali è radicata. La Chiesa è cattolica: può quindi integrare nella sua unità — purificandole — tutte le vere ricchezze delle culture.[71]

814
1674
835
1937

1203 Le tradizioni liturgiche, o riti, attualmente in uso nella Chiesa sono il rito latino (principalmente il rito romano, ma anche i riti di certe Chiese locali, come il rito ambrosiano o di certi Ordini religiosi) e i riti bizantino, alessandrino o copto, siriaco, armeno, maronita e caldeo. « Il sacro Concilio, in fedele ossequio alla tradizione, dichiara che la santa Madre Chiesa considera con uguale diritto e onore tutti i riti legittimamente riconosciuti, e vuole che in avvenire essi siano conservati e in ogni modo incrementati ».[72]

Liturgia e culture

1204 La celebrazione della Liturgia deve quindi corrispondere al genio e alla cultura dei diversi popoli.[73] Affinché il Mistero di Cristo sia « rivelato ...a tutte le genti perché obbediscano alla fede » (*Rm* 16,26), esso deve essere annunziato, celebrato e vissuto in tutte le culture, così che queste non vengono abolite, ma recuperate e portate a compimento grazie ad esso.[74] La moltitudine dei figli di Dio, infatti, ha accesso al Padre, per rendergli gloria, in un solo Spirito, con e per mezzo della propria cultura umana, assunta e trasfigurata da Cristo.

2684
854; 1232
2527

[70] Cf Paolo VI, Esort. ap. *Evangelii nuntiandi,* 63-64.
[71] Cf Conc. Ecum. Vat. II, *Lumen gentium,* 23; Id., *Unitatis redintegratio,* 4.
[72] Conc. Ecum. Vat. II, *Sacrosanctum concilium,* 4.
[73] Cf *ibid.,* 37-40.
[74] Cf Giovanni Paolo II, Esort. ap. *Catechesi tradendae,* 53.

1125 1205 « Nella Liturgia, e segnatamente in quella dei sacramenti, c'è una *parte immutabile,* perché di istituzione divina, di cui la Chiesa è custode, e ci sono parti *suscettibili di cambiamento,* che essa ha il potere, e talvolta anche il dovere, di adattare alle culture dei popoli recentemente evangelizzati ».[75]

1206 « La diversità liturgica può essere fonte di arricchimento, ma può anche provocare tensioni, reciproche incomprensioni e persino scismi. In questo campo è chiaro che la diversità non deve nuocere all'unità. Essa non può esprimersi che nella fedeltà alla fede comune, ai segni sacramentali, che la Chiesa ha ricevuto da Cristo, e alla comunione gerarchica. L'adattamento alle culture esige anche una conversione del cuore e, se è necessario, anche rotture con abitudini ancestrali incompatibili con la fede cattolica ».[76]

In sintesi

1207 *È opportuno che la celebrazione della Liturgia tenda ad esprimersi nella cultura del popolo in cui la Chiesa è inserita, senza tuttavia sottomettersi ad essa. D'altra parte, la Liturgia stessa genera e plasma le culture.*

1208 *Le diverse tradizioni liturgiche, o riti, legittimamente riconosciuti, in quanto significano e comunicano lo stesso Mistero di Cristo, manifestano la cattolicità della Chiesa.*

1209 *Il criterio che assicura l'unità nella pluriformità delle tradizioni liturgiche è la fedeltà alla Tradizione apostolica, ossia: la comunione nella fede e nei sacramenti ricevuti dagli Apostoli, comunione che è significata e garantita dalla successione apostolica.*

[75] Giovanni Paolo II, Lett. ap. *Vicesimus quintus annus,* 16; cf Conc. Ecum. Vat. II, *Sacrosanctum concilium,* 21.
[76] *Ibid.*

SEZIONE SECONDA

« I SETTE SACRAMENTI DELLA CHIESA »

1113 1210 I sacramenti della Nuova Legge sono istituiti da Cristo e sono sette, ossia: il Battesimo, la Confermazione, l'Eucaristia, la Penitenza, l'Unzione degli infermi, l'Ordine e il Matrimonio. I sette sacramenti toccano tutte le tappe e tutti i momenti importanti della vita del cristiano: grazie ad essi, la vita di fede dei cristiani nasce e cresce, riceve la guarigione e il dono della missione. In questo si dà una certa somiglianza tra le tappe della vita naturale e quelle della vita spirituale.[1]

1211 Seguendo questa analogia saranno presentati per primi i tre sacramenti dell'iniziazione cristiana (capitolo primo), poi i sacramenti della guarigione (capitolo secondo), infine i sacramenti che sono al servizio della comunione e della missione dei fedeli (capitolo terzo). Quest'ordine non è certo l'unico possibile; permette tuttavia di vedere che i sacramenti formano un organismo nel quale ciascuno di essi ha il suo ruolo vitale. In questo organismo l'Eucaristia occupa un posto unico in quanto è il « Sacramento dei sacramenti »: « gli altri sono tutti ordinati a questo come al loro specifico fine ».[2] 1374

[1] Cf San Tommaso d'Aquino, *Summa theologiae,* III, 65, 1.
[2] *Ibid.,* 65, 3.

CAPITOLO PRIMO

I SACRAMENTI DELL'INIZIAZIONE CRISTIANA

1212 Con i sacramenti dell'iniziazione cristiana, il Battesimo, la Confermazione e l'Eucaristia, sono posti i *fondamenti* di ogni vita cristiana. « La partecipazione alla natura divina, che gli uomini ricevono in dono mediante la grazia di Cristo, rivela una certa analogia con l'origine, lo sviluppo e l'accrescimento della vita naturale. Difatti i fedeli, rinati nel santo Battesimo, sono corroborati dal sacramento della Confermazione e, quindi, sono nutriti con il cibo della vita eterna nell'Eucaristia, sicché, per effetto di questi sacramenti dell'iniziazione cristiana, sono in grado di gustare sempre più e sempre meglio i tesori della vita divina e progredire fino al raggiungimento della perfezione della carità ».[3]

Articolo 1

IL SACRAMENTO DEL BATTESIMO

1213 Il santo Battesimo è il fondamento di tutta la vita cristiana, il vestibolo d'ingresso alla vita nello Spirito (« vitae spiritualis ianua »), e la porta che apre l'accesso agli altri sacramenti. Mediante il Battesimo siamo liberati dal peccato e rigenerati come figli di Dio, diventiamo membra di Cristo; siamo incorporati alla Chiesa e resi partecipi della sua missione: [4] « Baptismus est sacramentum regenerationis per aquam in verbo – Il Battesimo può definirsi il sacramento della rigenerazione cristiana mediante l'acqua e la Parola ».[5]

[3] Paolo VI, Cost. ap. *Divinae consortium naturae,* AAS 63 (1971), 657-664. Cf Rituale romano, *Rito dell'iniziazione cristiana degli adulti,* Introduzione generale, 1-2.

[4] Cf Concilio di Firenze: Denz.-Schönm., 1314; *Codice di Diritto Canonico,* 204, 1; 849; *Corpus Canonum Ecclesiarum Orientalium,* 675, 1.

[5] *Catechismo Romano,* 2, 2, 5.

I. Come viene chiamato questo sacramento?

1214 Lo si chiama *Battesimo* dal rito centrale con il quale è compiuto: battezzare (« baptizein » in greco) significa « tuffare », « immergere »; l'« immersione » nell'acqua è simbolo del seppellimento del catecumeno nella morte di Cristo, dalla quale risorge con lui,[6] quale « nuova creatura » (*2 Cor* 5,17; *Gal* 6,15).

628

1215 Questo sacramento è anche chiamato il « *lavacro di rigenerazione e di rinnovamento* nello Spirito Santo » (*Tt* 3,5), poiché significa e realizza quella nascita dall'acqua e dallo Spirito senza la quale nessuno « può entrare nel Regno di Dio » (*Gv* 3,5).

1257

1216 « Questo lavacro è chiamato *illuminazione,* perché coloro che ricevono questo insegnamento [catechetico] vengono illuminati nella mente... ».[7] Poiché nel Battesimo ha ricevuto il Verbo, « la luce vera... che illumina ogni uomo » (*Gv* 1,9), il battezzato, « dopo essere stato illuminato » (*Eb* 10,32) è divenuto « figlio della luce » (*1 Ts* 5,5), e « luce » egli stesso (*Ef* 5,8):

1243

> Il Battesimo è il più bello e magnifico dei doni di Dio... Lo chiamiamo dono, grazia, unzione, illuminazione, veste d'immortalità, lavacro di rigenerazione, sigillo, e tutto ciò che vi è di più prezioso. *Dono,* poiché è dato a coloro che non portano nulla; *grazia,* perché viene elargito anche ai colpevoli; *Battesimo,* perché il peccato viene seppellito nell'acqua; *unzione,* perché è sacro e regale (tali sono coloro che vengono unti); *illuminazione,* perché è luce sfolgorante; *veste,* perché copre la nostra vergogna; *lavacro,* perché ci lava; *sigillo,* perché ci custodisce ed è il segno della signoria di Dio.[8]

II. Il Battesimo nell'Economia della Salvezza

Le prefigurazioni del Battesimo nell'Antica Alleanza

1217 Nella Liturgia della Notte Pasquale, in occasione della *benedizione dell'acqua battesimale,* la Chiesa fa solenne memoria dei grandi eventi della storia della salvezza che prefiguravano il mistero del Battesimo:

> O Dio... tu operi con invisibile potenza le meraviglie della salvezza; e in molti modi, attraverso i tempi, hai preparato l'acqua, tua creatura, ad essere segno del Battesimo.[9]

[6] Cf *Rm* 6,3-4; *Col* 2,12.
[7] San Giustino, *Apologiae,* 1, 61, 12.
[8] San Gregorio Nazianzeno, *Orationes,* 40, 3-4: PG 36, 361C.
[9] *Messale Romano,* Veglia pasquale: benedizione dell'acqua battesimale.

1218 Fin dalle origini del mondo l'acqua, questa umile e meravigliosa creatura, è la fonte della vita e della fecondità. La Sacra Scrittura la vede come « covata » dallo Spirito di Dio: [10] 344 694

> Fin dalle origini il tuo Spirito si librava sulle acque perché contenessero in germe la forza di santificare.[11]

1219 La Chiesa ha visto nell'Arca di Noè una prefigurazione della salvezza per mezzo del Battesimo. Infatti, per mezzo di essa, « poche persone, otto in tutto, furono salvate per mezzo dell'acqua » (*1 Pt* 3,20): 701; 845

> Nel diluvio hai prefigurato il Battesimo, perché, oggi come allora, l'acqua segnasse la fine del peccato e l'inizio della vita nuova.[12]

1220 Se l'acqua di fonte è simbolo di vita, l'acqua del mare è un simbolo della morte. Per questo poteva essere figura del mistero della Croce. Per mezzo di questo simbolismo il Battesimo significa la comunione alla morte di Cristo. 1010

1221 È soprattutto la traversata del Mar Rosso, vera liberazione d'Israele dalla schiavitù d'Egitto, che annunzia la liberazione operata dal Battesimo:

> Tu hai liberato dalla schiavitù i figli di Abramo, facendoli passare illesi attraverso il Mar Rosso, perché fossero immagine del futuro popolo dei battezzati.[13]

1222 Infine il Battesimo è prefigurato nella traversata del Giordano, grazie alla quale il popolo di Dio riceve il dono della terra promessa alla discendenza di Abramo, immagine della vita eterna. La promessa di questa beata eredità si compie nella Nuova Alleanza.

Il Battesimo di Cristo

1223 Tutte le prefigurazioni dell'Antica Alleanza trovano la loro realizzazione in Gesù Cristo. Egli dà inizio alla sua vita pubblica dopo essersi fatto battezzare da san Giovanni Battista nel Giordano [14] e, dopo la sua Risurrezione, affida agli Apostoli questa missione: « Andate dunque e ammaestrate tutte le nazioni, battezzandole nel nome del Padre e del Figlio e dello Spirito 232

[10] Cf *Gn* 1,2.
[11] *Messale Romano,* Veglia pasquale: benedizione dell'acqua battesimale.
[12] *Ibid.*
[13] *Ibid.*
[14] Cf *Mt* 3,13.

Santo, insegnando loro ad osservare tutto ciò che vi ho comandato » (*Mt* 28,19-20).[15]

1224 Nostro Signore si è volontariamente sottoposto al Battesimo di san Giovanni, destinato ai peccatori, per compiere ogni giustizia.[16] Questo gesto di Gesù è una manifestazione del suo « annientamento ».[17] Lo Spirito che si librava sulle acque della prima creazione, scende ora su Cristo, come preludio della nuova creazione, e il Padre manifesta Gesù come il suo « Figlio prediletto ».[18]

536

1225 È con la sua Pasqua che Cristo ha aperto a tutti gli uomini le fonti del Battesimo. Egli, infatti, aveva già parlato della Passione, che avrebbe subìto a Gerusalemme, come di un « Battesimo » con il quale doveva essere battezzato.[19] Il Sangue e l'acqua sgorgati dal fianco trafitto di Gesù crocifisso [20] sono segni del Battesimo e dell'Eucaristia, sacramenti della vita nuova:[21] da quel momento è possibile « nascere dall'acqua e dallo Spirito » per entrare nel Regno dei cieli.[22]

766

> Considera, quando sei battezzato, donde viene il Battesimo, se non dalla croce di Cristo, dalla morte di Cristo. Tutto il mistero sta nel fatto che egli ha patito per te. In lui tu sei redento, in lui tu sei salvato.[23]

Il Battesimo nella Chiesa

1226 Dal giorno della Pentecoste la Chiesa ha celebrato e amministrato il santo Battesimo. Infatti san Pietro, alla folla sconvolta dalla sua predicazione, dichiara: « Pentitevi, e ciascuno di voi si faccia battezzare nel nome di Gesù Cristo, per la remissione dei vostri peccati; dopo riceverete il dono dello Spirito Santo » (*At* 2,38). Gli Apostoli e i loro collaboratori offrono il Battesimo a chiunque crede in Gesù: giudei, timorati di Dio, pagani.[24] Il Battesimo appare sempre legato alla fede: « Credi nel Signore Gesù e sarai salvato tu e la tua famiglia », dichiara san Paolo al suo carceriere a Filippi. Il racconto continua: « Subito [il carceriere] si fece battezzare con tutti i suoi » (*At* 16,31-33).

849

[15] Cf *Mc* 16,15-16.
[16] Cf *Mt* 3,15.
[17] Cf *Fil* 2,7.
[18] Cf *Mt* 3,16-17.
[19] Cf *Mc* 10,38; *Lc* 12,50.
[20] Cf *Gv* 19,34.
[21] Cf *1 Gv* 5,6-8.
[22] Cf *Gv* 3,5.
[23] Sant'Ambrogio, *De sacramentis,* 2, 6: PL 16, 425C.
[24] Cf *At* 2,41; 8,12-13; 10,48; 16,15.

1227 Secondo l'Apostolo san Paolo, mediante il Battesimo il credente comunica alla morte di Cristo; con lui è sepolto e con lui risuscita: 790

> Quanti siamo stati battezzati in Cristo Gesù, siamo stati battezzati nella sua morte. Per mezzo del Battesimo siamo dunque stati sepolti insieme a lui nella morte, perché come Cristo fu risuscitato dai morti per mezzo della gloria del Padre, così anche noi possiamo camminare in una vita nuova (*Rm* 6,3-4).[25]

I battezzati si sono « rivestiti di Cristo » (*Gal* 3,27). Mediante l'azione dello Spirito Santo, il Battesimo è un lavacro che purifica, santifica e giustifica.[26]

1228 Il Battesimo è quindi un bagno d'acqua nel quale « il seme incorruttibile » della Parola di Dio produce il suo effetto vivificante.[27] Sant'Agostino dirà del Battesimo: « Accedit verbum ad elementum, et fit Sacramentum – Si unisce la parola all'elemento, e nasce il sacramento ».[28]

III. Come viene celebrato il sacramento del Battesimo?

L'INIZIAZIONE CRISTIANA

1229 Diventare cristiano richiede, fin dal tempo degli Apostoli, un cammino e una iniziazione con diverse tappe. Questo itinerario può essere percorso rapidamente o lentamente. Dovrà in ogni caso comportare alcuni elementi essenziali: l'annunzio della Parola, l'accoglienza del Vangelo che provoca una conversione, la professione di fede, il Battesimo, l'effusione dello Spirito Santo, l'accesso alla Comunione eucaristica.

1230 Questa iniziazione ha assunto forme molto diverse nel corso dei secoli e secondo le circostanze. Nei primi secoli della Chiesa l'iniziazione cristiana ha conosciuto un grande sviluppo, con un lungo periodo di *catecumenato* e una serie di riti preparatori che scandivano liturgicamente il cammino della preparazione catecumenale per concludersi con la celebrazione dei sacramenti dell'iniziazione cristiana. 1248

1231 Dove il Battesimo dei bambini è diventato largamente la forma abituale della celebrazione del sacramento, questa è divenuta un atto unico che, in modo molto abbreviato, integra le tappe preparatorie dell'iniziazione cristiana. Per la sua stessa

[25] Cf *Col* 2,12.
[26] Cf *1 Cor* 6,11; 12,13.
[27] Cf *1 Pt* 1,23; *Ef* 5,26.
[28] SANT'AGOSTINO, *In Evangelium Johannis tractatus,* 80, 3.

natura il Battesimo dei bambini richiede un *catecumenato post-battesimale.* Non si tratta soltanto della necessità di una istruzione posteriore al Battesimo, ma del necessario sviluppo della grazia battesimale nella crescita della persona. È l'ambito proprio del *catechismo.*

13

1232 Il Concilio Vaticano II ha ripristinato, per la Chiesa latina, « il catecumenato degli adulti, diviso in più gradi ».[29] I riti si trovano nell'*Ordo initiationis christianae adultorum* (1972). Il Concilio ha inoltre permesso che « nelle terre di missione, sia acconsentito accogliere, oltre agli elementi che si hanno nella tradizione cristiana, anche quegli elementi di iniziazione in uso presso ogni popolo, nella misura in cui possono essere adattati al rito cristiano ».[30]

1204

1233 Oggi, dunque, in tutti i riti latini e orientali, l'iniziazione cristiana degli adulti incomincia con il loro ingresso nel catecumenato e arriva al suo cultime nella celebrazione unitaria dei tre sacramenti del Battesimo, della Confermazione e dell'Eucaristia.[31] Nei riti orientali l'iniziazione cristiana dei bambini incomincia con il Battesimo immediatamente seguito dalla Confermazione e dall'Eucaristia, mentre nel rito romano essa continua durante alcuni anni di catechesi, per concludersi più tardi con la Confermazione e l'Eucaristia, culmine della loro iniziazione cristiana.[32]

1290

La mistagogia della celebrazione

1234 Il significato e la grazia del sacramento del Battesimo appaiono chiaramente nei riti della sua celebrazione. Seguendo con attenta partecipazione i gesti e le parole di questa celebrazione, i fedeli sono iniziati alle ricchezze che tale sacramento significa e opera in ogni nuovo battezzato.

617 2157

1235 *Il segno della croce,* all'inizio della celebrazione, esprime il sigillo di Cristo su colui che sta per appartenergli e significa la grazia della redenzione che Cristo ci ha acquistata per mezzo della sua croce.

1122

1236 *L'annunzio della Parola di Dio* illumina con la verità rivelata i candidati e l'assemblea, e suscita la risposta della fede, inseparabile dal Battesimo. Infatti il Battesimo è in modo tutto particolare « il sacramento della fede », poiché segna l'ingresso sacramentale nella vita di fede.

1673

1237 Dal momento che il Battesimo significa la liberazione dal peccato e dal suo istigatore, il diavolo, viene pronunziato uno (o più) *esorcismo(i)* sul candidato. Questi viene unto con l'olio dei catecumeni, oppure il celebrante impone su di lui la mano, ed egli rinunzia esplicitamente a Satana. Così pre-

[29] Conc. Ecum. Vat. II, *Sacrosanctum concilium,* 64.
[30] *Ibid.,* 65; cf 37-40.
[31] Cf Conc. Ecum. Vat. II, *Ad gentes,* 14; *Codice di Diritto Canonico,* 851; 865; 866.
[32] Cf *Codice di Diritto Canonico,* 851, 2°; 868.

parato, può *professare la fede della Chiesa* alla quale sarà « consegnato » per mezzo del Battesimo.[33] 189

1238 L'*acqua battesimale* viene quindi consacrata mediante una preghiera di Epiclesi (sia al momento stesso, sia nella notte di Pasqua). La Chiesa chiede a Dio che, per mezzo del suo Figlio, la potenza dello Spirito Santo discenda su quest'acqua, in modo che quanti vi saranno battezzati « nascano dall'acqua e dallo Spirito » (*Gv* 3,5). 1217

1239 Segue poi il *rito essenziale* del sacramento: il *Battesimo* propriamente detto, che significa e opera la morte al peccato e l'ingresso nella vita della Santissima Trinità attraverso la configurazione al Mistero pasquale di Cristo. Il Battesimo viene compiuto nel modo più espressivo per mezzo della triplice immersione nell'acqua battesimale. Ma fin dall'antichità può anche essere conferito versando per tre volte l'acqua sul capo del candidato. 1214

1240 Nella Chiesa latina questa triplice infusione è accompagnata dalle parole del ministro: « N., io ti battezzo nel nome del Padre, e del Figlio, e dello Spirito Santo ». Nelle liturgie orientali, mentre il catecumeno è rivolto verso l'Oriente, il sacerdote dice: « Il servo di Dio, N., è battezzato nel nome del Padre, e del Figlio, e dello Spirito Santo ». E all'invocazione di ogni persona della Santissima Trinità, lo immerge nell'acqua e lo risolleva.

1241 L'*unzione con il sacro crisma,* olio profumato consacrato dal vescovo, significa il dono dello Spirito Santo elargito al nuovo battezzato. Egli è divenuto un cristiano, ossia « unto » di Spirito Santo, incorporato a Cristo, che è unto sacerdote, profeta e re.[34] 1294; 1574 783

1242 Nella liturgia delle Chiese orientali, l'unzione post-battesimale costituisce il sacramento della Crismazione (Confermazione). Nella liturgia romana, essa annunzia una seconda unzione con il sacro crisma che sarà effettuata dal vescovo: cioè il sacramento della Confermazione, il quale, per così dire, "conferma" e porta a compimento l'unzione battesimale. 1291

1243 La *veste bianca* significa che il battezzato si è « rivestito di Cristo » (*Gal* 3,27): egli è risorto con Cristo. La *candela,* accesa al cero pasquale, significa che Cristo ha illuminato il neofita. In Cristo i battezzati sono « la luce del mondo » (*Mt* 5,14).[35] 1216

[33] Cf *Rm* 6,17.
[34] Cf Rituale romano, *Rito del battesimo dei bambini,* 62.
[35] Cf *Fil* 2,15.

Il nuovo battezzato è ora figlio di Dio nel Figlio Unigenito. Può dire la
2769 preghiera dei figli di Dio: il *Padre nostro*.

1244 La *prima Comunione eucaristica*. Divenuto figlio di Dio, rivestito dell'abito nuziale, il neofita è ammesso « al banchetto delle nozze dell'Agnello » e riceve il nutrimento della vita nuova, il Corpo e il Sangue di Cristo. Le
1292 Chiese orientali conservano una viva coscienza dell'unità dell'iniziazione cristiana amministrando la santa Comunione a tutti i neo-battezzati e confermati, anche ai bambini piccoli, ricordando la parola del Signore: « Lasciate che i bambini vengano a me e non glielo impedite » (*Mc* 10,14). La Chiesa latina, che permette l'accesso alla santa Comunione solo a coloro che hanno raggiunto l'uso di ragione, mette in luce che il Battesimo introduce all'Eucaristia accostando all'altare il bambino neo-battezzato per la preghiera del Padre nostro.

1245 La *benedizione solenne* conclude la celebrazione del Battesimo. In occasione del Battesimo dei neonati la benedizione della madre occupa un posto di rilievo.

IV. Chi può ricevere il Battesimo?

1246 « È capace di ricevere il Battesimo ogni uomo e solo l'uomo non ancora battezzato ».[36]

Il Battesimo degli adulti

1247 Dalle origini della Chiesa, il Battesimo degli adulti è la situazione più normale là dove l'annunzio del Vangelo è ancora recente. Il catecumenato (preparazione al Battesimo) occupa in tal caso un posto importante. In quanto iniziazione alla fede e alla vita cristiana, esso deve disporre ad accogliere il dono di Dio nel Battesimo, nella Confermazione e nell'Eucaristia.

1230 1248 Il catecumenato, o formazione dei catecumeni, ha lo scopo di permettere a questi ultimi, in risposta all'iniziativa divina e in unione con una comunità ecclesiale, di condurre a maturità la loro conversione e la loro fede. Si tratta di « una formazione alla vita cristiana... » mediante la quale « i discepoli vengono in contatto con Cristo, loro Maestro. Perciò i catecumeni

[36] *Codice di Diritto Canonico*, 864; *Corpus Canonum Ecclesiarum Orientalium*, 679.

siano convenientemente iniziati al mistero della salvezza e alla pratica delle norme evangeliche, e mediante i riti sacri, da celebrare in tempi successivi, siano introdotti nella vita della fede, della Liturgia e della carità del Popolo di Dio ».[37]

1249 I catecumeni « sono già uniti alla Chiesa, appartengono già alla famiglia del Cristo, e spesso vivono già una vita di fede, di speranza e di carità ».[38] « La madre Chiesa, come già suoi, li ricopre del suo amore e delle sue cure ».[39] 1259

IL BATTESIMO DEI BAMBINI

1250 Poiché nascono con una natura umana decaduta e contaminata dal peccato originale, anche i bambini hanno bisogno della nuova nascita nel Battesimo [40] per essere liberati dal potere delle tenebre e trasferiti nel regno della libertà dei figli di Dio,[41] alla quale tutti gli uomini sono chiamati. La pura gratuità della grazia della salvezza si manifesta in modo tutto particolare nel Battesimo dei bambini. La Chiesa e i genitori priverebbero quindi il bambino della grazia inestimabile di diventare figlio di Dio se non gli conferissero il Battesimo poco dopo la nascita.[42] 403 1996

1251 I genitori cristiani riconosceranno che questa pratica corrisponde pure al loro ruolo di alimentare la vita che Dio ha loro affidato.[43]

1252 L'usanza di battezzare i bambini è una tradizione della Chiesa da tempo immemorabile. Essa è esplicitamente attestata fin dal secondo secolo. È tuttavia probabile che, fin dagli inizi della predicazione apostolica, quando « famiglie » intere hanno ricevuto il Battesimo,[44] siano stati battezzati anche i bambini.[45]

[37] CONC. ECUM. VAT. II, *Ad gentes,* 14; cf Rituale romano, *Rito dell'iniziazione cristiana degli adulti,* 19 e 98.
[38] CONC. ECUM. VAT. II, *Ad gentes,* 14.
[39] CONC. ECUM. VAT. II, *Lumen gentium,* 14; *Codice di Diritto Canonico,* 206; 788, 3.
[40] Cf Concilio di Trento: DENZ.-SCHÖNM., 1514.
[41] Cf *Col* 1,12-14.
[42] Cf *Codice di Diritto Canonico,* 867; *Corpus Canonum Ecclesiarum Orientalium,* 681; 686, 1.
[43] Cf CONC. ECUM. VAT. II, *Lumen gentium,* 11; 41; ID., *Gaudium et spes,* 48; *Codice di Diritto canonico,* 868.
[44] Cf *At* 16,15.33; 18,8; *1 Cor* 1,16.
[45] Cf CONGREGAZIONE PER LA DOTTRINA DELLA FEDE, Istr. *Pastoralis actio:* AAS 72 (1980), 1137-1156.

FEDE E BATTESIMO

1123 1253 Il Battesimo è il sacramento della fede.[46] La fede però ha bisogno della comunità dei credenti. È soltanto nella fede della Chiesa che ogni fedele può credere. La fede richiesta per il Battesimo non è una fede perfetta e matura, 168 ma un inizio, che deve svilupparsi. Al catecumeno o al suo padrino viene domandato: « Che cosa chiedi alla Chiesa di Dio? ». Ed egli risponde: « La fede! ».

1254 In tutti i battezzati, bambini o adulti, la fede deve crescere *dopo* il Battesimo. Per questo ogni anno, nella notte di Pasqua, la Chiesa celebra la 2101 rinnovazione delle promesse battesimali. La preparazione al Battesimo conduce soltanto alla soglia della vita nuova. Il Battesimo è la sorgente della vita nuova in Cristo, dalla quale fluisce l'intera vita cristiana.

1255 Perché la grazia battesimale possa svilupparsi è importante l'aiuto 1311 dei genitori. Questo è pure il ruolo del *padrino* o della *madrina,* che devono essere dei credenti solidi, capaci e pronti a sostenere nel cammino della vita cristiana il neo-battezzato, bambino o adulto.[47] Il loro compito è una vera funzione ecclesiale (« officium »).[48] L'intera comunità ecclesiale ha una parte di responsabilità nello sviluppo e nella conservazione della grazia ricevuta nel Battesimo.

V. Chi può battezzare?

1256 I ministri ordinari del Battesimo sono il vescovo e il presbitero, e, nella Chiesa latina, anche il diacono.[49] In caso di necessità, chiunque, anche un non battezzato, purché abbia l'intenzione richiesta, può battezzare. L'in- 1752 tenzione richiesta è di voler fare ciò che fa la Chiesa quando battezza, e usare la formula battesimale trinitaria. La Chiesa trova la motivazione di questa possibilità nella volontà salvifica universale di Dio [50] e nella necessità del Battesimo per la salvezza.[51]

[46] Cf *Mc* 16,16.
[47] Cf *Codice di Diritto Canonico,* 872-874.
[48] Cf CONC. ECUM. VAT. II, *Sacrosanctum concilium,* 67.
[49] Cf *Codice di Diritto Canonico,* 861, 1; *Corpus Canonum Ecclesiarum Orientalium,* 677, 1.
[50] Cf *1 Tm* 2,4.
[51] Cf *Mc* 16,16; Concilio di Firenze: DENZ.-SCHÖNM., 1315; NICOLÒ I, Risposta *Ad consulta vestra: ibid.,* 646; *Codice di Diritto Canonico,* 861, 2.

VI. La necessità del Battesimo

1257 Il Signore stesso afferma che il Battesimo è necessario per la salvezza.[52] Per questo ha comandato ai suoi discepoli di annunziare il Vangelo e di battezzare tutte le nazioni.[53] Il Battesimo è necessario alla salvezza per coloro ai quali è stato annunziato il Vangelo e che hanno avuto la possibilità di chiedere questo sacramento.[54] La Chiesa non conosce altro mezzo all'infuori del Battesimo per assicurare l'ingresso nella beatitudine eterna; perciò si guarda dal trascurare la missione ricevuta dal Signore di far rinascere « dall'acqua e dallo Spirito » tutti coloro che possono essere battezzati. *Dio ha legato la salvezza al sacramento del Battesimo, tuttavia egli non è legato ai suoi sacramenti.*

1129

161; 846

1258 Da sempre la Chiesa è fermamente convinta che quanti subiscono la morte a motivo della fede, senza aver ricevuto il Battesimo, vengono battezzati mediante la loro stessa morte per e con Cristo. Questo *Battesimo di sangue,* come pure il *desiderio del Battesimo,* porta i frutti del Battesimo, anche senza essere sacramento.

2473

1259 Per i *catecumeni* che muoiono prima del Battesimo, il loro desiderio esplicito di riceverlo unito al pentimento dei propri peccati e alla carità, assicura loro la salvezza che non hanno potuto ricevere mediante il sacramento.

1249

1260 « Cristo è morto per tutti e la vocazione ultima dell'uomo è effettivamente una sola, quella divina, perciò dobbiamo ritenere che lo Spirito Santo dia a tutti la possibilità di venire a contatto, nel modo che Dio conosce, col Mistero pasquale ».[55] Ogni uomo che, pur ignorando il Vangelo di Cristo e la sua Chiesa, cerca la verità e compie la volontà di Dio come la conosce, può essere salvato. È lecito supporre che tali persone avrebbero *desiderato esplicitamente il Battesimo,* se ne avessero conosciuta la necessità.

848

1261 Quanto ai *bambini morti senza Battesimo,* la Chiesa non può che affidarli alla misericordia di Dio, come appunto fa nel rito dei funerali per loro. Infatti, la grande misericordia di Dio che vuole salvi tutti gli uomini[56] e la tenerezza di Gesù verso i bambini, che gli ha fatto dire: « Lasciate che i

[52] Cf *Gv* 3,5.
[53] Cf *Mt* 28,19-20; Concilio di Trento: Denz.-Schönm., 1618; Conc. Ecum. Vat. II, *Lumen gentium,* 14; Id., *Ad gentes,* 5.
[54] Cf *Mc* 16,16.
[55] Conc. Ecum. Vat. II, *Gaudium et spes,* 22; cf Id., *Lumen gentium,* 16; Id., *Ad gentes,* 7.
[56] Cf *1 Tm* 2,4.

bambini vengano a me e non glielo impedite » (*Mc* 10,14), ci consentono di sperare che vi sia una via di salvezza per i bambini morti senza Battesimo.
1250 Tanto più pressante è perciò l'invito della Chiesa a non impedire che i bambini vengano a Cristo mediante il dono del santo Battesimo.

VII. La grazia del Battesimo

1234 1262 I diversi effetti operati dal Battesimo sono significati dagli elementi sensibili del rito sacramentale. L'immersione nell'acqua richiama i simbolismi della morte e della purificazione, ma anche della rigenerazione e del rinnovamento. I due effetti principali sono dunque la purificazione dai peccati e la nuova nascita nello Spirito Santo.[57]

Per la remissione dei peccati

977 1263 Per mezzo del Battesimo sono rimessi *tutti i peccati,* il peccato originale e tutti i peccati personali, come pure tutte le pene del peccato.[58] In coloro 1425 che sono stati rigenerati, infatti, non rimane nulla che impedisca loro di entrare nel Regno di Dio, né il peccato di Adamo, né il peccato personale, né le conseguenze del peccato, di cui la più grave è la separazione da Dio.

1264 Rimangono tuttavia nel battezzato alcune conseguenze temporali del peccato, quali le sofferenze, la malattia, la morte, o le fragilità inerenti alla vita come le debolezze del carattere, ecc., e anche una inclinazione al pecca-976; 2514 to che la Tradizione chiama la *concupiscenza,* o, metaforicamente, « l'incen-1426 tivo del peccato » (« fomes peccati »): « Essendo questa lasciata per la prova, non può nuocere a quelli che non vi acconsentono e che le si oppongono virilmente con la grazia di Gesù Cristo. Anzi, non riceve la corona 405 se non chi ha lottato secondo le regole (*2 Tm* 2,5) ».[59]

« Una nuova creatura »

1265 Il Battesimo non soltanto purifica da tutti i peccati, ma fa pure del 505 neofita una « nuova creatura » (*2 Cor* 5,17), un figlio adottivo di Dio [60] che 460 è divenuto partecipe della natura divina,[61] membro di Cristo [62] e coerede con lui,[63] tempio dello Spirito Santo.[64]

[57] Cf *At* 2,38; *Gv* 3,5.
[58] Cf Concilio di Firenze: Denz.-Schönm., 1316.
[59] Concilio di Trento: *ibid.,* 1515.
[60] Cf *Gal* 4,5-7.
[61] Cf *2 Pt* 1,4.
[62] Cf *1 Cor* 6,15; 12,27.
[63] Cf *Rm* 8,17.
[64] Cf *1 Cor* 6,19.

1266 La Santissima Trinità dona al battezzato la *grazia santificante*, la grazia della *giustificazione* che 1992

— lo rende capace di credere in Dio, di sperare in lui e di amarlo per mezzo delle *virtù teologali;* 1812
— gli dà la capacità di vivere e agire sotto la mozione dello Spirito Santo per mezzo dei *doni dello Spirito Santo;* 1831
— gli permette di crescere nel bene per mezzo delle *virtù morali.*

In questo modo tutto l'organismo della vita soprannaturale del cristiano ha la sua radice nel santo Battesimo. 1810

INCORPORATI ALLA CHIESA, CORPO DI CRISTO

1267 Il Battesimo ci fa membra del Corpo di Cristo. « Siamo membra gli uni degli altri » (*Ef* 4,25). Il Battesimo incorpora *alla Chiesa.* Dai fonti battesimali nasce l'unico popolo di Dio della Nuova Alleanza che supera tutti i limiti naturali o umani delle nazioni, delle culture, delle razze e dei sessi: « In realtà noi tutti siamo stati battezzati in un solo Spirito per formare un solo corpo » (*1 Cor* 12,13). 782

1268 I battezzati sono divenuti « pietre vive per la costruzione di un edificio spirituale, per un sacerdozio santo » (*1 Pt* 2,5). Per mezzo del Battesimo sono partecipi del sacerdozio di Cristo, della sua missione profetica e regale, sono « la stirpe eletta, il sacerdozio regale, la nazione santa, il popolo che Dio si è acquistato perché proclami le opere meravigliose di lui » che li « ha chiamati dalle tenebre alla sua ammirabile luce » (*1 Pt* 2,9). *Il Battesimo rende partecipi del sacerdozio comune dei fedeli.* 1141 784

1269 Divenuto membro della Chiesa, il battezzato non appartiene più a se stesso,[65] ma a colui che è morto e risuscitato per noi.[66] Perciò è chiamato a sottomettersi agli altri,[67] a servirli[68] nella comunione della Chiesa, ad essere « obbediente » e « sottomesso » ai capi della Chiesa,[69] e a trattarli « con rispetto e carità ».[70] Come il Battesimo comporta responsabilità e doveri, allo stesso modo il battezzato fruisce anche di diritti in seno alla Chiesa: quello di ricevere i sacramenti, di essere nutrito dalla Parola di Dio e sostenuto dagli altri aiuti spirituali della Chiesa.[71] 871

[65] Cf *1 Cor* 6,19.
[66] Cf *2 Cor* 5,15.
[67] Cf *Ef* 5,21; *1 Cor* 16,15-16.
[68] Cf *Gv* 13,12-15.
[69] Cf *Eb* 13,17.
[70] Cf *1 Ts* 5,12-13.
[71] Cf CONC. ECUM. VAT. II, *Lumen gentium,* 37; *Codice di Diritto Canonico,* 208-223; *Corpus Canonum Ecclesiarum Orientalium,* 675, 2.

2472

1270 « Rigenerati [dal Battesimo] per essere figli di Dio, [i battezzati] sono tenuti a professare pubblicamente la fede ricevuta da Dio mediante la Chiesa »[72] e a partecipare all'attività apostolica e missionaria del Popolo di Dio.[73]

Il vincolo sacramentale dell'unità dei cristiani

818; 838

1271 Il Battesimo costituisce il fondamento della comunione tra tutti i cristiani, anche con quanti non sono ancora nella piena comunione con la Chiesa cattolica: « Quelli infatti che credono in Cristo ed hanno ricevuto debitamente il Battesimo, sono costituiti in una certa comunione, sebbene imperfetta, con la Chiesa cattolica... Giustificati nel Battesimo dalla fede, sono incorporati a Cristo, e perciò sono a ragione insigniti del nome di cristiani, e dai figli della Chiesa cattolica sono giustamente riconosciuti come fratelli nel Signore ».[74] « Il Battesimo quindi costituisce il *vincolo sacramentale dell'unità* che vige tra tutti quelli che per mezzo di esso sono stati rigenerati ».[75]

Un sigillo spirituale indelebile

1121

1272 Incorporato a Cristo per mezzo del Battesimo, il battezzato viene conformato a Cristo.[76] Il Battesimo segna il cristiano con un sigillo spirituale indelebile (« *carattere* ») della sua appartenenza a Cristo. Questo sigillo non viene cancellato da alcun peccato, sebbene il peccato impedisca al Battesimo di portare frutti di salvezza.[77] Conferito una volta per sempre, il Battesimo non può essere ripetuto.

1070

1273 Incorporati alla Chiesa per mezzo del Battesimo, i fedeli hanno ricevuto il carattere sacramentale che li consacra per il culto religioso cristiano.[78] Il sigillo battesimale abilita e impegna i cristiani a servire Dio mediante una viva partecipazione alla santa Liturgia della Chiesa e « a esercitare il loro sacerdozio » battesimale « con la testimonianza di una vita santa... e con una operosa carità ».[79]

[72] Conc. Ecum. Vat. II, *Lumen gentium,* 11.
[73] Cf *ibid.,* 17; Id., *Ad gentes,* 7; 23.
[74] Conc. Ecum. Vat. II, *Unitatis redintegratio,* 3.
[75] *Ibid.,* 22.
[76] Cf *Rm* 8,29.
[77] Cf Concilio di Trento: Denz.-Schönm., 1609-1619.
[78] Cf Conc. Ecum. Vat. II, *Lumen gentium,* 11.
[79] *Ibid.,* 10.

1274 Il « *sigillo del Signore* »[80] è il sigillo con cui lo Spirito Santo ci ha segnati « per il giorno della redenzione » (*Ef* 4,30).[81] « Il Battesimo, infatti, è il sigillo della vita eterna ».[82] Il fedele che avrà « custodito il sigillo » sino alla fine, ossia che sarà rimasto fedele alle esigenze del proprio Battesimo, potrà morire nel « segno della fede »,[83] con la fede del proprio Battesimo, nell'attesa della beata visione di Dio — consumazione della fede — e nella speranza della risurrezione.

197

2016

In sintesi

1275 *L'iniziazione cristiana si compie attraverso l'insieme di tre sacramenti: il Battesimo, che è l'inizio della vita nuova; la Confermazione, che ne è il rafforzamento; e l'Eucaristia, che nutre il discepolo con il Corpo e il Sangue di Cristo in vista della sua trasformazione in lui.*

1276 *« Andate dunque e ammaestrate tutte le nazioni, battezzandole nel nome del Padre e del Figlio e dello Spirito Santo, insegnando loro ad osservare tutto ciò che vi ho comandato »* (*Mt* 28,19-20).

1277 *Il Battesimo costituisce la nascita alla vita nuova in Cristo. Secondo la volontà del Signore esso è necessario per la salvezza, come la Chiesa stessa, nella quale il Battesimo introduce.*

1278 *Il rito essenziale del Battesimo consiste nell'immergere nell'acqua il candidato o nel versargli dell'acqua sul capo, mentre si pronuncia l'invocazione della Santissima Trinità, ossia del Padre, del Figlio e dello Spirito Santo.*

1279 *Il frutto del Battesimo o grazia battesimale è una realtà ricca che comporta: la remissione del peccato originale e di tutti i peccati personali; la nascita alla vita nuova mediante la quale l'uomo diventa figlio adottivo del Padre, membro di Cristo, tempio dello Spirito Santo. Per ciò stesso il battezzato è incorporato alla Chiesa, Corpo di Cristo, e reso partecipe del sacerdozio di Cristo.*

1280 *Il Battesimo imprime nell'anima un segno spirituale indelebile, il carattere, il quale consacra il battezzato al culto della religione cristiana. A motivo del carattere che imprime, il Battesimo non può essere ripetuto.*[84]

[80] « Dominicus character »: Sant'Agostino, *Epistulae*, 98, 5: PL 33, 362.
[81] Cf *Ef* 1,13-14; *2 Cor* 1,21-22.
[82] Sant'Ireneo di Lione, *Demonstratio apostolica*, 3.
[83] *Messale Romano*, Canone Romano.
[84] Cf Concilio di Trento: Denz.-Schönm., 1609 e 1624.

1281 *Coloro che subiscono la morte a causa della fede, i catecumeni e tutti gli uomini che, sotto l'impulso della grazia, senza conoscere la Chiesa, cercano sinceramente Dio e si sforzano di compiere la sua volontà, sono salvati anche se non hanno ricevuto il Battesimo.*[85]

1282 *Fin dai tempi più antichi, il Battesimo viene amministrato ai bambini, essendo una grazia e un dono di Dio che non presuppongono meriti umani; i bambini sono battezzati nella fede della Chiesa. L'ingresso nella vita cristiana introduce nella vera libertà.*

1283 *Quanto ai bambini morti senza Battesimo, la Liturgia della Chiesa ci invita a confidare nella misericordia di Dio, e a pregare per la loro salvezza.*

1284 *In caso di necessità, chiunque può battezzare, a condizione che intenda fare ciò che fa la Chiesa, e che versi dell'acqua sul capo del candidato dicendo: « Io ti battezzo nel nome del Padre e del Figlio e dello Spirito Santo ».*

Articolo 2

IL SACRAMENTO DELLA CONFERMAZIONE

1285 Con il Battesimo e l'Eucaristia, il sacramento della Confermazione costituisce l'insieme dei « sacramenti dell'iniziazione cristiana », la cui unità deve essere salvaguardata. È dunque necessario spiegare ai fedeli che la recezione di questo sacramento è necessaria per il rafforzamento della grazia battesimale.[86] Infatti, « con il sacramento della Confermazione [i battezzati] vengono vincolati più perfettamente alla Chiesa, sono arricchiti di una speciale forza dallo Spirito Santo, e in questo modo sono più strettamente obbligati a diffondere e a difendere con la parola e con l'opera la fede come veri testimoni di Cristo ».[87]

I. La Confermazione nell'Economia della Salvezza

1286 Nell'*Antico Testamento,* i profeti hanno annunziato che lo Spirito del Signore si sarebbe posato sul Messia atteso [88] in vista della sua missione

702-716

[85] Cf CONC. ECUM. VAT. II, *Lumen gentium,* 16.
[86] Cf Pontificale romano, *Rito della confermazione,* Premesse, 1.
[87] CONC. ECUM. VAT. II, *Lumen gentium,* 11; cf Pontificale romano, *Rito della confermazione*, Premesse, 2.
[88] Cf *Is* 11,2.

salvifica.[89] La discesa dello Spirito Santo su Gesù, al momento del suo Battesimo da parte di Giovanni, costituì il segno che era lui che doveva venire, che egli era il Messia, il Figlio di Dio.[90] Concepito per opera dello Spirito Santo, tutta la sua vita e la sua missione si svolgono in una totale comunione con lo Spirito Santo che il Padre gli dà « senza misura » (*Gv* 3,34).

1287 Questa pienezza dello Spirito non doveva rimanere soltanto del Messia, ma doveva essere comunicata a *tutto il popolo messianico.*[91] Più volte Cristo ha promesso questa effusione dello Spirito,[92] promessa che ha attuato dapprima il giorno di Pasqua [93] e in seguito, in modo più stupefacente, il giorno di Pentecoste.[94] Pieni di Spirito Santo, gli Apostoli cominciano ad « annunziare le grandi opere di Dio » (*At* 2,11) e Pietro afferma che quella effusione dello Spirito sopra gli Apostoli è il segno dei tempi messianici.[95] Coloro che allora hanno creduto alla predicazione apostolica e che si sono fatti battezzare, hanno ricevuto, a loro volta, « il dono dello Spirito Santo » (*At* 2,38). 739

1288 « Fin da quel tempo gli Apostoli, in adempimento del volere di Cristo, comunicavano ai neofiti, attraverso l'imposizione delle mani, il dono dello Spirito, destinato a completare la grazia del Battesimo.[96] Questo spiega perché nella lettera agli Ebrei viene ricordata, tra i primi elementi della formazione cristiana, la dottrina dei battesimi e anche dell'imposizione delle mani.[97] È appunto questa imposizione delle mani che giustamente viene considerata dalla tradizione cattolica come la prima origine del sacramento della Confermazione, il quale rende, in qualche modo, perenne nella Chiesa la grazia della Pentecoste ».[98] 699

1289 Per meglio esprimere il dono dello Spirito Santo, ben presto all'imposizione delle mani si è aggiunta una unzione di olio profumato (crisma). Tale unzione spiega il nome di « cristiano » che significa « unto » e che trae la sua origine da quello di Cristo stesso, che « Dio consacrò [ha unto] in Spirito Santo » (*At* 10,38). Questo rito di unzione è rimasto in uso fino ai nostri giorni sia in Oriente sia in Occidente. Perciò in Oriente questo sacramento viene chiamato *Crismazione,* unzione con il crisma, o *myron,* che significa 695 436 1297

[89] Cf *Lc* 4,16-22; *Is* 61,1.
[90] Cf *Mt* 3,13-17; *Gv* 1,33-34.
[91] Cf *Ez* 36,25-27; *Gl* 3,1-2.
[92] Cf *Lc* 12,12; *Gv* 3,5-8; 7,37-39; 16,7-15; *At* 1,8.
[93] Cf *Gv* 20,22.
[94] Cf *At* 2,1-4.
[95] Cf *At* 2,17-18.
[96] Cf *At* 8,15-17; 19,5-6.
[97] Cf *Eb* 6,2.
[98] PAOLO VI, Cost. ap. *Divinae consortium naturae.*

« crisma ». In Occidente il termine *Confermazione* suggerisce ad un tempo la conferma del Battesimo, la quale porta a compimento l'iniziazione cristiana, e il rafforzamento della grazia battesimale, tutti frutti dello Spirito Santo.

Due tradizioni: l'Oriente e l'Occidente

1290 Nei primi secoli la Confermazione costituisce in genere una celebrazione unica con il Battesimo, formando con questo, secondo l'espressione di san Cipriano, un « sacramento doppio ». Ma il moltiplicarsi, tra le altre cause, dei Battesimi di bambini, e questo in qualsiasi periodo dell'anno, e la crescita numerica delle parrocchie (rurali), che ampliava le diocesi, non permettono più la presenza del vescovo a tutte le celebrazioni battesimali. In Occidente, poiché si preferisce riservare al vescovo il portare a compimento il Battesimo, avviene la separazione temporale dei due sacramenti. L'Oriente ha invece conservato uniti i due sacramenti, così che la Confermazione è conferita dal presbitero stesso che battezza. Questi tuttavia può farlo soltanto con il « crisma » consacrato da un vescovo.[99]

1233

1291 Una consuetudine della Chiesa di Roma ha facilitato lo sviluppo della pratica occidentale: la duplice unzione con il sacro crisma dopo il Battesimo. La prima unzione, compiuta dal sacerdote sul neofita, al momento in cui esce dal lavacro battesimale, è portata a compimento da una seconda unzione fatta dal vescovo sulla fronte di ogni neo-battezzato.[100] La prima unzione con il sacro crisma, quella data dal sacerdote, è rimasta unita al rito del Battesimo: significa la partecipazione del battezzato alle funzioni profetica, sacerdotale e regale di Cristo. Se il Battesimo viene conferito ad un adulto, vi è una sola unzione post-battesimale: quella della Confermazione.

1242

1244

1292 La pratica delle Chiese orientali sottolinea maggiormente l'unità dell'iniziazione cristiana. Quella della Chiesa latina evidenzia più nettamente la comunione del nuovo cristiano con il proprio vescovo, garante e servo dell'unità della sua Chiesa, della sua cattolicità e della sua apostolicità, e, conseguentemente, il legame con le origini apostoliche della Chiesa di Cristo.

II. I segni e il rito della Confermazione

1293 Nel rito di questo sacramento è opportuno considerare il segno dell'*unzione* e ciò che l'unzione indica e imprime: il *sigillo* spirituale.

695

Nella simbolica biblica e antica, l'*unzione* presenta una grande ricchezza di significati: l'olio è segno di abbondanza[101] e di gioia,[102] purifica (unzione

[99] Cf *Corpus Canonum Ecclesiarum Orientalium,* 695, 1; 696, 1.
[100] Cf Sant'Ippolito di Roma, *Traditio apostolica,* 21.
[101] Cf *Dt* 11,14, ecc.
[102] Cf *Sal* 23,5; 104,15.

prima e dopo il bagno), rende agile (l'unzione degli atleti e dei lottatori); è segno di guarigione, poiché cura le contusioni e le piaghe [103] e rende luminosi di bellezza, di salute e di forza.

1294 Questi significati dell'unzione con l'olio si ritrovano tutti nella vita sacramentale. L'unzione prima del Battesimo con l'olio dei catecumeni ha il significato di purificare e fortificare; l'unzione degli infermi esprime la guarigione e il conforto. L'unzione con il sacro crisma dopo il Battesimo, nella Confermazione e nell'Ordinazione, è il segno di una consacrazione. Mediante la Confermazione, i cristiani, ossia coloro che sono unti, partecipano maggiormente alla missione di Gesù Cristo e alla pienezza dello Spirito Santo di cui egli è ricolmo, in modo che tutta la loro vita effonda il « profumo di Cristo » (*2 Cor* 2,15).

1152

1295 Per mezzo di questa unzione il cresimando riceve « il marchio », il *sigillo* dello Spirito Santo. Il sigillo è il simbolo della persona,[104] il segno della sua autorità,[105] della sua proprietà su un oggetto [106] (per questo si usava imprimere sui soldati il sigillo del loro capo, come sugli schiavi quello del loro padrone); esso autentica un atto giuridico [107] o un documento [108] e, in certi casi, lo rende segreto.[109]

698

1296 Cristo stesso si dichiara segnato dal sigillo del Padre suo.[110] Anche il cristiano è segnato con un sigillo: « È Dio stesso che ci conferma, insieme a voi, in Cristo, e ci ha conferito l'unzione, ci ha impresso il sigillo e ci ha dato la caparra dello Spirito nei nostri cuori » (*2 Cor* 1,22).[111] Questo sigillo dello Spirito Santo segna l'appartenenza totale a Cristo, l'essere al suo servizio per sempre, ma anche la promessa della divina protezione nella grande prova escatologica.[112]

1121

La celebrazione della Confermazione

1297 *La consacrazione del sacro crisma* è un momento importante che precede la celebrazione della Confermazione, ma che, in un certo senso, ne fa parte. È il vescovo che, il Giovedì Santo, durante la Messa crismale,

1183

[103] Cf *Is* 1,6; *Lc* 10,34.
[104] Cf *Gn* 38,18; *Ct* 8,6.
[105] Cf *Gn* 41,42.
[106] Cf *Dt* 32,34.
[107] Cf *1 Re* 21,8.
[108] Cf *Ger* 32,10.
[109] Cf *Is* 29,11.
[110] Cf *Gv* 6,27.
[111] Cf *Ef* 1,13; 4,30.
[112] Cf *Ap* 7,2-3; 9,4; *Ez* 9,4-6.

1241 consacra il sacro crisma per tutta la sua diocesi. Anche nelle Chiese d'Oriente questa consacrazione è riservata al Patriarca:

> La liturgia siro-antiochena esprime in questi termini l'epiclesi della consacrazione del sacro crisma (myron): « [Padre... manda il tuo Santo Spirito] su di noi e su questo olio che è davanti a noi e consacralo, affinché per tutti coloro che ne verranno unti e segnati, esso sia: myron santo, myron sacerdotale, myron regale, unzione di letizia, la veste di luce, il manto della salvezza, il dono spirituale, la santificazione delle anime e dei corpi, la felicità eterna, il sigillo indelebile, lo scudo della fede e l'elmo invincibile contro tutte le macchinazioni dell'Avversario ».[113]

1298 Quando la Confermazione viene celebrata separatamente dal Battesimo, come avviene nel rito romano, la Liturgia del sacramento ha inizio con la rinnovazione delle promesse battesimali e con la professione di fede da parte dei cresimandi. In questo modo risulta evidente che la Confermazione si colloca in successione al Battesimo.[114] Quando viene battezzato un adulto, egli riceve immediatamente la Confermazione e partecipa all'Eucaristia.[115]

1299 Nel rito romano, il vescovo stende le mani sul gruppo dei cresimandi: gesto che, fin dal tempo degli Apostoli, è il segno del dono dello Spirito. Spetta al vescovo invocare l'effusione dello Spirito:

> Dio onnipotente, Padre del Signore nostro Gesù Cristo, che hai rigenerato questi tuoi figli dall'acqua e dallo Spirito Santo liberandoli dal peccato, in-
> 1831 fondi in loro il tuo santo Spirito Paraclito: spirito di sapienza e di intelletto, spirito di consiglio e di fortezza, spirito di scienza e di pietà, e riempili dello spirito del tuo santo timore. Per Cristo, nostro Signore.[116]

1300 Segue il *rito essenziale* del sacramento. Nel rito latino, « il sacramento della Confermazione si conferisce mediante l'unzione del crisma sulla
699 fronte, che si fa con l'imposizione della mano, e mediante le parole: "*Accipe signaculum Doni Spiritus Sancti*" - "Ricevi il sigillo dello Spirito Santo, che ti è dato in dono" ».[117] Presso le Chiese orientali, l'unzione con il myron viene fatta, dopo una preghiera di Epiclesi, sulle parti più significative del corpo: la fronte, gli occhi, il naso, le orecchie, le labbra, il petto, il dorso, le mani e i piedi; ogni unzione è accompagnata dalla formula: « Sigillo del dono che è lo Spirito Santo ».

1301 Il bacio di pace che conclude il rito del sacramento significa ed esprime la comunione ecclesiale con il vescovo e con tutti i fedeli.[118]

[113] Liturgia siro-antiochena, Epiclesi della consacrazione del sacro crisma.
[114] Cf Conc. Ecum. Vat. II, *Sacrosanctum concilium,* 71.
[115] Cf *Codice di Diritto Canonico,* 866.
[116] Pontificale romano, *Rito della confermazione,* 25.
[117] Paolo VI, Cost. ap. *Divinae consortium naturae.*
[118] Cf Sant'Ippolito di Roma, *Traditio apostolica,* 21.

III. Gli effetti della Confermazione

1302 Risulta dalla celebrazione che l'effetto del sacramento della Confermazione è la piena effusione dello Spirito Santo, come già fu concessa agli Apostoli il giorno di Pentecoste. 731

1303 Ne deriva che la Confermazione apporta una crescita e un approfondimento della grazia battesimale: 1262-1274

— ci radica più profondamente nella filiazione divina grazie alla quale diciamo: « Abbà, Padre » (*Rm* 8,15);
— ci unisce più saldamente a Cristo;
— aumenta in noi i doni dello Spirito Santo;
— rende più perfetto il nostro legame con la Chiesa; [119]
— ci accorda « una speciale forza dello Spirito Santo » per « diffondere e difendere con la parola e con l'azione la fede, come veri testimoni di Cristo », per « confessare coraggiosamente il nome di Cristo » e per non vergognarsi mai della sua croce.[120] 2044

> Ricorda che hai ricevuto il sigillo spirituale, « lo Spirito di sapienza e di intelletto, lo Spirito di consiglio e di fortezza, lo Spirito di conoscenza e di pietà, lo Spirito di timore di Dio », e conserva ciò che hai ricevuto. Dio Padre ti ha segnato, ti ha confermato Cristo Signore e ha posto nel tuo cuore quale pegno lo Spirito.[121]

1304 Come il Battesimo, di cui costituisce il compimento, la Confermazione è conferita una sola volta. Essa infatti imprime nell'anima un *marchio spirituale indelebile,* il « carattere »; [122] esso è il segno che Gesù Cristo ha impresso sul cristiano il sigillo del suo Spirito rivestendolo di potenza dall'alto perché sia suo testimone.[123] 1121

1305 Il « carattere » perfeziona il sacerdozio comune dei fedeli, ricevuto nel Battesimo, e « il cresimato riceve il potere di professare pubblicamente la fede cristiana, quasi per un incarico ufficiale (*quasi ex officio*) ».[124] 1268

IV. Chi può ricevere questo sacramento?

1306 Può e deve ricevere il sacramento della Confermazione ogni battezzato, che non l'abbia ancora ricevuto.[125] Dal momento che Battesimo, Confer-

[119] Cf Conc. Ecum. Vat. II, *Lumen gentium,* 11.
[120] Cf Concilio di Firenze: Denz.-Schönm., 1319; Conc. Ecum. Vat. II, *Lumen gentium,* 11; 12.
[121] Sant'Ambrogio, *De mysteriis,* 7, 42: PL 16, 402-403.
[122] Cf Concilio di Trento: Denz.-Schönm., 1609.
[123] Cf *Lc* 24,48-49.
[124] San Tommaso d'Aquino, *Summa theologiae,* III, 72, 5, ad 2.
[125] Cf *Codice di Diritto Canonico,* 889, 1.

1212 mazione ed Eucaristia costituiscono un tutto unitario, ne deriva che « i fedeli sono obbligati a ricevere tempestivamente questo sacramento »; [126] senza la Confermazione e l'Eucaristia, infatti, il sacramento del Battesimo è certamente valido ed efficace, ma l'iniziazione cristiana rimane incompiuta.

1307 La tradizione latina indica come punto di riferimento per ricevere la Confermazione « l'età della discrezione ». Quando fossero in pericolo di morte, tuttavia, i bambini devono essere cresimati anche se non hanno ancora raggiunto tale età.[127]

1308 Se talvolta si parla della Confermazione come del « sacramento della maturità cristiana », non si deve tuttavia confondere l'età adulta della fede con l'età adulta della crescita naturale, e neppure dimenticare che la grazia 1250 del Battesimo è una grazia di elezione gratuita e immeritata, che non ha bisogno di una « ratifica » per diventare effettiva. Lo ricorda san Tommaso:

> L'età fisica non condiziona l'anima. Quindi anche nell'età della puerizia l'uomo può ottenere la perfezione dell'età spirituale di cui la Sapienza (4,8) dice: « Vecchiaia veneranda non è la longevità, né si calcola dal numero degli anni ». È per questo che molti, nell'età della fanciullezza, avendo ricevuta la forza dello Spirito Santo, hanno combattuto generosamente per Cristo fino al sangue.[128]

1309 La *preparazione* alla Confermazione deve mirare a condurre il cristiano verso una più intima unione con Cristo, verso una familiarità più viva con lo Spirito Santo, la sua azione, i suoi doni e le sue mozioni, per poter meglio assumere le responsabilità apostoliche della vita cristiana. Di conseguenza la catechesi della Confermazione si sforzerà di risvegliare il senso dell'appartenenza alla Chiesa di Gesù Cristo, sia alla Chiesa universale che alla comunità parrocchiale. Su quest'ultima grava una particolare responsabilità nella preparazione dei confermandi.[129]

1310 Per ricevere la Confermazione si deve essere in stato di grazia. È opportuno accostarsi al sacramento della Penitenza per essere purificati in vi- 2670 sta del dono dello Spirito Santo. Una preghiera più intensa deve preparare a ricevere con docilità e disponibilità la forza e le grazie dello Spirito Santo.[130]

1311 Per la Confermazione, come per il Battesimo, è conveniente che 1255 i candidati cerchino l'aiuto spirituale di un *padrino* o di una *madrina*. È

[126] *Codice di Diritto Canonico,* 890.
[127] Cf *ibid.,* 891; 883, 3.
[128] San Tommaso d'Aquino, *Summa theologiae,* III, 72, 8, ad 2.
[129] Cf Pontificale romano, *Rito della confermazione,* Premesse, 3.
[130] Cf *At* 1,14.

opportuno che sia la stessa persona scelta per il Battesimo, per sottolineare meglio l'unità dei due sacramenti.[131]

V. Il ministro della Confermazione

1312 « Il *ministro originario* della Confermazione » è il vescovo.[132]

In Oriente, è ordinariamente il presbitero che battezza a conferire subito anche la Confermazione in una sola e medesima celebrazione. Tuttavia lo fa con il sacro crisma consacrato dal patriarca o dal vescovo: ciò esprime l'unità apostolica della Chiesa, i cui vincoli vengono rafforzati dal sacramento della Confermazione. Nella Chiesa latina si attua la stessa disciplina nel Battesimo degli adulti, o quando viene ammesso alla piena comunione con la Chiesa un battezzato che appartiene ad un'altra comunità cristiana il cui sacramento della Confermazione non è valido.[133] 1233

1313 *Nel rito latino,* il ministro ordinario della Confermazione è il vescovo.[134] Anche se il vescovo, per gravi motivi, può concedere a dei sacerdoti la facoltà di amministrare la Confermazione,[135] conviene tuttavia, proprio per il significato del sacramento, che lo conferisca egli stesso, non dimenticando che appunto per questa ragione la celebrazione della Confermazione è stata separata temporalmente dal Battesimo. I vescovi sono i successori degli Apostoli, essi hanno ricevuto la pienezza del sacramento dell'Ordine. Il fatto che questo sacramento venga amministrato da loro evidenzia che esso ha come effetto di unire più strettamente alla Chiesa, alle sue origini apostoliche e alla sua missione di testimoniare Cristo coloro che lo ricevono. 1290 1285

1314 Se un cristiano si trova in pericolo di morte, qualsiasi presbitero deve conferirgli la Confermazione.[136] La Chiesa infatti vuole che nessuno dei suoi figli, anche se in tenerissima età, esca da questo mondo senza essere stato reso perfetto dallo Spirito Santo mediante il dono della pienezza di Cristo. 1307

In sintesi

1315 *« Gli Apostoli, a Gerusalemme, seppero che la Samaria aveva accolto la Parola di Dio e vi inviarono Pietro e Giovanni. Essi discesero e*

[131] Cf Pontificale romano, *Rito della confermazione,* Premesse, 5; 6; *Codice di Diritto Canonico,* 893, 1. 2.
[132] CONC. ECUM. VAT. II, *Lumen gentium,* 26.
[133] Cf *Codice di Diritto Canonico,* 883, 2.
[134] *Ibid.,* 882.
[135] *Ibid.,* 884, 2.
[136] *Ibid.,* 883, 3.

pregarono per loro perché ricevessero lo Spirito Santo; non era infatti ancora sceso sopra nessuno di loro, ma erano stati soltanto battezzati nel nome del Signore Gesù. Allora imponevano loro le mani e quelli ricevevano lo Spirito Santo » (*At* 8,14-17).

1316 *La Confermazione perfeziona la grazia battesimale; è il sacramento che dona lo Spirito Santo per radicarci più profondamente nella filiazione divina, incorporarci più saldamente a Cristo, rendere più solido il nostro legame con la Chiesa, associarci maggiormente alla sua missione e aiutarci a testimoniare la fede cristiana con la parola accompagnata dalle opere.*

1317 *La Confermazione, come il Battesimo, imprime nell'anima del cristiano un segno spirituale o carattere indelebile; perciò si può ricevere questo sacramento una sola volta nella vita.*

1318 *In Oriente questo sacramento viene amministrato immediatamente dopo il Battesimo; è seguito dalla partecipazione all'Eucaristia; questa tradizione sottolinea l'unità dei tre sacramenti dell'iniziazione cristiana. Nella Chiesa latina questo sacramento viene conferito quando si è raggiunta l'età della ragione, e la sua celebrazione è normalmente riservata al vescovo, significando così che questo sacramento rinsalda il legame ecclesiale.*

1319 *Un candidato alla Confermazione che ha raggiunto l'età della ragione deve professare la fede, essere in stato di grazia, aver l'intenzione di ricevere il sacramento ed essere preparato ad assumere il proprio ruolo di discepolo e di testimone di Cristo, nella comunità ecclesiale e negli impegni temporali.*

1320 *Il rito essenziale della Confermazione è l'unzione con il sacro Crisma sulla fronte del battezzato (in Oriente anche su altre parti del corpo), accompagnata dall'imposizione delle mani da parte del ministro e dalle parole: « Ricevi il sigillo del dono dello Spirito Santo », nel rito romano, « Sigillo del dono dello Spirito Santo », nel rito bizantino.*

1321 *Quando la Confermazione viene celebrata separatamente dal Battesimo, il suo legame con questo è espresso, tra l'altro, dalla rinnovazione delle promesse battesimali. La celebrazione della Confermazione durante la Liturgia Eucaristica contribuisce a sottolineare l'unità dei sacramenti dell'iniziazione cristiana.*

Articolo 3

IL SACRAMENTO DELL'EUCARISTIA

1322 La santa Eucaristia completa l'iniziazione cristiana. Coloro che sono stati elevati alla dignità del sacerdozio regale per mezzo del Battesimo e sono stati conformati più profondamente a Cristo mediante la Confermazione, attraverso l'Eucaristia partecipano con tutta la comunità allo stesso sacrificio del Signore. 1212

1323 « Il nostro Salvatore nell'ultima Cena, la notte in cui veniva tradito, istituì il sacrificio eucaristico del suo Corpo e del suo Sangue, col quale perpetuare nei secoli, fino al suo ritorno, il sacrificio della croce, e per affidare così alla sua diletta Sposa, la Chiesa, il memoriale della sua Morte e Risurrezione: sacramento di pietà, segno di unità, vincolo di carità, convito pasquale, "nel quale si riceve Cristo, l'anima viene ricolmata di grazia e viene dato il pegno della gloria futura" ».[137] 1402

I. L'Eucaristia – fonte e culmine della vita ecclesiale

1324 L'Eucaristia è « fonte e apice di tutta la vita cristiana ».[138] « Tutti i sacramenti, come pure tutti i ministeri ecclesiastici e le opere di apostolato, sono strettamente uniti alla sacra Eucaristia e ad essa sono ordinati. Infatti, nella Santissima Eucaristia è racchiuso tutto il bene spirituale della Chiesa, cioè lo stesso Cristo, nostra Pasqua ».[139] 864

1325 « La comunione della vita divina e l'unità del popolo di Dio, su cui si fonda la Chiesa, sono adeguatamente espresse e mirabilmente prodotte dall'Eucaristia. In essa abbiamo il culmine sia dell'azione con cui Dio santifica il mondo in Cristo, sia del culto che gli uomini rendono a Cristo e per lui al Padre nello Spirito Santo ».[140] 775

1326 Infine, mediante la celebrazione eucaristica, ci uniamo già alla liturgia del cielo e anticipiamo la vita eterna, quando Dio sarà tutto in tutti.[141] 1090

[137] Conc. Ecum. Vat. II, *Sacrosanctum concilium,* 47.
[138] Conc. Ecum. Vat. II, *Lumen gentium,* 11.
[139] Conc. Ecum. Vat. II, *Presbyterorum ordinis,* 5.
[140] Congregazione per il Culto divino, Istr. *Eucharisticum mysterium,* 6, AAS 59 (1967), 539-573.
[141] Cf *1 Cor* 15,28.

1327 In breve, l'Eucaristia è il compendio e la somma della nostra fede: « Il nostro modo di pensare è conforme all'Eucaristia, e l'Eucaristia, a sua volta, si accorda con il nostro modo di pensare ».[142]

1124

II. Come viene chiamato questo sacramento?

1328 L'insondabile ricchezza di questo sacramento si esprime attraverso i diversi nomi che gli si danno. Ciascuno di essi ne evoca aspetti particolari. Lo si chiama:

2637 1082 1359

Eucaristia, perché è rendimento di grazie a Dio. I termini « eucharistein » (*Lc* 22,19; *1 Cor* 11,24) e « eulogein » (*Mt* 26,26; *Mc* 14,22) ricordano le benedizioni ebraiche che — soprattutto durante il pasto — proclamano le opere di Dio: la creazione, la redenzione e la santificazione.

1382

1329 *Cena del Signore,*[143] perché si tratta della *Cena* che il Signore ha consumato con i suoi discepoli la vigilia della sua Passione e dell'anticipazione della *cena delle nozze dell'Agnello* [144] nella Gerusalemme celeste.

Frazione del Pane, perché questo rito, tipico della cena ebraica, è stato utilizzato da Gesù quando benediceva e distribuiva il pane come capo della mensa,[145] soprattutto durante l'ultima Cena.[146] Da questo gesto i discepoli lo riconosceranno dopo la sua Risurrezione,[147] e con tale espressione i primi cristiani designeranno le loro assemblee eucaristiche.[148] In tal modo intendono significare che tutti coloro che mangiano dell'unico pane spezzato, Cristo, entrano in comunione con lui e formano in lui un solo corpo.[149]

790 1348

Assemblea eucaristica [« synaxis »], in quanto l'Eucaristia viene celebrata nell'assemblea dei fedeli, espressione visibile della Chiesa.[150]

1341

1330 *Memoriale* della Passione e della Risurrezione del Signore.

2643

Santo Sacrificio, perché attualizza l'unico sacrificio di Cristo Salvatore e comprende anche l'offerta della Chiesa; o ancora *santo sacrificio della Messa, « sacrificio di lode »* (*Eb* 13,15),[151] *sacrificio spirituale,*[152] *sacrificio*

[142] Sant'Ireneo di Lione, *Adversus haereses,* 4, 18, 5.
[143] Cf *1 Cor* 11,20.
[144] Cf *Ap* 19,9.
[145] Cf *Mt* 14,19; 15,36; *Mc* 8,6.19.
[146] Cf *Mt* 26,26; *1 Cor* 11,24.
[147] Cf *Lc* 24,13-35.
[148] Cf *At* 2,42.46; 20,7.11.
[149] Cf *1 Cor* 10,16-17.
[150] Cf *1 Cor* 11,17-34.
[151] Cf *Sal* 116,13.17.
[152] Cf *1 Pt* 2,5.

puro[153] *e santo,* poiché porta a compimento e supera tutti i sacrifici dell'Antica Alleanza. 614

Santa e divina Liturgia, perché tutta la Liturgia della Chiesa trova il suo centro e la sua più densa espressione nella celebrazione di questo sacramento; è nello stesso senso che lo si chiama pure celebrazione dei *Santi Misteri.* Si parla anche del *Santissimo Sacramento,* in quanto costituisce il Sacramento dei sacramenti. Con questo nome si indicano le specie eucaristiche conservate nel tabernacolo. 1169

1331 *Comunione,* perché, mediante questo sacramento, ci uniamo a Cristo, il quale ci rende partecipi del suo Corpo e del suo Sangue per formare un solo corpo;[154] viene inoltre chiamato le *cose sante* (« ta hagia; sancta »)[155] — è il significato originale dell'espressione « comunione dei santi » di cui parla il Simbolo degli Apostoli — *pane degli angeli, pane del cielo, farmaco d'immortalità,*[156] *viatico...* 950 948 1405

1332 *Santa Messa,* perché la Liturgia, nella quale si è compiuto il mistero della salvezza, si conclude con l'invio dei fedeli (« missio ») affinché compiano la volontà di Dio nella loro vita quotidiana. 849

III. L'Eucaristia nell'Economia della Salvezza

I segni del pane e del vino

1333 Al centro della celebrazione dell'Eucaristia si trovano il pane e il vino i quali, per le parole di Cristo e per l'invocazione dello Spirito Santo, diventano il Corpo e il Sangue di Cristo. Fedele al comando del Signore, la Chiesa continua a fare, in memoria di lui, fino al suo glorioso ritorno, ciò che egli ha fatto la vigilia della sua Passione: « Prese il pane... », « Prese il calice del vino... ». Diventando misteriosamente il Corpo e il Sangue di Cristo, i segni del pane e del vino continuano a significare anche la bontà della creazione. Così, all'offertorio, rendiamo grazie al Creatore per il pane e per il vino,[157] « frutto del lavoro dell'uomo », ma prima ancora « frutto della terra » e « della vite », doni del Creatore. Nel gesto di Melchisedek, re e sacerdote, che « offrì pane e vino » (*Gn* 14,18) la Chiesa vede una prefigurazione della sua propria offerta.[158] 1350 1147 1148

[153] Cf *Ml* 1,11.
[154] Cf *1 Cor* 10,16-17.
[155] *Constitutiones Apostolorum*, 8, 13, 12; *Didaché*, 9, 5; 10, 6.
[156] Sant'Ignazio di Antiochia, *Epistula ad Ephesios*, 20, 2.
[157] Cf *Sal* 104,13-15.
[158] Cf *Messale Romano,* Canone Romano: « Supra quae ».

1150 1334 Nell'Antica Alleanza il pane e il vino sono offerti in sacrificio tra le primizie della terra, in segno di riconoscenza al Creatore. Ma ricevono an-
1363 che un nuovo significato nel contesto dell'Esodo: i pani azzimi, che Israele mangia ogni anno a Pasqua, commemorano la fretta della partenza liberatrice dall'Egitto; il ricordo della manna del deserto richiamerà sempre a Israele che egli vive del pane della Parola di Dio.[159] Il pane quotidiano, infine, è il frutto della Terra promessa, pegno della fedeltà di Dio alle sue promesse. Il « calice della benedizione » (*1 Cor* 10,16), al termine della cena pasquale degli ebrei, aggiunge alla gioia festiva del vino una dimensione escatologica, quella dell'attesa messianica della restaurazione di Gerusalemme. Gesù ha istituito la sua Eucaristia conferendo un significato nuovo e definitivo alla benedizione del pane e del calice.

1151 1335 I miracoli della moltiplicazione dei pani, allorché il Signore pronunciò la benedizione, spezzò i pani e li distribuì per mezzo dei suoi discepoli per sfamare la folla, prefigurano la sovrabbondanza di questo unico pane che è la sua Eucaristia.[160] Il segno dell'acqua trasformata in vino a Cana [161] annunzia già l'Ora della glorificazione di Gesù. Manifesta il compimento del banchetto delle nozze nel Regno del Padre, dove i fedeli berranno il vino nuovo [162] divenuto il Sangue di Cristo.

1336 Il primo annunzio dell'Eucaristia ha provocato una divisione tra i discepoli, così come l'annunzio della Passione li ha scandalizzati: « Questo linguaggio è duro; chi può intenderlo? » (*Gv* 6,60). L'Eucaristia e la croce sono pietre d'inciampo. Si tratta dello stesso mistero, ed esso non cessa di essere occasione di divisione: « Forse anche voi volete andarvene? » (*Gv* 6,67): questa domanda del Signore continua a risuonare attraverso i secoli, come invito del suo amore a scoprire che è lui solo ad avere « parole di vita eterna »
1327 (*Gv* 6,68) e che accogliere nella fede il dono della sua Eucaristia è accogliere lui stesso.

L'istituzione dell'Eucaristia

610 1337 Il Signore, avendo amato i suoi, li amò sino alla fine. Sapendo che era giunta la sua Ora di passare da questo mondo al Padre, mentre cenavano, lavò loro i piedi e diede loro il comandamento dell'amore.[163] Per lasciare loro un pegno di questo amore, per non allontanarsi mai dai suoi e renderli partecipi della sua Pasqua, istituì l'Eucaristia come memoriale della sua morte e della sua risurrezione, e comandò ai suoi apostoli di celebrarla fino

[159] Cf *Dt* 8,3.
[160] Cf *Mt* 14,13-21; 15,32-39.
[161] Cf *Gv* 2,11.
[162] Cf *Mc* 14,25.
[163] Cf *Gv* 13,1-17.

al suo ritorno, costituendoli « in quel momento sacerdoti della Nuova Alleanza ».[164] 611

1338 I tre vangeli sinottici e san Paolo ci hanno trasmesso il racconto dell'istituzione dell'Eucaristia; da parte sua, san Giovanni riferisce le parole di Gesù nella sinagoga di Cafarnao, parole che preparano l'istituzione dell'Eucaristia: Cristo si definisce come il pane di vita, disceso dal cielo.[165]

1339 Gesù ha scelto il tempo della Pasqua per compiere ciò che aveva annunziato a Cafarnao: dare ai suoi discepoli il suo Corpo e il suo Sangue. 1169

> Venne il giorno degli Azzimi, nel quale si doveva immolare la vittima di Pasqua. Gesù mandò Pietro e Giovanni dicendo: « Andate a preparare per noi la Pasqua, perché possiamo mangiare »... Essi andarono... e prepararono la Pasqua. Quando fu l'ora, prese posto a tavola e gli apostoli con lui, e disse: « Ho desiderato ardentemente di mangiare questa Pasqua con voi, prima della mia passione, poiché vi dico: non la mangerò più, finché essa non si compia nel Regno di Dio »... Poi, preso un pane, rese grazie, lo spezzò e lo diede loro dicendo: « Questo è il mio Corpo che è dato per voi; fate questo in memoria di me ». Allo stesso modo dopo aver cenato, prese il calice dicendo: « Questo calice è la Nuova Alleanza nel mio Sangue, che viene versato per voi » (*Lc* 22,7-20).[166]

1340 Celebrando l'ultima Cena con i suoi Apostoli durante un banchetto pasquale, Gesù ha dato alla pasqua ebraica il suo significato definitivo. Infatti, la nuova Pasqua, il passaggio di Gesù al Padre attraverso la sua Morte e la sua Risurrezione, è anticipata nella Cena e celebrata nell'Eucaristia, che porta a compimento la pasqua ebraica e anticipa la pasqua finale della Chiesa nella gloria del Regno. 1151 677

« Fate questo in memoria di me »

1341 Quando Gesù comanda di ripetere i suoi gesti e le sue parole « finché egli venga » (*1 Cor* 11,26), non chiede soltanto che ci si ricordi di lui e di ciò che ha fatto. Egli ha di mira la celebrazione liturgica, per mezzo degli Apostoli e dei loro successori, del *memoriale* di Cristo, della sua vita, della sua Morte, della sua Risurrezione e della sua intercessione presso il Padre. 611 1363

1342 Fin dagli inizi la Chiesa è stata fedele al comando del Signore. Della Chiesa di Gerusalemme è detto: 2624

> Erano assidui nell'ascoltare l'insegnamento degli Apostoli e nell'unione fraterna, nella frazione del pane e nelle preghiere... Ogni giorno tutti insieme

[164] Concilio di Trento: Denz.-Schönm., 1740.
[165] Cf *Gv* 6.
[166] Cf *Mt* 26,17-29; *Mc* 14,12-25; *1 Cor* 11,23-26.

frequentavano il tempio e spezzavano il pane a casa prendendo i pasti con letizia e semplicità di cuore (*At* 2,42.46).

1166; 2177 1343 Soprattutto « il primo giorno della settimana », cioè la domenica, il giorno della Risurrezione di Gesù, i cristiani si riunivano « per spezzare il pane » (*At* 20,7). Da quei tempi la celebrazione dell'Eucaristia si è perpetuata fino ai nostri giorni, così che oggi la ritroviamo ovunque nella Chiesa, con la stessa struttura fondamentale. Essa rimane il centro della vita della Chiesa.

1404 1344 Così, di celebrazione in celebrazione, annunziando il Mistero pasquale di Gesù « finché egli venga » (*1 Cor* 11,26), il Popolo di Dio avanza « camminando per l'angusta via della croce » [167] verso il banchetto celeste, quando tutti gli eletti si siederanno alla mensa del Regno.

IV. La celebrazione liturgica dell'Eucaristia

La messa lungo i secoli

1345 Fin dal secondo secolo, abbiamo la testimonianza di san Giustino martire riguardo alle linee fondamentali dello svolgimento della celebrazione eucaristica. Esse sono rimaste invariate fino ai nostri giorni in tutte le grandi famiglie liturgiche. Ecco ciò che egli scrive, verso il 155, per spiegare all'imperatore pagano Antonino Pio (138-161) ciò che fanno i cristiani:

> [Nel giorno chiamato « del Sole » ci si raduna tutti insieme, abitanti delle città o delle campagne.
> Si leggono le memorie degli Apostoli o gli scritti dei Profeti, finché il tempo consente.
> Poi, quando il lettore ha terminato, il preposto con un discorso ci ammonisce ed esorta ad imitare questi buoni esempi.
> Poi tutti insieme ci alziamo in piedi ed innalziamo preghiere] sia per noi stessi... sia per tutti gli altri, dovunque si trovino, affinché, appresa la verità, meritiamo di essere nei fatti buoni cittadini e fedeli custodi dei precetti, e di conseguire la salvezza eterna.
> Finite le preghiere, ci salutiamo l'un l'altro con un bacio.
> Poi al preposto dei fratelli vengono portati un pane e una coppa d'acqua e di vino temperato.
> Egli li prende ed innalza lode e gloria al Padre dell'universo nel nome del Figlio e dello Spirito Santo, e fa un rendimento di grazie (in greco: *eucharistian*) per essere stati fatti degni da lui di questi doni.
> Quando egli ha terminato le preghiere ed il rendimento di grazie, tutto il popolo presente acclama: « Amen ».

[167] Conc. Ecum. Vat. II, *Ad gentes,* 1.

Dopo che il preposto ha fatto il rendimento di grazie e tutto il popolo ha acclamato, quelli che noi chiamiamo diaconi distribuiscono a ciascuno dei presenti il pane, il vino e l'acqua « eucaristizzati » e ne portano agli assenti.[168]

1346 La Liturgia dell'Eucaristia si svolge secondo una struttura fondamentale che, attraverso i secoli, si è conservata fino a noi. Essa si articola in due grandi momenti, che formano un'unità originaria:

— la convocazione, la *Liturgia della Parola,* con le letture, l'omelia e la preghiera universale;
— la *Liturgia eucaristica,* con la presentazione del pane e del vino, l'azione di grazie consacratoria e la comunione.

Liturgia della Parola e Liturgia eucaristica costituiscono insieme « un solo atto di culto »;[169] la mensa preparata per noi nell'Eucaristia è infatti ad un tempo quella della Parola di Dio e quella del Corpo del Signore.[170] 103

1347 Non si è forse svolta in questo modo la cena pasquale di Gesù risorto con i suoi discepoli? Lungo il cammino spiegò loro le Scritture, poi, messosi a tavola con loro, « prese il pane, disse la benedizione, lo spezzò e lo diede loro ».[171]

Lo svolgimento della celebrazione

1348 *Tutti si riuniscono.* I cristiani accorrono in uno stesso luogo per l'assemblea eucaristica. Li precede Cristo stesso, che è il protagonista principale dell'Eucaristia. È il grande sacerdote della Nuova Alleanza. È lui stesso che presiede in modo invisibile ogni celebrazione eucaristica. Proprio in quanto lo rappresenta, il vescovo o il presbitero (agendo « in persona Christi capitis » – nella persona di Cristo Capo) presiede l'assemblea, prende la parola dopo le letture, riceve le offerte e proclama la preghiera eucaristica. *Tutti* hanno la loro parte attiva nella celebrazione, ciascuno a suo modo: i lettori, coloro che presentano le offerte, coloro che distribuiscono la Comunione, e il popolo intero che manifesta la propria partecipazione attraverso l'Amen. 1140 1548

1349 *La Liturgia della Parola* comprende « gli scritti dei profeti », cioè l'Antico Testamento, e « le memorie degli apostoli », ossia le loro lettere e i Vangeli; all'omelia, che esorta ad accogliere questa Parola « come è veramente, quale Parola di Dio » (*1 Ts* 2,13) e a metterla in pratica, seguono le intercessioni per tutti gli uomini, secondo la parola dell'Apostolo: « Raccomando dunque, prima di tutto, che si facciano domande, suppliche, 1184

[168] San Giustino, *Apologiae,* 1, 65 [il testo tra parentesi è tratto dal c. 67].
[169] Conc. Ecum. Vat. II, *Sacrosanctum concilium,* 56.
[170] Cf Conc. Ecum. Vat. II, *Dei Verbum,* 21.
[171] Cf *Lc* 24,13-35.

preghiere e ringraziamenti per tutti gli uomini, per i re e per tutti quelli che stanno al potere » (*1 Tm* 2,1-2).

1350 *La presentazione delle oblate* (l'offertorio): vengono recati poi all'altare, talvolta in processione, il pane e il vino che saranno offerti dal sacerdote in nome di Cristo nel sacrificio eucaristico, nel quale diventeranno il suo Corpo e il suo Sangue. È il gesto stesso di Cristo nell'ultima Cena, « quando prese il pane e il calice ». « Soltanto la Chiesa può offrire al Creatore questa oblazione pura, offrendogli con rendimento di grazie ciò che proviene dalla sua creazione ».[172] La presentazione delle oblate all'altare assume il gesto di Melchisedek e pone i doni del Creatore nelle mani di Cristo. È lui che, nel proprio Sacrificio, porta alla perfezione tutti i tentativi umani di offrire sacrifici.

1359

614

1351 Fin dai primi tempi, i cristiani, insieme con il pane e con il vino per l'Eucarestia, presentano i loro doni perché siano condivisi con coloro che si trovano in necessità. Questa consuetudine della *colletta*,[173] sempre attuale, trae ispirazione dall'esempio di Cristo che si è fatto povero per arricchire noi: [174]

1397

2186

I facoltosi e quelli che lo desiderano, danno liberamente ciascuno quello che vuole, e ciò che si raccoglie viene depositato presso il preposto. Questi soccorre gli orfani, le vedove, e chi è indigente per malattia o per qualche altra causa; e i carcerati e gli stranieri che si trovano presso di noi: insomma, si prende cura di chiunque sia nel bisogno.[175]

1352 *L'anafora*. Con la preghiera eucaristica, preghiera di rendimento di grazie e di consacrazione, arriviamo al cuore e al culmine della celebrazione:

nel *prefazio* la Chiesa rende grazie al Padre, per mezzo di Cristo, nello Spirito Santo, per tutte le sue opere, per la creazione, la redenzione e la santificazione. In questo modo l'intera comunità si unisce alla lode incessante che la Chiesa celeste, gli angeli e tutti i santi cantano al Dio tre volte Santo;

559

1353 nell'*epiclesi* essa prega il Padre di mandare il suo Santo Spirito (o la potenza della sua benedizione): [176] sul pane e sul vino, affinché diventino, per la sua potenza, il Corpo e il Sangue di Gesù Cristo e perché coloro che partecipano all'Eucaristia siano un solo corpo e un solo spirito (alcune tradizioni liturgiche situano l'epiclesi dopo l'anamnesi);

1105

nel *racconto dell'istituzione* l'efficacia delle parole e dell'azione di Cristo, e la potenza dello Spirito Santo, rendono sacramentalmente presenti sotto le specie del

1375

[172] Sant'Ireneo di Lione, *Adversus haereses,* 4, 18, 4; cf *Ml* 1,11.
[173] Cf *1 Cor* 16,1.
[174] Cf *2 Cor* 8,9.
[175] San Giustino, *Apologiae,* 1, 67, 6.
[176] Cf *Messale Romano,* Canone Romano.

pane e del vino il suo Corpo e il suo Sangue, il suo sacrificio offerto sulla croce una volta per tutte;

1354 nell'*anamnesi* che segue, la Chiesa fa memoria della Passione, della Risurrezione e del ritorno glorioso di Gesù Cristo; essa presenta al Padre l'offerta di suo Figlio che ci riconcilia con lui; 1103

nelle *intercessioni,* la Chiesa manifesta che l'Eucaristia viene celebrata in comunione con tutta la Chiesa del cielo e della terra, dei vivi e dei defunti, e nella comunione con i pastori della Chiesa, il Papa, il vescovo della diocesi, il suo presbiterio e i suoi diaconi, e tutti i vescovi del mondo con le loro Chiese. 954

1355 Nella *Comunione,* preceduta dalla preghiera del Signore e dalla frazione del pane, i fedeli ricevono « il pane del cielo » e « il calice della salvezza », il Corpo e il Sangue di Cristo che si è dato « per la vita del mondo » (*Gv* 6,51). 1382

> Poiché questo pane e questo vino sono stati « eucaristizzati », come tradizionalmente si dice, « questo cibo è chiamato da noi *Eucaristia,* e a nessuno è lecito parteciparne, se non a chi crede che i nostri insegnamenti sono veri, si è purificato con il lavacro per la remissione dei peccati e la rigenerazione, e vive così come Cristo ha insegnato ».[177] 1327

V. Il sacrificio sacramentale: azione di grazie, memoriale, presenza

1356 Se i cristiani celebrano l'Eucaristia fin dalle origini e in una forma che, sostanzialmente, non è cambiata attraverso la grande diversità dei tempi e delle liturgie, è perché ci sappiamo vincolati dal comando del Signore, dato la vigilia della sua Passione: « Fate questo in memoria di me » (*1 Cor* 11,24-25).

1357 A questo comando del Signore obbediamo celebrando il *memoriale del suo sacrificio*. Facendo questo, *offriamo al Padre* ciò che egli stesso ci ha dato: i doni della creazione, il pane e il vino, diventati, per la potenza dello Spirito Santo e per le parole di Cristo, il Corpo e il Sangue di Cristo: in questo modo Cristo è reso realmente e misteriosamente *presente.*

1358 Dobbiamo dunque considerare l'Eucaristia

— come azione di grazie e lode al *Padre*,
— come memoriale del sacrificio di *Cristo* e del suo Corpo,
— come presenza di Cristo in virtù della potenza della sua Parola e del suo *Spirito*.

[177] San Giustino, *Apologiae,* 1, 66, 1-2.

L'azione di grazie e la lode al Padre

1359 L'Eucaristia, sacramento della nostra salvezza realizzata da Cristo sulla croce, è anche un sacrificio di lode in rendimento di grazie per l'opera della creazione. Nel sacrificio eucaristico, tutta la creazione amata da Dio è presentata al Padre attraverso la morte e la Risurrezione di Cristo. Per mezzo di Cristo, la Chiesa può offrire il sacrificio di lode in rendimento di grazie per tutto ciò che Dio ha fatto di buono, di bello e di giusto nella creazione e nell'umanità.

293

1083

1360 L'Eucaristia è un sacrificio di ringraziamento al Padre, una benedizione con la quale la Chiesa esprime la propria riconoscenza a Dio per tutti i suoi benefici, per tutto ciò che ha operato mediante la creazione, la redenzione e la santificazione. Eucaristia significa prima di tutto: azione di grazie.

1361 L'Eucaristia è anche il sacrificio della lode, con il quale la Chiesa canta la gloria di Dio in nome di tutta la creazione. Tale sacrificio di lode è possibile unicamente attraverso Cristo: egli unisce i fedeli alla sua persona, alla sua lode e alla sua intercessione, in modo che il sacrificio di lode al Padre è offerto *da* Cristo e *con* lui per essere accettato *in* lui.

294

Il memoriale del sacrificio di Cristo e del suo Corpo, la Chiesa

1362 L'Eucaristia è il memoriale della Pasqua di Cristo, l'attualizzazione e l'offerta sacramentale del suo unico sacrificio, nella Liturgia della Chiesa, che è il suo Corpo. In tutte le preghiere eucaristiche, dopo le parole della istituzione, troviamo una preghiera chiamata *anamnesi* o memoriale.

1103

1099

1363 Secondo la Sacra Scrittura, il *memoriale* non è soltanto il ricordo degli avvenimenti del passato, ma la proclamazione delle meraviglie che Dio ha compiuto per gli uomini.[178] La celebrazione liturgica di questi eventi, li rende in certo modo presenti e attuali. Proprio così Israele intende la sua liberazione dall'Egitto: ogni volta che viene celebrata la Pasqua, gli avvenimenti dell'Esodo sono resi presenti alla memoria dei credenti affinché conformino ad essi la propria vita.

1364 Nel Nuovo Testamento il memoriale riceve un significato nuovo. Quando la Chiesa celebra l'Eucaristia, fa memoria della Pasqua di Cristo, e questa diviene presente: il sacrificio che Cristo ha offerto una volta per tutte sulla croce rimane sempre attuale: [179] « Ogni volta che il sacrificio della cro-

611

1085

[178] Cf *Es* 13,3.
[179] Cf *Eb* 7,25-27.

ce, "col quale Cristo, nostro agnello pasquale, è stato immolato", viene celebrato sull'altare, si effettua l'opera della nostra redenzione ».[180]

1365 In quanto memoriale della Pasqua di Cristo, *l'Eucaristia è anche un sacrificio.* Il carattere sacrificale dell'Eucaristia si manifesta nelle parole stesse dell'istituzione: « Questo è il mio Corpo che è dato per voi » e « Questo calice è la nuova alleanza nel mio Sangue, che viene versato per voi » (*Lc* 22,19-20). Nell'Eucaristia Cristo dona lo stesso corpo che ha consegnato per noi sulla croce, lo stesso sangue che egli ha « versato per molti, in remissione dei peccati » (*Mt* 26,28). 2100 1846

1366 L'Eucaristia è dunque un sacrificio perché *ri-presenta* (rende presente) il sacrificio della croce, perché ne è il *memoriale* e perché ne *applica* il frutto: 613

> [Cristo] Dio e Signore nostro, anche se si sarebbe immolato a Dio Padre una sola volta morendo sull'altare della croce per compiere una redenzione eterna, poiché, tuttavia, il suo sacerdozio non doveva estinguersi con la morte (*Eb* 7,24.27), nell'ultima Cena, la notte in cui fu tradito (*1 Cor* 11,23), [volle] lasciare alla Chiesa, sua amata Sposa, un sacrificio visibile (come esige l'umana natura), con cui venisse significato quello cruento che avrebbe offerto una volta per tutte sulla croce, prolungandone la memoria fino alla fine del mondo (*1 Cor* 11,23), e applicando la sua efficacia salvifica alla remissione dei nostri peccati quotidiani.[181]

1367 Il sacrificio di Cristo e il sacrificio dell'Eucaristia sono *un unico sacrificio:* « Si tratta infatti di una sola e identica vittima e lo stesso Gesù la offre ora per il ministero dei sacerdoti, egli che un giorno offrì se stesso sulla croce: diverso è solo il modo di offrirsi ». « In questo divino sacrificio, che si compie nella Messa, è contenuto e immolato in modo incruento lo stesso Cristo, che si offrì una sola volta in modo cruento sull'altare della croce ».[182] 1545

1368 *L'Eucaristia è anche il sacrificio della Chiesa.* La Chiesa, che è il Corpo di Cristo, partecipa all'offerta del suo Capo. Con lui, essa stessa viene offerta tutta intera. Essa si unisce alla sua intercessione presso il Padre a favore di tutti gli uomini. Nell'Eucaristia il sacrificio di Cristo diviene pure il sacrificio delle membra del suo Corpo. La vita dei fedeli, la loro lode, la loro sofferenza, la loro preghiera, il loro lavoro, sono uniti a quelli di Cristo e alla sua offerta totale, e in questo modo acquistano un valore nuovo. Il sacrificio di Cristo presente sull'altare offre a tutte le generazioni di cristiani la possibilità di essere uniti alla sua offerta. 618 2031 1109

[180] Conc. Ecum. Vat. II, *Lumen gentium,* 3.
[181] Concilio di Trento: Denz.-Schönm., 1740.
[182] *Ibid.,* 1743.

Nelle catacombe la Chiesa è spesso raffigurata come una donna in preghiera, con le braccia spalancate, in atteggiamento di orante. Come Cristo ha steso le braccia sulla croce, così per mezzo di lui, con lui e in lui essa si offre e intercede per tutti gli uomini.

1369 *Tutta la Chiesa è unita all'offerta e all'intercessione di Cristo.* Investito del ministero di Pietro nella Chiesa, il *Papa* è unito a ogni celebrazione dell'Eucaristia nella quale viene nominato come segno e servo dell'unità della Chiesa universale. Il *vescovo* del luogo è sempre responsabile dell'Eucaristia, anche quando viene presieduta da un *presbitero;* in essa è pronunziato il suo nome per significare che egli presiede la Chiesa particolare, in mezzo al suo presbiterio e con l'assistenza dei *diaconi.* La comunità a sua volta intercede per tutti i ministri che, per lei e con lei, offrono il sacrificio eucaristico.

834; 882
1561
1566

> Si ritenga valida solo quell'Eucaristia che viene celebrata dal vescovo, o da chi è stato da lui autorizzato.[183]
>
> È attraverso il ministero dei presbiteri che il sacrificio spirituale dei fedeli viene reso perfetto perché viene unito al sacrificio di Cristo, unico Mediatore; questo sacrificio, infatti, per mano dei presbiteri e in nome di tutta la Chiesa, viene offerto nell'Eucaristia in modo incruento e sacramentale, fino al giorno della venuta del Signore.[184]

1370 All'offerta di Cristo si uniscono non soltanto i membri che sono ancora sulla terra, ma anche quelli che si trovano già *nella gloria del cielo.* La Chiesa offre infatti il sacrificio eucaristico in comunione con la Santissima Vergine Maria, facendo memoria di lei, come pure di tutti i santi e di tutte le sante. Nell'Eucaristia la Chiesa, con Maria, è come ai piedi della croce, unita all'offerta e all'intercessione di Cristo.

956
969

1371 Il sacrificio eucaristico è offerto anche *per i fedeli defunti* « che sono morti in Cristo e non sono ancora pienamente purificati »,[185] affinché possano entrare nella luce e nella pace di Cristo:

958; 1689
1032

> Seppellite questo corpo dove che sia, senza darvene pena. Di una sola cosa vi prego: ricordatevi di me, dovunque siate, innanzi all'altare del Signore.[186]
>
> Poi [nell'anafora] preghiamo anche per i santi padri e vescovi e in generale per tutti quelli che si sono addormentati prima di noi, convinti che questo sia un grande vantaggio per le anime, per le quali viene offerta la supplica, mentre qui è presente la vittima santa e tremenda... Presentando a Dio le pre-

[183] Sant'Ignazio di Antiochia, *Epistula ad Smyrnaeos,* 8, 1.
[184] Conc. Ecum. Vat. II, *Presbyterorum ordinis,* 2.
[185] Concilio di Trento: Denz.-Schönm., 1743.
[186] Santa Monica, prima di morire, a Sant'Agostino e a suo fratello, cf Sant'Agostino, *Confessiones,* 9, 11, 27.

> ghiere per i defunti, anche se peccatori,... presentiamo il Cristo immolato per i nostri peccati, cercando di rendere clemente per loro e per noi il Dio amico degli uomini.[187]

1372 Sant'Agostino ha mirabilmente riassunto questa dottrina che ci sollecita ad una partecipazione sempre più piena al sacrificio del nostro Redentore che celebriamo nell'Eucaristia: 1140

> Tutta quanta la città redenta, cioè l'assemblea e la società dei santi, offre un sacrificio universale a Dio per opera di quel Sommo Sacerdote che nella passione ha offerto anche se stesso per noi, assumendo la forma di servo, e costituendoci come corpo di un Capo tanto importante... Questo è il sacrificio dei cristiani: « Pur essendo molti, siamo un solo corpo in Cristo » (*Rm* 12,5); e la Chiesa lo rinnova continuamente nel sacramento dell'altare, noto ai fedeli, dove si vede che in ciò che offre, offre anche se stessa.[188]

La presenza di Cristo operata dalla potenza della sua Parola e dello Spirito Santo

1373 « Cristo Gesù, che è morto, anzi, che è risuscitato, sta alla destra di Dio e intercede per noi » (*Rm* 8,34), è presente in molti modi alla sua Chiesa:[189] nella sua Parola, nella preghiera della Chiesa, « là dove sono due o tre riuniti » nel suo « nome » (*Mt* 18,20), nei poveri, nei malati, nei prigionieri,[190] nei sacramenti di cui egli è l'autore, nel sacrificio della messa e nella persona del ministro. Ma « *soprattutto* (è presente) *sotto le specie eucaristiche* ».[191] 1088

1374 Il modo della presenza di Cristo sotto le specie eucaristiche è unico. Esso pone l'Eucaristia al di sopra di tutti i sacramenti e ne fa « quasi il coronamento della vita spirituale e il fine al quale tendono tutti i sacramenti ».[192] Nel Santissimo Sacramento dell'Eucaristia è « contenuto *veramente, realmente, sostanzialmente* il Corpo e il Sangue di nostro Signore Gesù Cristo, con l'anima e la divinità e, quindi, il *Cristo tutto intero* ».[193] « Tale presenza si dice "reale" non per esclusione, quasi che le altre non siano "reali", ma per antonomasia, perché è *sostanziale,* e in forza di essa Cristo, Uomo-Dio, tutto intero si fa presente ».[194] 1211

[187] San Cirillo di Gerusalemme, *Catecheses mistagogicae,* 5, 9. 10: PG 33, 1116B-1117A.
[188] Sant'Agostino, *De civitate Dei,* 10, 6.
[189] Cf Conc. Ecum. Vat. II, *Lumen gentium,* 48.
[190] Cf *Mt* 25,31-46.
[191] Conc. Ecum. Vat. II, *Sacrosanctum concilium,* 7.
[192] San Tommaso d'Aquino, *Summa theologiae,* III, 73, 3.
[193] Concilio di Trento: Denz.-Schönm., 1651.
[194] Paolo VI, Lett. enc. *Mysterium fidei.*

1375 È per la *conversione* del pane e del vino nel suo Corpo e nel suo Sangue che Cristo diviene presente in questo sacramento. I Padri della Chiesa hanno sempre espresso con fermezza la fede della Chiesa nell'efficacia della Parola di Cristo e dell'azione dello Spirito Santo per operare questa conversione. San Giovanni Crisostomo, ad esempio, afferma:

1105

> Non è l'uomo che fa diventare le cose offerte Corpo e Sangue di Cristo, ma è Cristo stesso, che è stato crocifisso per noi. Il sacerdote, figura di Cristo, pronunzia quelle parole, ma la loro virtù e la grazia sono di Dio. *Questo è il mio Corpo,* dice. Questa Parola trasforma le cose offerte.[195]

1128

E sant'Ambrogio, parlando della conversione eucaristica, dice:

> Non si tratta dell'elemento formato da natura, ma della sostanza prodotta dalla formula della consacrazione, ed è maggiore l'efficacia della consacrazione di quella della natura, perché, per l'effetto della consacrazione, la stessa natura viene trasformata... La Parola di Cristo, che potè creare dal nulla ciò che non esisteva, non può trasformare in una sostanza diversa ciò che esiste? Non è minore impresa dare una nuova natura alle cose che trasformarla.[196]

298

1376 Il Concilio di Trento riassume la fede cattolica dichiarando: « Poiché il Cristo, nostro Redentore, ha detto che ciò che offriva sotto la specie del pane era veramente il suo Corpo, nella Chiesa di Dio vi fu sempre la convinzione, e questo santo Concilio lo dichiara ora di nuovo, che con la consacrazione del pane e del vino si opera la conversione di tutta la sostanza del pane nella sostanza del Corpo del Cristo, nostro Signore, e di tutta la sostanza del vino nella sostanza del suo Sangue. Questa conversione, quindi, in modo conveniente e appropriato è chiamata dalla santa Chiesa cattolica *transustanziazione* ».[197]

1377 La presenza eucaristica di Cristo ha inizio al momento della consacrazione e continua finché sussistono le specie eucaristiche. Cristo è tutto e integro presente in ciascuna specie e in ciascuna sua parte; perciò la frazione del pane non divide Cristo.[198]

1178

1378 *Il culto dell'Eucaristia.* Nella Liturgia della Messa esprimiamo la nostra fede nella presenza reale di Cristo sotto le specie del pane e del vino, tra l'altro con la genuflessione, o con un profondo inchino in segno di adorazione verso il Signore. « La Chiesa cattolica professa questo culto latreutico al sacramento eucaristico non solo durante la Messa, ma anche fuori della sua

103; 2628

[195] San Giovanni Crisostomo, *De proditione Judae,* 1, 6: PG 49, 380C.
[196] Sant'Ambrogio, *De mysteriis,* 9, 50.52: PL 16, 405-406.
[197] Concilio di Trento: Denz.-Schönm., 1642.
[198] Cf *ibid.,* 1641.

celebrazione, conservando con la massima diligenza le ostie consacrate, presentandole alla solenne venerazione dei fedeli cristiani, portandole in processione con gaudio della folla cristiana ».[199]

1379 La santa riserva (tabernacolo) era inizialmente destinata a custodire in modo degno l'Eucaristia perché potesse essere portata agli infermi e agli assenti, al di fuori della Messa. Approfondendo la fede nella presenza reale di Cristo nell'Eucaristia, la Chiesa ha preso coscienza del significato dell'adorazione silenziosa del Signore presente sotto le specie eucaristiche. Perciò il tabernacolo deve essere situato in un luogo particolarmente degno della chiesa, e deve essere costruito in modo da evidenziare e manifestare la verità della presenza reale di Cristo nel santo sacramento.

1183
2691

1380 È oltremodo conveniente che Cristo abbia voluto rimanere presente alla sua Chiesa in questa forma davvero unica. Poiché stava per lasciare i suoi sotto il suo aspetto visibile, ha voluto donarci la sua presenza sacramentale; poiché stava per offrirsi sulla croce per la nostra salvezza, ha voluto che noi avessimo il memoriale dell'amore con il quale ci ha amati « sino alla fine » (*Gv* 13,1), fino al dono della propria vita. Nella sua presenza eucaristica, infatti, egli rimane misteriosamente in mezzo a noi come colui che ci ha amati e che ha dato se stesso per noi,[200] e vi rimane sotto i segni che esprimono e comunicano questo amore:

669
478

> La Chiesa e il mondo hanno grande bisogno del culto eucaristico. Gesù ci aspetta in questo sacramento dell'amore. Non risparmiamo il nostro tempo per andare ad incontrarlo nell'adorazione, nella contemplazione piena di fede e pronta a riparare le grandi colpe e i delitti del mondo. Non cessi mai la nostra adorazione.[201]

2715

1381 « Che in questo sacramento sia presente il vero Corpo e il vero Sangue di Cristo "non si può apprendere coi sensi, dice san Tommaso, ma con la sola fede, la quale si appoggia all'autorità di Dio". Per questo, commentando il passo di san Luca 22,19: "Questo è il mio Corpo che viene dato per voi", san Cirillo dice: Non mettere in dubbio se questo sia vero, ma piuttosto accetta con fede le parole del Salvatore: perché essendo egli la verità, non mentisce ».[202]

156
215

> Adoro te devote, latens Deitas...
> Ti adoro con devozione, o Dio che ti nascondi,
> che sotto queste figure veramente ti celi:
> a te il mio cuore si sottomette interamente,
> poiché, nel contemplarti, viene meno.

[199] Paolo VI, Lett. enc. *Mysterium fidei.*
[200] Cf *Gal* 2,20.
[201] Giovanni Paolo II, Lett. *Dominicae cenae,* 3.
[202] Paolo VI, Lett. enc. *Mysterium fidei,* che cita San Tommaso d'Aquino, *Summa theologiae,* III, 75, 1; cf San Cirillo d'Alessandria, *Commentarius in Lucam,* 22, 19: PG 72, 921B.

La vista, il tatto e il gusto si ingannano a tuo riguardo,
soltanto alla parola si crede con sicurezza:
Credo tutto ciò che disse il Figlio di Dio:
nulla è più vero della sua parola di Verità.

VI. Il banchetto pasquale

1382 La Messa è ad un tempo e inseparabilmente il memoriale del sacrificio nel quale si perpetua il sacrificio della croce, e il sacro banchetto della Comunione al Corpo e al Sangue del Signore. Ma la celebrazione del sacrificio eucaristico è totalmente orientata all'unione intima dei fedeli con Cristo attraverso la Comunione. Comunicarsi, è ricevere Cristo stesso che si è offerto per noi.

950

1182

1383 L'*altare,* attorno al quale la Chiesa è riunita nella celebrazione dell'Eucaristia, rappresenta i due aspetti di uno stesso mistero: l'altare del sacrificio e la mensa del Signore, e questo tanto più in quanto l'altare cristiano è il simbolo di Cristo stesso, presente in mezzo all'assemblea dei suoi fedeli sia come la vittima offerta per la nostra riconciliazione, sia come alimento celeste che si dona a noi. « Che cosa è l'altare di Cristo se non l'immagine del Corpo di Cristo? » — dice sant'Ambrogio,[203] e altrove: « L'altare è l'immagine del Corpo [di Cristo], e il Corpo di Cristo sta sull'altare ».[204] La Liturgia esprime in molte preghiere questa unità del sacrificio e della Comunione. La Chiesa di Roma, ad esempio, prega così nella sua anafora:

> Ti supplichiamo, Dio onnipotente: fa' che questa offerta, per le mani del tuo angelo santo, sia portata sull'altare del cielo davanti alla tua maestà divina, perché su tutti noi che partecipiamo di questo altare, comunicando al santo mistero del Corpo e del Sangue del tuo Figlio, scenda la pienezza di ogni grazia e benedizione del cielo.[205]

« Prendete e mangiatene tutti »: la Comunione

2835

1384 Il Signore ci rivolge un invito pressante a riceverlo nel sacramento dell'Eucaristia: « In verità, in verità vi dico: se non mangiate la Carne del Figlio dell'uomo e non bevete il suo Sangue, non avrete in voi la vita » (*Gv* 6,53).

1385 Per rispondere a questo invito dobbiamo *prepararci* a questo momento così grande e così santo. San Paolo esorta a un esame di coscienza:

[203] Sant'Ambrogio, *De sacramentis,* 5, 7: PL 16, 447C.
[204] *Ibid.,* 4, 7: PL 16, 437D.
[205] *Messale romano,* Canone Romano: « Supplices te rogamus ».

« Chiunque in modo indegno mangia il pane o beve il calice del Signore, sarà reo del Corpo e del Sangue del Signore. Ciascuno, pertanto, esamini se stesso e poi mangi di questo pane e beva di questo calice; perché chi mangia e beve senza riconoscere il Corpo del Signore, mangia e beve la propria condanna » (*1 Cor* 11,27-29). Chi è consapevole di aver commesso un peccato grave, deve ricevere il sacramento della Riconciliazione prima di accedere alla Comunione. 1457

1386 Davanti alla grandezza di questo sacramento, il fedele non può che fare sua con umiltà e fede ardente la supplica del centurione:[206] « *Domine, non sum dignus ut intres sub tectum meum: sed tantum dic verbo, et sanabitur anima mea* » – « O Signore, non sono degno di partecipare alla tua mensa: ma di' soltanto una parola e io sarò salvato ».[207] Nella « Divina Liturgia » di san Giovanni Crisostomo i fedeli pregano con lo stesso spirito:

> O Figlio di Dio, fammi oggi partecipe del tuo mistico convito. Non svelerò il Mistero ai tuoi nemici, e neppure ti darò il bacio di Giuda. Ma, come il ladrone, io ti dico: Ricordati di me, Signore, quando sarai nel tuo regno.[208] 732

1387 Per prepararsi in modo conveniente a ricevere questo sacramento, i fedeli osserveranno il digiuno prescritto nella loro Chiesa.[209] L'atteggiamento del corpo (gesti, abiti) esprimerà il rispetto, la solennità, la gioia di questo momento in cui Cristo diventa nostro ospite. 2043

1388 È conforme al significato stesso dell'Eucaristia che i fedeli, se hanno le disposizioni richieste, *si comunichino ogni volta* che partecipano alla Messa:[210] « Si raccomanda molto quella partecipazione più perfetta alla Messa, per la quale i fedeli, dopo la Comunione del sacerdote, ricevono il Corpo del Signore dal medesimo Sacrificio ».[211]

1389 La Chiesa fa obbligo ai « fedeli di intervenire alla divina Liturgia la domenica e le feste »[212] e di ricevere almeno una volta all'anno l'Eucaristia, possibilmente nel tempo pasquale,[213] preparati dal sacramento della Riconciliazione. La Chiesa tuttavia raccomanda vivamente ai fedeli di ricevere la santa Eucaristia la domenica e i giorni festivi, o ancora più spesso, anche tutti i giorni. 2042 2837

1390 In virtù della presenza sacramentale di Cristo sotto ciascuna specie, la comunione con la sola specie del pane permette di ricevere tutto il frutto

[206] Cf *Mt* 8,8.
[207] *Messale Romano*, Riti di comunione.
[208] Liturgia di San Giovanni Crisostomo, *Preparazione alla comunione*.
[209] Cf *Codice di Diritto Canonico*, 919.
[210] Cf *Codice di Diritto Canonico*, 917; *AAS* 76 (1984) 746-747.
[211] Conc. Ecum. Vat. II, *Sacrosanctum Concilium*, 55.
[212] Conc. Ecum. Vat. II, *Orientalium ecclesiarum*, 15.
[213] Cf *Codice di Diritto Canonico*, 920.

di grazia dell'Eucaristia. Per motivi pastorali questo modo di fare la Comunione si è legittimamente stabilito come il più abituale nel rito latino. Tuttavia « la santa Comunione esprime con maggior pienezza la sua forma di segno, se viene fatta sotto le due specie. In essa risulta infatti più evidente il segno del banchetto eucaristico ».[214] Questa è la forma abituale di comunicarsi nei riti orientali.

I frutti della Comunione

1391 *La Comunione accresce la nostra unione a Cristo.* Ricevere l'Eucaristia nella Comunione reca come frutto principale l'unione intima con Cristo Gesù. Il Signore infatti dice: « Chi mangia la mia Carne e beve il mio Sangue dimora in me e io in lui » (*Gv* 6,56). La vita in Cristo ha il suo fondamento nel banchetto eucaristico: « Come il Padre, che ha la vita, ha mandato me e io vivo per il Padre, così anche colui che mangia di me vivrà per me » (*Gv* 6,57).

460 521

> Quando, nelle feste del Signore, i fedeli ricevono il Corpo del Figlio, essi annunziano gli uni agli altri la Buona Notizia che è donata la caparra della vita, come quando l'angelo disse a Maria di Magdala: « Cristo è risorto! ». Ecco infatti che già ora la vita e la risurrezione sono elargite a colui che riceve Cristo.[215]

1212

1392 Ciò che l'alimento materiale produce nella nostra vita fisica, la Comunione lo realizza in modo mirabile nella nostra vita spirituale. La Comunione alla Carne del Cristo risorto, « vivificata dallo Spirito Santo e vivificante »,[216] conserva, accresce e rinnova la vita di grazia ricevuta nel Battesimo. La crescita della vita cristiana richiede di essere alimentata dalla Comunione eucaristica, pane del nostro pellegrinaggio, fino al momento della morte, quando ci sarà dato come viatico.

1524

1393 *La Comunione ci separa dal peccato.* Il Corpo di Cristo che riceviamo nella Comunione è « dato per noi », e il Sangue che beviamo, è « sparso per molti in remissione dei peccati ». Perciò l'Eucaristia non può unirci a Cristo senza purificarci, nello stesso tempo, dai peccati commessi e preservarci da quelli futuri:

613

> « Ogni volta che lo riceviamo, annunciamo la morte del Signore ».[217] Se annunciamo la morte, annunziamo la remissione dei peccati. Se, ogni volta che il suo Sangue viene sparso, viene sparso per la remissione dei peccati,

[214] *Principi e norme per l'uso del Messale Romano,* 240.
[215] Fanqîth, Ufficio siro-antiocheno, vol. I, Comune, 237a-b.
[216] Conc. Ecum. Vat. II, *Presbyterorum ordinis,* 5.
[217] Cf *1 Cor* 11,26.

> devo riceverlo sempre, perché sempre mi rimetta i peccati. Io che pecco sempre, devo sempre disporre della medicina.[218]

1394 Come il cibo del corpo serve a restaurare le forze perdute, l'Eucaristia fortifica la carità che, nella vita di ogni giorno, tende ad indebolirsi; la carità così vivificata *cancella i peccati veniali.*[219] Donandosi a noi, Cristo ravviva il nostro amore e ci rende capaci di troncare gli attaccamenti disordinati alle creature e di radicarci in lui:

1863
1436

> Cristo è morto per noi per amore. Perciò quando facciamo memoria della sua morte, durante il sacrificio, invochiamo la venuta dello Spirito Santo quale dono di amore. La nostra preghiera chiede quello stesso amore per cui Cristo si è degnato di essere crocifisso per noi. Anche noi, mediante la grazia dello Spirito Santo, possiamo essere crocifissi al mondo e il mondo a noi... Avendo ricevuto il dono dell'amore, moriamo al peccato e viviamo per Dio.[220]

1395 Proprio per la carità che accende in noi, l'Eucaristia ci *preserva in futuro dai peccati mortali.* Quanto più partecipiamo alla vita di Cristo e progrediamo nella sua amicizia, tanto più ci è difficile separarci da lui con il peccato mortale. L'Eucaristia non è ordinata al perdono dei peccati mortali. Questo è proprio del sacramento della Riconciliazione. Il proprio dell'Eucaristia è invece di essere il sacramento di coloro che sono nella piena comunione della Chiesa.

1855
1446

1396 *L'unità del Corpo mistico: l'Eucaristia fa la Chiesa.* Coloro che ricevono l'Eucaristia sono uniti più strettamente a Cristo. Per ciò stesso, Cristo li unisce a tutti i fedeli in un solo corpo: la Chiesa. La Comunione rinnova, fortifica, approfondisce questa incorporazione alla Chiesa già realizzata mediante il Battesimo. Nel Battesimo siamo stati chiamati a formare un solo corpo.[221] L'Eucaristia realizza questa chiamata: « Il calice della benedizione che noi benediciamo, non è forse comunione con il Sangue di Cristo? E il pane che noi spezziamo, non è forse comunione con il Corpo di Cristo? Poiché c'è un solo pane, noi, pur essendo molti, siamo un corpo solo: tutti infatti partecipiamo dell'unico pane » (*1 Cor* 10,16-17):

1118
1267
790

> Se voi siete il Corpo e le membra di Cristo, sulla mensa del Signore è deposto il vostro mistero, ricevete il vostro mistero. A ciò che siete rispondete: Amen, e rispondendo lo sottoscrivete. Ti si dice infatti: « Il Corpo di Cristo » e tu rispondi: « Amen ». Sii membro del Corpo di Cristo, perché sia veritiero il tuo Amen.[222]

1064

[218] SANT'AMBROGIO, *De sacramentis,* 4, 28: PL 16, 446A.
[219] Cf Concilio di Trento: DENZ.-SCHÖNM., 1638.
[220] SAN FULGENZIO DI RUSPE, *Contra gesta Fabiani,* 28, 16-19: CCL 19A, 813-814, cf *Liturgia delle Ore,* IV, Ufficio delle letture del lunedì della ventottesima settimana.
[221] Cf *1 Cor* 12,13.
[222] SANT'AGOSTINO, *Sermones,* 272: PL 38, 1247.

1397 *L'Eucaristia impegna nei confronti dei poveri.* Per ricevere nella verità il Corpo e il Sangue di Cristo offerti per noi, dobbiamo riconoscere Cristo nei più poveri, suoi fratelli:[223]

2449

> Tu hai bevuto il Sangue del Signore e non riconosci tuo fratello. Tu disonori questa stessa mensa, non giudicando degno di condividere il tuo cibo colui che è stato ritenuto degno di partecipare a questa mensa. Dio ti ha liberato da tutti i tuoi peccati e ti ha invitato a questo banchetto. E tu, nemmeno per questo, sei divenuto più misericordioso.[224]

1398 *L'Eucaristia e l'unità dei cristiani.* Davanti alla sublimità di questo sacramento, sant'Agostino esclama: « O sacramentum pietatis! O signum unitatis! O vinculum caritatis! – O sacramento di pietà! O segno di unità! O vincolo di carità! ».[225] Quanto più dolorosamente si fanno sentire le divisioni della Chiesa che impediscono la comune partecipazione alla mensa del Signore, tanto più pressanti sono le preghiere al Signore perché ritornino i giorni della piena unità di tutti coloro che credono in lui.

817

838

1399 Le Chiese orientali che non sono nella piena comunione con la Chiesa cattolica celebrano l'Eucaristia con grande amore. « Quelle Chiese, quantunque separate, hanno veri sacramenti e soprattutto, in forza della successione apostolica, il Sacerdozio e l'Eucaristia, per mezzo dei quali restano ancora unite a noi da strettissimi vincoli ».[226] « Una certa comunicazione *in sacris* nelle cose sacre », quindi nell'Eucaristia, « presentandosi opportune circostanze e con l'approvazione dell'autorità ecclesiastica, non solo è possibile, ma anche consigliabile ».[227]

1400 Le comunità ecclesiali sorte dalla Riforma, separate dalla Chiesa cattolica, « specialmente per la mancanza del sacramento dell'Ordine, non hanno conservata la genuina ed integra sostanza del Mistero eucaristico ».[228] È per questo motivo che alla Chiesa cattolica non è possibile l'intercomunione eucaristica con queste comunità. Tuttavia, queste comunità ecclesiali « mentre nella santa Cena fanno memoria della morte e della Risurrezione del Signore, professano che nella Comunione di Cristo è significata la vita e aspettano la sua venuta gloriosa ».[229]

1536

1483

1401 In presenza di una grave necessità, a giudizio dell'Ordinario, i ministri cattolici possono amministrare i sacramenti (Eucaristia, Penitenza, Unzione degli infermi) agli altri cristiani che non sono in piena comunione con la Chiesa cattolica, purché li chiedano spontaneamente: è necessario in questi casi che essi manifestino la fede cattolica a riguardo di questi sacramenti e che si trovino nelle disposizioni richieste.[230]

1385

[223] Cf *Mt* 25,40.
[224] San Giovanni Crisostomo, *Homiliae in primam ad Corinthios,* 27, 4: PG 61, 229-230.
[225] Sant'Agostino, *In Evangelium Johannis tractatus,* 26, 6, 13; cf Conc. Ecum. Vat. II, *Sacrosanctum concilium,* 47.
[226] Conc. Ecum. Vat. II, *Unitatis redintegratio,* 15.
[227] *Ibid.;* cf *Codice di Diritto Canonico,* 844, 3.
[228] Conc. Ecum. Vat. II, *Unitatis redintegratio,* 22.
[229] *Ibid.*
[230] Cf *Codice di Diritto Canonico,* 844, 4.

VII. L'Eucaristia – « Pegno della gloria futura »

1402 In una antica preghiera, la Chiesa acclama il mistero dell'Eucaristia: « O sacrum convivium in quo Christus sumitur. Recolitur memoria passionis eius; mens impletur gratia et futurae gloriae nobis pignus datur – O sacro convito nel quale ci nutriamo di Cristo, si fa memoria della sua passione; l'anima è ricolmata di grazia e ci è donato il pegno della gloria futura ». Se l'Eucaristia è il memoriale della Pasqua del Signore, se mediante la nostra Comunione all'altare veniamo ricolmati « di ogni grazia e benedizione del cielo »,[231] l'Eucaristia è pure anticipazione della gloria del cielo. 1323 1130

1403 Nell'ultima Cena il Signore stesso ha fatto volgere lo sguardo dei suoi discepoli verso il compimento della Pasqua nel Regno di Dio: « Io vi dico che da ora non berrò più di questo frutto della vite fino al giorno in cui lo berrò nuovo con voi nel Regno del Padre mio » (*Mt* 26,29).[232] Ogni volta che la Chiesa celebra l'Eucaristia, ricorda questa promessa e il suo sguardo si volge verso « Colui che viene ».[233] Nella preghiera, essa invoca la sua venuta: « Marana tha » (*1 Cor* 16,22), « Vieni, Signore Gesù » (*Ap* 22,20), « Venga la tua grazia e passi questo mondo! ».[234] 671

1404 La Chiesa sa che, fin d'ora, il Signore viene nella sua Eucaristia, e che egli è lì, in mezzo a noi. Tuttavia questa presenza è nascosta. È per questo che celebriamo l'Eucaristia « expectantes beatam spem et adventum Salvatoris nostri Jesu Christi – nell'attesa che si compia la beata speranza e venga il nostro Salvatore Gesù Cristo »,[235] chiedendo « di ritrovarci insieme a godere della tua gloria quando, asciugata ogni lacrima, i nostri occhi vedranno il tuo volto e noi saremo simili a te, e canteremo per sempre la tua lode, in Cristo, nostro Signore ».[236] 1041 1028

1405 Di questa grande speranza, quella dei « nuovi cieli » e della « terra nuova nei quali abiterà la giustizia » (*2 Pt* 3,13), non abbiamo pegno più sicuro, né segno più esplicito dell'Eucaristia. Ogni volta infatti che viene celebrato questo mistero, « si effettua l'opera della nostra redenzione »[237] e noi spezziamo « l'unico pane che è farmaco d'immortalità, antidoto contro la morte, alimento dell'eterna vita in Gesù Cristo ».[238] 1042 1000

[231] *Messale Romano,* Canone Romano: « Supplices te rogamus ».
[232] Cf *Lc* 22,18; *Mc* 14,25.
[233] Cf *Ap* 1,4.
[234] *Didaché*, 10, 6.
[235] Embolismo dopo il Padre nostro; cf *Tt* 2,13.
[236] *Messale Romano,* Preghiera eucaristica III: preghiera per i defunti.
[237] Conc. Ecum. Vat. II, *Lumen gentium,* 3.
[238] Sant'Ignazio di Antiochia, *Epistula ad Ephesios,* 20, 2.

In sintesi

1406 *Gesù dice: « Io sono il pane vivo, disceso dal cielo. Se uno mangia di questo pane vivrà in eterno... Chi mangia la mia Carne e beve il mio Sangue ha la vita eterna... dimora in me e io in lui »* (*Gv* 6,51.54.56).

1407 *L'Eucaristia è il cuore e il culmine della vita della Chiesa, poiché in essa Cristo associa la sua Chiesa e tutti i suoi membri al proprio sacrificio di lode e di rendimento di grazie offerto al Padre una volta per tutte sulla croce; mediante questo sacrificio egli effonde le grazie della salvezza sul suo Corpo, che è la Chiesa.*

1408 *La celebrazione eucaristica comporta sempre: la proclamazione della Parola di Dio, l'azione di grazie a Dio Padre per tutti i suoi benefici, soprattutto per il dono del suo Figlio, la consacrazione del pane e del vino e la partecipazione al banchetto liturgico mediante la recezione del Corpo e del Sangue del Signore. Questi elementi costituiscono un solo e medesimo atto di culto.*

1409 *L'Eucaristia è il memoriale della Pasqua di Cristo, cioè dell'opera della salvezza compiuta per mezzo della vita, della morte e della Risurrezione di Cristo, opera che viene resa presente dall'azione liturgica.*

1410 *È Cristo stesso, sommo ed eterno sacerdote della Nuova Alleanza, che, agendo attraverso il ministero dei sacerdoti, offre il sacrificio eucaristico. Ed è ancora lo stesso Cristo, realmente presente sotto le specie del pane e del vino, l'offerta del sacrificio eucaristico.*

1411 *Soltanto i sacerdoti validamente ordinati possono presiedere l'Eucaristia e consacrare il pane e il vino perché diventino il Corpo e il Sangue del Signore.*

1412 *I segni essenziali del sacramento eucaristico sono il pane di grano e il vino della vite, sui quali viene invocata la benedizione dello Spirito Santo e il sacerdote pronunzia le parole della consacrazione dette da Gesù durante l'ultima Cena: « Questo è il mio Corpo dato per voi... Questo è il calice del mio Sangue... ».*

1413 *Mediante la consacrazione si opera la transustanziazione del pane e del vino nel Corpo e nel Sangue di Cristo. Sotto le specie consacrate del pane e del vino, Cristo stesso, vivente e glorioso, è presente in maniera vera, reale e sostanziale, il suo Corpo e il suo Sangue, con la sua anima e la sua divinità.*[239]

[239] Cf Concilio di Trento: DENZ.-SCHÖNM., 1640; 1651.

1414 *In quanto sacrificio, l'Eucaristia viene anche offerta in riparazione dei peccati dei vivi e dei defunti, e al fine di ottenere da Dio benefici spirituali o temporali.*

1415 *Chi vuole ricevere Cristo nella Comunione eucaristica deve essere in stato di grazia. Se uno è consapevole di aver peccato mortalmente, non deve accostarsi all'Eucaristia senza prima aver ricevuto l'assoluzione nel sacramento della Penitenza.*

1416 *La santa Comunione al Corpo e al Sangue di Cristo accresce in colui che si comunica l'unione con il Signore, gli rimette i peccati veniali e lo preserva dai peccati gravi. Poiché vengono rafforzati i vincoli di carità tra colui che si comunica e Cristo, ricevere questo sacramento rafforza l'unità della Chiesa, Corpo mistico di Cristo.*

1417 *La Chiesa raccomanda vivamente ai fedeli di ricevere la santa Comunione ogni volta che partecipano alla celebrazione dell'Eucaristia; ne fa loro obbligo almeno una volta all'anno.*

1418 *Poiché Cristo stesso è presente nel Sacramento dell'altare, bisogna onorarlo con un culto di adorazione. La visita al Santissimo Sacramento « è prova di gratitudine, segno di amore e debito di riconoscenza a Cristo Signore ».*[240]

1419 *Poiché Cristo è passato da questo mondo al Padre, nell'Eucaristia ci dona il pegno della gloria futura presso di lui: la partecipazione al Santo Sacrificio ci identifica con il suo Cuore, sostiene le nostre forze lungo il pellegrinaggio di questa vita, ci fa desiderare la vita eterna e già ci unisce alla Chiesa del Cielo, alla Santa Vergine Maria e a tutti i Santi.*

[240] Paolo VI, Lett. enc. *Mysterium fidei.*

CAPITOLO SECONDO

I SACRAMENTI DI GUARIGIONE

1420 Attraverso i sacramenti dell'iniziazione cristiana, l'uomo riceve la vita nuova di Cristo. Ora, questa vita, noi la portiamo « in vasi di creta » (*2 Cor* 4,7). Adesso è ancora « nascosta con Cristo in Dio » (*Col* 3,3). Noi siamo ancora nella « nostra abitazione sulla terra » (*2 Cor* 5,1), sottomessa alla sofferenza, alla malattia e alla morte. Questa vita nuova di figlio di Dio può essere indebolita e persino perduta a causa del peccato.

1421 Il Signore Gesù Cristo, medico delle nostre anime e dei nostri corpi, colui che ha rimesso i peccati al paralitico e gli ha reso la salute del corpo,[1] ha voluto che la sua Chiesa continui, nella forza dello Spirito Santo, la sua opera di guarigione e di salvezza, anche presso le proprie membra. È lo scopo dei due sacramenti di guarigione: del sacramento della Penitenza e dell'Unzione degli infermi.

Articolo 4

IL SACRAMENTO DELLA PENITENZA E DELLA RICONCILIAZIONE

980 1422 « Quelli che si accostano al sacramento della Penitenza ricevono dalla misericordia di Dio il perdono delle offese fatte a lui e insieme si riconciliano con la Chiesa, alla quale hanno inflitto una ferita col peccato e che coopera alla loro conversione con la carità, l'esempio e la preghiera ».[2]

I. Come viene chiamato questo sacramento?

1989 1423 È chiamato *sacramento della conversione* poiché realizza sacramentalmente l'appello di Gesù alla conversione,[3] il cammino di ritorno al Padre[4] da cui ci si è allontanati con il peccato.

[1] Cf *Mc* 2,1-12.
[2] Conc. Ecum. Vat. II, *Lumen gentium,* 11.
[3] Cf *Mc* 1,15.
[4] Cf *Lc* 15,18.

È chiamato *sacramento della Penitenza* poiché consacra un cammino personale ed ecclesiale di conversione, di pentimento e di soddisfazione del cristiano peccatore. 1440

1424 È chiamato *sacramento della confessione* poiché l'accusa, la confessione dei peccati davanti al sacerdote è un elemento essenziale di questo sacramento. In un senso profondo esso è anche una « confessione », riconoscimento e lode della santità di Dio e della sua misericordia verso l'uomo peccatore. 1456

È chiamato *sacramento del perdono* poiché, attraverso l'assoluzione sacramentale del sacerdote, Dio accorda al penitente « il perdono e la pace ».[5] 1449

È chiamato *sacramento della Riconciliazione* perché dona al peccatore l'amore di Dio che riconcilia: « Lasciatevi riconciliare con Dio » (*2 Cor* 5,20). Colui che vive dell'amore misericordioso di Dio è pronto a rispondere all'invito del Signore: « Va' prima a riconciliarti con il tuo fratello » (*Mt* 5,24). 1442

II. Perché un sacramento della riconciliazione dopo il Battesimo?

1425 « Siete stati lavati, siete stati santificati, siete stati giustificati nel nome del Signore Gesù Cristo e nello Spirito del nostro Dio! » (*1 Cor* 6,11). Bisogna rendersi conto della grandezza del dono di Dio, che ci è fatto nei sacramenti dell'iniziazione cristiana, per capire fino a che punto il peccato è cosa non ammessa per colui che si è « rivestito di Cristo » (*Gal* 3,27). L'Apostolo san Giovanni però afferma anche: « Se diciamo che siamo senza peccato, inganniamo noi stessi e la verità non è in noi » (*1 Gv* 1,8). E il Signore stesso ci ha insegnato a pregare: « Perdonaci i nostri peccati » (*Lc* 11,4), legando il mutuo perdono delle nostre offese al perdono che Dio accorderà alle nostre colpe. 1263 2838

1426 La *conversione* a Cristo, la nuova nascita dal Battesimo, il dono dello Spirito Santo, il Corpo e il Sangue di Cristo ricevuti in nutrimento, ci hanno resi « santi e immacolati al suo cospetto » (*Ef* 1,4), come la Chiesa stessa, sposa di Cristo, è « santa e immacolata » (*Ef* 5,27) davanti a lui. Tuttavia, la vita nuova ricevuta nell'iniziazione cristiana non ha soppresso la fragilità e la debolezza della natura umana, né l'inclinazione al peccato che la tradizione chiama *concupiscenza,* la quale rimane nei battezzati perché sostengano le loro prove nel combattimento della vita cristiana, aiutati dalla grazia di Cristo.[6] Si tratta del combattimento della conversione in vista della santità e della vita eterna alla quale il Signore non cessa di chiamarci.[7] 405; 978 1264

[5] Rituale romano, *Rito della penitenza,* formula dell'assoluzione.
[6] Cf Concilio di Trento: DENZ.-SCHÖNM., 1515.
[7] Cf *ibid.,* 1545; CONC. ECUM. VAT. II, *Lumen gentium,* 40.

III. La conversione dei battezzati

541 1427 Gesù chiama alla conversione. Questo appello è una componente essenziale dell'annuncio del Regno: « Il tempo è compiuto e il Regno di Dio è ormai vicino; convertitevi e credete al Vangelo » (*Mc* 1,15). Nella predicazione della Chiesa questo invito si rivolge dapprima a quanti non conoscono ancora Cristo e il suo Vangelo. Il Battesimo è quindi il luogo principale della prima e fondamentale conversione. È mediante la fede nella Buona 1226 Novella e mediante il Battesimo [8] che si rinuncia al male e si acquista la salvezza, cioè la remissione di tutti i peccati e il dono della vita nuova.

1428 Ora, l'appello di Cristo alla conversione continua a risuonare nella 1036 vita dei cristiani. Questa *seconda conversione* è un impegno continuo per tutta la Chiesa che « comprende nel suo seno i peccatori » e che, « santa insieme e sempre bisognosa di purificazione, incessantemente si applica alla 853 penitenza e al suo rinnovamento ».[9] Questo sforzo di conversione non è soltanto un'opera umana. È il dinamismo del « cuore contrito » (*Sal* 51,19) 1996 attirato e mosso dalla grazia [10] a rispondere all'amore misericordioso di Dio che ci ha amati per primo.[11]

1429 Lo testimonia la conversione di san Pietro dopo il triplice rinnegamento del suo Maestro. Lo sguardo d'infinita misericordia di Gesù provoca le lacrime del pentimento (*Lc* 22,61) e, dopo la Risurrezione del Signore, la triplice confessione del suo amore per lui.[12] La seconda conversione ha pure una dimensione *comunitaria*. Ciò appare nell'appello del Signore ad un'intera Chiesa: « Ravvediti! » (*Ap* 2,5.16).

A proposito delle due conversioni sant'Ambrogio dice che, nella Chiesa, « ci sono l'acqua e le lacrime: l'acqua del Battesimo e le lacrime della Penitenza ».[13]

IV. La penitenza interiore

1430 Come già nei profeti, l'appello di Gesù alla conversione e alla penitenza non riguarda anzitutto opere esteriori, « il sacco e la cenere », i digiuni 1098 e le mortificazioni, ma *la conversione del cuore, la penitenza interiore*. Senza di essa, le opere di penitenza rimangono sterili e menzognere; la conversione

[8] Cf *At* 2,38.
[9] CONC. ECUM. VAT. II, *Lumen gentium,* 8.
[10] Cf *Gv* 6,44; 12,32.
[11] Cf *1 Gv* 4,10.
[12] Cf *Gv* 21,15-17.
[13] SANT'AMBROGIO, *Epistulae,* 41, 12: PL 16, 1116B.

interiore spinge invece all'espressione di questo atteggiamento in segni visibili, gesti e opere di penitenza.[14]

1431 La penitenza interiore è un radicale riorientamento di tutta la vita, un ritorno, una conversione a Dio con tutto il cuore, una rottura con il peccato, un'avversione per il male, insieme con la riprovazione nei confronti delle cattive azioni che abbiamo commesse. Nello stesso tempo, essa comporta il desiderio e la risoluzione di cambiare vita con la speranza della misericordia di Dio e la fiducia nell'aiuto della sua grazia. Questa conversione del cuore è accompagnata da un dolore e da una tristezza salutari, che i Padri hanno chiamato « *animi cruciatus* [afflizione dello spirito] », « *compunctio cordis* [contrizione del cuore] ».[15]

1451

368

1432 Il cuore dell'uomo è pesante e indurito. Bisogna che Dio dia all'uomo un cuore nuovo.[16] La conversione è anzitutto un'opera della grazia di Dio che fa ritornare a lui i nostri cuori: « Facci ritornare a te, Signore, e noi ritorneremo » (*Lam* 5,21). Dio ci dona la forza di ricominciare. È scoprendo la grandezza dell'amore di Dio che il nostro cuore viene scosso dall'orrore e dal peso del peccato e comincia a temere di offendere Dio con il peccato e di essere separato da lui. Il cuore umano si converte guardando a colui che è stato trafitto dai nostri peccati.[17]

1989

> Teniamo fisso lo sguardo sul sangue di Cristo, e consideriamo quanto sia prezioso per Dio suo Padre; infatti, sparso per la nostra salvezza, offrì al mondo intero la grazia della conversione.[18]

1433 Dopo la Pasqua, è lo Spirito Santo che convince « il mondo quanto al peccato » (*Gv* 16,8-9), cioè al fatto che il mondo non ha creduto in colui che il Padre ha inviato. Ma questo stesso Spirito, che svela il peccato, è il Consolatore [19] che dona al cuore dell'uomo la grazia del pentimento e della conversione.[20]

729

692; 1848

V. Le molteplici forme della penitenza nella vita cristiana

1434 La penitenza interiore del cristiano può avere espressioni molto varie. La Scrittura e i Padri insistono soprattutto su tre forme: *il digiuno, la preghiera, l'elemosina,*[21] che esprimono la conversione in rapporto a se stessi, in rapporto a Dio e in

1969

[14] Cf *Gl* 2,12-13; *Is* 1,16-17; *Mt* 6,1-6.16-18.
[15] Cf Concilio di Trento: DENZ.-SCHÖNM., 1676-1678; 1705; *Catechismo Romano,* 2, 5, 4.
[16] Cf *Ez* 36,26-27.
[17] Cf *Gv* 19,37; *Zc* 12,10.
[18] SAN CLEMENTE DI ROMA, *Epistula ad Corinthios,* 7, 4.
[19] Cf *Gv* 15,26.
[20] Cf *At* 2,36-38; cf GIOVANNI PAOLO II, Lett. enc. *Dominum et Vivificantem,* 27-48.
[21] Cf *Tb* 12,8; *Mt* 6,1-18.

rapporto agli altri. Accanto alla purificazione radicale operata dal Battesimo o dal martirio, essi indicano, come mezzo per ottenere il perdono dei peccati, gli sforzi compiuti per riconciliarsi con il prossimo, le lacrime di penitenza, la preoccupazione per la salvezza del prossimo,[22] l'intercessione dei santi e la pratica della carità che « copre una moltitudine di peccati » (*1 Pt* 4,8).

1435 La conversione si realizza nella vita quotidiana attraverso gesti di riconciliazione, attraverso la sollecitudine per i poveri, l'esercizio e la difesa della giustizia e del diritto,[23] attraverso la confessione delle colpe ai fratelli, la correzione fraterna, la revisione di vita, l'esame di coscienza, la direzione spirituale, l'accettazione delle sofferenze, la perseveranza nella persecuzione a causa della giustizia. Prendere la propria croce, ogni giorno, e seguire Gesù è la via più sicura della penitenza.[24]

1436 *Eucaristia e Penitenza.* La conversione e la penitenza quotidiane trovano la loro sorgente e il loro alimento nell'Eucaristia, poiché in essa è reso presente il sacrificio di Cristo che ci ha riconciliati con Dio; per suo mezzo vengono nutriti e fortificati coloro che vivono della vita di Cristo; essa « è come l'antidoto con cui essere liberati dalle colpe di ogni giorno e preservati dai peccati mortali ».[25]

1394

1437 La lettura della Sacra Scrittura, la preghiera della Liturgia delle Ore e del Padre Nostro, ogni atto sincero di culto o di pietà ravviva in noi lo spirito di conversione e di penitenza e contribuisce al perdono dei nostri peccati.

540

1438 *I tempi e i giorni di penitenza* nel corso dell'anno liturgico (il tempo della quaresima, ogni venerdì in memoria della morte del Signore) sono momenti forti della pratica penitenziale della Chiesa.[26] Questi tempi sono particolarmente adatti per gli esercizi spirituali, le liturgie penitenziali, i pellegrinaggi in segno di penitenza, le privazioni volontarie come il digiuno e l'elemosina, la condivisione fraterna (opere caritative e missionarie).

2043

1439 *Il dinamismo della conversione e della penitenza* è stato meravigliosamente descritto da Gesù nella parabola detta « del figlio prodigo » il cui centro è « il padre misericordioso » (*Lc* 15,11-24): il fascino di una libertà illusoria, l'abbandono della casa paterna; la miseria estrema nella quale il figlio viene a trovarsi dopo aver dilapidato la sua fortuna; l'umiliazione profonda di vedersi costretto a pascolare i porci, e, peggio ancora, quella di desiderare di nutrirsi delle carrube che mangiavano i maiali; la riflessione sui beni perduti; il pentimento e la decisione di dichiararsi colpevole davanti a suo padre; il cammino del ritorno; l'accoglienza generosa da parte del padre; la gioia del padre: ecco alcuni tratti propri del processo di conversione. L'abito bello, l'anello e il banchetto di festa sono simboli della vita nuova, pura, dignitosa, piena di gioia che è la vita dell'uomo che ritorna a Dio e in seno alla sua famiglia, la Chiesa.

545

[22] Cf *Gc* 5,20.
[23] Cf *Am* 5,24; *Is* 1,17.
[24] Cf *Lc* 9,23.
[25] Concilio di Trento: DENZ.-SCHÖNM., 1638.
[26] Cf CONC. ECUM. VAT. II, *Sacrosanctum concilium,* 109-110; *Codice di Diritto Canonico,* 1249-1253; *Corpus Canonum Ecclesiarum Orientalium,* 880-883.

Soltanto il cuore di Cristo, che conosce le profondità dell'amore di suo Padre, ha potuto rivelarci l'abisso della sua misericordia in una maniera così piena di semplicità e di bellezza.

VI. Il sacramento della Penitenza e della Riconciliazione

1440 Il peccato è anzitutto offesa a Dio, rottura della comunione con lui. Nello stesso tempo esso attenta alla comunione con la Chiesa. Per questo motivo la conversione arreca ad un tempo il perdono di Dio e la riconciliazione con la Chiesa, ciò che il sacramento della Penitenza e della Riconciliazione esprime e realizza liturgicamente.[27] 1850

Dio solo perdona il peccato

1441 Dio solo perdona i peccati.[28] Poiché Gesù è il Figlio di Dio, egli dice di se stesso: « Il Figlio dell'uomo ha il potere sulla terra di rimettere i peccati » (*Mc* 2,10) ed esercita questo potere divino: « Ti sono rimessi i tuoi peccati! » (*Mc* 2,5; *Lc* 7,48). Ancor di più: in virtù della sua autorità divina dona tale potere agli uomini [29] affinché lo esercitino nel suo nome. 270; 431 589

1442 Cristo ha voluto che la sua Chiesa sia tutta intera, nella sua preghiera, nella sua vita e nelle sue attività, il segno e lo strumento del perdono e della riconciliazione che egli ci ha acquistato a prezzo del suo sangue. Ha tuttavia affidato l'esercizio del potere di assolvere i peccati al ministero apostolico. A questo è affidato il « ministero della riconciliazione » (*2 Cor* 5,18). L'apostolo è inviato « nel nome di Cristo », ed è Dio stesso che, per mezzo di lui, esorta e supplica: « Lasciatevi riconciliare con Dio » (*2 Cor* 5,20). 983

Riconciliazione con la Chiesa

1443 Durante la sua vita pubblica, Gesù non ha soltanto perdonato i peccati; ha pure manifestato l'effetto di questo perdono: egli ha reintegrato i peccatori perdonati nella comunità del Popolo di Dio, dalla quale il peccato li aveva allontanati o persino esclusi. Un segno chiaro di ciò è il fatto che Gesù ammette i peccatori alla sua tavola; più ancora, egli stesso siede alla loro mensa, gesto che esprime in modo sconvolgente il perdono di Dio [30] e, nello stesso tempo, il ritorno in seno al Popolo di Dio.[31] 545

[27] Cf Conc. Ecum. Vat. II, *Lumen gentium,* 11.
[28] Cf *Mc* 2,7.
[29] Cf *Gv* 20,21-23.
[30] Cf *Lc* 15.
[31] Cf *Lc* 19,9.

981 1444 Rendendo gli Apostoli partecipi del suo proprio potere di perdonare i peccati, il Signore dà loro anche l'autorità di riconciliare i peccatori con la Chiesa. Tale dimensione ecclesiale del loro ministero trova la sua più chiara espressione nella solenne parola di Cristo a Simon Pietro: « A te darò le chiavi del Regno dei cieli, e tutto ciò che legherai sulla terra sarà legato nei cieli, e tutto ciò che scioglierai sulla terra sarà sciolto nei cieli » (*Mt* 16,19). Questo « incarico di legare e di sciogliere, che è stato dato a Pietro, risulta essere stato pure concesso al collegio degli Apostoli, unito col suo capo ».[32]

553 1445 Le parole *legare e sciogliere* significano: colui che voi escluderete dalla vostra comunione, sarà escluso dalla comunione con Dio; colui che voi accoglierete di nuovo nella vostra comunione, Dio lo accoglierà anche nella sua. *La riconciliazione con la Chiesa è inseparabile dalla riconciliazione con Dio.*

Il sacramento del perdono

979 1446 Cristo ha istituito il sacramento della Penitenza per tutti i membri peccatori della sua Chiesa, in primo luogo per coloro che, dopo il Battesi-
1856 mo, sono caduti in peccato grave e hanno così perduto la grazia battesimale e inflitto una ferita alla comunione ecclesiale. A costoro il sacramento della Penitenza offre una nuova possibilità di convertirsi e di recuperare la grazia
1990 della giustificazione. I Padri della Chiesa presentano questo sacramento come « la seconda tavola [di salvezza] dopo il naufragio della grazia perduta ».[33]

1447 Nel corso dei secoli la forma concreta, secondo la quale la Chiesa ha esercitato questo potere ricevuto dal Signore, ha subito molte variazioni. Durante i primi secoli, la riconciliazione dei cristiani che avevano commesso peccati particolarmente gravi dopo il loro Battesimo (per esempio l'idolatria, l'omicidio o l'adulterio), era legata ad una disciplina molto rigorosa, secondo la quale i penitenti dovevano fare pubblica penitenza per i loro peccati, spesso per lunghi anni, prima di ricevere la riconciliazione. A questo « ordine dei penitenti » (che riguardava soltanto certi peccati gravi) non si era ammessi che raramente e, in talune regioni, una sola volta durante la vita. Nel settimo secolo, ispirati dalla tradizione monastica d'Oriente, i missionari irlandesi portarono nell'Europa continentale la pratica "privata" della penitenza, che non esige il compimento pubblico e prolungato di opere di penitenza prima di ricevere la riconciliazione con la Chiesa. Il sacramento si attua ormai in una maniera più segreta tra il penitente e il sacerdote. Questa nuova pratica prevedeva la possibilità della reiterazione e apriva così la via ad una frequenza regolare di questo sacramento. Essa permetteva di integrare in una sola celebrazione sacramentale il perdono dei peccati gravi e dei peccati veniali. È questa, a grandi linee, la forma di penitenza che la Chiesa pratica fino ai nostri giorni.

[32] Conc. Ecum. Vat. II, *Lumen gentium,* 22.
[33] Tertulliano, *De paenitentia,* 4, 2; cf Concilio di Trento: Denz.-Schönm., 1542.

1448 Attraverso i cambiamenti che la disciplina e la celebrazione di questo sacramento hanno conosciuto nel corso dei secoli, si discerne la medesima *struttura fondamentale*. Essa comporta due elementi ugualmente essenziali: da una parte, gli atti dell'uomo che si converte sotto l'azione dello Spirito Santo: cioè la contrizione, la confessione e la soddisfazione; dall'altra parte, l'azione di Dio attraverso l'intervento della Chiesa. La Chiesa che, mediante il vescovo e i suoi presbiteri, concede nel nome di Gesù Cristo il perdono dei peccati e stabilisce la modalità della soddisfazione, prega anche per il peccatore e fa penitenza con lui. Così il peccatore viene guarito e ristabilito nella comunione ecclesiale.

1449 La formula di assoluzione in uso nella Chiesa latina esprime gli elementi essenziali di questo sacramento: il Padre delle misericordie è la sorgente di ogni perdono. Egli realizza la riconciliazione dei peccatori mediante la Pasqua del suo Figlio e il dono del suo Spirito, attraverso la preghiera e il ministero della Chiesa: 1481 234

> Dio, Padre di misericordia, che ha riconciliato a sé il mondo nella morte e Risurrezione del suo Figlio, e ha effuso lo Spirito Santo per la remissione dei peccati, ti conceda, mediante il ministero della Chiesa, il perdono e la pace. E io ti assolvo dai tuoi peccati nel nome del Padre e del Figlio e dello Spirito Santo.[34]

VII. Gli atti del penitente

1450 « La penitenza induce il peccatore a sopportare di buon animo ogni sofferenza; nel suo cuore vi sia la contrizione, nella sua bocca la confessione, nelle sue opere tutta l'umiltà e la feconda soddisfazione ».[35]

La contrizione

1451 Tra gli atti del penitente, la contrizione occupa il primo posto. Essa è « il dolore dell'animo e la riprovazione del peccato commesso, accompagnati dal proposito di non peccare più in avvenire ».[36] 431

1452 Quando proviene dall'amore di Dio amato sopra ogni cosa, la contrizione è detta « perfetta » (contrizione di carità). Tale contrizione rimette le colpe veniali; ottiene anche il perdono dei peccati mortali, qualora com- 1822

[34] Rituale romano, *Rito della penitenza,* formula dell'assoluzione.
[35] *Catechismo Romano,* 2, 5, 21; cf Concilio di Trento: DENZ.-SCHÖNM., 1673.
[36] Concilio di Trento: DENZ.-SCHÖNM., 1676.

porti la ferma risoluzione di ricorrere, appena possibile, alla confessione sacramentale.[37]

1453 La contrizione detta « imperfetta » (o « attrizione ») è, anch'essa, un dono di Dio, un impulso dello Spirito Santo. Nasce dalla considerazione della bruttura del peccato o dal timore della dannazione eterna e delle altre pene la cui minaccia incombe sul peccatore (contrizione da timore). Quando la coscienza viene così scossa, può aver inizio un'evoluzione interiore che sarà portata a compimento, sotto l'azione della grazia, dall'assoluzione sacramentale. Da sola, tuttavia, la contrizione imperfetta non ottiene il perdono dei peccati gravi, ma dispone a riceverlo nel sacramento della Penitenza.[38]

1454 È bene prepararsi a ricevere questo sacramento con un *esame di coscienza* fatto alla luce della Parola di Dio. I testi più adatti a questo scopo sono da cercarsi nella catechesi morale dei Vangeli e delle lettere degli Apostoli: il Discorso della montagna, gli insegnamenti apostolici.[39]

La confessione dei peccati

1424 1455 La confessione dei peccati (l'accusa), anche da un punto di vista semplicemente umano, ci libera e facilita la nostra riconciliazione con gli altri. Con l'accusa, l'uomo guarda in faccia i peccati di cui si è reso colpevole; se 1734 ne assume la responsabilità e, in tal modo, si apre nuovamente a Dio e alla comunione della Chiesa al fine di rendere possibile un nuovo avvenire.

1456 La confessione al sacerdote costituisce una parte essenziale del sacramento della Penitenza: « È necessario che i penitenti enumerino nella con- 1855 fessione tutti i peccati mortali, di cui hanno consapevolezza dopo un diligente esame di coscienza, anche se si tratta dei peccati più nascosti e commessi soltanto contro i due ultimi comandamenti del Decalogo,[40] perché spesso feriscono più gravemente l'anima e si rivelano più pericolosi di quelli chiaramente commessi »: [41]

> I cristiani [che] si sforzano di confessare tutti i peccati che vengono loro in 1505 mente, senza dubbio li mettono tutti davanti alla divina misericordia perché li perdoni. Quelli, invece, che fanno diversamente e tacciono consapevolmente qualche peccato, è come se non sottoponessero nulla alla divina bontà perché sia perdonato per mezzo del sacerdote. « Se infatti l'ammalato si

[37] Cf Concilio di Trento: Denz.-Schönm., 1677.
[38] *Ibid.,* 1678; 1705.
[39] Cf *Rm* 12-15; *1 Cor* 12-13; *Gal* 5; *Ef* 4-6.
[40] Cf *Es* 20,17; *Mt* 5,28.
[41] Concilio di Trento: Denz.-Schönm., 1680.

vergognasse di mostrare al medico la ferita, il medico non può curare quello che non conosce ».[42]

1457 Secondo il precetto della Chiesa, « ogni fedele, raggiunta l'età della discrezione, è tenuto all'obbligo di confessare fedelmente i propri peccati gravi, almeno una volta nell'anno ».[43] Colui che è consapevole di aver commesso un peccato mortale non deve ricevere la santa Comunione, anche se prova una grande contrizione, senza aver prima ricevuto l'assoluzione sacramentale,[44] a meno che non abbia un motivo grave per comunicarsi e non gli sia possibile accedere a un confessore.[45] I fanciulli devono accostarsi al sacramento della Penitenza prima di ricevere per la prima volta la Santa Comunione.[46]

2042

1385

1458 Sebbene non sia strettamente necessaria, la confessione delle colpe quotidiane (peccati veniali) è tuttavia vivamente raccomandata dalla Chiesa.[47] In effetti, la confessione regolare dei peccati veniali ci aiuta a formare la nostra coscienza, a lottare contro le cattive inclinazioni, a lasciarci guarire da Cristo, a progredire nella vita dello Spirito. Ricevendo più frequentemente, attraverso questo sacramento, il dono della misericordia del Padre, siamo spinti ad essere misericordiosi come lui: [48]

1783

> Chi riconosce i propri peccati e li condanna, è già d'accordo con Dio. Dio condanna i tuoi peccati; e se anche tu li condanni, ti unisci a Dio. L'uomo e il peccatore sono due cose distinte: l'uomo è opera di Dio, il peccatore è opera tua, o uomo. Distruggi ciò che tu hai fatto, affinché Dio salvi ciò che egli ha fatto. Quando comincia a dispiacerti ciò che hai fatto, allora cominciano le tue opere buone, perché condanni le tue opere cattive. Le opere buone cominciano col riconoscimento delle opere cattive. Operi la verità, e così vieni alla Luce.[49]

2468

La soddisfazione

1459 Molti peccati recano offesa al prossimo. Bisogna fare il possibile per riparare (ad esempio restituire cose rubate, ristabilire la reputazione di chi è stato calunniato, risanare le ferite). La semplice giustizia lo esige. Ma, in più, il peccato ferisce e indebolisce il peccatore stesso, come anche le sue relazioni con Dio e con il prossimo. L'assoluzione toglie il peccato, ma non

2412

2487

[42] Concilio di Trento: Denz.-Schönm., 1680; cf San Girolamo, *Commentarii in Ecclesiasten*, 10, 11: PL 23, 1096.
[43] *Codice di Diritto Canonico*, 989; cf Concilio di Trento: Denz.-Schönm., 1683; 1708.
[44] Cf Concilio di Trento: Denz.-Schönm., 1647; 1661.
[45] Cf *Codice di Diritto Canonico*, 916; *Corpus Canonum Ecclesiarum Orientalium*, 711.
[46] Cf *Codice di Diritto Canonico*, 914.
[47] Cf Concilio di Trento: Denz.-Schönm., 1680; *Codice di Diritto Canonico*, 988, 2.
[48] Cf *Lc* 6,36.
[49] Sant'Agostino, *In Evangelium Johannis tractatus*, 12, 13.

porta rimedio a tutti i disordini che il peccato ha causato.[50] Risollevato dal peccato, il peccatore deve ancora recuperare la piena salute spirituale. 1473 Deve dunque fare qualcosa di più per riparare le proprie colpe: deve « soddisfare » in maniera adeguata o « espiare » i suoi peccati. Questa soddisfazione si chiama anche « penitenza ».

1460 La *penitenza* che il confessore impone deve tener conto della situazione personale del penitente e cercare il suo bene spirituale. Essa deve corrispondere, per quanto possibile, alla gravità e alla natura dei peccati 2447 commessi. Può consistere nella preghiera, in un'offerta, nelle opere di misericordia, nel servizio del prossimo, in privazioni volontarie, in sacrifici, e soprattutto nella paziente accettazione della croce che dobbiamo portare. 618 Tali penitenze ci aiutano a configurarci a Cristo che, solo, ha espiato per i nostri peccati [51] una volta per tutte. Esse ci permettono di diventare i coeredi di Cristo risorto, dal momento che « partecipiamo alle sue sofferenze » (*Rm* 8,17): [52]

> Ma questa soddisfazione, che compiamo per i nostri peccati, non è talmente nostra da non esistere per mezzo di Gesù Cristo: noi, infatti, che non possiamo nulla da noi stessi, col suo aiuto possiamo tutto in lui che ci dà la 2011 forza.[53] Quindi l'uomo non ha di che gloriarsi; ma ogni nostro vanto è riposto in Cristo in cui... offriamo soddisfazione, facendo « opere degne della conversione » (*Lc* 3,8), che da lui traggono il loro valore, da lui sono offerte al Padre e grazie a lui sono accettate dal Padre.[54]

VIII. Il ministro di questo sacramento

981 1461 Poiché Cristo ha affidato ai suoi Apostoli il ministero della riconciliazione,[55] i vescovi, loro successori, e i presbiteri, collaboratori dei vescovi, continuano ad esercitare questo ministero. Infatti sono i vescovi e i presbiteri che hanno, in virtù del sacramento dell'Ordine, il potere di perdonare tutti i peccati « nel nome del Padre e del Figlio e dello Spirito Santo ».

1462 Il perdono dei peccati riconcilia con Dio ma anche con la Chiesa. Il 886 vescovo, capo visibile della Chiesa particolare, è dunque considerato a buon diritto, sin dai tempi antichi, come colui che principalmente ha il potere e il ministero della riconciliazione: è il moderatore della disciplina penitenziale.[56]

[50] Cf Concilio di Trento: DENZ.-SCHÖNM., 1712.
[51] Cf *Rm* 3,25; *1 Gv* 2,1-2.
[52] Cf Concilio di Trento: DENZ.-SCHÖNM., 1690.
[53] Cf *Fil* 4,13.
[54] Concilio di Trento: DENZ.-SCHÖNM., 1691.
[55] Cf *Gv* 20,23; *2 Cor* 5,18.
[56] Cf CONC. ECUM. VAT. II, *Lumen gentium,* 26.

I presbiteri, suoi collaboratori, esercitano tale potere nella misura in cui ne hanno ricevuto l'ufficio sia dal proprio vescovo (o da un superiore religioso), sia dal Papa, in base al diritto della Chiesa.[57] 1567

1463 Alcuni peccati particolarmente gravi sono colpiti dalla scomunica, la pena ecclesiastica più severa, che impedisce di ricevere i sacramenti e di compiere determinati atti ecclesiastici, e la cui assoluzione, di conseguenza, non può essere accordata, secondo il diritto della Chiesa, che dal Papa, dal vescovo del luogo o da presbiteri da loro autorizzati.[58] In caso di pericolo di morte, ogni sacerdote, anche se privo della facoltà di ascoltare le confessioni, può assolvere da qualsiasi peccato [59] e da qualsiasi scomunica. 982

1464 I sacerdoti devono incoraggiare i fedeli ad accostarsi al sacramento della Penitenza e devono mostrarsi disponibili a celebrare questo sacramento ogni volta che i cristiani ne facciano ragionevole richiesta.[60]

1465 Celebrando il sacramento della Penitenza, il sacerdote compie il ministero del Buon Pastore che cerca la pecora perduta, quello del Buon Samaritano che medica le ferite, del Padre che attende il figlio prodigo e lo accoglie al suo ritorno, del giusto Giudice che non fa distinzione di persone e il cui giudizio è ad un tempo giusto e misericordioso. Insomma, il sacerdote è il segno e lo strumento dell'amore misericordioso di Dio verso il peccatore. 983

1466 Il confessore non è il padrone, ma il servitore del perdono di Dio. Il ministro di questo sacramento deve unirsi « all'intenzione e alla carità di Cristo ».[61] Deve avere una provata conoscenza del comportamento cristiano, l'esperienza delle realtà umane, il rispetto e la delicatezza nei confronti di colui che è caduto; deve amare la verità, essere fedele al magistero della Chiesa e condurre con pazienza il penitente verso la guarigione e la piena maturità. Deve pregare e fare penitenza per lui, affidandolo alla misericordia del Signore. 1551 2690

1467 Data la delicatezza e la grandezza di questo ministero e il rispetto dovuto alle persone, la Chiesa dichiara che ogni sacerdote che ascolta le confessioni è obbligato, sotto pene molto severe, a mantenere un segreto assoluto riguardo ai peccati che i suoi penitenti gli hanno confessato.[62] Non gli è lecito parlare neppure di quanto viene a conoscere, attraverso la con- 2490

[57] Cf *Codice di Diritto Canonico,* 844; 967-969; 972; *Corpus Canonum Ecclesiarum Orientalium,* 722, 3-4.
[58] Cf *Codice di Diritto Canonico,* 1331; 1354-1357; *Corpus Canonum Ecclesiarum Orientalium,* 1431; 1434; 1420.
[59] Cf *Codice di Diritto Canonico,* 976; *Corpus Canonum Ecclesiarum Orientalium,* 725.
[60] Cf *Codice di Diritto Canonico,* 986; *Corpus Canonum Ecclesiarum Orientalium,* 735; Conc. Ecum. Vat. II, *Presbyterorum ordinis,* 13.
[61] Conc. Ecum. Vat. II, *Presbyterorum ordinis,* 13.
[62] Cf *Codice di Diritto Canonico,* 1388, 1; *Corpus Canonum Ecclesiarum Orientalium,* 1456.

fessione, della vita dei penitenti. Questo segreto, che non ammette eccezioni, si chiama il « sigillo sacramentale », poiché ciò che il penitente ha manifestato al sacerdote rimane « sigillato » dal sacramento.

IX. Gli effetti di questo sacramento

1468 « Tutto il valore della penitenza consiste nel restituirci alla grazia di Dio stringendoci a lui in intima e grande amicizia ».[63] Il fine e l'effetto di questo sacramento sono dunque la *riconciliazione con Dio*. In coloro che ricevono il sacramento della Penitenza con cuore contrito e in una disposizione re- 2305 ligiosa, ne conseguono « la pace e la serenità della coscienza insieme a una vivissima consolazione dello spirito ».[64] Infatti, il sacramento della riconciliazione con Dio opera una autentica « risurrezione spirituale », restituisce la dignità e i beni della vita dei figli di Dio, di cui il più prezioso è l'amicizia di Dio.[65]

953 1469 Questo sacramento ci *riconcilia con la Chiesa*. Il peccato incrina o infrange la comunione fraterna. Il sacramento della Penitenza la ripara o la restaura. In questo senso, non guarisce soltanto colui che viene ristabilito nella comunione ecclesiale, ma ha pure un effetto vivificante sulla vita della Chiesa che ha sofferto a causa del peccato di uno dei suoi membri.[66] Ristabilito o rinsaldato nella comunione dei santi, il peccatore viene fortificato dallo 949 scambio dei beni spirituali tra tutte le membra vive del Corpo di Cristo, siano esse ancora nella condizione di pellegrini o siano già nella patria celeste.[67]

> Bisogna aggiungere che tale riconciliazione con Dio ha come conseguenza, per così dire, altre riconciliazioni, che rimediano ad altrettante rotture, causate dal peccato: il penitente perdonato si riconcilia con se stesso nel fondo più intimo del proprio essere, in cui ricupera la propria verità interiore; si riconcilia con i fratelli, da lui in qualche modo offesi e lesi; si riconcilia con la Chiesa, si riconcilia con tutto il creato.[68]

1470 In questo sacramento, il peccatore, rimettendosi al giudizio miseri- 678; 1039 cordioso di Dio, *anticipa* in un certo modo *il giudizio* al quale sarà sottoposto al termine di questa vita terrena. È infatti ora, in questa vita, che ci è offerta la possibilità di scegliere tra la vita e la morte, ed è soltanto attraverso il cammino della conversione che possiamo entrare nel Regno, dal quale il

[63] *Catechismo Romano,* 2, 5, 18.
[64] Concilio di Trento: DENZ.-SCHÖNM., 1674.
[65] Cf *Lc* 15,32.
[66] Cf *1 Cor* 12,26.
[67] Cf CONC. ECUM. VAT. II, *Lumen gentium,* 48-50.
[68] GIOVANNI PAOLO II, Esort. ap. *Reconciliatio et paenitentia,* 31.

peccato grave esclude.[69] Convertendosi a Cristo mediante la penitenza e la fede, il peccatore passa dalla morte alla vita « e non va incontro al giudizio »`(*Gv* 5,24).

X. Le indulgenze

1471 La dottrina e la pratica delle indulgenze nella Chiesa sono strettamente legate agli effetti del sacramento della Penitenza.

Che cos'è l'indulgenza?

« L'indulgenza è la remissione dinanzi a Dio della pena temporale per i peccati, già rimessi quanto alla colpa, remissione che il fedele, debitamente disposto e a determinate condizioni, acquista per intervento della Chiesa, la quale, come ministra della redenzione, autoritativamente dispensa ed applica il tesoro delle soddisfazioni di Cristo e dei santi.

L'indulgenza è parziale o plenaria secondo che libera in parte o in tutto dalla pena temporale dovuta per i peccati ».[70] Le indulgenze possono essere applicate ai vivi o ai defunti.

Le pene del peccato

1472 Per comprendere questa dottrina e questa pratica della Chiesa bisogna tener presente che il peccato *ha una duplice conseguenza.* Il peccato grave ci priva della comunione con Dio e perciò ci rende incapaci di conseguire la vita eterna, la cui privazione è chiamata la « pena eterna » del peccato. D'altra parte, ogni peccato, anche veniale, provoca un attaccamento malsano alle creature, che ha bisogno di purificazione, sia quaggiù, sia dopo la morte, nello stato chiamato Purgatorio. Tale purificazione libera dalla cosiddetta « pena temporale » del peccato. Queste due pene non devono essere concepite come una specie di vendetta, che Dio infligge dall'esterno, bensì come derivanti dalla natura stessa del peccato. Una conversione, che procede da una fervente carità, può arrivare alla totale purificazione del peccatore, così che non sussista più alcuna pena.[71]

1861

1031

1473 Il perdono del peccato e la restaurazione della comunione con Dio comportano la remissione delle pene eterne del peccato. Rimangono, tuttavia, le pene temporali del peccato. Il cristiano deve sforzarsi, sopportando pazientemente le sofferenze e le prove di ogni genere e, venuto il giorno, affrontando serenamente la morte, di accettare come una grazia queste pene temporali del peccato; deve impegnarsi, attraverso le opere di misericordia e di carità, come pure mediante la preghiera e

2447

[69] Cf *1 Cor* 5,11; *Gal* 5,19-21; *Ap* 22,15.
[70] Paolo VI, Cost. ap. *Indulgentiarum doctrina,* Normae 1-3, AAS 59 (1967), 5-24.
[71] Cf Concilio di Trento: Denz.-Schönm., 1712-1713; 1820.

le varie pratiche di penitenza, a spogliarsi completamente dell'« uomo vecchio » e a rivestire « l'uomo nuovo ».[72]

Nella comunione dei santi

946-959 1474 Il cristiano che si sforza di purificarsi del suo peccato e di santificarsi con l'aiuto della grazia di Dio, non si trova solo. « La vita dei singoli figli di Dio in Cristo e per mezzo di Cristo viene congiunta con legame meraviglioso alla vita di tutti gli altri fratelli cristiani nella soprannaturale unità del Corpo mistico di Cristo, fin 795 quasi a formare una sola mistica persona ».[73]

1475 Nella comunione dei santi « tra i fedeli, che già hanno raggiunto la patria celeste o che stanno espiando le loro colpe nel Purgatorio, o che ancora sono pellegrini sulla terra, esiste certamente un vincolo perenne di carità ed un abbondante scambio di tutti i beni ».[74] In questo ammirabile scambio, la santità dell'uno giova agli altri, ben al di là del danno che il peccato dell'uno ha potuto causare agli altri. In tal modo, il ricorso alla comunione dei santi permette al peccatore contrito di essere in più breve tempo e più efficacemente purificato dalle pene del peccato.

1476 Questi beni spirituali della comunione dei santi sono anche chiamati il *tesoro della Chiesa,* che non « si deve considerare come la somma di beni materiali, accumulati nel corso dei secoli, ma come l'infinito ed inesauribile valore che le espiazioni 617 e i meriti di Cristo hanno presso il Padre ed offerti perché tutta l'umanità fosse liberata dal peccato e pervenisse alla comunione con il Padre; è lo stesso Cristo redentore, in cui sono e vivono le soddisfazioni ed i meriti della sua redenzione ».[75]

1477 « Appartiene inoltre a questo tesoro il valore veramente immenso, incommensurabile e sempre nuovo che presso Dio hanno le preghiere e le buone opere del- 969 la beata Vergine Maria e di tutti i santi, i quali, seguendo le orme di Cristo Signore per grazia sua, hanno santificato la loro vita e condotto a compimento la missione affidata loro dal Padre; in tal modo, realizzando la loro salvezza, hanno anche cooperato alla salvezza dei propri fratelli nell'unità del Corpo mistico ».[76]

Ottenere l'indulgenza di Dio mediante la Chiesa

981 1478 L'indulgenza si ottiene mediante la Chiesa che, in virtù del potere di legare e di sciogliere accordatole da Gesù Cristo, interviene a favore di un cristiano e gli dischiude il tesoro dei meriti di Cristo e dei santi perché ottenga dal Padre delle misericordie la remissione delle pene temporali dovute per i suoi peccati. Così la Chiesa

[72] Cf *Ef* 4,24.
[73] Paolo VI, Cost. ap. *Indulgentiarum doctrina,* 5.
[74] *Ibid.*
[75] *Ibid.*
[76] *Ibid.*

non vuole soltanto venire in aiuto a questo cristiano, ma anche spingerlo a compiere opere di pietà, di penitenza e di carità.[77]

1479 Poiché i fedeli defunti in via di purificazione sono anch'essi membri della medesima comunione dei santi, noi possiamo aiutarli, tra l'altro, ottenendo per loro delle indulgenze, in modo tale che siano sgravati dalle pene temporali dovute per i loro peccati. 1032

XI. La celebrazione del sacramento della Penitenza

1480 Come tutti i sacramenti, la Penitenza è un'azione liturgica. Questi sono ordinariamente gli elementi della celebrazione: il saluto e la benedizione del sacerdote, la lettura della Parola di Dio per illuminare la coscienza e suscitare la contrizione, e l'esortazione al pentimento; la confessione che riconosce i peccati e li manifesta al sacerdote; l'imposizione e l'accettazione della penitenza; l'assoluzione da parte del sacerdote; la lode con rendimento di grazie e il congedo con la benedizione da parte del sacerdote.

1481 La liturgia bizantina usa più formule di assoluzione, a carattere deprecativo, le quali mirabilmente esprimono il mistero del perdono: « Il Dio che, attraverso il profeta Natan, ha perdonato a Davide quando confessò i propri peccati, e a Pietro quando pianse amaramente, e alla peccatrice quando versò lacrime sui suoi piedi, e al fariseo e al prodigo, questo stesso Dio ti perdoni, attraverso me, peccatore, in questa vita e nell'altra, e non ti condanni quando apparirai al suo tremendo tribunale, egli che è benedetto nei secoli dei secoli. Amen ». 1449

1482 Il sacramento della Penitenza può anche aver luogo nel quadro di una *celebrazione comunitaria,* nella quale ci si prepara insieme alla confessione e insieme si rende grazie per il perdono ricevuto. In questo caso, la confessione personale dei peccati e l'assoluzione individuale sono inserite in una liturgia della Parola di Dio, con letture e omelia, esame di coscienza condotto in comune, richiesta comunitaria del perdono, preghiera del « Padre Nostro » e ringraziamento comune. Tale celebrazione comunitaria esprime più chiaramente il carattere ecclesiale della penitenza. Tuttavia, in qualunque modo venga celebrato, il sacramento della Penitenza è sempre, per sua stessa natura, un'azione liturgica, quindi ecclesiale e pubblica.[78] 1140

1483 In casi di grave necessità si può ricorrere alla *celebrazione comunitaria della riconciliazione con confessione generale e assoluzione generale.* Tale grave necessità può presentarsi qualora vi sia un imminente pericolo di morte senza che il o i sacerdoti abbiano il tempo sufficiente per ascoltare la confessione di ciascun penitente. La necessità grave può verificarsi anche quando, in considerazione del numero dei penitenti, non vi siano confessori in numero sufficiente per ascoltare debitamente le confessioni dei singoli entro un tempo ragionevole, così che i penitenti, senza loro colpa, 1401

[77] Cf Paolo VI, Cost. ap. *Indulgentiarum doctrina,* 8; Concilio di Trento: Denz.-Schönm., 1835.
[78] Cf Conc. Ecum. Vat. II, *Sacrosanctum concilium,* 26-27.

rimarrebbero a lungo privati della grazia sacramentale o della santa Comunione. In questo caso i fedeli, perché sia valida l'assoluzione, devono fare il proposito di confessare individualmente i propri peccati a tempo debito.[79] Spetta al vescovo diocesano giudicare se ricorrano le condizioni richieste per l'assoluzione generale.[80] Una considerevole affluenza di fedeli in occasione di grandi feste o di pellegrinaggi non costituisce un caso di tale grave necessità.[81]

1484 « La confessione individuale e completa, con la relativa assoluzione, resta l'unico modo ordinario grazie al quale i fedeli si riconciliano con Dio e con la Chiesa, a meno che un'impossibilità fisica o morale non li dispensi da una tale confessione ».[82] Ciò non è senza motivazioni profonde. Cristo agisce in ogni sacramento. Si rivolge personalmente a ciascun peccatore: « Figliolo, ti sono rimessi i tuoi peccati » (*Mc* 2,5); è il medico che si china su ogni singolo ammalato che ha bisogno di lui[83] per guarirlo; lo rialza e lo reintegra nella comunione fraterna. La confessione personale è quindi la forma più significativa della riconciliazione con Dio e con la Chiesa.

878

In sintesi

1485 *La sera di Pasqua, il Signore Gesù si mostrò ai suoi Apostoli e disse loro: « Ricevete lo Spirito Santo; a chi rimetterete i peccati saranno rimessi e a chi non li rimetterete, resteranno non rimessi »* (*Gv* 20,22-23).

1486 *Il perdono dei peccati commessi dopo il Battesimo è accordato mediante un sacramento apposito chiamato sacramento della conversione, della confessione, della penitenza o della riconciliazione.*

1487 *Colui che pecca ferisce l'onore di Dio e il suo amore, la propria dignità di uomo chiamato ad essere figlio di Dio e la salute spirituale della Chiesa di cui ogni cristiano deve essere una pietra viva.*

1488 *Agli occhi della fede, nessun male è più grave del peccato, e niente ha conseguenze peggiori per gli stessi peccatori, per la Chiesa e per il mondo intero.*

1489 *Ritornare alla comunione con Dio dopo averla perduta a causa del peccato, è un movimento nato dalla grazia di Dio ricco di misericordia*

[79] Cf *Codice di Diritto Canonico,* 962, 1.
[80] *Ibid.,* 961, 2.
[81] *Ibid.,* 961, 1.
[82] Rituale romano, *Rito della penitenza,* 31.
[83] Cf *Mc* 2,17.

e sollecito per la salvezza degli uomini. Bisogna chiedere questo dono prezioso per sé come per gli altri.

1490 *Il cammino di ritorno a Dio, chiamato conversione e pentimento, implica un dolore e una repulsione per i peccati commessi, e il fermo proposito di non peccare più in avvenire. La conversione riguarda dunque il passato e il futuro; essa si nutre della speranza nella misericordia divina.*

1491 *Il sacramento della Penitenza è costituito dall'insieme dei tre atti compiuti dal penitente, e dall'assoluzione da parte del sacerdote. Gli atti del penitente sono: il pentimento, la confessione o manifestazione dei peccati al sacerdote e il proposito di compiere la soddisfazione e le opere di soddisfazione.*

1492 *Il pentimento (chiamato anche contrizione) deve essere ispirato da motivi dettati dalla fede. Se il pentimento nasce dall'amore di carità verso Dio, lo si dice « perfetto »; se è fondato su altri motivi, lo si chiama « imperfetto ».*

1493 *Colui che vuole ottenere la riconciliazione con Dio e con la Chiesa, deve confessare al sacerdote tutti i peccati gravi che ancora non ha confessato e di cui si ricorda dopo aver accuratamente esaminato la propria coscienza. Sebbene non sia in sé necessaria, la confessione delle colpe veniali è tuttavia vivamente raccomandata dalla Chiesa.*

1494 *Il confessore propone al penitente il compimento di certi atti di « soddisfazione » o di « penitenza », al fine di riparare il danno causato dal peccato e ristabilire gli atteggiamenti consoni al discepolo di Cristo.*

1495 *Soltanto i sacerdoti che hanno ricevuto dall'autorità della Chiesa la facoltà di assolvere possono perdonare i peccati nel nome di Cristo.*

1496 *Gli effetti spirituali del sacramento della Penitenza sono:*

- *la riconciliazione con Dio mediante la quale il penitente ricupera la grazia;*
- *la riconciliazione con la Chiesa;*
- *la remissione della pena eterna meritata a causa dei peccati mortali;*
- *la remissione, almeno in parte, delle pene temporali, conseguenze del peccato;*
- *la pace e la serenità della coscienza, e la consolazione spirituale;*
- *l'accrescimento delle forze spirituali per il combattimento cristiano.*

1497 *La confessione individuale e completa dei peccati gravi seguita dall'assoluzione rimane l'unico mezzo ordinario per la riconciliazione con Dio e con la Chiesa.*

1498 *Mediante le indulgenze i fedeli possono ottenere per se stessi, e anche per le anime del Purgatorio, la remissione delle pene temporali, conseguenze dei peccati.*

Articolo 5

L'UNZIONE DEGLI INFERMI

1499 « Con la sacra unzione degli infermi e la preghiera dei presbiteri, tutta la Chiesa raccomanda gli ammalati al Signore sofferente e glorificato, perché alleggerisca le loro pene e li salvi, anzi li esorta a unirsi spontaneamente alla passione e alla morte di Cristo, per contribuire così al bene del popolo di Dio ».[84]

I. Suoi fondamenti nell'Economia della Salvezza

La malattia nella vita umana

1500 La malattia e la sofferenza sono sempre state tra i problemi più gravi che mettono alla prova la vita umana. Nella malattia l'uomo fa l'esperienza della propria impotenza, dei propri limiti e della propria finitezza. Ogni malattia può farci intravvedere la morte.

1006

1501 La malattia può condurre all'angoscia, al ripiegamento su di sé, talvolta persino alla disperazione e alla ribellione contro Dio. Ma essa può anche rendere la persona più matura, aiutarla a discernere nella propria vita ciò che non è essenziale per volgersi verso ciò che lo è. Molto spesso la malattia provoca una ricerca di Dio, un ritorno a lui.

Il malato di fronte a Dio

1502 L'uomo dell'Antico Testamento vive la malattia di fronte a Dio. È davanti a Dio che egli versa le sue lacrime sulla propria malattia; [85] è da

[84] Conc. Ecum. Vat. II, *Lumen gentium,* 11.
[85] Cf *Sal* 38.

lui, il Signore della vita e della morte, che egli implora la guarigione.[86] La malattia diventa cammino di conversione[87] e il perdono di Dio dà inizio alla guarigione.[88] Israele sperimenta che la malattia è legata, in un modo misterioso, al peccato e al male, e che la fedeltà a Dio, secondo la sua Legge, ridona la vita: « perché io sono il Signore, colui che ti guarisce! » (*Es* 15,26). Il profeta intuisce che la sofferenza può anche avere un valore redentivo per i peccati altrui.[89] Infine Isaia annuncia che Dio farà sorgere per Sion un tempo in cui perdonerà ogni colpa e guarirà ogni malattia.[90]

164 376

Cristo-medico

1503 La compassione di Cristo verso i malati e le sue numerose guarigioni di infermi di ogni genere[91] sono un chiaro segno del fatto che « Dio ha visitato il suo popolo » (*Lc* 7,16) e che il Regno di Dio è vicino. Gesù non ha soltanto il potere di guarire, ma anche di perdonare i peccati:[92] è venuto a guarire l'uomo tutto intero, anima e corpo; è il medico di cui i malati hanno bisogno.[93] La sua compassione verso tutti coloro che soffrono si spinge così lontano che egli si identifica con loro: « Ero malato e mi avete visitato » (*Mt* 25,36). Il suo amore di predilezione per gli infermi non ha cessato, lungo i secoli, di rendere i cristiani particolarmente premurosi verso tutti coloro che soffrono nel corpo e nello spirito. Essa sta all'origine degli instancabili sforzi per alleviare le loro pene.

549 1421 2288

1504 Spesso Gesù chiede ai malati di credere.[94] Si serve di segni per guarire: saliva e imposizione delle mani,[95] fango e abluzione.[96] I malati cercano di toccarlo[97] « perché da lui usciva una forza che sanava tutti » (*Lc* 6,19). Così, nei sacramenti, Cristo continua a « toccarci » per guarirci.

695 1116

1505 Commosso da tante sofferenze, Cristo non soltanto si lascia toccare dai malati, ma fa sue le loro miserie: « Egli ha preso le nostre infermità e si è addossato le nostre malattie » (*Mt* 8,17).[98] Non ha guarito però tutti i malati. Le sue guarigioni erano segni della venuta del Regno di Dio. Annunciavano

[86] Cf *Sal* 6,3; *Is* 38.
[87] Cf *Sal* 38,5; 39,9.12.
[88] Cf *Sal* 32,5; 107,20; *Mc* 2,5-12.
[89] Cf *Is* 53,11.
[90] Cf *Is* 33,24.
[91] Cf *Mt* 4,24.
[92] Cf *Mc* 2,5-12.
[93] Cf *Mc* 2,17.
[94] Cf *Mc* 5,34.36; 9,23.
[95] Cf *Mc* 7,32-36; 8,22-25.
[96] Cf *Gv* 9,6.
[97] Cf *Mc* 1,41; 3,10; 6,56.
[98] Cf *Is* 53,4.

440 una guarigione più radicale: la vittoria sul peccato e sulla morte attraverso la sua Pasqua. Sulla croce, Cristo ha preso su di sé tutto il peso del male [99] e ha tolto il « peccato del mondo » (*Gv* 1,29), di cui la malattia non è che una conseguenza. Con la sua passione e la sua morte sulla Croce, Cristo ha dato 307 un senso nuovo alla sofferenza: essa può ormai configurarci a lui e unirci alla sua passione redentrice.

« Guarite gli infermi... »

1506 Cristo invita i suoi discepoli a seguirlo prendendo anch'essi la loro croce.[100] Seguendolo, assumono un nuovo modo di vedere la malattia e i 859 malati. Gesù li associa alla sua vita di povertà e di servizio. Li rende partecipi del suo ministero di compassione e di guarigione: « E partiti, predicavano che la gente si convertisse, scacciavano molti demoni, ungevano di olio molti infermi e li guarivano » (*Mc* 6,12-13).

1507 Il Signore risorto rinnova questo invio (« Nel mio nome... imporranno le mani ai malati e questi guariranno »: *Mc* 16,17-18) e lo conferma per mezzo dei segni che la Chiesa compie invocando il suo nome.[101] Questi segni 430 manifestano in modo speciale che Gesù è veramente « Dio che salva ».[102]

798 1508 Lo Spirito Santo dona ad alcuni un carisma speciale di guarigione [103] per manifestare la forza della grazia del Risorto. Tuttavia, neppure le preghiere più intense ottengono la guarigione di tutte le malattie. Così san Paolo deve imparare dal Signore che « ti basta la mia grazia; la mia potenza infatti si manifesta pienamente nella debolezza » (*2 Cor* 12,9), e che le soffe- 618 renze da sopportare possono avere come senso quello per cui « io completo nella mia carne ciò che manca ai patimenti di Cristo, a favore del suo corpo che è la Chiesa » (*Col* 1,24).

1509 « Guarite gli infermi! » (*Mt* 10,8). Questo compito la Chiesa l'ha ricevuto dal Signore e cerca di attuarlo sia attraverso le cure che presta ai malati sia mediante la preghiera di intercessione con la quale li accompagna. Essa crede nella presenza vivificante di Cristo, medico delle anime e dei corpi. Questa presenza è particolarmente operante nei sacramenti e in modo tutto 1405 speciale nell'Eucaristia, pane che dà la vita eterna [104] e al cui legame con la salute del corpo san Paolo allude.[105]

[99] Cf *Is* 53,4-6.
[100] Cf *Mt* 10,38.
[101] Cf *At* 9,34; 14,3.
[102] Cf *Mt* 1,21; *At* 4,12.
[103] Cf *1 Cor* 12,9.28.30.
[104] Cf *Gv* 6,54.58.
[105] Cf *1 Cor* 11,30.

1510 La Chiesa apostolica conosce tuttavia un rito specifico in favore degli infermi, attestato da san Giacomo: « Chi è malato, chiami a sé i presbiteri della Chiesa e preghino su di lui, dopo averlo unto con olio, nel nome del Signore. E la preghiera fatta con fede salverà il malato: il Signore lo rialzerà e, se ha commesso peccati, gli saranno perdonati » (*Gc* 5,14-15). La Tradizione ha riconosciuto in questo rito uno dei sette sacramenti della Chiesa.[106]

1117

Un sacramento degli infermi

1511 La Chiesa crede e professa che esiste, tra i sette sacramenti, un sacramento destinato in modo speciale a confortare coloro che sono provati dalla malattia: l'Unzione degli infermi:

> Questa unzione sacra dei malati è stata istituita come vero e proprio sacramento del Nuovo Testamento dal Signore nostro Gesù Cristo. Accennato da Marco, è stato raccomandato ai fedeli e promulgato da Giacomo, apostolo e fratello del Signore.[107]

1512 Nella tradizione liturgica, tanto in Oriente quanto in Occidente, si hanno fin dall'antichità testimonianze di unzioni di infermi praticate con olio benedetto. Nel corso dei secoli, l'Unzione degli infermi è stata conferita sempre più esclusivamente a coloro che erano in punto di morte. Per questo motivo aveva ricevuto il nome di « Estrema Unzione ». Malgrado questa evoluzione la Liturgia non ha mai tralasciato di pregare il Signore affinché il malato riacquisti la salute, se ciò può giovare alla sua salvezza.[108]

1513 La Costituzione apostolica « Sacram unctionem infirmorum » del 30 novembre 1972, in linea con il Concilio Vaticano II [109] ha stabilito che, per l'avvenire, sia osservato nel rito romano quanto segue:

> Il sacramento dell'Unzione degli infermi viene conferito ai malati in grave pericolo, ungendoli sulla fronte e sulle mani con olio debitamente benedetto – olio di oliva o altro olio vegetale – dicendo una sola volta: « Per questa santa unzione e per la sua piissima misericordia ti aiuti il Signore con la grazia dello Spirito Santo, e liberandoti dai peccati, ti salvi e nella sua bontà ti sollevi ».[110]

[106] Cf Innocenzo I, Lettera *Si instituta ecclesiastica*: Denz.-Schönm., 216; Concilio di Firenze: *ibid.,* 1324-1325; Concilio di Trento: *ibid.,* 1695-1696; 1716-1717.
[107] Concilio di Trento: Denz.-Schönm., 1695; cf *Mc* 6,13; *Gc* 5,14-15.
[108] Cf Concilio di Trento: Denz.-Schönm., 1696.
[109] Cf Conc. Ecum. Vat. II, *Sacrosanctum concilium,* 73.
[110] Paolo VI, Cost. ap. *Sacram unctionem infirmorum;* cf *Codice di Diritto Canonico,* 847, 1.

II. Chi riceve e chi amministra questo sacramento?

In caso di malattia grave...

1514 L'Unzione degli infermi « non è il sacramento di coloro soltanto che sono in fin di vita. Perciò il tempo opportuno per riceverla si ha certamente già quando il fedele, per malattia o per vecchiaia, incomincia ad essere in pericolo di morte ».[111]

1515 Se un malato che ha ricevuto l'Unzione riacquista la salute, può, in caso di un'altra grave malattia, ricevere nuovamente questo sacramento. Nel corso della stessa malattia il sacramento può essere ripetuto se si verifica un peggioramento. È opportuno ricevere l'Unzione degli infermi prima di un intervento chirurgico rischioso. Lo stesso vale per le persone anziane la cui debolezza si accentua.

« ...chiami a sé i presbiteri della Chiesa »

1516 Soltanto i sacerdoti (vescovi e presbiteri) sono i ministri dell'Unzione degli infermi.[112] È dovere dei pastori istruire i fedeli sui benefici di questo sacramento. I fedeli incoraggino i malati a ricorrere al sacerdote per ricevere tale sacramento. I malati si preparino a riceverlo con buone disposizioni, aiutati dal loro pastore e da tutta la comunità ecclesiale, che è invitata a circondare in modo tutto speciale i malati con le sue preghiere e le sue attenzioni fraterne.

III. Come si celebra questo sacramento?

1517 Come tutti i sacramenti, l'Unzione degli infermi è una celebrazione liturgica e comunitaria,[113] sia che abbia luogo in famiglia, all'ospedale o in chiesa, per un solo malato o per un gruppo di infermi. È molto opportuno che sia celebrata durante l'Eucaristia, memoriale della Pasqua del Signore. Se le circostanze lo consigliano, la celebrazione del sacramento può essere preceduta dal sacramento della Penitenza e seguita da quello dell'Eucaristia. In quanto sacramento della Pasqua di Cristo, l'Eucaristia dovrebbe sempre essere l'ultimo sacramento del pellegrinaggio terreno, il « viatico » per il « passaggio » alla vita eterna.

1140
1524

[111] Conc. Ecum. Vat. II, *Sacrosanctum concilium*, 73; cf *Codice di Diritto Canonico*, 1004, 1; 1005; 1007; *Corpus Canonum Ecclesiarum Orientalium*, 738.
[112] Cf Concilio di Trento: Denz.-Schönm., 1697; 1719; *Codice di Diritto Canonico*, 1003; *Corpus Canonum Ecclesiarum Orientalium*, 739, 1.
[113] Cf Conc. Ecum. Vat. II, *Sacrosanctum concilium*, 27.

1518 Parola e sacramento costituiscono un tutto inseparabile. La Liturgia della Parola, preceduta da un atto penitenziale, apre la celebrazione. Le parole di Cristo, la testimonianza degli Apostoli ravvivano la fede del malato e della comunità per chiedere al Signore la forza del suo Spirito.

1519 La celebrazione del sacramento comprende principalmente i seguenti elementi: « i presbiteri della Chiesa » (*Gc* 5,14) impongono — in silenzio — le mani ai malati; pregano sui malati nella fede della Chiesa: [114] è l'epiclesi propria di questo sacramento; quindi fanno l'unzione con l'olio, benedetto, possibilmente, dal vescovo.

Queste azioni liturgiche indicano quale grazia tale sacramento conferisce ai malati.

IV. Gli effetti della celebrazione di questo sacramento

1520 Un *dono particolare dello Spirito Santo.* La grazia fondamentale di questo sacramento è una grazia di conforto, di pace e di coraggio per superare le difficoltà proprie dello stato di malattia grave o della fragilità della vecchiaia. Questa grazia è un dono dello Spirito Santo che rinnova la fiducia e la fede in Dio e fortifica contro le tentazioni del maligno, cioè contro la tentazione di scoraggiamento e di angoscia di fronte alla morte.[115] Questa assistenza del Signore attraverso la forza del suo Spirito vuole portare il malato alla guarigione dell'anima, ma anche a quella del corpo, se tale è la volontà di Dio.[116] Inoltre, « se ha commesso peccati, gli saranno perdonati » (*Gc* 5,15).[117]

733

1521 L'*unione alla Passione di Cristo.* Per la grazia di questo sacramento il malato riceve la forza e il dono di unirsi più intimamente alla passione di Cristo: egli viene in certo qual modo *consacrato* per portare frutto mediante la configurazione alla Passione redentrice del Salvatore. La sofferenza, conseguenza del peccato originale, riceve un senso nuovo: diviene partecipazione all'opera salvifica di Gesù.

1535 1499

1522 Una *grazia ecclesiale.* I malati che ricevono questo sacramento, unendosi « spontaneamente alla passione e alla morte di Cristo », contribuiscono « al bene del popolo di Dio ».[118] Celebrando questo sacramento, la Chiesa, nella comunione dei santi, intercede per il bene del malato. E l'infer-

953

[114] Cf *Gc* 5,15.
[115] Cf *Eb* 2,15.
[116] Cf Concilio di Firenze: DENZ.-SCHÖNM., 1325.
[117] Cf Concilio di Trento: *ibid.*, 1717.
[118] CONC. ECUM. VAT. II, *Lumen gentium,* 11.

mo, a sua volta, per la grazia di questo sacramento, contribuisce alla santificazione della Chiesa e al bene di tutti gli uomini per i quali la Chiesa soffre e si offre, per mezzo di Cristo, a Dio Padre.

1020 1523 Una *preparazione all'ultimo passaggio*. Se il sacramento dell'Unzione degli infermi è conferito a tutti coloro che soffrono di malattie e di infermità gravi, a maggior ragione è dato a coloro che stanno per uscire da questa vita (« in exitu vitae constituti »), per cui lo si è anche chiamato « sacramentum exeuntium ».[119] L'Unzione degli infermi porta a compimento la nostra conformazione alla Morte e alla Risurrezione di Cristo, iniziata dal Battesimo. 1294 Essa completa le sante unzioni che segnano tutta la vita cristiana; quella del Battesimo aveva suggellato in noi la vita nuova; quella della Confermazione 1020 ci aveva fortificati per il combattimento di questa vita. Quest'ultima unzione munisce la fine della nostra esistenza terrena come di un solido baluardo in vista delle ultime lotte prima dell'ingresso nella Casa del Padre.[120]

V. Il viatico, ultimo sacramento del cristiano

1392 1524 A coloro che stanno per lasciare questa vita, la Chiesa offre, oltre all'Unzione degli infermi, l'Eucaristia come viatico. Ricevuta in questo momento di passaggio al Padre, la Comunione al Corpo e al Sangue di Cristo ha un significato e un'importanza particolari. È seme di vita eterna e potenza di risurrezione, secondo le parole del Signore: « Chi mangia la mia carne e beve il mio sangue ha la vita eterna e io lo risusciterò nell'ultimo giorno » (*Gv* 6,54). Sacramento di Cristo morto e risorto, l'Eucaristia è, qui, sacramento del passaggio dalla morte alla vita, da questo mondo al Padre.[121]

1680 1525 Come i sacramenti del Battesimo, della Confermazione e dell'Eucaristia costituiscono una unità chiamata « i sacramenti dell'iniziazione cristiana », così si può dire che la Penitenza, la Sacra Unzione e l'Eucaristia, in quanto viatico, costituiscono, al termine della vita cristiana, « i sacramenti 2299 che preparano alla Patria » o i sacramenti che concludono il pellegrinaggio terreno.

In sintesi

1526 *« Chi è malato, chiami a sé i presbiteri della Chiesa e preghino su di lui, dopo averlo unto con olio, nel nome del Signore. E la preghiera fatta*

[119] Concilio di Trento: Denz.-Schönm., 1698.
[120] Cf *ibid.*, 1694.
[121] Cf *Gv* 13,1.

con fede salverà il malato: il Signore lo rialzerà e se ha commesso peccati, gli saranno perdonati» (*Gc* 5,14-15).

1527 *Il sacramento dell'Unzione degli infermi ha lo scopo di conferire una grazia speciale al cristiano che sperimenta le difficoltà inerenti allo stato di malattia grave o alla vecchiaia.*

1528 *Il momento opportuno per ricevere la sacra Unzione è certamente quello in cui il fedele comincia a trovarsi in pericolo di morte per malattia o vecchiaia.*

1529 *Ogni volta che un cristiano cade gravemente malato, può ricevere la sacra Unzione, come pure quando, dopo averla già ricevuta, si verifica un aggravarsi della malattia.*

1530 *Soltanto i sacerdoti (presbiteri e vescovi) possono amministrare il sacramento dell'Unzione degli infermi; per conferirlo usano olio benedetto dal vescovo, o, all'occorrenza, dallo stesso presbitero celebrante.*

1531 *L'essenziale della celebrazione di questo sacramento consiste nell'unzione sulla fronte e sulle mani del malato (nel rito romano) o su altre parti del corpo (in Oriente), unzione accompagnata dalla preghiera liturgica del sacerdote celebrante che implora la grazia speciale di questo sacramento.*

1532 *La grazia speciale del sacramento dell'Unzione degli infermi ha come effetti:*

- *l'unione del malato alla passione di Cristo, per il suo bene e per quello di tutta la Chiesa;*
- *il conforto, la pace e il coraggio per sopportare cristianamente le sofferenze della malattia o della vecchiaia;*
- *il perdono dei peccati, se il malato non ha potuto ottenerlo con il sacramento della Penitenza;*
- *il recupero della salute, se ciò giova alla salvezza spirituale;*
- *la preparazione al passaggio alla vita eterna.*

CAPITOLO TERZO

I SACRAMENTI DEL SERVIZIO DELLA COMUNIONE

1533 Il Battesimo, la Confermazione e l'Eucaristia sono i sacramenti dell'iniziazione cristiana. Essi fondano la vocazione comune di tutti i discepoli di Cristo, vocazione alla santità e alla missione di evangelizzare il mondo. Conferiscono le grazie necessarie per vivere secondo lo Spirito in questa vita di pellegrini in cammino verso la patria.

1212

1534 Due altri sacramenti, l'Ordine e il Matrimonio, sono ordinati alla salvezza altrui. Se contribuiscono anche alla salvezza personale, questo avviene attraverso il servizio degli altri. Essi conferiscono una missione particolare nella Chiesa e servono all'edificazione del popolo di Dio.

784

1535 In questi sacramenti, coloro che sono già stati *consacrati* mediante il Battesimo e la Confermazione per il sacerdozio comune di tutti i fedeli,[1] possono ricevere *consacrazioni* particolari. Coloro che ricevono il sacramento dell'Ordine sono *consacrati* per essere « posti, in nome di Cristo, a pascere la Chiesa con la parola e la grazia di Dio ».[2] Da parte loro, « i coniugi cristiani sono corroborati e come *consacrati* da uno speciale sacramento per i doveri e la dignità del loro stato ».[3]

Articolo 6

IL SACRAMENTO DELL'ORDINE

1536 L'Ordine è il sacramento grazie al quale la missione affidata da Cristo ai suoi Apostoli continua ad essere esercitata nella Chiesa sino alla fine dei tempi: è, dunque, il sacramento del ministero apostolico. Comporta tre gradi: l'episcopato, il presbiterato e il diaconato.

860

[1] Cf Conc. Ecum. Vat. II, *Lumen gentium,* 10.
[2] Conc. Ecum. Vat. II, *Lumen gentium,* 11.
[3] Conc. Ecum. Vat. II, *Gaudium et spes,* 48.

[Per l'istituzione e la missione del ministero apostolico da parte di Cristo, vedi sotto. Qui si tratta soltanto della via sacramentale attraverso la quale tale ministero viene trasmesso].

I. Perché il nome di sacramento dell'Ordine?

1537 La parola *Ordine,* nell'antichità romana, designava dei corpi costituiti in senso civile, soprattutto il corpo di coloro che governano. « Ordinatio » – ordinazione – indica l'integrazione in un « ordo » – ordine –. Nella Chiesa ci sono corpi costituiti che la Tradizione, non senza fondamenti scritturistici,[4] chiama sin dai tempi antichi con il nome di « taxeis » (in greco), di « ordines »: così la Liturgia parla dell'« ordo episcoporum » – ordine dei vescovi, – dell'« ordo presbyterorum » – ordine dei presbiteri – dell'« ordo diaconorum » – ordine dei diaconi. Anche altri gruppi ricevono questo nome di « ordo »: i catecumeni, le vergini, gli sposi, le vedove... 923; 1631

1538 L'integrazione in uno di questi corpi ecclesiali avveniva con un rito chiamato *ordinatio,* atto religioso e liturgico che consisteva in una consacrazione, una benedizione o un sacramento. Oggi la parola « ordinatio » è riservata all'atto sacramentale che integra nell'ordine dei vescovi, dei presbiteri e dei diaconi e che va al di là di una semplice *elezione, designazione, delega o istituzione* da parte della comunità, poiché conferisce un dono dello Spirito Santo che permette di esercitare una « potestà sacra » (« sacra potestas »),[5] la 875 quale non può venire che da Cristo stesso, mediante la sua Chiesa. L'ordinazione è chiamata anche « consecratio » — consacrazione — poiché è una separazione e una investitura da parte di Cristo stesso, per la sua Chiesa. L'*imposizione delle mani* del vescovo, insieme con la preghiera consacrato- 699 ria, costituisce il segno visibile di tale consacrazione.

II. Il sacramento dell'Ordine nell'Economia della Salvezza

Il sacerdozio dell'Antica Alleanza

1539 Il popolo eletto fu costituito da Dio come « un regno di sacerdoti e una nazione santa » (*Es* 19,6).[6] Ma all'interno del popolo di Israele, Dio scelse una delle dodici tribù, quella di Levi, riservandola per il servizio litur-

[4] Cf *Eb* 5,6; 7,11; *Sal* 110,4.
[5] Cf Conc. Ecum. Vat. II, *Lumen gentium,* 10.
[6] Cf *Is* 61,6.

gico; [7] Dio stesso è la sua parte di eredità.[8] Un rito proprio ha consacrato le origini del sacerdozio dell'Antica Alleanza.[9] In essa i sacerdoti sono costituiti « per il bene degli uomini nelle cose che riguardano Dio, per offrire doni e sacrifici per i peccati ».[10]

2099 1540 Istituito per annunciare la Parola di Dio [11] e per ristabilire la comunione con Dio mediante i sacrifici e la preghiera, tale sacerdozio è tuttavia impotente a operare la salvezza, avendo bisogno di offrire continuamente sacrifici e non potendo portare ad una santificazione definitiva,[12] che soltanto il sacrificio di Cristo avrebbe operato.

1541 La Liturgia della Chiesa vede tuttavia nel sacerdozio di Aronne e nel servizio dei leviti, come pure nell'istituzione dei settanta « Anziani »,[13] delle prefigurazioni del ministero ordinato della Nuova Alleanza. Così, nel rito latino, la Chiesa si esprime nella preghiera consacratoria dell'ordinazione dei vescovi:

> O Dio, Padre del Signore nostro Gesù Cristo... Con la parola di salvezza hai dato norme di vita nella tua Chiesa: tu, dal principio, hai eletto Abramo come padre dei giusti, hai costituito capi e sacerdoti per non lasciare mai senza ministero il tuo santuario...[14]

1542 Nell'ordinazione dei sacerdoti, la Chiesa prega:

> Signore, Padre santo... Nell'Antica Alleanza presero forma e figura vari uffici istituiti per il servizio liturgico. A Mosè e ad Aronne, da te prescelti per reggere e santificare il tuo popolo, associasti collaboratori che li seguivano nel grado e nella dignità. Nel cammino dell'esodo comunicasti a settanta uomini saggi e prudenti lo spirito di Mosè tuo servo, perché egli potesse guidare più agevolmente con il loro aiuto il tuo popolo. Tu rendesti partecipi i figli di Aronne della pienezza del loro padre, perché non mancasse mai nella tua tenda il servizio sacerdotale.[15]

1543 E nella preghiera consacratoria per l'ordinazione dei diaconi, la Chiesa confessa:

> Dio onnipotente... Tu hai formato la Chiesa... hai disposto che mediante i tre gradi del ministero da te istituito cresca e si edifichi il nuovo tempio, come in antico scegliesti i figli di Levi a servizio del tabernacolo santo.[16]

[7] Cf *Nm* 1,48-53.
[8] Cf *Gs* 13,33.
[9] Cf *Es* 29,1-30; *Lv* 8.
[10] Cf *Eb* 5,1.
[11] Cf *Ml* 2,7-9.
[12] Cf *Eb* 5,3; 7,27; 10,1-4.
[13] Cf *Nm* 11,24-25.
[14] Pontificale romano, *Ordinazione del Vescovo, dei presbiteri e dei diaconi,* 52.
[15] *Ibid.,* 177.
[16] *Ibid.,* 230.

L'unico sacerdozio di Cristo

1544 Tutte le prefigurazioni del sacerdozio dell'Antica Alleanza trovano il loro compimento in Cristo Gesù, unico « mediatore tra Dio e gli uomini » (*1 Tm* 2,5). Melchisedek, « sacerdote del Dio altissimo » (*Gn* 14,18), è considerato dalla Tradizione cristiana come una prefigurazione del sacerdozio di Cristo, unico « sommo sacerdote alla maniera di Melchisedek » (*Eb* 5,10; 6,20), « santo, innocente, senza macchia » (*Eb* 7,26), il quale « con un'unica oblazione... ha reso perfetti per sempre quelli che vengono santificati » (*Eb* 10,14), cioè con l'unico sacrificio della sua croce. 874

1545 Il sacrificio redentore di Cristo è unico, compiuto una volta per tutte. Tuttavia è reso presente nel sacrificio eucaristico della Chiesa. Lo stesso vale per l'unico sacerdozio di Cristo: esso è reso presente dal sacerdozio ministeriale senza che venga diminuita l'unicità del sacerdozio di Cristo. « Infatti solo Cristo è il vero sacerdote, mentre gli altri sono i suoi ministri ».[17] 1367 662

Due partecipazioni all'unico sacerdozio di Cristo

1546 Cristo, sommo sacerdote e unico mediatore, ha fatto della Chiesa « un Regno di sacerdoti per il suo Dio e Padre » (*Ap* 1,6).[18] Tutta la comunità dei credenti è, come tale, sacerdotale. I fedeli esercitano il loro sacerdozio battesimale attraverso la partecipazione, ciascuno secondo la vocazione sua propria, alla missione di Cristo, Sacerdote, Profeta e Re. È per mezzo dei sacramenti del Battesimo e della Confermazione che i fedeli « vengono consacrati a formare... un sacerdozio santo ».[19] 1268

1547 Il sacerdozio ministeriale o gerarchico dei vescovi e dei sacerdoti e il sacerdozio comune di tutti i fedeli, anche se « l'uno e l'altro, ognuno a suo proprio modo, partecipano all'unico sacerdozio di Cristo », differiscono tuttavia essenzialmente, pur essendo « ordinati l'uno all'altro ».[20] In che senso? Mentre il sacerdozio comune dei fedeli si realizza nello sviluppo della grazia battesimale — vita di fede, di speranza e di carità, vita secondo lo Spirito — il sacerdozio ministeriale è al servizio del sacerdozio comune, è relativo allo sviluppo della grazia battesimale di tutti i cristiani. È uno dei *mezzi* con i quali Cristo continua a costruire e a guidare la sua Chiesa. Proprio per questo motivo viene trasmesso mediante un sacramento specifico, il sacramento dell'Ordine. 1142 1120

[17] San Tommaso d'Aquino, *In ad Hebraeos,* 7, 4.
[18] Cf *Ap* 5,9-10; *1 Pt* 2,5.9.
[19] Conc. Ecum. Vat. II, *Lumen gentium,* 10.
[20] *Ibid.*

In persona di Cristo Capo

875 792 1548 Nel servizio ecclesiale del ministero ordinato è Cristo stesso che è presente alla sua Chiesa in quanto Capo del suo Corpo, Pastore del suo gregge, Sommo Sacerdote del sacrificio redentore, Maestro di Verità. È ciò che la Chiesa esprime dicendo che il sacerdote, in virtù del sacramento dell'Ordine, agisce « in persona Christi capitis » – in persona di Cristo Capo: [21]

> È il medesimo Sacerdote, Cristo Gesù, di cui realmente il ministro fa le veci. Costui se, in forza della consacrazione sacerdotale che ha ricevuto, è in verità assimilato al Sommo Sacerdote, gode della potestà di agire con la potenza dello stesso Cristo che rappresenta (« virtute ac persona ipsius Christi »).[22]
>
> Cristo è la fonte di ogni sacerdozio: infatti il sacerdote della Legge [Antica] era figura di lui, mentre il sacerdote della nuova Legge agisce in persona di lui.[23]

1549 Attraverso il ministero ordinato, specialmente dei vescovi e dei sacerdoti, la presenza di Cristo quale Capo della Chiesa è resa visibile in mezzo alla comunità dei credenti.[24] Secondo la bella espressione di sant'Ignazio di 1142 Antiochia, il vescovo è « *typos tou Patros* », è come l'immagine vivente di Dio Padre.[25]

1550 Questa presenza di Cristo nel ministro non deve essere intesa come se 896 costui fosse premunito contro ogni debolezza umana, lo spirito di dominio, gli errori, persino il peccato. La forza dello Spirito Santo non garantisce nello stesso modo tutti gli atti dei ministri. Mentre nell'amministrazione dei 1128 sacramenti viene data questa garanzia, così che neppure il peccato del 1584 ministro può impedire il frutto della grazia, esistono molti altri atti in cui l'impronta umana del ministro lascia tracce che non sono sempre il segno della fedeltà al Vangelo e che di conseguenza possono nuocere alla fecondità apostolica della Chiesa.

1551 Questo sacerdozio è *ministeriale*. « Questo ufficio che il Signore ha 876 affidato ai pastori del suo popolo è un vero *servizio* ».[26] Esso è interamente riferito a Cristo e agli uomini. Dipende interamente da Cristo e dal suo unico sacerdozio ed è stato istituito in favore degli uomini e della 1538 comunità della Chiesa. Il sacramento dell'Ordine comunica « una potestà sacra », che è precisamente quella di Cristo. L'esercizio di tale autorità deve

[21] Cf Conc. Ecum. Vat. II, *Lumen gentium,* 10; 28; Id., *Sacrosanctum concilium,* 33; Id., *Christus Dominus,* 11; Id., *Presbyterorum ordinis,* 2; 6.
[22] Pio XII, Lett. enc. *Mediator Dei.*
[23] San Tommaso d'Aquino, *Summa theologiae,* III, 22, 4.
[24] Cf Conc. Ecum. Vat. II, *Lumen gentium,* 21.
[25] Sant'Ignazio di Antiochia, *Epistula ad Trallianos,* 3, 1; cf *Epistula ad Magnesios,* 6, 1.
[26] Conc. Ecum. Vat. II, *Lumen gentium,* 24.

dunque misurarsi sul modello di Cristo, che per amore si è fatto l'ultimo e il servo di tutti.[27] « Il Signore ha esplicitamente detto che la sollecitudine per il suo gregge era una prova di amore verso di lui ».[28] 608

« A NOME DI TUTTA LA CHIESA »

1552 Il sacerdozio ministeriale non ha solamente il compito di rappresentare Cristo – Capo della Chiesa – di fronte all'assemblea dei fedeli; esso agisce anche a nome di tutta la Chiesa allorché presenta a Dio la preghiera della Chiesa [29] e soprattutto quando offre il sacrificio eucaristico.[30]

1553 « A nome di *tutta* la Chiesa ». Ciò non significa che i sacerdoti siano i delegati della comunità. La preghiera e l'offerta della Chiesa sono inseparabili dalla preghiera e dall'offerta di Cristo, suo Capo. È sempre il culto di Cristo nella e per mezzo della sua Chiesa. È tutta la Chiesa, Corpo di Cristo, che prega e si offre, « per ipsum et cum ipso et in ipso » – per lui, con lui e in lui – nell'unità dello Spirito Santo, a Dio Padre. Tutto il Corpo, « caput et membra » – capo e membra – prega e si offre; per questo coloro che, nel Corpo, sono i ministri in senso proprio, vengono chiamati ministri non solo di Cristo, ma anche della Chiesa. Proprio perché rappresenta Cristo, il sacerdozio ministeriale può rappresentare la Chiesa. 795

III. I tre gradi del sacramento dell'Ordine

1554 « Il ministero ecclesiastico di istituzione divina viene esercitato in diversi ordini, da quelli che già anticamente sono chiamati vescovi, presbiteri, diaconi ».[31] La dottrina cattolica, espressa nella Liturgia, nel magistero e nella pratica costante della Chiesa, riconosce che esistono due gradi di partecipazione ministeriale al sacerdozio di Cristo: l'episcopato e il presbiterato. Il diaconato è finalizzato al loro aiuto e al loro servizio. Per questo il termine « *sacerdos* » – sacerdote – designa, nell'uso attuale, i vescovi e i presbiteri, ma non i diaconi. Tuttavia, la dottrina cattolica insegna che i gradi di partecipazione sacerdotale (episcopato e presbiterato) e il grado di servizio (diaconato) sono tutti e tre conferiti da un atto sacramentale chiamato « ordinazione », cioè dal sacramento dell'Ordine: 1536 1538

> Tutti rispettino i diaconi come lo stesso Gesù Cristo, e il vescovo come l'immagine del Padre, e i presbiteri come il senato di Dio e come il collegio apostolico: senza di loro non c'è Chiesa.[32]

[27] Cf *Mc* 10,43-45; *1 Pt* 5,3.
[28] SAN GIOVANNI CRISOSTOMO, *De sacerdotio,* 2, 4: PG 48, 635D; cf *Gv* 21,15-17.
[29] Cf CONC. ECUM. VAT. II, *Sacrosanctum concilium,* 33.
[30] Cf CONC. ECUM. VAT. II, *Lumen gentium,* 10.
[31] *Ibid.,* 28.
[32] SANT'IGNAZIO DI ANTIOCHIA, *Epistula ad Trallianos,* 3, 1.

L'ordinazione episcopale – pienezza del sacramento dell'Ordine

1555 « Fra i vari ministeri che fin dai primi tempi si esercitano nella Chiesa, secondo la testimonianza della Tradizione, tiene il primo posto l'ufficio di quelli che, costituiti nell'episcopato, per successione che risale all'origine, possiedono i tralci del seme apostolico ».[33]
861

1556 Per adempiere alla loro alta missione, « gli Apostoli sono stati arricchiti da Cristo con una speciale effusione dello Spirito Santo discendente su loro, ed essi stessi, con l'imposizione delle mani, hanno trasmesso questo dono dello Spirito ai loro collaboratori, dono che è stato trasmesso fino a noi nella consacrazione episcopale ».[34]
862

1557 Il Concilio Vaticano II insegna che « con la consacrazione episcopale viene conferita *la pienezza del sacramento dell'Ordine,* quella cioè che dalla consuetudine liturgica della Chiesa e dalla voce dei santi Padri viene chiamata il sommo sacerdozio, il vertice ["Summa"] del sacro ministero ».[35]

895
1558 « La consacrazione episcopale conferisce pure, con l'ufficio di santificare, gli uffici di insegnare e di governare... Infatti... con l'imposizione delle mani e con le parole della consacrazione la grazia dello Spirito Santo viene conferita e viene impresso un sacro carattere, in maniera che i vescovi, in modo eminente e visibile, sostengono le parti dello stesso Cristo Maestro, Pastore e Pontefice, e agiscono in sua persona ["in Eius persona agant"] ».[36] « Perciò i vescovi, per virtù dello Spirito Santo, che loro è stato dato, sono divenuti i veri e autentici maestri della fede, i pontefici e i pastori ».[37]
1121

1559 « Uno viene costituito membro del corpo episcopale in virtù della consacrazione episcopale e mediante la comunione gerarchica col capo del collegio e con i membri ».[38] Il carattere e la *natura collegiale* dell'ordine episcopale si manifestano, tra l'altro, nell'antica prassi della Chiesa che per la consacrazione di un nuovo vescovo vuole la partecipazione di più vescovi.[39] Per l'ordinazione legittima di un vescovo, oggi è richiesto un intervento speciale del Vescovo di Roma, per il fatto che egli è il supremo vincolo visibile della comunione delle Chiese particolari nell'unica Chiesa e il garante della loro libertà.
877
882

[33] Conc. Ecum. Vat. II, *Lumen gentium,* 20.
[34] *Ibid.,* 21.
[35] *Ibid.*
[36] *Ibid.*
[37] Conc. Ecum. Vat. II, *Christus Dominus,* 2.
[38] Conc. Ecum. Vat. II, *Lumen gentium,* 22.
[39] Cf *ibid.*

1560 Ogni vescovo ha, quale vicario di Cristo, l'ufficio pastorale della Chiesa particolare che gli è stata affidata, ma nello stesso tempo porta collegialmente con tutti i fratelli nell'episcopato la *sollecitudine per tutte le Chiese:* « Se ogni vescovo è propriamente pastore soltanto della porzione del gregge affidata alle sue cure, la sua qualità di legittimo successore degli Apostoli, per istituzione divina, lo rende solidarmente responsabile della missione apostolica della Chiesa ».[40]

833 886

1561 Quanto è stato detto spiega perché l'Eucaristia celebrata dal vescovo ha un significato tutto speciale come espressione della Chiesa riunita attorno all'altare sotto la presidenza di colui che rappresenta visibilmente Cristo, Buon Pastore e Capo della sua Chiesa.[41]

1369

L'ordinazione dei presbiteri – cooperatori dei vescovi

1562 « Cristo, consacrato e mandato nel mondo dal Padre, per mezzo dei suoi Apostoli ha reso partecipi della sua consacrazione e della sua missione i loro successori, cioè i vescovi, i quali hanno legittimamente affidato, secondo diversi gradi, l'ufficio del loro ministero a vari soggetti nella Chiesa ».[42] « La [loro] funzione ministeriale fu trasmessa in grado subordinato ai presbiteri, affinché questi, costituiti nell'Ordine del presbiterato, fossero *cooperatori dell'Ordine episcopale,* per il retto assolvimento della missione apostolica affidata da Cristo ».[43]

1563 « La funzione dei presbiteri, in quanto strettamente unita all'Ordine episcopale, partecipa dell'autorità con la quale Cristo stesso fa crescere, santifica e governa il proprio Corpo. Per questo motivo, il sacerdozio dei presbiteri, pur presupponendo i sacramenti dell'iniziazione cristiana, viene conferito da quel particolare sacramento per il quale i presbiteri, in virtù dell'unzione dello Spirito Santo, sono segnati da uno speciale carattere che li configura a Cristo Sacerdote, in modo da poter agire in nome e nella persona di Cristo Capo ».[44]

1121

1564 « I presbiteri, pur non possedendo il vertice del sacerdozio e dipendendo dai vescovi nell'esercizio della loro potestà, sono tuttavia a loro uniti

[40] Pio XII, Lett. enc. *Fidei donum;* cf Conc. Ecum. Vat. II, *Lumen gentium,* 23; Id., *Christus Dominus,* 4; 36; 37; Id., *Ad gentes,* 5; 6; 38.
[41] Cf Conc. Ecum. Vat. II, *Sacrosanctum concilium,* 41; Id., *Lumen gentium,* 26.
[42] Conc. Ecum. Vat. II, *Lumen gentium,* 28.
[43] Conc. Ecum. Vat. II, *Presbyterorum ordinis,* 2.
[44] *Ibid.*

nell'onore sacerdotale e in virtù del sacramento dell'Ordine, a immagine di Cristo, sommo ed eterno sacerdote,[45] sono consacrati per predicare il Vangelo, pascere i fedeli e celebrare il culto divino, *quali veri sacerdoti del Nuovo Testamento* ».[46]

611

1565 In virtù del sacramento dell'Ordine i sacerdoti partecipano alla dimensione universale della missione affidata da Cristo agli Apostoli. « Il dono spirituale che... hanno ricevuto nell'ordinazione non li prepara ad una missione limitata e ristretta, bensì a una vastissima e universale missione di salvezza, "fino agli ultimi confini della terra" »,[47] « pronti nel loro animo a predicare dovunque il Vangelo ».[48]

849

1566 Essi « soprattutto esercitano la loro funzione sacra nel culto o *assemblea eucaristica,* dove, agendo in persona di Cristo, e proclamando il suo mistero, uniscono i voti dei fedeli al sacrificio del loro Capo e nel sacrificio della Messa rendono presente e applicano, fino alla venuta del Signore, l'unico sacrificio del Nuovo Testamento, il sacrificio cioè di Cristo, che una volta per tutte si offre al Padre quale vittima immacolata ».[49] Da questo unico sacrificio tutto il loro ministero sacerdotale trae la sua forza.[50]

1369, 611

1567 « I presbiteri, saggi collaboratori dell'ordine episcopale e suoi aiuto e strumento, chiamati al servizio del Popolo di Dio, costituiscono col loro vescovo un unico *presbiterio,* sebbene destinato a uffici diversi. Nelle singole comunità locali di fedeli rendono, per così dire, presente il vescovo, cui sono uniti con animo fiducioso e grande, condividono in parte le sue funzioni e la sua sollecitudine e le esercitano con dedizione quotidiana ».[51] I sacerdoti non possono esercitare il loro ministero se non in dipendenza dal vescovo e in comunione con lui. La promessa di obbedienza che fanno al vescovo al momento dell'ordinazione e il bacio di pace del vescovo al termine della liturgia dell'ordinazione significano che il vescovo li considera come suoi collaboratori, suoi figli, suoi fratelli e suoi amici, e che, in cambio, essi gli devono amore e obbedienza.

1462, 2179

1568 « I presbiteri, costituiti nell'ordine del presbiterato mediante l'ordinazione, sono tutti tra loro uniti da intima fraternità sacramentale; ma in modo speciale essi formano un unico presbiterio nella diocesi al cui servizio

1537

[45] Cf *Eb* 5,1-10; 7,24; 9,11-28.
[46] CONC. ECUM. VAT. II, *Lumen gentium,* 28.
[47] CONC. ECUM. VAT. II, *Presbyterorum ordinis,* 10.
[48] CONC. ECUM. VAT. II, *Optatam totius,* 20.
[49] CONC. ECUM. VAT. II, *Lumen gentium,* 28.
[50] Cf CONC. ECUM. VAT. II, *Presbyterorum ordinis,* 2.
[51] CONC. ECUM. VAT. II, *Lumen gentium,* 28.

sono assegnati sotto il proprio vescovo ».[52] L'unità del presbiterio trova un'espressione liturgica nella consuetudine secondo la quale, durante il rito dell'ordinazione, i presbiteri, dopo il vescovo, impongono anch'essi le mani.

L'ORDINAZIONE DEI DIACONI – « PER IL SERVIZIO »

1569 « In un grado inferiore della gerarchia stanno i diaconi, ai quali sono imposte le mani "non per il sacerdozio, ma per il servizio" ».[53] Per l'ordinazione al diaconato soltanto il vescovo impone le mani, significando così che il diacono è legato in modo speciale al vescovo nei compiti della sua « diaconia ».[54]

1570 I diaconi partecipano in una maniera particolare alla missione e alla grazia di Cristo.[55] Il sacramento dell'Ordine imprime in loro un *segno* (« carattere ») che nulla può cancellare e che li configura a Cristo, il quale si è fatto « diacono », cioè il servo di tutti.[56] Compete ai diaconi, tra l'altro, assistere il vescovo e i presbiteri nella celebrazione dei divini misteri, soprattutto dell'Eucaristia, distribuirla, assistere e benedire il matrimonio, proclamare il Vangelo e predicare, presiedere ai funerali e dedicarsi ai vari servizi della carità.[57]

1121

1571 Dopo il Concilio Vaticano II la Chiesa latina ha ripristinato il diaconato « come un grado proprio e permanente della gerarchia »,[58] mentre le Chiese d'Oriente lo avevano sempre conservato. Il *diaconato permanente,* che può essere conferito a uomini sposati, costituisce un importante arricchimento per la missione della Chiesa. In realtà, è conveniente e utile che gli uomini che nella Chiesa adempiono un ministero veramente diaconale, sia nella vita liturgica e pastorale, sia nelle opere sociali e caritative « siano fortificati per mezzo dell'imposizione delle mani, trasmessa dal tempo degli Apostoli, e siano più strettamente uniti all'altare, per poter esplicare più fruttuosamente il loro ministero con l'aiuto della grazia sacramentale del diaconato ».[59]

1579

IV. La celebrazione di questo sacramento

1572 La celebrazione dell'ordinazione di un vescovo, di presbiteri o di diaconi, data la sua importanza per la vita della Chiesa particolare, richiede il concorso del maggior numero possibile di fedeli. Avrà luogo preferibilmente

[52] CONC. ECUM. VAT. II, *Presbyterorum ordinis,* 8.
[53] CONC. ECUM. VAT. II, *Lumen gentium,* 29; cf ID., *Christus Dominus,* 15.
[54] Cf SANT'IPPOLITO DI ROMA, *Traditio apostolica,* 8.
[55] Cf CONC. ECUM. VAT. II, *Lumen gentium,* 41; ID., *Apostolicam actuositatem,* 16.
[56] Cf *Mc* 10,45; *Lc* 22,27; SAN POLICARPO DI SMIRNE, *Epistula ad Philippenses,* 5, 2.
[57] Cf CONC. ECUM. VAT. II, *Lumen gentium,* 29; ID., *Sacrosanctum concilium,* 35, 4; ID., *Ad gentes,* 16.
[58] CONC. ECUM. VAT. II, *Lumen gentium,* 29.
[59] CONC. ECUM. VAT. II, *Ad gentes,* 16.

la domenica e nella cattedrale, con quella solennità che si addice alla circostanza. Le tre ordinazioni, del vescovo, del presbitero, e del diacono, hanno la medesima configurazione. Il loro posto è in seno alla liturgia eucaristica.

1573 Il *rito essenziale* del sacramento dell'Ordine è costituito, per i tre gradi, dall'imposizione delle mani, da parte del vescovo, sul capo dell'ordinando come pure dalla specifica preghiera consacratoria che domanda a Dio l'effusione dello Spirito Santo e dei suoi doni adatti al ministero per il quale il candidato viene ordinato.[60]

699 1585

1574 Come in tutti i sacramenti, accompagnano la celebrazione alcuni riti annessi. Pur variando notevolmente nelle diverse tradizioni liturgiche, essi hanno in comune la proprietà di esprimere i molteplici aspetti della grazia sacramentale. Così, nel rito latino, i riti di introduzione — la presentazione e l'elezione dell'ordinando, l'omelia del vescovo, l'interrogazione dell'ordinando, le litanie dei santi — attestano che la scelta del candidato è stata fatta in conformità alla prassi della Chiesa e preparano l'atto solenne della consacrazione. A questa fanno seguito altri riti che esprimono e completano in maniera simbolica il mistero che si è compiuto: per il vescovo e il presbitero l'unzione del santo crisma, segno dell'unzione speciale dello Spirito Santo che rende fecondo il loro ministero; la consegna del libro dei Vangeli, dell'anello, della mitra e del pastorale al vescovo, come segno della sua missione apostolica di annunziare la Parola di Dio, della sua fedeltà alla Chiesa, sposa di Cristo, del suo compito di pastore del gregge del Signore; la consegna, al sacerdote, della patena e del calice, « l'offerta del popolo santo », che egli è chiamato a presentare a Dio; la consegna del libro dei Vangeli al diacono, che ha ricevuto la missione di annunziare il Vangelo di Cristo.

1294 796

V. Chi può conferire questo sacramento?

1575 È Cristo che ha scelto gli Apostoli e li ha resi partecipi della sua missione e della sua autorità. Innalzato alla destra del Padre, non abbandona il suo gregge, ma lo custodisce e lo protegge sempre per mezzo degli Apostoli e ancora lo conduce sotto la guida di quegli stessi pastori che continuano oggi la sua opera.[61] È dunque Cristo che stabilisce alcuni come apostoli, altri come pastori.[62] Egli continua ad agire per mezzo dei vescovi.[63]

857

1536

1576 Poiché il sacramento dell'Ordine è il sacramento del ministero apostolico, spetta ai vescovi in quanto successori degli Apostoli trasmettere « questo dono dello Spirito »,[64] « il seme apostolico ».[65] I vescovi validamente

[60] Cf Pio XII, Cost. ap. *Sacramentum Ordinis:* Denz.-Schönm., 3858.
[61] Cf *Messale Romano,* Prefazio degli Apostoli I.
[62] Cf *Ef* 4,11.
[63] Cf Conc. Ecum. Vat. II, *Lumen gentium,* 21.
[64] *Ibid.*
[65] *Ibid.,* 20.

ordinati, che sono cioè nella linea della successione apostolica, conferiscono validamente i tre gradi del sacramento dell'Ordine.[66]

VI. Chi può ricevere questo sacramento?

1577 « Riceve validamente la sacra ordinazione esclusivamente il battezzato di sesso maschile ["vir"] ».[67] Il Signore Gesù ha scelto degli uomini ["viri"] per formare il collegio dei dodici Apostoli,[68] e gli Apostoli hanno fatto lo stesso quando hanno scelto i collaboratori [69] che sarebbero loro succeduti nel ministero.[70] Il collegio dei vescovi, con i quali i presbiteri sono uniti nel sacerdozio, rende presente e attualizza fino al ritorno di Cristo il collegio dei Dodici. La Chiesa si riconosce vincolata da questa scelta fatta dal Signore stesso. Per questo motivo l'ordinazione delle donne non è possibile.[71]

551 861 862

1578 Nessuno ha un *diritto* a ricevere il sacramento dell'Ordine. Infatti nessuno può attribuire a se stesso questo ufficio. Ad esso si è chiamati da Dio.[72] Chi crede di riconoscere i segni della chiamata di Dio al ministero ordinato, deve sottomettere umilmente il proprio desiderio all'autorità della Chiesa, alla quale spetta la responsabilità e il diritto di chiamare qualcuno a ricevere gli Ordini. Come ogni grazia, questo sacramento non può essere *ricevuto* che come un dono immeritato.

2121

1579 Tutti i ministri ordinati della Chiesa latina, ad eccezione dei diaconi permanenti, sono normalmente scelti fra gli uomini credenti che vivono da celibi e che intendono conservare il *celibato* « per il Regno dei cieli » (*Mt* 19,12). Chiamati a consacrarsi con cuore indiviso al Signore e alle « sue cose »,[73] essi si donano interamente a Dio e agli uomini. Il celibato è un segno di questa vita nuova al cui servizio il ministro della Chiesa viene consacrato; abbracciato con cuore gioioso, esso annuncia in modo radioso il Regno di Dio.[74]

1618 2233

[66] Cf INNOCENZO III, Lettera *Eius exemplo*: DENZ.-SCHÖNM., 794; Concilio Lateranense IV: *ibid.*, 802; *Codice di Diritto Canonico*, 1012; *Corpus Canonum Ecclesiarum Orientalium*, 744; 747.
[67] *Codice di Diritto Canonico*, 1024.
[68] Cf *Mc* 3,14-19, *Lc* 6,12-16.
[69] Cf *1 Tm* 3,1-13; *2 Tm* 1,6; *Tt* 1,5-9.
[70] SAN CLEMENTE DI ROMA, *Epistula ad Corinthios*, 42, 4; 44, 3.
[71] Cf GIOVANNI PAOLO II, Lett. ap. *Mulieris dignitatem*, 26-27; CONGREGAZIONE PER LA DOTTRINA DELLA FEDE, Dich. *Inter insigniores*: AAS 69 (1977), 98-116.
[72] Cf *Eb* 5,4.
[73] Cf *1 Cor* 7,32.
[74] Cf CONC. ECUM. VAT. II, *Presbyterorum ordinis*, 16.

1580 Nelle Chiese Orientali, da secoli, è in vigore una disciplina diversa: mentre i vescovi sono scelti unicamente fra coloro che vivono nel celibato, uomini sposati possono essere ordinati diaconi e presbiteri. Tale prassi è da molto tempo considerata come legittima; questi presbiteri esercitano un ministero fruttuoso in seno alle loro comunità.[75] D'altro canto il celibato dei presbiteri è in grande onore nelle Chiese Orientali, e numerosi sono i presbiteri che l'hanno scelto liberamente, per il Regno di Dio. In Oriente come in Occidente, chi ha ricevuto il sacramento dell'Ordine non può più sposarsi.

VII. Gli effetti del sacramento dell'Ordine

Il carattere indelebile

1581 Questo sacramento configura a Cristo in forza di una grazia speciale dello Spirito Santo, allo scopo di servire da strumento di Cristo per la sua Chiesa. Per mezzo dell'ordinazione si viene abilitati ad agire come rappresentanti di Cristo, Capo della Chiesa, nella sua triplice funzione di sacerdote, profeta e re.

1548

1121

1582 Come nel caso del Battesimo e della Confermazione, questa partecipazione alla funzione di Cristo è accordata una volta per tutte. Il sacramento dell'Ordine conferisce, anch'esso, un *carattere spirituale indelebile* e non può essere ripetuto né essere conferito per un tempo limitato.[76]

1583 Un soggetto validamente ordinato può, certo, per giusti motivi, essere dispensato dagli obblighi e dalle funzioni connessi all'ordinazione o gli può essere fatto divieto di esercitarli,[77] ma non può più ridiventare laico in senso stretto,[78] poiché il carattere impresso dall'ordinazione rimane per sempre. La vocazione e la missione ricevute nel giorno della sua ordinazione, lo segnano in modo permanente.

1128

1584 Poiché in definitiva è Cristo che agisce e opera la salvezza mediante il ministro ordinato, l'indegnità di costui non impedisce a Cristo di agire.[79] Sant'Agostino lo dice con forza:

1550

> Un ministro superbo va messo assieme al diavolo; ma non per questo viene contaminato il dono di Cristo, che attraverso di lui continua a fluire nella sua purezza e per mezzo di lui arriva limpido a fecondare la terra... La virtù

[75] Cf Conc. Ecum. Vat. II, *Presbyterorum ordinis,* 16.

[76] Cf Concilio di Trento: Denz.-Schönm., 1767; Conc. Ecum. Vat. II, *Lumen gentium,* 21; 28; 29; Id., *Presbyterorum ordinis,* 2.

[77] Cf *Codice di Diritto Canonico,* 290-293; 1336, 1, 3°. 5°; 1338, 2.

[78] Cf Concilio di Trento: Denz.-Schönm., 1774.

[79] Cf *ibid.,* 1612; Concilio di Costanza: *ibid.,* 1154.

spirituale del sacramento è infatti come la luce: giunge pura a coloro che devono essere illuminati, e anche se deve passare attraverso degli esseri immondi, non viene contaminata.[80]

La grazia dello Spirito Santo

1585 La grazia dello Spirito Santo propria di questo sacramento consiste in una configurazione a Cristo Sacerdote, Maestro e Pastore del quale l'ordinato è costituito ministro.

1586 Per il vescovo è innanzitutto una grazia di fortezza (« Il tuo Spirito che regge e guida »: Preghiera consacratoria del vescovo nel rito latino): la grazia di guidare e di difendere con forza e prudenza la sua Chiesa come un padre e un pastore, con un amore gratuito verso tutti e una predilezione per i poveri, gli ammalati e i bisognosi.[81] Questa grazia lo spinge ad annunciare a tutti il Vangelo, ad essere il modello del suo gregge, a precederlo sul cammino della santificazione identificandosi nell'Eucaristia con Cristo Sacerdote e Vittima, senza temere di dare la vita per le sue pecore: 2448

> Concedi, Padre che conosci i cuori, a questo servo che hai scelto per l'episcopato, di pascere il tuo santo gregge e di esercitare in maniera irreprensibile e in tuo onore la massima dignità sacerdotale, servendoti notte e giorno; di rendere il tuo volto incessantemente propizio e di offrirti i doni della tua santa Chiesa; di avere, in virtù dello spirito del sommo sacerdozio, il potere di rimettere i peccati secondo il tuo comando, di distribuire i compiti secondo la tua volontà e di sciogliere ogni legame in virtù del potere che hai dato agli Apostoli; di esserti accetto per la sua mansuetudine e per la purezza del suo cuore, offrendoti un profumo soave per mezzo di Gesù Cristo tuo Figlio...[82] 1558

1587 Il dono spirituale conferito dall'ordinazione presbiterale è espresso da questa preghiera propria del rito bizantino. Il vescovo, imponendo le mani, dice tra l'altro: 1564

> Signore, riempi di Spirito Santo colui che ti sei degnato di elevare alla dignità sacerdotale, affinché sia degno di stare irreprensibile davanti al tuo altare, di annunciare il Vangelo del tuo Regno, di compiere il ministero della tua parola di verità, di offrirti doni e sacrifici spirituali, di rinnovare il tuo popolo mediante il lavacro della rigenerazione; in modo che egli stesso vada incontro al nostro grande Dio e Salvatore Gesù Cristo, tuo unico Figlio, nel giorno della sua seconda venuta, e riceva dalla tua immensa bontà la ricompensa di un fedele adempimento del suo ministero.[83]

[80] Sant'Agostino, *In Evangelium Johannis tractatus,* 5, 15.
[81] Cf Conc. Ecum. Vat. II, *Christus Dominus,* 13 e 16.
[82] Sant'Ippolito di Roma, *Traditio apostolica,* 3.
[83] Eucologia della liturgia bizantina.

1569 1588 Quanto ai diaconi, la grazia sacramentale dà loro la forza necessaria per servire il popolo di Dio nella « diaconia » della Liturgia, della Parola e della carità, in comunione con il vescovo e il suo presbiterio.[84]

1589 Dinanzi alla grandezza della grazia e dell'ufficio sacerdotali, i santi dottori hanno avvertito l'urgente appello alla conversione al fine di corrispondere con tutta la loro vita a Colui di cui sono divenuti ministri mediante il sacramento. Così, san Gregorio Nazianzeno, giovanissimo sacerdote, esclama:

> Bisogna cominciare col purificare se stessi prima di purificare gli altri; bisogna essere istruiti per poter istruire; bisogna divenire luce per illuminare, avvicinarsi a Dio per avvicinare a lui gli altri, essere santificati per santificare, condurre per mano e consigliare con intelligenza.[85] So di chi siamo i ministri, a quale altezza ci troviamo e chi è Colui verso il quale ci dirigiamo. Conosco la grandezza di Dio e la debolezza dell'uomo, ma anche la sua forza.[86] [Chi è dunque il sacerdote? È] il difensore della verità, si eleva con gli angeli, glorifica con gli arcangeli, fa salire sull'altare del cielo le vittime dei sacrifici, condivide il sacerdozio di Cristo, riplasma la creatura, restaura [in essa] l'immagine [di Dio], la ricrea per il mondo di lassù, e, per dire ciò che vi è di 460 più di sublime, è *divinizzato e divinizza*.[87]

> E il santo Curato d'Ars: « È il sacerdote che continua l'opera di redenzione sulla terra »... « Se si comprendesse bene il sacerdote qui in terra, si morirebbe non di spavento, ma di amore »... « Il Sacerdozio è l'amore del cuore di 1551 Gesù ».[88]

In sintesi

1590 *San Paolo dice al suo discepolo Timoteo: « Ti ricordo di ravvivare il dono di Dio che è in te per l'imposizione delle mie mani »* (*2 Tm* 1,6), *e « se uno aspira all'episcopato, desidera un nobile lavoro »* (*1 Tm* 3,1). *A Tito diceva: « Per questo ti ho lasciato a Creta, perché regolassi ciò che rimane da fare e perché stabilissi presbiteri in ogni città, secondo le istruzioni che ti ho dato »* (*Tt* 1,5).

1591 *Tutta la Chiesa è un popolo sacerdotale. Grazie al battesimo, tutti i fedeli partecipano al sacerdozio di Cristo. Tale partecipazione si chiama « sacerdozio comune dei fedeli ». Sulla sua base e al suo*

[84] Cf Conc. Ecum. Vat. II, *Lumen gentium*, 29.
[85] San Gregorio Nazianzeno, *Orationes*, 2, 71: PG 35, 480B.
[86] *Ibid.*, 2, 74: PG 46, 481B.
[87] *Ibid.*, 2, 73: PG 35, 481A.
[88] B. Nodet, *Jean-Marie Vianney, Curé d'Ars*, 100.

servizio esiste un'altra partecipazione alla missione di Cristo: quella del ministero conferito dal sacramento dell'Ordine, la cui funzione è di servire a nome e in persona di Cristo Capo in mezzo alla comunità.

1592 *Il sacerdozio ministeriale differisce essenzialmente dal sacerdozio comune dei fedeli poiché conferisce un potere sacro per il servizio dei fedeli. I ministri ordinati esercitano il loro servizio presso il popolo di Dio attraverso l'insegnamento [munus docendi], il culto divino [munus liturgicum] e il governo pastorale [munus regendi].*

1593 *Fin dalle origini, il ministero ordinato è stato conferito ed esercitato in tre gradi: quello dei vescovi, quello dei presbiteri e quello dei diaconi. I ministeri conferiti dall'ordinazione sono insostituibili per la struttura organica della Chiesa: senza il vescovo, i presbiteri e i diaconi, non si può parlare di Chiesa.*[89]

1594 *Il vescovo riceve la pienezza del sacramento dell'Ordine che lo inserisce nel Collegio episcopale e fa di lui il capo visibile della Chiesa particolare che gli è affidata. I vescovi, in quanto successori degli Apostoli e membri del Collegio, hanno parte alla responsabilità apostolica e alla missione di tutta la Chiesa sotto l'autorità del Papa, successore di san Pietro.*

1595 *I presbiteri sono uniti ai vescovi nella dignità sacerdotale e nello stesso tempo dipendono da essi nell'esercizio delle loro funzioni pastorali; sono chiamati ad essere i saggi collaboratori dei vescovi; riuniti attorno al loro vescovo formano il « presbiterio », che insieme con lui porta la responsabilità della Chiesa particolare. Essi ricevono dal vescovo la responsabilità di una comunità parrocchiale o di una determinata funzione ecclesiale.*

1596 *I diaconi sono ministri ordinati per gli incarichi di servizio della Chiesa; non ricevono il sacerdozio ministeriale, ma l'ordinazione conferisce loro funzioni importanti nel ministero della Parola, del culto divino, del governo pastorale e del servizio della carità, compiti che devono assolvere sotto l'autorità pastorale del loro vescovo.*

1597 *Il sacramento dell'Ordine è conferito mediante l'imposizione delle mani seguita da una preghiera consacratoria solenne che chiede a Dio per l'ordinando le grazie dello Spirito Santo richieste per il suo ministero. L'ordinazione imprime un carattere sacramentale indelebile.*

1598 *La Chiesa conferisce il sacramento dell'Ordine soltanto a uomini (viris) battezzati, le cui attitudini per l'esercizio del ministero sono*

[89] Cf Sant'Ignazio di Antiochia, *Epistula ad Trallianos,* 3, 1.

state debitamente riconosciute. Spetta all'autorità della Chiesa la responsabilità e il diritto di chiamare qualcuno a ricevere gli Ordini.

1599 *Nella Chiesa latina il sacramento dell'Ordine per il presbiterato è conferito normalmente solo a candidati disposti ad abbracciare liberamente il celibato e che manifestano pubblicamente la loro volontà di osservarlo per amore del Regno di Dio e del servizio degli uomini.*

1600 *Spetta ai vescovi conferire il sacramento dell'Ordine nei tre gradi.*

Articolo 7

IL SACRAMENTO DEL MATRIMONIO

1601 « Il patto matrimoniale con cui l'uomo e la donna stabiliscono tra loro la comunità di tutta la vita, per sua natura ordinata al bene dei coniugi e alla procreazione e educazione della prole, tra i battezzati è stato elevato da Cristo Signore alla dignità di sacramento ».[90]

I. Il matrimonio nel disegno di Dio

369 796 1602 La Sacra Scrittura si apre con la creazione dell'uomo e della donna ad immagine e somiglianza di Dio [91] e si chiude con la visione delle « nozze dell'Agnello » (*Ap* 19,7.9). Da un capo all'altro la Scrittura parla del matrimonio e del suo « mistero », della sua istituzione e del senso che Dio gli ha dato, della sua origine e del suo fine, delle sue diverse realizzazioni lungo tutta la storia della salvezza, delle sue difficoltà derivate dal peccato e del suo rinnovamento « nel Signore » (*1 Cor* 7,39), nella Nuova Alleanza di Cristo e della Chiesa.[92]

Il matrimonio nell'ordine della creazione

371 2331 1603 « L'intima comunione di vita e di amore coniugale, fondata dal Creatore e strutturata con leggi proprie, è stabilita dal patto coniugale... Dio stesso è l'autore del matrimonio ».[93] La vocazione al matrimonio è iscritta nella natura stessa dell'uomo e della donna, quali sono usciti dalla mano

[90] *Codice di Diritto Canonico,* 1055, 1.
[91] Cf *Gn* 1,26-27.
[92] Cf *Ef* 5, 31-32.
[93] Conc. Ecum. Vat. II, *Gaudium et spes,* 48.

del Creatore. Il matrimonio non è un'istituzione puramente umana, malgrado i numerosi mutamenti che ha potuto subire nel corso dei secoli, nelle varie culture, strutture sociali e attitudini spirituali. Queste diversità non devono far dimenticare i tratti comuni e permanenti. Sebbene la dignità di questa istituzione non traspaia ovunque con la stessa chiarezza,[94] esiste tuttavia in tutte le culture un certo senso della grandezza dell'unione matrimoniale, poiché « la salvezza della persona e della società umana e cristiana è strettamente connessa con una felice situazione della comunità coniugale e familiare ».[95] 2210

1604 Dio, che ha creato l'uomo per amore, lo ha anche chiamato all'amore, vocazione fondamentale e innata di ogni essere umano. Infatti l'uomo è creato ad immagine e somiglianza di Dio [96] che è Amore.[97] Avendolo Dio creato uomo e donna, il loro reciproco amore diventa un'immagine dell'amore assoluto e indefettibile con cui Dio ama l'uomo. È cosa buona, molto buona, agli occhi del Creatore.[98] E questo amore che Dio benedice è destinato ad essere fecondo e a realizzarsi nell'opera comune della custodia della creazione: « Dio li benedisse e disse loro: "Siate fecondi e moltiplicatevi, riempite la terra e soggiogatela" » (*Gn* 1,28). 355

1605 Che l'uomo e la donna siano creati l'uno per l'altro, lo afferma la Sacra Scrittura: « Non è bene che l'uomo sia solo ». La donna, « carne della sua carne », cioè suo « vis-à-vis », sua eguale, del tutto prossima a lui, gli è donata da Dio come un « aiuto », rappresentando così Dio dal quale viene il nostro aiuto.[99] « Per questo l'uomo abbandonerà suo padre e sua madre e si unirà a sua moglie e i due saranno una sola carne » (*Gn* 2,24).[100] Che ciò significhi un'unità indefettibile delle loro due esistenze, il Signore stesso lo mostra ricordando quale sia stato, « all'origine », il disegno del Creatore: « Così che non sono più due, ma una carne sola » (*Mt* 19,6). 372 1614

Il matrimonio sotto il regime del peccato

1606 Ogni uomo fa l'esperienza del male, attorno a sé e in se stesso. Questa esperienza si fa sentire anche nelle relazioni fra l'uomo e la donna. Da sempre la loro unione è stata minacciata dalla discordia, dallo spirito di dominio, dall'infedeltà, dalla gelosia e da conflitti che possono arrivare fino all'odio e alla rottura. Questo disordine può manifestarsi in modo più o meno

[94] Cf Conc. Ecum. Vat. II, *Gaudium et spes,* 47.
[95] *Ibid.*
[96] Cf *Gn* 1,27.
[97] Cf *1 Gv* 4,8.16.
[98] Cf *Gn* 1,31.
[99] Cf *Sal* 121,2.
[100] Cf *Gn* 2,18-25.

acuto, e può essere più o meno superato, secondo le culture, le epoche, gli individui, ma sembra proprio avere un carattere universale.

1849
400

1607 Secondo la fede, questo disordine che noi constatiamo con dolore, non deriva dalla *natura* dell'uomo e della donna, né dalla natura delle loro relazioni, ma dal *peccato*. Rottura con Dio, il primo peccato ha come prima conseguenza la rottura della comunione originale dell'uomo e della donna. Le loro relazioni sono distorte da accuse reciproche; [101] la loro mutua attrattiva, dono proprio del Creatore,[102] si cambia in rapporti di dominio e di bramosia; [103] la splendida vocazione dell'uomo e della donna ad essere fecondi, a moltiplicarsi e a soggiogare la terra [104] è gravata dai dolori del parto e dalle fatiche del lavoro.[105]

55

1608 Tuttavia, anche se gravemente sconvolto, l'ordine della creazione permane. Per guarire le ferite del peccato, l'uomo e la donna hanno bisogno dell'aiuto della grazia che Dio, nella sua infinita misericordia, non ha loro mai rifiutato.[106] Senza questo aiuto l'uomo e la donna non possono giungere a realizzare l'unione delle loro vite, in vista della quale Dio li ha creati « all'inizio ».

Il matrimonio sotto la pedagogia della Legge

410

1609 Nella sua misericordia, Dio non ha abbandonato l'uomo peccatore. Le sofferenze che derivano dal peccato, « i dolori del parto » (*Gn* 3,16), il lavoro « con il sudore del volto » (*Gn* 3,19), costituiscono anche dei rimedi che attenuano i danni del peccato. Dopo la caduta, il matrimonio aiuta a vincere il ripiegamento su di sé, l'egoismo, la ricerca del proprio piacere, e ad aprirsi all'altro, all'aiuto vicendevole, al dono di sé.

1963; 2387

1610 La coscienza morale riguardante l'unità e l'indissolubilità del matrimonio si è sviluppata sotto la pedagogia della Legge antica. La poligamia dei patriarchi e dei re non è ancora esplicitamente rifiutata. Tuttavia, la Legge data a Mosè mira a proteggere la donna contro l'arbitrarietà del dominio da parte dell'uomo, sebbene anch'essa porti, secondo la Parola del Signore, le tracce della « durezza del cuore » dell'uomo, a motivo della quale Mosè ha permesso il ripudio della donna.[107]

[101] Cf *Gn* 3,12.
[102] Cf *Gn* 2,22.
[103] Cf *Gn* 3,16b.
[104] Cf *Gn* 1,28.
[105] Cf *Gn* 3,16-19.
[106] Cf *Gn* 3,21.
[107] Cf *Mt* 19,8; *Dt* 24,1.

1611 Vedendo l'Alleanza di Dio con Israele sotto l'immagine di un amore coniugale esclusivo e fedele,[108] i profeti hanno preparato la coscienza del Popolo eletto ad una intelligenza approfondita dell'unicità e dell'indissolubilità del matrimonio.[109] I libri di Rut e di Tobia offrono testimonianze commoventi di un alto senso del matrimonio, della fedeltà e della tenerezza degli sposi. La Tradizione ha sempre visto nel Cantico dei Cantici un'espressione unica dell'amore umano, puro riflesso dell'amore di Dio, amore « forte come la morte » che « le grandi acque non possono spegnere » (*Ct* 8,6-7).

219 2380 2361

Il matrimonio nel Signore

1612 L'alleanza nuziale tra Dio e il suo popolo Israele aveva preparato l'Alleanza Nuova ed eterna nella quale il Figlio di Dio, incarnandosi e offrendo la propria vita, in certo modo si è unito tutta l'umanità da lui salvata,[110] preparando così « le nozze dell'Agnello » (*Ap* 19,7.9).

521

1613 Alle soglie della sua vita pubblica, Gesù compie il suo primo segno — su richiesta di sua Madre — durante una festa nuziale.[111] La Chiesa attribuisce una grande importanza alla presenza di Gesù alle nozze di Cana. Vi riconosce la conferma della bontà del matrimonio e l'annuncio che ormai esso sarà un segno efficace della presenza di Cristo.

1614 Nella sua predicazione Gesù ha insegnato senza equivoci il senso originale dell'unione dell'uomo e della donna, quale il Creatore l'ha voluta all'origine: il permesso, dato da Mosè, di ripudiare la propria moglie, era una concessione motivata dalla durezza del cuore; [112] l'unione matrimoniale dell'uomo e della donna è indissolubile: Dio stesso l'ha conclusa. « Quello dunque che Dio ha congiunto, l'uomo non lo separi » (*Mt* 19,6).

2336 2382

1615 Questa inequivocabile insistenza sull'indissolubilità del vincolo matrimoniale ha potuto lasciare perplessi e apparire come un'esigenza irrealizzabile.[113] Tuttavia Gesù non ha caricato gli sposi di un fardello impossibile da portare e troppo gravoso,[114] più pesante della Legge di Mosè. Venendo a ristabilire l'ordine iniziale della creazione sconvolto dal peccato, egli stesso dona

2364

[108] Cf *Os* 1-3; *Is* 54; 62; *Ger* 2-3; 31; *Ez* 16; 23.
[109] Cf *Ml* 2,13-17.
[110] Cf Conc. Ecum. Vat. II, *Gaudium et spes,* 22.
[111] Cf *Gv* 2,1-11.
[112] Cf *Mt* 19,8.
[113] Cf *Mt* 19,10.
[114] Cf *Mt* 11,29-30.

la forza e la grazia per vivere il matrimonio nella nuova dimensione del Regno di Dio. Seguendo Cristo, rinnegando se stessi, prendendo su di sé la propria croce [115] gli sposi potranno « capire » [116] il senso originale del matri-
1642 monio e viverlo con l'aiuto di Cristo. Questa grazia del Matrimonio cristiano è un frutto della croce di Cristo, sorgente di ogni vita cristiana.

1616 È ciò che l'Apostolo Paolo lascia intendere quando dice: « Voi, mariti, amate le vostre mogli, come Cristo ha amato la Chiesa e ha dato se stesso per lei, per renderla santa » (*Ef* 5,25-26), e aggiunge subito: « Per questo l'uomo lascerà suo padre e sua madre e si unirà alla sua donna e i due formeranno una carne sola. Questo mistero è grande; lo dico in riferimento a Cristo e alla Chiesa! » (*Ef* 5,31-32).

796 1617 Tutta la vita cristiana porta il segno dell'amore sponsale di Cristo e della Chiesa. Già il Battesimo, che introduce nel Popolo di Dio, è un mistero nuziale: è, per così dire, il lavacro di nozze [117] che precede il banchetto di nozze, l'Eucaristia. Il Matrimonio cristiano diventa, a sua volta, segno efficace, sacramento dell'alleanza di Cristo e della Chiesa. Poiché ne significa e ne comunica la grazia, il matrimonio fra battezzati è un vero sacramento della Nuova Alleanza.[118]

La verginità per il Regno

2232 1618 Cristo è il centro di ogni vita cristiana. Il legame con lui occupa il primo posto rispetto a tutti gli altri legami, familiari o sociali.[119] Fin dall'inizio della Chiesa, ci sono stati uomini e donne che hanno rinunciato al grande bene del matrimonio per seguire « l'Agnello dovunque va » (*Ap* 14,4), per
1579 preoccuparsi delle cose del Signore e cercare di piacergli,[120] per andare incontro allo Sposo che viene.[121] Cristo stesso ha invitato certuni a seguirlo in questo genere di vita, di cui egli rimane il modello:

> Vi sono infatti eunuchi che sono nati così dal ventre della madre; ve ne sono alcuni che sono stati resi eunuchi dagli uomini, e vi sono altri che si sono fatti eunuchi per il Regno dei cieli. Chi può capire, capisca (*Mt* 19,12).

922-924 1619 La verginità per il Regno dei cieli è uno sviluppo della grazia battesimale, un segno possente della preminenza del legame con Cristo, dell'attesa

[115] Cf *Mc* 8,34.
[116] Cf *Mt* 19,11.
[117] Cf *Ef* 5,26-27.
[118] Cf Concilio di Trento: Denz.-Schönm., 1800; *Codice di Diritto Canonico,* 1055, 2.
[119] Cf *Lc* 14,26; *Mc* 10,28-31.
[120] Cf *1 Cor* 7,32.
[121] Cf *Mt* 25,6.

ardente del suo ritorno, un segno che ricorda pure come il matrimonio sia una realtà del mondo presente che passa.[122]

1620 Entrambi, il sacramento del Matrimonio e la verginità per il Regno di Dio, provengono dal Signore stesso. È lui che dà loro senso e concede la grazia indispensabile per viverli conformemente alla sua volontà.[123] La stima della verginità per il Regno [124] e il senso cristiano del Matrimonio sono inseparabili e si favoriscono reciprocamente: 2349

> Chi denigra il matrimonio, sminuisce anche la gloria della verginità; chi lo loda, aumenta l'ammirazione che è dovuta alla verginità... Infatti, ciò che sembra bello solo in rapporto a ciò che è brutto non può essere molto bello; quello che invece è la migliore delle cose considerate buone, è la cosa più bella in senso assoluto.[125]

II. La celebrazione del Matrimonio

1621 Nel rito latino, la celebrazione del Matrimonio tra due fedeli cattolici ha luogo normalmente durante la Santa Messa, a motivo del legame di tutti i sacramenti con il Mistero pasquale di Cristo.[126] Nell'Eucaristia si realizza il memoriale della Nuova Alleanza, nella quale Cristo si è unito per sempre alla Chiesa, sua diletta sposa per la quale ha dato se stesso.[127] È dunque conveniente che gli sposi suggellino il loro consenso a donarsi l'uno all'altro con l'offerta delle loro proprie vite, unendola all'offerta di Cristo per la sua Chiesa, resa presente nel sacrificio eucaristico, e ricevendo l'Eucaristia, affinché, nel comunicare al medesimo Corpo e al medesimo Sangue di Cristo, essi « formino un corpo solo » in Cristo.[128] 1323 1368

1622 « In quanto gesto sacramentale di santificazione, la celebrazione liturgica del Matrimonio... deve essere per sé valida, degna e fruttuosa ».[129] Conviene quindi che i futuri sposi si dispongano alla celebrazione del loro Matrimonio ricevendo il sacramento della Penitenza. 1422

1623 Nella Chiesa latina, si considera abitualmente che sono gli sposi, come ministri della grazia di Cristo, a conferirsi mutualmente il sacramento

[122] Cf *Mc* 12,25; *1 Cor* 7,31.
[123] Cf *Mt* 19,3-12.
[124] Cf Conc. Ecum. Vat. II, *Lumen gentium,* 42; Id., *Perfectae caritatis,* 12; Id., *Optatam totius,* 10.
[125] San Giovanni Crisostomo, *De virginitate,* 10, 1: PG 48, 540A; cf Giovanni Paolo II, Esort. ap. *Familiaris consortio,* 16.
[126] Cf Conc. Ecum. Vat. II, *Sacrosanctum concilium,* 61.
[127] Cf Conc. Ecum. Vat. II, *Lumen gentium,* 6.
[128] Cf *1 Cor* 10,17.
[129] Giovanni Paolo II, Esort. ap. *Familiaris consortio,* 67.

del Matrimonio esprimendo davanti alla Chiesa il loro consenso. Nelle liturgie orientali, il ministro del sacramento (chiamato « Incoronazione ») è il presbitero o il vescovo che, dopo aver ricevuto il reciproco consenso degli sposi, incorona successivamente lo sposo e la sposa in segno dell'alleanza matrimoniale.

1624 Le diverse liturgie sono ricche di preghiere di benedizione e di epiclesi che chiedono a Dio la sua grazia e la benedizione sulla nuova coppia, specialmente sulla sposa. Nell'epiclesi di questo sacramento gli sposi ricevono lo Spirito Santo come Comunione di amore di Cristo e della Chiesa.[130] È lui il sigillo della loro alleanza, la sorgente sempre offerta del loro amore, la forza in cui si rinnoverà la loro fedeltà.

736

III. Il consenso matrimoniale

1625 I protagonisti dell'alleanza matrimoniale sono un uomo e una donna battezzati, liberi di contrarre il matrimonio e che esprimono liberamente il loro consenso. « Essere libero » vuol dire:

1734

— non subire costrizioni;

— non avere impedimenti in base ad una legge naturale o ecclesiastica.

1626 La Chiesa considera lo scambio del consenso tra gli sposi come l'elemento indispensabile « che costituisce il matrimonio ».[131] Se il consenso manca, non c'è matrimonio.

2201

1627 Il consenso consiste in un « atto umano col quale i coniugi mutuamente si danno e si ricevono »: [132] « Io prendo te come mia sposa » – « Io prendo te come mio sposo ».[133] Questo consenso che lega gli sposi tra loro, trova il suo compimento nel fatto che i due diventano « una carne sola ».[134]

1735

1628 Il consenso deve essere un atto della volontà di ciascuno dei contraenti, libero da violenza o da grave costrizione esterna.[135] Nessuna potestà umana può sostituirsi a questo consenso.[136] Se tale libertà manca, il matrimonio è invalido.

[130] Cf *Ef* 5,32.
[131] *Codice di Diritto Canonico,* 1057, 1.
[132] Conc. Ecum. Vat. II, *Gaudium et spes,* 48; cf *Codice di Diritto Canonico,* 1057, 2.
[133] Rituale romano, *Il sacramento del matrimonio,* 45.
[134] Cf *Gn* 2,24; *Mc* 10,8; *Ef* 5,31.
[135] Cf *Codice di Diritto Canonico,* 1103.
[136] Cf *ibid.,* 1057, 1.

1629 Per questo motivo (o per altre cause che rendono nullo e non avvenuto il matrimonio):[137] la Chiesa può, dopo esame della situazione da parte del tribunale ecclesiastico competente, dichiarare « la nullità del matrimonio », vale a dire che il matrimonio non è mai esistito. In questo caso i contraenti sono liberi di sposarsi, salvo rispettare gli obblighi naturali derivati da una precedente unione.[138]

1630 Il sacerdote (o il diacono) che assiste alla celebrazione del matrimonio, accoglie il consenso degli sposi a nome della Chiesa e dà la benedizione della Chiesa. La presenza del ministro della Chiesa (e anche dei testimoni) esprime visibilmente che il matrimonio è una realtà ecclesiale.

1631 È per questo motivo che la Chiesa normalmente richiede per i suoi fedeli la *forma ecclesiastica* della celebrazione del matrimonio.[139] Diverse ragioni concorrono a spiegare questa determinazione:

— Il matrimonio sacramentale è un atto *liturgico*. È quindi conveniente che venga celebrato nella Liturgia pubblica della Chiesa. 1069

— Il matrimonio introduce in un *ordo* – ordine – ecclesiale, crea dei diritti e dei doveri nella Chiesa, fra gli sposi e verso i figli. 1537

— Poiché il matrimonio è uno stato di vita nella Chiesa, è necessario che vi sia certezza sul matrimonio (da qui l'obbligo di avere dei testimoni).

— Il carattere pubblico del consenso protegge il « Sì » una volta dato e aiuta a rimanervi fedele. 2365

1632 Perché il « Sì » degli sposi sia un atto libero e responsabile, e l'alleanza matrimoniale abbia delle basi umane e cristiane solide e durature, la *preparazione al matrimonio* è di fondamentale importanza.

L'esempio e l'insegnamento dati dai genitori e dalle famiglie restano il cammino privilegiato di questa preparazione. 2206

Il ruolo dei pastori e della comunità cristiana come « famiglia di Dio » è indispensabile per la trasmissione dei valori umani e cristiani del matrimonio e della famiglia,[140] tanto più che nel nostro tempo molti giovani conoscono l'esperienza di focolari distrutti che non assicurano più sufficientemente questa iniziazione:

> I giovani devono essere adeguatamente e tempestivamente istruiti, soprattutto in seno alla propria famiglia, sulla dignità dell'amore coniugale, sulla sua funzione e le sue espressioni; così che, formati nella stima della castità, possano ad età conveniente passare da un onesto fidanzamento alle nozze.[141] 2350

[137] Cf *Codice di Diritto Canonico,* 1095-1107.
[138] Cf *ibid.,* 1071.
[139] Cf Concilio di Trento: Denz.-Schönm., 1813-1816; *Codice di Diritto Canonico,* 1108.
[140] Cf *Codice di Diritto Canonico,* 1063.
[141] Conc. Ecum. Vat. II, *Gaudium et spes,* 49.

I MATRIMONI MISTI E LA DISPARITÀ DI CULTO

1633 In numerosi paesi si presenta assai di frequente la situazione del *matrimonio misto* (fra cattolico e battezzato non cattolico). Essa richiede un'attenzione particolare dei coniugi e dei pastori. Il caso di matrimonio con *disparità di culto* (fra cattolico e non-battezzato) esige una circospezione ancora maggiore.

1634 La diversità di confessione fra i coniugi non costituisce un ostacolo insormontabile per il matrimonio, allorché essi arrivano a mettere in comune ciò che ciascuno di loro ha ricevuto nella propria comunità, e ad apprendere l'uno dall'altro il modo in cui ciascuno vive la sua fedeltà a Cristo. Ma le difficoltà dei matrimoni misti non devono neppure essere sottovalutate. Esse sono dovute al fatto che la separazione dei cristiani non è ancora superata. Gli sposi rischiano di risentire il dramma della disunione dei cristiani all'interno stesso del loro focolare. La disparità di culto può aggravare ulteriormente queste difficoltà. Divergenze concernenti la fede, la stessa concezione del matrimonio, ma anche mentalità religiose differenti possono costituire una sorgente di tensioni nel matrimonio, soprattutto a proposito dell'educazione dei figli. Una tentazione può allora presentarsi: l'indifferenza religiosa.

817

1635 Secondo il diritto in vigore nella Chiesa latina, un matrimonio misto necessita, per la sua liceità, dell'*espressa licenza* dell'autorità ecclesiastica.[142] In caso di disparità di culto è richiesta, per la validità del matrimonio, una *espressa dispensa* dall'impedimento.[143] Questa licenza o questa dispensa suppongono che entrambe le parti conoscano e non escludano i fini e le proprietà essenziali del matrimonio come pure gli obblighi contratti dalla parte cattolica riguardanti il Battesimo e l'educazione dei figli nella Chiesa cattolica.[144]

821

1636 In molte regioni, grazie al dialogo ecumenico, le comunità cristiane interessate hanno potuto organizzare una *pastorale comune per i matrimoni misti.* Suo compito è di aiutare queste coppie a vivere la loro situazione particolare alla luce della fede. Essa deve anche aiutarle a superare le tensioni fra gli obblighi dei coniugi l'uno nei confronti dell'altro e verso le loro comunità ecclesiali. Deve incoraggiare lo sviluppo di ciò che è loro comune nella fede, e il rispetto di ciò che li separa.

1637 Nei matrimoni con disparità di culto lo sposo cattolico ha un compito particolare: infatti « il marito non credente viene reso santo dalla moglie credente e la moglie non credente viene resa santa dal marito credente » (*1 Cor* 7,14). È una grande gioia per il coniuge cristiano e per la Chiesa se questa « santificazione » conduce alla libera conversione dell'altro coniuge alla fede cristiana.[145] L'amore coniugale sincero, la pratica umile e paziente delle virtù familiari e la preghiera perseverante possono preparare il coniuge non credente ad accogliere la grazia della conversione.

[142] Cf *Codice di Diritto Canonico,* 1124.
[143] Cf *ibid.,* 1086.
[144] Cf *ibid.,* 1125.
[145] Cf *1 Cor* 7,16.

IV. Gli effetti del sacramento del Matrimonio

1638 « Dalla valida celebrazione del matrimonio sorge tra i coniugi *un vincolo* di sua natura perpetuo ed esclusivo; inoltre nel matrimonio cristiano i coniugi, per i compiti e la dignità del loro stato, vengono corroborati e come consacrati da *uno speciale sacramento* ».[146]

Il vincolo matrimoniale

1639 Il consenso, mediante il quale gli sposi si donano e si ricevono mutuamente, è suggellato da Dio stesso.[147] Dalla loro alleanza « nasce, anche davanti alla società, l'istituto (del matrimonio) che ha stabilità per ordinamento divino ».[148] L'alleanza degli sposi è integrata nell'alleanza di Dio con gli uomini: « L'autentico amore coniugale è assunto nell'amore divino ».[149]

1640 Il *vincolo matrimoniale* è dunque stabilito da Dio stesso, così che il matrimonio concluso e consumato tra battezzati non può mai essere sciolto. Questo vincolo, che risulta dall'atto umano libero degli sposi e dalla consumazione del matrimonio, è una realtà ormai irrevocabile e dà origine ad un'alleanza garantita dalla fedeltà di Dio. Non è in potere della Chiesa pronunciarsi contro questa disposizione della sapienza divina.[150] 2365

La grazia del sacramento del Matrimonio

1641 « I coniugi cristiani... hanno, nel loro stato di vita e nel loro ordine, il proprio dono in mezzo al Popolo di Dio ».[151] Questa grazia propria del sacramento del Matrimonio è destinata a perfezionare l'amore dei coniugi, a rafforzare la loro unità indissolubile. In virtù di questa grazia essi « si aiutano a vicenda per raggiungere la santità nella vita coniugale, nell'accettazione e nell'educazione della prole ».[152]

1642 *Cristo è la sorgente di questa grazia.* « Come un tempo Dio venne incontro al suo popolo con un patto di amore e di fedeltà, così ora il Salvatore degli uomini e Sposo della Chiesa viene incontro ai coniugi cristiani attraverso il sacramento del Matrimonio ».[153] Egli rimane con loro, dà loro la forza di seguirlo prendendo su di sé la propria croce, di rialzarsi dopo 1615 796

[146] *Codice di Diritto Canonico,* 1134.
[147] Cf *Mc* 10,9.
[148] Conc. Ecum. Vat. II, *Gaudium et spes,* 48.
[149] *Ibid.*
[150] Cf *Codice di Diritto Canonico,* 1141.
[151] Conc. Ecum. Vat. II, *Lumen gentium,* 11.
[152] *Ibid.;* cf 41.
[153] Conc. Ecum. Vat. II, *Gaudium et spes,* 48.

le loro cadute, di perdonarsi vicendevolmente, di portare gli uni i pesi degli altri,[154] di essere « sottomessi gli uni agli altri nel timore di Cristo » (*Ef* 5,21) e di amarsi di un amore soprannaturale, delicato e fecondo. Nelle gioie del loro amore e della loro vita familiare egli concede loro, fin da quaggiù, una pregustazione del banchetto delle nozze dell'Agnello:

> Come sarò capace di esporre la felicità di quel matrimonio che la Chiesa unisce, l'offerta eucaristica conferma, la benedizione suggella, gli angeli annunciano e il Padre celeste ratifica?... Quale giogo quello di due fedeli uniti in un'unica speranza, in un unico desiderio, in un'unica osservanza, in un unico servizio! Entrambi sono figli dello stesso Padre, servi dello stesso Signore; non vi è nessuna divisione quanto allo spirito e quanto alla carne. Anzi, sono veramente due in una sola carne e dove la carne è unica, unico è lo spirito.[155]

V. I beni e le esigenze dell'amore coniugale

2361 1643 « L'amore coniugale comporta una totalità in cui entrano tutte le componenti della persona — richiamo del corpo e dell'istinto, forza del sentimento e dell'affettività, aspirazione dello spirito e della volontà —; esso mira a una unità profondamente personale, quella che, al di là dell'unione in una sola carne, conduce a non fare che un cuore solo e un'anima sola; esso esige l'*indissolubilità* e la *fedeltà* della donazione reciproca definitiva e si apre sulla *fecondità*. In una parola, si tratta di caratteristiche normali di ogni amore coniugale, ma con un significato nuovo che non solo le purifica e le consolida, ma anche le eleva al punto da farne l'espressione di valori propriamente cristiani ».[156]

L'unità e l'indissolubilità del matrimonio

1644 L'amore degli sposi esige, per sua stessa natura, l'unità e l'indissolubilità della loro comunità di persone che ingloba tutta la loro vita: « Così che non sono più due, ma una carne sola » (*Mt* 19,6).[157] Essi « sono chiamati a crescere continuamente nella loro comunione attraverso la fedeltà quotidiana alla promessa matrimoniale del reciproco dono totale ».[158] Questa comunione umana è confermata, purificata e condotta a perfezione mediante la comunione in Cristo Gesù, donata dal sacramento del Matrimonio. Essa si approfondisce mediante la vita della comune fede e l'Eucaristia ricevuta insieme.

[154] Cf *Gal* 6,2.
[155] Tertulliano, *Ad uxorem*, 2, 9; cf Giovanni Paolo II, Esort. ap. *Familiaris consortio*, 13.
[156] Giovanni Paolo II, Esort. ap. *Familiaris consortio*, 13.
[157] Cf *Gn* 2,24.
[158] Giovanni Paolo II, Esort. ap. *Familiaris consortio*, 19.

1645 « L'unità del matrimonio confermata dal Signore appare in maniera lampante anche dalla uguale dignità personale sia dell'uomo che della donna, che deve essere riconosciuta nel mutuo e pieno amore ».[159] La *poligamia* è contraria a questa pari dignità e all'amore coniugale che è unico ed esclusivo.[160]

369

La fedeltà dell'amore coniugale

2364-2365

1646 L'amore coniugale esige dagli sposi, per sua stessa natura, una fedeltà inviolabile. È questa la conseguenza del dono di se stessi che gli sposi si fanno l'uno all'altro. L'amore vuole essere definitivo. Non può essere « fino a nuovo ordine ». « Questa intima unione, in quanto mutua donazione di due persone, come pure il bene dei figli, esigono la piena fedeltà dei coniugi e ne reclamano l'indissolubile unità ».[161]

1647 La motivazione più profonda si trova nella fedeltà di Dio alla sua alleanza, di Cristo alla sua Chiesa. Dal sacramento del Matrimonio gli sposi sono abilitati a rappresentare tale fedeltà e a darne testimonianza. Dal sacramento, l'indissolubilità del Matrimonio riceve un senso nuovo e più profondo.

1648 Può sembrare difficile, persino impossibile, legarsi per tutta la vita a un essere umano. È perciò quanto mai necessario annunciare la buona novella che Dio ci ama di un amore definitivo e irrevocabile, che gli sposi sono partecipi di questo amore, che egli li conduce e li sostiene, e che attraverso la loro fedeltà possono essere i testimoni dell'amore fedele di Dio. I coniugi che, con la grazia di Dio, danno questa testimonianza, spesso in condizioni molto difficili, meritano la gratitudine e il sostegno della comunità ecclesiale.[162]

1649 Esistono tuttavia situazioni in cui la coabitazione matrimoniale diventa praticamente impossibile per le più varie ragioni. In tali casi la Chiesa ammette la *separazione* fisica degli sposi e la fine della coabitazione. I coniugi non cessano di essere marito e moglie davanti a Dio; non sono liberi di contrarre una nuova unione. In questa difficile situazione, la soluzione migliore sarebbe, se possibile, la riconciliazione. La comunità cristiana è chiamata ad aiutare queste persone a vivere cristianamente la loro situazione, nella fedeltà al vincolo del loro matrimonio che resta indissolubile.[163]

2383

[159] Conc. Ecum. Vat. II, *Gaudium et spes,* 49.
[160] Cf Giovanni Paolo II, Esort. ap. *Familiaris consortio,* 19.
[161] Conc. Ecum. Vat. II, *Gaudium et spes,* 48.
[162] Cf Giovanni Paolo II, Esort. ap. *Familiaris consortio,* 20.
[163] Cf *ibid.,* 83; *Codice di Diritto Canonico,* 1151-1155.

2384 1650 Oggi, in molti paesi, sono numerosi i cattolici che ricorrono al *divorzio* secondo le leggi civili e che contraggono civilmente una nuova unione. La Chiesa sostiene, per fedeltà alla parola di Gesù Cristo (« Chi ripudia la propria moglie e ne sposa un'altra, commette adulterio contro di lei; se la donna ripudia il marito e ne sposa un altro, commette adulterio »: *Mc* 10,11-12), che non può riconoscere come valida una nuova unione, se era valido il primo matrimonio. Se i divorziati si sono risposati civilmente, essi si trovano in una situazione che oggettivamente contrasta con la legge di Dio. Perciò essi non possono accedere alla Comunione eucaristica, per tutto il tempo che perdura tale situazione. Per lo stesso motivo non possono esercitare certe responsabilità ecclesiali. La riconciliazione mediante il sacramento della Penitenza non può essere accordata se non a coloro che si sono pentiti di aver violato il segno dell'Alleanza e della fedeltà a Cristo, e si sono impegnati a vivere in una completa continenza.

1651 Nei confronti dei cristiani che vivono in questa situazione e che spesso conservano la fede e desiderano educare cristianamente i loro figli, i sacerdoti e tutta la comunità devono dare prova di una attenta sollecitudine affinché essi non si considerino come separati dalla Chiesa, alla vita della quale possono e devono partecipare in quanto battezzati:

> Siano esortati ad ascoltare la Parola di Dio, a frequentare il sacrificio della Messa, a perseverare nella preghiera, a dare incremento alle opere di carità e alle iniziative della comunità in favore della giustizia, a educare i figli nella fede cristiana, a coltivare lo spirito e le opere di penitenza, per implorare così, di giorno in giorno, la grazia di Dio.[164]

2366-2367 L'APERTURA ALLA FECONDITÀ

1652 « Per sua indole naturale, l'istituto stesso del matrimonio e l'amore 372 coniugale sono ordinati alla procreazione e alla educazione della prole e in queste trovano il loro coronamento »:[165]

> I figli sono il preziosissimo dono del matrimonio e contribuiscono moltissimo al bene degli stessi genitori. Lo stesso Dio che disse: « Non è bene che l'uomo sia solo » (*Gn* 2,18) e che « creò all'inizio l'uomo maschio e femmina » (*Mt* 19,4), volendo comunicare all'uomo una certa speciale partecipazione nella sua opera creatrice, benedisse l'uomo e la donna, dicendo loro: « Crescete e moltiplicatevi » (*Gn* 1,28). Di conseguenza la vera pratica dell'amore coniugale e tutta la struttura della vita familiare che ne nasce, senza posporre gli altri fini del matrimonio, a questo tendono che i coniugi, con fortezza d'animo, siano disposti a cooperare con l'amore del Creatore e del Salvatore, che attraverso di loro continuamente dilata e arricchisce la sua famiglia.[166]

[164] GIOVANNI PAOLO II, Esort. ap. *Familiaris consortio,* 84.
[165] CONC. ECUM. VAT. II, *Gaudium et spes,* 48.
[166] *Ibid.,* 50.

1653 La fecondità dell'amore coniugale si estende ai frutti della vita morale, spirituale e soprannaturale che i genitori trasmettono ai loro figli attraverso l'educazione. I genitori sono i primi e principali educatori dei loro figli.[167] In questo senso il compito fondamentale del matrimonio e della famiglia è di essere al servizio della vita.[168] 2231

1654 I coniugi ai quali Dio non ha concesso di avere figli, possono nondimeno avere una vita coniugale piena di senso, umanamente e cristianamente. Il loro matrimonio può risplendere di una fecondità di carità, di accoglienza e di sacrificio.

VI. La Chiesa domestica

1655 Cristo ha voluto nascere e crescere in seno alla Santa Famiglia di Giuseppe e di Maria. La Chiesa non è altro che la « famiglia di Dio ». Fin dalle sue origini, il nucleo della Chiesa era spesso costituito da coloro che, insieme con tutta la loro famiglia, erano divenuti credenti.[169] Allorché si convertivano, desideravano che anche tutta la loro famiglia fosse salvata.[170] Queste famiglie divenute credenti erano piccole isole di vita cristiana in un mondo incredulo. 759

1656 Ai nostri giorni, in un mondo spesso estraneo e persino ostile alla fede, le famiglie credenti sono di fondamentale importanza, come focolari di fede viva e irradiante. È per questo motivo che il Concilio Vaticano II, usando un'antica espressione, chiama la famiglia « Ecclesia domestica » — Chiesa domestica.[171] È in seno alla famiglia che « i genitori devono essere per i loro figli, con la parola e con l'esempio, i primi annunciatori della fede, e secondare la vocazione propria di ognuno, e quella sacra in modo speciale ».[172] 2204

1657 È qui che si esercita in maniera privilegiata il *sacerdozio battesimale* del padre di famiglia, della madre, dei figli, di tutti i membri della famiglia, « con la partecipazione ai sacramenti, con la preghiera e il ringraziamento, con la testimonianza di una vita santa, con l'abnegazione e l'operosa carità ».[173] Il focolare è così la prima scuola di vita cristiana e « una scuola di 1268 2214-2231

[167] Cf Conc. Ecum. Vat. II, *Gravissimum educationis,* 3.
[168] Cf Giovanni Paolo II, Esort. ap. *Familiaris consortio,* 28.
[169] Cf *At* 18,8.
[170] Cf *At* 16,31 e 11,14.
[171] Conc. Ecum. Vat. II, *Lumen gentium,* 11; cf Giovanni Paolo II, Esort. ap. *Familiaris consortio,* 21.
[172] Conc. Ecum. Vat. II, *Lumen gentium,* 11.
[173] *Ibid.,* 10.

umanità più ricca ».[174] È qui che si apprende la fatica e la gioia del lavoro, l'amore fraterno, il perdono generoso, sempre rinnovato, e soprattutto il culto divino attraverso la preghiera e l'offerta della propria vita. 2685

1658 Bisogna anche ricordare alcune persone che, a causa delle condizioni concrete in cui devono vivere — e spesso senza averlo voluto — sono particolarmente vicine al cuore di Gesù e meritano quindi affetto e premurosa sollecitudine da parte della Chiesa e in modo speciale dei pastori: il gran numero di *persone celibi.* Molte di loro restano *senza famiglia umana,* spesso a causa delle condizioni di povertà. Ve ne sono di quelle che vivono la loro situazione nello spirito delle Beatitudini, servendo Dio e il prossimo in maniera esemplare. A tutte loro bisogna aprire le porte dei focolari, « Chiese domestiche », e della grande famiglia che è la Chiesa. « Nessuno è privo della famiglia in questo mondo: la Chiesa è casa e famiglia per tutti, specialmente per quanti sono « affaticati e oppressi » (*Mt* 11,28) ».[175] 2231 2233

In sintesi

1659 *San Paolo dice: « Voi, mariti, amate le vostre mogli, come Cristo ha amato la Chiesa... Questo mistero è grande; lo dico in riferimento a Cristo e alla Chiesa »* (*Ef* 5,25.32).

1660 *L'alleanza matrimoniale, mediante la quale un uomo e una donna costituiscono fra loro un'intima comunione di vita e di amore, è stata fondata e dotata di sue proprie leggi dal Creatore. Per sua natura è ordinata al bene dei coniugi così come alla generazione e all'educazione della prole. Tra battezzati essa è stata elevata da Cristo Signore alla dignità di sacramento.*[176]

1661 *Il sacramento del Matrimonio è segno dell'unione di Cristo e della Chiesa. Esso dona agli sposi la grazia di amarsi con l'amore con cui Cristo ha amato la sua Chiesa; la grazia del sacramento perfeziona così l'amore umano dei coniugi, consolida la loro unità indissolubile e li santifica nel cammino della vita eterna.*[177]

1662 *Il matrimonio si fonda sul consenso dei contraenti, cioè sulla volontà di donarsi mutuamente e definitivamente, allo scopo di vivere un'alleanza d'amore fedele e fecondo.*

[174] Conc. Ecum. Vat. II, *Gaudium et spes,* 52.
[175] Giovanni Paolo II, Esort. ap. *Familiaris consortio,* 85.
[176] Cf Conc. Ecum. Vat. II, *Gaudium et spes,* 48; *Codice di Diritto Canonico,* 1055, 1.
[177] Cf Concilio di Trento: Denz.-Schönm., 1799.

1663 *Poiché il matrimonio stabilisce i coniugi in uno stato pubblico di vita nella Chiesa, è opportuno che la sua celebrazione sia pubblica, inserita in una celebrazione liturgica, alla presenza del sacerdote (o del testimone qualificato della Chiesa), dei testimoni e dell'assemblea dei fedeli.*

1664 *L'unità, l'indissolubilità e l'apertura alla fecondità sono essenziali al matrimonio. La poligamia è incompatibile con l'unità del matrimonio; il divorzio separa ciò che Dio ha unito; il rifiuto della fecondità priva la vita coniugale del suo « preziosissimo dono », il figlio.*[178]

1665 *Il nuovo matrimonio dei divorziati, mentre è ancora vivo il coniuge legittimo, contravviene al disegno e alla Legge di Dio insegnati da Cristo. Costoro non sono separati dalla Chiesa, ma non possono accedere alla Comunione eucaristica. Vivranno la loro vita cristiana particolarmente educando i loro figli nella fede.*

1666 *Il focolare cristiano è il luogo in cui i figli ricevono il primo annuncio della fede. Ecco perché la casa familiare è chiamata a buon diritto « la Chiesa domestica », comunità di grazia e di preghiera, scuola delle virtù umane e della carità cristiana.*

[178] Conc. Ecum. Vat. II, *Gaudium et spes,* 50.

CAPITOLO QUARTO

LE ALTRE CELEBRAZIONI LITURGICHE

Articolo 1

I SACRAMENTALI

1667 « La santa Madre Chiesa ha istituito i sacramentali. Questi sono segni sacri per mezzo dei quali, con una certa imitazione dei sacramenti, sono significati e, per impetrazione della Chiesa, vengono ottenuti effetti soprattutto spirituali. Per mezzo di essi gli uomini vengono disposti a ricevere l'effetto principale dei sacramenti e vengono santificate le varie circostanze della vita ».[1]

I TRATTI CARATTERISTICI DEI SACRAMENTALI

1668 Essi sono istituiti dalla Chiesa per la santificazione di alcuni ministeri ecclesiastici, di alcuni stati di vita, di circostanze molto varie della vita cristiana, così come dell'uso di cose utili all'uomo. Secondo le decisioni pastorali dei vescovi, possono anche rispondere ai bisogni, alla cultura e alla storia propri del popolo cristiano di una regione o di un'epoca. Comportano sempre una preghiera, spesso accompagnata da un determinato segno, come l'imposizione della mano, il segno della croce, l'aspersione con l'acqua benedetta (che richiama il Battesimo).

699; 2157

784

1669 Essi derivano dal sacerdozio battesimale: ogni battezzato è chiamato ad essere una « benedizione »[2] e a benedire.[3] Per questo anche i laici possono presiedere alcune benedizioni;[4] più una benedizione riguarda la

2626

[1] Conc. Ecum. Vat. II, *Sacrosanctum concilium,* 60; cf *Codice di Diritto Canonico,* 1166; *Corpus Canonum Ecclesiarum Orientalium,* 867.
[2] Cf *Gn* 12,2.
[3] Cf *Lc* 6,28; *Rm* 12,14; *1 Pt* 3,9.
[4] Cf Conc. Ecum. Vat. II, *Sacrosanctum concilium,* 79; *Codice di Diritto Canonico,* 1168.

vita ecclesiale e sacramentale, più la sua presidenza è riservata al ministero ordinato.[5]

1670 I sacramentali non conferiscono la grazia dello Spirito Santo alla maniera dei sacramenti; però mediante la preghiera della Chiesa preparano a ricevere la grazia e dispongono a cooperare con essa. « Ai fedeli ben disposti è dato di santificare quasi tutti gli avvenimenti della vita per mezzo della grazia divina che fluisce dal Mistero pasquale della Passione, Morte e Risurrezione di Cristo, Mistero dal quale derivano la loro efficacia tutti i sacramenti e i sacramentali; e così ogni uso onesto delle cose materiali può essere indirizzato alla santificazione dell'uomo e alla lode di Dio ».[6]

1128
2001

Le varie forme di sacramentali

1671 Fra i sacramentali ci sono innanzi tutto le *benedizioni* (di persone, della mensa, di oggetti, di luoghi). Ogni benedizione è lode di Dio e preghiera per ottenere i suoi doni. In Cristo, i cristiani sono benedetti da Dio Padre « con ogni benedizione spirituale » (*Ef* 1,3). Per questo la Chiesa impartisce la benedizione invocando il nome di Gesù, e facendo normalmente il santo segno della croce di Cristo.

1078

1672 Alcune benedizioni hanno una portata duratura: hanno per effetto di *consacrare* delle persone a Dio e di riservare oggetti e luoghi all'uso liturgico. Fra quelle che sono destinate a persone — da non confondere con l'ordinazione sacramentale — figurano la benedizione dell'abate o dell'abbadessa di un monastero, la consacrazione delle vergini, il rito della professione religiosa e le benedizioni per alcuni ministeri ecclesiastici (lettori, accoliti, catechisti, ecc.). Come esempio delle benedizioni che riguardano oggetti, si può segnalare la dedicazione o la benedizione di una chiesa o di un altare, la benedizione degli olii santi, dei vasi e delle vesti sacre, delle campane, ecc.

923; 925
903

1673 Quando la Chiesa domanda pubblicamente e con autorità, in nome di Gesù Cristo, che una persona o un oggetto sia protetto contro l'influenza del Maligno e sottratto al suo dominio, si parla di *esorcismo*. Gesù l'ha praticato; è da lui che la Chiesa deriva il potere e il compito di esorcizzare.[7] In una forma semplice, l'esorcismo è praticato durante la celebrazione del Battesimo. L'esorcismo solenne, chiamato « grande esorcismo », può essere praticato solo da un presbitero e con il permesso del vescovo. In ciò bisogna procedere con prudenza, osservando rigorosamente le norme stabilite dalla Chiesa. L'esorcismo mira a scacciare i demoni o a liberare dall'influenza demoniaca, e ciò mediante l'autorità spirituale che Gesù ha affidato alla sua Chiesa. Molto diverso è il caso di malattie, soprattutto psichiche, la cui cura rientra nel campo della scienza medica. È importante, quindi, accertarsi,

395
550
1237

[5] Vescovi, sacerdoti o diaconi; cf Rituale Romano, *Benedizionale,* 16, 18.
[6] Conc. Ecum. Vat. II, *Sacrosanctum concilium,* 61.
[7] Cf *Mc* 1,25ss; 3,15; 6,7.13; 16,17.

prima di celebrare l'esorcismo, che si tratti di una presenza del Maligno e non di una malattia.[8]

La religiosità popolare

1674 Oltre che della Liturgia dei sacramenti e dei sacramentali, la catechesi deve tener conto delle forme della pietà dei fedeli e della religiosità popolare. Il senso religioso del popolo cristiano, in ogni tempo, ha trovato la sua espressione nelle varie forme di pietà che circondano la vita sacramentale della Chiesa, quali la venerazione delle reliquie, le visite ai santuari, i pellegrinaggi, le processioni, la « via crucis », le danze religiose, il rosario, le medaglie, ecc.[9]

2688

2669; 2678

1675 Queste espressioni sono un prolungamento della vita liturgica della Chiesa, ma non la sostituiscono: « Bisogna che tali esercizi, tenuto conto dei tempi liturgici, siano ordinati in modo da essere in armonia con la sacra liturgia, derivino in qualche modo da essa, e ad essa, data la sua natura di gran lunga superiore, conducano il popolo cristiano ».[10]

1676 È necessario un discernimento pastorale per sostenere e favorire la religiosità popolare e, all'occorrenza, per purificare e rettificare il senso religioso che sta alla base di tali devozioni e per far progredire nella conoscenza del Mistero di Cristo.[11] Il loro esercizio è sottomesso alla cura e al giudizio dei vescovi e alle norme generali della Chiesa.

426

> La religiosità popolare, nell'essenziale, è un insieme di valori che, con saggezza cristiana, risponde ai grandi interrogativi dell'esistenza. Il buon senso popolare cattolico è fatto di capacità di sintesi per l'esistenza. È così che esso unisce, in modo creativo, il divino e l'umano, Cristo e Maria, lo spirito e il corpo, la comunione e l'istituzione, la persona e la comunità, la fede e la patria, l'intelligenza e il sentimento. Questa saggezza è un umanesimo cristiano che afferma radicalmente la dignità di ogni essere in quanto figlio di Dio, instaura una fraternità fondamentale, insegna a porsi in armonia con la natura e anche a comprendere il lavoro, e offre delle motivazioni per vivere nella gioia e nella serenità, pur in mezzo alle traversie dell'esistenza. Questa saggezza è anche, per il popolo, un principio di discernimento, un istinto evangelico che gli fa spontaneamente percepire quando il Vangelo è al primo posto nella Chiesa, o quando esso è svuotato del suo contenuto e soffocato da altri interessi.[12]

[8] Cf *Codice di Diritto Canonico,* 1172.
[9] Cf Concilio di Nicea II: Denz.-Schönm., 601; 603; Concilio di Trento: *ibid.,* 1822.
[10] Conc. Ecum. Vat. II, *Sacrosanctum concilium,* 13.
[11] Cf Giovanni Paolo II, Esort. ap. *Catechesi tradendae,* 54.
[12] Documento di Puebla [1979] 448; cf Paolo VI, Esort. ap. *Evangelii nuntiandi,* 48.

In sintesi

1677 *Si chiamano sacramentali i sacri segni istituiti dalla Chiesa il cui scopo è di preparare gli uomini a ricevere il frutto dei sacramenti e di santificare le varie circostanze della vita.*

1678 *Fra i sacramentali, le benedizioni occupano un posto importante. Esse comportano ad un tempo la lode di Dio per le sue opere e i suoi doni, e l'intercessione della Chiesa affinché gli uomini possano usare i doni di Dio secondo lo spirito del Vangelo.*

1679 *Oltre che della Liturgia, la vita cristiana si nutre di varie forme di pietà popolare, radicate nelle diverse culture. Pur vigilando per illuminarle con la luce della fede, la Chiesa favorisce le forme di religiosità popolare, che esprimono un istinto evangelico e una saggezza umana e arricchiscono la vita cristiana.*

Articolo 2
LE ESEQUIE CRISTIANE

1680 Tutti i sacramenti, e principalmente quelli dell'iniziazione cristiana, hanno per scopo l'ultima Pasqua del figlio di Dio, quella che, attraverso la morte, lo introduce nella vita del Regno. Allora si compie ciò che confessa nella fede e nella speranza: « Aspetto la Risurrezione dei morti e la vita del mondo che verrà ».[13]

1525

I. L'ultima Pasqua del cristiano

1681 Il senso cristiano della morte si manifesta alla luce del *Mistero pasquale* della Morte e della Risurrezione di Cristo, nel quale riposa la nostra unica speranza. Il cristiano che muore in Cristo Gesù « va in esilio dal corpo per abitare presso il Signore » (*2 Cor* 5,8).

1010-1014

1682 Il giorno della morte inaugura per il cristiano, al *termine della sua vita sacramentale,* il compimento della sua nuova nascita cominciata con il Battesimo, la « somiglianza » definitiva all'« immagine del Figlio » conferita dall'Unzione dello Spirito Santo e la partecipazione al banchetto del Regno

[13] Simbolo di Nicea-Costantinopoli.

anticipato nell'Eucaristia, anche se, per rivestire l'abito nuziale, ha ancora bisogno di ulteriori purificazioni.

1683 La Chiesa che, come Madre, ha portato sacramentalmente nel suo seno il cristiano durante il suo pellegrinaggio terreno, lo accompagna al termine del suo cammino per rimetterlo « nelle mani del Padre ». Essa offre al Padre, in Cristo, il figlio della sua grazia e, nella speranza, consegna alla terra il seme del corpo che risusciterà nella gloria.[14] Questa offerta è celebrata in pienezza nel Sacrificio eucaristico; le benedizioni che precedono e che seguono sono dei sacramentali.

1020

627

II. La celebrazione delle esequie

1684 Le esequie cristiane non conferiscono al defunto né un sacramento né un sacramentale, poiché egli è « passato » al di là dell'economia sacramentale. Nondimeno esse sono una celebrazione liturgica della Chiesa.[15] Il ministero della Chiesa in questo caso mira ad esprimere la comunione efficace con il *defunto* come pure a farvi partecipare la *comunità* riunita per le esequie e ad annunciarle la vita eterna.

1685 I differenti riti delle esequie esprimono il *carattere pasquale* della morte cristiana, e rispondono alle situazioni e alle tradizioni delle singole regioni, anche quanto al colore liturgico.[16]

1686 L'*Ordo exsequiarum*[17] della liturgia romana propone tre tipi di celebrazione delle esequie, corrispondenti ai tre luoghi del suo svolgimento (la casa, la chiesa, il cimitero), e secondo l'importanza che vi attribuiscono la famiglia, le consuetudini locali, la cultura e la pietà popolare. Questo svolgimento è del resto comune a tutte le tradizioni liturgiche e comprende quattro momenti principali:

1687 L'*accoglienza della comunità*. Un saluto di fede apre la celebrazione. I parenti del defunto sono accolti con una parola di « conforto » (nel senso del Nuovo Testamento: la forza dello Spirito Santo nella speranza).[18] La comunità che si raduna in preghiera attende anche « le parole di vita eterna ». La morte di un membro della comunità (o il giorno anniversario, il settimo o il quarantesimo giorno) è un evento che deve far superare le prospettive di « questo mondo » e attirare i fedeli nelle autentiche prospettive della fede nel Cristo risorto.

1688 La *Liturgia della Parola,* durante le esequie, esige una preparazione tanto più attenta in quanto l'assemblea presente in quel momento può comprendere fedeli

[14] Cf *1 Cor* 15,42-44.
[15] Cf Conc. Ecum. Vat. II, *Sacrosanctum concilium,* 81-82.
[16] Cf *ibid.,* 81.
[17] Rituale romano, *Rito delle esequie.*
[18] Cf *1 Ts* 4,18.

poco assidui alla Liturgia e amici del defunto che non sono cristiani. L'omelia, in particolare, deve evitare « la forma e lo stile di un elogio funebre »[19] e illuminare il mistero della morte cristiana alla luce di Cristo risorto.

1689 Il *Sacrificio eucaristico*. Quando la celebrazione ha luogo in chiesa, l'Eucaristia è il cuore della realtà pasquale della morte cristiana.[20] È allora che la Chiesa esprime la sua comunione efficace con il defunto: offrendo al Padre, nello Spirito Santo, il sacrificio della Morte e della Risurrezione di Cristo, gli chiede che il suo figlio sia purificato dai suoi peccati e dalle loro conseguenze e che sia ammesso alla pienezza pasquale della mensa del Regno.[21] È attraverso l'Eucaristia così celebrata che la comunità dei fedeli, specialmente la famiglia del defunto, impara a vivere in comunione con colui che « si è addormentato nel Signore », comunicando al Corpo di Cristo di cui egli è membro vivente, e pregando poi per lui e con lui.

1371

958

1690 *L'addio* (« a-Dio ») al defunto è la sua « raccomandazione a Dio » da parte della Chiesa. È « l'ultimo saluto rivolto dalla comunità cristiana a un suo membro, prima che il corpo sia portato alla sepoltura ».[22] La tradizione bizantina lo esprime con il bacio di addio al defunto:

2300

> Con questo saluto finale « si canta per la sua dipartita da questa vita e la sua separazione, ma anche perché esiste una comunione e una riunione. Infatti, morti, non siamo affatto separati gli uni dagli altri, poiché noi tutti percorriamo la medesima strada e ci ritroveremo nel medesimo luogo. Non saremo mai separati, perché viviamo per Cristo, e ora siamo uniti a Cristo, andando incontro a lui... saremo tutti insieme in Cristo ».[23]

[19] Rituale romano, *Rito delle esequie*, 41.
[20] Cf *ibid.*, 1.
[21] Cf *ibid.*, 57.
[22] *Ibid.*, 10.
[23] San Simeone di Tessalonica, *De ordine sepulturae:* PG 155, 685B.

CTVRA VRBI NEOFITVS IIT AD DEVM VII

Parte centrale del sarcofago di Giunio Basso, rinvenuto sotto l'altare della Confessione nella Basilica di San Pietro (Roma): porta la data del 359.

Cristo glorioso, rappresentato molto giovane, a simbolo della sua divinità, è assiso sul trono celeste, avendo sotto i suoi piedi Urano, il dio pagano del cielo. Gli sono accanto i Santi Apostoli Pietro e Paolo, che si rivolgono a Cristo per ricevere da lui due rotoli: la nuova Legge.

Cristo, il Figlio di Dio, il Signore del cielo e della terra, offre al popolo della Nuova Alleanza la Legge nuova, non più scritta, come l'antica Legge consegnata sul Sinai a Mosè, sulle tavole di pietra, ma incisa dallo Spirito Santo nel cuore dei credenti.

È lo stesso Cristo a dare la forza di vivere secondo la « vita nuova ». Egli compie in noi ciò che ci ha comandato per il nostro bene.

PARTE TERZA

LA VITA IN CRISTO

1691 « Riconosci, o cristiano, la tua dignità, e, reso consorte della natura divina, non voler tornare all'antica bassezza con una vita indegna. Ricorda a quale Capo appartieni e di quale Corpo sei membro. Ripensa che, liberato dal potere delle tenebre, sei stato trasferito nella luce e nel Regno di Dio ».[1]

790

1692 Il Simbolo della fede ha professato la grandezza dei doni di Dio all'uomo nell'opera della creazione e ancor più mediante la redenzione e la santificazione. Ciò che la fede confessa, i sacramenti lo comunicano: per mezzo dei « sacramenti che li hanno fatti rinascere », i cristiani sono diventati « figli di Dio » (*Gv* 1,12; *1 Gv* 3,1), « partecipi della natura divina » (*2 Pt* 1,4). Riconoscendo nella fede la loro nuova dignità, i cristiani sono chiamati a comportarsi ormai « da cittadini degni del Vangelo » (*Fil* 1,27). Mediante i sacramenti e la preghiera, essi ricevono la grazia di Cristo e i doni del suo Spirito, che li rendono capaci di questa vita nuova.

1693 Cristo Gesù ha sempre fatto ciò che era gradito al *Padre*.[2] Egli ha sempre vissuto in perfetta comunione con lui. Allo stesso modo i suoi discepoli sono invitati a vivere sotto lo sguardo del Padre « che vede nel segreto » (*Mt* 6,6) per diventare « perfetti come è perfetto il Padre... celeste » (*Mt* 5,47).

1694 Incorporati a *Cristo* per mezzo del Battesimo,[3] i cristiani sono « morti al peccato, ma viventi per Dio, in Cristo Gesù » (*Rm* 6,11), partecipando così alla vita del Risorto.[4] Alla sequela di Cristo e in unione con lui,[5] i cristiani possono farsi « imitatori di Dio, quali figli carissimi », e camminare « nella carità » (*Ef* 5,1), conformando i loro pensieri, le loro parole, le loro azioni ai « sentimenti che furono in Cristo Gesù » (*Fil* 2,5) e seguendone gli esempi.[6]

1267

1695 « Giustificati nel Nome del Signore Gesù Cristo e nello Spirito del nostro Dio » (*1 Cor* 6,11), « santificati » e « chiamati ad essere santi » (*1 Cor* 1,2), i cristiani sono diventati « tempio dello *Spirito Santo* ».[7] Questo « Spirito del Figlio » insegna loro a pregare il Padre [8] e, essendo diventato la loro vita, li fa agire [9] in modo tale che portino « il frutto dello Spirito »

[1] San Leone Magno, *Sermones,* 21, 2-3; PL 54, 192A; cf *Liturgia delle Ore,* I, Ufficio delle letture di Natale.
[2] Cf *Gv* 8,29.
[3] Cf *Rm* 6,5.
[4] Cf *Col* 2,12.
[5] Cf *Gv* 15,5.
[6] Cf *Gv* 13,12-16.
[7] Cf *1 Cor* 6,19.
[8] Cf *Gal* 4,6.
[9] Cf *Gal* 5,25.

(*Gal* 5,22) mediante una carità operosa. Guarendo le ferite del peccato, lo Spirito Santo ci rinnova interiormente « nello spirito » (*Ef* 4,23), ci illumina e ci fortifica per vivere come « figli della luce » (*Ef* 5,8), mediante « ogni bontà, giustizia e verità » (*Ef* 5,9).

1970 1696 La via di Cristo « conduce alla vita », una via opposta « conduce alla perdizione » (*Mt* 7,13).[10] La parabola evangelica delle *due vie* è sempre presente nella catechesi della Chiesa. Essa sta ad indicare l'importanza delle decisioni morali per la nostra salvezza. « Ci sono due vie, l'una della vita, l'altra della morte; ma tra le due corre una grande differenza ».[11]

1697 Nella *catechesi* è importante mettere in luce con estrema chiarezza la gioia e le esigenze della via di Cristo.[12] La catechesi della « vita nuova » (*Rm* 6,4) in lui sarà:

737ss — una *catechesi dello Spirito Santo,* Maestro interiore della vita secondo Cristo, dolce ospite e amico che ispira, conduce, corregge e fortifica questa vita;

1938ss — *una catechesi della grazia,* poiché è per grazia che siamo salvati ed è ancora per grazia che le nostre opere possono portare frutto per la vita eterna;

1716ss — *una catechesi delle beatitudini;* infatti la via di Cristo è riassunta nelle beatitudini, il solo cammino verso la felicità eterna, cui aspira il cuore dell'uomo;

1846ss — *una catechesi del peccato e del perdono,* poiché, se non si riconosce peccatore, l'uomo non può conoscere la verità su se stesso, condizione del retto agire, e senza l'offerta del perdono non potrebbe sopportare tale verità;

1803ss — *una catechesi delle virtù umane,* che conduce a cogliere la bellezza e l'attrattiva delle rette disposizioni per il bene;

1812ss — *una catechesi delle virtù cristiane* della fede, della speranza e della carità, che si ispira al sublime esempio dei santi;

2067 — *una catechesi del duplice* comandamento della carità sviluppato nel Decalogo;

946ss — *una catechesi ecclesiale,* perché è nei molteplici scambi dei « beni spirituali » nella « comunione dei santi » che la vita cristiana può crescere, svilupparsi e comunicarsi.

[10] Cf *Dt* 30,15-20.
[11] *Didaché,* 1, 1.
[12] Cf Giovanni Paolo II, Esort. ap. *Catechesi tradendae,* 29.

1698 Il riferimento primo e ultimo di tale catechesi sarà sempre Gesù Cristo stesso, che è « la via, la verità e la vita » (*Gv* 14,6). Guardando a lui nella fede, i cristiani possono sperare che egli stesso realizzi in loro le sue promesse, e che, amandolo con l'amore con cui egli li ha amati, compiano le opere che si addicono alla loro dignità: 426

Vi prego di considerare che Gesù Cristo nostro Signore è il vostro vero Capo e che voi siete una delle sue membra. Egli sta a voi come il capo alle membra; tutto ciò che è suo è vostro, il suo Spirito, il suo Cuore, il suo Corpo, la sua anima e tutte le sue facoltà, e voi dovete usarne come se fossero cose vostre, per servire, lodare, amare e glorificare Dio. Voi appartenete a lui, come le membra al loro capo. Allo stesso modo egli desidera ardentemente usare tutto ciò che è in voi, al servizio e per la gloria del Padre, come se fossero cose che gli appartengono.[13]

Per me il vivere è Cristo (*Fil* 1,21).

[13] San Giovanni Eudes, *Tractatus de admirabili corde Iesu;* cf *Liturgia delle Ore,* IV, Ufficio delle letture del 19 agosto.

SEZIONE PRIMA

LA VOCAZIONE DELL'UOMO: LA VITA NELLO SPIRITO

1699 La vita nello Spirito Santo realizza la vocazione dell'uomo (capitolo primo). È fatta di carità divina e di solidarietà umana (capitolo secondo). È gratuitamente concessa come una Salvezza (capitolo terzo).

CAPITOLO PRIMO

LA DIGNITÀ DELLA PERSONA UMANA

1700 La dignità della persona umana si radica nella creazione ad immagine e somiglianza di Dio (articolo 1); ha il suo compimento nella vocazione alla beatitudine divina (articolo 2). È proprio dell'essere umano tendere liberamente a questo compimento (articolo 3). Con i suoi atti liberi (articolo 4), la persona umana si conforma, o no, al bene promesso da Dio e attestato dalla coscienza morale (articolo 5). Gli esseri umani si edificano da se stessi e crescono interiormente: di tutta la loro vita sensibile e spirituale fanno un materiale per la loro crescita (articolo 6). Con l'aiuto della grazia progrediscono nella virtù (articolo 7), evitano il peccato e, se l'hanno commesso, si affidano, come il figlio prodigo,[1] alla misericordia del nostro Padre dei cieli (articolo 8). Così raggiungono la perfezione della carità.

356

1439

Articolo 1

L'UOMO IMMAGINE DI DIO

1701 « Cristo..., proprio rivelando il mistero del Padre e del suo Amore, svela anche pienamente l'uomo all'uomo e gli fa nota la sua altissima vocazione ».[2] È in Cristo, « immagine del Dio invisibile » (*Col* 1,15),[3] che l'uomo è stato creato ad « immagine e somiglianza » del Creatore. È in Cristo, Redentore e Salvatore, che l'immagine divina, deformata nell'uomo dal primo peccato, è stata restaurata nella sua bellezza originale e nobilitata dalla grazia di Dio.[4]

359

1702 L'immagine divina è presente in ogni uomo. Risplende nella comunione delle persone, a somiglianza dell'unione delle persone divine tra loro.

1878

[1] Cf *Lc* 15,11-31.
[2] CONC. ECUM. VAT. II, *Gaudium et spes*, 22.
[3] Cf *2 Cor* 4,4.
[4] Cf CONC. ECUM. VAT. II, *Gaudium et spes*, 22.

363 1703 Dotata di « un'anima spirituale ed immortale »,[5] la persona umana è in terra « la sola creatura che Dio abbia voluto per se stessa ».[6] Fin dal
2258 suo concepimento è destinata alla beatitudine eterna.

1704 La persona umana partecipa alla luce e alla forza dello Spirito divi-
339 no. Grazie alla ragione è capace di comprendere l'ordine delle cose stabilito dal Creatore. Grazie alla sua volontà è capace di orientarsi da sé al suo vero
30 bene. Trova la propria perfezione nel « cercare » e nell'« amare il vero e il bene ».[7]

1705 In virtù della sua anima e delle sue potenze spirituali d'intelligenza e
1730 di volontà, l'uomo è dotato di libertà, « segno altissimo dell'immagine divina ».[8]

1706 Con la sua ragione l'uomo conosce la voce di Dio che lo « chiama sempre... a fare il bene e a fuggire il male ».[9] Ciascuno è tenuto a seguire
1776 questa legge che risuona nella coscienza e che trova il suo compimento nell'amore di Dio e del prossimo. L'esercizio della vita morale attesta la dignità della persona.

397 1707 « L'uomo però, tentato dal Maligno, fin dagli inizi della storia abusò della libertà sua ».[10] Egli cedette alla tentazione e commise il male. Conserva il desiderio del bene, ma la sua natura porta la ferita del peccato originale. È diventato incline al male e soggetto all'errore:

> Così l'uomo si trova in se stesso diviso. Per questo tutta la vita umana, sia individuale che collettiva, presenta i caratteri di una lotta drammatica tra il bene e il male, tra la luce e le tenebre.[11]

617 1708 Con la sua Passione Cristo ci ha liberati da Satana e dal peccato. Ci ha meritato la vita nuova nello Spirito Santo. La sua grazia restaura ciò che il peccato aveva in noi deteriorato.

1265 1709 Chi crede in Cristo diventa figlio di Dio. Questa adozione filiale lo trasforma dandogli la capacità di seguire l'esempio di Cristo. Lo rende capace di agire rettamente e di compiere il bene. Nell'unione con il suo Salvatore, il discepolo raggiunge la perfezione della carità, la santità. La vita
1050 morale, maturata nella grazia, sboccia in vita eterna, nella gloria del cielo.

[5] Conc. Ecum. Vat. II, *Gaudium et spes,* 14.
[6] *Ibid.,* 24.
[7] *Ibid.,* 15.
[8] *Ibid.,* 17.
[9] *Ibid.,* 16.
[10] *Ibid.,* 13.
[11] *Ibid.*

In sintesi

1710 *« Cristo... svela pienamente l'uomo all'uomo e gli fa nota la sua altissima vocazione ».*[12]

1711 *Dotata di un'anima spirituale, d'intelligenza e di volontà, la persona umana fin dal suo concepimento è ordinata a Dio e destinata alla beatitudine eterna. Essa raggiunge la propria perfezione nel « cercare » ed « amare il vero e il bene ».*[13]

1712 *La vera libertà è nell'uomo « segno altissimo dell'immagine divina ».*[14]

1713 *L'uomo è tenuto a seguire la legge morale che lo spinge « a fare il bene e a fuggire il male ».*[15] *Questa legge risuona nella sua coscienza.*

1714 *L'uomo, ferito nella propria natura dal peccato originale, è soggetto all'errore ed incline al male nell'esercizio della sua libertà.*

1715 *Chi crede in Cristo ha la vita nuova nello Spirito Santo. La vita morale, cresciuta e maturata nella grazia, arriva a compimento nella gloria del cielo.*

Articolo 2
LA NOSTRA VOCAZIONE ALLA BEATITUDINE

I. Le beatitudini

1716 Le beatitudini sono al centro della predicazione di Gesù. La loro proclamazione riprende le promesse fatte al popolo eletto a partire da Abramo. Le porta alla perfezione ordinandole non più al solo godimento di una terra, ma al Regno dei cieli:

2546

Beati i poveri in spirito, perché di essi è il Regno dei cieli.
Beati gli afflitti, perché saranno consolati.
Beati i miti, perché erediteranno la terra.
Beati quelli che hanno fame e sete della giustizia, perché saranno saziati.
Beati i misericordiosi, perché troveranno misericordia.
Beati i puri di cuore, perché vedranno Dio.

[12] Conc. Ecum. Vat. II, *Gaudium et spes,* 22.
[13] *Ibid.,* 15.
[14] *Ibid.,* 17.
[15] *Ibid.,* 16.

> Beati gli operatori di pace, perché saranno chiamati figli di Dio.
> Beati i perseguitati a causa della giustizia, perché di essi è il Regno dei cieli.
> Beati voi quando vi insulteranno, vi perseguiteranno e, mentendo, diranno ogni sorta di male contro di voi per causa mia. Rallegratevi ed esultate, perché grande è la vostra ricompensa nei cieli (*Mt* 5,3-12).

459 1820 **1717** Le beatitudini dipingono il volto di Gesù Cristo e ne descrivono la carità; esse esprimono la vocazione dei fedeli associati alla gloria della sua Passione e della sua Risurrezione; illuminano le azioni e le disposizioni caratteristiche della vita cristiana; sono le promesse paradossali che, nelle tribolazioni, sorreggono la speranza; annunziano le benedizioni e le ricompense già oscuramente anticipate ai discepoli; sono inaugurate nella vita della Vergine e di tutti i Santi.

II. Il desiderio della felicità

27 1024 **1718** Le beatitudini rispondono all'innato desiderio di felicità. Questo desiderio è di origine divina: Dio l'ha messo nel cuore dell'uomo per attirarlo a sé, perché egli solo lo può colmare.

> Noi tutti certamente bramiamo vivere felici, e tra gli uomini non c'è nessuno che neghi il proprio assenso a questa affermazione, anche prima che venga esposta in tutta la sua portata.[16]

2541

> Come ti cerco, dunque, Signore? Cercando Te, Dio mio, io cerco la felicità. Ti cercherò perché l'anima mia viva. Il mio corpo vive della mia anima e la mia anima vive di Te.[17]
>
> Dio solo sazia.[18]

1950 **1719** Le beatitudini svelano la mèta dell'esistenza umana, il fine ultimo cui tendono le azioni umane: Dio ci chiama alla sua beatitudine. Tale vocazione è rivolta a ciascuno personalmente, ma anche all'insieme della Chiesa, popolo nuovo di coloro che hanno accolto la promessa e di essa vivono nella fede.

III. La beatitudine cristiana

1027 **1720** Il Nuovo Testamento usa parecchie espressioni per caratterizzare la beatitudine alla quale Dio chiama l'uomo: l'avvento del Regno di Dio;[19]

[16] Sant'Agostino, *De moribus ecclesiae catholicae*, 1, 3, 4: PL 32, 1312.
[17] Sant'Agostino, *Confessiones*, 10, 20, 29.
[18] San Tommaso d'Aquino, *Expositio in symbolum apostolicum*, 1.
[19] Cf *Mt* 4,17.

la visione di Dio: « Beati i puri di cuore, perché vedranno Dio » (*Mt* 5,8);[20] l'entrata nella gioia del Signore;[21] l'entrata nel Riposo di Dio:[22]

> Là noi riposeremo e vedremo; vedremo e ameremo; ameremo e loderemo. Ecco ciò che alla fine sarà, senza fine. E quale altro fine abbiamo, se non di giungere al regno che non avrà fine?[23]

1721 Dio infatti ci ha creati per conoscerlo, servirlo e amarlo, e così giungere in Paradiso. La beatitudine ci rende partecipi della natura divina[24] e della vita eterna.[25] Con essa, l'uomo entra nella gloria di Cristo[26] e nel godimento della vita trinitaria. 260

1722 Una tale beatitudine oltrepassa l'intelligenza e le sole forze umane. 1028 Essa è frutto di un dono gratuito di Dio. Per questo la si dice soprannaturale, come la grazia che dispone l'uomo ad entrare nella gioia di Dio.

> « Beati i puri di cuore, perché vedranno Dio »; tuttavia nella sua grandezza e nella sua mirabile gloria, « nessun uomo può vedere Dio e restare vivo ». Il Padre, infatti, è incomprensibile; ma nel suo amore, nella sua bontà verso gli uomini, e nella sua onnipotenza, arriva a concedere a coloro che lo amano il privilegio di vedere Dio... poiché « ciò che è impossibile agli uomini, è possibile a Dio ».[27] 294

1723 La beatitudine promessa ci pone di fronte alle scelte morali decisive. Essa ci invita a purificare il nostro cuore dai suoi istinti cattivi e a cercare 2519 l'amore di Dio al di sopra di tutto. Ci insegna che la vera felicità non si trova né nella ricchezza o nel benessere, né nella gloria umana o nel potere, né in alcuna attività umana, per quanto utile possa essere, come le scienze, le tecniche e le arti, né in alcuna creatura, ma in Dio solo, sorgente di ogni 227 bene e di ogni amore:

> La ricchezza è la grande divinità del presente; alla ricchezza la moltitudine, tutta la massa degli uomini, tributa un omaggio istintivo. Per gli uomini il metro della felicità è la fortuna, e la fortuna è il metro dell'onorabilità... Tutto ciò deriva dalla convinzione che in forza della ricchezza tutto è possibile. La ricchezza è quindi uno degli idoli del nostro tempo, e un altro idolo è la notorietà... La notorietà, il fatto di essere conosciuti e di far parlare di sé nel

[20] Cf *1 Gv* 3,2; *1 Cor* 13,12.
[21] Cf *Mt* 25,21.23.
[22] Cf *Eb* 4,7-11.
[23] Sant'Agostino, *De civitate Dei,* 22, 30.
[24] Cf *2 Pt* 1,4.
[25] Cf *Gv* 17,3.
[26] Cf *Rm* 8,18.
[27] Sant'Ireneo di Lione, *Adversus haereses,* 4, 20, 5.

mondo (ciò che si potrebbe chiamare fama da stampa), ha finito per essere considerata un bene in se stessa, un bene sommo, un oggetto, anch'essa, di vera venerazione.[28]

1724 Il Decalogo, il Discorso della Montagna e la catechesi apostolica ci descrivono le vie che conducono al Regno dei cieli. Noi ci impegniamo in esse passo passo, mediante azioni quotidiane, sostenuti dalla grazia dello Spirito Santo. Fecondati dalla Parola di Cristo, lentamente portiamo frutti nella Chiesa per la gloria di Dio.[29]

In sintesi

1725 *Le beatitudini riprendono e portano a perfezione le promesse di Dio fatte a partire da Abramo, ordinandole al Regno dei cieli. Esse rispondono al desiderio di felicità che Dio ha posto nel cuore dell'uomo.*

1726 *Le beatitudini ci insegnano il fine ultimo al quale Dio ci chiama: il Regno, la visione di Dio, la partecipazione alla natura divina, la vita eterna, la filiazione, il riposo in Dio.*

1727 *La beatitudine della vita eterna è un dono gratuito di Dio: è soprannaturale al pari della grazia che ad essa conduce.*

1728 *Le beatitudini ci mettono di fronte a scelte decisive riguardo ai beni terreni; esse purificano il nostro cuore per renderci capaci di amare Dio al di sopra di tutto.*

1729 *La beatitudine del Cielo determina i criteri di discernimento nell'uso dei beni terreni in conformità alla Legge di Dio.*

Articolo 3
LA LIBERTÀ DELL'UOMO

1730 Dio ha creato l'uomo ragionevole conferendogli la dignità di una persona dotata dell'iniziativa e della padronanza dei suoi atti. « Dio volle, infatti, lasciare l'uomo "in mano al suo consiglio" (*Sir* 15,14), così che esso

[28] John Henry Newman, *Discourses to mixed congregations,* 5, sulla santità.
[29] Cf *Mt* 13,3-23.

cerchi spontaneamente il suo Creatore e giunga liberamente, con l'adesione a lui, alla piena e beata perfezione »:[30] 30

> L'uomo è dotato di ragione, e in questo è simile a Dio, creato libero nel suo arbitrio e potere.[31]

I. Libertà e responsabilità

1731 La libertà è il potere, radicato nella ragione e nella volontà, di agire o di non agire, di fare questo o quello, di porre così da se stessi azioni deliberate. Grazie al libero arbitrio ciascuno dispone di sé. La libertà è nell'uomo una forza di crescita e di maturazione nella verità e nella bontà. La libertà raggiunge la sua perfezione quando è ordinata a Dio, nostra beatitudine. 1721

1732 Finché non si è definitivamente fissata nel suo bene ultimo che è Dio, 396 la libertà implica la possibilità di *scegliere tra il bene e il male,* e conseguentemente quella di avanzare nel cammino di perfezione oppure di venir meno 1849 e di peccare. Essa contraddistingue gli atti propriamente umani. Diventa sorgente di lode o di biasimo, di merito o di demerito. 2006

1733 Quanto più si fa il bene, tanto più si diventa liberi. Non c'è vera 1803 libertà se non al servizio del bene e della giustizia. La scelta della disobbedienza e del male è un abuso della libertà e conduce alla schiavitù del peccato.[32]

1734 La libertà rende l'uomo *responsabile* dei suoi atti, nella misura in cui 1036 sono volontari. Il progresso nella virtù, la conoscenza del bene e l'ascesi 1804 accrescono il dominio della volontà sui propri atti.

1735 *L'imputabilità* e la responsabilità di un'azione possono essere sminuite o annullate dall'ignoranza, dall'inavvertenza, dalla violenza, dal timore, 597 dalle abitudini, dagli affetti smodati e da altri fattori psichici oppure sociali.

1736 Ogni atto voluto direttamente è da imputarsi a chi lo compie.

> Il Signore infatti chiede ad Adamo dopo il peccato nel giardino: « Che hai fatto? » (*Gn* 3,13). Così pure a Caino.[33] Altrettanto fa il profeta Natan con il re Davide dopo l'adulterio commesso con la moglie di Uria e l'assassinio di quest'ultimo.[34] 2568

[30] Conc. Ecum. Vat. II, *Gaudium et spes,* 17.
[31] Sant'Ireneo di Lione, *Adversus haereses,* 4, 4, 3.
[32] Cf *Rm* 6,17.
[33] Cf *Gn* 4,10.
[34] Cf *2 Sam* 12,7-15.

Un'azione può essere indirettamente volontaria quando è conseguenza di una negligenza riguardo a ciò che si sarebbe dovuto conoscere o fare, per esempio un incidente provocato da una ignoranza del codice stradale.

2263 1737 Un effetto può essere tollerato senza che sia voluto da colui che agisce; per esempio lo sfinimento di una madre al capezzale del figlio ammalato. L'effetto dannoso non è imputabile se non è stato voluto né come fine né come mezzo dell'azione, come può essere la morte incontrata nel portare soccorso a una persona in pericolo. Perché l'effetto dannoso sia imputabile, bisogna che sia prevedibile e che colui che agisce abbia la possibilità di evitarlo; è il caso, per esempio, di un omicidio commesso da un conducente in stato di ubriachezza.

1738 La libertà si esercita nei rapporti tra gli esseri umani. Ogni persona umana, creata ad immagine di Dio, ha il diritto naturale di essere riconosciuta come un essere libero e responsabile. Tutti hanno verso ciascuno il dovere di questo rispetto. Il *diritto all'esercizio della libertà* è un'esigenza 2106 inseparabile dalla dignità della persona umana, particolarmente in campo 210 morale e religioso.[35] Tale diritto deve essere civilmente riconosciuto e tutelato nei limiti del bene comune e dell'ordine pubblico.[36]

II. La libertà umana nell'Economia della Salvezza

1739 *Libertà e peccato.* La libertà dell'uomo è finita e fallibile. Di fatto, 387 l'uomo ha sbagliato. Liberamente ha peccato. Rifiutando il disegno d'amore di Dio, si è ingannato da sé; è divenuto schiavo del peccato. Questa prima 401 alienazione ne ha generate molte altre. La storia dell'umanità, a partire dalle origini, sta a testimoniare le sventure e le oppressioni nate dal cuore dell'uomo, in conseguenza di un cattivo uso della libertà.

2108 1740 *Minacce per la libertà.* L'esercizio della libertà non implica il diritto di dire e di fare qualsiasi cosa. È falso pretendere che l'uomo, soggetto della libertà, sia un « individuo sufficiente a se stesso ed avente come fine il soddisfacimento del proprio interesse nel godimento dei beni terrestri ».[37] Peraltro, le condizioni d'ordine economico e sociale, politico e culturale richieste per un retto esercizio della libertà troppo spesso sono misconosciute e 1887 violate. Queste situazioni di accecamento e di ingiustizia gravano sulla vita morale ed inducono tanto i forti quanto i deboli nella tentazione di peccare contro la carità. Allontanandosi dalla legge morale, l'uomo attenta alla propria libertà, si fa schiavo di se stesso, spezza la fraternità coi suoi simili e si ribella contro la volontà divina.

[35] Cf CONC. ECUM. VAT. II, *Dignitatis humanae,* 2.
[36] *Ibid.,* 7.
[37] CONGREGAZIONE PER LA DOTTRINA DELLA FEDE, Istr. *Libertatis conscientia,* 13, AAS 79 (1987), 554-599.

1741 *Liberazione e salvezza.* Con la sua croce gloriosa Cristo ha ottenuto la salvezza di tutti gli uomini. Li ha riscattati dal peccato che li teneva in schiavitù. « Cristo ci ha liberati perché restassimo liberi » (*Gal* 5,1). In lui abbiamo comunione con « la verità » che ci fa « liberi » (*Gv* 8,32). Ci è stato donato lo Spirito Santo e, come insegna l'Apostolo, « dove c'è lo Spirito del Signore c'è libertà » (*2 Cor* 3,17). Fin d'ora ci gloriamo della « libertà... dei figli di Dio » (*Rm* 8,21). 782

1742 *Libertà e grazia.* La grazia di Cristo non si pone affatto in concorrenza con la nostra libertà, quando questa è in sintonia con il senso della verità e del bene che Dio ha messo nel cuore dell'uomo. Al contrario, e l'esperienza cristiana lo testimonia specialmente nella preghiera, quanto più siamo docili agli impulsi della grazia, tanto più cresce la nostra libertà interiore e la sicurezza nelle prove come pure di fronte alle pressioni e alle costrizioni del mondo esterno. Con l'azione della grazia, lo Spirito Santo ci educa alla libertà spirituale per fare di noi dei liberi collaboratori della sua opera nella Chiesa e nel mondo: 2002 1784

> Dio grande e misericordioso, allontana ogni ostacolo nel nostro cammino verso di Te, perché, nella serenità del corpo e dello spirito, possiamo dedicarci liberamente al tuo servizio.[38]

In sintesi

1743 *Dio « lasciò » l'uomo « in balia del suo proprio volere »* (*Sir* 15,14), *perché potesse aderire al suo Creatore liberamente e così giungere alla beata perfezione.*[39]

1744 *La libertà è il potere di agire o di non agire e di porre così da se stessi azioni libere. Essa raggiunge la perfezione del suo atto quando è ordinata a Dio, Bene supremo.*

1745 *La libertà caratterizza gli atti propriamente umani. Rende l'essere umano responsabile delle azioni che volontariamente compie. Il suo agire libero gli appartiene in proprio.*

1746 *L'imputabilità e la responsabilità di una azione può essere sminuita o annullata dall'ignoranza, dalla violenza, dal timore e da altri fattori psichici o sociali.*

1747 *Il diritto all'esercizio della libertà è un'esigenza inseparabile dalla dignità dell'uomo, particolarmente in campo religioso e morale. Ma*

[38] *Messale Romano,* colletta della trentaduesima domenica.
[39] Cf CONC. ECUM. VAT. II, *Gaudium et spes,* 17.

l'esercizio della libertà non implica il supposto diritto di dire e di fare qualsiasi cosa.

1748 *« Cristo ci ha liberati perché restassimo liberi »* (*Gal* 5,1).

Articolo 4
LA MORALITÀ DEGLI ATTI UMANI

1749 La libertà fa dell'uomo un soggetto morale. Quando agisce liberamente, l'uomo è, per così dire, il *padre dei propri atti.* Gli atti umani, cioè gli atti liberamente scelti in base ad un giudizio di coscienza, sono moralmente qualificabili. Essi sono buoni o cattivi. 1732

I. Le fonti della moralità

1750 La moralità degli atti umani dipende:

— dall'oggetto scelto;

— dal fine che ci si prefigge o dall'intenzione;

— dalle circostanze dell'azione.

L'oggetto, l'intenzione e le circostanze rappresentano le « fonti », o elementi costitutivi, della moralità degli atti umani.

1751 *L'oggetto* scelto è un bene verso il quale la volontà si dirige deliberatamente. È la materia di un atto umano. L'oggetto scelto specifica moralmente l'atto del volere, in quanto la ragione lo riconosce e lo giudica conforme o no al vero bene. Le norme oggettive della moralità enunciano l'ordine razionale del bene e del male, attestato dalla coscienza. 1794

1752 Di fronte all'oggetto, l'*intenzione* si pone dalla parte del soggetto che agisce. Per il fatto che sta alla sorgente volontaria dell'azione e la determina attraverso il fine, l'intenzione è un elemento essenziale per la qualificazione morale dell'azione. Il fine è il termine primo dell'intenzione e designa lo scopo perseguito nell'azione. L'intenzione è un movimento della volontà verso il fine; riguarda il termine dell'agire. È l'orientamento al bene che ci si aspetta dall'azione intrapresa. Non si limita ad indirizzare le nostre singole azioni, ma può ordinare molteplici azioni verso un medesimo scopo; può orientare l'intera vita verso il fine ultimo. Per esempio, un servizio reso ha come scopo di aiutare il prossimo, ma, al tempo stesso, può essere ispirato dall'amore di Dio come fine ultimo di tutte le nostre azioni. Una medesima 2520 1731 azione può anche essere ispirata da diverse intenzioni; così, per esempio, si può rendere un servizio per procurarsi un favore o per trarne motivo di vanto.

1753 Un'intenzione buona (per esempio, aiutare il prossimo) non rende né buono né giusto un comportamento in se stesso scorretto (come la menzogna e la maldicenza). Il fine non giustifica i mezzi. Così, non si può giustificare la condanna di un innocente come un mezzo legittimo per salvare il popolo. Al contrario, la presenza di un'intenzione cattiva (quale la vanagloria), rende cattivo un atto che, in sé, può essere buono.[40]

2479
596

1754 Le *circostanze,* ivi comprese le conseguenze, sono gli elementi secondari di un atto morale. Concorrono ad aggravare oppure a ridurre la bontà o la malizia morale degli atti umani (per esempio, l'ammontare di una rapina). Esse possono anche attenuare o aumentare la responsabilità di chi agisce (agire, per esempio, per paura della morte). Le circostanze, in sé, non possono modificare la qualità morale degli atti stessi; non possono rendere né buona né giusta un'azione intrinsecamente cattiva.

1735

II. Gli atti buoni e gli atti cattivi

1755 L'atto *moralmente buono* suppone, ad un tempo, la bontà dell'oggetto, del fine e delle circostanze. Un fine cattivo corrompe l'azione, anche se il suo oggetto, in sé, è buono (come il pregare e il digiunare « per essere visti dagli uomini »: *Mt* 6,5).

L'oggetto della scelta può da solo viziare tutta un'azione. Ci sono dei comportamenti concreti — come la fornicazione — che è sempre sbagliato scegliere, perché la loro scelta comporta un disordine della volontà, cioè un male morale.

1756 È quindi sbagliato giudicare la moralità degli atti umani considerando soltanto l'intenzione che li ispira, o le circostanze (ambiente, pressione sociale, costrizione o necessità di agire, ecc.) che ne costituiscono la cornice. Ci sono atti che per se stessi e in se stessi, indipendentemente dalle circostanze e dalle intenzioni, sono sempre gravemente illeciti a motivo del loro oggetto; tali la bestemmia e lo spergiuro, l'omicidio e l'adulterio. Non è lecito compiere il male perché ne derivi un bene.

1789

[40] Cf *Mt* 6,2-4.

In sintesi

1757 *L'oggetto, l'intenzione e le circostanze costituiscono le tre « fonti » della moralità degli atti umani.*

1758 *L'oggetto scelto specifica moralmente l'atto del volere, in quanto la ragione lo riconosce e lo giudica buono o cattivo.*

1759 *« Non può essere giustificata un'azione cattiva compiuta con una buona intenzione ».*[41] *Il fine non giustifica i mezzi.*

1760 *L'atto moralmente buono suppone la bontà dell'oggetto, del fine e delle circostanze.*

1761 *Vi sono comportamenti concreti che è sempre sbagliato scegliere, perché la loro scelta comporta un disordine della volontà, cioè un male morale. Non è lecito compiere il male perché ne derivi un bene.*

Articolo 5
LA MORALITÀ DELLE PASSIONI

1762 La persona umana si ordina alla beatitudine con i suoi atti liberi: le passioni o sentimenti che prova possono disporla a ciò e contribuirvi.

I. Le passioni

1763 Il termine « passioni » appartiene al patrimonio cristiano. Per sentimenti o passioni si intendono le emozioni o moti della sensibilità, che spingono ad agire o a non agire in vista di ciò che è sentito o immaginato come buono o come cattivo.

1764 Le passioni sono componenti naturali dello psichismo umano; fanno da tramite e assicurano il legame tra la vita sensibile e la vita dello spirito. 368 Nostro Signore indica il cuore dell'uomo come la sorgente da cui nasce il movimento delle passioni.[42]

1765 Le passioni sono molte. Quella fondamentale è l'amore provocato dall'attrattiva del bene. L'amore suscita il desiderio del bene che non si ha e la speranza di conseguirlo. Questo movimento ha il suo termine nel piacere

[41] San Tommaso d'Aquino, *Collationes in decem praeceptis,* 6.
[42] Cf *Mc* 7,21.

e nella gioia del bene posseduto. Il timore del male causa l'odio, l'avversione e lo spavento del male futuro. Questo movimento finisce nella tristezza del male presente o nella collera che vi si oppone.

1766 « Amare è volere del bene a qualcuno ».[43] Qualsiasi altro affetto ha la sua sorgente in questo moto originario del cuore dell'uomo verso il bene. Non si ama che il bene.[44] « Le passioni sono cattive se l'amore è cattivo, buone se l'amore è buono ».[45] 1704

II. Passioni e vita morale

1767 Le passioni, in se stesse, non sono né buone né cattive. Non ricevono qualificazione morale se non nella misura in cui dipendono effettivamente dalla ragione e dalla volontà. Le passioni sono dette volontarie « o perché sono comandate dalla volontà, oppure perché la volontà non vi resiste ».[46] È proprio della perfezione del bene morale o umano che le passioni siano regolate dalla ragione.[47] 1860

1768 Non sono i grandi sentimenti a decidere della moralità o della santità delle persone; essi sono la riserva inesauribile delle immagini e degli affetti nei quali si esprime la vita morale. Le passioni sono moralmente buone quando contribuiscono ad un'azione buona; sono cattive nel caso contrario. La volontà retta ordina al bene e alla beatitudine i moti sensibili che essa assume; la volontà cattiva cede alle passioni disordinate e le inasprisce. Le emozioni e i sentimenti possono essere assunti nelle *virtù,* o pervertiti nei *vizi.* 1803 1865

1769 Nella vita cristiana, lo Spirito Santo compie la sua opera mobilitando tutto l'essere, compresi i suoi dolori, i suoi timori e le sue tristezze, come è evidente nell'Agonia e nella Passione del Signore. In Cristo, i sentimenti umani possono ricevere la loro perfezione nella carità e nella beatitudine divina.

1770 La perfezione morale consiste nel fatto che l'uomo non sia indotto al bene soltanto dalla volontà, ma anche dal suo appetito sensibile, secondo queste parole del Salmo: « Il mio cuore e la mia carne esultano nel Dio vivente » (*Sal* 84,3). 30

[43] San Tommaso d'Aquino, *Summa theologiae,* I-II, 26, 4.
[44] Cf Sant'Agostino, *De Trinitate,* 8, 3, 4.
[45] Sant'Agostino, *De civitate Dei,* 14, 7.
[46] San Tommaso d'Aquino, *Summa theologiae,* I-II, 24, 1.
[47] Cf *ibid.,* I-II, 24, 3.

In sintesi

1771 *Il termine « passioni » indica gli affetti o i sentimenti. Attraverso le sue emozioni, l'uomo ha il presentimento del bene e il sospetto del male.*

1772 *Le principali passioni sono l'amore e l'odio, il desiderio e il timore, la gioia, la tristezza e la collera.*

1773 *Nelle passioni, intese come moti della sensibilità, non c'è né bene né male morale. Ma nella misura in cui dipendono o no dalla ragione e dalla volontà, c'è in esse il bene o il male morale.*

1774 *Le emozioni e i sentimenti possono essere assunti nelle virtù, o pervertiti nei vizi.*

1775 *La perfezione del bene morale si ha quando l'uomo non è indotto al bene dalla sola volontà, ma anche dal suo « cuore ».*

Articolo 6
LA COSCIENZA MORALE

1954

1776 « Nell'intimo della coscienza l'uomo scopre una legge che non è lui a darsi, ma alla quale invece deve obbedire e la cui voce, che lo chiama sempre ad amare e a fare il bene e a fuggire il male, quando occorre, chiaramente parla alle orecchie del cuore... L'uomo ha in realtà una legge scritta da Dio dentro al suo cuore... La coscienza è il nucleo più segreto e il sacrario dell'uomo, dove egli si trova solo con Dio, la cui voce risuona nell'intimità propria ».[48]

I. Il giudizio della coscienza

1777 Presente nell'intimo della persona, la coscienza morale [49] le ingiunge, al momento opportuno, di compiere il bene e di evitare il male. Essa giudica anche le scelte concrete, approvando quelle che sono buone, denunciando quelle cattive.[50] Attesta l'autorità della verità in riferimento al Bene supremo, di cui la persona umana avverte l'attrattiva ed accoglie i comandi. Quando ascolta la coscienza morale, l'uomo prudente può sentire Dio che parla.

1766; 2071

[48] Conc. Ecum. Vat. II, *Gaudium et spes,* 16.
[49] Cf *Rm* 2,14-16.
[50] Cf *Rm* 1,32.

1778 La coscienza morale è un giudizio della ragione mediante il quale la persona umana riconosce la qualità morale di un atto concreto che sta per porre, sta compiendo o ha compiuto. In tutto quello che dice e fa, l'uomo ha il dovere di seguire fedelmente ciò che sa essere giusto e retto. È attraverso il giudizio della propria coscienza che l'uomo percepisce e riconosce i precetti della legge divina:

1749

> La coscienza è una legge del nostro spirito, ma che lo supera, che ci dà degli ordini, che indica responsabilità e dovere, timore e speranza... la messaggera di Colui che, nel mondo della natura come in quello della grazia, ci parla velatamente, ci istruisce e ci guida. La coscienza è il primo di tutti i vicari di Cristo.[51]

1779 L'importante per ciascuno è di essere sufficientemente presente a se stesso al fine di sentire e seguire la voce della propria coscienza. Tale ricerca di *interiorità* è quanto mai necessaria per il fatto che la vita spesso ci mette in condizione di sottrarci ad ogni riflessione, esame o introspezione:

1886

> Ritorna alla tua coscienza, interrogala... Fratelli, rientrate in voi stessi e in tutto ciò che fate, fissate lo sguardo sul Testimone, Dio.[52]

1780 La dignità della persona umana implica ed esige la *rettitudine della coscienza morale*. La coscienza morale comprende la percezione dei principi della moralità [« sinderesi »], la loro applicazione nelle circostanze di fatto mediante un discernimento pratico delle ragioni e dei beni e, infine, il giudizio riguardante gli atti concreti che si devono compiere o che sono già stati compiuti. La verità sul bene morale, dichiarata nella legge della ragione, è praticamente e concretamente riconosciuta attraverso il *giudizio prudente* della coscienza. Si chiama prudente l'uomo le cui scelte sono conformi a tale giudizio.

1806

1781 La coscienza permette di assumere la *responsabilità* degli atti compiuti. Se l'uomo commette il male, il retto giudizio della coscienza può rimanere in lui il testimone della verità universale del bene e, al tempo stesso, della malizia della sua scelta particolare. La sentenza del giudizio di coscienza resta un pegno di speranza e di misericordia. Attestando la colpa commessa, richiama al perdono da chiedere, al bene da praticare ancora e alla virtù da coltivare incessantemente con la grazia di Dio:

1731

> Davanti a lui rassicureremo il nostro cuore qualunque cosa esso ci rimproveri. Dio è più grande del nostro cuore e conosce ogni cosa (*1 Gv* 3,19-20).

[51] JOHN HENRY NEWMAN, *Lettera al Duca di Norfolk*, 5.
[52] SANT'AGOSTINO, *In epistulam Johannis ad Parthos tractatus*, 8, 9.

1782 L'uomo ha il diritto di agire in coscienza e libertà, per prendere personalmente le decisioni morali. L'uomo non deve essere costretto « ad agire contro la sua coscienza. Ma non si deve neppure impedirgli di operare in conformità ad essa, soprattutto in campo religioso ».[53]

2106

II. La formazione della coscienza

1783 La coscienza deve essere educata e il giudizio morale illuminato. Una coscienza ben formata è retta e veritiera. Essa formula i suoi giudizi seguendo la ragione, in conformità al vero bene voluto dalla sapienza del Creatore. L'educazione della coscienza è indispensabile per esseri umani esposti a influenze negative e tentati dal peccato a preferire il loro proprio giudizio e a rifiutare gli insegnamenti certi.

2039

1784 L'educazione della coscienza è un compito di tutta la vita. Fin dai primi anni dischiude al bambino la conoscenza e la pratica della legge interiore, riconosciuta dalla coscienza morale. Un'educazione prudente insegna la virtù; preserva o guarisce dalla paura, dall'egoismo e dall'orgoglio, dai risentimenti della colpevolezza e dai moti di compiacenza, che nascono dalla debolezza e dagli sbagli umani. L'educazione della coscienza garantisce la libertà e genera la pace del cuore.

1742

1785 Nella formazione della coscienza la Parola di Dio è la luce sul nostro cammino; la dobbiamo assimilare nella fede e nella preghiera e mettere in pratica. Dobbiamo anche esaminare la nostra coscienza rapportandoci alla Croce del Signore. Siamo sorretti dai doni dello Spirito Santo, aiutati della testimonianza o dai consigli altrui, e guidati dall'insegnamento certo della Chiesa.[54]

890

III. Scegliere secondo coscienza

1786 Messa di fronte ad una scelta morale, la coscienza può dare sia un giudizio retto in accordo con la ragione e con la legge divina, sia, al contrario, un giudizio erroneo che da esse si discosta.

1787 L'uomo talvolta si trova ad affrontare situazioni che rendono incerto il giudizio morale e difficile la decisione. Egli deve sempre ricercare ciò che è giusto e buono e discernere la volontà di Dio espressa nella legge divina.

1955

[53] Conc. Ecum. Vat. II, *Dignitatis humanae*, 3.
[54] Cf *ibid.*, 14.

1788 A tale scopo l'uomo si sforza di interpretare i dati dell'esperienza e i segni dei tempi con la virtù della prudenza, con i consigli di persone avvedute e con l'aiuto dello Spirito Santo e dei suoi doni. 1806

1789 Alcune norme valgono in ogni caso:

— Non è mai consentito fare il male perché ne derivi un bene. 1756

— La « regola d'oro »: « Tutto quanto volete che gli uomini facciano a voi, anche voi fatelo a loro » (*Mt* 7,12).[55] 1970

— La carità passa sempre attraverso il rispetto del prossimo e della sua coscienza: Parlando « così contro i fratelli e ferendo la loro coscienza..., voi peccate contro Cristo » (*1 Cor* 8,12). « Perciò è bene » astenersi... da tutto ciò per cui « il tuo fratello possa scandalizzarsi » (*Rm* 14,21). 1827 1971

IV. Il giudizio erroneo

1790 L'essere umano deve sempre obbedire al giudizio certo della propria coscienza. Se agisse deliberatamente contro tale giudizio, si condannerebbe da sé. Ma accade che la coscienza morale sia nell'ignoranza e dia giudizi erronei su azioni da compiere o già compiute.

1791 Questa ignoranza spesso è imputabile alla responsabilità personale. Ciò avviene « quando l'uomo non si cura di cercare la verità e il bene, e quando la coscienza diventa quasi cieca in seguito all'abitudine del peccato ».[56] In tali casi la persona è colpevole del male che commette. 1704

1792 All'origine delle deviazioni del giudizio nella condotta morale possono esserci la non conoscenza di Cristo e del suo Vangelo, i cattivi esempi dati dagli altri, la schiavitù delle passioni, la pretesa ad una malintesa autonomia della coscienza, il rifiuto dell'autorità della Chiesa e del suo insegnamento, la mancanza di conversione e di carità. 133

1793 Se — al contrario — l'ignoranza è invincibile, o il giudizio erroneo è senza responsabilità da parte del soggetto morale, il male commesso dalla persona non può esserle imputato. Nondimento resta un male, una privazione, un disordine. È quindi necessario adoperarsi per correggere la coscienza morale dai suoi errori. 1860

[55] Cf *Lc* 6,31; *Tb* 4,15.
[56] Conc. Ecum. Vat. II, *Gaudium et spes,* 16.

1794 La coscienza buona e pura è illuminata dalla fede sincera. Infatti la carità « sgorga », ad un tempo, « da un cuore puro, da una buona coscienza e da una fede sincera » (*1 Tm* 1,5): [57]

1751

> Quanto più prevale la coscienza retta, tanto più le persone e i gruppi sociali si allontanano dal cieco arbitrio e si sforzano di conformarsi alle norme oggettive della moralità.[58]

In sintesi

1795 *« La coscienza è il nucleo più segreto e il sacrario dell'uomo, dove egli si trova solo con Dio, la cui voce risuona nell'intimità propria ».*[59]

1796 *La coscienza morale è un giudizio della ragione, con il quale la persona umana riconosce la qualità morale di un atto concreto.*

1797 *Per l'uomo che ha commesso il male, la sentenza della propria coscienza rimane un pegno di conversione e di speranza.*

1798 *Una coscienza ben formata è retta e veritiera. Formula i suoi giudizi seguendo la ragione, in conformità al vero bene voluto dalla sapienza del Creatore. Ciascuno deve valersi dei mezzi atti a formare la propria coscienza.*

1799 *Messa di fronte ad una scelta morale, la coscienza può dare sia un retto giudizio in accordo con la ragione e con la legge divina, sia, all'opposto, un giudizio erroneo che se ne discosta.*

1800 *L'essere umano deve sempre obbedire al giudizio certo della propria coscienza.*

1801 *La coscienza morale può rimanere nell'ignoranza o dare giudizi erronei. Tali ignoranze e tali errori non sempre sono esenti da colpevolezza.*

1802 *La Parola di Dio è una luce sui nostri passi. La dobbiamo assimilare nella fede e nella preghiera e mettere in pratica. In tal modo si forma la coscienza morale.*

[57] Cf *1 Tm* 3,9; *2 Tm* 1,3; *1 Pt* 3,21; *At* 24,16.
[58] CONC. ECUM. VAT. II, *Gaudium et spes,* 16.
[59] *Ibid.*

Articolo 7

LE VIRTÙ

1803 « Tutto quello che è vero, nobile, giusto, puro, amabile, onorato, quello che è virtù e merita lode, tutto questo sia oggetto dei vostri pensieri » (*Fil* 4,8).

La virtù è una disposizione abituale e ferma a fare il bene. Essa consente alla persona, non soltanto di compiere atti buoni, ma di dare il meglio di sé. Con tutte le proprie energie sensibili e spirituali la persona virtuosa tende verso il bene; lo ricerca e lo sceglie in azioni concrete. 1733 1768

Il fine di una vita virtuosa consiste nel divenire simili a Dio.[60]

I. Le virtù umane

1804 Le *virtù umane* sono attitudini ferme, disposizioni stabili, perfezioni abituali dell'intelligenza e della volontà che regolano i nostri atti, ordinano le nostre passioni e guidano la nostra condotta secondo la ragione e la fede. Esse procurano facilità, padronanza di sé e gioia per condurre una vita moralmente buona. L'uomo virtuoso è colui che liberamente pratica il bene. 2500

Le virtù morali vengono acquisite umanamente. Sono i frutti e i germi di atti moralmente buoni; dispongono tutte le potenzialità dell'essere umano ad entrare in comunione con l'amore divino. 1827

Distinzione delle virtù cardinali

1805 Quattro virtù hanno funzione di cardine. Per questo sono dette « cardinali »; tutte le altre si raggruppano attorno ad esse. Sono: la prudenza, la giustizia, la fortezza e la temperanza. « Se uno ama la giustizia, le virtù sono il frutto delle sue fatiche. Essa insegna infatti la temperanza e la prudenza, la giustizia e la fortezza » (*Sap* 8,7). Sotto altri nomi, queste virtù sono lodate in molti passi della Scrittura.

1806 La *prudenza* è la virtù che dispone la ragione pratica a discernere in ogni circostanza il nostro vero bene e a scegliere i mezzi adeguati per compierlo. L'uomo « accorto controlla i suoi passi » (*Prv* 14,15). « Siate moderati e sobri per dedicarvi alla preghiera » (*1 Pt* 4,7). La prudenza è la

[60] San Gregorio di Nissa, *Orationes de beatitudinibus,* 1: PG 44, 1200D.

1788 « retta norma dell'azione », scrive san Tommaso [61] sulla scia di Aristotele. Essa non si confonde con la timidezza o la paura, né con la doppiezza o la dissimulazione. È detta « auriga virtutum » — cocchiere delle virtù: essa dirige le altre virtù indicando loro regola e misura. È la prudenza che guida 1780 immediatamente il giudizio di coscienza. L'uomo prudente decide e ordina la propria condotta seguendo questo giudizio. Grazie alla virtù della prudenza applichiamo i principi morali ai casi particolari senza sbagliare e superiamo i dubbi sul bene da compiere e sul male da evitare.

1807 La *giustizia* è la virtù morale che consiste nella costante e ferma volontà di dare a Dio e al prossimo ciò che è loro dovuto. La giustizia verso 2095 Dio è chiamata « virtù di religione ». La giustizia verso gli uomini dispone a rispettare i diritti di ciascuno e a stabilire nelle relazioni umane l'armonia 2401 che promuove l'equità nei confronti delle persone e del bene comune. L'uomo giusto, di cui spesso si fa parola nei Libri sacri, si distingue per l'abituale dirittura dei propri pensieri e per la rettitudine della propria condotta verso il prossimo. « Non tratterai con parzialità il povero, né userai preferenze verso il potente; ma giudicherai il tuo prossimo con giustizia » (*Lv* 19,15). « Voi, padroni, date ai vostri servi ciò che è giusto ed equo, sapendo che anche voi avete un padrone in cielo » (*Col* 4,1).

1808 La *fortezza* è la virtù morale che, nelle difficoltà, assicura la fermezza e la costanza nella ricerca del bene. Essa rafforza la decisione di resistere alle tentazioni e di superare gli ostacoli nella vita morale. La virtù della fortezza 2848 rende capaci di vincere la paura, perfino della morte, e di affrontare la 2473 prova e le persecuzioni. Dà il coraggio di giungere fino alla rinuncia e al sacrificio della propria vita per difendere una giusta causa. « Mia forza e mio canto è il Signore » (*Sal* 118,14). « Voi avrete tribolazione nel mondo, ma abbiate fiducia; io ho vinto il mondo » (*Gv* 16,33).

1809 La *temperanza* è la virtù morale che modera l'attrattiva dei piaceri e rende capaci di equilibrio nell'uso dei beni creati. Essa assicura il dominio 2341 della volontà sugli istinti e mantiene i desideri entro i limiti dell'onestà. La persona temperante orienta al bene i propri appetiti sensibili, conserva una sana discrezione, e non segue il proprio « istinto » e la propria « forza assecondando i desideri » del proprio « cuore » (*Sir* 5,2).[62] La temperanza è 2517 spesso lodata nell'Antico Testamento: « Non seguire le passioni; poni un freno ai tuoi desideri » (*Sir* 18,30). Nel Nuovo Testamento è chiamata « moderazione » o « sobrietà ». Noi dobbiamo « vivere con sobrietà, giustizia e pietà in questo mondo » (*Tt* 2,12).

[61] San Tommaso d'Aquino, *Summa theologiae,* II-II, 47, 2.
[62] Cf *Sir* 37,27-31.

Vivere bene altro non è che amare Dio con tutto il proprio cuore, con tutta la propria anima, e con tutto il proprio agire. Gli si dà (con la temperanza) un amore totale che nessuna sventura può far vacillare (e questo mette in evidenza la fortezza), un amore che obbedisce a lui solo (e questa è la giustizia), che vigila al fine di discernere ogni cosa, nel timore di lasciarsi sorprendere dall'astuzia e dalla menzogna (e questa è la prudenza).[63]

Le virtù e la grazia

1810 Le virtù umane acquisite mediante l'educazione, mediante atti deliberati e una perseveranza sempre rinnovata nello sforzo, sono purificate ed elevate dalla grazia divina. Con l'aiuto di Dio forgiano il carattere e rendono spontanea la pratica del bene. L'uomo virtuoso è felice di praticare le virtù. 1266

1811 Per l'uomo ferito dal peccato non è facile conservare l'equilibrio morale. Il dono della salvezza fattoci da Cristo ci dà la grazia necessaria per perseverare nella ricerca delle virtù. Ciascuno deve sempre implorare questa grazia di luce e di forza, ricorrere ai sacramenti, cooperare con lo Spirito Santo, seguire i suoi inviti ad amare il bene e a stare lontano dal maie. 2015

II. Le virtù teologali

2086-2094; 2656-2658

1812 Le virtù umane si radicano nelle virtù teologali, le quali rendono le facoltà dell'uomo idonee alla partecipazione alla natura divina.[64] Le virtù teologali, infatti, si riferiscono direttamente a Dio. Esse dispongono i cristiani a vivere in relazione con la Santissima Trinità. Hanno come origine, causa ed oggetto Dio Uno e Trino. 1266

1813 Le virtù teologali fondano, animano e caratterizzano l'agire morale del cristiano. Esse informano e vivificano tutte le virtù morali. Sono infuse da Dio nell'anima dei fedeli per renderli capaci di agire quali suoi figli e meritare la vita eterna. Sono il pegno della presenza e dell'azione dello Spirito Santo nelle facoltà dell'essere umano. Tre sono le virtù teologali: la fede, la speranza e la carità.[65] 2008

[63] Sant'Agostino, *De moribus ecclesiae catholicae,* 1, 25, 46: PL 32, 1330-1331.
[64] Cf *2 Pt* 1,4.
[65] Cf *1 Cor* 13,13.

142-175 LA FEDE

1814 La fede è la virtù teologale per la quale noi crediamo in Dio e a tutto ciò che egli ci ha detto e rivelato, e che la Santa Chiesa ci propone da cre-
506 dere, perché egli è la stessa verità. Con la fede « l'uomo si abbandona tutto a Dio liberamente ».[66] Per questo il credente cerca di conoscere e di fare la volontà di Dio. « Il giusto vivrà mediante la fede » (*Rm* 1,17). La fede viva « opera per mezzo della carità » (*Gal* 5,6).

1815 Il dono della fede rimane in colui che non ha peccato contro di essa.[67] Ma « la fede senza le opere è morta » (*Gc* 2,26): se non si accompagna alla speranza e all'amore, la fede non unisce pienamente il fedele a Cristo e non ne fa un membro vivo del suo Corpo.

1816 Il discepolo di Cristo non deve soltanto custodire la fede e vivere di
2471 essa, ma anche professarla, darne testimonianza con franchezza e diffonderla: « Devono tutti essere pronti a confessare Cristo davanti agli uomini, e a seguirlo sulla via della Croce attraverso le persecuzioni, che non mancano mai alla Chiesa ».[68] Il servizio e la testimonianza della fede sono indispensabili per la salvezza: « Chi mi riconoscerà davanti agli uomini, anch'io lo riconoscerò davanti al Padre mio che è nei cieli; chi invece mi rinnegherà davanti agli uomini, anch'io lo rinnegherò davanti al Padre mio che è nei cieli » (*Mt* 10,32-33).

LA SPERANZA

1817 La speranza è la virtù teologale per la quale desideriamo il Regno dei
1024 cieli e la vita eterna come nostra felicità, riponendo la nostra fiducia nelle promesse di Cristo e appoggiandoci non sulle nostre forze, ma sull'aiuto della grazia dello Spirito Santo. « Manteniamo senza vacillare la professione della nostra speranza, perché è fedele colui che ha promesso » (*Eb* 10,23). Lo Spirito è stato « effuso da lui su di noi abbondantemente per mezzo di Gesù Cristo, Salvatore nostro, perché, giustificati dalla sua grazia, diventassimo eredi, secondo la speranza, della vita eterna » (*Tt* 3,6-7).

27 1818 La virtù della speranza risponde all'aspirazione alla felicità, che Dio ha posto nel cuore di ogni uomo; essa assume le attese che ispirano le attività degli uomini; le purifica per ordinarle al Regno dei cieli; salvaguarda dallo scoraggiamento; sostiene in tutti i momenti di abbandono; dilata il

[66] CONC. ECUM. VAT. II, *Dei Verbum,* 5.
[67] Cf Concilio di Trento: DENZ.-SCHÖNM., 1545.
[68] CONC. ECUM. VAT. II, *Lumen gentium,* 42; cf ID., *Dignitatis humanae,* 14.

cuore nell'attesa della beatitudine eterna. Lo slancio della speranza preserva dall'egoismo e conduce alla gioia della carità.

1819 La speranza cristiana riprende e porta a pienezza la speranza del popolo eletto, la quale trova la propria origine ed il proprio modello nella *speranza di Abramo,* colmato in Isacco delle promesse di Dio e purificato dalla prova del sacrificio.[69] « Egli ebbe fede sperando contro ogni speranza e così divenne padre di molti popoli » (*Rm* 4,18). 146

1820 La speranza cristiana si sviluppa, fin dagli inizi della predicazione di Gesù, nell'annuncio delle beatitudini. Le *beatitudini* elevano la nostra speranza verso il Cielo come verso la nuova Terra promessa; ne tracciano il cammino attraverso le prove che attendono i discepoli di Gesù. Ma per i meriti di Gesù Cristo e della sua Passione, Dio ci custodisce nella « speranza » che « non delude » (*Rm* 5,5). La speranza è l'« àncora della nostra vita, sicura e salda, la quale penetra... » là « dove Gesù è entrato per noi come precursore » (*Eb* 6,19-20). È altresì un'arma che ci protegge nel combattimento della salvezza: « Dobbiamo essere... rivestiti con la corazza della fede e della carità, avendo come elmo la speranza della salvezza » (*1 Ts* 5,8). Essa ci procura la gioia anche nella prova: « lieti nella speranza, forti nella tribolazione » (*Rm* 12,12). Si esprime e si alimenta nella preghiera, in modo particolarissimo in quella del *Pater,* sintesi di tutto ciò che la speranza ci fa desiderare. 1716 2772

1821 Noi possiamo, dunque, sperare la gloria del cielo promessa da Dio a coloro che lo amano[70] e fanno la sua volontà.[71] In ogni circostanza ognuno deve sperare, con la grazia di Dio, di perseverare « sino alla fine »[72] e ottenere la gioia del cielo, quale eterna ricompensa di Dio per le buone opere compiute con la grazia di Cristo. Nella speranza la Chiesa prega che « tutti gli uomini siano salvati » (*1 Tm* 2,4). Essa anela ad essere unita a Cristo, suo Sposo, nella gloria del cielo: 2016 1037

> Spera, anima mia, spera. Tu non conosci il giorno né l'ora. Veglia premurosamente, tutto passa in un soffio, sebbene la tua impazienza possa rendere incerto ciò che è certo, e lungo un tempo molto breve. Pensa che quanto più lotterai, tanto più proverai l'amore che hai per il tuo Dio e tanto più un giorno godrai con il tuo Diletto, in una felicità ed in un'estasi che mai potranno aver fine.[73]

[69] Cf *Gn* 17,4-8; 22,1-18.
[70] Cf *Rm* 8,28-30.
[71] Cf *Mt* 7,21.
[72] Cf *Mt* 10,22; cf Concilio di Trento: DENZ.-SCHÖNM., 1541.
[73] SANTA TERESA DI GESÙ, *Esclamazioni dell'anima a Dio,* 15, 3.

La carità

1723 1822 La carità è la virtù teologale per la quale amiamo Dio sopra ogni cosa per se stesso, e il nostro prossimo come noi stessi per amore di Dio.

1970 1823 Gesù fa della carità il *comandamento nuovo*.[74] Amando i suoi « sino alla fine » (*Gv* 13,1), egli manifesta l'amore che riceve dal Padre. Amandosi gli uni gli altri, i discepoli imitano l'amore di Gesù, che essi ricevono a loro volta. Per questo Gesù dice: « Come il Padre ha amato me, così anch'io ho amato voi. Rimanete nel mio amore » (*Gv* 15,9). E ancora: « Questo è il mio comandamento: che vi amiate gli uni gli altri, come io vi ho amati » (*Gv* 15,12).

735 1824 La carità, frutto dello Spirito e pienezza della legge, osserva i *comandamenti* di Dio e del suo Cristo: « Rimanete nel mio amore. Se osserverete i miei comandamenti, rimarrete nel mio amore » (*Gv* 15,9-10).[75]

604 1825 Cristo è morto per amore verso di noi, quando eravamo ancora « nemici » (*Rm* 5,10). Il Signore ci chiede di amare come lui, perfino i nostri *nemici*,[76] di farci il prossimo del più lontano,[77] di amare i bambini[78] e i poveri come lui stesso.[79]

L'Apostolo san Paolo ha dato un ineguagliabile quadro della carità: « La carità è paziente, è benigna la carità; non è invidiosa la carità, non si vanta, non si gonfia, non manca di rispetto, non cerca il suo interesse, non si adira, non tiene conto del male ricevuto, non gode dell'ingiustizia, ma si compiace della verità. Tutto copre, tutto crede, tutto spera, tutto sopporta » (*1 Cor* 13,4-7).

1826 « Se non avessi la carità, dice ancora l'Apostolo, non sono nulla... ». E tutto ciò che è privilegio, servizio, perfino virtù... senza la carità, « niente mi giova » (*1 Cor* 13,1-4). La carità è superiore a tutte le virtù. È la prima delle virtù teologali: « Queste le tre cose che rimangono: la fede, la speranza e la carità; ma di tutte *più grande è la carità* » (*1 Cor* 13,13).

1827 L'esercizio di tutte le virtù è animato e ispirato dalla carità. Questa è
815 il « vincolo di perfezione » (*Col* 3,14); è la *forma delle virtù;* le articola e le
826 ordina tra loro; è sorgente e termine della loro pratica cristiana. La carità

[74] Cf *Gv* 13,34.
[75] Cf *Mt* 22,40; *Rm* 13,8-10.
[76] Cf *Mt* 5,44.
[77] Cf *Lc* 10,27-37.
[78] Cf *Mc* 9,37.
[79] Cf *Mt* 25,40.45.

garantisce e purifica la nostra capacità umana di amare. La eleva alla perfezione soprannaturale dell'amore divino.

1828 La pratica della vita morale animata dalla carità dà al cristiano la libertà spirituale dei figli di Dio. Egli non sta davanti a Dio come uno schiavo, nel timore servile, né come il mercenario in cerca del salario, ma come un figlio che corrisponde all'amore di colui che « ci ha amati per primo » (*1 Gv* 4,19): 1972

> O ci allontaniamo dal male per timore del castigo e siamo nella disposizione dello schiavo. O ci lasciamo prendere dall'attrattiva della ricompensa e siamo simili ai mercenari. Oppure è per il bene in se stesso e per l'amore di colui che comanda che noi obbediamo... e allora siamo nella disposizione dei figli.[80]

1829 La carità ha come *frutti* la gioia, la pace e la misericordia; esige la generosità e la correzione fraterna; è benevolenza; suscita la reciprocità, si dimostra sempre disinteressata e benefica; è amicizia e comunione: 2540

> Il compimento di tutte le nostre opere è l'amore. Qui è il nostro fine; per questo noi corriamo, verso questa meta corriamo; quando saremo giunti, vi troveremo riposo.[81]

III. I doni e i frutti dello Spirito Santo

1830 La vita morale dei cristiani è sorretta dai doni dello Spirito Santo. Essi sono disposizioni permanenti che rendono l'uomo docile a seguire le mozioni dello Spirito Santo.

1831 I sette *doni* dello Spirito Santo sono la sapienza, l'intelletto, il consiglio, la fortezza, la scienza, la pietà e il timore di Dio. Appartengono nella loro pienezza a Cristo, Figlio di Davide.[82] Essi completano e portano alla perfezione le virtù di coloro che li ricevono. Rendono i fedeli docili ad obbedire con prontezza alle ispirazioni divine. 1266; 1299

> Il tuo Spirito buono mi guidi in terra piana (*Sal* 143,10).
>
> Tutti quelli che sono guidati dallo Spirito di Dio, costoro sono figli di Dio... Se siamo figli, siamo anche eredi: eredi di Dio, coeredi di Cristo (*Rm* 8,14.17).

[80] San Basilio di Cesarea, *Regulae fusius tractatae,* prol. 3: PG 31, 896B.
[81] Sant'Agostino, *In epistulam Johannis ad Parthos tractatus,* 10, 4.
[82] Cf *Is* 11,1-2.

736 1832 I *frutti* dello Spirito sono perfezioni che lo Spirito Santo plasma in noi come primizie della gloria eterna. La Tradizione della Chiesa ne enumera dodici: « amore, gioia, pace, pazienza, longanimità, bontà, benevolenza, mitezza, fedeltà, modestia, continenza, castità » (*Gal* 5,22-23 vulg.).

In sintesi

1833 *La virtù è una disposizione abituale e ferma a compiere il bene.*

1834 *Le virtù umane sono disposizioni stabili dell'intelligenza e della volontà, che regolano i nostri atti, ordinano le nostre passioni e indirizzano la nostra condotta in conformità alla ragione e alla fede. Possono essere raggruppate attorno a quattro virtù cardinali: la prudenza, la giustizia, la fortezza e la temperanza.*

1835 *La prudenza dispone la ragione pratica a discernere, in ogni circostanza, il nostro vero bene e a scegliere i mezzi adeguati per attuarlo.*

1836 *La giustizia consiste nella volontà costante e ferma di dare a Dio e al prossimo ciò che è loro dovuto.*

1837 *La fortezza assicura, nelle difficoltà, la fermezza e la costanza nella ricerca del bene.*

1838 *La temperanza modera l'attrattiva dei piaceri sensibili e rende capaci di equilibrio nell'uso dei beni creati.*

1839 *Le virtù morali crescono per mezzo dell'educazione, di atti deliberati e della perseveranza nello sforzo. La grazia divina le purifica e le eleva.*

1840 *Le virtù teologali dispongono i cristiani a vivere in relazione con la Santissima Trinità. Hanno Dio come origine, motivo e oggetto, Dio conosciuto mediante la fede, sperato e amato per se stesso.*

1841 *Tre sono le virtù teologali: la fede, la speranza e la carità.*[83] *Esse informano e vivificano tutte le virtù morali.*

1842 *Per la fede noi crediamo in Dio e crediamo tutto ciò che egli ci ha rivelato e che la Santa Chiesa ci propone a credere.*

[83] Cf *1 Cor* 13,13.

1843 *Per la speranza noi desideriamo e aspettiamo da Dio, con ferma fiducia, la vita eterna e le grazie per meritarla.*

1844 *Per la carità noi amiamo Dio al di sopra di tutto e il nostro prossimo come noi stessi per amore di Dio. Essa è « il vincolo di perfezione »* (*Col* 3,14) *e la forma di tutte le virtù.*

1845 *I sette doni dello Spirito Santo dati ai cristiani sono la sapienza, l'intelletto, il consiglio, la fortezza, la scienza, la pietà e il timore di Dio.*

Articolo 8
IL PECCATO

I. La misericordia e il peccato

1846 Il Vangelo è la rivelazione, in Gesù Cristo, della misericordia di Dio verso i peccatori.[84] L'angelo lo annunzia a Giuseppe: « Tu lo chiamerai Gesù: egli infatti salverà il suo popolo dai suoi peccati » (*Mt* 1,21). La stessa cosa si può dire dell'Eucaristia, sacramento della Redenzione: « Questo è il mio sangue dell'Alleanza, versato per molti in remissione dei peccati » (*Mt* 26,28).

430
1365

1847 « Dio, che ci ha creati senza di noi, non ha voluto salvarci senza di noi ».[85] L'accoglienza della sua misericordia esige da parte nostra il riconoscimento delle nostre colpe. « Se diciamo che siamo senza peccato, inganniamo noi stessi e la verità non è in noi. Se riconosciamo i nostri peccati, egli che è fedele e giusto ci perdonerà i peccati e ci purificherà da ogni colpa » (*1 Gv* 1,8-9).

387; 1455

1848 Come afferma san Paolo: « Laddove è abbondato il peccato, ha sovrabbondato la grazia ». La grazia però, per compiere la sua opera, deve svelare il peccato per convertire il nostro cuore e accordarci « la giustizia per la vita eterna, per mezzo di Gesù Cristo nostro Signore » (*Rm* 5,20-21). Come un medico che esamina la piaga prima di medicarla, Dio, con la sua Parola e il suo Spirito, getta una viva luce sul peccato:

385

> La conversione *richiede la convinzione del peccato,* contiene in sé il giudizio interiore della coscienza, e questo, essendo una verifica dell'azione dello Spirito di verità nell'intimo dell'uomo, diventa nello stesso tempo il nuovo

[84] Cf *Lc* 15.
[85] Sant'Agostino, *Sermones,* 169, 11, 13: PL 38, 923.

inizio dell'elargizione della grazia e dell'amore: « Ricevete lo Spirito Santo ». Così in questo « convincere quanto al peccato » scopriamo *una duplice elargizione:* il dono della verità della coscienza e il dono della certezza della redenzione. Lo Spirito di verità è il Consolatore.[86]

1433

II. La definizione di peccato

311

1849 Il peccato è una mancanza contro la ragione, la verità, la retta coscienza; è una trasgressione in ordine all'amore vero, verso Dio e verso il prossimo, a causa di un perverso attaccamento a certi beni. Esso ferisce la natura dell'uomo e attenta alla solidarietà umana. È stato definito « una parola, un atto o un desiderio contrari alla legge eterna ».[87]

1952

1440

1850 Il peccato è un'offesa a Dio: « Contro di te, contro te solo ho peccato. Quello che è male ai tuoi occhi, io l'ho fatto » (*Sal* 51,6). Il peccato si erge contro l'amore di Dio per noi e allontana da esso i nostri cuori. Come il primo peccato, è una disobbedienza, una ribellione contro Dio, a causa della volontà di diventare « come Dio » (*Gn* 3,5), conoscendo e determinando il bene e il male. Il peccato pertanto è « amore di sé fino al disprezzo di Dio ».[88] Per tale orgogliosa esaltazione di sé, il peccato è diametralmente opposto all'obbedienza di Gesù, che realizza la salvezza.[89]

397

615

1851 È proprio nella Passione, in cui la misericordia di Cristo lo vincerà, che il peccato manifesta in sommo grado la sua violenza e la sua molteplicità: incredulità, odio omicida, rifiuto e scherno da parte dei capi e del popolo, vigliaccheria di Pilato e crudeltà dei soldati, tradimento di Giuda tanto pesante per Gesù, rinnegamento di Pietro, abbandono dei discepoli. Tuttavia, proprio nell'ora delle tenebre e del Principe di questo mondo,[90] il sacrificio di Cristo diventa segretamente la sorgente dalla quale sgorgherà inesauribilmente il perdono dei nostri peccati.

598

2746; 616

III. La diversità dei peccati

1852 La varietà dei peccati è grande. La Scrittura ne dà parecchi elenchi. La Lettera ai Galati contrappone le opere della carne al frutto dello Spirito: « Le opere della carne sono ben note: fornicazione, impurità, libertinaggio,

[86] GIOVANNI PAOLO II, Lett. enc. *Dominum et Vivificantem,* 31.
[87] SANT'AGOSTINO, *Contra Faustum manichaeum,* 22: PL 42, 418; SAN TOMMASO D'AQUINO, *Summa theologiae,* I-II, 71, 6.
[88] SANT'AGOSTINO, *De civitate Dei,* 14, 28.
[89] Cf *Fil* 2,6-9.
[90] Cf *Gv* 14,30.

idolatria, stregonerie, inimicizie, discordia, gelosia, dissensi, divisioni, fazioni, invidie, ubriachezze, orge e cose del genere; circa queste cose vi preavviso, come già ho detto, che chi le compie non erediterà il Regno di Dio » (*Gal* 5,19-21).[91]

1853 I peccati possono essere distinti secondo il loro oggetto, come si fa per ogni atto umano, oppure secondo le virtù alle quali si oppongono, per eccesso o per difetto, oppure secondo i comandamenti cui si oppongono. Si possono anche suddividere secondo che riguardano Dio, il prossimo o se stessi; si possono distinguere in peccati spirituali e carnali, o ancora in peccati di pensiero, di parola, di azione e di omissione. La radice del peccato è nel cuore dell'uomo, nella sua libera volontà, secondo quel che insegna il Signore: « Dal cuore, infatti, provengono i propositi malvagi, gli omicidi, gli adultèri, le prostituzioni, i furti, le false testimonianze, le bestemmie. Queste sono le cose che rendono immondo l'uomo » (*Mt* 15,19-20). Il cuore è anche la sede della carità, principio delle opere buone e pure, che il peccato ferisce. 1751 2067 368

IV. La gravità del peccato: peccato mortale e veniale

1854 È opportuno valutare i peccati in base alla loro gravità. La distinzione tra peccato mortale e peccato veniale, già adombrata nella Scrittura,[92] si è imposta nella Tradizione della Chiesa. L'esperienza degli uomini la convalida.

1855 Il *peccato mortale* distrugge la carità nel cuore dell'uomo a causa di una violazione grave della legge di Dio; distoglie l'uomo da Dio, che è il suo fine ultimo e la sua beatitudine, preferendo a lui un bene inferiore. 1395

Il *peccato veniale* lascia sussistere la carità, quantunque la offenda e la ferisca.

1856 Il peccato mortale, in quanto colpisce in noi il principio vitale che è la carità, richiede una nuova iniziativa della misericordia di Dio e una conversione del cuore, che normalmente si realizza nel sacramento della Riconciliazione: 1446

> Quando la volontà si orienta verso una cosa di per sé contraria alla carità, dalla quale siamo ordinati al fine ultimo, il peccato, per il suo stesso oggetto, ha di che essere mortale... tanto se è contro l'amore di Dio, come la bestemmia, lo spergiuro ecc., quanto se è contro l'amore del prossimo, come l'omicidio, l'adulterio, ecc... Invece, quando la volontà del peccatore si volge a una cosa che ha in sé un disordine, ma tuttavia non va contro l'amore di

[91] Cf *Rm* 1,28-32; *1 Cor* 6,9-10; *Ef* 5,3-5; *Col* 3,5-8; *1 Tm* 1,9-10; *2 Tm* 3,2-5.
[92] Cf *1 Gv* 5,16-17.

Dio e del prossimo, è il caso di parole oziose, di riso inopportuno, ecc., tali peccati sono veniali.[93]

1857 Perché un *peccato* sia *mortale* si richiede che concorrano tre condizioni: « È peccato mortale quello che ha per oggetto una materia grave e che, inoltre, viene commesso con piena consapevolezza e deliberato consenso ».[94]

2072 1858 La *materia grave* è precisata dai Dieci comandamenti, secondo la risposta di Gesù al giovane ricco: « Non uccidere, non commettere adulterio, non rubare, non dire falsa testimonianza, non frodare, onora il padre e la madre » (*Mc* 10,19). La gravità dei peccati è più o meno grande: un omicidio è più grave di un furto. Si deve tener conto anche della qualità delle 2214 persone lese: la violenza esercitata contro i genitori è di per sé più grave di quella fatta ad un estraneo.

1859 Perché il peccato sia mortale deve anche essere commesso con *piena* 1734 *consapevolezza e totale consenso.* Presuppone la conoscenza del carattere peccaminoso dell'atto, della sua opposizione alla Legge di Dio. Implica inoltre un consenso sufficientemente libero perché sia una scelta personale. L'ignoranza simulata e la durezza del cuore [95] non diminuiscono il carattere volontario del peccato, ma, anzi, lo accrescono.

1735 1860 L'*ignoranza involontaria* può attenuare se non annullare l'imputabilità di una colpa grave. Si presume però che nessuno ignori i principi della legge morale che sono iscritti nella coscienza di ogni uomo. Gli impulsi della 1767 sensibilità, le passioni possono ugualmente attenuare il carattere volontario e libero della colpa; come pure le pressioni esterne o le turbe patologiche. Il peccato commesso con malizia, per una scelta deliberata del male, è il più grave.

1742 1861 Il peccato mortale è una possibilità radicale della libertà umana, come lo stesso amore. Ha come conseguenza la perdita della carità e la privazione della grazia santificante, cioè dello stato di grazia. Se non è riscattato dal pentimento e dal perdono di Dio, provoca l'esclusione dal Regno di 1033 Cristo e la morte eterna dell'inferno; infatti la nostra libertà ha il potere di fare scelte definitive, irreversibili. Tuttavia, anche se noi possiamo giudicare che un atto è in sé una colpa grave, dobbiamo però lasciare il giudizio sulle persone alla giustizia e alla misericordia di Dio.

[93] San Tommaso d'Aquino, *Summa theologiae,* I-II, 88, 2.
[94] Giovanni Paolo II, Esort. ap. *Reconciliatio et paenitentia,* 17.
[95] Cf *Mc* 3,5-6; *Lc* 16,19-31.

1862 Si commette un *peccato veniale* quando, trattandosi di materia leggera, non si osserva la misura prescritta dalla legge morale, oppure quando si disobbedisce alla legge morale in materia grave, ma senza piena consapevolezza e senza totale consenso.

1863 Il peccato veniale indebolisce la carità; manifesta un affetto disordinato per dei beni creati; ostacola i progressi dell'anima nell'esercizio delle virtù e nella pratica del bene morale; merita pene temporali. Il peccato veniale deliberato e che sia rimasto senza pentimento, ci dispone poco a poco a commettere il peccato mortale. Tuttavia il peccato veniale non ci oppone alla volontà e all'amicizia divine; non rompe l'Alleanza con Dio. È umanamente riparabile con la grazia di Dio. « Non priva della grazia santificante, dell'amicizia con Dio, della carità, né quindi della beatitudine eterna ».[96]

1394
1472

> L'uomo non può non avere almeno peccati lievi, fin quando resta nel corpo. Tuttavia non devi dar poco peso a questi peccati, che si definiscono lievi. Tu li tieni in poco conto quando li soppesi, ma che spavento quando li numeri! Molte cose leggere, messe insieme, ne formano una pesante: molte gocce riempiono un fiume e così molti granelli fanno un mucchio. Quale speranza resta allora? Si faccia anzitutto la confessione...[97]

1864 « Chi avrà *bestemmiato contro lo Spirito Santo,* non avrà perdono in eterno: sarà reo di colpa eterna » (*Mc* 3,29).[98] La misericordia di Dio non conosce limiti, ma chi deliberatamente rifiuta di accoglierla attraverso il pentimento, respinge il perdono dei propri peccati e la salvezza offerta dallo Spirito Santo.[99] Un tale indurimento può portare alla impenitenza finale e alla rovina eterna.

2091
1037

V. La proliferazione del peccato

1865 Il peccato trascina al peccato; con la ripetizione dei medesimi atti genera il vizio. Ne derivano inclinazioni perverse che ottenebrano la coscienza e alterano la concreta valutazione del bene e del male. In tal modo il peccato tende a riprodursi e a rafforzarsi, ma non può distruggere il senso morale fino alla sua radice.

401
1768

1866 I vizi possono essere catalogati in parallelo alle virtù alle quali si oppongono, oppure essere collegati ai *peccati capitali* che l'esperienza cristiana

[96] Giovanni Paolo II, Esort. ap. *Reconciliatio et paenitentia,* 17.
[97] Sant'Agostino, *In epistulam Johannis ad Parthos tractatus,* 1, 6.
[98] Cf *Mt* 12,32; *Lc* 12,10.
[99] Cf Giovanni Paolo II, Lett. enc. *Dominum et Vivificantem,* 46.

ha distinto, seguendo san Giovanni Cassiano e san Gregorio Magno.[100] Sono chiamati capitali perché generano altri peccati, altri vizi. Sono la superbia, l'avarizia, l'invidia, l'ira, la lussuria, la golosità, la pigrizia o accidia.

2539

1867 La tradizione catechistica ricorda pure che esistono « *peccati che gridano verso il cielo* ». Gridano verso il cielo: il sangue di Abele; [101] il peccato dei Sodomiti; [102] il lamento del popolo oppresso in Egitto; [103] il lamento del forestiero, della vedova e dell'orfano; [104] l'ingiustizia verso il salariato.[105]

2268

1868 Il peccato è un atto personale. Inoltre, abbiamo una responsabilità nei peccati commessi dagli altri, quando *vi cooperiamo:*

1736

— prendendovi parte direttamente e volontariamente;

— comandandoli, consigliandoli, lodandoli o approvandoli;

— non denunciandoli o non impedendoli, quando si è tenuti a farlo;

— proteggendo coloro che commettono il male.

1869 Così il peccato rende gli uomini complici gli uni degli altri e fa regnare tra di loro la concupiscenza, la violenza e l'ingiustizia. I peccati sono all'origine di situazioni sociali e di istituzioni contrarie alla Bontà divina. Le « strutture di peccato » sono l'espressione e l'effetto dei peccati personali. Inducono le loro vittime a commettere, a loro volta, il male. In un senso analogico esse costituiscono un « peccato sociale ».[106]

408
1887

In sintesi

1870 *« Dio ha rinchiuso tutti nella disobbedienza per usare a tutti misericordia »* (*Rm* 11,32).

1871 *Il peccato è « una parola, un atto o un desiderio contrari alla legge eterna ».*[107] *È un'offesa a Dio. Si erge contro Dio in una disobbedienza contraria all'obbedienza di Cristo.*

[100] San Gregorio Magno, *Moralia in Job,* 31, 45: PL 76, 621A.
[101] Cf *Gn* 4,10.
[102] Cf *Gn* 18,20; 19,13.
[103] Cf *Es* 3,7-10.
[104] Cf *Es* 22,20-22.
[105] Cf *Dt* 24,14-15; *Gc* 5,4.
[106] Cf Giovanni Paolo II, Esort. ap. *Reconciliatio et paenitentia,* 16.
[107] Sant'Agostino, *Contra Faustum manichaeum,* 22: PL 42, 418; San Tommaso d'Aquino, *Summa theologiae,* I-II, 71, 6.

1872 *Il peccato è un atto contrario alla ragione. Ferisce la natura dell'uomo ed attenta alla solidarietà umana.*

1873 *La radice di tutti i peccati è nel cuore dell'uomo. Le loro specie e la loro gravità si misurano principalmente in base al loro oggetto.*

1874 *Scegliere deliberatamente, cioè sapendolo e volendolo, una cosa gravemente contraria alla legge divina e al fine ultimo dell'uomo, è commettere un peccato mortale. Esso distrugge in noi la carità, senza la quale la beatitudine eterna è impossibile. Se non ci si pente, conduce alla morte eterna.*

1875 *Il peccato veniale rappresenta un disordine morale riparabile per mezzo della carità che tale peccato lascia sussistere in noi.*

1876 *La ripetizione dei peccati, anche veniali, genera i vizi, tra i quali si distinguono i peccati capitali.*

CAPITOLO SECONDO
LA COMUNITÀ UMANA

355 1877 La vocazione dell'umanità è di rendere manifesta l'immagine di Dio e di essere trasformata ad immagine del Figlio unigenito del Padre. Tale vocazione riveste una forma personale, poiché ciascuno è chiamato ad entrare nella beatitudine divina; ma riguarda anche la comunità umana nel suo insieme.

Articolo 1
LA PERSONA E LA SOCIETÀ

I. Il carattere comunitario della vocazione umana

1878 Tutti gli uomini sono chiamati al medesimo fine, Dio stesso. Esiste una certa somiglianza tra l'unione delle Persone divine e la fraternità che gli uomini devono instaurare tra loro, nella verità e nella carità.[1] L'amore del prossimo è inseparabile dall'amore per Dio. 1702

1936 1879 La persona umana ha bisogno della vita sociale. Questa non è per l'uomo qualcosa di aggiunto, ma un'esigenza della sua natura. Attraverso il rapporto con gli altri, la reciprocità dei servizi e il dialogo con i fratelli, l'uomo sviluppa le proprie virtualità, e così risponde alla propria vocazione.[2]

771 1880 Una *società* è un insieme di persone legate in modo organico da un principio di unità che supera ognuna di loro. Assemblea insieme visibile e spirituale, una società dura nel tempo: è erede del passato e prepara l'avvenire. Grazie ad essa, ogni uomo è costituito « erede », riceve dei « talenti » che arricchiscono la sua identità e che sono da far fruttificare.[3] Giustamente, ciascuno deve dedizione alle comunità di cui fa parte e rispetto alle autorità incaricate del bene comune.

[1] Cf Conc. Ecum. Vat. II, *Gaudium et spes,* 24.
[2] Cf *ibid.,* 25.
[3] Cf *Lc* 19,13.15.

1881 Ogni comunità si definisce in base al proprio fine e conseguentemente obbedisce a regole specifiche; però « principio, soggetto e fine di tutte le istituzioni sociali è e deve essere la *persona umana* ».[4] 1929

1882 Certe società, quali la famiglia e la comunità civica, sono più immediatamente rispondenti alla natura dell'uomo. Sono a lui necessarie. Al fine di favorire la partecipazione del maggior numero possibile di persone alla vita sociale, si deve incoraggiare la creazione di associazioni e di istituzioni d'elezione « a scopi economici, culturali, sociali, sportivi, ricreativi, professionali, politici, tanto all'interno delle comunità politiche, quanto sul piano mondiale ».[5] Tale *« socializzazione »* esprime parimenti la tendenza naturale che spinge gli esseri umani ad associarsi, al fine di conseguire obiettivi che superano le capacità individuali. Essa sviluppa le doti della persona, in particolare, il suo spirito di iniziativa e il suo senso di responsabilità. Concorre a tutelare i suoi diritti.[6] 1913

1883 La socializzazione presenta anche dei pericoli. Un intervento troppo spinto dello Stato può minacciare la libertà e l'iniziativa personali. La dottrina della Chiesa ha elaborato il principio detto di *sussidiarietà*. Secondo tale principio, « una società di ordine superiore non deve interferire nella vita interna di una società di ordine inferiore, privandola delle sue competenze, ma deve piuttosto sostenerla in caso di necessità e aiutarla a coordinare la sua azione con quella delle altre componenti sociali, in vista del bene comune ».[7] 2431

1884 Dio non ha voluto riservare solo a sé l'esercizio di tutti i poteri. Egli assegna ad ogni creatura le funzioni che essa è in grado di esercitare, secondo le capacità proprie della sua natura. Questo modo di governare deve essere imitato nella vita sociale. Il comportamento di Dio nel governo del mondo, che testimonia un profondissimo rispetto per la libertà umana, dovrebbe ispirare la saggezza di coloro che governano le comunità umane. Costoro devono comportarsi come ministri della Provvidenza divina. 307 302

1885 Il principio di sussidiarietà si oppone a tutte le forme di collettivismo. Esso precisa i limiti dell'intervento dello Stato. Mira ad armonizzare i rapporti tra gli individui e le società. Tende ad instaurare un autentico ordine internazionale.

[4] CONC. ECUM. VAT. II, *Gaudium et spes,* 25.
[5] GIOVANNI XXIII, Lett. enc. *Mater et magistra,* 60.
[6] Cf CONC. ECUM. VAT. II, *Gaudium et spes,* 25; GIOVANNI PAOLO II, Lett. enc. *Centesimus annus,* 12.
[7] GIOVANNI PAOLO II, Lett. enc. *Centesimus annus,* 48; cf PIO XI, Lett. enc. *Quadragesimo anno.*

II. La conversione e la società

1886 La società è indispensabile alla realizzazione della vocazione umana. Per raggiungere questo fine è necessario che sia rispettata la giusta gerarchia dei valori che « subordini le dimensioni materiali e istintive a quelle interiori e spirituali »: [8]

1779

> La convivenza umana deve essere considerata anzitutto come un fatto spirituale: quale comunicazione di conoscenze nella luce del vero; esercizio di diritti e adempimento di doveri; impulso e richiamo al bene morale; e come nobile comune godimento del bello in tutte le sue legittime espressioni; permanente disposizione ad effondere gli uni negli altri il meglio di se stessi; anelito ad una mutua e sempre più ricca assimilazione di valori spirituali: valori nei quali trovano la loro perenne vivificazione e il loro orientamento di fondo le espressioni culturali, il mondo economico, le istituzioni sociali, i movimenti e i regimi politici, gli ordinamenti giuridici e tutti gli altri elementi esteriori, in cui si articola e si esprime la convivenza nel suo evolversi incessante.[9]

2500

1887 Lo scambio dei mezzi con i fini,[10] che porta a dare valore di fine ultimo a ciò che è soltanto un mezzo per concorrervi, oppure a considerare delle persone come puri mezzi in vista di un fine, genera strutture ingiuste che « rendono ardua e praticamente impossibile una condotta cristiana, conforme ai comandamenti del Divino Legislatore ».[11]

909 1869

1888 Occorre, quindi, far leva sulle capacità spirituali e morali della persona e sull'esigenza permanente della sua *conversione interiore,* per ottenere cambiamenti sociali che siano realmente a suo servizio. La priorità riconosciuta alla conversione del cuore non elimina affatto, anzi impone l'obbligo di apportare alle istituzioni e alle condizioni di vita, quando esse provochino il peccato, i risanamenti opportuni, perché si conformino alle norme della giustizia e favoriscano il bene anziché ostacolarlo.[12]

407 1430

1889 Senza l'aiuto della grazia, gli uomini non saprebbero « scorgere il sentiero spesso angusto tra la viltà che cede al male e la violenza che, illudendosi di combatterlo, lo aggrava ».[13] È il cammino della carità, cioè dell'amore di Dio e del prossimo. La carità rappresenta il più grande comandamento sociale. Essa rispetta gli altri e i loro diritti. Esige la pratica della giustizia e sola ce ne rende capaci. Essa ispira una vita che si fa dono di sé: « Chi cercherà di salvare la propria vita la perderà, chi invece la perde la salverà » (*Lc* 17,33).

1825

[8] Giovanni Paolo II, Lett. enc. *Centesimus annus,* 36.
[9] Giovanni XXIII, Lett. enc. *Pacem in terris,* 35.
[10] Cf Giovanni Paolo II, Lett. enc. *Centesimus annus,* 41.
[11] Pio XII, discorso del 1° giugno 1941.
[12] Cf Conc. Ecum. Vat. II, *Lumen gentium,* 36.
[13] Giovanni Paolo II, Lett. enc. *Centesimus annus,* 25.

In sintesi

1890 *Esiste una certa somiglianza tra l'unione delle persone divine e la fraternità che gli uomini devono instaurare tra loro.*

1891 *Per svilupparsi in conformità alla propria natura, la persona umana ha bisogno della vita sociale. Certe società, quali la famiglia e la comunità civica, sono più immediatamente rispondenti alla natura dell'uomo.*

1892 *« Principio, soggetto e fine di tutte le istituzioni sociali è e deve essere la persona umana ».*[14]

1893 *Si deve incoraggiare una larga partecipazione ad associazioni ed istituzioni d'elezione.*

1894 *Secondo il principio di sussidiarietà, né lo Stato né alcuna società più grande devono sostituirsi all'iniziativa e alla responsabilità delle persone e dei corpi intermedi.*

1895 *La società deve agevolare l'esercizio delle virtù, non ostacolarlo. Deve ispirarla una giusta gerarchia dei valori.*

1896 *Là dove il peccato perverte il clima sociale, occorre far appello alla conversione dei cuori e alla grazia di Dio. La carità stimola a giuste riforme. Non c'è soluzione alla questione sociale al di fuori del Vangelo.*[15]

Articolo 2
LA PARTECIPAZIONE ALLA VITA SOCIALE

I. L'autorità

1897 « La convivenza fra gli esseri umani non può essere ordinata e feconda se in essa non è presente un'autorità legittima che assicuri l'ordine e contribuisca all'attuazione del bene comune in grado sufficiente ».[16] 2234

Si chiama « autorità » il titolo in forza del quale delle persone o delle istituzioni promulgano leggi e danno ordini a degli uomini e si aspettano obbedienza da parte loro.

[14] Conc. Ecum. Vat. II, *Gaudium et spes,* 25.
[15] Cf Giovanni Paolo II, Lett. enc. *Centesimus annus,* 3.
[16] Giovanni XXIII, Lett. enc. *Pacem in terris,* 46.

1898 Ogni comunità umana ha bisogno di una autorità che la regga.[17] Tale autorità trova il proprio fondamento nella natura umana. È necessaria all'unità della comunità civica. Suo compito è quello di assicurare, per quanto possibile, il bene comune della società.

2235 1899 L'autorità, esigita dall'ordine morale, viene da Dio: « Ciascuno sia sottomesso alle autorità costituite; poiché non c'è autorità se non da Dio e quelle che esistono sono stabilite da Dio. Quindi chi si oppone all'autorità, si oppone all'ordine stabilito da Dio. E quelli che si oppongono si attireranno addosso la condanna » (*Rm* 13,1-2).[18]

2238 1900 Il dovere di obbedienza impone a tutti di tributare all'autorità gli onori che ad essa sono dovuti e di circondare di rispetto e, secondo il loro merito, di gratitudine e benevolenza le persone che ne esercitano l'ufficio.

Alla penna del papa san Clemente di Roma è dovuta la più antica preghiera 2240 della Chiesa per l'autorità politica: [19]

> O Signore, dona loro salute, pace, concordia, costanza, affinché possano esercitare, senza ostacolo, il potere sovrano che loro hai conferito. Sei Tu, o Signore, re celeste dei secoli, che doni ai figli degli uomini la gloria, l'onore, il potere sulla terra. Perciò dirigi Tu, o Signore, le loro decisioni a fare ciò che è bello e che ti è gradito; e così possano esercitare il potere, che Tu hai loro conferito, con religiosità, con pace, con clemenza, e siano degni della tua misericordia.[20]

1901 Se l'autorità rimanda ad un ordine prestabilito da Dio, « la determinazione dei regimi politici e la designazione dei governanti sono lasciate alla libera decisione dei cittadini ».[21]

La diversità dei regimi politici è moralmente ammissibile, purché essi concorrano al bene legittimo delle comunità che li adottano. I regimi la cui 2242 natura è contraria alla legge naturale, all'ordine pubblico e ai fondamentali diritti delle persone, non possono realizzare il bene comune delle nazioni alle quali essi si sono imposti.

1930 1902 L'autorità non trae da se stessa la propria legittimità morale. Non deve comportarsi dispoticamente, ma operare per il bene comune come una « forza morale che si appoggia sulla libertà e sulla coscienza del dovere e del compito assunto »: [22]

[17] Cf Leone XIII, Lett. enc. *Immortale Dei;* Id., Lett. enc. *Diuturnum illud.*
[18] Cf *1 Pt* 2,13-17.
[19] Cf già *1 Tm* 2,1-2.
[20] San Clemente di Roma, *Epistula ad Corinthios,* 61, 1-2.
[21] Conc. Ecum. Vat. II, *Gaudium et spes,* 74.
[22] *Ibid.*

> La legislazione umana non riveste il carattere di legge se non nella misura in cui si conforma alla retta ragione; da ciò è evidente che essa trae la sua forza dalla legge eterna. Nella misura in cui si allontanasse dalla ragione, la si dovrebbe dichiarare ingiusta, perché non realizzerebbe il concetto di legge: sarebbe piuttosto una forma di violenza.[23]

1951

1903 L'autorità è esercitata legittimamente soltanto se ricerca il bene comune del gruppo considerato e se, per conseguirlo, usa mezzi moralmente leciti. Se accade che i governanti emanino leggi ingiuste o prendano misure contrarie all'ordine morale, tali disposizioni non sono obbliganti per le coscienze. « In tal caso, anzi, chiaramente l'autorità cessa di essere tale e degenera in sopruso ».[24]

2242

1904 « È preferibile che ogni potere sia bilanciato da altri poteri e da altre sfere di competenza, che lo mantengano nel giusto limite. È questo, il principio dello "Stato di diritto", nel quale è sovrana la legge, e non la volontà arbitraria degli uomini ».[25]

II. Il bene comune

1905 In conformità alla natura sociale dell'uomo, il bene di ciascuno è necessariamente in rapporto con il bene comune. Questo non può essere definito che in relazione alla persona umana:

801
1881

> Non vivete isolati, ripiegandovi su voi stessi, come se già foste confermati nella giustizia; invece riunitevi insieme, per ricercare ciò che giova al bene di tutti.[26]

1906 Per bene comune si deve intendere « l'insieme di quelle condizioni della vita sociale che permettono ai gruppi, come ai singoli membri, di raggiungere la propria perfezione più pienamente e più speditamente ».[27] Il bene comune interessa la vita di tutti. Esige la prudenza da parte di ciascuno e più ancora da parte di coloro che esercitano l'ufficio dell'autorità. Esso comporta *tre elementi essenziali:*

1907 In primo luogo, esso suppone il *rispetto della persona* in quanto tale. In nome del bene comune, i pubblici poteri sono tenuti a rispettare i diritti fondamentali ed inalienabili della persona umana. La società ha il dovere di

1929

[23] SAN TOMMASO D'AQUINO, *Summa theologiae,* I-II, 93, 3, ad 2.
[24] GIOVANNI XXIII, Lett. enc. *Pacem in terris,* 51.
[25] GIOVANNI PAOLO II, Lett. enc. *Centesimus annus,* 44.
[26] *Lettera di Barnaba,* 4, 10.
[27] CONC. ECUM. VAT. II, *Gaudium et spes,* 26; cf *ibid.,* 74.

permettere a ciascuno dei suoi membri di realizzare la propria vocazione. In particolare, il bene comune consiste nelle condizioni d'esercizio delle libertà naturali che sono indispensabili al pieno sviluppo della vocazione umana: tali il diritto « alla possibilità di agire secondo il retto dettato della propria coscienza, alla salvaguardia della vita privata e alla giusta libertà anche in campo religioso ».[28]

2106

1908 In secondo luogo, il bene comune richiede il *benessere sociale* e lo *sviluppo* del gruppo stesso. Lo sviluppo è la sintesi di tutti i doveri sociali. Certo, spetta all'autorità farsi arbitra, in nome del bene comune, fra i diversi interessi particolari. Essa però deve rendere accessibile a ciascuno ciò di cui ha bisogno per condurre una vita veramente umana: vitto, vestito, salute, lavoro, educazione e cultura, informazione conveniente, diritto a fondare una famiglia, ecc.[29]

2441

1909 Il bene comune implica infine la *pace,* cioè la stabilità e la sicurezza di un ordine giusto. Suppone quindi che l'autorità garantisca, con mezzi onesti, la *sicurezza* della società e quella dei suoi membri. Esso fonda il diritto alla legittima difesa personale e collettiva.

2304 2310

1910 Se ogni comunità umana possiede un bene comune che le consente di riconoscersi come tale, è nella *comunità politica* che si trova la sua realizzazione più completa. È compito dello Stato difendere e promuovere il bene comune della società civile, dei cittadini e dei corpi intermedi.

2244

1911 I legami di mutua dipendenza tra gli uomini s'intensificano. A poco a poco si estendono a tutta la terra. L'unità della famiglia umana, la quale riunisce esseri che godono di una eguale dignità naturale, implica un *bene comune universale*. Questo richiede una organizzazione della comunità delle nazioni capace di « provvedere ai diversi bisogni degli uomini, tanto nel campo della vita sociale, cui appartengono l'alimentazione, la salute, l'educazione..., quanto in alcune circostanze particolari che sorgono qua e là, come possono essere... la necessità di soccorrere le angustie dei profughi, o anche di aiutare gli emigrati e le loro famiglie ».[30]

2438

1912 Il bene comune è sempre orientato verso il progresso delle persone: « Nell'ordinare le cose ci si deve adeguare all'ordine delle persone e non il contrario ».[31] Tale ordine ha come fondamento la verità, si edifica nella giustizia, è vivificato dall'amore.

1881

[28] Conc. Ecum. Vat. II, *Gaudium et spes,* 26.
[29] Cf *ibid.*
[30] *Ibid.,* 84.
[31] *Ibid.,* 26.

III. Responsabilità e partecipazione

1913 La partecipazione è l'impegno volontario e generoso della persona negli scambi sociali. È necessario che tutti, ciascuno secondo il posto che occupa e il ruolo che ricopre, partecipino a promuovere il bene comune. Questo dovere è inerente alla dignità della persona umana.

1914 La partecipazione si realizza innanzitutto con il farsi carico dei settori dei quali l'uomo si assume la *responsabilità personale:* attraverso la premura con cui si dedica all'educazione della propria famiglia, mediante la coscienza con cui attende al proprio lavoro, egli partecipa al bene altrui e della società.[32] 1734

1915 I cittadini, per quanto è possibile, devono prendere parte attiva alla *vita pubblica.* Le modalità di tale partecipazione possono variare da un paese all'altro, da una cultura all'altra. « È da lodarsi il modo di agire di quelle nazioni nelle quali la maggioranza dei cittadini è fatta partecipe della gestione della cosa pubblica in un clima di vera libertà ».[33] 2239

1916 La partecipazione di tutti all'attuazione del bene comune implica, come ogni dovere etico, una *conversione* incessantemente rinnovata dei partner sociali. La frode e altri sotterfugi mediante i quali alcuni si sottraggono alle imposizioni della legge e alle prescrizioni del dovere sociale, vanno condannati con fermezza, perché incompatibili con le esigenze della giustizia. Ci si deve occupare del progresso delle istituzioni che servono a migliorare le condizioni di vita degli uomini.[34] 1888 2409

1917 Spetta a coloro che sono investiti di autorità consolidare i valori che attirano la fiducia dei membri del gruppo e li stimolano a mettersi al servizio dei loro simili. La partecipazione ha inizio dall'educazione e dalla cultura. « Legittimamente si può pensare che il futuro dell'umanità sia riposto nelle mani di coloro che sono capaci di trasmettere alle generazioni di domani ragioni di vita e di speranza ».[35] 1818

[32] Cf Giovanni Paolo II, Lett. enc. *Centesimus annus,* 43.
[33] Conc. Ecum. Vat. II, *Gaudium et spes,* 31.
[34] Cf *ibid.,* 30.
[35] *Ibid.,* 31.

In sintesi

1918 *« Non c'è autorità se non da Dio e quelle che esistono sono stabilite da Dio »* (*Rm* 13,1).

1919 *Ogni comunità umana ha bisogno di un'autorità per conservarsi e svilupparsi.*

1920 *« La comunità politica e l'autorità pubblica hanno il loro fondamento nella natura umana e perciò appartengono all'ordine stabilito da Dio ».*[36]

1921 *L'autorità è esercitata in modo legittimo se si dedica al conseguimento del bene comune della società. Per raggiungerlo, deve usare mezzi moralmente accettabili.*

1922 *La diversità dei regimi politici è legittima, a condizione che essi concorrano al bene della comunità.*

1923 *L'autorità politica deve essere esercitata entro i limiti dell'ordine morale e garantire le condizioni d'esercizio della libertà.*

1924 *Il bene comune comprende « l'insieme di quelle condizioni della vita sociale che permettono ai gruppi, come ai singoli membri, di raggiungere la propria perfezione più pienamente e più speditamente ».*[37]

1925 *Il bene comune comporta tre elementi essenziali: il rispetto e la promozione dei diritti fondamentali della persona; la prosperità o lo sviluppo dei beni spirituali e temporali della società; la pace e la sicurezza del gruppo e dei suoi membri.*

1926 *La dignità della persona umana implica la ricerca del bene comune. Ciascuno ha il dovere di adoperarsi per suscitare e sostenere istituzioni che servano a migliorare le condizioni di vita degli uomini.*

1927 *È compito dello Stato difendere e promuovere il bene comune della società civile. Il bene comune dell'intera famiglia umana richiede una organizzazione della società internazionale.*

[36] CONC. ECUM. VAT. II, *Gaudium et spes*, 74.
[37] *Ibid.*, 26.

Articolo 3
LA GIUSTIZIA SOCIALE

1928 La società assicura la giustizia sociale allorché realizza le condizioni che consentono alle associazioni e agli individui di conseguire ciò a cui hanno diritto secondo la loro natura e la loro vocazione. La giustizia sociale è connessa con il bene comune e con l'esercizio dell'autorità. 2832

I. Il rispetto della persona umana

1929 La giustizia sociale non si può ottenere se non nel rispetto della dignità trascendente dell'uomo. La persona rappresenta il fine ultimo della società, la quale è ad essa ordinata: 1881

> La difesa e la promozione della dignità della persona umana ci sono state affidate dal Creatore; di essa sono rigorosamente e responsabilmente debitori gli uomini e le donne in ogni congiuntura della storia.[38]

1930 Il rispetto della persona umana implica il rispetto dei diritti che scaturiscono dalla sua dignità di creatura. Questi diritti sono anteriori alla società e ad essa si impongono. Essi sono il fondamento della legittimità morale di ogni autorità: una società che li irrida o rifiuti di riconoscerli nella propria legislazione positiva, mina la propria legittimità morale.[39] Se manca tale rispetto, un'autorità non può che appoggiarsi sulla forza o sulla violenza per ottenere l'obbedienza dei propri sudditi. È compito della Chiesa richiamare alla memoria degli uomini di buona volontà questi diritti e distinguerli dalle rivendicazioni abusive o false. 1700 1902

1931 Il rispetto della persona umana non può assolutamente prescindere dal rispetto di questo principio: « I singoli » devono « considerare il prossimo, nessuno eccettuato, come "un altro se stesso", tenendo conto della sua vita e dei mezzi necessari per viverla degnamente ».[40] Nessuna legislazione sarebbe in grado, da se stessa, di dissipare i timori, i pregiudizi, le tendenze all'orgoglio e all'egoismo, che ostacolano l'instaurarsi di società veramente fraterne. Simili comportamenti si superano solo con la carità, la quale vede in ogni uomo un « prossimo », un fratello. 2212 1825

[38] Giovanni Paolo II, Lett. enc. *Sollicitudo rei socialis,* 47.
[39] Cf Giovanni XXIII, Lett. enc. *Pacem in terris,* 65.
[40] Conc. Ecum. Vat. II, *Gaudium et spes,* 27.

1932 Il dovere di farsi il prossimo degli altri e di servirli attivamente diventa ancor più urgente quando costoro sono particolarmente bisognosi, sotto qualsiasi aspetto. « Ogni volta che avete fatto queste cose a uno solo di questi miei fratelli più piccoli, l'avete fatto a me » (*Mt* 25,40). 2449

1933 Questo stesso dovere comprende anche coloro che pensano o operano diversamente da noi. L'insegnamento di Cristo arriva fino a chiedere il perdono delle offese. Estende il comandamento dell'amore, che è quello della legge nuova, a tutti i nemici.[41] La liberazione nello spirito del Vangelo è incompatibile con l'odio del nemico in quanto persona, ma non con l'odio del male che egli compie in quanto nemico. 2303

II. Uguaglianza e differenze tra gli uomini

1934 Tutti gli uomini, creati ad immagine dell'unico Dio e dotati di una medesima anima razionale, hanno la stessa natura e la stessa origine. Redenti dal sacrificio di Cristo, tutti sono chiamati a partecipare alla medesima beatitudine divina: tutti, quindi, godono di una eguale dignità. 225

1935 L'uguaglianza tra gli uomini poggia essenzialmente sulla loro dignità personale e sui diritti che ne derivano: 357

> Ogni genere di discriminazione nei diritti fondamentali della persona... in ragione del sesso, della stirpe, del colore, della condizione sociale, della lingua o religione, deve essere superato ed eliminato, come contrario al disegno di Dio.[42]

1879 1936 L'uomo, venendo al mondo, non dispone di tutto ciò che è necessario allo sviluppo della propria vita, corporale e spirituale. Ha bisogno degli altri. Si notano differenze legate all'età, alle capacità fisiche, alle attitudini intellettuali o morali, agli scambi di cui ciascuno ha potuto beneficiare, alla distribuzione delle ricchezze.[43] I « talenti » non sono distribuiti in misura eguale.[44]

340 1937 Tali differenze rientrano nel piano di Dio, il quale vuole che ciascuno riceva dagli altri ciò di cui ha bisogno, e che coloro che hanno « talenti » particolari ne comunichino i benefici a coloro che ne hanno bisogno. Le differenze incoraggiano e spesso obbligano le persone alla magnanimità, 791

[41] Cf *Mt* 5,43-44.
[42] Conc. Ecum. Vat. II, *Gaudium et spes,* 29.
[43] Cf *ibid.*
[44] Cf *Mt* 25,14-30; *Lc* 19,11-27.

alla benevolenza e alla condivisione; spingono le culture a mutui arricchimenti: 1202

> Io distribuisco le virtù tanto differentemente, che non do tutto ad ognuno, ma a chi l'una a chi l'altra... A chi darò principalmente la carità, a chi la giustizia, a chi l'umiltà, a chi una fede viva... E così ho dato molti doni e grazie di virtù, spirituali e temporali, con tale diversità, che non tutto ho comunicato ad una sola persona, affinché voi foste costretti ad usare carità l'uno con l'altro... Io volli che l'uno avesse bisogno dell'altro e tutti fossero miei ministri nel dispensare le grazie e i doni da me ricevuti.[45]

1938 Esistono anche delle *disuguaglianze inique* che colpiscono milioni di uomini e di donne. Esse sono in aperto contrasto con il Vangelo: 2437

> L'eguale dignità delle persone richiede che si giunga ad una condizione più umana e giusta della vita. Infatti le troppe disuguaglianze economiche e sociali, tra membri e tra popoli dell'unica famiglia umana, suscitano scandalo e sono contrarie alla giustizia sociale, all'equità, alla dignità della persona umana, nonché alla pace sociale ed internazionale.[46] 2317

III. La solidarietà umana

1939 Il principio di solidarietà, designato pure con il nome di « amicizia » o di « carità sociale », è una esigenza diretta della fraternità umana e cristiana:[47] un errore 2213

> oggi largamente diffuso, è la dimenticanza della legge della solidarietà umana e della carità, legge dettata e imposta tanto dalla comunità di origine e dall'uguaglianza della natura ragionevole, propria di tutti gli uomini, a qualsiasi popolo appartengano, quanto dal sacrificio offerto da Gesù Cristo sull'altare della croce, al Padre suo celeste, in favore dell'umanità peccatrice.[48] 360

1940 La solidarietà si esprime innanzitutto nella ripartizione dei beni e nella remunerazione del lavoro. Suppone anche l'impegno per un ordine sociale più giusto, nel quale le tensioni potrebbero essere meglio riassorbite e i conflitti troverebbero più facilmente la loro soluzione negoziata. 2402

1941 I problemi socio-economici non possono essere risolti che mediante il concorso di tutte le forme di solidarietà: solidarietà dei poveri tra loro, dei 2317

45 SANTA CATERINA DA SIENA, *Dialoghi*, 1, 7.
46 CONC. ECUM. VAT. II, *Gaudium et spes*, 29.
47 Cf GIOVANNI PAOLO II, Lett. enc. *Sollicitudo rei socialis*, 38-40; ID., Lett. enc. *Centesimus annus*, 10.
48 PIO XII, Lett. enc. *Summi pontificatus*.

ricchi e dei poveri, dei lavoratori tra loro, degli imprenditori e dei dipendenti nell'impresa, solidarietà tra le nazioni e tra i popoli. La solidarietà internazionale è un'esigenza di ordine morale. La pace del mondo dipende in parte da essa.

1942 La virtù della solidarietà oltrepassa l'ambito dei beni materiali. Diffondendo i beni spirituali della fede, la Chiesa ha, per di più, favorito lo sviluppo del benessere temporale, al quale spesso ha aperto vie nuove. Così, nel corso dei secoli, si è realizzata la parola del Signore: « Cercate prima il Regno di Dio e la sua giustizia, e tutte queste cose vi saranno date in aggiunta » (*Mt* 6,33):

1887

2632

> Da duemila anni, vive e vigoreggia nell'anima della Chiesa quel sentimento che ha spinto ed ancora spinge fino all'eroismo della carità i monaci agricoltori, i liberatori degli schiavi, coloro che curano gli ammalati, coloro che portano il messaggio della fede, della civiltà, della cultura a tutte le generazioni e a tutti i popoli, al fine di creare condizioni sociali tali da rendere possibile per tutti una vita degna dell'uomo e del cristiano.[49]

In sintesi

1943 *La società assicura la giustizia sociale realizzando le condizioni che permettono alle associazioni e agli individui di ottenere ciò a cui hanno diritto.*

1944 *Il rispetto della persona umana conduce a considerare l'altro come « un altro se stesso ». Esso comporta il rispetto dei diritti fondamentali che derivano dall'intrinseca dignità della persona.*

1945 *L'uguaglianza tra gli uomini si fonda sulla loro dignità personale e sui diritti che da essa derivano.*

1946 *Le differenze tra le persone rientrano nel disegno di Dio, il quale vuole che noi abbiamo bisogno gli uni degli altri. Esse devono spronare alla carità.*

1947 *L'eguale dignità delle persone umane richiede l'impegno per ridurre le disuguaglianze sociali ed economiche eccessive. Essa spinge ad eliminare le disuguaglianze inique.*

1948 *La solidarietà è una virtù eminentemente cristiana. Essa attua la condivisione dei beni spirituali ancor più che di quelli materiali.*

[49] Pio XII, discorso del 1° giugno 1941.

CAPITOLO TERZO

LA SALVEZZA DI DIO: LA LEGGE E LA GRAZIA

1949 Chiamato alla beatitudine, ma ferito dal peccato, l'uomo ha bisogno della salvezza di Dio. L'aiuto divino gli viene dato in Cristo, per mezzo della legge che lo dirige e nella grazia che lo sostiene:

> Attendete alla vostra salvezza con timore e tremore. È Dio infatti che suscita in voi il volere e l'operare secondo i suoi benevoli disegni (*Fil* 2,12-13).

Articolo 1

LA LEGGE MORALE

1950 La legge morale è opera della Sapienza divina. La si può definire, in senso biblico, come un insegnamento paterno, una pedagogia di Dio. Prescrive all'uomo le vie, le norme di condotta che conducono alla beatitudine promessa; vieta le strade del male, che allontanano da Dio e dal suo amore. Essa è ad un tempo severa nei suoi precetti e soave nelle sue promesse.

53
1719

1951 La legge è una regola di comportamento emanata dall'autorità competente in vista del bene comune. La legge morale suppone l'ordine razionale stabilito tra le creature, per il loro bene e in vista del loro fine, dalla potenza, dalla sapienza, dalla bontà del Creatore. Ogni legge trova nella legge eterna la sua prima e ultima verità. La legge è dichiarata e stabilita dalla ragione come una partecipazione alla Provvidenza del Dio vivente Creatore e Redentore di tutti. « L'ordinamento della ragione, ecco ciò che si chiama la legge ».[1]

295
306

> L'uomo è il solo tra tutti gli esseri animati che possa gloriarsi d'essere stato degno di ricevere una legge da Dio; animale dotato di ragione, capace di comprendere e di discernere, egli regolerà la propria condotta valendosi della

[1] LEONE XIII, Lett. enc. *Libertas praestantissimum;* citazione da SAN TOMMASO D'AQUINO, *Summa theologiae,* I-II, 90, 1.

301 sua libertà e della sua ragione, nella docile obbedienza a colui che tutto gli ha affidato.[2]

1952 Le espressioni della legge morale sono diverse, e sono tutte coordinate tra loro: la legge eterna, fonte, in Dio, di tutte le leggi; la legge naturale; la legge rivelata, che comprende la Legge antica e la Legge nuova o evangelica; infine le leggi civili ed ecclesiastiche.

578 1953 La legge morale trova in Cristo la sua pienezza e la sua unità. Gesù Cristo in persona è la via della perfezione. È il termine della Legge, perché egli solo insegna e dà la giustizia di Dio: « Il termine della Legge è Cristo, perché sia data la giustizia a chiunque crede » (*Rm* 10,4).

I. La legge morale naturale

307 1954 L'uomo partecipa alla sapienza e alla bontà del Creatore, che gli conferisce la padronanza dei suoi atti e la capacità di dirigersi verso la verità 1776 e il bene. La legge naturale esprime il senso morale originale che permette all'uomo di discernere, per mezzo della ragione, quello che sono il bene e il male, la verità e la menzogna:

> La legge naturale è iscritta e scolpita nell'anima di tutti i singoli uomini; essa infatti è la ragione umana che impone di agire bene e proibisce il peccato... Questa prescrizione dell'umana ragione, però, non sarebbe in grado di avere forza di legge, se non fosse la voce e l'interprete di una ragione più alta, alla quale il nostro spirito e la nostra libertà devono essere sottomessi.[3]

1787 1955 La legge « divina e naturale »[4] mostra all'uomo la via da seguire per compiere il bene e raggiungere il proprio fine. La legge naturale indica le norme prime ed essenziali che regolano la vita morale. Ha come perno 396 l'aspirazione e la sottomissione a Dio, fonte e giudice di ogni bene, e altresì il senso dell'altro come uguale a se stesso. Nei suoi precetti principali essa è 2070 esposta nel Decalogo. Questa legge è chiamata naturale non in rapporto alla natura degli esseri irrazionali, ma perché la ragione che la promulga è propria della natura umana:

> Dove dunque sono iscritte queste regole, se non nel libro di quella luce che si chiama verità? Di qui, dunque, è dettata ogni legge giusta e si trasferisce retta nel cuore dell'uomo che opera la giustizia, non emigrando in lui, ma quasi imprimendosi in lui, come l'immagine passa dall'anello nella cera, ma senza abbandonare l'anello.[5]

[2] TERTULLIANO, *Adversus Marcionem,* 2, 4.
[3] LEONE XIII, Lett. enc. *Libertas praestantissimum.*
[4] CONC. ECUM. VAT. II, *Gaudium et spes,* 89.
[5] SANT'AGOSTINO, *De Trinitate,* 14, 15, 21.

La legge naturale altro non è che la luce dell'intelligenza infusa in noi da Dio. Grazie ad essa conosciamo ciò che si deve compiere e ciò che si deve evitare. Questa luce o questa legge Dio l'ha donata alla creazione.[6]

1956 Presente nel cuore di ogni uomo e stabilita dalla ragione, la legge naturale è *universale* nei suoi precetti e la sua autorità si estende a tutti gli uomini. Esprime la dignità della persona e pone la base dei suoi diritti e dei suoi doveri fondamentali: 2261

Certamente esiste una vera legge: è la retta ragione; essa è conforme alla natura, la si trova in tutti gli uomini; è immutabile ed eterna; i suoi precetti chiamano al dovere, i suoi divieti trattengono dall'errore... È un delitto sostituirla con una legge contraria; è proibito non praticarne una sola disposizione; nessuno poi ha la possibilità di abrogarla completamente.[7]

1957 L'applicazione della legge naturale si diversifica molto; può richiedere un adattamento alla molteplicità delle condizioni di vita, secondo i luoghi, le epoche e le circostanze. Tuttavia, nella diversità delle culture, la legge naturale resta come una regola che lega gli uomini tra loro e ad essi impone, al di là delle inevitabili differenze, principi comuni.

1958 La legge naturale è *immutabile*[8] e permane inalterata attraverso i mutamenti della storia; rimane sotto l'evolversi delle idee e dei costumi e ne sostiene il progresso. Le norme che la esprimono restano sostanzialmente valide. Anche se si arriva a negare i suoi principi, non la si può però distruggere, né strappare dal cuore dell'uomo. Sempre risorge nella vita degli individui e delle società: 2072

La tua legge, Signore, condanna chiaramente il furto, e così la legge scritta nel cuore degli uomini, legge che nemmeno la loro malvagità può cancellare.[9]

1959 Opera molto buona del Creatore, la legge naturale fornisce i solidi fondamenti sui quali l'uomo può costruire l'edificio delle regole morali che guideranno le sue scelte. Essa pone anche il fondamento morale indispensabile per edificare la comunità degli uomini. Procura infine il fondamento necessario alla legge civile, la quale ad essa si riallaccia sia con una riflessione che trae le conseguenze dai principi della legge naturale, sia con aggiunte di natura positiva e giuridica. 1879

1960 I precetti della legge naturale non sono percepiti da tutti con chiarezza ed immediatezza. Nell'attuale situazione, la grazia e la rivelazione sono necessarie all'uomo peccatore perché le verità religiose e morali possano 2071

[6] San Tommaso d'Aquino, *Collationes in decem praeceptis,* 1.
[7] Cicerone, *La repubblica,* 3, 22, 33.
[8] Cf Conc. Ecum. Vat. II, *Gaudium et spes,* 10.
[9] Sant'Agostino, *Confessiones,* 2, 4, 9.

37 essere conosciute « da tutti e senza difficoltà, con ferma certezza e senza alcuna mescolanza di errore ».[10] La legge naturale offre alla Legge rivelata e alla grazia un fondamento preparato da Dio e in piena armonia con l'opera dello Spirito.

II. La Legge antica

1961 Dio, nostro Creatore e nostro Redentore, si è scelto Israele come suo popolo e gli ha rivelato la sua Legge, preparando in tal modo la venuta di 62 Cristo. La Legge di Mosè esprime molte verità che sono naturalmente accessibili alla ragione. Queste si trovano affermate ed autenticate all'interno dell'Alleanza della Salvezza.

1962 La Legge antica è il primo stadio della Legge rivelata. Le sue prescri- 2058 zioni morali sono riassunte nei Dieci comandamenti. I precetti del Decalogo pongono i fondamenti della vocazione dell'uomo, creato ad immagine di Dio; vietano ciò che è contrario all'amore di Dio e del prossimo, e prescrivono ciò che gli è essenziale. Il Decalogo è una luce offerta alla coscienza di ogni uomo per manifestargli la chiamata e le vie di Dio, e difenderlo contro il male:

> Dio ha scritto sulle tavole della Legge ciò che gli uomini non riuscivano a leggere nei loro cuori.[11]

1963 Secondo la tradizione cristiana, la Legge santa,[12] spirituale [13] e buo- 1610 na,[14] è ancora imperfetta. Come un pedagogo [15] essa indica ciò che si deve fare, ma da sé non dà la forza, la grazia dello Spirito per osservarla. A 2542 causa del peccato che non può togliere, essa rimane una legge di schiavitù. Secondo san Paolo, essa ha particolarmente la funzione di denunciare e di 2515 *manifestare il peccato* che nel cuore dell'uomo forma una « legge di concupiscenza ».[16] Tuttavia la Legge rimane la prima tappa sul cammino del Regno. Essa prepara e dispone il popolo eletto e ogni cristiano alla conversione e alla fede nel Dio Salvatore. Dà un insegnamento che rimane per sempre, come Parola di Dio.

[10] Pio XII, Lett. enc. *Humani generis:* Denz.-Schönm., 3876.
[11] Sant'Agostino, *Enarratio in Psalmos,* 57, 1.
[12] Cf *Rm* 7,12.
[13] Cf *Rm* 7,14.
[14] Cf *Rm* 7,16.
[15] Cf *Gal* 3,24.
[16] Cf *Rm* 7.

1964 La Legge antica è una *preparazione al Vangelo.* « La Legge è profezia e pedagogia delle realtà future ».[17] Essa profetizza e presagisce l'opera della liberazione dal peccato che si compirà con Cristo, ed offre al Nuovo Testamento le immagini, i « tipi », i simboli per esprimere la vita secondo lo Spirito. La Legge infine viene completata dall'insegnamento dei libri sapienziali e dei profeti, che la orientano verso la Nuova Alleanza e il Regno dei cieli. 122

> Ci furono..., nel regime dell'Antico Testamento, anime ripiene di carità e della grazia dello Spirito Santo, le quali aspettavano soprattutto il compimento delle promesse spirituali ed eterne. Sotto tale aspetto, costoro appartenevano alla nuova legge. Al contrario, anche nel Nuovo Testamento ci sono uomini carnali, che ancora non hanno raggiunto la perfezione della nuova legge, e che bisogna indurre alle azioni virtuose con la paura del castigo o con la promessa di beni temporali. Però, la Legge antica, anche se dava i precetti della carità, non era in grado di offrire la grazia dello Spirito Santo, in virtù del quale « l'amore di Dio è stato riversato nei nostri cuori » (*Rm* 5,5).[18] 1828

III. La nuova Legge o Legge evangelica

1965 La nuova Legge o Legge evangelica è la perfezione quaggiù della legge divina, naturale e rivelata. È opera di Cristo e trova la sua espressione particolarmente nel Discorso della montagna; è anche opera dello Spirito Santo e, per mezzo di lui, diventa la legge interiore della carità: « Io stipulerò con la casa d'Israele... un'alleanza nuova... Porrò le mie leggi nella loro mente e le imprimerò nei loro cuori; sarò il loro Dio ed essi saranno il mio popolo » (*Eb* 8,8.10).[19] 459 581 715

1966 La Legge nuova è la *grazia dello Spirito Santo,* data ai fedeli in virtù della fede in Cristo. Essa opera mediante la carità, si serve del Discorso del Signore sulla montagna per insegnarci ciò che si deve fare, e dei sacramenti per comunicarci la grazia di farlo: 1999

> Chi vorrà meditare con pietà e perspicacia il Discorso che nostro Signore ha pronunciato sulla montagna, così come lo si legge nel Vangelo di San Matteo, indubbiamente vi troverà la « magna carta » della vita cristiana... Questo Discorso infatti comprende tutte le norme peculiari della esistenza cristiana.[20]

[17] SANT'IRENEO DI LIONE, *Adversus haereses,* 4, 15, 1.
[18] SAN TOMMASO D'AQUINO, *Summa theologiae,* I-II, 107, 1, ad 2.
[19] Cf *Ger* 31,31-34.
[20] SANT'AGOSTINO, *De sermone Domini in monte,* 1, 1: PL 34, 1229-1231.

577 1967 La Legge evangelica « dà compimento »[21] alla Legge antica, la purifica, la supera e la porta alla perfezione. Nelle « beatitudini » essa *compie le promesse* divine, elevandole ed ordinandole al « Regno dei cieli ». Si rivolge a coloro che sono disposti ad accogliere con fede questa speranza nuova: i poveri, gli umili, gli afflitti, i puri di cuore, i perseguitati a causa di Cristo, tracciando in tal modo le sorprendenti vie del Regno.

1968 La Legge evangelica *dà compimento ai comandamenti* della Legge. Il Discorso del Signore sulla montagna, lungi dall'abolire o dal togliere valore
129 alle prescrizioni morali della Legge antica, ne svela le virtualità nascoste e ne fa scaturire nuove esigenze: ne mette in luce tutta la verità divina e umana. Esso non aggiunge nuovi precetti esteriori, ma arriva a riformare la radice
582 delle azioni, il cuore, là dove l'uomo sceglie tra il puro e l'impuro,[22] dove si sviluppano la fede, la speranza e la carità e, con queste, le altre virtù. Così il Vangelo porta la legge alla sua pienezza mediante l'imitazione della perfezione del Padre celeste,[23] il perdono dei nemici e la preghiera per i persecutori, sull'esempio della magnanimità divina.[24]

1434 1969 La Legge nuova *pratica gli atti della religione:* l'elemosina, la preghiera e il digiuno, ordinandoli al « Padre che vede nel segreto », in opposizione al desiderio di « essere visti dagli uomini ».[25] La sua preghiera è il « Padre nostro ».[26]

1696 1970 La Legge evangelica implica la scelta decisiva tra « le due vie »[27] e
1789 il mettere in pratica le parole del Signore;[28] essa si riassume nella *« regola d'oro »:* « Tutto quanto volete che gli uomini facciano a voi, anche voi fatelo a loro: questa infatti è la Legge e i Profeti » (*Mt* 7,12).[29]

1823 Tutta la Legge evangelica è racchiusa nel « *comandamento nuovo* » di Gesù (*Gv* 13,34), di amarci gli uni gli altri come lui ci ha amati.[30]

1971 Al Discorso del Signore sulla montagna è opportuno aggiungere la *catechesi morale degli insegnamenti apostolici.*[31] Questa dottrina trasmette l'insegnamento del Signore con l'autorità degli Apostoli, particolarmente

[21] Cf *Mt* 5,17-19.
[22] Cf *Mt* 15,18-19.
[23] Cf *Mt* 5,48.
[24] Cf *Mt* 5,44.
[25] Cf *Mt* 6,1-6; 16-18.
[26] Cf *Mt* 6,9-13.
[27] Cf *Mt* 7,13-14.
[28] Cf *Mt* 7,21-27.
[29] Cf *Lc* 6,31.
[30] Cf *Gv* 15,12.
[31] Cf *Rm* 12-15; *1 Cor* 12-13; *Col* 3-4; *Ef* 4-5; ecc.

attraverso l'esposizione delle virtù che derivano dalla fede in Cristo e che sono animate dalla carità, il principale dono dello Spirito Santo. « La carità non abbia finzioni... Amatevi gli uni gli altri con affetto fraterno... Siate lieti nella speranza, forti nella tribolazione, perseveranti nella preghiera, solleciti per le necessità dei fratelli, premurosi nell'ospitalità » (*Rm* 12,9-13). Questa catechesi ci insegna anche a considerare i casi di coscienza alla luce del nostro rapporto con Cristo e con la Chiesa.[32] 1789

1972 La Legge nuova è chiamata una *legge d'amore,* perché fa agire in virtù dell'amore che lo Spirito Santo infonde, più che sotto la spinta del timore; una *legge di grazia,* perché, per mezzo della fede e dei sacramenti, conferisce la forza della grazia per agire; una *legge di libertà,*[33] perché ci libera dalle osservanze rituali e giuridiche della Legge antica, ci porta ad agire spontaneamente sotto l'impulso della carità, ed infine ci fa passare dalla condizione del servo « che non sa quello che fa il suo padrone » a quella di amico di Cristo « perché tutto ciò che ho udito dal Padre l'ho fatto conoscere a voi » (*Gv* 15,15), o ancora alla condizione di figlio erede.[34] 782 1828

1973 Oltre ai suoi precetti, la Legge nuova comprende anche i *consigli evangelici.* La distinzione tradizionale tra i comandamenti di Dio e i consigli evangelici si stabilisce in rapporto alla carità, perfezione della vita cristiana. I precetti mirano a rimuovere ciò che è incompatibile con la carità. I consigli si prefiggono di rimuovere ciò che, pur senza contrastare con la carità, può rappresentare un ostacolo per il suo sviluppo.[35] 2053 915

1974 I consigli evangelici esprimono la pienezza vivente della carità, sempre insoddisfatta di non dare di più. Testimoniano il suo slancio e sollecitano la nostra prontezza spirituale. La perfezione della Legge nuova consiste essenzialmente nei comandamenti dell'amore di Dio e del prossimo. I consigli indicano vie più dirette, mezzi più spediti e vanno praticati in conformità alla vocazione di ciascuno: 2013

> Dio non vuole che tutti osservino tutti i consigli, ma soltanto quelli appropriati, secondo la diversità delle persone, dei tempi, delle occasioni e delle forze, stando a quanto richiede la carità; perché è lei che, come regina di tutte le virtù, di tutti i comandamenti, di tutti i consigli, in una parola, di tutta la legge e di tutte le azioni cristiane, assegna a tutti e a tutte il posto, l'ordine, il tempo, il valore.[36]

[32] Cf *Rm* 14; *1 Cor* 5-10.
[33] Cf *Gc* 1,25; 2,12.
[34] Cf *Gal* 4,1-7.21-31; *Rm* 8,15.
[35] Cf San Tommaso d'Aquino, *Summa theologiae,* II-II, 184, 3.
[36] San Francesco di Sales, *Trattato sull'amor di Dio,* 8, 6.

In sintesi

1975 *Secondo la Scrittura, la legge è un'istruzione paterna di Dio, che prescrive all'uomo le vie che conducono alla beatitudine promessa e vieta le strade del male.*

1976 *« La legge è un comando della ragione ordinato al bene comune, promulgato da chi è incaricato di una comunità ».*[37]

1977 *Cristo è il termine della legge;* [38] *egli solo insegna e dà la giustizia di Dio.*

1978 *La legge naturale è una partecipazione alla sapienza e alla bontà di Dio, da parte dell'uomo, plasmato ad immagine del suo Creatore. Essa esprime la dignità della persona umana e costituisce il fondamento dei suoi diritti e dei suoi doveri fondamentali.*

1979 *La legge naturale è immutabile e permane inalterata attraverso la storia. Le norme che ne sono l'espressione restano sostanzialmente valide. È un fondamento necessario all'ordinamento delle regole morali e alla legge civile.*

1980 *La Legge antica è il primo stadio della Legge rivelata. Le sue prescrizioni morali sono riassunte nei Dieci comandamenti.*

1981 *La Legge di Mosè comprende molte verità naturalmente accessibili alla ragione. Dio le ha rivelate perché gli uomini non riuscivano a leggerle nel loro cuore.*

1982 *La Legge antica è una preparazione al Vangelo.*

1983 *La Legge nuova è la grazia dello Spirito Santo ricevuta mediante la fede in Cristo, che opera attraverso la carità. Trova la sua principale espressione nel Discorso del Signore sulla montagna e si serve dei sacramenti per comunicarci la grazia.*

1984 *La Legge evangelica dà compimento, supera e porta alla perfezione la Legge antica: le sue promesse attraverso le beatitudini del Regno dei cieli e i suoi comandamenti attraverso la trasformazione della radice delle azioni, il cuore.*

1985 *La Legge nuova è una legge d'amore, una legge di grazia, una legge di libertà.*

[37] San Tommaso d'Aquino, *Summa theologiae,* I-II, 90, 4.
[38] Cf *Rm* 10,4.

1986 *Oltre ai precetti, la Legge nuova comprende i consigli evangelici. « La santità della Chiesa è in modo speciale favorita dai molteplici consigli di cui il Signore nel Vangelo propone l'osservanza ai suoi discepoli ».*[39]

Articolo 2
GRAZIA E GIUSTIFICAZIONE

I. La giustificazione

1987 La grazia dello Spirito Santo ha il potere di giustificarci, cioè di mondarci dai nostri peccati e di comunicarci la « giustizia di Dio per mezzo della fede in Gesù Cristo » (*Rm* 3,22) e mediante il Battesimo:[40] 734

> Se siamo morti con Cristo, crediamo che anche vivremo con lui, sapendo che Cristo risuscitato dai morti non muore più; la morte non ha più potere su di lui. Per quanto riguarda la sua morte, egli morì al peccato una volta per tutte; ora invece per il fatto che egli vive, vive per Dio. Così anche voi consideratevi morti al peccato, ma viventi per Dio, in Cristo Gesù (*Rm* 6,8-11).

1988 Per mezzo della potenza dello Spirito Santo, noi prendiamo parte alla Passione di Cristo morendo al peccato, e alla sua Risurrezione nascendo a una vita nuova; siamo le membra del suo Corpo che è la Chiesa,[41] i tralci innestati sulla Vite che è lui stesso:[42] 654

> Per mezzo dello Spirito, tutti noi siamo detti partecipi di Dio... Entriamo a far parte della natura divina mediante la partecipazione allo Spirito ... Ecco perché lo Spirito divinizza coloro nei quali si fa presente.[43] 460

1989 La prima opera della grazia dello Spirito Santo è la *conversione*, che opera la giustificazione, secondo l'annuncio di Gesù all'inizio del Vangelo: « Convertitevi, perché il Regno dei cieli è vicino » (*Mt* 4,17). Sotto la mozione della grazia, l'uomo si volge verso Dio e si allontana dal peccato, accogliendo così il perdono e la giustizia dall'Alto. « La giustificazione... non è una semplice remissione dei peccati, ma anche santificazione e rinnovamento dell'uomo interiore ».[44] 1427

[39] CONC. ECUM. VAT. II, *Lumen gentium*, 42.
[40] Cf *Rm* 6,3-4.
[41] Cf *1 Cor* 12.
[42] Cf *Gv* 15,1-4.
[43] SANT'ATANASIO DI ALESSANDRIA, *Epistulae ad Serapionem*, 1, 24: PG 26, 585B.
[44] Concilio di Trento: DENZ.-SCHÖNM., 1528.

1446 1990 La giustificazione *separa l'uomo dal peccato* che si oppone all'amore di Dio, e purifica dal peccato il suo cuore. La giustificazione fa seguito alla iniziativa della misericordia di Dio che offre il perdono. Riconcilia l'uomo 1733 con Dio. Libera dalla schiavitù del peccato e guarisce.

1991 La giustificazione è, al tempo stesso, l'*accoglienza della giustizia di Dio* per mezzo della fede in Gesù Cristo. Qui la giustizia designa la rettitudine dell'amore divino. Insieme con la giustificazione, vengono infuse nei 1812 nostri cuori la fede, la speranza e la carità, e ci è accordata l'obbedienza alla volontà divina.

617 1992 La giustificazione ci è stata *meritata dalla Passione di Cristo,* che si è offerto sulla croce come ostia vivente, santa e gradita a Dio, e il cui sangue è diventato strumento di propiziazione per i peccati di tutti gli uomini. La giu-1266 stificazione è accordata mediante il Battesimo, sacramento della fede. Essa ci conforma alla giustizia di Dio, il quale ci rende interiormente giusti con la 294 potenza della sua misericordia. Ha come fine la gloria di Dio e di Cristo, e il dono della vita eterna: [45]

2543 Ora, indipendentemente dalla legge, si è manifestata la giustizia di Dio, testimoniata dalla legge e dai profeti; giustizia di Dio per mezzo della fede in Gesù Cristo, per tutti quelli che credono. E non c'è distinzione: tutti hanno peccato e sono privi della gloria di Dio, ma sono giustificati gratuitamente per la sua grazia, in virtù della redenzione realizzata da Cristo Gesù. Dio lo ha prestabilito a servire come strumento di espiazione per mezzo della fede, nel suo sangue, al fine di manifestare la sua giustizia, dopo la tolleranza usata verso i peccati passati, nel tempo della divina pazienza. Egli manifesta la sua giustizia nel tempo presente, per essere giusto e giustificare chi ha fede in Gesù (*Rm* 3,21-26).

2008 1993 La giustificazione stabilisce la *collaborazione tra la grazia di Dio e la libertà dell'uomo.* Dalla parte dell'uomo essa si esprime nell'assenso della fede alla Parola di Dio che lo chiama alla conversione, e nella cooperazione della carità alla mozione dello Spirito Santo, che lo previene e lo custodisce:

2068 Dio tocca il cuore dell'uomo con l'illuminazione dello Spirito Santo, in modo che né l'uomo resterà assolutamente inerte subendo quell'ispirazione, che certo può anche respingere, né senza la grazia divina, con la sua libera volontà, potrà prepararsi alla giustizia dinanzi a Dio.[46]

1994 La giustificazione è l'*opera più eccellente dell'amore di Dio,* manifestato in Cristo Gesù e comunicato tramite lo Spirito Santo. Sant'Agostino 312 ritiene che « la giustificazione dell'empio è un'opera più grande della crea-

[45] Cf Concilio di Trento: DENZ.-SCHÖNM., 1529.
[46] *Ibid.,* 1525.

zione del cielo e della terra », perché « il cielo e la terra passeranno, mentre la salvezza e la giustificazione degli eletti non passeranno mai ».[47] Pensa anche che la giustificazione dei peccatori supera la stessa creazione degli angeli nella giustizia, perché manifesta una più grande misericordia. 412

1995 Lo Spirito Santo è il maestro interiore. Dando vita all'« uomo interiore » (*Rm* 7,22; *Ef* 3,16), la giustificazione implica la *santificazione* di tutto l'essere: 741

> Come avete messo le vostre membra a servizio dell'impurità e dell'iniquità a pro dell'iniquità, così ora mettete le vostre membra a servizio della giustizia per la vostra santificazione... Ora, liberati dal peccato e fatti servi di Dio, voi raccogliete il frutto che vi porta alla santificazione e come destino avete la vita eterna (*Rm* 6,19.22).

II. La grazia

1996 La nostra giustificazione viene dalla grazia di Dio. La grazia è il *favore,* il *soccorso gratuito* che Dio ci dà perché rispondiamo al suo invito: diventare figli di Dio,[48] figli adottivi,[49] partecipi della natura divina,[50] della vita eterna.[51] 153

1997 La grazia è una *partecipazione alla vita di Dio;* ci introduce nell'intimità della vita trinitaria. Mediante il Battesimo il cristiano partecipa alla grazia di Cristo, Capo del suo Corpo. Come « figlio adottivo », egli può ora chiamare Dio « Padre », in unione con il Figlio unigenito. Riceve la vita dello Spirito che infonde in lui la carità e forma la Chiesa. 375 260

1998 Questa vocazione alla vita eterna è *soprannaturale.* Dipende interamente dall'iniziativa gratuita di Dio, poiché egli solo può rivelarsi e donare se stesso. Supera le capacità dell'intelligenza e le forze della volontà dell'uomo, come di ogni creatura.[52] 1719

1999 La grazia di Cristo è il dono gratuito che Dio ci fa della sua vita, infusa nella nostra anima dallo Spirito Santo per guarirla dal peccato e santificarla. È la *grazia santificante o deificante,* ricevuta nel Battesimo. Essa è in noi la sorgente dell'opera di santificazione:[53] 1966

> Quindi se uno è in Cristo, è una creatura nuova; le cose vecchie sono passate,

[47] Sant'Agostino, *In Evangelium Johannis tractatus,* 72, 3.
[48] Cf *Gv* 1,12-18.
[49] Cf *Rm* 8,14-17.
[50] Cf *2 Pt* 1,3-4.
[51] Cf *Gv* 17,3.
[52] Cf *1 Cor* 2,7-9.
[53] Cf *Gv* 4,14; 7,38-39.

ecco ne sono nate di nuove. Tutto questo però viene da Dio, che ci ha riconciliati con sé mediante Cristo (*2 Cor* 5,17-18).

2000 La grazia santificante è un dono abituale, una disposizione stabile e soprannaturale che perfeziona l'anima stessa per renderla capace di vivere con Dio, di agire per amor suo. Si distingueranno la *grazia abituale,* disposizione permanente a vivere e ad agire secondo la chiamata divina, e le *grazie attuali* che designano gli interventi divini sia all'inizio della conversione, sia nel corso dell'opera di santificazione.

490 2001 La *preparazione dell'uomo* ad accogliere la grazia è già un'opera della grazia. Questa è necessaria per suscitare e sostenere la nostra collaborazione alla giustificazione mediante la fede, e alla santificazione mediante la carità. Dio porta a compimento in noi quello che ha incominciato: « Egli infatti incomincia facendo in modo, con il suo intervento, che noi vogliamo; egli porta a compimento, cooperando con i moti della nostra volontà già convertita ».[54]

Operiamo certamente anche noi, ma operiamo cooperando con Dio che opera prevenendoci con la sua misericordia. Ci previene però per guarirci e anche ci seguirà perché da santi diventiamo pure vigorosi, ci previene per chiamarci e ci seguirà per glorificarci, ci previene perché viviamo piamente e ci seguirà perché viviamo con lui eternamente, essendo certo che senza di lui non possiamo far nulla.[55]

1742 2002 La libera iniziativa di Dio richiede la *libera risposta dell'uomo;* infatti Dio ha creato l'uomo a propria immagine, dandogli, con la libertà, il potere di conoscerlo e di amarlo. L'anima può entrare solo liberamente nella comunione dell'amore. Dio tocca immediatamente e muove direttamente il cuore dell'uomo. Egli ha posto nell'uomo un'aspirazione alla verità e al bene che soltanto lui può soddisfare. Le promesse della « vita eterna » rispondono, al di là di ogni speranza, a tale aspirazione:

Il riposo che prendesti al settimo giorno, dopo aver compiuto le tue opere molto buone..., è una predizione che ci fa l'oracolo del tuo Libro: noi pure, compiute le nostre opere buone assai, certamente per tuo dono, nel sabato della vita eterna riposeremo in Te.[56]

2550

1108 2003 La grazia è innanzitutto e principalmente il dono dello Spirito che ci giustifica e ci santifica. Ma la grazia comprende anche i doni che lo Spirito ci concede per associarci alla sua opera, per renderci capaci di cooperare alla salvezza degli altri e alla crescita del Corpo di Cristo, la Chiesa. Sono le

1127 *grazie sacramentali,* doni propri ai diversi sacramenti. Sono inoltre le *grazie*

[54] Sant'Agostino, *De gratia et libero arbitrio,* 17: PL 44, 901.
[55] Id., *De natura et gratia,* 31: PL 44, 264.
[56] Id., *Confessiones,* 13, 36, 51.

speciali chiamate anche « *carismi* » con il termine greco usato da san Paolo, che significa favore, dono gratuito, beneficio.[57] Qualunque sia la loro natura a volte straordinaria, come il dono dei miracoli o delle lingue, i carismi sono ordinati alla grazia santificante e hanno come fine il bene comune della Chiesa. Sono al servizio della carità che edifica la Chiesa.[58]

799-801

2004 Tra le grazie speciali, è opportuno ricordare le *grazie di stato* che accompagnano l'esercizio delle responsabilità della vita cristiana e dei ministeri in seno alla Chiesa:

> Abbiamo pertanto doni diversi secondo la grazia data a ciascuno di noi. Chi ha il dono della profezia la eserciti secondo la misura della fede; chi ha un ministero attenda al ministero; chi l'insegnamento all'insegnamento; chi l'esortazione all'esortazione. Chi dà, lo faccia con semplicità; chi presiede, lo faccia con diligenza; chi fa opere di misericordia, le compia con gioia (*Rm* 12,6-8).

2005 Appartenendo all'ordine soprannaturale, la grazia *sfugge alla nostra esperienza* e solo con la fede può essere conosciuta. Pertanto non possiamo basarci sui nostri sentimenti o sulle nostre opere per dedurne che siamo giustificati e salvati.[59] Tuttavia, secondo la parola del Signore: « Dai loro frutti li potrete riconoscere » (*Mt* 7,20), la considerazione dei benefici di Dio nella nostra vita e nella vita dei santi, ci offre una garanzia che la grazia sta operando in noi e ci sprona ad una fede sempre più grande e ad un atteggiamento di povertà fiduciosa.

> Si trova una delle più belle dimostrazioni di tale disposizione d'animo nella risposta di santa Giovanna d'Arco ad una domanda subdola dei suoi giudici ecclesiastici: « Interrogata se sappia d'essere nella grazia di Dio, risponde: "Se non vi sono, Dio mi vuole mettere; se vi sono, Dio mi vuole custodire in essa" ».[60]

III. Il merito

> Nella festosa assemblea dei santi risplende la tua gloria, e il loro trionfo celebra i doni della tua misericordia.[61]

2006 Il termine « merito » indica, in generale, la *retribuzione dovuta* da una comunità o da una società per l'azione di uno dei suoi membri riconosciuta come buona o cattiva, meritevole di ricompensa o di punizione. Il merito è

1723

[57] Cf CONC. ECUM. VAT. II, *Lumen gentium,* 12.
[58] Cf *1 Cor* 12.
[59] Cf Concilio di Trento: DENZ.-SCHÖNM., 1533-1534.
[60] Santa Giovanna d'Arco, in *Actes du procès.*
[61] *Messale Romano,* Prefazio dei santi I, che cita Sant'Agostino il « dottore della grazia », cf *Enarratio in Psalmos,* 102, 7.

1807 relativo alla virtù della giustizia in conformità al principio dell'eguaglianza che ne è la norma.

2007 Nei confronti di Dio, in senso strettamente giuridico, non c'è merito da parte dell'uomo. Tra lui e noi la disuguaglianza è smisurata, poiché noi abbiamo ricevuto tutto da lui, nostro Creatore. 42

2008 Il merito dell'uomo presso Dio nella vita cristiana deriva dal fatto che *Dio ha liberamente disposto di associare l'uomo all'opera della sua grazia.* L'azione paterna di Dio precede con la sua ispirazione, mentre il libero agire dell'uomo viene dopo nella sua collaborazione, così che i meriti delle opere buone devono essere attribuiti innanzitutto alla grazia di Dio, poi al fedele. Il merito dell'uomo torna, peraltro, anch'esso a Dio, dal momento che le sue buone azioni hanno la loro origine, in Cristo, dalle ispirazioni e dagli aiuti dello Spirito Santo. 306; 155; 970

2009 L'adozione filiale, rendendoci partecipi per grazia della natura divina, può conferirci, in conseguenza della giustizia gratuita di Dio, un *vero merito.* È questo un diritto derivante dalla grazia, il pieno diritto dell'amore, che ci fa « coeredi » di Cristo e degni di conseguire l'« eredità promessa della vita eterna ».[62] I meriti delle nostre opere buone sono doni della bontà divina.[63] « Prima veniva elargita la grazia, ora viene reso il dovuto... sono proprio doni suoi i tuoi meriti ».[64] 604

2010 Poiché nell'ordine della grazia l'iniziativa appartiene a Dio, *nessuno può meritare la grazia prima,* quella che sta all'origine della conversione, del perdono e della giustificazione. Sotto la mozione dello Spirito Santo e della carità, *possiamo in seguito meritare* per noi stessi e per gli altri le grazie utili per la nostra santificazione, per l'aumento della grazia e della carità, come pure per il conseguimento della vita eterna. Gli stessi beni temporali, quali la salute e l'amicizia, possono essere meritati seguendo la sapienza di Dio. Tutte queste grazie e questi beni sono oggetto della preghiera cristiana. Essa provvede al nostro bisogno della grazia per le azioni meritorie. 1998

492 2011 *La carità di Cristo è in noi la sorgente di tutti i nostri meriti* davanti a Dio. La grazia, unendoci a Cristo con un amore attivo, assicura il carattere soprannaturale dei nostri atti e, di conseguenza, il loro merito davanti a Dio e davanti agli uomini. I santi hanno sempre avuto una viva consapevolezza che i loro meriti erano pura grazia.

[62] Concilio di Trento: DENZ.-SCHÖNM., 1546.
[63] Cf *ibid.,* 1548.
[64] SANT'AGOSTINO, *Sermones,* 298, 4-5: PL 38, 1367.

> Dopo l'esilio della terra, spero di gioire fruitivamente di Te nella Patria; ma non voglio accumulare meriti per il Cielo: voglio spendermi per il tuo solo Amore... Alla sera di questa vita comparirò davanti a Te con le mani vuote; infatti non ti chiedo, o Signore, di tener conto delle mie opere. Tutte le nostre giustizie non sono senza macchie ai tuoi occhi. Voglio perciò rivestirmi della tua Giustizia e ricevere dal tuo Amore l'eterno possesso di Te stesso...[65]

1460

IV. La santità cristiana

2012 « Sappiamo che tutto concorre al bene di coloro che amano Dio... Poiché quelli che egli da sempre ha conosciuto li ha anche predestinati ad essere conformi all'immagine del Figlio suo, perché egli sia il primogenito tra molti fratelli; quelli poi che ha predestinati li ha anche chiamati; quelli che ha chiamati li ha anche giustificati; quelli che ha giustificati li ha anche glorificati » (*Rm* 8,28-30).

459

2013 « Tutti i fedeli di qualsiasi stato o grado sono chiamati alla pienezza della vita cristiana e alla perfezione della carità ».[66] Tutti sono chiamati alla santità: « Siate voi dunque perfetti come è perfetto il Padre vostro celeste » (*Mt* 5,48):

915; 2545
825

> Per raggiungere questa perfezione, i fedeli usino le forze ricevute secondo la misura del dono di Cristo, affinché..., in tutto obbedienti alla volontà del Padre, con tutto il loro animo si consacrino alla gloria di Dio e al servizio del prossimo. Così la santità del popolo di Dio crescerà apportando frutti abbondanti, come è splendidamente dimostrato, nella storia della Chiesa, dalla vita di tanti santi.[67]

2014 Il progresso spirituale tende all'unione sempre più intima con Cristo. Questa unione si chiama « mistica », perché partecipa al mistero di Cristo mediante i sacramenti — « i santi misteri » — e, in lui, al mistero della Santissima Trinità. Dio ci chiama tutti a questa intima unione con lui, anche se soltanto ad alcuni sono concesse grazie speciali o segni straordinari di questa vita mistica, allo scopo di rendere manifesto il dono gratuito fatto a tutti.

774

2015 Il cammino della perfezione passa attraverso la croce. Non c'è santità senza rinuncia e senza combattimento spirituale.[68] Il progresso

407; 2725

[65] SANTA TERESA DI GESÙ BAMBINO, *Atto di offerta all'Amore misericordioso.*
[66] CONC. ECUM. VAT. II, *Lumen gentium,* 40.
[67] *Ibid.*
[68] Cf *2 Tm* 4.

1438 spirituale comporta l'ascesi e la mortificazione, che gradatamente conducono a vivere nella pace e nella gioia delle beatitudini:

> Colui che sale non cessa mai di andare di inizio in inizio; non si è mai finito di incominciare. Mai colui che sale cessa di desiderare ciò che già conosce.[69]

2016 I figli della Santa Chiesa nostra madre sperano giustamente *la grazia della perseveranza finale e la ricompensa* di Dio loro Padre per le buone opere compiute con la sua grazia, in comunione con Gesù.[70] Osservando la medesima regola di vita, i credenti condividono « la beata speranza » di coloro che la misericordia divina riunisce nella « città santa, la nuova Gerusalemme » che scende « dal cielo, da Dio, come una sposa adorna per il suo Sposo » (*Ap* 21,2).

162; 1821

1274

In sintesi

2017 *La grazia dello Spirito Santo ci conferisce la giustizia di Dio. Unendoci mediante la fede e il Battesimo alla Passione e alla Risurrezione di Cristo, lo Spirito ci rende partecipi della sua vita.*

2018 *La giustificazione, non diversamente dalla conversione, presenta due aspetti. Sotto la mozione della grazia, l'uomo si volge verso Dio e si allontana dal peccato, accogliendo così il perdono e la giustizia dall'Alto.*

2019 *La giustificazione comporta la remissione dei peccati, la santificazione e il rinnovamento dell'uomo interiore.*

2020 *La giustificazione ci è stata meritata dalla Passione di Cristo. Ci è accordata attraverso il Battesimo. Ci conforma alla giustizia di Dio, il quale ci rende giusti. Ha come fine la gloria di Dio e di Cristo e il dono della vita eterna. È l'opera più eccellente della misericordia di Dio.*

2021 *La grazia è l'aiuto che Dio ci dà perché rispondiamo alla nostra vocazione di diventare suoi figli adottivi. Essa ci introduce nell'intimità della vita trinitaria.*

2022 *L'iniziativa divina nell'opera della grazia previene, prepara e suscita la libera risposta dell'uomo. La grazia risponde alle profonde aspirazioni della libertà umana; la invita a cooperare con essa e la perfeziona.*

[69] San Gregorio di Nissa, *Homiliae in Canticum*, 8: PG 44, 941C.
[70] Cf Concilio di Trento: Denz.-Schönm., 1576.

2023 *La grazia santificante è il dono gratuito che Dio ci fa della sua vita, infusa dallo Spirito Santo nella nostra anima per guarirla dal peccato e santificarla.*

2024 *La grazia santificante ci rende « graditi a Dio ». I « carismi », grazie speciali dello Spirito Santo, sono ordinati alla grazia santificante e hanno come fine il bene comune della Chiesa. Dio agisce anche mediante molteplici grazie attuali, che si distinguono dalla grazia abituale, permanente in noi.*

2025 *Non c'è per noi merito davanti a Dio se non come conseguenza del libero disegno di Dio di associare l'uomo all'opera della sua grazia. Il merito in primo luogo è da ascrivere alla grazia di Dio, in secondo luogo alla collaborazione dell'uomo. Il merito dell'uomo spetta anch'esso a Dio.*

2026 *La grazia dello Spirito Santo, in virtù della nostra filiazione adottiva, può conferirci un vero merito in conseguenza della giustizia gratuita di Dio. La carità è in noi la principale sorgente del merito davanti a Dio.*

2027 *Nessuno può meritare la grazia prima, che sta all'origine della conversione. Sotto la mozione dello Spirito Santo, possiamo meritare per noi stessi e per gli altri tutte le grazie utili per giungere alla vita eterna, come pure i beni materiali necessari.*

2028 *« Tutti i fedeli di qualsiasi stato o grado sono chiamati alla pienezza della vita cristiana e alla perfezione della carità ».*[71] *« La perfezione cristiana non ha che un limite: quello di non averne alcuno ».*[72]

2029 *« Se qualcuno vuol venire dietro a me, rinneghi se stesso, prenda la sua croce e mi segua »* (*Mt* 16,24).

Articolo 3

LA CHIESA, MADRE E MAESTRA

2030 È nella Chiesa, in comunione con tutti i battezzati, che il cristiano realizza la propria vocazione. Dalla Chiesa accoglie la Parola di Dio che contiene gli insegnamenti della « legge di Cristo » (*Gal* 6,2). Dalla Chiesa riceve la grazia dei sacramenti che lo sostengono lungo la « via ». Dalla Chiesa apprende l'*esempio della santità*; ne riconosce il modello e la sorgente nella Santissima Vergine Maria; la riconosce nella testimonianza autentica

828

[71] Conc. Ecum. Vat. II, *Lumen gentium,* 40.
[72] San Gregorio di Nissa, *De vita Mosis:* PG 44, 300D.

di coloro che la vivono; la scopre nella tradizione spirituale e nella lunga storia dei santi che l'hanno preceduto e che la Liturgia celebra seguendo il Santorale. 1172

1368 2031 *La vita morale è un culto spirituale.* Noi offriamo i nostri « corpi come sacrificio vivente, santo e gradito a Dio » (*Rm* 12,1), in seno al Corpo di Cristo, che noi formiamo, e in comunione con l'offerta della sua Eucaristia. Nella Liturgia e nella celebrazione dei sacramenti, preghiera ed insegnamento si uniscono alla grazia di Cristo, per illuminare e nutrire l'agire cristiano. Come l'insieme della vita cristiana, la vita morale trova la propria fonte e il proprio culmine nel sacrificio eucaristico.

I. Vita morale e Magistero della Chiesa

85-87; 888-892

2032 La Chiesa, « colonna e sostegno della verità » (*1 Tm* 3,15), « ha ricevuto dagli Apostoli il solenne comandamento di Cristo di annunziare la verità della salvezza ».[73] « È compito della Chiesa annunziare sempre e dovunque i principi morali anche circa l'ordine sociale, e così pure pronunciare il giudizio su qualsiasi realtà umana, in quanto lo esigano i diritti fondamentali della persona umana o la salvezza delle anime ».[74] 2246 2420

2033 *Il Magistero dei pastori della Chiesa* in materia morale ordinariamente si esercita nella catechesi e nella predicazione, con l'aiuto delle opere dei teologi e degli autori spirituali. In tal modo, di generazione in generazione, sotto la guida e la vigilanza dei pastori, si è trasmesso il « deposito » della morale cristiana, composto da un insieme caratteristico di norme, di comandamenti e di virtù che derivano dalla fede in Cristo e che sono vivificati dalla carità. Tale catechesi ha tradizionalmente preso come base, accanto al Credo e al Pater, il Decalogo, che enuncia i principi della vita morale validi per tutti gli uomini. 84

2034 Il romano pontefice e i vescovi « sono i dottori autentici, cioè rivestiti dell'autorità di Cristo, che predicano al popolo loro affidato la fede da credere e da applicare nella pratica della vita ».[75] Il *Magistero ordinario* e universale del Papa e dei vescovi in comunione con lui insegna ai fedeli la verità da credere, la carità da praticare, la beatitudine da sperare.

2035 Il grado più alto nella partecipazione all'autorità di Cristo è assicurato dal carisma dell'*infallibilità.* Essa « si estende tanto quanto il deposito della divina Rivelazione »;[76] essa si estende anche a tutti gli elementi di

[73] CONC. ECUM. VAT. II, *Lumen gentium,* 17.
[74] *Codice di Diritto Canonico,* 747.
[75] CONC. ECUM. VAT. II, *Lumen gentium,* 25.
[76] *Ibid.*

dottrina, ivi compresa la morale, senza i quali le verità salvifiche della fede non possono essere custodite, esposte o osservate.[77]

2036 L'autorità del Magistero si estende anche ai precetti specifici della *legge naturale,* perché la loro osservanza, chiesta dal Creatore, è necessaria alla salvezza. Richiamando le prescrizioni della legge naturale, il Magistero della Chiesa esercita una parte essenziale della sua funzione profetica di annunziare agli uomini ciò che essi sono in verità e di ricordare loro ciò che devono essere davanti a Dio.[78] 1960

2037 La legge di Dio, affidata alla Chiesa, è insegnata ai fedeli come cammino di vita e di verità. I fedeli hanno, quindi, il *diritto* [79] di essere istruiti intorno ai precetti divini salvifici, i quali purificano il giudizio e, mediante la grazia, guariscono la ragione umana ferita. Hanno il *dovere* di osservare le costituzioni e i decreti emanati dalla legittima autorità della Chiesa. Anche se sono disciplinari, tali deliberazioni richiedono la docilità nella carità. 2041

2038 Nell'opera di insegnamento e di applicazione della morale cristiana, la Chiesa ha bisogno della dedizione dei pastori, della scienza dei teologi, del contributo di tutti i cristiani e degli uomini di buona volontà. Attraverso la fede e la pratica del Vangelo i singoli fanno un'esperienza della « vita in Cristo », che li illumina e li rende capaci di discernere le realtà divine e umane secondo lo Spirito di Dio.[80] Così lo Spirito Santo può servirsi dei più umili per illuminare i sapienti e i più eminenti in dignità. 2442

2039 I ministeri vanno esercitati in uno spirito di servizio fraterno e di dedizione alla Chiesa, in nome del Signore.[81] Al tempo stesso la coscienza di ognuno, nel suo giudizio morale sui propri atti personali, deve evitare di rimanere chiusa entro i limiti di una considerazione individuale. Come meglio può, deve aprirsi alla considerazione del bene di tutti, quale è espresso nella legge morale, naturale e rivelata, e conseguentemente nella legge della Chiesa e nell'insegnamento autorizzato del Magistero sulle questioni morali. Non è opportuno opporre la coscienza personale e la ragione alla legge morale o al Magistero della Chiesa. 1783

2040 In tal modo può svilupparsi tra i cristiani un vero *spirito filiale nei confronti della Chiesa.* Esso è il normale sviluppo della grazia battesimale, che ci ha generati nel seno della Chiesa e ci ha resi membri del Corpo di

[77] CONGREGAZIONE PER LA DOTTRINA DELLA FEDE, Dich. *Mysterium Ecclesiae,* 3, AAS 65 (1973), 396-408.
[78] Cf CONC. ECUM. VAT. II, *Dignitatis humanae,* 14.
[79] Cf *Codice di Diritto Canonico,* 213.
[80] Cf *1 Cor* 2,10-15.
[81] Cf *Rm* 12,8.11.

Cristo. La Chiesa, nella sua sollecitudine materna, ci accorda la misericordia di Dio, che trionfa su tutti i nostri peccati e agisce soprattutto nel sacramento della Riconciliazione. Come una madre premurosa, attraverso la sua Liturgia, giorno dopo giorno, ci elargisce anche il nutrimento della Parola e dell'Eucaristia del Signore.

167

II. I precetti della Chiesa

2041 I precetti della Chiesa si collocano in questa linea di una vita morale che si aggancia alla vita liturgica e di essa si nutre. Il carattere obbligatorio di tali leggi positive promulgate dalle autorità pastorali, ha come fine di garantire ai fedeli il minimo indispensabile nello spirito di preghiera e nell'impegno morale, nella crescita dell'amore di Dio e del prossimo:

1389 2180

2042 Il primo precetto (« Parteciperai alla Messa la domenica e le altre feste comandate ») chiede ai fedeli di prendere parte alla celebrazione eucaristica ove è convocata la comunità cristiana, nel giorno che ricorda la Risurrezione del Signore.[82]

1457

Il secondo precetto (« Confesserai tutti i tuoi peccati almeno una volta all'anno ») assicura la preparazione all'Eucaristia attraverso la recezione del sacramento della Riconciliazione, che continua l'opera di conversione e di perdono del Battesimo.[83]

1389

Il terzo precetto (« Riceverai umilmente il tuo Creatore almeno a Pasqua ») garantisce un minimo in ordine alla recezione del Corpo e del Sangue del Signore in collegamento con le feste pasquali, origine e centro della Liturgia cristiana.[84]

2177

2043 Il quarto precetto (« Santificherai le feste che ti sono comandate ») completa l'osservanza della domenica con la partecipazione alle principali feste liturgiche, in onore dei misteri del Signore, della Vergine e dei Santi.[85]

1387 1438

Il quinto precetto (« Osserverai il digiuno prescritto e parimenti l'astinenza ») assicura i tempi di ascesi e di penitenza che ci preparano alle feste liturgiche; essi contribuiscono a farci acquistare il dominio sui nostri istinti e la libertà del cuore.[86]

1351

I fedeli hanno anche l'obbligo di sovvenire alle necessità materiali della Chiesa, ciascuno in base alle proprie possibilità.[87]

[82] Cf *Codice di Diritto Canonico*, 1246-1248; *Corpus Canonum Ecclesiarum Orientalium*, 881, 1. 2. 4.
[83] Cf *Codice di Diritto Canonico*, 989; *Corpus Canonum Ecclesiarum Orientalium*, 719.
[84] Cf *Codice di Diritto Canonico*, 920; *Corpus Canonum Ecclesiarum Orientalium*, 708; 881, 3.
[85] Cf *Codice di Diritto Canonico*, 1246; *Corpus Canonum Ecclesiarum Orientalium*, 881, 1. 4; 880, 3.
[86] Cf *Codice di Diritto Canonico*, 1249-1251; *Corpus Canonum Ecclesiarum Orientalium*, 882.
[87] Cf *Codice di Diritto Canonico*, 222.

III. Vita morale e testimonianza missionaria

2044 La fedeltà dei battezzati è una condizione fondamentale per l'annunzio del Vangelo e per la *missione della Chiesa nel mondo.* Il messaggio della salvezza, per manifestare davanti agli uomini la sua forza di verità e di irradiamento, deve essere autenticato dalla testimonianza di vita dei cristiani. « La testimonianza della vita cristiana e le opere buone compiute con spirito soprannaturale hanno la forza di attirare gli uomini alla fede e a Dio ».[88]

852; 905

2045 Poiché sono le membra del Corpo di cui Cristo è il Capo,[89] i cristiani contribuiscono alla *edificazione della Chiesa* con la saldezza delle loro convinzioni e dei loro costumi. La Chiesa cresce, si sviluppa e si espande mediante la santità dei suoi fedeli,[90] « finché arriviamo tutti... allo stato di uomo perfetto, nella misura che conviene alla piena maturità di Cristo » (*Ef* 4,13).

753; 828

2046 Con la loro vita secondo Cristo, i cristiani *affrettano la venuta del Regno di Dio,* del « Regno di verità... di giustizia... e di pace ».[91] Non per questo trascurano i loro impegni terreni; fedeli al loro Maestro, ad essi attendono con rettitudine, pazienza e amore.

671; 2819

In sintesi

2047 *La vita morale è un culto spirituale. L'agire cristiano trova il proprio nutrimento nella Liturgia e nella celebrazione dei sacramenti.*

2048 *I precetti della Chiesa riguardano la vita morale e cristiana, che è sempre unita alla Liturgia, della quale si nutre.*

2049 *Il Magistero dei pastori della Chiesa in materia morale ordinariamente si esercita nella catechesi e nella predicazione, sulla base del Decalogo, il quale enuncia i principi della vita morale validi per tutti gli uomini.*

2050 *Il romano pontefice e i vescovi, quali maestri autentici, predicano al Popolo di Dio la fede che deve essere creduta e applicata nei costumi. È anche di loro competenza pronunciarsi sulle questioni morali che hanno attinenza con la legge naturale e la ragione.*

2051 *L'infallibilità del Magistero dei pastori si estende a tutti gli elementi di dottrina, ivi compresa la morale, senza i quali le verità salvifiche della fede non possono essere custodite, esposte o osservate.*

[88] CONC. ECUM. VAT. II, *Apostolicam actuositatem,* 6.
[89] Cf *Ef* 1,22.
[90] Cf CONC. ECUM. VAT. II, *Lumen gentium,* 39.
[91] *Messale Romano,* Prefazio di Cristo Re.

I DIECI COMANDAMENTI

Esodo 20,2-17	Deuteronomio 5,6-21	Formula catechistica
Io sono il Signore tuo Dio che ti ho fatto uscire dal paese d'Egitto, dalla condizione di schiavitù.	Io sono il Signore tuo Dio che ti ho fatto uscire dal paese di Egitto, dalla condizione servile.	Io sono il Signore Dio tuo:
Non avrai altri dei di fronte a me. Non ti farai idolo né immagine alcuna di ciò che è lassù nel cielo, né di ciò che è quaggiù sulla terra, né di ciò che è nelle acque, sotto terra. Non ti prostrerai davanti a loro e non li servirai. Perché io, il Signore, sono il tuo Dio, un Dio geloso, che punisce la colpa dei padri nei figli fino alla terza e alla quarta generazione, per coloro che mi odiano, ma che dimostra il suo favore fino a mille generazioni, per coloro che mi amano e osservano i miei comandamenti.	Non avere altri dei di fronte a me...	1. Non avrai altro Dio fuori di me.
Non pronuncerai invano il nome del Signore tuo Dio, perché il Signore non lascerà impunito chi pronuncia il suo nome invano.	Non pronunciare invano il nome del Signore tuo Dio...	2. Non nominare il nome di Dio invano.
Ricordati del giorno di sabato per santificarlo. Sei giorni faticherai e farai ogni tuo lavoro; ma il settimo giorno è il sabato in onore del Signore, tuo Dio. Tu non farai alcun lavoro, né tu, né tuo figlio, né tua figlia,	Osserva il giorno di sabato per santificarlo...	3. Ricordati di santificare le feste.

<table>
<tr><td>né il tuo schiavo, né la tua schiava,
né il tuo bestiame, né il forestiero
che dimora presso di te.
Perché in sei giorni
il Signore ha fatto
il cielo e la terra e il mare
e quanto è in essi,
ma si è riposato il giorno settimo.
Perciò il Signore
ha benedetto il giorno di sabato
e lo ha dichiarato sacro.</td><td></td><td></td></tr>
<tr><td>Onora tuo padre e tua madre
perché si prolunghino
i tuoi giorni nel paese
che ti dà
il Signore, tuo Dio.</td><td>Onora tuo padre
e tua madre...</td><td>4. Onora il padre
e la madre.</td></tr>
<tr><td>Non uccidere.</td><td>Non uccidere.</td><td>5. Non uccidere.</td></tr>
<tr><td>Non commettere
adulterio.</td><td>Non commettere
adulterio.</td><td>6. Non commettere
atti impuri.</td></tr>
<tr><td>Non rubare.</td><td>Non rubare.</td><td>7. Non rubare.</td></tr>
<tr><td>Non pronunciare
falsa testimonianza
contro il tuo prossimo.</td><td>Non pronunciare
falsa testimonianza
contro il tuo prossimo.</td><td>8. Non dire
falsa testimonianza.</td></tr>
<tr><td>Non desiderare
la casa del tuo prossimo.</td><td></td><td></td></tr>
<tr><td>Non desiderare
la moglie del tuo prossimo,</td><td>Non desiderare
la moglie del tuo prossimo.</td><td>9. Non desiderare
la donna d'altri.</td></tr>
<tr><td>né il suo schiavo,
né la sua schiava,
né il suo bue, né il suo asino,
né alcuna cosa
che appartenga al tuo prossimo.</td><td>Non desiderare alcuna
delle cose
che sono del tuo prossimo.</td><td>10. Non desiderare
la roba d'altri.</td></tr>
</table>

SEZIONE SECONDA

I DIECI COMANDAMENTI

« MAESTRO, CHE DEVO FARE...? »

2052 « Maestro, che cosa devo fare di buono per ottenere la vita eterna? ». Al giovane che gli rivolge questa domanda, Gesù risponde innanzitutto richiamando la necessità di riconoscere Dio come "il solo Buono", come il Bene per eccellenza e come la sorgente di ogni bene. Poi Gesù gli dice: « Se vuoi entrare nella vita, osserva i comandamenti ». Ed elenca al suo interlocutore i comandamenti che riguardano l'amore del prossimo: « Non uccidere, non commettere adulterio, non rubare, non testimoniare il falso, onora tuo padre e tua madre ». Infine Gesù riassume questi comandamenti in una formulazione positiva: « Ama il prossimo tuo come te stesso » (*Mt* 19,16-19).

1858

2053 A questa prima risposta, se ne aggiunge subito una seconda: « Se vuoi essere perfetto, va', vendi quello che possiedi, dallo ai poveri, e avrai un tesoro nel cielo; poi vieni e seguimi » (*Mt* 19,21). Essa non annulla la prima. La sequela di Gesù implica l'osservanza dei comandamenti. La Legge non è abolita,[1] ma l'uomo è invitato a ritrovarla nella Persona del suo Maestro, che ne è il compimento perfetto. Nei tre Vangeli sinottici, l'appello di Gesù, rivolto al giovane ricco, a seguirlo nell'obbedienza del discepolo e nell'osservanza dei comandamenti, è accostato all'esortazione alla povertà e alla castità.[2] I consigli evangelici sono indissociabili dai comandamenti.

1968

1973

2054 Gesù ha ripreso i dieci comandamenti, ma ha manifestato la forza dello Spirito all'opera nella loro lettera. Egli ha predicato la « giustizia » che supera « quella degli scribi e dei farisei » (*Mt* 5,20) come pure quella dei pagani.[3] Ha messo in luce tutte le esigenze dei comandamenti. « Avete inteso che fu detto agli antichi: Non uccidere... Ma io vi dico: chiunque si adira contro il proprio fratello, sarà sottoposto a giudizio » (*Mt* 5,21-22).

581

2055 Quando gli si pone la domanda: « Qual è il più grande comandamento della Legge? » (*Mt* 22,36), Gesù risponde: « Amerai il Signore Dio tuo con tutto il cuore, con tutta la tua anima e con tutta la tua mente. Questo è il più grande e il primo dei comandamenti. E il secondo è simile al primo: Amerai il prossimo tuo come te stesso. Da questi due comandamenti dipende tutta la Legge e i Profeti » (*Mt* 22,37-40).[4] Il Decalogo deve essere interpretato alla luce di questo duplice ed unico comandamento della carità, pienezza della Legge:

129

> Il precetto: non commettere adulterio, non uccidere, non rubare, non desiderare e qualsiasi altro comandamento, si riassume in queste parole: Amerai il

[1] Cf *Mt* 5,17.
[2] Cf *Mt* 19,6-12.21.23-29.
[3] Cf *Mt* 5,46-47.
[4] Cf *Dt* 6,5; *Lv* 19,18.

prossimo tuo come te stesso. L'amore non fa nessun male al prossimo: pieno compimento della Legge è l'amore (*Rm* 13,9-10).

Il Decalogo nella Sacra Scrittura

2056 La parola « Decalogo » significa alla lettera « dieci parole » (*Es* 34,28; *Dt* 4,13; 10,4). Queste « dieci parole » Dio le ha rivelate al suo popolo sulla santa montagna. Le ha scritte con il suo « dito » (*Es* 31,18) [5] a differenza degli altri precetti scritti da Mosè.[6] Esse sono parole di Dio per eccellenza. Ci sono trasmesse nel libro dell'Esodo [7] e in quello del Deuteronomio.[8] Fin dall'Antico Testamento i Libri Sacri fanno riferimento alle « dieci parole ».[9] Ma è nella Nuova Alleanza in Gesù Cristo che sarà rivelato il loro pieno senso.

700 62

2084 2057 Il Decalogo si comprende innanzi tutto nel contesto dell'Esodo che è il grande evento liberatore di Dio al centro dell'Antica Alleanza. Siano essi formulati come precetti negativi, divieti, o come comandamenti positivi (come: « onora tuo padre e tua madre »), le « dieci parole » indicano le condizioni di una vita liberata dalla schiavitù del peccato. Il Decalogo è un cammino di vita:

> Ti comando di amare il Signore tuo Dio, di camminare per le sue vie, di osservare i suoi comandi, le sue leggi e le sue norme, perché tu viva e ti moltiplichi (*Dt* 30,16).

2170 Questa forza liberatrice del Decalogo appare, per esempio, nel comandamento sul riposo del sabato, destinato parimenti agli stranieri e gli schiavi:

> Ricordati che sei stato schiavo nel paese d'Egitto e che il Signore tuo Dio ti ha fatto uscire di là con mano potente e braccio teso (*Dt* 5,15).

1962 2058 Le « dieci parole » riassumono e proclamano la legge di Dio: « Queste parole pronunciò il Signore, parlando a tutta la vostra assemblea, sul monte, dal fuoco, dalla nube e dall'oscurità, con voce poderosa, e non aggiunse altro. Le scrisse su due tavole di pietra e me le diede » (*Dt* 5,22). Perciò queste due tavole sono chiamate « la Testimonianza » (*Es* 25,16). Esse contengono infatti le clausole dell'alleanza conclusa tra Dio e il suo popolo. Queste « tavole della Testimonianza » (*Es* 31,18; 32,15; 34,29) devono essere collocate nell'« arca » (*Es* 25,16; 40,1-2).

707 2059 Le « dieci parole » sono pronunciate da Dio durante una teofania (« Il Signore vi ha parlato faccia a faccia sul monte dal fuoco »: *Dt* 5,4). Ap-

[5] Cf *Dt* 5,22.
[6] Cf *Dt* 31,9.24.
[7] Cf *Es* 20,1-17.
[8] Cf *Dt* 5,6-22.
[9] Cf per esempio *Os* 4,2; *Ger* 7,9; *Ez* 18,5-9.

partengono alla rivelazione che Dio fa di se stesso e della sua gloria. Il dono dei comandamenti è dono di Dio stesso e della sua santa volontà. Facendo conoscere le sue volontà, Dio si rivela al suo popolo. 2823

2060 Il dono dei comandamenti e della Legge fa parte dell'Alleanza conclusa da Dio con i suoi. Secondo il libro dell'Esodo, la rivelazione delle « dieci parole » viene accordata tra la proposta dell'Alleanza [10] e la sua stipulazione,[11] dopo che il popolo si è impegnato a « fare » tutto ciò che il Signore aveva detto e ad « obbedirvi » (*Es* 24,7). Il Decalogo non viene mai trasmesso se non dopo la rievocazione dell'Alleanza (« Il Signore nostro Dio ha stabilito con noi un'alleanza sull'Oreb: *Dt* 5,2). 62

2061 I comandamenti ricevono il loro pieno significato all'interno dell'Alleanza. Secondo la Scrittura, l'agire morale dell'uomo prende tutto il proprio senso nella e per l'Alleanza. La prima delle « dieci parole » ricorda l'iniziativa d'amore di Dio per il suo popolo:

> Poiché l'uomo, per castigo del peccato, era venuto dal paradiso della libertà alla schiavitù di questo mondo, per questo la prima parola del Decalogo, cioè la prima voce dei comandamenti di Dio, tratta della libertà dicendo: Io sono il Signore, tuo Dio, che ti ho fatto uscire dal paese di Egitto, dalla condizione di schiavitù (*Es* 20,2; *Dt* 5,6).[12] 2086

2062 I comandamenti propriamente detti vengono in secondo luogo; essi esprimono le implicanze dell'appartenenza a Dio stabilita attraverso l'Alleanza. L'esistenza morale è *risposta* all'iniziativa d'amore del Signore. È riconoscenza, omaggio a Dio e culto d'azione di grazie. È cooperazione al piano che Dio persegue nella storia. 142 2002

2063 L'Alleanza e il dialogo tra Dio e l'uomo sono ancora attestati dal fatto che tutte le imposizioni sono enunciate in prima persona (« Io sono il Signore... ») e rivolte a un altro soggetto (« tu... »). In tutti i comandamenti di Dio è un pronome personale *singolare* che indica il destinatario. Dio fa conoscere la sua volontà a tutto il popolo e, nello stesso tempo, a ciascuno in particolare: 878

> Il Signore comandò l'amore verso Dio e insegnò la giustizia verso il prossimo, affinché l'uomo non fosse né ingiusto, né indegno di Dio. Così, per mezzo del Decalogo, Dio preparava l'uomo a diventare suo amico e ad avere un solo cuore con il suo prossimo... Le parole del Decalogo restano validissime per noi. Lungi dall'essere abolite, esse sono state portate a pienezza di significato e di sviluppo dalla venuta del Signore nella carne.[13]

[10] Cf *Es* 19.
[11] Cf *Es* 24.
[12] Origene, *Homiliae in Exodum*, 8, 1.
[13] Sant'Ireneo di Lione, *Adversus haereses*, 4, 16, 3-4.

Il Decalogo nella Tradizione della Chiesa

2064 Fedele alla Scrittura e in conformità all'esempio di Gesù, la Tradizione della Chiesa ha riconosciuto al Decalogo un'importanza e un significato fondamentali.

2065 A partire da sant'Agostino, i « dieci comandamenti » hanno un posto preponderante nella catechesi dei futuri battezzati e dei fedeli. Nel secolo quindicesimo si prese l'abitudine di esprimere i precetti del Decalogo in formule in rima, facili da memorizzare, e positive. Sono in uso ancor oggi. I catechismi della Chiesa spesso hanno esposto la morale cristiana seguendo l'ordine dei « dieci comandamenti ».

2066 La divisione e la numerazione dei comandamenti hanno subito variazioni nel corso della storia. Questo catechismo segue la divisione dei comandamenti fissata da sant'Agostino e divenuta tradizionale nella Chiesa cattolica. È pure quella delle confessioni luterane. I Padri greci hanno fatto una divisione un po' diversa, che si ritrova nelle Chiese ortodosse e nelle comunità riformate.

2067 I dieci comandamenti enunciano le esigenze dell'amore di Dio e del prossimo. I primi tre si riferiscono principalmente all'amore di Dio e gli altri sette all'amore del prossimo. 1853

> Come sono due i comandamenti dell'amore, nei quali si compendia tutta la Legge e i Profeti — lo diceva il Signore... — così gli stessi dieci comandamenti furono dati in due tavole. Si dice infatti che tre fossero scritti in una tavola e sette in un'altra.[14]

2068 Il Concilio di Trento insegna che i dieci comandamenti obbligano i cristiani e che l'uomo giustificato è ancora tenuto ad osservarli.[15] E il Concilio Vaticano II lo ribadisce: « I vescovi, quali successori degli Apostoli, ricevono dal Signore... la missione di insegnare a tutte le genti e di predicare il Vangelo ad ogni creatura, affinché tutti gli uomini, per mezzo della fede, del Battesimo e dell'osservanza dei comandamenti, ottengano la salvezza ».[16] 1993 888

L'unità del Decalogo

2534 2069 Il Decalogo costituisce un tutto indissociabile. Ogni « parola » rimanda a ciascuna delle altre e a tutte; esse si condizionano reciprocamente. Le due Tavole si illuminano a vicenda; formano una unità organica. Trasgredire un comandamento è infrangere tutti gli altri.[17] Non si possono

[14] Sant'Agostino, *Sermones,* 33, 2, 2: PL 38, 208.
[15] Cf Concilio di Trento: Denz.-Schönm., 1569-1570.
[16] Conc. Ecum. Vat. II, *Lumen gentium,* 24.
[17] Cf *Gc* 2,10-11.

onorare gli altri uomini senza benedire Dio loro Creatore. Non si saprebbe adorare Dio senza amare tutti gli uomini sue creature. Il Decalogo unifica la vita teologale e la vita sociale dell'uomo.

Il Decalogo e la legge naturale

2070 I dieci comandamenti appartengono alla Rivelazione di Dio. Al tempo stesso ci insegnano la vera umanità dell'uomo. Mettono in luce i doveri essenziali e, quindi, indirettamente, i diritti fondamentali inerenti alla natura della persona umana. Il Decalogo contiene una espressione privilegiata della « legge naturale »: 1955

> Fin dalle origini, Dio aveva radicato nel cuore degli uomini i precetti della legge naturale. Poi si limitò a richiamarli alla loro mente. Fu il Decalogo.[18]

2071 Quantunque accessibili alla sola ragione, i precetti del Decalogo sono stati rivelati. Per giungere ad una conoscenza completa e certa delle esigenze della legge naturale, l'umanità peccatrice aveva bisogno di questa rivelazione: 1960

> Una completa esposizione dei comandamenti del Decalogo si rese necessaria nella condizione di peccato, perché la luce della ragione si era ottenebrata e la volontà si era sviata.[19]

Noi conosciamo i comandamenti di Dio attraverso la Rivelazione divina che ci è proposta nella Chiesa, e per mezzo della voce della coscienza morale. 1777

L'obbligazione del Decalogo

2072 Poiché enunciano i doveri fondamentali dell'uomo verso Dio e verso il prossimo, i dieci comandamenti rivelano, nel loro contenuto essenziale, delle obbligazioni *gravi*. Sono sostanzialmente immutabili e obbligano sempre e dappertutto. Nessuno potrebbe dispensare da essi. I dieci comandamenti sono incisi da Dio nel cuore dell'essere umano. 1858 1958

2073 L'obbedienza ai comandamenti implica anche obblighi la cui materia, in se stessa, è leggera. Così l'ingiuria a parole è vietata dal quinto comandamento, ma non potrebbe essere una colpa grave che in rapporto alle circostanze o all'intenzione di chi la proferisce.

[18] Sant'Ireneo di Lione, *Adversus haereses,* 4, 15, 1.
[19] San Bonaventura, *In libros sententiarum,* 4, 37, 1, 3.

« SENZA DI ME NON POTETE FAR NULLA »

2074 Gesù dice: « Io sono la vite, voi i tralci. Chi rimane in me e io in lui, fa molto frutto, perché senza di me non potete far nulla » (*Gv* 15,5). Il frutto indicato in questa parola è la santità di una vita fecondata dall'unione con Cristo. Quando noi crediamo in Gesù Cristo, comunichiamo ai suoi misteri e osserviamo i suoi comandamenti, il Salvatore stesso viene ad amare in noi il Padre suo ed i suoi fratelli, Padre nostro e nostri fratelli. La sua Persona diventa, grazie allo Spirito, la regola vivente ed interiore della nostra condotta. « Questo è il mio comandamento: che vi amiate gli uni gli altri, come io vi ho amati » (*Gv* 15,12).

2732
521

In sintesi

2075 *« Maestro, che cosa devo fare di buono per ottenere la vita eterna? » – « Se vuoi entrare nella vita, osserva i comandamenti »* (*Mt* 19,16-17).

2076 *Con il suo agire e con la sua predicazione, Gesù ha attestato la perennità del Decalogo.*

2077 *Il dono del Decalogo è accordato nell'ambito dell'Alleanza conclusa da Dio con il suo popolo. I comandamenti di Dio ricevono il loro vero significato in e per mezzo di questa Alleanza.*

2078 *Fedele alla Scrittura e in conformità all'esempio di Gesù, la Tradizione della Chiesa ha riconosciuto al Decalogo un'importanza ed un significato fondamentali.*

2079 *Il Decalogo costituisce un'unità organica in cui ogni « parola » o « comandamento » rimanda a tutto l'insieme. Trasgredire un comandamento è infrangere tutta la Legge.*[20]

2080 *Il Decalogo contiene un'espressione privilegiata della legge naturale. Lo conosciamo attraverso la Rivelazione divina e con la ragione umana.*

2081 *I dieci comandamenti enunciano, nel loro contenuto fondamentale, obbligazioni gravi. Tuttavia, l'obbedienza a questi precetti comporta anche obblighi la cui materia, in se stessa, è leggera.*

2082 *Quanto Dio comanda, lo rende possibile con la sua grazia.*

[20] Cf *Gc* 2,10-11.

CAPITOLO PRIMO

« AMERAI IL SIGNORE DIO TUO CON TUTTO IL CUORE, CON TUTTA L'ANIMA, CON TUTTE LE FORZE »

2083 Gesù ha riassunto i doveri dell'uomo verso Dio in questa parola: « Amerai il Signore Dio tuo con tutto il cuore, con tutta la tua anima, con tutta la tua mente » (*Mt* 22,37).[1] Essa fa immediatamente eco alla solenne esortazione: « Ascolta, Israele: il Signore è il nostro Dio, il Signore è uno solo » (*Dt* 6,4). 367

Dio ha amato per primo. L'amore del Dio Unico è ricordato nella prima delle « dieci parole ». I comandamenti poi esplicitano la risposta d'amore che l'uomo è chiamato a dare al suo Dio. 199

Articolo 1

IL PRIMO COMANDAMENTO

Io sono il Signore, tuo Dio, che ti ho fatto uscire dal paese d'Egitto, dalla condizione di schiavitù; non avrai altri dei di fronte a me. Non ti farai idolo né immagine alcuna di ciò che è lassù nel cielo, né di ciò che è quaggiù sulla terra, né di ciò che è nelle acque sotto terra. Non ti prostrerai davanti a loro e non li servirai (*Es* 20,2-5).[2]

Sta scritto: « Adora il Signore Dio tuo e a lui solo rendi culto » (*Mt* 4,10).

I. « Adorerai il Signore, Dio tuo, e lo servirai »

2084 Dio si fa conoscere ricordando la sua azione onnipotente, benevola e liberatrice nella storia di colui al quale si rivolge: « Io ti ho fatto uscire dal 2057

[1] Cf *Lc* 10,27: « ...con tutta la tua forza ».
[2] Cf *Dt* 5,6-9.

paese d'Egitto, dalla condizione di schiavitù ». La prima parola contiene il primo comandamento della Legge: « Temerai il Signore Dio tuo, lo servirai... Non seguirete altri dei » (*Dt* 6,13-14). Il primo appello e la giusta esigenza di Dio è che l'uomo lo accolga e lo adori.

398

200

2085 Il Dio unico e vero rivela innanzi tutto la sua gloria ad Israele.[3] La rivelazione della vocazione e della verità dell'uomo è legata alla Rivelazione di Dio. L'uomo ha la vocazione di manifestare Dio agendo in conformità con il suo essere creato « ad immagine e somiglianza di Dio »:

1701

> Non ci saranno mai altri dei, o Trifone, né mai ce ne sono stati fin dalle origini..., all'infuori di colui che ha creato e ordinato l'universo. Noi non pensiamo che il nostro Dio differisca dal vostro. È lo stesso che ha fatto uscire i vostri padri dall'Egitto « con mano potente e braccio teso ». Noi non riponiamo le nostre speranze in qualche altro dio — non ce ne sono — ma nello stesso Dio in cui voi sperate, il Dio di Abramo, di Isacco, di Giacobbe.[4]

2086 « Nell'esplicita affermazione divina: "Io sono il Signore tuo Dio" è incluso il comandamento della fede, della speranza e della carità. Se noi riconosciamo infatti che egli è Dio, e cioè eterno, immutabile, sempre uguale a se stesso, affermiamo con ciò anche la sua infinita veracità; ne segue quindi l'obbligo di accogliere le sue parole e di aderire ai suoi comandi con pieno riconoscimento della sua autorità. Se egli inoltre è Dio, noi ne riconosciamo l'onnipotenza, la bontà, i benefici; di qui l'illimitata fiducia e la speranza. E se egli è l'infinita bontà e l'infinito amore, come non offrirgli tutta la nostra dedizione e donargli tutto il nostro amore? Ecco perché nella Bibbia Dio inizia e conclude invariabilmente i suoi comandi con la formula: "Io sono il Signore" ».[5]

212

2061

1814-1816

La fede

2087 La nostra vita morale trova la sua sorgente nella fede in Dio che ci rivela il suo amore. San Paolo parla dell'« obbedienza alla fede » (*Rm* 1,5)[6] come dell'obbligo primario. Egli indica nell'« ignoranza di Dio » il principio e la spiegazione di tutte le deviazioni morali.[7] Il nostro dovere nei confronti di Dio è di credere in lui e di rendergli testimonianza.

143

[3] Cf *Es* 19,16-25; 24,15-18.
[4] San Giustino, *Dialogus cum Tryphone Judaeo,* 11, 1.
[5] *Catechismo Romano,* 3, 2, 4.
[6] Cf *Rm* 16,26.
[7] Cf *Rm* 1,18-32.

2088 Il primo comandamento ci richiede di nutrire e custodire la nostra fede con prudenza e vigilanza e di respingere tutto ciò che le è contrario. Ci sono diversi modi di peccare contro la fede:

Il *dubbio volontario* circa la fede trascura o rifiuta di ritenere per vero ciò che Dio ha rivelato e che la Chiesa ci propone a credere. Il *dubbio involontario* indica la esitazione a credere, la difficoltà nel superare le obiezioni legate alla fede, oppure anche l'ansia causata dalla sua oscurità. Se viene deliberatamente coltivato, il dubbio può condurre all'accecamento dello spirito. 157

2089 L'*incredulità* è la noncuranza della verità rivelata o il rifiuto volontario di dare ad essa il proprio assenso. L'*eresia* è « l'ostinata negazione, dopo aver ricevuto il Battesimo, di una qualche verità che si deve credere per fede divina e cattolica, o il dubbio ostinato »; l'*apostasia* è « il ripudio totale della fede cristiana »; lo *scisma* è « il rifiuto della sottomissione al Sommo Pontefice o della comunione con i membri della Chiesa a lui soggetta ».[8] 162 817

La speranza

1817-1821

2090 Quando Dio si rivela e chiama l'uomo, questi non può rispondere pienamente all'amore divino con le sue proprie forze. Deve sperare che Dio gli donerà la capacità di contraccambiare il suo amore e di agire conformemente ai comandamenti della carità. La speranza è l'attesa fiduciosa della benedizione divina e della beata visione di Dio; è anche il timore di offendere l'amore di Dio e di provocare il castigo. 1996

2091 Il primo comandamento riguarda pure i peccati contro la speranza, i quali sono la disperazione e la presunzione:

Per la *disperazione,* l'uomo cessa di sperare da Dio la propria salvezza personale, gli aiuti per conseguirla o il perdono dei propri peccati. Si oppone alla bontà di Dio, alla sua giustizia — il Signore, infatti, è fedele alle sue promesse — e alla sua misericordia. 1864

2092 Ci sono due tipi di *presunzione.* O l'uomo presume delle proprie capacità (sperando di potersi salvare senza l'aiuto dall'Alto), oppure presume della onnipotenza e della misericordia di Dio (sperando di ottenere il suo perdono senza conversione e la gloria senza merito). 2732

[8] *Codice di Diritto Canonico,* 751.

1822-1829 LA CARITÀ

2093 La fede nell'amore di Dio abbraccia l'appello e l'obbligo di rispondere alla carità divina con un amore sincero. Il primo comandamento ci ordina di amare Dio al di sopra di tutto, e tutte le creature per lui e a causa di lui.[9]

2094 Si può peccare in diversi modi contro l'amore di Dio: l'*indifferenza* è incurante della carità divina o rifiuta di prenderla in considerazione; ne misconosce l'iniziativa e ne nega la forza. L'*ingratitudine* tralascia o rifiuta di riconoscere la carità divina e di ricambiare a Dio amore per amore. La *tiepidezza* è una esitazione o una negligenza nel rispondere all'amore divino; può implicare il rifiuto di abbandonarsi al dinamismo della carità. L'*accidia* o pigrizia spirituale giunge a rifiutare la gioia che viene da Dio e a provare repulsione per il bene divino. L'*odio di Dio* nasce dall'orgoglio. Si oppone all'amore di Dio, del quale nega la bontà e che ardisce maledire come colui che proibisce i peccati e infligge i castighi.

2733

2303

II. « Solo al Signore Dio tuo ti prostrerai »

2095 Le virtù teologali della fede, della speranza e della carità informano e vivificano le virtù morali. Così la carità ci porta a rendere a Dio ciò che in tutta giustizia gli dobbiamo in quanto creature. La *virtù della religione* ci dispone a tale atteggiamento.

1807

2628 L'ADORAZIONE

2096 Della virtù della religione, l'adorazione è l'atto principale. Adorare Dio, è riconoscerlo come Dio, come il Creatore e il Salvatore, il Signore e il Padrone di tutto ciò che esiste, l'Amore infinito e misericordioso. « Solo al Signore Dio tuo ti prostrerai, lui solo adorerai » (*Lc* 4,8), dice Gesù, citando il Deuteronomio.[10]

2807 2097 Adorare Dio è riconoscere, nel rispetto e nella sottomissione assoluta, il « nulla della creatura », la quale non esiste che per Dio. Adorare Dio è, come Maria nel Magnificat, lodarlo, esaltarlo e umiliare se stessi, confessando con gratitudine che egli ha fatto grandi cose e che santo è il suo nome.[11]

[9] Cf *Dt* 6,4-5.
[10] Cf *Dt* 6,13.
[11] Cf *Lc* 1,46-49.

L'adorazione del Dio Unico libera l'uomo dal ripiegamento su se stesso, dalla schiavitù del peccato e dall'idolatria del mondo.

La preghiera

2558

2098 Gli atti di fede, di speranza e di carità prescritti dal primo comandamento si compiono nella preghiera. L'elevazione dello spirito verso Dio è un'espressione della nostra adorazione di Dio: preghiera di lode e di rendimento di grazie, d'intercessione e di domanda. La preghiera è una condizione indispensabile per poter obbedire ai comandamenti di Dio. Bisogna « pregare sempre, senza stancarsi » (*Lc* 18,1). 2742

Il sacrificio

2099 È giusto offrire sacrifici a Dio in segno di adorazione e di riconoscenza, di implorazione e di comunione: « Ogni azione compiuta per aderire a Dio rimanendo con lui in comunione, e poter così essere nella gioia, è un vero sacrificio ».[12] 613

2100 Per essere autentico, il sacrificio esteriore deve essere espressione del sacrifico spirituale: « Uno spirito contrito è sacrificio... » (*Sal* 51,19). I profeti dell'Antica Alleanza spesso hanno denunciato i sacrifici compiuti senza partecipazione interiore[13] o disgiunti dall'amore del prossimo.[14] Gesù richiama le parole del profeta Osea: « Misericordia voglio, non sacrificio » (*Mt* 9,13; 12,7).[15] L'unico sacrificio perfetto è quello che Cristo ha offerto sulla croce in totale oblazione all'amore del Padre e per la nostra salvezza.[16] Unendoci al suo sacrificio, possiamo fare della nostra vita un sacrificio a Dio. 2711 614 618

Promesse e voti

2101 In parecchie circostanze il cristiano è chiamato a fare delle *promesse* a Dio. Il Battesimo e la Confermazione, il Matrimonio e l'Ordinazione sempre ne comportano. Per devozione personale il cristiano può anche promettere a Dio un'azione, una preghiera, un'elemosina, un pellegrinaggio, ecc. 1237

[12] Sant'Agostino, *De civitate Dei,* 10, 6.
[13] Cf *Am* 5,21-25.
[14] Cf *Is* 1,10-20.
[15] Cf *Os* 6,6.
[16] Cf *Eb* 9,13-14.

1064 La fedeltà alle promesse fatte a Dio è una espressione del rispetto dovuto alla divina Maestà e dell'amore verso il Dio fedele.

2102 « Il *voto,* ossia la promessa deliberata e libera di un bene possibile e migliore fatta a Dio, deve essere adempiuto per la virtù della religione ».[17] Il voto è un atto di *devozione,* con cui il cristiano offre se stesso a Dio o gli promette un'opera buona. Mantenendo i suoi voti, egli rende pertanto a Dio ciò che a lui è stato promesso e consacrato. Gli Atti degli Apostoli ci presentano san Paolo preoccupato di mantenere i voti da lui fatti.[18]

1973 2103 La Chiesa riconosce un valore esemplare ai voti di praticare i *consigli evangelici*: [19]

914

> Si rallegra la Madre Chiesa di trovare nel suo seno molti uomini e donne, che seguono più da vicino l'annientamento del Salvatore e più chiaramente lo mostrano, abbracciando la povertà nella libertà dei figli di Dio e rinunciando alla propria volontà: essi, cioè, in ciò che riguarda la perfezione, si sottomettono a un uomo per Dio, al di là della stretta misura del precetto, al fine di conformarsi più pienamente a Cristo obbediente.[20]

In certi casi, la Chiesa può, per congrue ragioni, dispensare dai voti e dalle promesse.[21]

Il dovere sociale della religione e il diritto alla libertà religiosa

2467 2104 « Tutti gli uomini sono tenuti a cercare la verità, specialmente in ciò che riguarda Dio e la sua Chiesa, e, una volta conosciuta, ad abbracciarla e custodirla ».[22] È un dovere che deriva dalla « stessa natura » degli uomini.[23] Non si contrappone ad un « sincero rispetto » per le diverse religioni, 851 le quali « non raramente riflettono un raggio di quella verità che illumina tutti gli uomini »,[24] né all'esigenza della carità, che spinge i cristiani « a trattare con amore, prudenza e pazienza gli uomini che sono nell'errore o nell'ignoranza circa la fede ».[25]

[17] *Codice di Diritto Canonico,* 1191, 1.
[18] Cf *At* 18,18; 21,23-24.
[19] Cf *Codice di Diritto Canonico,* 654.
[20] Conc. Ecum. Vat. II, *Lumen gentium,* 42.
[21] Cf *Codice di Diritto Canonico,* 692; 1196-1197.
[22] Conc. Ecum. Vat. II, *Dignitatis humanae,* 1.
[23] *Ibid.,* 2.
[24] Conc. Ecum. Vat. II, *Nostra aetate,* 2.
[25] Conc. Ecum. Vat. II, *Dignitatis humanae,* 14.

2105 Il dovere di rendere a Dio un culto autentico riguarda l'uomo individualmente e socialmente. È « la dottrina cattolica tradizionale sul dovere morale dei singoli e delle società verso la vera religione e l'unica Chiesa di Cristo ».[26] Evangelizzando senza posa gli uomini, la Chiesa si adopera affinché essi possano « informare dello spirito cristiano la mentalità e i costumi, le leggi e le strutture della comunità » [27] in cui vivono. Il dovere sociale dei cristiani è di rispettare e risvegliare in ogni uomo l'amore del vero e del bene. Richiede loro di far conoscere il culto dell'« unica vera religione che sussiste nella Chiesa cattolica ed apostolica ».[28] I cristiani sono chiamati ad essere la luce del mondo.[29] La Chiesa in tal modo manifesta la regalità di Cristo su tutta la creazione e in particolare sulle società umane.[30]

854 898

2106 « Che in materia religiosa nessuno sia forzato ad agire contro la sua coscienza, né impedito, entro debiti limiti, di agire in conformità alla sua coscienza privatamente o pubblicamente, in forma individuale o associata ».[31] Tale diritto si fonda sulla natura stessa della persona umana, la cui dignità la fa liberamente aderire alla verità divina che trascende l'ordine temporale. Per questo « perdura anche in coloro che non soddisfano all'obbligo di cercare la verità e di aderire ad essa ».[32]

160 1782 1738

2107 « Se, considerate le circostanze peculiari dei popoli, nell'ordinamento giuridico di una società viene attribuito ad una comunità religiosa uno speciale riconoscimento civile, è necessario che nello stesso tempo a tutti i cittadini e comunità religiose venga riconosciuto e rispettato il diritto alla libertà in materia religiosa ».[33]

2108 Il diritto alla libertà religiosa non è né la licenza morale di aderire all'errore,[34] né un implicito diritto all'errore,[35] bensì un diritto naturale della persona umana alla libertà civile, cioè all'immunità da coercizione esteriore, entro giusti limiti, in materia religiosa, da parte del potere politico. Questo diritto naturale « deve essere riconosciuto nell'ordinamento giuridico della società così che divenga diritto civile ».[36]

1740

[26] Conc. Ecum. Vat. II, *Dignitatis humanae,* 1.
[27] Conc. Ecum. Vat. II, *Apostolicam actuositatem,* 13.
[28] Conc. Ecum. Vat. II, *Dignitatis humanae,* 1.
[29] Cf Conc. Ecum. Vat. II, *Apostolicam actuositatem,* 13.
[30] Cf Leone XIII, Lett. enc. *Immortale Dei;* Pio XI, Lett. enc. *Quas primas.*
[31] Conc. Ecum. Vat. II, *Dignitatis humanae,* 2.
[32] *Ibid.*
[33] *Ibid.,* 6.
[34] Cf Leone XIII, Lett. enc. *Libertas praestantissimum.*
[35] Cf Pio XII, discorso del 6 dicembre 1953.
[36] Conc. Ecum. Vat. II, *Dignitatis humanae,* 2.

2244 2109 Il diritto alla libertà religiosa non può essere di per sé né illimitato,[37] né limitato semplicemente da un « ordine pubblico » concepito secondo un criterio positivista o naturalista.[38] I « giusti limiti » che sono inerenti a tale diritto devono essere determinati per ogni situazione sociale con la prudenza politica, secondo le 1906 esigenze del bene comune, e ratificati dall'autorità civile secondo « norme giuridiche conformi all'ordine morale oggettivo ».[39]

III. « Non avrai altri dèi di fronte a me »

2110 Il primo comandamento vieta di onorare altri dèi, all'infuori dell'Unico Signore che si è rivelato al suo popolo. Proibisce la superstizione e l'irreligione. La superstizione rappresenta, in qualche modo, un eccesso perverso della religione; l'irreligione è un vizio opposto, per difetto, alla virtù della religione.

La superstizione

2111 La superstizione è la deviazione del sentimento religioso e delle pratiche che esso impone. Può anche presentarsi mascherata sotto il culto che rendiamo al vero Dio, per esempio, quando si attribuisce un'importanza in qualche misura magica a certe pratiche, peraltro legittime o necessarie. Attribuire alla sola materialità delle preghiere o dei segni sacramentali la loro efficacia, prescindendo dalle disposizioni interiori che richiedono, è cadere nella superstizione.[40]

L'idolatria

2112 Il primo comandamento condanna il *politeismo*. Esige dall'uomo di 210 non credere in altri dèi che Dio, di non venerare altre divinità che l'Unico. La Scrittura costantemente richiama a questo rifiuto degli idoli che sono « argento e oro, opera delle mani dell'uomo », i quali « hanno bocca e non parlano, hanno occhi e non vedono... ». Questi idoli vani rendono l'uomo vano: « Sia come loro chi li fabbrica e chiunque in essi confida » (*Sal* 115,4-5. 8).[41] Dio, al contrario, è il « Dio vivente » (*Gs* 3,10; *Sal* 42,3; ecc.), che fa vivere e interviene nella storia.

[37] Cf Pio VI, Breve *Quod aliquantulum*.
[38] Cf Pio IX, Lett. enc. *Quanta cura*.
[39] Conc. Ecum. Vat. II, *Dignitatis humanae*, 7.
[40] Cf *Mt* 23,16-22.
[41] Cf *Is* 44,9-20; *Ger* 10,1-16; *Dn* 14,1-30; *Bar* 6; *Sap* 13,1-15.19.

2113 L'idolatria non concerne soltanto i falsi culti del paganesimo. Rimane una costante tentazione della fede. Consiste nel divinizzare ciò che non è Dio. C'è idolatria quando l'uomo onora e riverisce una creatura al posto di Dio, si tratti degli dèi o dei demoni (per esempio il satanismo), del potere, del piacere, della razza, degli antenati, dello Stato, del denaro, ecc. « Non potete servire a Dio e a mammona », dice Gesù (*Mt* 6,24). Numerosi martiri sono morti per non adorare « la Bestia »,[42] rifiutando perfino di simularne il culto. L'idolatria respinge l'unica Signoria di Dio; perciò è incompatibile con la comunione divina.[43]

398
2534
2289
2473

2114 La vita umana si unifica nell'adorazione dell'Unico. Il comandamento di adorare il solo Signore semplifica l'uomo e lo salva da una dispersione senza limiti. L'idolatria è una perversione del senso religioso innato nell'uomo. L'idolatra è colui che « riferisce la sua indistruttibile nozione di Dio a chicchessia anziché a Dio ».[44]

Divinazione e magia

2115 Dio può rivelare l'avvenire ai suoi profeti o ad altri santi. Tuttavia il giusto atteggiamento cristiano consiste nell'abbandonarsi con fiducia nelle mani della Provvidenza per ciò che concerne il futuro e a rifuggire da ogni curiosità malsana a questo riguardo. L'imprevidenza può costituire una mancanza di responsabilità.

305

2116 Tutte le forme di *divinazione* sono da respingere: ricorso a Satana o ai demoni, evocazione dei morti o altre pratiche che a torto si ritiene che « svelino » l'avvenire.[45] La consultazione degli oroscopi, l'astrologia, la chiromanzia, l'interpretazione dei presagi e delle sorti, i fenomeni di veggenza, il ricorso ai medium occultano una volontà di dominio sul tempo, sulla storia ed infine sugli uomini ed insieme un desiderio di rendersi propizie le potenze nascoste. Sono in contraddizione con l'onore e il rispetto, congiunto a timore amante, che dobbiamo a Dio solo.

2117 Tutte le pratiche di *magia* e di *stregoneria* con le quali si pretende di sottomettere le potenze occulte per porle al proprio servizio ed ottenere un potere soprannaturale sul prossimo — fosse anche per procurargli la salute — sono gravemente contrarie alla virtù della religione. Tali pratiche sono ancor più da condannare quando si accompagnano ad una intenzione di nuocere ad altri o quando in esse si ricorre all'intervento dei demoni. Anche

[42] Cf *Ap* 13–14.
[43] Cf *Gal* 5,20; *Ef* 5,5.
[44] Origene, *Contra Celsum,* 2, 40.
[45] Cf *Dt* 18,10; *Ger* 29,8.

portare gli amuleti è biasimevole. Lo *spiritismo* spesso implica pratiche divinatorie o magiche. Pure da esso la Chiesa mette in guardia i fedeli. Il ricorso a pratiche mediche dette tradizionali non legittima né l'invocazione di potenze cattive, né lo sfruttamento della credulità altrui.

L'irreligione

2118 Il primo comandamento di Dio condanna i principali peccati di irreligione: l'azione di tentare Dio, con parole o atti, il sacrilegio e la simonia.

2119 L'azione di *tentare Dio* consiste nel mettere alla prova, con parole o atti, la sua bontà e la sua onnipotenza. È così che Satana voleva ottenere da Gesù che si buttasse giù dal Tempio obbligando Dio, in tal modo, ad intervenire.[46] Gesù gli oppone la parola di Dio: « Non tenterai il Signore Dio tuo » (*Dt* 6,16). La sfida implicita in simile tentazione di Dio ferisce il rispetto e la fiducia che dobbiamo al nostro Creatore e Signore. In essa si cela sempre un dubbio riguardo al suo amore, alla sua provvidenza e alla sua potenza.[47]

394
2088

2120 Il *sacrilegio* consiste nel profanare o nel trattare indegnamente i sacramenti e le altre azioni liturgiche, come pure le persone, gli oggetti e i luoghi consacrati a Dio. Il sacrilegio è un peccato grave soprattutto quando è commesso contro l'Eucaristia, poiché, in questo sacramento, ci è reso presente sostanzialmente il Corpo stesso di Cristo.[48]

1374

2121 La *simonia*[49] consiste nell'acquisto o nella vendita delle realtà spirituali. A Simone il mago, che voleva acquistare il potere spirituale che vedeva all'opera negli Apostoli, Pietro risponde: « Il tuo denaro vada con te in perdizione, perché hai osato pensare di acquistare con denaro il dono di Dio » (*At* 8,20). Così si conformava alla parola di Gesù: « Gratuitamente avete ricevuto, gratuitamente date » (*Mt* 10,8).[50] È impossibile appropriarsi i beni spirituali e comportarsi nei loro confronti come un possessore o un padrone, dal momento che la loro sorgente è in Dio. Non si può che riceverli gratuitamente da lui.

1578

2122 « Il ministro, oltre alle offerte determinate dalla competente autorità, per l'amministrazione dei sacramenti non domandi nulla, evitando sempre che i più bisognosi siano privati dell'aiuto dei sacramenti a motivo della povertà ».[51] L'autorità

[46] Cf *Lc* 4,9.
[47] Cf *1 Cor* 10,9; *Es* 17,2-7; *Sal* 95,9.
[48] Cf *Codice di Diritto Canonico,* 1367; 1376.
[49] Cf *At* 8,9-24.
[50] Cf *Is* 55,1.
[51] *Codice di Diritto Canonico,* 848.

competente determina queste « offerte » in virtù del principio che il popolo cristiano deve concorrere al sostentamento dei ministri della Chiesa. « L'operaio ha diritto al suo nutrimento » (*Mt* 10,10).[52]

L'ateismo

2123 « Molti nostri contemporanei non percepiscono affatto o esplicitamente rigettano l'intimo e vitale legame con Dio, così che l'ateismo va annoverato fra le cose più gravi del nostro tempo ».[53] 29

2124 Il termine ateismo indica fenomeni molto diversi. Una forma frequente di esso è il materialismo pratico, che racchiude i suoi bisogni e le sue ambizioni entro i confini dello spazio e del tempo. L'umanesimo ateo ritiene falsamente che l'uomo « sia fine a se stesso, unico artefice e demiurgo della propria storia ».[54] Un'altra forma dell'ateismo contemporaneo si aspetta la liberazione dell'uomo da una liberazione economica e sociale, alla quale « si pretende che la religione, per sua natura, sia di ostacolo... in quanto, elevando la speranza dell'uomo verso una vita futura..., la distoglierebbe dall'edificazione della città terrena ».[55]

2125 Per il fatto che respinge o rifiuta l'esistenza di Dio, l'ateismo è un peccato contro la virtù della religione.[56] L'imputabilità di questa colpa può essere fortemente attenuata dalle intenzioni e dalle circostanze. Alla genesi e alla diffusione dell'ateismo « possono contribuire non poco i credenti, in quanto per aver trascurato di educare la propria fede, o per una presentazione fallace della dottrina, o anche per i difetti della propria vita religiosa, morale e sociale, si deve dire piuttosto che nascondono e non che manifestano il genuino volto di Dio e della religione ».[57] 1535

2126 Spesso l'ateismo si fonda su una falsa concezione dell'autonomia umana, spinta fino al rifiuto di ogni dipendenza nei confronti di Dio.[58] In realtà, « il riconoscimento di Dio non si oppone in alcun modo alla dignità dell'uomo, dato che questa dignità trova proprio in Dio il suo fondamento e la sua perfezione ».[59] La Chiesa sa « che il suo messaggio è in armonia con le aspirazioni più segrete del cuore umano ».[60] 396 154

[52] Cf *Lc* 10,7; *1 Cor* 9,5-18; *1 Tm* 5,17-18.
[53] Conc. Ecum. Vat. II, *Gaudium et spes*, 19.
[54] *Ibid.*, 20.
[55] *Ibid.*
[56] Cf *Rm* 1,18.
[57] Conc. Ecum. Vat. II, *Gaudium et spes*, 19.
[58] Cf *ibid.*, 20.
[59] *Ibid.*, 21.
[60] *Ibid.*

L'agnosticismo

2127 L'agnosticismo assume parecchie forme. In certi casi l'agnostico si rifiuta di negare Dio; ammette invece l'esistenza di un essere trascendente che non potrebbe rivelarsi e di cui nessuno sarebbe in grado di dire niente. In altri casi l'agnostico non si pronuncia sull'esistenza di Dio, dichiarando che è impossibile provarla, così come è impossibile ammetterla o negarla.

36

2128 L'agnosticismo può talvolta racchiudere una certa ricerca di Dio, ma può anche costituire un indifferentismo, una fuga davanti al problema ultimo dell'esistenza e un torpore della coscienza morale. Troppo spesso l'agnosticismo equivale a un ateismo pratico.

1036

1159-1162

IV. « Non ti farai alcuna immagine scolpita... »

2129 L'ingiunzione divina comportava il divieto di qualsiasi rappresentazione di Dio fatta dalla mano dell'uomo. Il Deuteronomio spiega: « Poiché non vedeste alcuna figura, quando il Signore vi parlò sull'Oreb dal fuoco, state bene in guardia per la vostra vita, perché non vi corrompiate e non vi facciate l'immagine scolpita di qualche idolo... » (*Dt* 4,15-16). È il Dio assolutamente Trascendente che si è rivelato a Israele. « Egli è tutto », ma, al tempo stesso, è « al di sopra di tutte le sue opere » (*Sir* 43,27-28). Egli è « lo stesso autore della bellezza » (*Sap* 13,3).

300
2500

2130 Tuttavia, fin dall'Antico Testamento, Dio ha ordinato o permesso di fare immagini che simbolicamente conducessero alla salvezza operata dal Verbo incarnato: così il serpente di rame,[61] l'arca dell'Alleanza e i cherubini.[62]

476

2131 Fondandosi sul mistero del Verbo incarnato, il settimo Concilio ecumenico, a Nicea (nel 787), ha giustificato, contro gli iconoclasti, il culto delle icone: quelle di Cristo, ma anche quelle della Madre di Dio, degli angeli e di tutti i santi. Incarnandosi, il Figlio di Dio ha inaugurato una nuova « economia » delle immagini.

2132 Il culto cristiano delle immagini non è contrario al primo comandamento che proscrive gli idoli. In effetti, « l'onore reso ad un'immagine appartiene a chi vi è rappresentato »,[63] e « chi venera l'immagine, venera la

[61] Cf *Nm* 21,4-9; *Sap* 16,5-14; *Gv* 3,14-15.
[62] Cf *Es* 25,10-22; *1 Re* 6,23-28; 7,23-26.
[63] San Basilio di Cesarea, *Liber de Spiritu Sancto,* 18, 45: PG 32, 149C.

realtà di chi in essa è riprodotto ».[64] L'onore tributato alle sacre immagini è una « venerazione rispettosa », non un'adorazione che conviene solo a Dio.

Gli atti di culto non sono rivolti alle immagini considerate in se stesse, ma in quanto servono a raffigurare il Dio incarnato. Ora, il moto che si volge all'immagine in quanto immagine, non si ferma su di essa, ma tende alla realtà che essa rappresenta.[65]

In sintesi

2133 *« Tu amerai il Signore tuo Dio con tutto il cuore, con tutta l'anima e con tutte le forze »* (*Dt* 6,5).

2134 *Il primo comandamento chiama l'uomo a credere in Dio, a sperare in lui, ad amarlo al di sopra di tutto.*

2135 *« Adora il Signore Dio tuo »* (*Mt* 4,10). *Adorare Dio, pregarlo, rendergli il culto che a lui è dovuto, mantenere le promesse e i voti che a lui si sono fatti, sono atti della virtù della religione, che esprimono l'obbedienza al primo comandamento.*

2136 *Il dovere di rendere a Dio un culto autentico riguarda l'uomo individualmente e socialmente.*

2137 *L'uomo deve « poter professare liberamente la religione sia in forma privata che pubblica ».*[66]

2138 *La superstizione è una deviazione del culto che rendiamo al vero Dio. Ha la sua massima espressione nell'idolatria, come nelle varie forme di divinazione e di magia.*

2139 *L'azione di tentare Dio con parole o atti, il sacrilegio, la simonia sono peccati di irreligione proibiti dal primo comandamento.*

2140 *L'ateismo, in quanto respinge o rifiuta l'esistenza di Dio, è un peccato contro il primo comandamento.*

2141 *Il culto delle sacre immagini è fondato sul mistero dell'Incarnazione del Verbo di Dio. Esso non è in opposizione al primo comandamento.*

[64] Concilio di Nicea II: Denz.-Schönm., 601; cf Concilio di Trento: *ibid.*, 1821-1825; Conc. Ecum. Vat. II: *Sacrosanctum concilium* 126; Id., *Lumen gentium*, 67.
[65] San Tommaso d'Aquino, *Summa theologiae*, II-II, 81, 3, ad 3.
[66] Conc. Ecum. Vat. II, *Dignitatis humanae*, 15.

Articolo 2
IL SECONDO COMANDAMENTO

Non pronuncerai invano il nome del Signore, tuo Dio (*Es* 20,7; *Dt* 5,11).

Fu detto agli antichi: « Non spergiurare »... Ma io vi dico: non giurate affatto (*Mt* 5,33-34).

2807-2815

I. Il nome del Signore è santo

2142 Il secondo comandamento *prescrive di rispettare il nome del Signore.* Come il primo comandamento, deriva dalla virtù della religione e regola in particolare il nostro uso della parola a proposito delle cose sante.

2143 Tra tutte le parole della Rivelazione ve ne è una, singolare, che è la rivelazione del nome di Dio, che egli svela a coloro che credono in lui; egli si rivela ad essi nel suo Mistero personale. Il dono del nome appartiene all'ordine della confidenza e dell'intimità. « Il nome del Signore è santo ». Per questo l'uomo non può abusarne. Lo deve custodire nella memoria in un silenzio di adorazione piena d'amore.[67] Non lo inserirà tra le sue parole, se non per benedirlo, lodarlo e glorificarlo.[68]

203
435

2144 Il rispetto per il nome di Dio esprime quello dovuto al suo stesso Mistero e a tutta la realtà sacra da esso evocata. Il *senso del sacro* fa parte della virtù della religione:

> Il sentimento di timore e il sentimento del sacro sono sentimenti cristiani o no? Nessuno può ragionevolmente dubitarne. Sono i sentimenti che palpiterebbero in noi, e con forte intensità, se avessimo la visione della Maestà di Dio. Sono i sentimenti che proveremmo se ci rendessimo conto della sua presenza. Nella misura in cui crediamo che Dio è presente, dobbiamo avvertirli. Se non li avvertiamo, è perché non percepiamo, non crediamo che egli è presente.[69]

2472
427

2145 Il fedele deve testimoniare il nome del Signore, confessando la propria fede senza cedere alla paura.[70] L'atto della predicazione e l'atto della catechesi devono essere compenetrati di adorazione e di rispetto per il nome del Signore nostro Gesù Cristo.

[67] Cf *Zc* 2,17.
[68] Cf *Sal* 29,2; 96,2; 113,1-2.
[69] John Henry Newman, *Parochial and plain sermons,* 5, 2, pp. 21-22.
[70] Cf *Mt* 10,32; *1 Tm* 6,12.

2146 Il secondo comandamento *proibisce l'abuso del nome di Dio,* cioè ogni uso sconveniente del nome di Dio, di Gesù Cristo, della Vergine Maria e di tutti i santi.

2147 Le *promesse* fatte ad altri nel nome di Dio impegnano l'onore, la fedeltà, la veracità e l'autorità divine. Esse devono essere mantenute, per giustizia. Essere infedeli a queste promesse equivale ad abusare del nome di Dio e, in qualche modo, a fare di Dio un bugiardo.[71]

2101

2148 La *bestemmia* si oppone direttamente al secondo comandamento. Consiste nel proferire contro Dio — interiormente o esteriormente — parole di odio, di rimprovero, di sfida, nel parlare male di Dio, nel mancare di rispetto verso di lui nei propositi, nell'abusare del nome di Dio. San Giacomo disapprova coloro « che bestemmiano il bel nome (di Gesù) che è stato invocato » sopra di loro (*Gc* 2,7). La proibizione della bestemmia si estende alle parole contro la Chiesa di Cristo, i santi, le cose sacre. È blasfemo anche ricorrere al nome di Dio per mascherare pratiche criminali, ridurre popoli in schiavitù, torturare o mettere a morte. L'abuso del nome di Dio per commettere un crimine provoca il rigetto della religione.

La bestemmia è contraria al rispetto dovuto a Dio e al suo santo nome. Per sua natura è un peccato grave.[72]

1756

2149 Le *imprecazioni,* in cui viene inserito il nome di Dio senza intenzione di bestemmia, sono una mancanza di rispetto verso il Signore. Il secondo comandamento proibisce anche l'*uso magico* del nome divino.

> Il nome di Dio è grande laddove lo si pronuncia con il rispetto dovuto alla sua grandezza e alla sua Maestà. Il nome di Dio è santo laddove lo si nomina con venerazione e con il timore di offenderlo.[73]

II. Il nome di Dio pronunciato invano

2150 Il secondo comandamento *proibisce il falso giuramento.* Fare promessa solenne o giurare è prendere Dio come testimone di ciò che si afferma. È invocare la veracità divina a garanzia della propria veracità. Il giuramento impegna il nome del Signore. « Temerai il Signore Dio tuo, lo servirai e giurerai per il suo nome » (*Dt* 6,13).

2151 Astenersi dal falso giuramento è un dovere verso Dio. Come Creatore e Signore, Dio è la norma di ogni verità. La parola umana è in accordo

215

[71] Cf *1 Gv* 1,10.
[72] Cf *Codice di Diritto Canonico,* 1369.
[73] Sant'Agostino, *De sermone Domini in monte,* 2, 45, 19: PL 34, 1278.

con Dio oppure in opposizione a lui che è la stessa Verità. Quando il giuramento è veridico e legittimo, mette in luce il rapporto della parola umana con la verità di Dio. Il giuramento falso chiama Dio ad essere testimone di una menzogna.

2476 2152 È *spergiuro* colui che, sotto giuramento, fa una promessa con l'intenzione di non mantenerla, o che, dopo aver promesso sotto giuramento, non 1756 vi si attiene. Lo spergiuro costituisce una grave mancanza di rispetto verso il Signore di ogni parola. Impegnarsi con giuramento a compiere un'opera cattiva è contrario alla santità del nome divino.

2153 Gesù ha esposto il secondo comandamento nel Discorso della montagna: « Avete inteso che fu detto agli antichi: "Non spergiurare, ma adempi con il Signore i tuoi giuramenti!". Ma io vi dico: non giurate affatto... sia invece il vostro parlare sì, sì; no, no; il di più viene dal maligno » (*Mt* 5,33-34.37).[74] Gesù insegna che ogni giuramento implica un riferi- 2466 mento a Dio e che la presenza di Dio e della sua verità deve essere onorata in ogni parola. La discrezione del ricorso a Dio nel parlare procede di pari passo con l'attenzione rispettosa per la sua presenza, testimoniata o schernita, in ogni nostra affermazione.

2154 Seguendo san Paolo,[75] la Tradizione della Chiesa ha inteso che la parola di Gesù non si oppone al giuramento, allorché viene fatto per un motivo grave e giusto (per esempio davanti ad un tribunale). « Il giuramento, ossia l'invocazione del nome di Dio a testimonianza della verità, non può essere prestato se non secondo verità, prudenza e giustizia ».[76]

2155 La santità del nome divino esige che non si faccia ricorso ad esso per cose futili e che non si presti giuramento in quelle circostanze in cui esso potrebbe essere interpretato come un'approvazione del potere da cui ingiu- 1903 stamente venisse richiesto. Quando il giuramento è esigito da autorità civili illegittime, può essere rifiutato. Deve esserlo allorché è richiesto per fini contrari alla dignità delle persone o alla comunione ecclesiale.

III. Il nome cristiano

232 2156 Il sacramento del Battesimo è conferito « nel nome del Padre e del Figlio e dello Spirito Santo » (*Mt* 28,19). Nel Battesimo il nome del Signore 1267 santifica l'uomo e il cristiano riceve il proprio nome nella Chiesa. Può essere il nome di un santo, cioè di un discepolo che ha vissuto con esemplare fedel-

[74] Cf *Gc* 5,12.
[75] Cf *2 Cor* 1,23; *Gal* 1,20.
[76] *Codice di Diritto Canonico,* 1199, 1.

tà al suo Signore. Il patrocinio del santo offre un modello di carità ed assicura la sua intercessione. Il « nome di Battesimo » può anche esprimere un mistero cristiano o una virtù cristiana. « I genitori, i padrini e il parroco abbiano cura che non venga imposto un nome estraneo al senso cristiano ».[77]

2157 Il cristiano incomincia la sua giornata, le sue preghiere, le sue azioni con il segno della croce, « nel nome del Padre e del Figlio e dello Spirito Santo. Amen ». Il battezzato consacra la giornata alla gloria di Dio e invoca la grazia del Salvatore, la quale gli permette di agire nello Spirito come figlio del Padre. Il segno della croce ci fortifica nelle tentazioni e nelle difficoltà.

1235
1668

2158 Dio chiama ciascuno per nome.[78] Il nome di ogni uomo è sacro. Il nome è l'icona della persona. Esige il rispetto, come segno della dignità di colui che lo porta.

2159 Il nome ricevuto è un nome eterno. Nel Regno, il carattere misterioso ed unico di ogni persona segnata dal nome di Dio risplenderà in piena luce. « Al vincitore darò... una pietruzza bianca sulla quale sta scritto un nome nuovo, che nessuno conosce all'infuori di chi la riceve » (*Ap* 2,17). « Poi guardai ed ecco l'Agnello ritto sul monte Sion e insieme centoquarantaquattromila persone che recavano scritto sulla fronte il suo nome e il nome del Padre suo » (*Ap* 14,1).

In sintesi

2160 *« O Signore, nostro Dio, quanto è grande il tuo nome su tutta la terra! »* (*Sal* 8,2).

2161 *Il secondo comandamento prescrive di rispettare il nome del Signore. Il nome del Signore è santo.*

2162 *Il secondo comandamento proibisce ogni uso sconveniente del nome di Dio. La bestemmia consiste nell'usare il nome di Dio, di Gesù Cristo, della Vergine Maria e dei santi in un modo ingiurioso.*

2163 *Il falso giuramento chiama Dio come testimone di una menzogna. Lo spergiuro è una mancanza grave contro il Signore, sempre fedele alle sue promesse.*

[77] *Codice di Diritto Canonico,* 855.
[78] Cf *Is* 43,1; *Gv* 10,3.

2164 *« Non giurare né per il Creatore, né per la creatura, se non con verità, per necessità e con riverenza ».*[79]

2165 *Nel Battesimo, il cristiano riceve il proprio nome nella Chiesa. I genitori, i padrini e il parroco avranno cura che gli venga dato un nome cristiano. Essere sotto il patrocinio di un santo significa avere in lui un modello di carità e un sicuro intercessore.*

2166 *Il cristiano incomincia le sue preghiere e le sue azioni con il segno della croce « nel nome del Padre e del Figlio e dello Spirito Santo. Amen ».*

2167 *Dio chiama ciascuno per nome.*[80]

Articolo 3
IL TERZO COMANDAMENTO

Ricordati del giorno di sabato per santificarlo: sei giorni faticherai e farai ogni tuo lavoro; ma il settimo giorno è il sabato in onore del Signore, tuo Dio: non farai alcun lavoro (*Es* 20,8-10).[81]

Il sabato è stato fatto per l'uomo e non l'uomo per il sabato! Perciò il Figlio dell'uomo è signore anche del sabato (*Mc* 2,27-28).

346-348

I. Il giorno di sabato

2168 Il terzo comandamento del Decalogo ricorda la santità del sabato: « Il settimo giorno vi sarà riposo assoluto, sacro al Signore » (*Es* 31,15).

2057

2169 La Scrittura a questo proposito fa *memoria della creazione:* « Perché in sei giorni il Signore ha fatto il cielo e la terra e il mare e quanto è in essi, ma si è riposato il giorno settimo. Perciò il Signore ha benedetto il giorno di sabato e lo ha dichiarato sacro » (*Es* 20,11).

2170 La Scrittura rivela nel giorno del Signore anche un *memoriale della liberazione di Israele* dalla schiavitù d'Egitto: « Ricordati che sei stato schiavo nel paese d'Egitto e che il Signore tuo Dio ti ha fatto uscire di là con mano potente e braccio teso; perciò il Signore tuo Dio ti ordina di osservare il giorno di sabato » (*Dt* 5,15).

[79] Sant'Ignazio di Loyola, *Esercizi spirituali,* 38.
[80] Cf *Is* 43,1.
[81] Cf *Dt* 5,12-15.

2171 Dio ha affidato a Israele il sabato perché lo rispetti *in segno dell'alleanza* perenne.[82] Il sabato è per il Signore, santamente riservato alla lode di Dio, della sua opera creatrice e delle sue azioni salvifiche in favore di Israele.

2172 L'agire di Dio è modello dell'agire umano. Se Dio nel settimo giorno « si è riposato » (*Es* 31,17), anche l'uomo deve « far riposo » e lasciare che gli altri, soprattutto i poveri, « possano goder quiete » (*Es* 23,12). Il sabato sospende le attività quotidiane e concede una tregua. È un giorno di protesta contro le schiavitù del lavoro e il culto del denaro.[83]

2184

2173 Il Vangelo riferisce numerose occasioni nelle quali Gesù viene accusato di violare la legge del sabato. Ma Gesù non viola mai la santità di tale giorno.[84] Egli con autorità ne dà l'interpretazione autentica: « Il sabato è stato fatto per l'uomo e non l'uomo per il sabato » (*Mc* 2,27). Nella sua bontà, Cristo ritiene lecito « in giorno di sabato fare il bene » anziché « il male, salvare una vita » anziché « toglierla » (*Mc* 3,4). Il sabato è il giorno del Signore delle misericordie e dell'onore di Dio.[85] « Il Figlio dell'uomo è signore anche del sabato » (*Mc* 2,28).

582

II. Il giorno del Signore

> Questo è il giorno fatto dal Signore: rallegriamoci ed esultiamo in esso (*Sal* 118,24).

Il giorno della Risurrezione: la nuova creazione

2174 Gesù è risorto dai morti « il primo giorno della settimana » (*Mt* 28,1; *Mc* 16,2; *Lc* 24,1; *Gv* 20,1). In quanto « primo giorno », il giorno della Risurrezione di Cristo richiama la prima creazione. In quanto « ottavo giorno », che segue il sabato,[86] esso significa la nuova creazione inaugurata con la Risurrezione di Cristo. È diventato, per i cristiani, il primo di tutti i giorni, la prima di tutte le feste, il giorno del Signore (« e Kyriaké eméra », « dies dominica »), la « domenica »:

638

349

> Ci raduniamo tutti insieme nel giorno del sole, poiché questo è il primo giorno nel quale Dio, trasformate le tenebre e la materia, creò il mondo; sempre in questo giorno Gesù Cristo, il nostro Salvatore, risuscitò dai morti.[87]

[82] Cf *Es* 31,16.
[83] Cf *Ne* 13,15-22; *2 Cr* 36,21.
[84] Cf *Mc* 1,21; *Gv* 9,16.
[85] Cf *Mt* 12,5; *Gv* 7,23.
[86] Cf *Mc* 16,1; *Mt* 28,1.
[87] San Giustino, *Apologiae*, 1, 67.

La domenica – compimento del sabato

1166 2175 La domenica si distingue nettamente dal sabato al quale, ogni settimana, cronologicamente succede, e del quale, per i cristiani, sostituisce la prescrizione rituale. Porta a compimento, nella Pasqua di Cristo, la verità spirituale del sabato ebraico ed annuncia il riposo eterno dell'uomo in Dio. Infatti, il culto della legge preparava il Mistero di Cristo, e ciò che vi si compiva prefigurava qualche aspetto relativo a Cristo: [88]

> Coloro che vivevano nell'antico ordine di cose si sono rivolti alla nuova speranza, non più guardando al sabato, ma vivendo secondo la domenica, giorno in cui è sorta la nostra vita, per la grazia del Signore e per la sua morte.[89]

2176 La celebrazione della domenica attua la prescrizione morale naturalmente iscritta nel cuore dell'uomo « di rendere a Dio un culto esteriore, visibile, pubblico e regolare nel ricordo della sua benevolenza universale verso gli uomini ».[90] Il culto domenicale è il compimento del precetto morale dell'Antica Alleanza, di cui riprende il ritmo e lo spirito celebrando ogni settimana il Creatore e il Redentore del suo popolo.

L'Eucaristia domenicale

1167 2177 La celebrazione domenicale del Giorno e dell'Eucaristia del Signore sta al centro della vita della Chiesa. « Il giorno di domenica in cui si celebra il Mistero pasquale, per la tradizione apostolica, deve essere osservato in tutta la Chiesa come il primordiale giorno festivo di precetto ».[91]

2043 « Ugualmente devono essere osservati i giorni del Natale del Signore nostro Gesù Cristo, dell'Epifania, dell'Ascensione e del santissimo Corpo e Sangue di Cristo, della Santa Madre di Dio Maria, della sua Immacolata Concezione e Assunzione, di san Giuseppe, dei santi Apostoli Pietro e Paolo, e infine di tutti i Santi ».[92]

1343 2178 Questa pratica dell'assemblea cristiana risale agli inizi dell'età apostolica.[93] La Lettera agli Ebrei ricorda: non disertate le vostre « riunioni, come alcuni hanno l'abitudine di fare », ma invece esortatevi a vicenda (*Eb* 10,25).

> La Tradizione conserva il ricordo di una esortazione sempre attuale: « Affrettarsi verso la chiesa, avvicinarsi al Signore e confessare i propri

[88] Cf *1 Cor* 10,11.
[89] Sant'Ignazio di Antiochia, *Epistula ad Magnesios,* 9, 1.
[90] San Tommaso d'Aquino, *Summa theologiae,* II-II, 122, 4.
[91] *Codice di Diritto Canonico,* 1246, 1.
[92] *Ibid.*
[93] Cf *At* 2,42-46; *1 Cor* 11,17.

peccati, pentirsi durante la preghiera... Assistere alla santa e divina Liturgia, terminare la propria preghiera e non uscirne prima del congedo... L'abbiamo spesso ripetuto: questo giorno vi è concesso per la preghiera e il riposo. È il giorno fatto dal Signore. In esso rallegriamoci ed esultiamo ».[94]

2179 « La *parrocchia* è una determinata comunità di fedeli che viene costituita stabilmente nell'ambito di una Chiesa particolare e la cui cura pastorale è affidata, sotto l'autorità del vescovo diocesano, ad un parroco quale suo proprio pastore ».[95] È il luogo in cui tutti i fedeli possono essere convocati per la celebrazione domenicale dell'Eucaristia. La parrocchia inizia il popolo cristiano all'espressione ordinaria della vita liturgica, lo raduna in questa celebrazione; insegna la dottrina salvifica di Cristo; pratica la carità del Signore in opere buone e fraterne: 1567 2691 2226

> Tu non puoi pregare in casa come in chiesa, dove c'è il popolo di Dio raccolto, dove il grido è elevato a Dio con un cuore solo. Là c'è qualcosa di più, l'unisono degli spiriti, l'accordo delle anime, il legame della carità, le preghiere dei sacerdoti.[96]

L'obbligo della domenica

2180 Il precetto della Chiesa definisce e precisa la legge del Signore: « La domenica e le altre feste di precetto i fedeli sono tenuti all'obbligo di partecipare alla Messa ».[97] « Soddisfa il precetto di partecipare alla Messa chi vi assiste dovunque venga celebrata nel rito cattolico, o nello stesso giorno di festa, o nel vespro del giorno precedente ».[98] 2042 1389

2181 L'Eucaristia domenicale fonda e conferma tutto l'agire cristiano. Per questo i fedeli sono tenuti a partecipare all'Eucaristia nei giorni di precetto, a meno che siano giustificati da un serio motivo (per esempio, la malattia, la cura dei lattanti o ne siano dispensati dal loro parroco).[99] Coloro che deliberatamente non ottemperano a questo obbligo commettono un peccato grave.

2182 La partecipazione alla celebrazione comunitaria dell'Eucaristia domenicale è una testimonianza di appartenenza e di fedeltà a Cristo e alla 815

[94] Autore anonimo, *Sermo de die dominica:* PG 86/1, 416C. 421C.
[95] *Codice di Diritto Canonico,* 515, 1.
[96] San Giovanni Crisostomo, *De incomprehensibili Dei natura seu contra Anomaeos,* 3, 6: PG 48, 725D.
[97] *Codice di Diritto Canonico,* 1247.
[98] *Ibid.,* 1248, 1.
[99] Cf *ibid.,* 1245.

sua Chiesa. In questo modo i fedeli attestano la loro comunione nella fede e nella carità. Essi testimoniano al tempo stesso la santità di Dio e la loro speranza nella salvezza. Si rafforzano vicendevolmente sotto l'assistenza dello Spirito Santo.

2183 « Se per mancanza del ministro sacro o per altra grave causa diventa impossibile la partecipazione alla celebrazione eucaristica, si raccomanda vivamente che i fedeli prendano parte alla Liturgia della Parola, se ve n'è qualcuna nella chiesa parrocchiale o in un altro luogo sacro, celebrata secondo le disposizioni del vescovo diocesano, oppure attendano per un congruo tempo alla preghiera personalmente o in famiglia, o, secondo l'opportunità, in gruppi di famiglie ».[100]

Giorno di grazia e di cessazione dal lavoro

2172 2184 Come Dio « cessò nel settimo giorno da ogni suo lavoro » (*Gn* 2,2), così anche la vita dell'uomo è ritmata dal lavoro e dal riposo. L'istituzione del giorno del Signore contribuisce a dare a tutti la possibilità di « godere di sufficiente riposo e tempo libero che permetta loro di curare la vita familiare, culturale, sociale e religiosa ».[101]

2185 Durante la domenica e gli altri giorni festivi di precetto, i fedeli si 2428 asterranno dal dedicarsi a lavori o attività che impediscano il culto dovuto a Dio, la letizia propria del giorno del Signore, la pratica delle opere di misericordia e la necessaria distensione della mente e del corpo.[102] Le necessità familiari o una grande utilità sociale costituiscono giustificazioni legittime di fronte al precetto del riposo domenicale. I fedeli vigileranno affinché legittime giustificazioni non creino abitudini pregiudizievoli per la religione, la vita di famiglia e la salute.

> L'amore della verità cerca il sacro tempo libero, la necessità dell'amore accetta il giusto lavoro.[103]

2186 È doveroso per i cristiani che dispongono di tempo libero ricordarsi dei loro fratelli che hanno i medesimi bisogni e i medesimi diritti e non possono riposarsi a causa della povertà e della miseria. Dalla pietà cristiana la 2447 domenica è tradizionalmente consacrata alle opere di bene e agli umili servizi di cui necessitano i malati, gli infermi, gli anziani. I cristiani santificheranno la domenica anche dando alla loro famiglia e ai loro parenti il tempo e le attenzioni che difficilmente si possono loro accordare negli altri giorni della settimana. La domenica è un tempo propizio per la riflessione, il silenzio,

[100] *Codice di Diritto Canonico,* 1248, 2.
[101] Conc. Ecum. Vat. II, *Gaudium et spes,* 67.
[102] Cf *Codice di Diritto Canonico,* 1247.
[103] Sant'Agostino, *De civitate Dei,* 19, 19.

lo studio e la meditazione, che favoriscono la crescita della vita interiore e cristiana.

2187 Santificare le domeniche e i giorni di festa esige un serio impegno comune. Ogni cristiano deve evitare di imporre, senza necessità, ad altri ciò che impedirebbe loro di osservare il giorno del Signore. Quando i costumi (sport, ristoranti, ecc.) e le necessità sociali (servizi pubblici, ecc.) richiedono a certuni un lavoro domenicale, ognuno si senta responsabile di riservarsi un tempo sufficiente di libertà. I fedeli avranno cura, con moderazione e carità, di evitare gli eccessi e le violenze cui talvolta danno luogo i diversivi di massa. Nonostante le rigide esigenze dell'economia, i pubblici poteri vigileranno per assicurare ai cittadini un tempo destinato al riposo e al culto divino. I datori di lavoro hanno un obbligo analogo nei confronti dei loro dipendenti.

2289

2188 Nel rispetto della libertà religiosa e del bene comune di tutti, i cristiani devono adoperarsi per far riconoscere dalle leggi le domeniche e i giorni di festa della Chiesa come giorni festivi. Spetta a loro offrire a tutti un esempio pubblico di preghiera, di rispetto e di gioia e difendere le loro tradizioni come un prezioso contributo alla vita spirituale della società umana. Se la legislazione del paese o altri motivi obbligano a lavorare la domenica, questo giorno sia tuttavia vissuto come il giorno della nostra liberazione, che ci fa partecipare a questa « adunanza festosa », a questa « assemblea dei primogeniti iscritti nei cieli » (*Eb* 12,22-23).

2105

In sintesi

2189 *« Osserva il giorno di sabato per santificarlo »* (*Dt* 5,12). *« Il settimo giorno vi sarà riposo assoluto, sacro al Signore »* (*Es* 31,15).

2190 *Il sabato, che rappresentava il compimento della prima creazione, è sostituito dalla domenica, che ricorda la nuova creazione, iniziata con la Risurrezione di Cristo.*

2191 *La Chiesa celebra il giorno della Risurrezione di Cristo nell'ottavo giorno, che si chiama giustamente giorno del Signore, o domenica.*[104]

2192 *« Il giorno di domenica... deve essere osservato in tutta la Chiesa come il primordiale giorno festivo di precetto ».*[105] *« La domenica e le altre feste di precetto i fedeli sono tenuti all'obbligo di partecipare alla Messa ».*[106]

[104] Cf Conc. Ecum. Vat. II, *Sacrosanctum concilium,* 106.
[105] *Codice di Diritto Canonico,* 1246, 1.
[106] *Ibid.,* 1247.

2193 *« La domenica e le altre feste di precetto i fedeli... si astengano... da quei lavori e da quegli affari che impediscono di rendere culto a Dio e turbano la letizia propria del giorno del Signore o il dovuto riposo della mente e del corpo ».*[107]

2194 *L'istituzione della domenica contribuisce a dare a tutti la possibilità di « godere di sufficiente riposo e tempo libero che permette loro di curare la vita familiare, culturale, sociale e religiosa ».*[108]

2195 *Ogni cristiano deve evitare di imporre, senza necessità, ad altri ciò che impedirebbe loro di osservare il giorno del Signore.*

[107] *Codice di Diritto Canonico,* 1247.
[108] CONC. ECUM. VAT. II, *Gaudium et spes,* 67.

CAPITOLO SECONDO

« AMERAI IL PROSSIMO TUO COME TE STESSO »

Gesù disse ai suoi discepoli: « Come io vi ho amato, così amatevi anche voi gli uni gli altri » (*Gv* 13,34).

2196 Rispondendo alla domanda rivoltagli sul primo dei comandamenti, Gesù disse: « Il primo è: "Ascolta, Israele. Il Signore Dio nostro è l'unico Signore; amerai dunque il Signore Dio tuo con tutto il tuo cuore, con tutta la tua mente e con tutta la tua forza". E il secondo è questo: "Amerai il prossimo tuo come te stesso". Non c'è altro comandamento più importante di questo » (*Mc* 12,29-31).

L'Apostolo san Paolo lo richiama: « Chi ama il suo simile ha adempiuto la legge. Infatti, il precetto: "non commettere adulterio, non uccidere, non rubare, non desiderare" e qualsiasi altro comandamento, si riassumono in queste parole: "Amerai il prossimo tuo come te stesso". L'amore non fa nessun male al prossimo: pieno compimento della legge è l'amore » (*Rm* 13,8-10).

2822

Articolo 4

IL QUARTO COMANDAMENTO

Onora tuo padre e tua madre, perché si prolunghino i tuoi giorni nel paese che ti dà il Signore, tuo Dio (*Es* 20,12).

Stava loro sottomesso (*Lc* 2,51).

Lo stesso Signore Gesù ha ricordato l'importanza di questo « comandamento di Dio » (*Mc* 7,8-13). L'Apostolo insegna: « Figli, obbedite ai vostri genitori nel Signore, perché questo è giusto. "Onora tuo padre e tua madre": è questo il primo comandamento associato a una promessa: "perché tu sia felice e goda di una vita lunga sopra la terra" » (*Ef* 6,1-3).[1]

2197 Il quarto comandamento apre la seconda tavola della Legge. Indica l'ordine della carità. Dio ha voluto che, dopo lui, onoriamo i nostri genitori

[1] Cf *Dt* 5,16.

ai quali dobbiamo la vita e che ci hanno trasmesso la conoscenza di Dio. Siamo tenuti ad onorare e rispettare tutti coloro che Dio, per il nostro bene, ha rivestito della sua autorità.

1897

2198 Questo comandamento è espresso nella forma positiva di un dovere da compiere. Annunzia i comandamenti successivi, concernenti un rispetto particolare della vita, del matrimonio, dei beni terreni, della parola. Costituisce uno dei fondamenti della dottrina sociale della Chiesa.

2419

2199 Il quarto comandamento si rivolge espressamente ai figli in ordine alle loro relazioni con il padre e con la madre, essendo questa relazione la più universale. Concerne parimenti i rapporti di parentela con i membri del gruppo familiare. Chiede di tributare onore, affetto e riconoscenza ai nonni e agli antenati. Si estende infine ai doveri degli alunni nei confronti degli insegnanti, dei dipendenti nei confronti dei datori di lavoro, dei subordinati nei confronti dei loro superiori, dei cittadini verso la loro patria, verso i pubblici amministratori e i governanti.

Questo comandamento implica e sottintende i doveri dei genitori, tutori, docenti, capi, magistrati, governanti, di tutti coloro che esercitano un'autorità su altri o su una comunità di persone.

2200 L'osservanza del quarto comandamento comporta una ricompensa: « Onora tuo padre e tua madre, perché si prolunghino i tuoi giorni nel paese che ti dà il Signore, tuo Dio » (*Es* 20,12).[2] Il rispetto di questo comandamento procura, insieme con i frutti spirituali, frutti temporali di pace e di prosperità. Al contrario, la trasgressione di questo comandamento arreca gravi danni alle comunità e alle persone umane.

2304

I. La famiglia nel piano di Dio

Natura della famiglia

1625

2201 La comunità coniugale è fondata sul consenso degli sposi. Il matrimonio e la famiglia sono ordinati al bene degli sposi e alla procreazione ed educazione dei figli. L'amore degli sposi e la generazione dei figli stabiliscono tra i membri di una medesima famiglia relazioni personali e responsabilità primarie.

2202 Un uomo e una donna uniti in matrimonio formano insieme con i loro figli una famiglia. Questa istituzione precede qualsiasi riconoscimento

1882

[2] Cf *Dt* 5,16.

da parte della pubblica autorità; si impone da sé. La si considererà come il normale riferimento, in funzione del quale devono essere valutate le diverse forme di parentela.

2203 Creando l'uomo e la donna, Dio ha istituito la famiglia umana e l'ha dotata della sua costituzione fondamentale. I suoi membri sono persone uguali in dignità. Per il bene comune dei suoi membri e della società, la famiglia comporta una diversità di responsabilità, di diritti e di doveri. 369

La famiglia cristiana

1655-1658

2204 « La famiglia cristiana offre una rivelazione e una realizzazione specifica della comunione ecclesiale; anche per questo motivo, può e deve essere chiamata *"chiesa domestica"* ».[3] Essa è una comunità di fede, di speranza e di carità; nella Chiesa riveste una singolare importanza come è evidente nel Nuovo Testamento.[4] 533

2205 La famiglia cristiana è una comunione di persone, segno e immagine della comunione del Padre e del Figlio nello Spirito Santo. La sua attività procreatrice ed educativa è il riflesso dell'opera creatrice del Padre. La famiglia è chiamata a condividere la preghiera e il sacrificio di Cristo. La preghiera quotidiana e la lettura della Parola di Dio corroborano in essa la carità. La famiglia cristiana è evangelizzatrice e missionaria. 1702

2206 Le relazioni in seno alla famiglia comportano un'affinità di sentimenti, di affetti e di interessi, che nasce soprattutto dal reciproco rispetto delle persone. La famiglia è una *comunità privilegiata* chiamata a realizzare « un'amorevole apertura di animo tra i coniugi e... una continua collaborazione tra i genitori nell'educazione dei figli ».[5]

II. La famiglia e la società

2207 La famiglia è la *cellula originaria della vita sociale*. È la società naturale in cui l'uomo e la donna sono chiamati al dono di sé nell'amore e nel dono della vita. L'autorità, la stabilità e la vita di relazione in seno alla famiglia costituiscono i fondamenti della libertà, della sicurezza, della fraternità nell'ambito della società. La famiglia è la comunità nella quale, fin dall'infanzia, si possono apprendere i valori morali, si può incominciare 1880 372 1603

[3] Giovanni Paolo II, Esort. ap. *Familiaris consortio,* 21; cf Conc. Ecum. Vat. II, *Lumen gentium,* 11.
[4] Cf *Ef* 5,21–6,4; *Col* 3,18-21; *1 Pt* 3,1-7.
[5] Conc. Ecum. Vat. II, *Gaudium et spes,* 52.

ad onorare Dio e a far buon uso della libertà. La vita di famiglia è un'iniziazione alla vita nella società.

2208 La famiglia deve vivere in modo che i suoi membri si aprano all'attenzione e all'impegno in favore dei giovani e degli anziani, delle persone malate o handicappate e dei poveri. Numerose sono le famiglie che, in certi momenti, non hanno la possibilità di dare tale aiuto. Tocca allora ad altre persone, ad altre famiglie e, sussidiariamente, alla società provvedere ai bisogni di costoro: « Una religione pura e senza macchia davanti a Dio nostro Padre è questa: soccorrere gli orfani e le vedove nelle loro afflizioni e conservarsi puri da questo mondo » (*Gc* 1,27).

2209 La famiglia deve essere aiutata e difesa con appropriate misure sociali. Là dove le famiglie non sono in grado di adempiere alle loro funzioni, gli altri corpi sociali hanno il dovere di aiutarle e di sostenere l'istituto familiare. In base al principio di sussidiarietà, le comunità più grandi si guarde-
1883 ranno dall'usurpare le sue prerogative o di ingerirsi nella sua vita.

2210 L'importanza della famiglia per la vita e il benessere della società,[6] comporta per la società stessa una particolare responsabilità nel sostenere e consolidare il matrimonio e la famiglia. Il potere civile consideri « come un sacro dovere rispettare, proteggere e favorire la loro vera natura, la moralità pubblica e la prosperità domestica ».[7]

2211 La comunità politica ha il dovere di onorare la famiglia, di assisterla, e di assicurarle in particolare:

— la libertà di costituirsi, di procreare figli e di educarli secondo le proprie convinzioni morali e religiose;
— la tutela della stabilità del vincolo coniugale e dell'istituto familiare;
— la libertà di professare la propria fede, di trasmetterla, di educare in essa i figli, avvalendosi dei mezzi e delle istituzioni necessarie;
— il diritto alla proprietà privata, la libertà di intraprendere un'attività, di procurarsi un lavoro e una casa, il diritto di emigrare;
— in conformità alle istituzioni dei paesi, il diritto alle cure mediche, all'assistenza per le persone anziane, agli assegni familiari;
— la difesa della sicurezza e della salute, particolarmente in ordine a pericoli come la droga, la pornografia, l'alcolismo, ecc.;
— la libertà di formare associazioni con altre famiglie e di essere in tal modo rappresentate presso le autorità civili.[8]

[6] Cf Conc. Ecum. Vat. II, *Gaudium et spes,* 47.
[7] *Ibid.,* 52.
[8] Cf Giovanni Paolo II, Esort. ap. *Familiaris consortio,* 46.

2212 Il quarto comandamento *illumina le altre relazioni nella società.* Nei nostri fratelli e nelle nostre sorelle, vediamo i figli dei nostri genitori; nei nostri cugini, i discendenti dei nostri avi; nei nostri concittadini, i figli della nostra patria; nei battezzati, i figli della Chiesa, nostra madre; in ogni persona umana, un figlio o una figlia di colui che vuole essere chiamato « Padre nostro ». Conseguentemente, le nostre relazioni con il prossimo sono di carattere personale. Il prossimo non è un « individuo » della collettività umana; è « qualcuno » che, per le sue origini conosciute, merita un'attenzione e un rispetto singolari.

225

1931

2213 Le comunità umane sono *composte di persone.* Il loro buon governo non si limita alla garanzia dei diritti e all'osservanza dei doveri, come pure al rispetto dei contratti. Giuste relazioni tra imprenditori e dipendenti, governanti e cittadini presuppongono la naturale benevolenza conforme alla dignità delle persone umane, cui stanno a cuore la giustizia e la fraternità.

1939

III. Doveri dei membri della famiglia

Doveri dei figli

2214 La paternità divina è la sorgente della paternità umana;[9] è la paternità divina che fonda l'onore dovuto ai genitori. Il rispetto dei figli, minorenni o adulti, per il proprio padre e la propria madre,[10] si nutre dell'affetto naturale nato dal vincolo che li unisce. Questo rispetto è richiesto dal comando divino.[11]

1858

2215 Il rispetto per i genitori *(pietà filiale)* è fatto di *riconoscenza* verso coloro che, con il dono della vita, il loro amore e il loro lavoro, hanno messo al mondo i loro figli e hanno loro permesso di crescere in età, in sapienza e in grazia. « Onora tuo padre con tutto il cuore e non dimenticare i dolori di tua madre. Ricorda che essi ti hanno generato; che darai loro in cambio di quanto ti hanno dato? » (*Sir* 7,27-28).

2216 Il rispetto filiale si manifesta anche attraverso la vera docilità e la vera *obbedienza:* « Figlio mio, osserva il comando di tuo padre, non disprezzare l'insegnamento di tua madre... Quando cammini ti guideranno; quando riposi, veglieranno su di te; quando ti desti, ti parleranno » (*Prv* 6,20-22).

532

[9] Cf *Ef* 3,14.
[10] Cf *Prv* 1,8; *Tb* 4,3-4.
[11] Cf *Es* 20,12.

« Il figlio saggio ama la disciplina, lo spavaldo non ascolta il rimprovero » (*Prv* 13,1).

2217 Per tutto il tempo in cui vive nella casa dei suoi genitori, il figlio deve obbedire ad ogni loro richiesta motivata dal suo proprio bene o da quello della famiglia. « Figli, obbedite ai genitori in tutto; ciò è gradito al Signore » (*Col* 3,20).[12] I figli devono anche obbedire agli ordini ragionevoli dei loro educatori e di tutti coloro ai quali i genitori li hanno affidati. Ma se in coscienza sono persuasi che è moralmente riprovevole obbedire a un dato ordine, non vi obbediscano.

Crescendo, i figli continueranno a rispettare i loro genitori. Preverranno i loro desideri, chiederanno spesso i loro consigli, accetteranno i loro giustificati ammonimenti. Con l'emancipazione cessa l'obbedienza dei figli verso i genitori, ma non il rispetto che ad essi è sempre dovuto. Questo trova, in realtà, la sua radice nel timore di Dio, uno dei doni dello Spirito Santo.

1831

2218 Il quarto comandamento ricorda ai figli divenuti adulti le loro *responsabilità verso i genitori.* Nella misura in cui possono, devono dare loro l'aiuto materiale e morale, negli anni della vecchiaia e in tempo di malattia, di solitudine o di indigenza. Gesù richiama questo dovere di riconoscenza.[13]

> Il Signore vuole che il padre sia onorato dai figli, ha stabilito il diritto della madre sulla prole. Chi onora il padre espia i peccati, chi riverisce la madre è come chi accumula tesori. Chi onora il padre avrà gioia dai propri figli, sarà esaudito nel giorno della sua preghiera. Chi riverisce suo padre vivrà a lungo; chi obbedisce al Signore dà consolazione alla madre (*Sir* 3,2-6).
>
> Figlio, soccorri tuo padre nella vecchiaia, non contristarlo durante la sua vita. Anche se perdesse il senno, compatiscilo e non disprezzarlo mentre sei nel pieno del vigore... Chi abbandona il padre è come un bestemmiatore, chi insulta la madre è maledetto dal Signore (*Sir* 3,12-13.16).

2219 Il rispetto filiale favorisce l'armonia di tutta la vita familiare; concerne anche le *relazioni tra fratelli e sorelle.* Il rispetto verso i genitori si riflette su tutto l'ambiente familiare. « Corona dei vecchi sono i figli dei figli » (*Prv* 17,6). « Con ogni umiltà, mansuetudine e pazienza » sopportatevi « a vicenda con amore » (*Ef* 4,2).

2220 I cristiani devono una speciale gratitudine a coloro dai quali hanno ricevuto il dono della fede, la grazia del Battesimo e la vita nella Chiesa. Può trattarsi dei genitori, di altri membri della famiglia, dei nonni, di pastori, di catechisti, di altri maestri o amici. « Mi ricordo della tua fede schietta, fede che fu prima nella tua nonna Lòide, poi in tua madre Eunice, e ora, ne sono certo, anche in te » (*2 Tm* 1,5).

[12] Cf *Ef* 6,1.
[13] Cf *Mc* 7,10-12.

DOVERI DEI GENITORI

2221 La fecondità dell'amore coniugale non si riduce alla sola procreazione dei figli, ma deve estendersi alla loro educazione morale e alla loro formazione spirituale. La *funzione educativa dei genitori* « è tanto importante che, se manca, può a stento essere supplita ».[14] Il diritto e il dovere dell'educazione sono, per i genitori, primari e inalienabili.[15] 1653

2222 I genitori devono considerare i loro figli come *figli di Dio* e rispettarli come *persone umane*. Educano i loro figli ad osservare la legge di Dio mostrandosi essi stessi obbedienti alla volontà del Padre dei cieli. 494

2223 I genitori sono i primi responsabili dell'educazione dei loro figli. Testimoniano tale responsabilità innanzitutto con la *creazione di una famiglia*, in cui la tenerezza, il perdono, il rispetto, la fedeltà e il servizio disinteressato rappresentano la norma. Il focolare domestico è un luogo particolarmente adatto per *educare alle virtù*. Questa educazione richiede che si impari l'abnegazione, un retto modo di giudicare, la padronanza di sé, condizioni di ogni vera libertà. I genitori insegneranno ai figli a subordinare « le dimensioni materiali e istintive a quelle interiori e spirituali ».[16] I genitori hanno anche la grave responsabilità di dare ai loro figli buoni esempi. Riconoscendo con franchezza davanti ai figli le proprie mancanze, saranno meglio in grado di guidarli e di correggerli: 1804

> Chi ama il proprio figlio usa spesso la frusta... Chi corregge il proprio figlio ne trarrà vantaggio (*Sir* 30,1-2).
> E voi, padri, non inasprite i vostri figli, ma allevateli nell'educazione e nella disciplina del Signore (*Ef* 6,4).

2224 Il focolare domestico costituisce l'ambito naturale per l'iniziazione dell'essere umano alla solidarietà e alle responsabilità comunitarie. I genitori insegneranno ai figli a guardarsi dai compromessi e dagli sbandamenti che minacciano le società umane. 1939

2225 Dalla grazia del sacramento del Matrimonio, i genitori hanno ricevuto la responsabilità e il privilegio di *evangelizzare i loro figli*. Li inizieranno, fin dai primi anni di vita, ai misteri della fede dei quali essi, per i figli, sono « i primi annunziatori ».[17] Li faranno partecipare alla vita della Chiesa fin dalla più tenera età. I modi di vivere in famiglia possono sviluppare le disposizioni affettive che, per l'intera esistenza, costituiscono autentiche condizioni preliminari e sostegni di una fede viva. 1656

[14] CONC. ECUM. VAT. II, *Gravissimum educationis*, 3.
[15] Cf GIOVANNI PAOLO II, Esort. ap. *Familiaris consortio*, 36.
[16] GIOVANNI PAOLO II, Lett. enc. *Centesimus annus*, 36.
[17] CONC. ECUM. VAT. II, *Lumen gentium*, 11.

2226 L'*educazione alla fede* da parte dei genitori deve incominciare fin dalla più tenera età dei figli. Essa si realizza già allorché i membri della famiglia si aiutano a crescere nella fede attraverso la testimonianza di una vita cristiana vissuta in conformità al Vangelo. La catechesi familiare precede, accompagna e arricchisce le altre forme d'insegnamento della fede. I genitori hanno la missione di insegnare ai figli a pregare e a scoprire la loro vocazione di figli di Dio.[18] La parrocchia è la comunità eucaristica e il cuore della vita liturgica delle famiglie cristiane; è un luogo privilegiato della catechesi dei figli e dei genitori.

2179

2227 I figli, a loro volta, contribuiscono alla *crescita* dei propri genitori *nella santità*.[19] Tutti e ciascuno, con generosità e senza mai stancarsi, si concederanno vicendevolmente il perdono che le offese, i litigi, le ingiustizie e le infedeltà esigono. L'affetto reciproco lo suggerisce. La carità di Cristo lo richiede.[20]

2013

2228 Durante l'infanzia, il rispetto e l'affetto dei genitori si esprimono innanzitutto nella cura e nell'attenzione prodigate nell'allevare i propri figli, e nel *provvedere ai loro bisogni materiali e spirituali*. Durante la loro crescita, il medesimo rispetto e la medesima dedizione portano i genitori ad educare i figli al retto uso della ragione e della libertà.

2229 Primi responsabili dell'educazione dei figli, i genitori hanno il diritto di *scegliere per loro una scuola* rispondente alle proprie convinzioni. È, questo, un diritto fondamentale. I genitori, nei limiti del possibile, hanno il dovere di scegliere le scuole che li possano aiutare nel migliore dei modi nel loro compito di educatori cristiani.[21] I pubblici poteri hanno il dovere di garantire tale diritto dei genitori e di assicurare le condizioni concrete per poterlo esercitare.

2230 Diventando adulti, i figli hanno il dovere e il diritto di *scegliere la propria professione e il proprio stato di vita*. Assumeranno queste nuove responsabilità in un rapporto confidente con i loro genitori, ai quali chiederanno e dai quali riceveranno volentieri avvertimenti e consigli. I genitori avranno cura di non costringere i figli né quanto alla scelta della professione, né quanto a quella del coniuge. Questo dovere di discrezione non impedisce loro, tutt'altro, di aiutarli con sapienti consigli, particolarmente quando progettano di fondare una famiglia.

1625

[18] Cf Conc. Ecum. Vat. II, *Lumen gentium,* 11.
[19] Cf Conc. Ecum. Vat. II, *Gaudium et spes,* 48.
[20] Cf *Mt* 18,21-22; *Lc* 17,4.
[21] Cf Conc. Ecum. Vat. II, *Gravissimum educationis,* 6.

2231 Alcuni non si sposano, al fine di prendersi cura dei propri genitori, o dei propri fratelli e sorelle, di dedicarsi più esclusivamente ad una professione o per altri validi motivi. Costoro possono grandemente contribuire al bene della famiglia umana.

IV. La famiglia e il Regno

2232 I vincoli familiari, sebbene importanti, non sono però assoluti. Quanto più il figlio cresce verso la propria maturità e autonomia umane e spirituali, tanto più la sua specifica vocazione, che viene da Dio, si fa chiara e forte. I genitori rispetteranno tale chiamata e favoriranno la risposta dei propri figli a seguirla. È necessario convincersi che la prima vocazione del cristiano è di *seguire Gesù*: [22] « Chi ama il padre o la madre più di me, non è degno di me; chi ama il figlio o la figlia più di me, non è degno di me » (*Mt* 10,37). 1618

2233 Diventare discepolo di Gesù significa accettare l'invito ad appartenere alla *famiglia di Dio,* a condurre una vita conforme al suo modo di vivere: « Chiunque fa la volontà del Padre mio che è nei cieli, questi è per me fratello, sorella e madre » (*Mt* 12,49). 542

I genitori accoglieranno e rispetteranno con gioia e rendimento di grazie la chiamata rivolta dal Signore a uno dei figli a seguirlo nella verginità per il Regno, nella vita consacrata o nel ministero sacerdotale.

V. Le autorità nella società civile

2234 Il quarto comandamento di Dio ci prescrive anche di onorare tutti coloro che, per il nostro bene, hanno ricevuto da Dio un'autorità nella società. Mette in luce tanto i doveri di chi esercita l'autorità quanto quelli di chi ne beneficia. 1897

Doveri delle autorità civili

2235 Coloro che sono rivestiti d'autorità, la devono esercitare come un servizio. « Colui che vorrà diventare grande tra voi, si farà vostro servo » (*Mt* 20,26). L'esercizio di un'autorità è moralmente delimitato dalla sua origine divina, dalla sua natura ragionevole e dal suo oggetto specifico. Nessuno può comandare o istituire ciò che è contrario alla dignità delle persone e alla legge naturale. 1899

[22] Cf *Mt* 16,25.

2236 L'esercizio dell'autorità mira a rendere evidente una giusta gerarchia dei valori al fine di facilitare l'esercizio della libertà e della responsabilità di tutti. I superiori attuino con saggezza la giustizia distributiva, tenendo conto dei bisogni e della collaborazione di ciascuno, e in vista della concordia e della pace. Abbiano cura che le norme e le disposizioni che danno non inducano in tentazione opponendo l'interesse personale a quello della comunità.[23]

2411

2237 I *poteri politici* sono tenuti a rispettare i diritti fondamentali della persona umana. Cercheranno di attuare con umanità la giustizia, nel rispetto del diritto di ciascuno, soprattutto delle famiglie e dei diseredati.

357

I diritti politici connessi con la cittadinanza possono e devono essere concessi secondo le esigenze del bene comune. Non possono essere sospesi dai pubblici poteri senza un motivo legittimo e proporzionato. L'esercizio dei diritti politici è finalizzato al bene comune della nazione e della comunità umana.

Doveri dei cittadini

1900

2238 Coloro che sono sottomessi all'autorità considereranno i loro superiori come rappresentanti di Dio, che li ha costituiti ministri dei suoi doni:[24] « State sottomessi ad ogni istituzione umana per amore del Signore... Comportatevi come uomini liberi, non servendovi della libertà come di un velo per coprire la malizia, ma come servitori di Dio » (*1 Pt* 2,13.16). La leale collaborazione dei cittadini comporta il diritto, talvolta il dovere, di fare le giuste rimostranze su ciò che a loro sembra nuocere alla dignità delle persone e al bene della comunità.

1915

2239 È *dovere dei cittadini* dare il proprio apporto ai poteri civili per il bene della società in spirito di verità, di giustizia, di solidarietà e di libertà. L'amore e il servizio della *patria* derivano dal dovere di riconoscenza e dall'ordine della carità. La sottomissione alle autorità legittime e il servizio del bene comune esigono dai cittadini che essi compiano la loro funzione nella vita della comunità politica.

2310

2240 La sottomissione all'autorità e la corresponsabilità nel bene comune comportano l'esigenza morale del versamento delle imposte, dell'esercizio del diritto di voto, della difesa del paese:

2265

> Rendete a ciascuno ciò che gli è dovuto: a chi il tributo il tributo; a chi le tasse le tasse; a chi il timore il timore; a chi il rispetto, il rispetto (*Rm* 13,7).

[23] Cf Giovanni Paolo II, Lett. enc. *Centesimus annus,* 25.
[24] Cf *Rm* 13,1-2.

> I cristiani... abitano nella propria patria, ma come pellegrini; partecipano alla vita pubblica come cittadini, ma da tutto sono staccati come stranieri... Obbediscono alle leggi vigenti, ma con la loro vita superano le leggi... Così eccelso è il posto loro assegnato da Dio, e non è lecito disertarlo![25]

L'Apostolo ci esorta ad elevare preghiere ed azioni di grazie « per i re e per tutti quelli che stanno al potere, perché possiamo trascorrere una vita calma e tranquilla con tutta pietà e dignità » (*1 Tm* 2,2). 1900

2241 Le nazioni più ricche sono tenute ad accogliere, nella misura del possibile, lo *straniero* alla ricerca della sicurezza e delle risorse necessarie alla vita, che non gli è possibile trovare nel proprio paese di origine. I pubblici poteri avranno cura che venga rispettato il diritto naturale, che pone l'ospite sotto la protezione di coloro che lo accolgono.

Le autorità politiche, in vista del bene comune, di cui sono responsabili, possono subordinare l'esercizio del diritto di immigrazione a diverse condizioni giuridiche, in particolare al rispetto dei doveri dei migranti nei confronti del paese che li accoglie. L'immigrato è tenuto a rispettare con riconoscenza il patrimonio materiale e spirituale del paese che lo ospita, ad obbedire alle sue leggi, a contribuire ai suoi oneri.

2242 Il cittadino è obbligato in coscienza a non seguire le prescrizioni delle autorità civili quando tali precetti sono contrari alle esigenze dell'ordine morale, ai diritti fondamentali delle persone o agli insegnamenti del Vangelo. Il *rifiuto d'obbedienza* alle autorità civili, quando le loro richieste contrastano con quelle della retta coscienza, trova la sua giustificazione nella distinzione tra il servizio di Dio e il servizio della comunità politica. « Rendete a Cesare quello che è di Cesare e a Dio quello che è di Dio » (*Mt* 22,21). « Bisogna obbedire a Dio piuttosto che agli uomini » (*At* 5,29). 1903 2313 450

> Dove i cittadini sono oppressi da una autorità pubblica che va al di là delle sue competenze, essi non ricusino quelle cose che sono oggettivamente richieste dal bene comune; sia però loro lecito difendere i diritti propri e dei propri concittadini contro gli abusi di questa autorità, nel rispetto dei limiti dettati dalla legge naturale ed evangelica.[26] 1901

2243 La *resistenza* all'oppressione del potere politico non ricorrerà legittimamente alle armi, salvo quando sussistano tutte insieme le seguenti condizioni: 1. in caso di violazioni certe, gravi e prolungate dei diritti fondamentali; 2. dopo che si siano tentate tutte le altre vie; 3. senza che si provochino disordini peggiori; 4. qualora vi sia una fondata speranza di successo; 5. se è impossibile intravedere ragionevolmente soluzioni migliori. 2309

[25] *Lettera a Diogneto,* 5, 5. 10; 6, 10.
[26] Conc. Ecum. Vat. II, *Gaudium et spes,* 74.

La comunità politica e la Chiesa

1910 **2244** Ogni istituzione si ispira, anche implicitamente, ad una visione dell'uomo e del suo destino, da cui deriva i propri criteri di giudizio, la propria gerarchia dei valori, la propria linea di condotta. Nella maggior parte delle 1881 società le istituzioni fanno riferimento ad una certa preminenza dell'uomo sulle cose. Solo la Religione divinamente rivelata ha chiaramente riconosciuto in Dio, Creatore e Redentore, l'origine e il destino dell'uomo. La Chiesa invita i poteri politici a riferire i loro giudizi e le loro decisioni a tale 2109 ispirazione della Verità su Dio e sull'uomo:

> Le società che ignorano questa ispirazione o la rifiutano in nome della loro indipendenza in rapporto a Dio, sono spinte a cercare in se stesse oppure a mutuare da una ideologia i loro riferimenti e il loro fine e, non tollerando che sia affermato un criterio oggettivo del bene e del male, si arrogano sull'uomo e sul suo destino un potere assoluto, dichiarato o non apertamente ammesso, come dimostra la storia.[27]

2245 La Chiesa, che a motivo della sua missione e della sua competenza, 912 non si confonde in alcun modo con la comunità politica, è ad un tempo il segno e la salvaguardia del carattere trascendente della persona umana. « La Chiesa... rispetta e promuove anche la libertà politica e la responsabilità dei cittadini ».[28]

2032 **2246** È proprio della missione della Chiesa « dare il suo giudizio morale anche su cose che riguardano l'ordine politico, quando ciò sia richiesto dai diritti fondamentali della persona e dalla salvezza delle anime. E questo 2420 farà, utilizzando tutti e solo quei mezzi che sono conformi al Vangelo e al bene di tutti, secondo la diversità dei tempi e delle situazioni ».[29]

In sintesi

2247 *« Onora tuo padre e tua madre »* (*Dt* 5,16; *Mc* 7,10).

2248 *Secondo il quarto comandamento, Dio ha voluto che, dopo lui, onoriamo i nostri genitori e coloro che egli, per il nostro bene, ha rivestito d'autorità.*

2249 *La comunità coniugale è stabilita sull'alleanza e sul consenso degli sposi. Il matrimonio e la famiglia sono ordinati al bene dei coniugi, alla procreazione e all'educazione dei figli.*

[27] Cf Giovanni Paolo II, Lett. enc. *Centesimus annus,* 45; 46.
[28] Conc. Ecum. Vat. II, *Gaudium et spes,* 76.
[29] *Ibid.*

2250 *« La salvezza della persona e della società umana e cristiana è strettamente connessa con una felice situazione della comunità coniugale e familiare ».*[30]

2251 *I figli devono ai loro genitori rispetto, riconoscenza, giusta obbedienza e aiuto. Il rispetto filiale favorisce l'armonia di tutta la vita familiare.*

2252 *I genitori sono i primi responsabili dell'educazione dei propri figli alla fede, alla preghiera e a tutte le virtù. Hanno il dovere di provvedere, nella misura del possibile, ai bisogni materiali e spirituali dei propri figli.*

2253 *I genitori devono rispettare e favorire l'educazione dei propri figli. Ricorderanno a se stessi ed insegneranno ai figli che la prima vocazione del cristiano è seguire Gesù.*

2254 *La pubblica autorità è tenuta a rispettare i diritti fondamentali della persona umana e le condizioni per l'esercizio della sua libertà.*

2255 *È dovere dei cittadini collaborare con i poteri civili all'edificazione della società in uno spirito di verità, di giustizia, di solidarietà e di libertà.*

2256 *Il cittadino è obbligato in coscienza a non seguire le prescrizioni delle autorità civili quando tali precetti si oppongono alle esigenze dell'ordine morale. « Bisogna obbedire a Dio piuttosto che agli uomini »* (*At* 5,29).

2257 *Ogni società ispira i propri giudizi e la propria condotta ad una visione dell'uomo e del suo destino. Al di fuori della luce del Vangelo su Dio e sull'uomo, è facile che le società diventino totalitarie.*

Articolo 5

IL QUINTO COMANDAMENTO

Non uccidere (*Es* 20,13).

Avete inteso che fu detto agli antichi: Non uccidere; chi avrà ucciso sarà sottoposto a giudizio. Ma io vi dico: chiunque si adira con il proprio fratello, sarà sottoposto a giudizio (*Mt* 5,21-22).

2258 *« La vita umana è sacra* perché, fin dal suo inizio, comporta l'azione creatrice di Dio e rimane per sempre in una relazione speciale con il Creato- 356

[30] CONC. ECUM. VAT. II, *Gaudium et spes*, 47.

re, suo unico fine. Solo Dio è il Signore della vita dal suo inizio alla sua fine: nessuno, in nessuna circostanza, può rivendicare a sé il diritto di distruggere direttamente un essere umano innocente ».[31]

I. Il rispetto della vita umana

La testimonianza della Storia Sacra

401 2259 La Scrittura, nel racconto dell'uccisione di Abele da parte del fratello Caino,[32] rivela, fin dagli inizi della storia umana, la presenza nell'uomo della collera e della cupidigia, conseguenze del peccato originale. L'uomo è diventato il nemico del suo simile. Dio dichiara la scelleratezza di questo fratricidio: « Che hai fatto? La voce del sangue di tuo fratello grida a me dal suolo! Ora sii maledetto lungi da quel suolo che per opera della tua mano ha bevuto il sangue di tuo fratello » (*Gn* 4,10-11).

2260 L'alleanza di Dio e dell'umanità è intessuta di richiami al dono divino della vita umana e alla violenza omicida dell'uomo:

> Del sangue vostro, ossia della vostra vita, io domando conto... Chi sparge il sangue dell'uomo, dall'uomo il suo sangue sarà sparso, perché ad immagine di Dio egli ha fatto l'uomo (*Gn* 9,5-6).

L'Antico Testamento ha sempre ritenuto il sangue come un segno sacro della vita.[33] Questo insegnamento è necessario in ogni tempo.

2261 La Scrittura precisa la proibizione del quinto comandamento: « Non far morire l'innocente e il giusto » (*Es* 23,7). L'uccisione volontaria di un innocente è gravemente contraria alla dignità dell'essere umano, alla *« regola d'oro »* e alla santità del Creatore. La legge che vieta questo omicidio ha una validità universale: obbliga tutti e ciascuno, sempre e dappertutto. 1756 1956

2262 Nel Discorso della montagna il Signore richiama il precetto: « Non uccidere » (*Mt* 5,21); vi aggiunge la proibizione dell'ira, dell'odio, della vendetta. Ancora di più: Cristo chiede al suo discepolo di porgere l'altra guancia,[34] di amare i propri nemici.[35] Egli stesso non si è difeso e ha ingiunto a Pietro di rimettere la spada nel fodero.[36] 2844

[31] Congregazione per la Dottrina della Fede, Istr. *Donum vitae,* intr. 5, AAS 80 (1988), 70-102.
[32] Cf *Gn* 4,8-12.
[33] Cf *Lv* 17,14.
[34] Cf *Mt* 5,22-39.
[35] Cf *Mt* 5,44.
[36] Cf *Mt* 26,52.

La legittima difesa

2263 La legittima difesa delle persone e delle società non costituisce un'eccezione alla proibizione di uccidere l'innocente, uccisione in cui consiste l'omicidio volontario. « Dalla difesa personale possono seguire due effetti, il primo dei quali è la conservazione della propria vita; mentre l'altro è l'uccisione dell'attentatore... Il primo soltanto è intenzionale, l'altro è involontario ».[37] 1737

2264 L'amore verso se stessi resta un principio fondamentale della moralità. È quindi legittimo far rispettare il proprio diritto alla vita. Chi difende la propria vita non si rende colpevole di omicidio anche se è costretto a infliggere al suo aggressore un colpo mortale: 2196

> Se uno nel difendere la propria vita usa maggior violenza del necessario, il suo atto è illecito. Se invece reagisce con moderazione, allora la difesa è lecita... E non è necessario per la salvezza dell'anima che uno rinunzi alla legittima difesa per evitare l'uccisione di altri: poiché un uomo è tenuto di più a provvedere alla propria vita che alla vita altrui.[38]

2265 La legittima difesa può essere non soltanto un diritto, ma un grave dovere, per chi è responsabile della vita di altri, del bene comune della famiglia o della comunità civile. 2240

2266 Difendere il bene comune della società esige che si ponga l'aggressore in stato di non nuocere. A questo titolo, l'insegnamento tradizionale della Chiesa ha riconosciuto fondato il diritto e il dovere della legittima autorità pubblica di infliggere pene proporzionate alla gravità del delitto, senza escludere, in casi di estrema gravità, la pena di morte. Per analoghi motivi, i detentori dell'autorità hanno il diritto di usare le armi per respingere gli aggressori della comunità civile affidata alla loro responsabilità. 1897-1899 2308

La *pena* ha come primo scopo di riparare al disordine introdotto dalla colpa. Quando è volontariamente accettata dal colpevole, la pena ha valore di espiazione. Inoltre, la pena ha lo scopo di difendere l'ordine pubblico e la sicurezza delle persone. Infine, la pena ha valore medicinale: nella misura del possibile, essa deve contribuire alla correzione del colpevole.[39] 1449

2267 Se i mezzi incruenti sono sufficienti per difendere le vite umane dall'aggressore e per proteggere l'ordine pubblico e la sicurezza delle persone, 2306

[37] San Tommaso d'Aquino, *Summa theologiae,* II-II, 64, 7.
[38] *Ibid.*
[39] Cf *Lc* 23,40-43.

l'autorità si limiterà a questi mezzi, poiché essi sono meglio rispondenti alle condizioni concrete del bene comune e sono più conformi alla dignità della persona umana.

L'omicidio volontario

2268 Il quinto comandamento proibisce come gravemente peccaminoso l'*omicidio diretto e volontario*. L'omicida e coloro che volontariamente cooperano all'uccisione commettono un peccato che grida vendetta al cielo.[40]

1867

L'infanticidio,[41] il fratricidio, il parricidio e l'uccisione del coniuge sono crimini particolarmente gravi a motivo dei vincoli naturali che infrangono. Preoccupazioni eugenetiche o di igiene pubblica non possono giustificare nessuna uccisione, fosse anche comandata dai pubblici poteri.

2269 Il quinto comandamento proibisce qualsiasi azione fatta con l'intenzione di provocare *indirettamente* la morte di una persona. La legge morale vieta tanto di esporre qualcuno ad un rischio mortale senza grave motivo, quanto di rifiutare l'assistenza ad una persona in pericolo.

Tollerare, da parte della società umana, condizioni di miseria che portano alla morte senza che ci si sforzi di porvi rimedio, è una scandalosa ingiustizia e una colpa grave. Quanti nei commerci usano pratiche usuraie e mercantili che provocano la fame e la morte dei loro fratelli in umanità, commettono indirettamente un omicidio, che è loro imputabile.[42]

2290

L'omicidio *involontario* non è moralmente imputabile. Ma non si è scagionati da una colpa grave qualora, senza motivi proporzionati, si è agito in modo tale da causare la morte, anche senza l'intenzione di provocarla.

L'aborto

2270 La vita umana deve essere rispettata e protetta in modo assoluto fin dal momento del concepimento. Dal primo istante della sua esistenza, l'essere umano deve vedersi riconosciuti i diritti della persona, tra i quali il diritto inviolabile di ogni essere innocente alla vita.[43]

1703
357

> Prima di formarti nel grembo materno, ti conoscevo, prima che tu uscissi alla luce, ti avevo consacrato (*Ger* 1,5).[44]
>
> Non ti erano nascoste le mie ossa quando venivo formato nel segreto, intessuto nelle profondità della terra (*Sal* 139,15).

[40] Cf *Gn* 4,10.
[41] Cf Conc. Ecum. Vat. II, *Gaudium et spes,* 51.
[42] Cf *Am* 8,4-10.
[43] Cf Congregazione per la Dottrina della Fede, Istr. *Donum vitae,* I, 1.
[44] Cf *Gb* 10,8-12; *Sal* 22,10-11.

2271 Fin dal primo secolo la Chiesa ha dichiarato la malizia morale di ogni aborto provocato. Questo insegnamento non è mutato. Rimane invariabile. L'aborto diretto, cioè voluto come un fine o come un mezzo, è gravemente contrario alla legge morale:

> Non uccidere il bimbo con l'aborto, e non sopprimerlo dopo la nascita.[45]
>
> Dio, padrone della vita, ha affidato agli uomini l'altissima missione di proteggere la vita, missione che deve essere adempiuta in modo umano. Perciò la vita, una volta concepita, deve essere protetta con la massima cura; e l'aborto come l'infanticidio sono abominevoli delitti.[46]

2272 La cooperazione formale a un aborto costituisce una colpa grave. La Chiesa sanziona con una pena canonica di scomunica questo delitto contro la vita umana. « Chi procura l'aborto, ottenendo l'effetto, incorre nella scomunica latae sententiae »[47] « per il fatto stesso d'aver commesso il delitto »[48] e alle condizioni previste dal Diritto.[49] La Chiesa non intende in tal modo restringere il campo della misericordia. Essa mette in evidenza la gravità del crimine commesso, il danno irreparabile causato all'innocente ucciso, ai suoi genitori e a tutta la società.

1463

2273 Il diritto inalienabile alla vita di ogni individuo umano innocente rappresenta un *elemento costitutivo della società civile e della sua legislazione:*

1930

> « I diritti inalienabili della persona dovranno essere riconosciuti e rispettati da parte della società civile e dell'autorità politica; tali diritti dell'uomo non dipendono né dai singoli individui, né dai genitori e neppure rappresentano una concessione della società e dello Stato: appartengono alla natura umana e sono inerenti alla persona in forza dell'atto creativo da cui ha preso origine. Tra questi diritti fondamentali bisogna, a questo proposito, ricordare... il diritto alla vita e all'integrità fisica di ogni essere umano dal concepimento alla morte ».[50]
>
> « Nel momento in cui una legge positiva priva una categoria di esseri umani della protezione che la legislazione civile deve loro accordare, lo Stato viene a negare l'uguaglianza di tutti davanti alla legge. Quando lo Stato non pone la sua forza al servizio dei diritti di ciascun cittadino, e in particolare di chi è più debole, vengono minati i fondamenti stessi di uno Stato di diritto... Come conseguenza del rispetto e della protezione che vanno accordati al nascituro, a partire dal momento del suo

[45] *Didaché,* 2, 2; cf *Lettera di Barnaba,* 19, 5; *Lettera a Diogneto,* 5, 5; TERTULLIANO, *Apologeticus,* 9.
[46] CONC. ECUM. VAT. II, *Gaudium et spes,* 51.
[47] *Codice di Diritto Canonico,* 1398.
[48] *Ibid.,* 1314.
[49] Cf *ibid.,* 1323-1324.
[50] CONGREGAZIONE PER LA DOTTRINA DELLA FEDE, Istr. *Donum vitae,* III.

concepimento, la legge dovrà prevedere appropriate sanzioni penali per ogni deliberata violazione dei suoi diritti ».[51]

2274 L'embrione, poiché fin dal concepimento deve essere trattato come una persona, dovrà essere difeso nella sua integrità, curato e guarito, per quanto è possibile, come ogni altro essere umano.

La *diagnosi prenatale* è moralmente lecita, se « rispetta la vita e l'integrità dell'embrione e del feto umano ed è orientata alla sua salvaguardia o alla sua guarigione individuale... Ma essa è gravemente in contrasto con la legge morale quando contempla l'eventualità, in dipendenza dai risultati, di provocare un aborto: una diagnosi... non deve equivalere a una sentenza di morte ».[52]

2275 « Si devono ritenere leciti gli interventi sull'embrione umano a patto che rispettino la vita e l'integrità dell'embrione, non comportino per lui rischi sproporzionati, ma siano finalizzati alla sua guarigione, al miglioramento delle sue condizioni di salute o alla sua sopravvivenza individuale ».[53]

« È immorale produrre embrioni umani destinati a essere sfruttati come "materiale biologico" disponibile ».[54]

« Alcuni tentativi d'*intervento sul patrimonio cromosomico o genetico* non sono terapeutici, ma mirano alla produzione di esseri umani selezionati secondo il sesso o altre qualità prestabilite. Queste manipolazioni sono contrarie alla dignità personale dell'essere umano, alla sua integrità e alla sua identità » unica, irrepetibile.[55]

L'eutanasia

1503 2276 Coloro la cui vita è minorata o indebolita richiedono un rispetto particolare. Le persone ammalate o handicappate devono essere sostenute perché possano condurre un'esistenza per quanto possibile normale.

2277 Qualunque ne siano i motivi e i mezzi, l'eutanasia diretta consiste nel mettere fine alla vita di persone handicappate, ammalate o prossime alla morte. Essa è moralmente inaccettabile.

Così un'azione oppure un'omissione che, da sé o intenzionalmente, provoca la morte allo scopo di porre fine al dolore, costituisce un'uccisione gravemente contraria alla dignità della persona umana e al rispetto del Dio vivente, suo Creatore. L'errore di giudizio nel quale si può essere incorsi in buona fede, non muta la natura di quest'atto omicida, sempre da condannare e da escludere.

[51] Congregazione per la Dottrina della Fede, Istr. *Donum vitae,* III.
[52] *Ibid.,* I, 2.
[53] *Ibid.,* I, 3.
[54] *Ibid.,* I, 5.
[55] *Ibid.,* I, 6.

2278 L'interruzione di procedure mediche onerose, pericolose, straordinarie o sproporzionate rispetto ai risultati attesi può essere legittima. In tal caso si ha la rinuncia all'« accanimento terapeutico ». Non si vuole così procurare la morte: si accetta di non poterla impedire. Le decisioni devono essere prese dal paziente, se ne ha la competenza e la capacità, o, altrimenti, da coloro che ne hanno legalmente il diritto, rispettando sempre la ragionevole volontà e gli interessi legittimi del paziente. 1007

2279 Anche se la morte è considerata imminente, le cure che d'ordinario sono dovute ad una persona ammalata non possono essere legittimamente interrotte. L'uso di analgesici per alleviare le sofferenze del moribondo, anche con il rischio di abbreviare i suoi giorni, può essere moralmente conforme alla dignità umana, se la morte non è voluta né come fine né come mezzo, ma è soltanto prevista e tollerata come inevitabile. Le cure palliative costituiscono una forma privilegiata della carità disinteressata. A questo titolo devono essere incoraggiate.

Il suicidio

2280 Ciascuno è responsabile della propria vita davanti a Dio che gliel'ha donata. È lui che ne rimane il sovrano Padrone. Noi siamo tenuti a riceverla con riconoscenza e a preservarla per il suo onore e per la salvezza delle nostre anime. Siamo gli amministratori, non i proprietari della vita che Dio ci ha affidato. Non ne disponiamo. 2258

2281 Il suicidio contraddice la naturale inclinazione dell'essere umano a conservare e a perpetuare la propria vita. Esso è gravemente contrario al giusto amore di sé. Al tempo stesso è un'offesa all'amore del prossimo, perché spezza ingiustamente i legami di solidarietà con la società familiare, nazionale e umana, nei confronti delle quali abbiamo degli obblighi. Il suicidio è contrario all'amore del Dio vivente. 2212

2282 Se è commesso con l'intenzione che serva da esempio, soprattutto per i giovani, il suicidio si carica anche della gravità dello scandalo. La cooperazione volontaria al suicidio è contraria alla legge morale.

Gravi disturbi psichici, l'angoscia o il timore grave della prova, della sofferenza o della tortura possono attenuare la responsabilità del suicida. 1735

2283 Non si deve disperare della salvezza eterna delle persone che si sono date la morte. Dio, attraverso le vie che egli solo conosce, può loro preparare l'occasione di un salutare pentimento. La Chiesa prega per le persone che hanno attentato alla loro vita. 1037

II. Il rispetto della dignità delle persone

Il rispetto dell'anima altrui: lo scandalo

2284 Lo scandalo è l'atteggiamento o il comportamento che induce altri a compiere il male. Chi scandalizza si fa tentatore del suo prossimo. Attenta alla virtù e alla rettitudine; può trascinare il proprio fratello nella morte spirituale. Lo scandalo costituisce una colpa grave se chi lo provoca con azione o omissione induce deliberatamente altri in una grave mancanza.

2847

1903

2285 Lo scandalo assume una gravità particolare a motivo dell'autorità di coloro che lo causano o della debolezza di coloro che lo subiscono. Ha ispirato a nostro Signore questa maledizione: « Chi scandalizza anche uno solo di questi piccoli..., sarebbe meglio per lui che gli fosse appesa al collo una macina girata da asino, e fosse gettato negli abissi del mare » (*Mt* 18,6).[56] Lo scandalo è grave quando a provocarlo sono coloro che, per natura o per funzione, sono tenuti ad insegnare e ad educare gli altri. Gesù lo rimprovera agli scribi e ai farisei: li paragona a lupi rapaci in veste di pecore.[57]

2286 Lo scandalo può essere provocato dalla legge o dalle istituzioni, dalla moda o dall'opinione pubblica.

1887

Così, si rendono colpevoli di scandalo coloro che promuovono leggi o strutture sociali che portano alla degradazione dei costumi e alla corruzione della vita religiosa, o a « condizioni sociali che, volontariamente o no, rendono difficile e praticamente impossibile un comportamento cristiano conforme ai comandamenti ».[58] Analogamente avviene per i capi di imprese i quali danno regolamenti che inducono alla frode, per i maestri che « esasperano » i loro allievi [59] o per coloro che, manipolando l'opinione pubblica, la sviano dai valori morali.

2498

2287 Chi usa i poteri di cui dispone in modo tale da spingere ad agire male, si rende colpevole di scandalo e responsabile del male che, direttamente o indirettamente, ha favorito. « È inevitabile che avvengano scandali, ma guai a colui per cui avvengono » (*Lc* 17,1).

Il rispetto della salute

1503

2288 La vita e la salute fisica sono beni preziosi donati da Dio. Dobbiamo averne ragionevolmente cura, tenendo conto delle necessità altrui e del bene comune.

[56] Cf *1 Cor* 8,10-13.
[57] Cf *Mt* 7,15.
[58] Pio XII, discorso del 1° giugno 1941.
[59] Cf *Ef* 6,4; *Col* 3,21.

La *cura della salute* dei cittadini richiede l'apporto della società perché si abbiano le condizioni d'esistenza che permettano di crescere e di raggiungere la maturità: cibo e indumenti, abitazione, assistenza sanitaria, insegnamento di base, lavoro, previdenza sociale. 1509

2289 Se la morale richiama al rispetto della vita corporea, non ne fa tuttavia un valore assoluto. Essa si oppone ad una concezione neo-pagana, che tende a promuovere il *culto del corpo,* a sacrificargli tutto, a idolatrare la perfezione fisica e il successo sportivo. A motivo della scelta selettiva che tale concezione opera tra i forti e i deboli, essa può portare alla perversione dei rapporti umani. 364 2113

2290 La virtù della temperanza dispone ad *evitare ogni sorta di eccessi,* l'abuso dei cibi, dell'alcool, del tabacco e dei medicinali. Coloro che, in stato di ubriachezza o per uno smodato gusto della velocità, mettono in pericolo l'incolumità altrui e la propria sulle strade, in mare, o in volo, si rendono gravemente colpevoli. 1809

2291 L'*uso della droga* causa gravissimi danni alla salute e alla vita umana. Esclusi i casi di prescrizioni strettamente terapeutiche, costituisce una colpa grave. La produzione clandestina di droghe e il loro traffico sono pratiche scandalose; costituiscono una cooperazione diretta, dal momento che spingono a pratiche gravemente contrarie alla legge morale.

Il rispetto della persona e la ricerca scientifica

2292 Le sperimentazioni scientifiche, mediche o psicologiche, sulle persone o sui gruppi umani, possono concorrere alla guarigione dei malati e al progresso della salute pubblica.

2293 La ricerca scentifica di base come la ricerca applicata costituiscono una espressione significativa della signoria dell'uomo sulla creazione. La scienza e la tecnica sono preziose risorse quando vengono messe al servizio dell'uomo e ne promuovono lo sviluppo integrale a beneficio di tutti; non possono tuttavia, da sole, indicare il senso dell'esistenza e del progresso umano. La scienza e la tecnica sono ordinate all'uomo, dal quale traggono origine e sviluppo; esse, quindi, trovano nella persona e nei suoi valori morali l'indicazione del loro fine e la coscienza dei loro limiti. 159 1703

2294 È illusorio rivendicare la neutralità morale della ricerca scientifica e delle sue applicazioni. D'altra parte, i criteri orientativi non possono essere dedotti né dalla semplice efficacia tecnica, né dall'utilità che può derivarne per gli uni a scapito degli altri, né, peggio ancora, dalle ideologie dominanti. La scienza e la tecnica richiedono, per il loro stesso significato intrinseco, l'incondizionato rispetto dei criteri fondamentali della moralità; devono essere al servizio della persona umana, dei suoi inalienabili diritti, del suo bene vero e integrale, in conformità al progetto e alla volontà di Dio. 2375

2295 Le ricerche o sperimentazioni sull'essere umano non possono legittimare atti in se stessi contrari alla dignità delle persone e alla legge morale. L'eventuale consenso dei soggetti non giustifica simili atti. La sperimentazione sull'essere umano non è moralmente legittima se fa correre rischi sproporzionati o evitabili per la vita o l'integrità fisica e psichica dei soggetti. La sperimentazione sugli esseri umani non è conforme alla dignità della persona se, oltre tutto, viene fatta senza il consenso esplicito del soggetto o dei suoi aventi diritto.

1753

2296 Il *trapianto di organi* non è moralmente accettabile se il donatore o i suoi aventi diritto non vi hanno dato il loro esplicito consenso. Il trapianto di organi è conforme alla legge morale e può essere meritorio se i danni e i rischi fisici e psichici in cui incorre il donatore sono proporzionati al bene che si cerca per il destinatario. È moralmente inammissibile provocare direttamente la mutilazione invalidante o la morte di un essere umano, sia pure per ritardare il decesso di altre persone.

Il rispetto dell'integrità corporea

2297 I *rapimenti e la presa di ostaggi* fanno regnare il terrore e, con la minaccia, esercitano intollerabili pressioni sulle vittime. Essi sono moralmente illeciti. Il *terrorismo,* che minaccia, ferisce e uccide senza discriminazione, è gravemente contrario alla giustizia e alla carità. La *tortura,* che si serve della violenza fisica o morale per strappare confessioni, per punire i colpevoli, per spaventare gli oppositori, per soddisfare l'odio, è contrario al rispetto della persona e della dignità umana. Al di fuori di prescrizioni mediche di carattere strettamente terapeutico, le *amputazioni, mutilazioni o sterilizzazioni direttamente* volontarie praticate a persone innocenti sono contrarie alla legge morale.[60]

2298 Nei tempi passati, da parte delle autorità legittime si è fatto comunemente ricorso a pratiche crudeli per salvaguardare la legge e l'ordine, spesso senza protesta dei pastori della Chiesa, i quali nei loro propri tribunali hanno essi stessi adottato le prescrizioni del diritto romano sulla tortura. Accanto a tali fatti deplorevoli, però, la Chiesa ha sempre insegnato il dovere della clemenza e della misericordia; ha vietato al clero di versare il sangue. Nei tempi recenti è diventato evidente che tali pratiche crudeli non erano né necessarie per l'ordine pubblico, né conformi ai legittimi diritti della persona umana. Al contrario, esse portano alle peggiori degradazioni. Ci si deve adoperare per la loro abolizione. Bisogna pregare per le vittime e per i loro carnefici.

2267

[60] Cf Pio XI, Lett. enc. *Casti connubii:* Denz.-Schönm., 3722.

IL RISPETTO DEI MORTI

2299 Ai moribondi saranno prestate attenzioni e cure per aiutarli a vivere i loro ultimi momenti con dignità e pace. Saranno sostenuti dalla preghiera dei loro congiunti. Costoro si faranno premura affinché i malati ricevano in tempo opportuno i sacramenti che preparano all'incontro con il Dio vivente. 1525

2300 I corpi dei defunti devono essere trattati con rispetto e carità nella fede e nella speranza della risurrezione. La sepoltura dei morti è un'opera di misericordia corporale;[61] rende onore ai figli di Dio, tempi dello Spirito Santo. 1681-1690

2301 L'autopsia dei cadaveri può essere moralmente ammessa per motivi di inchiesta legale o di ricerca scientifica. Il dono gratuito di organi dopo la morte è legittimo e può essere meritorio.

La Chiesa permette la cremazione, se tale scelta non mette in questione la fede nella risurrezione dei corpi.[62]

III. La difesa della pace

LA PACE

2302 Richiamando il comandamento: « Non uccidere » (*Mt* 5,21), nostro Signore chiede la pace del cuore e denuncia l'immoralità dell'ira omicida e dell'odio. 1765

L'*ira* è un desiderio di vendetta. « Desiderare la vendetta per il male di chi va punito è illecito »; ma è lodevole imporre una riparazione « al fine di correggere i vizi e di conservare il bene della giustizia ».[63] Se l'ira si spinge fino al proposito di uccidere il prossimo o di ferirlo in modo brutale, si oppone gravemente alla carità; è un peccato mortale. Il Signore dice: « Chiunque si adira contro il proprio fratello, sarà sottoposto a giudizio » (*Mt* 5,22).

2303 L'*odio* volontario è contrario alla carità. L'odio del prossimo è un peccato quando l'uomo vuole deliberatamente per lui del male. L'odio del prossimo è un peccato grave quando deliberatamente si desidera per lui un grave danno. « Ma io vi dico: amate i vostri nemici e pregate per i vostri persecutori, perché siate figli del Padre vostro celeste... » (*Mt* 5,44-45). 2094 1933

2304 Il rispetto e lo sviluppo della vita umana richiedono la *pace*. La pace non è la semplice assenza della guerra e non può ridursi ad assicurare l'equi- 1909

[61] Cf *Tb* 1,16-18.
[62] Cf *Codice di Diritto Canonico,* 1176, 3.
[63] SAN TOMMASO D'AQUINO, *Summa theologiae,* II-II, 158, 1, ad 3.

librio delle forze contrastanti. La pace non si può ottenere sulla terra senza la tutela dei beni delle persone, la libera comunicazione tra gli esseri umani, il rispetto della dignità delle persone e dei popoli, l'assidua pratica della fratellanza. È la « tranquillità dell'ordine ».[64] È frutto della giustizia[65] ed effetto della carità.[66]

1807

2305 La pace terrena è immagine e frutto della *pace di Cristo,* il « Principe della pace » messianica (*Is* 9,5). Con il sangue della sua croce, egli ha distrutto « in se stesso l'inimicizia » (*Ef* 2,16),[67] ha riconciliato gli uomini con Dio e ha fatto della sua Chiesa il sacramento dell'unità del genere umano e della sua unione con Dio. « Egli è la nostra pace » (*Ef* 2,14). Proclama « beati gli operatori di pace » (*Mt* 5,9).

1468

2306 Coloro che, per la salvaguardia dei diritti dell'uomo, rinunciano all'azione violenta e cruenta e ricorrono a mezzi di difesa che sono alla portata dei più deboli, rendono testimonianza alla carità evangelica, purché ciò si faccia senza pregiudizio per i diritti e i doveri degli altri uomini e delle società. Essi legittimamente attestano la gravità dei rischi fisici e morali del ricorso alla violenza, che causa rovine e morti.[68]

2267

Evitare la guerra

2307 Il quinto comandamento proibisce la distruzione volontaria della vita umana. A causa dei mali e delle ingiustizie che ogni guerra provoca, la Chiesa con insistenza esorta tutti a pregare e ad operare perché la Bontà divina ci liberi dall'antica schiavitù della guerra.[69]

2308 Tutti i cittadini e tutti i governanti sono tenuti ad adoperarsi per evitare le guerre.

« Fintantoché esisterà il pericolo della guerra e non ci sarà un'autorità internazionale competente, munita di forze efficaci, una volta esaurite tutte le possibilità di un pacifico accomodamento, non si potrà negare ai governi il diritto di una legittima difesa ».[70]

2266

2309 Si devono considerare con rigore le strette condizioni che giustificano una *legittima difesa con la forza militare*. Tale decisione, per la sua gravità,

2243

[64] Sant'Agostino, *De civitate Dei,* 19, 13.
[65] Cf *Is* 32,17.
[66] Cf Conc. Ecum. Vat. II, *Gaudium et spes,* 78.
[67] Cf *Col* 1,20-22.
[68] Cf Conc. Ecum. Vat. II, *Gaudium et spes,* 78.
[69] Cf *ibid.,* 81.
[70] *Ibid.,* 79.

è sottomessa a rigorose condizioni di legittimità morale. Occorre contemporaneamente:

— Che il danno causato dall'aggressore alla nazione o alla comunità delle nazioni sia durevole, grave e certo.

— Che tutti gli altri mezzi per porvi fine si siano rivelati impraticabili o inefficaci.

— Che ci siano fondate condizioni di successo.

— Che il ricorso alle armi non provochi mali e disordini più gravi del male da eliminare. Nella valutazione di questa condizione ha un grandissimo peso la potenza dei moderni mezzi di distruzione.

Questi sono gli elementi tradizionali elencati nella dottrina detta della « guerra giusta ».

La valutazione di tali condizioni di legittimità morale spetta al giudizio prudente di coloro che hanno la responsabilità del bene comune. 1897

2310 I pubblici poteri, in questo caso, hanno il diritto e il dovere di imporre ai cittadini gli *obblighi necessari alla difesa nazionale.*

Coloro che si dedicano al servizio della patria nella vita militare sono servitori della sicurezza e della libertà dei popoli. Se rettamente adempiono il loro dovere, concorrono veramente al bene comune della nazione e al mantenimento della pace.[71] 2239 1909

2311 I pubblici poteri provvederanno equamente al caso di coloro che, per motivi di coscienza, ricusano l'uso delle armi; essi sono nondimeno tenuti a prestare qualche altra forma di servizio alla comunità umana.[72] 1782; 1790

2312 La Chiesa e la ragione umana dichiarano la permanente validità della *legge morale durante i conflitti armati.* « Né per il fatto che una guerra è... disgraziatamente scoppiata, diventa per questo lecita ogni cosa tra le parti in conflitto ».[73]

2313 Si devono rispettare e trattare con umanità i non-combattenti, i soldati feriti e i prigionieri.

Le azioni manifestamente contrarie al diritto delle genti e ai suoi principi universali, non diversamente dalle disposizioni che le impongono, sono dei crimini. Non basta un'obbedienza cieca a scusare coloro che vi si sottomet-

[71] CONC. ECUM. VAT. II, *Gaudium et spes,* 79.
[72] Cf *ibid.*
[73] *Ibid.*

tono. Così lo sterminio di un popolo, di una nazione o di una minoranza etnica deve essere condannato come un peccato mortale. Si è moralmente in obbligo di far resistenza agli ordini che comandano un genocidio. 2242

2314 « Ogni atto di guerra che indiscriminatamente mira alla distruzione di intere città o di vaste regioni e dei loro abitanti, è delitto contro Dio e contro la stessa umanità e con fermezza e senza esitazione deve essere condannato ».[74] Un rischio della guerra moderna è di offrire l'occasione di commettere tali crimini a chi detiene armi scientifiche, in particolare atomiche, biologiche o chimiche.

2315 L'*accumulo delle armi* sembra a molti un modo paradossale di dissuadere dalla guerra eventuali avversari. Costoro vedono in esso il più efficace dei mezzi atti ad assicurare la pace tra le nazioni. Riguardo a tale mezzo di dissuasione vanno fatte severe riserve morali. La *corsa agli armamenti* non assicura la pace. Lungi dall'eliminare le cause di guerra, rischia di aggravarle. L'impiego di ricchezze enormi nella preparazione di armi sempre nuove impedisce di soccorrere le popolazioni indigenti;[75] ostacola lo sviluppo dei popoli. L'*armarsi ad oltranza* moltiplica le cause dei conflitti ed aumenta il rischio del loro propagarsi.

1906 2316 *La produzione e il commercio delle armi* toccano il bene comune delle nazioni e della comunità internazionale. Le autorità pubbliche hanno pertanto il diritto e il dovere di regolamentarli. La ricerca di interessi privati o collettivi a breve termine non può legittimare imprese che fomentano la violenza e i conflitti tra le nazioni e che compromettono l'ordine giuridico internazionale.

1938 2538 1941 2317 Le ingiustizie, gli eccessivi squilibri di carattere economico o sociale, l'invidia, la diffidenza e l'orgoglio che dannosamente imperversano tra gli uomini e le nazioni, minacciano incessantemente la pace e causano le guerre. Tutto quanto si fa per eliminare questi disordini contribuisce a costruire la pace e ad evitare la guerra:

> Gli uomini, in quanto peccatori, sono e saranno sempre sotto la minaccia della guerra fino alla venuta di Cristo; ma, in quanto riescono, uniti nell'amore, a vincere il peccato, essi vincono anche la violenza, fino alla realizzazione di quella parola divina: « Con le loro spade costruiranno aratri e falci con le loro lance; nessun popolo prenderà più le armi contro un altro popolo, né si eserciteranno più per la guerra » (*Is* 2,4).[76]

[74] Conc. Ecum. Vat. II, *Gaudium et spes*, 80.
[75] Cf Paolo VI, Lett. enc. *Populorum progressio*, 53.
[76] Conc. Ecum. Vat. II, *Gaudium et spes*, 78.

In sintesi

2318 *Dio « ha in mano l'anima di ogni vivente e il soffio di ogni carne umana »* (*Gb* 12,10).

2319 *Ogni vita umana, dal momento del concepimento fino alla morte, è sacra, perché la persona umana è stata voluta per se stessa ad immagine e somiglianza del Dio vivente e santo.*

2320 *L'uccisione di un essere umano è gravemente contraria alla dignità della persona e alla santità del Creatore.*

2321 *La proibizione dell'omicidio non abroga il diritto di togliere, ad un ingiusto aggressore, la possibilità di nuocere. La legittima difesa è un dovere grave per chi ha la responsabilità della vita altrui o del bene comune.*

2322 *Fin dal concepimento il bambino ha diritto alla vita. L'aborto diretto, cioè voluto come un fine o come un mezzo, è una pratica « vergognosa »,*[77] *gravemente contraria alla legge morale. La Chiesa condanna con una pena canonica di scomunica questo delitto contro la vita umana.*

2323 *Dal momento che deve essere trattato come una persona fin dal concepimento, l'embrione deve essere difeso nella sua integrità, curato e guarito come ogni altro essere umano.*

2324 *L'eutanasia volontaria, qualunque ne siano le forme e i motivi, costituisce un omicidio. È gravemente contraria alla dignità della persona umana e al rispetto del Dio vivente, suo Creatore.*

2325 *Il suicidio è gravemente contrario alla giustizia, alla speranza e alla carità. È proibito dal quinto comandamento.*

2326 *Lo scandalo costituisce una colpa grave quando chi lo provoca con azione o con omissione deliberatamente spinge altri a peccare.*

2327 *Si deve fare tutto ciò che è ragionevolmente possibile per evitare la guerra, dati i mali e le ingiustizie di cui è causa. La Chiesa prega: « Dalla fame, dalla peste e dalla guerra liberaci, Signore ».*

2328 *La Chiesa e la ragione umana dichiarano la permanente validità della legge morale durante i conflitti armati. Le pratiche contrarie al diritto*

[77] CONC. ECUM. VAT. II, *Gaudium et spes,* 27.

delle genti e ai suoi principi universali, deliberatamente messe in atto, sono dei crimini.

2329 *« La corsa agli armamenti è una delle piaghe più gravi dell'umanità e danneggia in modo intollerabile i poveri ».*[78]

2330 *« Beati gli operatori di pace, perché saranno chiamati figli di Dio »* (*Mt* 5,9).

Articolo 6
IL SESTO COMANDAMENTO

Non commettere adulterio (*Es* 20,14; *Dt* 5,18).

Avete inteso che fu detto: « Non commettere adulterio »; ma io vi dico: chiunque guarda una donna per desiderarla, ha già commesso adulterio con lei nel suo cuore (*Mt* 5,27-28).

I. « Maschio e femmina li creò... »

369-373

2331 « Dio è amore e vive in se stesso un mistero di comunione e di amore. Creandola a sua immagine... Dio iscrive nell'umanità dell'uomo e della donna la *vocazione,* e quindi la capacità e la responsabilità *dell'amore* e della comunione ».[79]

1604

« Dio creò l'uomo a sua immagine... maschio e femmina li creò » (*Gn* 1,27); « siate fecondi e moltiplicatevi » (*Gn* 1,28); « quando Dio creò l'uomo, lo fece a somiglianza di Dio; maschio e femmina li creò, li benedisse e li chiamò uomini quando furono creati » (*Gn* 5,1-2).

2332 La *sessualità* esercita un'influenza su tutti gli aspetti della persona umana, nell'unità del suo corpo e della sua anima. Essa concerne particolarmente l'affettività, la capacità di amare e di procreare, e, in un modo più generale, l'attitudine ad intrecciare rapporti di comunione con altri.

362

2333 Spetta a ciascuno, uomo o donna, riconoscere ed accettare la propria *identità* sessuale. La *differenza* e la *complementarietà* fisiche, morali e spirituali sono orientate ai beni del matrimonio e allo sviluppo della vita fami-

[78] CONC. ECUM. VAT. II, *Gaudium et spes,* 81.
[79] GIOVANNI PAOLO II, Esort. ap. *Familiaris consortio,* 11.

liare. L'armonia della coppia e della società dipende in parte dal modo in cui si vivono tra i sessi la complementarietà, il bisogno vicendevole e il reciproco aiuto. 1603

2334 « Creando l'uomo "maschio e femmina", Dio dona la dignità personale in egual modo all'uomo e alla donna ».[80] « L'uomo è una persona, in eguale misura l'uomo e la donna: ambedue infatti sono stati creati ad immagine e somiglianza del Dio personale ».[81] 357

2335 Ciascuno dei due sessi, con eguale dignità, anche se in modo differente, è immagine della potenza e della tenerezza di Dio. *L'unione dell'uomo e della donna* nel matrimonio è una maniera di imitare, nella carne, la generosità e la fecondità del Creatore: « L'uomo abbandonerà suo padre e sua madre e si unirà a sua moglie, e i due saranno una sola carne » (*Gn* 2,24). Da tale unione derivano tutte le generazioni umane.[82] 2205

2336 Gesù è venuto a restaurare la creazione nella purezza delle sue origini. Nel Discorso della montagna dà una interpretazione rigorosa del progetto di Dio: « Avete inteso che fu detto: "Non commettere adulterio"; ma io vi dico: chiunque guarda una donna per desiderarla, ha già commesso adulterio con lei nel suo cuore » (*Mt* 5,27-28). L'uomo non deve separare quello che Dio ha congiunto.[83] 1614

La Tradizione della Chiesa ha considerato il sesto comandamento come inglobante l'insieme della sessualità umana.

II. La vocazione alla castità

2337 La castità esprime la positiva integrazione della sessualità nella persona e conseguentemente l'unità interiore dell'uomo nel suo essere corporeo e spirituale. La sessualità, nella quale si manifesta l'appartenenza dell'uomo al mondo materiale e biologico, diventa personale e veramente umana allorché è integrata nella relazione da persona a persona, nel dono reciproco, totale e illimitato nel tempo, dell'uomo e della donna. 2520

La virtù della castità, quindi, comporta l'integrità della persona e l'integralità del dono.

[80] GIOVANNI PAOLO II, Esort. ap. *Familiaris consortio,* 22; cf CONC. ECUM. VAT. II, *Gaudium et spes,* 49.
[81] GIOVANNI PAOLO II, Lett. ap. *Mulieris dignitatem,* 6.
[82] Cf *Gn* 4,1-2.25-26; 5,1.
[83] Cf *Mt* 19,6.

L'INTEGRITÀ DELLA PERSONA

2338 La persona casta conserva l'integrità delle forze di vita e di amore che sono in lei. Tale integrità assicura l'unità della persona e si oppone a ogni comportamento che la ferirebbe. Non tollera né doppiezza di vita, né doppiezza di linguaggio.[84]

2339 La castità richiede l'*acquisizione del dominio di sé,* che è pedagogia per la libertà umana. L'alternativa è evidente: o l'uomo comanda alle sue passioni e consegue la pace, oppure si lascia asservire da esse e diventa infelice.[85] « La dignità dell'uomo richiede che egli agisca secondo scelte consapevoli e libere, mosso cioè e indotto da convinzioni personali, e non per un cieco impulso o per mera coazione esterna. Ma tale dignità l'uomo la ottiene quando, liberandosi da ogni schiavitù di passioni, tende al suo fine con scelta libera del bene, e si procura da sé e con la sua diligente iniziativa i mezzi convenienti ».[86]

1767

2340 Colui che vuole restar fedele alle promesse del suo Battesimo e resistere alle tentazioni, avrà cura di valersi dei *mezzi* corrispondenti: la conoscenza di sé, la pratica di un'ascesi adatta alle situazioni in cui viene a trovarsi, l'obbedienza ai divini comandamenti, l'esercizio delle virtù morali e la fedeltà alla preghiera. « La continenza in verità ci raccoglie e ci riconduce a quell'unità, che abbiamo perduto disperdendoci nel molteplice ».[87]

2015

2341 La virtù della castità è strettamente dipendente dalla virtù cardinale della *temperanza,* che mira a far condurre dalla ragione le passioni e gli appetiti della sensibilità umana.

1809

2342 Il dominio di sé è un'*opera di lungo respiro.* Non lo si potrà mai ritenere acquisito una volta per tutte. Suppone un impegno da ricominciare ad ogni età della vita.[88] Lo sforzo richiesto può essere maggiore in certi periodi, quelli, per esempio, in cui si forma la personalità, l'infanzia e l'adolescenza.

407

2343 La castità conosce *leggi di crescita,* la quale passa attraverso tappe segnate dall'imperfezione e assai spesso dal peccato. L'uomo virtuoso e casto « si costruisce giorno per giorno, con le sue numerose libere scelte: per questo egli conosce, ama e compie il bene morale secondo tappe di crescita ».[89]

2223

[84] Cf *Mt* 5,37.
[85] Cf *Sir* 1,22.
[86] CONC. ECUM. VAT. II, *Gaudium et spes,* 17.
[87] SANT'AGOSTINO, *Confessiones,* 10, 29, 40.
[88] Cf *Tt* 2,1-6.
[89] GIOVANNI PAOLO II, Esort. ap. *Familiaris consortio,* 34.

2344 La castità rappresenta un impegno eminentemente personale; implica anche uno *sforzo culturale,* poiché « il perfezionamento della persona umana e lo sviluppo della stessa società » sono « tra loro interdipendenti ».[90] La castità suppone il rispetto dei diritti della persona, in particolare quello di ricevere un'informazione ed un'educazione che rispettino le dimensioni morali e spirituali della vita umana.

2525

2345 La castità è una virtù morale. Essa è anche un dono di Dio, una *grazia,* un frutto dello Spirito.[91] Lo Spirito Santo dona di imitare la purezza di Cristo [92] a colui che è stato rigenerato dall'acqua del Battesimo.

1810

L'integralità del dono di sé

2346 La carità è la forma di tutte le virtù. Sotto il suo influsso, la castità appare come una scuola del dono della persona. La padronanza di sé è ordinata al dono di sé. La castità rende colui che la pratica un testimone, presso il prossimo, della fedeltà e della tenerezza di Dio.

1827
210

2347 La virtù della castità si dispiega nell'*amicizia.* Indica al discepolo come seguire ed imitare colui che ci ha scelti come suoi amici,[93] si è totalmente donato a noi e ci rende partecipi della sua condizione divina. La castità è promessa di immortalità.

374

La castità si esprime particolarmente nell'*amicizia per il prossimo.* Coltivata tra persone del medesimo sesso o di sesso diverso, l'amicizia costituisce un gran bene per tutti. Conduce alla comunione spirituale.

Le diverse forme della castità

2348 Ogni battezzato è chiamato alla castità. Il cristiano si è « rivestito di Cristo » (*Gal* 3,27), modello di ogni castità. Tutti i credenti in Cristo sono chiamati a condurre una vita casta secondo il loro particolare stato di vita. Al momento del Battesimo il cristiano si è impegnato a vivere la sua affettività nella castità.

2349 « La castità deve distinguere le persone nei loro differenti stati di vita: le une nella verginità o nel celibato consacrato, un modo eminente di de-

1620

[90] Conc. Ecum. Vat. II, *Gaudium et spes,* 25.
[91] Cf *Gal* 5,22.
[92] Cf *1 Gv* 3,3.
[93] Cf *Gv* 15,15.

dicarsi più facilmente a Dio solo, con cuore indiviso; le altre, nella maniera quale è determinata per tutti dalla legge morale e secondo che siano sposate o celibi ».[94] Le persone sposate sono chiamate a vivere la castità coniugale; le altre praticano la castità nella continenza:

> Ci sono tre forme della virtù di castità: quella degli sposi, quella della vedovanza, infine quella della verginità. Non lodiamo l'una escludendo le altre. Sotto questo aspetto, la disciplina della Chiesa è ricca.[95]

1632 2350 I *fidanzati* sono chiamati a vivere la castità nella continenza. Messi così alla prova, scopriranno il reciproco rispetto, si alleneranno alla fedeltà e alla speranza di riceversi l'un l'altro da Dio. Riserveranno al tempo del matrimonio le manifestazioni di tenerezza proprie dell'amore coniugale. Si aiuteranno vicendevolmente a crescere nella castità.

Le offese alla castità

2351 La *lussuria* è un desiderio disordinato o una fruizione sregolata del piacere venereo. Il piacere sessuale è moralmente disordinato quando è ricercato per se stesso, al di fuori delle finalità di procreazione e di unione.

2352 Per *masturbazione* si deve intendere l'eccitazione volontaria degli organi genitali, al fine di trarne un piacere venereo. « Sia il magistero della Chiesa — nella linea di una tradizione costante — sia il senso morale dei fedeli hanno affermato senza esitazione che la masturbazione è un atto intrinsecamente e gravemente disordinato ». « Qualunque ne sia il motivo, l'uso deliberato della facoltà sessuale al di fuori dei rapporti coniugali normali contraddice essenzialmente la sua finalità ». Il godimento sessuale vi è ricercato al di fuori della « relazione sessuale richiesta dall'ordine morale, quella che realizza, in un contesto di vero amore, l'integro senso della mutua donazione e della procreazione umana ».[96]

Al fine di formulare un equo giudizio sulla responsabilità morale dei soggetti e per orientare l'azione pastorale, si terrà conto dell'immaturità affettiva, della forza delle abitudini contratte, dello stato d'angoscia o degli altri fattori psichici o sociali che attenuano se non addirittura riducono al
1735 minimo la colpevolezza morale.

2353 La *fornicazione* è l'unione carnale tra un uomo e una donna liberi, al di fuori del matrimonio. Essa è gravemente contraria alla dignità delle persone e della sessualità umana naturalmente ordinata sia al bene degli sposi,

[94] Congregazione per la Dottrina della Fede, Dich. *Persona humana,* 11, AAS 68 (1976), 77-96.
[95] Sant'Ambrogio, *De viduis,* 23: PL 153, 225A.
[96] Congregazione per la Dottrina della Fede, Dich. *Persona humana,* 9.

sia alla generazione e all'educazione dei figli. Inoltre è un grave scandalo quando vi sia corruzione dei giovani.

2354 La *pornografia* consiste nel sottrarre all'intimità dei partner gli atti sessuali, reali o simulati, per esibirli deliberatamente a terze persone. Offende la castità perché snatura l'atto coniugale, dono intimo degli sposi l'uno all'altro. Lede gravemente la dignità di coloro che vi si prestano (attori, commercianti, pubblico), poiché l'uno diventa per l'altro l'oggetto di un piacere rudimentale e di un illecito guadagno. Immerge gli uni e gli altri nell'illusione di un mondo irreale. È una colpa grave. Le autorità civili devono impedire la produzione e la diffusione di materiali pornografici. 2523

2355 La *prostituzione* offende la dignità della persona che si prostituisce, ridotta al piacere venereo che procura. Colui che paga pecca gravemente contro se stesso: viola la castità, alla quale lo impegna il Battesimo e macchia il suo corpo, tempio dello Spirito Santo.[97] La prostituzione costituisce una piaga sociale. Normalmente colpisce donne, ma anche uomini, bambini o adolescenti (in questi due ultimi casi il peccato è, al tempo stesso, anche uno scandalo). Il darsi alla prostituzione è sempre gravemente peccaminoso, tuttavia l'imputabilità della colpa può essere attenuata dalla miseria, dal ricatto e dalla pressione sociale. 1735

2356 Lo *stupro* indica l'entrata per effrazione, con violenza, nell'intimità sessuale di una persona. Esso viola la giustizia e la carità. Lo stupro lede profondamente il diritto di ciascuno al rispetto, alla libertà, all'integrità fisica e morale. Arreca un grave danno, che può segnare la vittima per tutta la vita. È sempre un atto intrinsecamente cattivo. Ancora più grave è lo stupro commesso da parte di parenti stretti (incesto) o di educatori ai danni degli allievi che sono loro affidati. 2297 1756 2388

Castità e omosessualità

2357 L'omosessualità designa le relazioni tra uomini o donne che provano un'attrattiva sessuale, esclusiva o predominante, verso persone del medesimo sesso. Si manifesta in forme molto varie lungo i secoli e nelle differenti culture. La sua genesi psichica rimane in gran parte inspiegabile. Appoggiandosi sulla Sacra Scrittura, che presenta le relazioni omosessuali come gravi depravazioni,[98] la Tradizione ha sempre dichiarato che « gli atti di omosessualità sono intrinsecamente disordinati ».[99] Sono contrari alla legge naturale. Precludono all'atto sessuale il dono della vita. Non sono il

[97] Cf *1 Cor* 6,15-20.
[98] Cf *Gn* 19,1-29; *Rm* 1,24-27; *1 Cor* 6,10; *1 Tm* 1,10.
[99] Congregazione per la Dottrina della Fede, Dich. *Persona humana,* 8.

2333 frutto di una vera complementarità affettiva e sessuale. In nessun caso possono essere approvati.

2358 Un numero non trascurabile di uomini e di donne presenta tendenze omosessuali innate. Costoro non scelgono la loro condizione omosessuale; essa costituisce per la maggior parte di loro una prova. Perciò devono essere accolti con rispetto, compassione, delicatezza. A loro riguardo si eviterà ogni marchio di ingiusta discriminazione. Tali persone sono chiamate a realizzare la volontà di Dio nella loro vita, e, se sono cristiane, a unire al sacrificio della croce del Signore le difficoltà che possono incontrare in conseguenza della loro condizione.

2359 Le persone omosessuali sono chiamate alla castità. Attraverso le
2347 virtù della padronanza di sé, educatrici della libertà interiore, mediante il sostegno, talvolta, di un'amicizia disinteressata, con la preghiera e la grazia sacramentale, possono e devono, gradatamente e risolutamente, avvicinarsi alla perfezione cristiana.

III. L'amore degli sposi

2360 La sessualità è ordinata all'amore coniugale dell'uomo e della donna.
1601 Nel matrimonio l'intimità corporale degli sposi diventa un segno e un pegno della comunione spirituale. Tra i battezzati, i legami del matrimonio sono santificati dal sacramento.

2361 « La sessualità, mediante la quale l'uomo e la donna si donano l'uno
1643 all'altra con gli atti propri ed esclusivi degli sposi, non è affatto qualcosa di
2332 puramente biologico, ma riguarda l'intimo nucleo della persona umana come tale. Essa si realizza in modo veramente umano solo se è parte integrante dell'amore con cui l'uomo e la donna si impegnano totalmente l'uno verso l'altra fino alla morte »: [100]

1611

> Tobia si alzò dal letto e disse a Sara: « Sorella, alzati! Preghiamo e domandiamo al Signore che ci dia grazia e salvezza ». Essa si alzò e si misero a pregare e a chiedere che venisse su di loro la salvezza, dicendo: « Benedetto sei tu, Dio dei nostri padri, e benedetto per tutte le generazioni è il tuo nome! Ti benedicano i cieli e tutte le creature per tutti i secoli! Tu hai creato Adamo e hai creato Eva sua moglie, perché gli fosse di aiuto e di sostegno. Da loro due nacque tutto il genere umano. Tu hai detto: non è cosa buona che l'uomo resti solo; facciamogli un aiuto simile a lui. Ora non per lussuria io prendo questa mia parente, ma con rettitudine d'intenzione. Degnati di avere mi-

[100] Giovanni Paolo II, Esort. ap. *Familiaris consortio,* 11.

sericordia di me e di lei e di farci giungere insieme alla vecchiaia ». E dissero insieme: « Amen, amen! ». Poi dormirono per tutta la notte (*Tb* 8,4-9).

2362 « Gli atti coi quali i coniugi si uniscono in casta intimità, sono onorevoli e degni, e, compiuti in modo veramente umano, favoriscono la mutua donazione che essi significano, ed arricchiscono vicendevolmente in gioiosa gratitudine gli sposi stessi ».[101] La sessualità è sorgente di gioia e di piacere:

> Il Creatore stesso... ha stabilito che nella reciproca donazione fisica totale gli sposi provino un piacere e una soddisfazione sia del corpo sia dello spirito. Quindi, gli sposi non commettono nessun male cercando tale piacere e godendone. Accettano ciò che il Creatore ha voluto per loro. Tuttavia gli sposi devono saper restare nei limiti di una giusta moderazione.[102]

2363 Mediante l'unione degli sposi si realizza il duplice fine del matrimonio: il bene degli stessi sposi e la trasmissione della vita. Non si possono disgiungere questi due significati o valori del matrimonio, senza alterare la vita spirituale della coppia e compromettere i beni del matrimonio e l'avvenire della famiglia.

L'amore coniugale dell'uomo e della donna è così posto sotto la duplice esigenza della fedeltà e della fecondità.

La fedeltà coniugale

1646-1648

2364 La coppia coniugale forma una « intima comunità di vita e di amore... fondata dal Creatore e strutturata con leggi proprie ». « È stabilita dal patto coniugale, vale a dire dall'irrevocabile consenso personale ».[103] Gli sposi si donano definitivamente e totalmente l'uno all'altro. Non sono più due, ma ormai formano una carne sola. L'alleanza stipulata liberamente dai coniugi impone loro l'obbligo di conservarne l'unità e l'indissolubilità.[104] « L'uomo non separi ciò che Dio ha congiunto » (*Mc* 10,9).[105]

1603 1615

2365 La fedeltà esprime la costanza nel mantenere la parola data. Dio è fedele. Il sacramento del Matrimonio fa entrare l'uomo e la donna nella fedeltà di Cristo alla sua Chiesa. Mediante la castità coniugale, essi rendono testimonianza a questo mistero di fronte al mondo.

1640

> San Giovanni Crisostomo suggerisce ai giovani sposi di fare questo discorso alla loro sposa: « Ti ho presa tra le mie braccia, ti amo, ti preferisco alla mia stessa vita. Infatti l'esistenza presente è un soffio, e il mio desiderio più vivo è

[101] Conc. Ecum. Vat. II, *Gaudium et spes,* 49.
[102] Pio XII, discorso del 29 ottobre 1951.
[103] Conc. Ecum. Vat. II, *Gaudium et spes,* 48.
[104] Cf *Codice di Diritto Canonico,* 1056.
[105] Cf *Mt* 19,1-12; *1 Cor* 7,10-11.

> di trascorrerla con te in modo tale da avere la certezza che non saremo separati in quella futura... Metto l'amore per te al di sopra di tutto e nulla sarebbe per me più penoso che il non essere sempre in sintonia con te ».[106]

1652-1653 LA FECONDITÀ DEL MATRIMONIO

2366 La fecondità è un dono, un *fine del matrimonio;* infatti l'amore coniugale tende per sua natura ad essere fecondo. Il figlio non viene ad aggiungersi dall'esterno al reciproco amore degli sposi; sboccia al cuore stesso del loro mutuo dono, di cui è frutto e compimento. Perciò la Chiesa, che « sta dalla parte della vita »,[107] « insegna che qualsiasi atto matrimoniale deve rimanere aperto alla trasmissione della vita ».[108] « Tale dottrina, più volte esposta dal magistero della Chiesa, è fondata sulla connessione inscindibile, che Dio ha voluto e che l'uomo non può rompere di sua iniziativa, tra i due significati dell'atto coniugale: il significato unitivo e il significato procreativo ».[109]

2205 2367 Chiamati a donare la vita, gli sposi partecipano della potenza creatrice e della paternità di Dio.[110] « Nel compito di trasmettere la vita umana e di educarla, che deve essere considerato come la loro propria missione, i coniugi sanno di essere *cooperatori dell'amore di Dio Creatore* e come suoi interpreti. E perciò adempiranno il loro dovere con umana e cristiana responsabilità ».[111]

2368 Un aspetto particolare di tale responsabilità riguarda la *regolazione delle nascite*. Per validi motivi gli sposi possono voler distanziare le nascite dei loro figli. Devono però verificare che il loro desiderio non sia frutto di egoismo, ma sia conforme alla giusta generosità di una paternità responsabile. Inoltre regoleranno il loro comportamento secondo i criteri oggettivi della moralità:

> Quando si tratta di comporre l'amore coniugale con la trasmissione responsabile della vita, il carattere morale del comportamento non dipende solo dalla sincera intenzione e dalla valutazione dei motivi, ma va determinato da criteri oggettivi, che hanno il loro fondamento nella natura stessa della persona umana e dei suoi atti, criteri che rispettano, in un contesto di vero amore, l'integro senso della mutua donazione e della procreazione umana; e tutto

[106] SAN GIOVANNI CRISOSTOMO, *Homiliae in ad Ephesios,* 20, 8: PG 62, 146-147.
[107] GIOVANNI PAOLO II, Esort. ap. *Familiaris consortio,* 30.
[108] PAOLO VI, Lett. enc. *Humanae vitae,* 11.
[109] *Ibid.,* 12; cf PIO XI, Lett. enc. *Casti connubii.*
[110] Cf *Ef* 3,14; *Mt* 23,9.
[111] CONC. ECUM. VAT. II, *Gaudium et spes,* 50.

ciò non sarà possibile se non venga coltivata con sincero animo la virtù della castità coniugale.[112]

2369 « Salvaguardando ambedue questi aspetti essenziali, unitivo e procreativo, l'atto coniugale conserva integralmente il senso di mutuo e vero amore e il suo ordinamento all'altissima vocazione dell'uomo alla paternità ».[113]

2370 La continenza periodica, i metodi di regolazione delle nascite basati sull'auto-osservazione e il ricorso ai periodi infecondi [114] sono conformi ai criteri oggettivi della moralità. Tali metodi rispettano il corpo degli sposi, incoraggiano tra loro la tenerezza e favoriscono l'educazione ad una libertà autentica. Al contrario, è intrinsecamente cattiva « ogni azione che, o in previsione dell'atto coniugale, o nel suo compimento, o nello sviluppo delle sue conseguenze naturali, si proponga, come scopo o come mezzo, di impedire la procreazione ».[115]

Al linguaggio nativo che esprime la reciproca donazione totale dei coniugi, la contraccezione impone un linguaggio oggettivamente contradditorio, quello cioè del non donarsi all'altro in totalità: ne deriva non soltanto il positivo rifiuto all'apertura alla vita, ma anche una falsificazione dell'interiore verità dell'amore coniugale, chiamato a donarsi in totalità personale. [Tale differenza antropologica e morale tra la contraccezione e il ricorso ai ritmi periodici] coinvolge in ultima analisi due concezioni della persona e della sessualità umana tra loro irriducibili.[116]

2371 « Sia chiaro a tutti che la vita dell'uomo e il compito di trasmetterla non sono limitati solo a questo tempo e non si possono commisurare e capire in questo mondo soltanto, ma riguardano sempre il *destino eterno degli uomini* ».[117] 1703

2372 Lo Stato è responsabile del benessere dei cittadini. È legittimo che, a questo titolo, prenda iniziative al fine di orientare la demografia della popolazione. Può farlo con un'informazione obiettiva e rispettosa, mai però con imposizioni autoritarie e cogenti. Non può legittimamente sostituirsi all'iniziativa degli sposi, primi responsabili della procreazione e dell'educazione dei propri figli.[118] Non è autorizzato a favorire mezzi di regolazione demografica contrari alla morale. 2209

[112] CONC. ECUM. VAT. II, *Gaudium et spes,* 51.
[113] PAOLO VI, Lett. enc. *Humanae vitae,* 12.
[114] Cf *ibid.,* 16.
[115] *Ibid.,* 14.
[116] GIOVANNI PAOLO II, Esort. ap. *Familiaris consortio,* 32.
[117] CONC. ECUM. VAT. II, *Gaudium et spes,* 51.
[118] Cf PAOLO VI, Lett. enc. *Humanae vitae,* 23; ID., Lett. enc. *Populorum progressio,* 37.

Il dono del figlio

2373 La Sacra Scrittura e la pratica tradizionale della Chiesa vedono nelle *famiglie numerose* un segno della benedizione divina e della generosità dei genitori.[119]

1654 2374 Grande è la sofferenza delle coppie che si scoprono sterili. « Che mi darai? — chiede Abramo a Dio — Io me ne vado senza figli... » (*Gn* 15,2). « Dammi dei figli, se no io muoio! » grida Rachele al marito Giacobbe (*Gn* 30,1).

2293 2375 Le ricerche finalizzate a ridurre la sterilità umana sono da incoraggiare, a condizione che si pongano « al servizio della persona umana, dei suoi diritti inalienabili e del suo bene vero e integrale, secondo il progetto e la volontà di Dio ».[120]

2376 Le tecniche che provocano una dissociazione dei genitori, per l'intervento di una persona estranea alla coppia (dono di sperma o di ovocita, prestito dell'utero) sono gravemente disoneste. Tali tecniche (inseminazione e fecondazione artificiali eterologhe) ledono il diritto del figlio a nascere da un padre e da una madre conosciuti da lui e tra loro legati dal matrimonio. Tradiscono « il diritto esclusivo [degli sposi] a diventare padre e madre soltanto l'uno attraverso l'altro ».[121]

2377 Praticate in seno alla coppia, tali tecniche (inseminazione e fecondazione artificiali omologhe) sono, forse, meno pregiudizievoli, ma rimangono moralmente inaccettabili. Dissociano l'atto sessuale dall'atto procreatore. L'atto che fonda l'esistenza del figli non è più un atto con il quale due persone si donano l'una all'altra, bensì un atto che « affida la vita e l'identità dell'embrione al potere dei medici e dei biologi e instaura un dominio della tecnica sull'origine e sul destino della persona umana. Una siffatta relazione di dominio è in sé contraria alla dignità e alla uguaglianza che dev'essere comune a genitori e figli ».[122] « La procreazione è privata dal punto di vista morale della sua perfezione propria quando non è voluta come il frutto dell'atto coniugale, e cioè del gesto specifico della unione degli sposi...; soltanto il rispetto del legame che esiste tra i significati dell'atto coniugale, e il rispetto dell'unità dell'essere umano consente una procreazione conforme alla dignità della persona ».[123]

2378 Il figlio non è qualcosa di *dovuto,* ma un *dono*. Il « dono più grande del matrimonio » è una persona umana. Il figlio non può essere considerato come oggetto di proprietà: a ciò condurrebbe il riconoscimento di un pre-

[119] Cf Conc. Ecum. Vat. II, *Gaudium et spes,* 50.
[120] Congregazione per la Dottrina della Fede, Istr. *Donum vitae,* intr. 2.
[121] *Ibid.,* II, 2, 2.
[122] *Ibid.,* II, 5.
[123] *Ibid.,* II, 4.

teso « diritto al figlio ». In questo campo, soltanto il figlio ha veri diritti: quello « di essere il frutto dell'atto specifico dell'amore coniugale dei suoi genitori e anche il diritto a essere rispettato come persona dal momento del suo concepimento ».[124]

2379 Il Vangelo mostra che la sterilità fisica non è un male assoluto. Gli sposi che, dopo aver esaurito i legittimi ricorsi alla medicina, soffrono di sterilità, si uniranno alla croce del Signore, sorgente di ogni fecondità spirituale. Essi possono mostrare la loro generosità adottando bambini abbandonati oppure compiendo servizi significativi a favore del prossimo.

IV. Le offese alla dignità del matrimonio

2380 L'*adulterio*. Questa parola designa l'infedeltà coniugale. Quando due partner, di cui almeno uno è sposato, intrecciano tra loro una relazione sessuale, anche episodica, commettono un adulterio. Cristo condanna l'adulterio anche se consumato con il semplice desiderio.[125] Il sesto comandamento e il Nuovo Testamento proibiscono l'adulterio in modo assoluto.[126] I profeti ne denunciano la gravità. Nell'adulterio essi vedono simboleggiato il peccato di idolatria.[127] 1611

2381 L'adulterio è un'ingiustizia. Chi lo commette vien meno agli impegni assunti. Ferisce quel segno dell'Alleanza che è il vincolo matrimoniale, lede il diritto dell'altro coniuge e attenta all'istituto del matrimonio, violando il contratto che lo fonda. Compromette il bene della generazione umana e dei figli, i quali hanno bisogno dell'unione stabile dei genitori. 1640

Il divorzio

2382 Il Signore Gesù ha insistito sull'intenzione originaria del Creatore, che voleva un matrimonio indissolubile.[128] Abolisce le tolleranze che erano state a poco a poco introdotte nella Legge antica.[129] 1614

Tra i battezzati cattolici « il matrimonio rato e consumato non può essere sciolto da nessuna potestà umana e per nessuna causa, eccetto la morte ».[130]

[124] Congregazione per la Dottrina della Fede, Istr. *Donum vitae,* II, 8.
[125] Cf *Mt* 5,27-28.
[126] Cf *Mt* 5,32; 19,6; *Mc* 10,11; *1 Cor* 6,9-10.
[127] Cf *Os* 2,7; *Ger* 5,7; 13,27.
[128] Cf *Mt* 5,31-32; 19,3-9; *Mc* 10,9; *Lc* 16,18; *1 Cor* 7,10-11.
[129] Cf *Mt* 19,7-9.
[130] *Codice di Diritto Canonico,* 1141.

1649 2383 La *separazione* degli sposi con la permanenza del vincolo matrimoniale può essere legittima in certi casi contemplati dal Diritto canonico.[131]

Se il divorzio civile rimane l'unico modo possibile di assicurare certi diritti legittimi, quali la cura dei figli o la tutela del patrimonio, può essere tollerato, senza che costituisca una colpa morale.

1650 2384 Il *divorzio* è una grave offesa alla legge naturale. Esso pretende di sciogliere il patto liberamente stipulato dagli sposi, di vivere l'uno con l'altro fino alla morte. Il divorzio offende l'Alleanza della salvezza, di cui il matrimonio sacramentale è segno. Il fatto di contrarre un nuovo vincolo nuziale, anche se riconosciuto dalla legge civile, accresce la gravità della rottura: il coniuge risposato si trova in tal caso in una condizione di adulterio pubblico e permanente:

> Se il marito, dopo essersi separato dalla propria moglie, si unisce ad un'altra donna, è lui stesso adultero, perché fa commettere un adulterio a tale donna; e la donna che abita con lui è adultera, perché ha attirato a sé il marito di un'altra.[132]

2385 Il carattere immorale del divorzio deriva anche dal disordine che esso introduce nella cellula familiare e nella società. Tale disordine genera gravi danni: per il coniuge, che si trova abbandonato; per i figli, traumatizzati dalla separazione dei genitori, e sovente contesi tra questi; per il suo effetto contagioso, che lo rende una vera piaga sociale.

2386 Può avvenire che uno dei coniugi sia vittima innocente del divorzio pronunciato dalla legge civile; questi allora non contravviene alla norma morale. C'è infatti una differenza notevole tra il coniuge che si è sinceramente sforzato di rimanere fedele al sacramento del Matrimonio e si vede ingiustamente abbandonato, e colui che, per sua grave colpa, distrugge un matrimonio canonicamente valido.[133] 1640

Altre offese alla dignità del matrimonio

2387 Si comprende il dramma di chi, desideroso di convertirsi al Vangelo, si vede obbligato a ripudiare una o più donne con cui ha condiviso anni di vita coniugale. Tuttavia la *poligamia* è in contrasto con la legge morale. 1610 Contraddice radicalmente la comunione coniugale; essa « infatti, nega in

[131] Cf *Codice di Diritto Canonico,* 1151-1155.

[132] San Basilio di Cesarea, *Moralia,* regola 73: PG 31, 849D-853B.

[133] Cf Giovanni Paolo II, Esort. ap. *Familiaris consortio,* 84.

modo diretto il disegno di Dio quale ci viene rivelato alle origini, perché è contraria alla pari dignità personale dell'uomo e della donna, che nel matrimonio si donano con un amore totale e perciò stesso unico ed esclusivo ».[134] Il cristiano che prima era poligamo, per giustizia, ha il grave dovere di rispettare gli obblighi contratti nei confronti di quelle donne che erano sue mogli e dei suoi figli.

2388 L'*incesto* consiste in relazioni intime tra parenti o affini, a un grado che impedisce tra loro il matrimonio.[135] San Paolo stigmatizza questa colpa particolarmente grave: « Si sente da per tutto parlare d'immoralità tra voi... al punto che uno convive con la moglie di suo padre!... Nel nome del Signore nostro Gesù... questo individuo sia dato in balia di Satana per la rovina della sua carne... » (*1 Cor* 5,1.4-5). L'incesto corrompe le relazioni familiari e segna un regresso verso l'animalità. 2356 2207

2389 Si possono collegare all'incesto gli abusi sessuali commessi da adulti su fanciulli o adolescenti affidati alla loro custodia. In tal caso la colpa è, al tempo stesso, uno scandaloso attentato all'integrità fisica e morale dei giovanetti, i quali ne resteranno segnati per tutta la loro vita, ed è altresì una violazione della responsabilità educativa. 2285

2390 Si ha una *libera unione* quando l'uomo e la donna rifiutano di dare una forma giuridica e pubblica a un legame che implica l'intimità sessuale. 1631

L'espressione è fallace: che senso può avere una unione in cui le persone non si impegnano l'una nei confronti dell'altra, e manifestano in tal modo una mancanza di fiducia nell'altro, in se stesso o nell'avvenire?

L'espressione abbraccia situazioni diverse: concubinato, rifiuto del matrimonio come tale, incapacità a legarsi con impegni a lungo termine.[136] Tutte queste situazioni costituiscono un'offesa alla dignità del matrimonio; distruggono l'idea stessa della famiglia; indeboliscono il senso della fedeltà. Sono contrarie alla legge morale: l'atto sessuale deve aver posto esclusivamente nel matrimonio; al di fuori di esso costituisce sempre un peccato grave ed esclude dalla Comunione sacramentale. 2353 1385

2391 Parecchi attualmente reclamano una specie di « *diritto alla prova* » quando c'è intenzione di sposarsi. Qualunque sia la fermezza del proposito di coloro che si impegnano in rapporti sessuali prematuri, tali rapporti « non consentono di assicurare, nella sua sincerità e fedeltà, la relazione in-

[134] Giovanni Paolo II, Esort. ap. *Familiaris consortio,* 19; cf Conc. Ecum. Vat. II, *Gaudium et spes,* 47.
[135] Cf *Lv* 18,7-20.
[136] Cf Giovanni Paolo II, Esort. ap. *Familiaris consortio,* 81.

terpersonale di un uomo e di una donna, e specialmente di proteggerla dalle fantasie e dai capricci ».[137] L'unione carnale è moralmente legittima solo quando tra l'uomo e la donna si sia instaurata una comunità di vita definitiva. L'amore umano non ammette la « prova ». Esige un dono totale e definitivo delle persone tra loro.[138]

2364

In sintesi

2392 *« L'amore è la fondamentale e nativa vocazione di ogni essere umano ».*[139]

2393 *Creando l'essere umano uomo e donna, Dio dona all'uno e all'altra, in modo uguale, la dignità personale. Spetta a ciascuno, uomo e donna, riconoscere e accettare la propria identità sessuale.*

2394 *Cristo è il modello della castità. Ogni battezzato è chiamato a condurre una vita casta, ciascuno secondo lo stato di vita che gli è proprio.*

2395 *La castità significa l'integrazione della sessualità nella persona. Richiede che si acquisisca la padronanza della persona.*

2396 *Tra i peccati gravemente contrari alla castità, vanno citate la masturbazione, la fornicazione, la pornografia e le pratiche omosessuali.*

2397 *L'alleanza liberamente contratta dagli sposi implica un amore fedele. Essa impone loro l'obbligo di conservare l'indissolubilità del loro matrimonio.*

2398 *La fecondità è un bene, un dono, un fine del matrimonio. Donando la vita, gli sposi partecipano della paternità di Dio.*

2399 *La regolazione delle nascite rappresenta uno degli aspetti della paternità e della maternità responsabili. La legittimità delle intenzioni degli sposi non giustifica il ricorso a mezzi moralmente inaccettabili (per es. la sterilizzazione diretta o la contraccezione).*

2400 *L'adulterio e il divorzio, la poligamia e la libera unione costituiscono gravi offese alla dignità del matrimonio.*

[137] Congregazione per la Dottrina della Fede, Dich. *Persona humana,* 7.
[138] Cf Giovanni Paolo II, Esort. ap. *Familiaris consortio,* 80.
[139] *Ibid.,* 11.

Articolo 7
IL SETTIMO COMANDAMENTO

Non rubare (*Es* 20,15; *Dt* 5,19).
Non rubare (*Mt* 19,18).

2401 Il settimo comandamento proibisce di prendere o di tenere ingiustamente i beni del prossimo e di arrecare danno al prossimo nei suoi beni in qualsiasi modo. Esso prescrive la giustizia e la carità nella gestione dei beni materiali e del frutto del lavoro umano. Esige, in vista del bene comune, il rispetto della destinazione universale dei beni e del diritto di proprietà privata. La vita cristiana si sforza di ordinare a Dio e alla carità fraterna i beni di questo mondo. 1807 952

I. La destinazione universale e la proprietà privata dei beni

2402 All'inizio, Dio ha affidato la terra e le sue risorse alla gestione comune dell'umanità, affinché se ne prendesse cura, la dominasse con il suo lavoro e ne godesse i frutti.[140] I beni della creazione sono destinati a tutto il genere umano. Tuttavia la terra è suddivisa tra gli uomini, perché sia garantita la sicurezza della loro vita, esposta alla precarietà e minacciata dalla violenza. L'appropriazione dei beni è legittima al fine di garantire la libertà e la dignità delle persone, di aiutare ciascuno a soddisfare i propri bisogni fondamentali e i bisogni di coloro di cui ha la responsabilità. Tale appropriazione deve consentire che si manifesti una naturale solidarietà tra gli uomini. 226 1939

2403 Il *diritto alla proprietà privata,* acquisita con il lavoro, o ricevuta da altri in eredità, oppure in dono, non elimina l'originaria donazione della terra all'insieme dell'umanità. La *destinazione universale dei beni* rimane primaria, anche se la promozione del bene comune esige il rispetto della proprietà privata, del diritto ad essa e del suo esercizio.

2404 « L'uomo, usando dei beni creati, deve considerare le cose esteriori che legittimamente possiede, non solo come proprie, ma anche come comuni, nel senso che possano giovare non unicamente a lui, ma anche agli altri ».[141] La proprietà di un bene fa di colui che lo possiede un amministratore della Provvidenza, per farlo fruttificare e spartirne i frutti con gli altri, e, in primo luogo, con i propri congiunti. 307

[140] Cf *Gn* 1,26-29.
[141] CONC. ECUM. VAT. II, *Gaudium et spes,* 69.

2405 I beni di produzione — materiali o immateriali — come terreni o stabilimenti, competenze o arti, esigono le cure di chi li possiede, perché la loro fecondità vada a vantaggio del maggior numero di persone. Coloro che possiedono beni d'uso e di consumo devono usarne con moderazione, riservando la parte migliore all'ospite, al malato, al povero.

1903 2406 L'*autorità politica* ha il diritto e il dovere di regolare il legittimo esercizio del diritto di proprietà in funzione del bene comune.[142]

II. Il rispetto delle persone e dei loro beni

2407 In materia economica, il rispetto della dignità umana esige la pratica della virtù della *temperanza,* per moderare l'attaccamento ai beni di questo mondo; della virtù della *giustizia,* per rispettare i diritti del prossimo e dargli ciò che gli è dovuto; e della *solidarietà,* seguendo la regola aurea e secondo la liberalità del Signore, il quale « da ricco che era, si è fatto povero » per noi, perché noi diventassimo « ricchi per mezzo della sua povertà » (*2 Cor* 8,9).

1809 1807 1839

Il rispetto dei beni altrui

2408 Il settimo comandamento proibisce il *furto,* cioè l'usurpazione del bene altrui contro la ragionevole volontà del proprietario. Non c'è furto se il consenso può essere presunto, o se il rifiuto è contrario alla ragione e alla destinazione universale dei beni. È questo il caso della necessità urgente ed evidente, in cui l'unico mezzo per soddisfare bisogni immediati ed essenziali (nutrimento, rifugio, indumenti...) è di disporre e di usare beni altrui.[143]

2409 Ogni modo di prendere e di tenere ingiustamente i beni del prossimo, anche se non è in contrasto con le disposizioni della legge civile, è contrario al settimo comandamento. Così, tenere deliberatamente cose avute in prestito o oggetti smarriti; commettere frode nel commercio;[144] pagare salari ingiusti;[145] alzare i prezzi, speculando sull'ignoranza o sul bisogno altrui.[146]

1867

Sono pure moralmente illeciti: la speculazione, con la quale si agisce per far artificiosamente variare la stima dei beni, in vista di trarne un vantaggio a danno di altri; la corruzione, con la quale si svia il giudizio di coloro che devono prendere deci-

[142] Cf Conc. Ecum. Vat. II, *Gaudium et spes,* 71; Lett. enc. Giovanni Paolo II, *Sollicitudo rei socialis,* 42; Id., Lett. enc. *Centesimus annus,* 40; 48.
[143] Cf Conc. Ecum. Vat. II, *Gaudium et spes,* 69.
[144] Cf *Dt* 25,13-16.
[145] Cf *Dt* 24,14-15; *Gc* 5,4.
[146] Cf *Am* 8,4-6.

sioni in base al diritto; l'appropriazione e l'uso privato dei beni sociali di un'impresa; i lavori eseguiti male, la frode fiscale, la contraffazione di assegni e di fatture, le spese eccessive, lo sperpero. Arrecare volontariamente un danno alle proprietà private o pubbliche è contrario alla legge morale ed esige il risarcimento.

2410 Le *promesse* devono essere mantenute, e i *contratti* rigorosamente osservati nella misura in cui l'impegno preso è moralmente giusto. Una parte rilevante della vita economica e sociale dipende dal valore dei contratti tra le persone fisiche o morali. È il caso dei contratti commerciali di vendita o di acquisto, dei contratti d'affitto o di lavoro. Ogni contratto deve essere stipulato e applicato in buona fede. 2101

2411 I contratti sottostanno alla *giustizia commutativa,* che regola gli scambi tra le persone nel pieno rispetto dei loro diritti. La giustizia commutativa obbliga strettamente; esige la salvaguardia dei diritti di proprietà, il pagamento dei debiti e l'adempimento delle obbligazioni liberamente contrattate. Senza la giustizia commutativa, qualsiasi altra forma di giustizia è impossibile. 1807

Va distinta la giustizia *commutativa* dalla giustizia *legale,* che riguarda ciò che il cittadino deve equamente alla comunità, e dalla giustizia *distributiva,* che regola ciò che la comunità deve ai cittadini in proporzione alle loro prestazioni e ai loro bisogni.

2412 In forza della giustizia commutativa, la *riparazione dell'ingiustizia* commessa esige la restituzione al proprietario di ciò di cui è stato derubato. 1459

Gesù fa l'elogio di Zaccheo per il suo proposito: « Se ho frodato qualcuno, restituisco quattro volte tanto » (*Lc* 19,8). Coloro che, direttamente o indirettamente, si sono appropriati di un bene altrui, sono tenuti a restituirlo, o, se la cosa non c'è più, a rendere l'equivalente in natura o in denaro, come anche a corrispondere i frutti e i profitti che sarebbero stati legittimamente ricavati dal proprietario. Allo stesso modo hanno l'obbligo della restituzione, in proporzione alla loro responsabilità o al vantaggio avutone, tutti coloro che in qualche modo hanno preso parte al furto, oppure ne hanno approfittato con cognizione di causa; per esempio, coloro che l'avessero ordinato, o appoggiato, o avessero ricettato la refurtiva. 2487

2413 I *giochi d'azzardo* (gioco delle carte, ecc.) o le *scommesse* non sono in se stessi contrari alla giustizia. Diventano moralmente inaccettabili allorché privano la persona di ciò che le è necessario per far fronte ai bisogni propri e altrui. La passione del gioco rischia di diventare una grave schiavitù. Truccare le scommesse o barare nei giochi costituisce una mancanza grave, a meno che il danno causato sia tanto lieve da non poter essere ragionevolmente considerato significativo da parte di chi lo subisce.

2414 Il settimo comandamento proibisce gli atti o le iniziative che, per qualsiasi ragione, egoistica o ideologica, mercantile o totalitaria, portano al- 2297 l'*asservimento di esseri umani,* a misconoscere la loro dignità personale, ad acquistarli, a venderli e a scambiarli come fossero merci. Ridurre le persone, con la violenza, ad un valore d'uso oppure ad una fonte di guadagno, è un peccato contro la loro dignità e i loro diritti fondamentali. San Paolo ordinava ad un padrone cristiano di trattare il suo schiavo cristiano « non più come schiavo, ma... come un fratello... come uomo..., nel Signore » (*Fm* 16).

Il rispetto dell'integrità della creazione

226; 358 2415 Il settimo comandamento esige il rispetto dell'integrità della creazione. Gli animali, come le piante e gli esseri inanimati, sono naturalmente destinati al bene comune dell'umanità passata, presente e futura.[147] L'uso delle risorse minerali, vegetali e animali dell'universo non può essere separato 373 dal rispetto delle esigenze morali. La signoria sugli esseri inanimati e sugli altri viventi accordata dal Creatore all'uomo non è assoluta; deve misurarsi con la sollecitudine per la qualità della vita del prossimo, compresa quella 378 delle generazioni future; esige un religioso rispetto dell'integrità della creazione.[148]

2416 Gli *animali* sono creature di Dio. Egli li circonda della sua provvida cura.[149] Con la loro semplice esistenza lo benedicono e gli rendono gloria.[150] Anche gli uomini devono essere benevoli verso di loro. Ci si ricor- 344 derà con quale delicatezza i santi, come san Francesco d'Assisi o san Filippo Neri, trattassero gli animali.

2417 Dio ha consegnato gli animali a colui che egli ha creato a sua immagine.[151] È dunque legittimo servirsi degli animali per provvedere al nutrimento o per confezionare indumenti. Possono essere addomesticati, perché aiutino l'uomo nei suoi lavori e anche a ricrearsi negli svaghi. Le sperimen- 2234 tazioni mediche e scientifiche sugli animali, se rimangono entro limiti ragionevoli, sono pratiche moralmente accettabili, perché contribuiscono a curare o salvare vite umane.

2418 È contrario alla dignità umana far soffrire inutilmente gli animali e disporre indiscriminatamente della loro vita. È pure indegno dell'uomo 2446 spendere per gli animali somme che andrebbero destinate, prioritariamente,

[147] Cf *Gn* 1,28-31.
[148] Cf Giovanni Paolo II, Lett. enc. *Centesimus annus,* 37-38.
[149] Cf *Mt* 6,26.
[150] Cf *Dn* 3,79-81.
[151] Cf *Gn* 2,19-20; 9,1-4.

a sollevare la miseria degli uomini. Si possono amare gli animali; ma non si devono far oggetto di quell'affetto che è dovuto soltanto alle persone.

III. La dottrina sociale della Chiesa

2419 « La Rivelazione cristiana ci guida a un approfondimento delle leggi che regolano la vita sociale ».[152] La Chiesa dal Vangelo riceve la piena rivelazione della verità dell'uomo. Quando compie la sua missione di annunziare il Vangelo, attesta all'uomo, in nome di Cristo, la sua dignità e la sua vocazione alla comunione delle persone; gli insegna le esigenze della giustizia e della pace, conformi alla sapienza divina. 1960 359

2420 La Chiesa dà un giudizio morale, in materia economica e sociale, « quando ciò sia richiesto dai diritti fondamentali della persona o dalla salvezza delle anime ».[153] Per ciò che attiene alla sfera della moralità, essa è investita di una missione distinta da quella delle autorità politiche: la Chiesa si interessa degli aspetti temporali del bene comune in quanto sono ordinati al Bene supremo, nostro ultimo fine. Cerca di inculcare le giuste disposizioni nel rapporto con i beni terreni e nelle relazioni socio-economiche. 2032 2246

2421 La dottrina sociale della Chiesa si è sviluppata nel secolo diciannovesimo, all'epoca dell'impatto del Vangelo con la moderna società industriale, le sue nuove strutture per la produzione dei beni di consumo, la sua nuova concezione della società, dello Stato e dell'autortià, le sue nuove forme di lavoro e di proprietà. Lo sviluppo della dottrina della Chiesa, in materia economica e sociale, attesta il valore permanente dell'insegnamento della Chiesa e, ad un tempo, il vero senso della sua Tradizione sempre viva e vitale.[154]

2422 L'insegnamento sociale della Chiesa costituisce un corpo dottrinale, che si articola man mano che la Chiesa, alla luce di tutta la parola rivelata da Cristo Gesù, con l'assistenza dello Spirito Santo, interpreta gli avvenimenti nel corso della storia.[155] Tale insegnamento diventa tanto più accettabile per gli uomini di buona volontà quanto più profondamente ispira la condotta dei fedeli. 2044

2423 La dottrina sociale della Chiesa propone principi di riflessione; formula criteri di giudizio, offre orientamenti per l'azione:

> Ogni sistema secondo cui i rapporti sociali sarebbero completamente determinati dai fattori economici, è contrario alla natura della persona umana e dei suoi atti.[156]

[152] Conc. Ecum. Vat. II, *Gaudium et spes,* 23.
[153] *Ibid.,* 76.
[154] Cf Giovanni Paolo II, Lett. enc. *Centesimus annus,* 3.
[155] Cf Giovanni Paolo II, Lett. enc. *Sollicitudo rei socialis,* 1; 41.
[156] Cf Giovanni Paolo II, Lett. enc. *Centesimus annus,* 24.

2424 Una teoria che fa del profitto la regola esclusiva e il fine ultimo dell'attività economica è moralmente inaccettabile. Il desiderio smodato del denaro non manca 2317 di produrre i suoi effetti perversi. È una delle cause dei numerosi conflitti che turbano l'ordine sociale.[157]

Un sistema che sacrifica « i diritti fondamentali delle singole persone e dei gruppi all'organizzazione collettiva della produzione » è contrario alla dignità dell'uomo.[158] Ogni pratica che riduce le persone a non essere altro che puri strumenti in funzione del profitto, asservisce l'uomo, conduce all'idolatria del denaro e contribuisce alla diffusione dell'ateismo. « Non potete servire a Dio e a Mammona » (*Mt* 6,24; *Lc* 16,13).

2425 La Chiesa ha rifiutato le ideologie totalitarie e atee associate, nei tempi mo- 676 derni, al « comunismo » o al « socialismo ». Peraltro essa ha pure rifiutato, nella pratica del « capitalismo », l'individualismo e il primato assoluto della legge del mercato sul lavoro umano.[159] La regolazione dell'economia mediante la sola pianificazione centralizzata perverte i legami sociali alla base; la sua regolazione mediante la sola legge del mercato non può attuare la giustizia sociale, perché « esistono numerosi bisogni umani che non hanno accesso al mercato ».[160] È necessario favorire una ragionevole regolazione del mercato e delle iniziative economiche, secondo una giusta 1886 gerarchia dei valori e in vista del bene comune.

IV. L'attività economica e la giustizia sociale

2426 Lo sviluppo delle attività economiche e l'aumento della produzione sono destinati a soddisfare i bisogni degli esseri umani. La vita economica non mira solo ad accrescere la produzione dei beni e ad aumentare il profitto o la potenza; essa è prima di tutto ordinata al servizio delle persone, dell'uomo nella sua integralità e di tutta la comunità umana. Realizzata secondo i propri metodi, l'attività economica deve essere esercitata nell'ambito 1928 dell'ordine morale, nel rispetto della giustizia sociale, in modo che risponda al disegno di Dio sull'uomo.[161]

307 2427 Il *lavoro umano* proviene immediatamente da persone create ad immagine di Dio e chiamate a prolungare, le une con e per le altre, l'opera 378 della creazione sottomettendo la terra.[162] Il lavoro, quindi, è un dovere:

[157] Cf CONC. ECUM. VAT. II, *Gaudium et spes,* 63; GIOVANNI PAOLO II, Lett. enc. *Laborem exercens,* 7; ID., Lett. enc. *Centesimus annus,* 35.
[158] CONC. ECUM. VAT. II, *Gaudium et spes,* 65.
[159] Cf GIOVANNI PAOLO II, Lett. enc. *Centesimus annus,* 10; 13; 44.
[160] *Ibid.,* 34.
[161] Cf CONC. ECUM. VAT. II, *Gaudium et spes,* 64.
[162] Cf *Gn* 1,28; CONC. ECUM. VAT. II, *Gaudium et spes,* 34; GIOVANNI PAOLO II, Lett. enc. *Centesimus annus,* 31.

« Chi non vuol lavorare, neppure mangi » (*2 Ts* 3,10).[163] Il lavoro esalta i doni del Creatore e i talenti ricevuti. Può anche essere redentivo. Sopportando la penosa fatica[164] del lavoro in unione con Gesù, l'artigiano di Nazaret e il crocifisso del Calvario, l'uomo in un certo modo coopera con il Figlio di Dio nella sua opera redentrice. Si mostra discepolo di Cristo portando la croce, ogni giorno, nell'attività che è chiamato a compiere.[165] Il lavoro può essere un mezzo di santificazione e un'animazione delle realtà terrene nello Spirito di Cristo. 531

2428 Nel lavoro la persona esercita e attualizza una parte delle capacità iscritte nella sua natura. Il valore primario del lavoro riguarda l'uomo stesso, che ne è l'autore e il destinatario. Il lavoro è per l'uomo, e non l'uomo per il lavoro.[166] 2834 2185

Ciascuno deve poter trarre dal lavoro i mezzi di sostentamento per la propria vita e per quella dei suoi familiari, e servire la comunità umana.

2429 Ciascuno ha il *diritto di iniziativa economica;* ciascuno userà legittimamente i propri talenti per concorrere a un'abbondanza di cui tutti possano godere, e per raccogliere dai propri sforzi i giusti frutti. Procurerà di conformarsi agli ordinamenti emanati dalle legittime autorità in vista del bene comune.[167]

2430 La *vita economica* chiama in causa interessi diversi, spesso tra loro opposti. Così si spiega l'emergere dei conflitti che la caratterizzano.[168] Si farà di tutto per comporre tali conflitti attraverso negoziati che rispettino i diritti e i doveri di ogni parte sociale: i responsabili delle imprese, i rappresentanti dei lavoratori, per esempio le organizzazioni sindacali, ed, eventuamente, i pubblici poteri.

2431 La *responsabilità dello Stato.* « L'attività economica, in particolare quella dell'economia di mercato, non può svolgersi in un vuoto istituzionale, giuridico e politico. Essa suppone, al contrario, sicurezza circa le garanzie delle libertà individuali e della proprietà, oltre che una moneta stabile e servizi pubblici efficienti. Il principale compito dello Stato, pertanto, è quello di garantire tale sicurezza, di modo che chi lavora possa godere i frutti del proprio lavoro e, quindi, si senta stimolato a compierlo con efficienza e onestà... Compito dello Stato è quello di sorvegliare e guidare l'esercizio dei diritti umani nel settore economico; in questo campo, tuttavia, 1908

[163] Cf *1 Ts* 4,11.
[164] Cf *Gn* 3,14-19.
[165] Cf GIOVANNI PAOLO II, Lett. enc. *Laborem exercens,* 27.
[166] Cf *ibid.,* 6.
[167] Cf GIOVANNI PAOLO II, Lett. enc. *Centesimus annus,* 32; 34.
[168] Cf GIOVANNI PAOLO II, Lett. enc. *Laborem exercens,* 11.

1883 la prima responsabilità non è dello Stato, bensì dei singoli e dei diversi gruppi e associazioni di cui si compone la società ».[169]

2432 I *responsabili di imprese* hanno, davanti alla società, la responsabilità 2415 economica ed ecologica delle loro operazioni.[170] Hanno il dovere di considerare il bene delle persone e non soltanto l'aumento dei *profitti*. Questi, comunque, sono necessari. Permettono di realizzare gli investimenti che assicurano l'avvenire delle imprese. Garantiscono l'occupazione.

2433 L'*accesso al lavoro* e alla professione deve essere aperto a tutti, senza ingiusta discriminazione: a uomini e a donne, a chi è in buone condizioni psico-fisiche e ai disabili, agli autoctoni e agli immigrati.[171] In rapporto alle circostanze, la società deve da parte sua aiutare i cittadini a trovare un lavoro e un impiego.[172]

2434 Il *giusto salario* è il frutto legittimo del lavoro. Rifiutarlo o non darlo 1867 a tempo debito può rappresentare una grave ingiustizia.[173] Per stabilire l'equa remunerazione, si deve tener conto sia dei bisogni sia delle prestazioni di ciascuno. « Il lavoro va remunerato in modo tale da garantire i mezzi sufficienti per permettere al singolo e alla sua famiglia una vita dignitosa su un piano materiale, sociale, culturale e spirituale, corrispondentemente al tipo di attività e grado di rendimento economico di ciascuno, nonché alle condizioni dell'impresa e al bene comune ».[174] Non è sufficiente l'accordo tra le parti a giustificare moralmente l'ammontare del salario.

2435 Lo *sciopero* è moralmente legittimo quando appare come lo strumento inevitabile, o quanto meno necessario, in vista di un vantaggio proporzionato. Diventa moralmente inaccettabile allorché è accompagnato da violenze oppure gli si assegnano obiettivi non direttamente connessi con le condizioni di lavoro o in contrasto con il bene comune.

2436 È ingiusto non versare agli organismi di sicurezza sociale i contributi stabiliti dalle legittime autorità.

La *privazione del lavoro,* a causa della disoccupazione, quasi sempre rappresenta, per chi ne è vittima, un'offesa alla sua dignità e una minaccia per l'equilibrio della vita. Oltre al danno che egli subisce personalmente, numerosi rischi ne derivano per la sua famiglia.[175]

[169] Giovanni Paolo II, Lett. enc. *Centesimus annus,* 48.
[170] Cf *ibid.*, 37.
[171] Cf Giovanni Paolo II, Lett. enc. *Laborem exercens,* 19; 22-23.
[172] Cf Giovanni Paolo II, Lett. enc. *Centesimus annus,* 48.
[173] Cf *Lv* 19,13; *Dt* 24,14-15; *Gc* 5,4.
[174] Conc. Ecum. Vat. II, *Gaudium et spes,* 67.
[175] Cf Giovanni Paolo II, Lett. enc. *Laborem exercens,* 18.

V. Giustizia e solidarietà tra le nazioni

2437 A livello internazionale, la disuguaglianza delle risorse e dei mezzi economici è tale da provocare un vero « fossato » tra le nazioni.[176] Da una parte vi sono coloro che possiedono e incrementano i mezzi dello sviluppo, e, dall'altra, quelli che accumulano i debiti. 1938

2438 Varie cause, di natura religiosa, politica, economica e finanziaria danno oggi « alla questione sociale... una dimensione mondiale ».[177] Tra le nazioni, le cui politiche sono già interdipendenti, è necessaria la solidarietà. E questa diventa indispensabile allorché si tratta di bloccare « i meccanismi perversi » che ostacolano lo sviluppo dei paesi meno progrediti.[178] A sistemi finanziari abusivi se non usurai,[179] a relazioni commerciali inique tra le nazioni, alla corsa agli armamenti si deve sostituire uno sforzo comune per mobilitare le risorse verso obiettivi di sviluppo morale, culturale ed economico, « ridefinendo le priorità e le scale di valori ».[180] 1911 2315

2439 Le *nazioni ricche* hanno una grave responsabilità morale nei confronti di quelle che da se stesse non possono assicurarsi i mezzi del proprio sviluppo o ne sono state impedite in conseguenza di tragiche vicende storiche. Si tratta di un dovere di solidarietà e di carità; ed anche di un obbligo di giustizia, se il benessere delle nazioni ricche proviene da risorse che non sono state equamente pagate.

2440 L'*aiuto diretto* costituisce una risposta adeguata a necessità immediate, eccezionali, causate, per esempio, da catastrofi naturali, da epidemie, ecc. Ma esso non basta a risanare i gravi mali che derivano da situazioni di miseria, né a far fronte in modo duraturo ai bisogni. Occorre anche *riformare le istituzioni* economiche e finanziarie internazionali perché possano promuovere rapporti equi con i paesi meno sviluppati.[181] È necessario sostenere lo sforzo dei paesi poveri che sono alla ricerca del loro sviluppo e della loro liberazione.[182] Questi principi vanno applicati in una maniera tutta particolare nell'ambito del lavoro agricolo. I contadini, specialmente nel Terzo Mondo, costituiscono la massa preponderante dei poveri.

2441 Alla base di ogni *sviluppo completo della società umana* sta la crescita del senso di Dio e della conoscenza di sé. Allora lo sviluppo moltiplica i beni 1908

[176] Cf Giovanni Paolo II, Lett. enc. *Sollicitudo rei socialis,* 14.
[177] *Ibid.,* 9.
[178] Cf *ibid.,* 17; 45.
[179] Cf Giovanni Paolo II, Lett. enc. *Centesimus annus,* 35.
[180] *Ibid.,* 28.
[181] Cf Giovanni Paolo II, Lett. enc. *Sollicitudo rei socialis,* 16.
[182] Cf Giovanni Paolo II, Lett enc. *Centesimus annus,* 26.

materiali e li mette al servizio della persona e della sua libertà. Riduce la miseria e lo sfruttamento economico. Fa crescere il rispetto delle identità culturali e l'apertura alla trascendenza.[183]

2442 Non spetta ai pastori della Chiesa intervenire direttamente nell'azione politica e nell'organizzazione della vita sociale. Questo compito fa parte della vocazione dei *fedeli laici,* i quali operano di propria iniziativa insieme con i loro concittadini. L'azione sociale può implicare una pluralità di vie concrete; comunque, avrà sempre come fine il bene comune e sarà conforme al messaggio evangelico e all'insegnamento della Chiesa. Compete ai fedeli laici « animare, con impegno cristiano, le realtà temporali, e, in esse, mostrare di essere testimoni e operatori di pace e di giustizia ».[184]

899

VI. L'amore per i poveri

2544-2547

2443 Dio benedice coloro che soccorrono i poveri e disapprova coloro che se ne disinteressano: « Da' a chi ti domanda e a chi desidera da te un prestito non volgere le spalle » (*Mt* 5,42). « Gratuitamente avete ricevuto, gratuitamente date » (*Mt* 10,8). Gesù Cristo riconoscerà i suoi eletti proprio da quanto avranno fatto per i poveri.[185] Allorché « ai poveri è predicata la buona novella » (*Mt* 11,5),[186] è segno che Cristo è presente.

786; 525
544; 853

2444 « L'amore della Chiesa per i poveri... appartiene alla sua costante tradizione ».[187] Si ispira al Vangelo delle beatitudini,[188] alla povertà di Gesù[189] e alla sua attenzione per i poveri.[190] L'amore per i poveri è anche una delle motivazioni del dovere di lavorare per far parte dei beni « a chi si trova in necessità » (*Ef* 4,28). Tale amore per i poveri non riguarda soltanto la povertà materiale, ma anche le numerose forme di povertà culturale e religiosa.[191]

1716

2445 L'amore per i poveri è inconciliabile con lo smodato amore per le ricchezze o con il loro uso egoistico:

2536

> E ora a voi, ricchi: piangete e gridate per le sciagure che vi sovrastano! Le vostre ricchezze sono imputridite, le vostre vesti sono state divorate dalle tar-

2547

[183] Cf Giovanni Paolo II, Lett. enc. *Sollicitudo rei socialis,* 32; Id., Lett. enc. *Centesimus annus,* 51.
[184] Giovanni Paolo II, Lett. enc. *Sollicitudo rei socialis,* 47; cf 42.
[185] Cf *Mt* 25,31-46.
[186] Cf *Lc* 4,18.
[187] Giovanni Paolo II, Lett. enc. *Centesimus annus,* 57.
[188] Cf *Lc* 6,20-22.
[189] Cf *Mt* 8,20.
[190] Cf *Mc* 12,41-44.
[191] Cf Giovanni Paolo II, Lett. enc. *Centesimus annus,* 57.

> me; il vostro oro e il vostro argento sono consumati dalla ruggine, la loro ruggine si leverà a testimonianza contro di voi e divorerà le vostre carni come un fuoco. Avete accumulato tesori per gli ultimi giorni! Ecco, il salario da voi defraudato ai lavoratori che hanno mietuto le vostre terre grida; e le proteste dei mietitori sono giunte alle orecchie del Signore degli eserciti. Avete gozzovigliato sulla terra e vi siete saziati di piaceri, vi siete ingrassati per il giorno della strage. Avete condannato e ucciso il giusto ed egli non può opporre resistenza (*Gc* 5,1-6).

2446 San Giovanni Crisostomo lo ricorda con forza: « Non condividere con i poveri i propri beni è defraudarli e togliere loro la vita. Non sono nostri i beni che possediamo: sono dei poveri ».[192] « Siano anzitutto adempiuti gli obblighi di giustizia perché non si offra come dono di carità ciò che è già dovuto a titolo di giustizia ».[193] 2402

> Quando doniamo ai poveri le cose indispensabili, non facciamo loro delle elargizioni personali, ma rendiamo loro ciò che è loro. Più che compiere un atto di carità, adempiamo un dovere di giustizia.[194]

2447 Le *opere di misericordia* sono le azioni caritatevoli con le quali soccorriamo il nostro prossimo nelle sue necessità corporali e spirituali.[195] Istruire, consigliare, consolare, confortare sono opere di misericordia spirituale, come perdonare e sopportare con pazienza. Le opere di misericordia corporale consistono segnatamente nel dare da mangiare a chi ha fame, nell'ospitare i senza tetto, nel vestire chi ha bisogno di indumenti, nel visitare gli ammalati e i prigionieri, nel seppellire i morti.[196] Tra queste opere, fare l'elemosina ai poveri [197] è una delle principali testimonianze della carità fraterna: è pure una pratica di giustizia che piace a Dio: [198] 1460 1038; 1969

> Chi ha due tuniche, ne dia una a chi non ne ha; e chi ha da mangiare faccia altrettanto (*Lc* 3,11). Piuttosto date in elemosina quel che c'è dentro, e tutto sarà puro per voi (*Lc* 11,41). Se un fratello o una sorella sono senza vestiti e sprovvisti del cibo quotidiano e uno di voi dice loro: Andatevene in pace, riscaldatevi e saziatevi », ma non date loro il necessario per il corpo, che giova? (*Gc* 2,15-16).[199] 1004

2448 « Nelle sue molteplici forme — spogliamento materiale, ingiusta oppressione, malattie fisiche e psichiche, e infine la morte — la *miseria umana* è il segno evidente della naturale condizione di debolezza, in cui l'uomo si 886

[192] San Giovanni Crisostomo, *In Lazarum*, 1, 6: PG 48, 992D.
[193] Conc. Ecum. Vat. II, *Apostolicam actuositatem*, 8.
[194] San Gregorio Magno, *Regula pastoralis*, 3, 21.
[195] Cf *Is* 58,6-7; *Eb* 13,3.
[196] Cf *Mt* 25,31-46.
[197] Cf *Tb* 4,5-11; *Sir* 17,17.
[198] Cf *Mt* 6,2-4.
[199] Cf *1 Gv* 3,17.

trova dopo il primo peccato, e del suo bisogno di salvezza. È per questo che essa ha attirato la compassione di Cristo Salvatore, il quale ha voluto prenderla su di sé, e identificarsi con "i più piccoli tra i fratelli". È pure per questo che gli oppressi dalla miseria sono oggetto di *un amore di preferenza* da parte della Chiesa, la quale, fin dalle origini, malgrado l'infedeltà di molti dei suoi membri, non ha cessato di impegnarsi a sollevarli, a difenderli e a liberarli. Ciò ha fatto con innumerevoli opere di beneficenza, che rimangono sempre e dappertutto indispensabili ».[200]

1586

2449 Fin dall'Antico Testamento tutte le varie disposizioni giuridiche (anno di remissione, divieto di prestare denaro a interesse e di trattenere un pegno, obbligo di dare la decima, di pagare ogni giorno il salario ai lavoratori giornalieri, diritto di racimolare e spigolare) sono in consonanza con l'esortazione del Deuteronomio: « I bisognosi non mancheranno mai nel paese; perciò io ti do questo comando e ti dico: Apri generosamente la mano al tuo fratello povero e bisognoso nel tuo paese » (*Dt* 15,11). Gesù fa sua questa parola: « I poveri infatti li avete sempre con voi, ma non sempre avete me » (*Gv* 12,8). Non vanifica con ciò la parola veemente degli antichi profeti: comprano « con denaro gli indigenti e il povero per un paio di sandali... » (*Am* 8,6), ma ci invita a riconoscere la sua presenza nei poveri che sono suoi fratelli:[201]

1397

Il giorno in cui sua madre la rimproverò di accogliere in casa poveri e infermi, santa Rosa da Lima senza esitare le disse: « Quando serviamo i poveri e i malati, serviamo Gesù. Non dobbiamo lasciar mancare l'aiuto al nostro prossimo, perché nei nostri fratelli serviamo Gesù ».[202]

786

In sintesi

2450 *« Non rubare »* (*Dt* 5,19). *« Né ladri, né avari,... né rapaci erediteranno il Regno di Dio »* (*1 Cor* 6,10).

2451 *Il settimo comandamento prescrive la pratica della giustizia e della carità nella gestione dei beni terreni e dei frutti del lavoro umano.*

2452 *I beni della creazione sono destinati all'intero genere umano. Il diritto alla proprietà privata non abolisce la destinazione universale dei beni.*

2453 *Il settimo comandamento proibisce il furto. Il furto consiste nell'usurpare il bene altrui, contro la volontà ragionevole del proprietario.*

[200] Congregazione per la Dottrina della Fede, Istr. *Libertatis conscientia,* 68.
[201] Cf *Mt* 25,40.
[202] P. Hansen, *Vita mirabilis,* Louvain 1668.

2454 *Ogni modo di prendere ed usare ingiustamente i beni altrui è contrario al settimo comandamento. L'ingiustizia commessa esige riparazione. La giustizia commutativa esige la restituzione di ciò che si è rubato.*

2455 *La legge morale proibisce gli atti che, a scopi mercantili o totalitari, provocano l'asservimento di esseri umani, il loro acquisto, la loro vendita, il loro scambio, come fossero merci.*

2456 *Il dominio accordato dal Creatore all'uomo sulle risorse minerali, vegetali e animali dell'universo, non può essere disgiunto dal rispetto degli obblighi morali, compresi quelli che riguardano le generazioni future.*

2457 *Gli animali sono affidati all'uomo, il quale dev'essere benevolo verso di essi. Possono servire alla giusta soddisfazione dei suoi bisogni.*

2458 *La Chiesa dà un giudizio in materia economica e sociale quando i diritti fondamentali della persona o la salvezza delle anime lo esigono. Essa si interessa del bene comune temporale degli uomini in funzione del suo ordinamento al Bene supremo, ultimo nostro fine.*

2459 *L'uomo stesso è l'autore, il centro e il fine di tutta la vita economica e sociale. Il nodo decisivo della questione sociale è che i beni creati da Dio per tutti, in effetti arrivino a tutti, secondo la giustizia e con l'aiuto della carità.*

2460 *Il valore primario del lavoro riguarda l'uomo stesso, il quale ne è l'autore e il destinatario. Mediante il lavoro, l'uomo partecipa all'opera della creazione. Compiuto in unione con Cristo, il lavoro può essere redentivo.*

2461 *Il vero sviluppo è quello dell'uomo nella sua integralità. Si tratta di far crescere la capacità di ogni persona a rispondere alla propria vocazione, quindi alla chiamata di Dio.*[203]

2462 *L'elemosina fatta ai poveri è una testimonianza di carità fraterna: è anche un'opera di giustizia che piace a Dio.*

2463 *Nella moltitudine di esseri umani senza pane, senza tetto, senza fissa dimora, come non riconoscere Lazzaro, il mendicante affamato della parabola?*[204] *Come non risentire Gesù: « Non l'avete fatto a me »* (*Mt* 25,45)?

[203] Cf GIOVANNI PAOLO II, Lett. enc. *Centesimus annus*, 29.
[204] Cf *Lc* 17,19-31.

Articolo 8
L'OTTAVO COMANDAMENTO

Non pronunciare falsa testimonianza contro il tuo prossimo (*Es* 20,16).

Fu detto agli antichi: Non spergiurare, ma adempi con il Signore i tuoi giuramenti (*Mt* 5,33).

2464 L'ottavo comandamento proibisce di falsare la verità nelle relazioni con gli altri. Questa norma morale deriva dalla vocazione del popolo santo ad essere testimone del suo Dio il quale è e vuole la verità. Le offese alla verità esprimono, con parole o azioni, un rifiuto ad impegnarsi nella rettitudine morale: sono profonde infedeltà a Dio e, in tal senso, scalzano le basi dell'Alleanza.

I. Vivere nella verità

215 2465 L'Antico Testamento lo attesta: *Dio è sorgente di ogni verità.* La sua Parola è verità.[205] La sua legge è verità.[206] La sua « fedeltà dura per ogni generazione » (*Sal* 119,90).[207] Poiché Dio è il « Verace » (*Rm* 3,4), i membri del suo popolo sono chiamati a vivere nella verità.[208]

2466 In Gesù Cristo la verità di Dio si è manifestata interamente. « Pieno di grazia e di verità » (*Gv* 1,14), egli è la « luce del mondo » (*Gv* 8,12), egli *è la Verità.*[209] « Chiunque crede » in lui non rimane « nelle tenebre » (*Gv* 12,46). Il discepolo di Gesù rimane fedele alla sua parola, per conoscere la verità che fa liberi [210] e che santifica.[211] Seguire Gesù, è vivere dello « Spirito di verità » (*Gv* 14,17) che il Padre manda nel suo nome [212] e che guida
2153 alla verità tutta intera » (*Gv* 16,13). Ai suoi discepoli Gesù insegna l'amore incondizionato della verità: « Sia il vostro parlare sì, sì; no, no » (*Mt* 5,37).

2467 L'uomo è naturalmente proteso alla verità. Ha il dovere di rispettarla e di attestarla: « A motivo della loro dignità tutti gli uomini, in quanto sono persone,... sono spinti dalla loro stessa natura e tenuti per obbligo morale a

[205] Cf *Prv* 8,7; *2 Sam* 7,28.
[206] Cf *Sal* 119,142.
[207] Cf *Lc* 1,50.
[208] Cf *Sal* 119,30.
[209] Cf *Gv* 14,6.
[210] Cf *Gv* 8,32.
[211] Cf *Gv* 17,17.
[212] Cf *Gv* 14,26.

cercare la verità, in primo luogo quella concernente la religione. E sono pure tenuti ad aderire alla verità conosciuta e ordinare tutta la loro vita secondo le esigenze della verità ».[213] 2104

2468 La verità in quanto rettitudine dell'agire e del parlare umano è detta *veracità,* sincerità o franchezza. La verità o veracità è la virtù che consiste nel mostrarsi veri nei propri atti e nell'affermare il vero nelle proprie parole, rifuggendo dalla doppiezza, dalla simulazione e dall'ipocrisia. 1458

2469 « Sarebbe impossibile la convivenza umana se gli uomini non avessero *confidenza* reciproca, cioè se non si dicessero la verità ».[214] La virtù della verità dà giustamente all'altro quanto gli è dovuto. La veracità rispetta il giusto equilibrio tra ciò che deve essere manifestato e il segreto che deve essere conservato: implica l'onestà e la discrezione. Per giustizia, « un uomo deve onestamente manifestare a un altro la verità ».[215] 1807

2470 Il discepolo di Cristo accetta di « vivere nella verità », cioè nella semplicità di una vita conforme all'esempio del Signore e rimanendo nella sua verità. « Se diciamo che siamo in comunione con lui e camminiamo nelle tenebre, mentiamo e non mettiamo in pratica la verità » (*1 Gv* 1,6).

II. « Rendere testimonianza alla verità »

2471 Davanti a Pilato Cristo proclama di essere « venuto nel mondo per rendere testimonianza alla verità » (*Gv* 18,37). Il cristiano non deve vergognarsi « della testimonianza da rendere al Signore » (*2 Tm* 1,8). Nelle situazioni in cui si richiede che si testimoni la fede, il cristiano ha il dovere di professarla senza equivoci, come ha fatto san Paolo davanti ai suoi giudici. Il credente deve « conservare una coscienza irreprensibile davanti a Dio e davanti agli uomini » (*At* 24,16). 1816

2472 Il dovere dei cristiani di prendere parte alla vita della Chiesa li spinge ad agire come *testimoni del Vangelo* e degli obblighi che ne derivano. Tale testimonianza è trasmissione della fede in parole e opere. La testimonianza è un atto di giustizia che comprova o fa conoscere la verità.[216] 863; 905 1807

> Tutti i cristiani, dovunque vivono, sono tenuti a manifestare con l'esempio della vita e con la testimonianza della parola l'uomo nuovo, che hanno rive-

[213] Conc. Ecum. Vat. II, *Dignitatis humanae,* 2.
[214] San Tommaso d'Aquino, *Summa theologiae,* II-II, 109, 3, ad 1.
[215] *Ibid.,* II-II, 109, 3.
[216] Cf *Mt* 18,16.

stito col Battesimo, e la forza dello Spirito Santo, dal quale sono stati rinvigoriti con la Confermazione.[217]

852 2473 Il *martirio* è la suprema testimonianza resa alla verità della fede; il martire è un testimone che arriva fino alla morte. Egli rende testimonianza a Cristo, morto e risorto, al quale è unito dalla carità. Rende testimonianza 1808 alla verità della fede e della dottrina cristiana. Affronta la morte con un atto di fortezza. « Lasciate che diventi pasto delle belve. Solo così mi sarà con- 1258 cesso di raggiungere Dio ».[218]

2474 Con la più grande cura la Chiesa ha raccolto i ricordi di coloro che, per testimoniare la fede, sono giunti sino alla fine. Si tratta degli Atti dei Martiri. Costituiscono gli archivi della Verità scritti a lettere di sangue:

1011

> Nulla mi gioverebbe tutto il mondo e tutti i regni di quaggiù; per me è meglio morire per [unirmi a] Gesù Cristo, che essere re sino ai confini della terra. Io cerco colui che morì per noi; io voglio colui che per noi risuscitò. Il momento in cui sarò partorito è imminente...[219]

> Ti benedico per avermi giudicato degno di questo giorno e di quest'ora, degno di essere annoverato tra i tuoi martiri... Tu hai mantenuto la tua promessa, o Dio della fedeltà e della verità. Per questa grazia e per tutte le cose, ti lodo, ti benedico, ti rendo gloria per mezzo di Gesù Cristo, sacerdote eterno e onnipotente, Figlio tuo diletto. Per lui, che vive e regna con te e con lo Spirito, sia gloria a te, ora e nei secoli dei secoli. Amen.[220]

III. Le offese alla verità

2475 I discepoli di Cristo hanno rivestito « l'uomo nuovo, creato secondo Dio nella giustizia e nella santità vera » (*Ef* 4,24). Bandita la menzogna,[221] essi hanno deposto « ogni malizia e ogni frode e ipocrisia, le gelosie e ogni maldicenza » (*1 Pt* 2,1).

2152 2476 *Falsa testimonianza e spergiuro.* Una affermazione contraria alla verità, quando è fatta pubblicamente, riveste una gravità particolare. Fatta davanti ad un tribunale, diventa una falsa testimonianza.[222] Quando la si fa sotto giuramento, è uno spergiuro. Simili modi di comportarsi contribuiscono sia alla condanna di un innocente sia alla assoluzione di un colpe-

[217] CONC. ECUM. VAT. II, *Ad gentes,* 11.
[218] SANT'IGNAZIO DI ANTIOCHIA, *Epistula ad Romanos,* 4, 1.
[219] *Ibid.,* 6, 1-2.
[220] SAN POLICARPO, in *Martyrium Polycarpi,* 14, 2-3.
[221] Cf *Ef* 4,25.
[222] Cf *Prv* 19,9.

vole, oppure ad aggravare la pena in cui è incorso l'accusato.[223] Compromettono gravemente l'esercizio della giustizia e l'equità della sentenza pronunciata dai giudici.

2477 Il *rispetto della reputazione* delle persone rende illecito ogni atteggiamento ed ogni parola che possano causare un ingiusto danno.[224] Si rende colpevole:

— di *giudizio temerario* colui che, anche solo tacitamente, ammette come vera, senza sufficiente fondamento, una colpa morale nel prossimo;
— di *maldicenza* colui che, senza un motivo oggettivamente valido, rivela i difetti e le mancanze altrui a persone che li ignorano;[225]
— di *calunnia* colui che, con affermazioni contrarie alla verità, nuoce alla reputazione degli altri e dà occasione a erronei giudizi sul loro conto.

2478 Per evitare il giudizio temerario, ciascuno cercherà di interpretare, per quanto è possibile, in un senso favorevole i pensieri, le parole e le azioni del suo prossimo:

> Ogni buon cristiano deve essere più disposto a salvare l'affermazione del prossimo che a condannarla; e se non la possa salvare, cerchi di sapere quale significato egli le dia; e, se le desse un significato erroneo, lo corregga con amore; e, se non basta, cerchi tutti i mezzi adatti perché, dandole il significato giusto, si salvi.[226]

2479 Maldicenze e calunnie distruggono la *reputazione* e l'*onore del prossimo*. Ora, l'onore è la testimonianza sociale resa alla dignità umana, e ognuno gode di un diritto naturale all'onore del proprio nome, alla propria reputazione e al rispetto. Ecco perché la maldicenza e la calunnia offendono le virtù della giustizia e della carità. 1753

2480 È da bandire qualsiasi parola o atteggiamento che, per *lusinga, adulazione o compiacenza,* incoraggi e confermi altri nella malizia dei loro atti e nella perversità della loro condotta. L'adulazione è una colpa grave se si fa complice di vizi o di peccati gravi. Il desiderio di rendersi utile o l'amicizia non giustificano una doppiezza del linguaggio. L'adulazione è un peccato veniale quando nasce soltanto dal desiderio di riuscire piacevole, evitare un male, far fronte ad una necessità, conseguire vantaggi leciti.

2481 La *iattanza* o millanteria costituisce una colpa contro la verità. Ciò vale anche per l'*ironia* che tende ad intaccare l'apprezzamento di qualcuno

[223] Cf *Prv* 18,5.
[224] Cf *Codice di Diritto Canonico,* 220.
[225] Cf *Sir* 21,28.
[226] Sant'Ignazio di Loyola, *Esercizi spirituali,* 22.

caricaturando, in maniera malevola, un qualche aspetto del suo comportamento.

2482 « La *menzogna* consiste nel dire il falso con l'intenzione di ingannare ».[227] Nella menzogna il Signore denuncia un'opera diabolica: « Voi... avete per padre il diavolo... non vi è verità in lui. Quando dice il falso, parla
392 del suo, perché è menzognero e padre della menzogna » (*Gv* 8,44).

2483 La menzogna è l'offesa più diretta alla verità. Mentire è parlare o agire contro la verità per indurre in errore chi ha il diritto di conoscerla. Ferendo il rapporto dell'uomo con la verità e con il suo prossimo, la menzogna offende la relazione fondamentale dell'uomo e della sua parola con il Signore.

2484 La *gravità della menzogna* si commisura alla natura della verità che
1750 essa deforma, alle circostanze, alle intenzioni del mentitore, ai danni subiti da coloro che ne sono le vittime. Se la menzogna, in sé, non costituisce che un peccato veniale, diventa mortale quando lede in modo grave le virtù della giustizia e della carità.

1756 2485 La menzogna è per sua natura condannabile. È una profanazione della parola, la cui funzione è di comunicare ad altri la verità conosciuta. Il proposito deliberato di indurre il prossimo in errore con affermazioni contrarie alla verità costituisce una mancanza in ordine alla giustizia e alla carità. La colpevolezza è maggiore quando l'intenzione di ingannare rischia di avere conseguenze funeste per coloro che sono sviati dal vero.

2486 La menzogna (essendo una violazione della virtù della veracità) è una autentica violenza fatta all'altro. Lo colpisce nella sua capacità di conoscere, che è la condizione di ogni giudizio e di ogni decisione. Contiene in
1607 germe la divisione degli spiriti e tutti i mali che questa genera. La menzogna è dannosa per ogni società; scalza la fiducia tra gli uomini e lacera il tessuto delle relazioni sociali.

2487 Ogni colpa commessa contro la giustizia e la verità impone il *dovere*
1459 *di riparazione,* anche se il colpevole è stato perdonato. Quando è impossibile riparare un torto pubblicamente, bisogna farlo in privato; a colui che ha subito un danno, qualora non possa essere risarcito direttamente, va data
2412 soddisfazione moralmente, in nome della carità. Tale dovere di riparazione riguarda anche le colpe commesse contro la reputazione altrui. La riparazione, morale e talvolta materiale, deve essere commisurata al danno che è stato arrecato. Essa obbliga in coscienza.

[227] Sant'Agostino, *De mendacio,* 4, 5: PL 40, 491.

IV. Il rispetto della verità

2488 Il *diritto alla comunicazione* della verità non è incondizionato. Ognuno deve conformare la propria vita al precetto evangelico dell'amore fraterno. Questo richiede, nelle situazioni concrete, che si vagli se sia opportuno o no rivelare la verità a chi la domanda. 1740

2489 La carità e il rispetto della verità devono suggerire la risposta ad ogni *richiesta di informazione o di comunicazione*. Il bene e la sicurezza altrui, il rispetto della vita privata, il bene comune sono motivi sufficienti per tacere ciò che è opportuno non sia conosciuto, oppure per usare un linguaggio discreto. Il dovere di evitare lo scandalo spesso esige una discrezione rigorosa. Nessuno è tenuto a palesare la verità a chi non ha il diritto di conoscerla.[228] 2284

2490 Il *segreto del sacramento della Riconciliazione* è sacro, e non può essere violato per nessun motivo. « Il sigillo sacramentale è inviolabile; pertanto non è assolutamente lecito al confessore tradire anche solo in parte il penitente con parole o in qualunque altro modo e per quasiasi causa ».[229] 1467

2491 I *segreti professionali* — di cui sono in possesso, per esempio, uomini politici, militari, medici e giuristi — o le confidenze fatte sotto il sigillo del segreto, devono essere serbati, tranne i casi eccezionali in cui la custodia del segreto dovesse causare a chi li confida, a chi ne viene messo a parte, o a terzi danni molto gravi ed evitabili soltanto mediante la divulgazione della verità. Le informazioni private dannose per altri, anche se non sono state confidate sotto il sigillo del segreto, non devono essere divulgate senza un motivo grave e proporzionato.

2492 Ciascuno deve osservare il giusto riserbo riguardo alla vita privata delle persone. I responsabili della comunicazione devono mantenere un giusto equilibrio tra le esigenze del bene comune e il rispetto dei diritti particolari. L'ingerenza dell'informazione nella vita privata di persone impegnate in un'attività politica o pubblica è da condannare nella misura in cui viola la loro intimità e la loro libertà. 2522

V. L'uso dei mezzi di comunicazione sociale

2493 Nella società moderna i mezzi di comunicazione sociale hanno un ruolo di singolare importanza nell'informazione, nella promozione culturale e nella formazione. Tale ruolo cresce in rapporto ai progressi tecnici, alla

[228] Cf *Sir* 27,16; *Prv* 25,9-10.
[229] *Codice di Diritto Canonico,* 983, 1.

ricchezza e alla varietà delle notizie trasmesse, all'influenza esercitata sull'opinione pubblica.

1906 2494 L'informazione attraverso i mass-media è al servizio del bene comune.[230] La società ha diritto ad un'informazione fondata sulla verità, la libertà, la giustizia e la solidarietà:

> Il retto esercizio di questo diritto richiede che la comunicazione nel suo contenuto sia sempre vera e, salve la giustizia e la carità, integra; inoltre, nel modo, sia onesta e conveniente, cioè rispetti scrupolosamente le leggi morali, i legittimi diritti e la dignità dell'uomo, sia nella ricerca delle notizie, sia nella loro divulgazione.[231]

906 2495 « È necessario che tutti i membri della società assolvano, anche in questo settore, i propri doveri di giustizia e di carità. Perciò si adoperino, anche mediante l'uso di questi strumenti, a formare e a diffondere opinioni pubbliche rette ».[232] La solidarietà appare come una conseguenza di una comunicazione vera e giusta, e della libera circolazione delle idee, che favoriscono la conoscenza ed il rispetto degli altri.

2496 I mezzi di comunicazione sociale (in particolare i mass-media) possono generare una certa passività nei recettori, rendendoli consumatori poco vigili di messaggi o di spettacoli. Di fronte ai mass-media i fruitori si imporranno moderazione e disciplina. Si sentiranno in dovere di formarsi una coscienza illuminata e retta, al fine di resistere più facilmente alle influenze meno oneste.
2525

2497 Proprio per i doveri relativi alla loro professione, i responsabili della stampa hanno l'obbligo, nella diffusione dell'informazione, di servire la verità e di non offendere la carità. Si sforzeranno di rispettare, con pari cura, la natura dei fatti e i limiti del giudizio critico sulle persone. Devono evitare di cadere nella diffamazione.

2237 2498 « Particolari doveri... incombono sull'*autorità civile* in vista del bene comune... È infatti compito della stessa autorità... difendere e proteggere... la vera e giusta libertà di informazione »... « Mediante la promulgazione di leggi e l'efficace loro applicazione » il potere pubblico provvederà affinché dall'abuso dei media « non derivino gravi danni alla moralità pubblica e al progresso della società ».[233] L'autorità civile punirà la violazione dei diritti di ciascuno alla reputazione e al segreto intorno alla vita privata. A tempo debito e onestamente fornirà le informazioni che riguardano il bene generale o danno risposta alle fondate inquietudini della popolazione. Nulla può giustificare il ricorso a false informazioni per manipolare, mediante i mass-media, l'opinione pubblica. Non si attenterà, con simili interventi, alla libertà degli individui e dei gruppi.
2286

2499 La morale denuncia la piaga degli stati totalitari che sistematicamente falsano la verità, esercitano con i mass-media un'egemonia politica sull'opinione

[230] Cf CONC. ECUM. VAT. II, *Inter mirifica,* 11.
[231] *Ibid.,* 5.
[232] *Ibid.,* 8.
[233] *Ibid.,* 12.

pubblica, « manipolano » gli accusati e i testimoni di processi pubblici e credono di consolidare il loro dispotismo soffocando o reprimendo tutto ciò che essi considerano come « delitti d'opinione ». 1903

VI. Verità, bellezza e arte sacra

2500 La pratica del bene si accompagna ad un piacere spirituale gratuito e alla bellezza morale. Allo stesso modo, la verità è congiunta alla gioia e allo splendore della bellezza spirituale. La verità è bella per se stessa. All'uomo, dotato d'intelligenza, è necessaria la verità della parola, espressione razionale della conoscenza della realtà creata ed Increata; ma la verità può anche trovare altre forme di espressione umana, complementari, soprattutto quando si tratta di evocare ciò che essa comporta di indicibile, le profondità del cuore umano, le elevazioni dell'anima, il Mistero di Dio. Ancor prima di rivelarsi all'uomo mediante parole di verità, Dio si rivela a lui per mezzo del linguaggio universale della Creazione, opera della sua Parola, della sua Sapienza: l'ordine e l'armonia del cosmo che sia il bambino sia lo scienziato sanno scoprire , la grandezza e la bellezza delle creature fanno conoscere, per analogia, l'Autore,[234] « perché li ha creati lo stesso Autore della bellezza » (*Sap* 13,3). 1804 341 2129

> La Sapienza è un'emanazione della potenza di Dio, un effluvio genuino della gloria dell'Onnipotente, per questo nulla di contaminato in essa si infiltra. È un riflesso della Luce perenne, uno specchio senza macchia dell'attività di Dio e un'immagine della sua bontà (*Sap* 7,25-26). Essa in realtà è più bella del sole e supera ogni costellazione di astri; paragonata alla luce, risulta superiore; a questa, infatti, succede la notte, ma contro la Sapienza la malvagità non può prevalere (*Sap* 7,29-30). Mi sono innamorato della sua bellezza (*Sap* 8,2).

2501 « Creato ad immagine di Dio » (*Gn* 1,26), l'uomo esprime la verità del suo rapporto con Dio Creatore anche mediante la bellezza delle proprie opere artistiche. L'arte, invero, è una forma di espressione propriamente umana. Al di là dell'inclinazione a soddisfare le necessità vitali, comune a tutte le creature viventi, essa è una sovrabbondanza gratuita della ricchezza interiore dell'essere umano. Frutto di un talento donato dal Creatore e dello sforzo dell'uomo, l'arte è una forma di sapienza pratica che unisce intelligenza e abilità [235] per esprimere la verità di una realtà nel linguaggio accessibile alla vista o all'udito. L'arte comporta inoltre una certa somiglianza con l'attività di Dio nel creato, nella misura in cui trae ispirazione dalla ve- 339

[234] Cf *Sap* 13,5.
[235] Cf *Sap* 7,16-17.

rità e dall'amore per gli esseri. Come ogni altra attività umana, l'arte non ha in sé il proprio fine assoluto, ma è ordinata al fine ultimo dell'uomo e da esso nobilitata.[236]

1156-1162

2502 L'*arte sacra* è vera e bella quando, nella sua forma, corrisponde alla vocazione che le è propria: evocare e glorificare, nella fede e nella adorazione, il Mistero trascendente di Dio, Bellezza eccelsa di Verità e di Amore, apparsa in Cristo « irradiazione della sua gloria e impronta della sua sostanza » (*Eb* 1,3), nel quale « abita corporalmente tutta la pienezza della divinità » (*Col* 2,9), bellezza spirituale riflessa nella Santissima Vergine Madre di Dio, negli Angeli e nei Santi. L'autentica arte sacra conduce l'uomo all'adorazione, alla preghiera e all'amore di Dio Creatore e Salvatore, Santo e Santificatore.

2503 Per questo i vescovi, personalmente o per mezzo di delegati, devono prendersi cura di promuovere l'arte sacra, antica e moderna, in tutte le sue forme, e di tenere lontano con il medesimo zelo, dalla Liturgia e dagli edifici del culto, tutto ciò che non è conforme alla verità della fede e all'autentica bellezza dell'arte sacra.[237]

In sintesi

2504 *« Non pronunciare falsa testimonianza contro il tuo prossimo »* (*Es* 20,16). *I discepoli di Cristo hanno rivestito « l'uomo nuovo, creato secondo Dio nella giustizia e nella santità vera »* (*Ef* 4,24).

2505 *La verità o veracità è la virtù che consiste nel mostrarsi veri nelle proprie azioni e nell'esprimere il vero nelle proprie parole, rifuggendo dalla doppiezza, dalla simulazione e dall'ipocrisia.*

2506 *Il cristiano non deve vergognarsi « della testimonianza da rendere al Signore »* (*2 Tm* 1,8) *in atti e parole. Il martirio è la suprema testimonianza resa alla verità della fede.*

2507 *Il rispetto della reputazione e dell'onore delle persone proibisce ogni atteggiamento o parola di maldicenza o di calunnia.*

2508 *La menzogna consiste nel dire il falso con l'intenzione di ingannare il prossimo, il quale ha diritto alla verità.*

2509 *Una colpa commessa contro la verità esige riparazione.*

[236] Cf Pio XII, discorso del 25 dicembre 1955 e discorso del 3 settembre 1950.
[237] Cf Conc. Ecum. Vat. II, *Sacrosanctum concilium,* 122-127.

2510 *La « regola d'oro » aiuta a discernere, nelle situazioni concrete, se sia o non sia opportuno palesare la verità a chi la domanda.*

2511 *« Il sigillo sacramentale è inviolabile ».*[238] *I segreti professionali vanno serbati. Le confidenze pregiudizievoli per altri non devono essere divulgate.*

2512 *La società ha diritto a un'informazione fondata sulla verità, sulla libertà, sulla giustizia. È opportuno imporsi moderazione e disciplina nell'uso dei mezzi di comunicazione sociale.*

2513 *Le belle arti, ma soprattutto l'arte sacra, « per loro natura, hanno relazione con l'infinita bellezza divina, che deve essere in qualche modo espressa dalle opere dell'uomo, e sono tanto più orientate a Dio e all'incremento della sua lode e della sua gloria, in quanto nessun altro fine è loro assegnato se non di contribuire quanto più efficacemente possibile... a indirizzare pienamente le menti degli uomini a Dio ».*[239]

Articolo 9
IL NONO COMANDAMENTO

Non desiderare la casa del tuo prossimo. Non desiderare la moglie del tuo prossimo, né il suo schiavo, né la sua schiava, né il suo bue, né il suo asino, né alcuna cosa che appartenga al tuo prossimo (*Es* 20,17).

Chiunque guarda una donna per desiderarla, ha già commesso adulterio con lei nel suo cuore (*Mt* 5,28).

2514 San Giovanni distingue tre tipi di smodato desiderio o concupiscenza: la concupiscenza della carne, la concupiscenza degli occhi e la superbia della vita.[240] Secondo la tradizione catechistica cattolica, il nono comandamento proibisce la concupiscenza carnale; il decimo la concupiscenza dei beni altrui. 377; 400

2515 La « concupiscenza », nel senso etimologico, può designare ogni forma veemente di desiderio umano. La teologia cristiana ha dato a questa parola il significato specifico di moto dell'appetito sensibile che si oppone ai dettami della ragione umana. L'Apostolo san Paolo la identifica con l'oppo- 405

[238] *Codice di Diritto Canonico,* 983, 1.
[239] CONC. ECUM. VAT. II, *Sacrosanctum concilium,* 122.
[240] Cf *1 Gv* 2,16.

sizione della « carne » allo « spirito ».[241] È conseguenza della disobbedienza del primo peccato.[242] Ingenera disordine nelle facoltà morali dell'uomo e, senza essere in se stessa un peccato, inclina l'uomo a commettere il peccato.[243]

362 2516 Già nell'uomo, essendo un essere *composto, spirito e corpo,* esiste una certa tensione, si svolge una certa lotta di tendenze tra lo « spirito » e la « carne ». Ma essa di fatto appartiene all'eredità del peccato, ne è una conseguenza e, al tempo stesso, una conferma. Fa parte dell'esperienza quoti-
407 diana del combattimento spirituale:

> Per l'Apostolo non si tratta di discriminare e di condannare il corpo, che con l'anima spirituale costituisce la natura dell'uomo e la sua soggettività personale; egli si occupa invece delle opere, o meglio delle stabili disposizioni — virtù e vizi — moralmente *buone o cattive,* che sono frutto di *sottomissione* (nel primo caso) oppure di *resistenza* (nel secondo) all'*azione salvifica dello Spirito Santo.* Perciò l'Apostolo scrive: « Se pertanto viviamo dello Spirito, camminiamo anche secondo lo Spirito » (*Gal* 5,25).[244]

I. La purificazione del cuore

368 2517 Il cuore è la sede della personalità morale: « Dal cuore provengono i propositi malvagi, gli omicidi, gli adultèri, le prostituzioni » (*Mt* 15,19). La lotta contro la concupiscenza carnale passa attraverso la purificazione del
1809 cuore e la pratica della temperanza:

> Conservati nella semplicità, nell'innocenza, e sarai come i bambini, i quali non conoscono il male che devasta la vita degli uomini.[245]

2518 La sesta beatitudine proclama: « Beati i puri di cuore, perché vedranno Dio » (*Mt* 5,8). I « puri di cuore » sono coloro che hanno accordato la propria intelligenza e la propria volontà alle esigenze della santità di Dio, in tre ambiti soprattutto: la carità,[246] la castità o rettitudine sessuale,[247] l'amore
94 della verità e l'ortodossia della fede.[248] C'è un legame tra la purezza del cuore, del corpo e della fede:

> I fedeli devono credere gli articoli del Simbolo, « affinché credendo, obbediscano a Dio; obbedendo, vivano onestamente; vivendo onestamente, purifi-

[241] Cf *Gal* 5,16.17.24; *Ef* 2,3.
[242] Cf *Gn* 3,11.
[243] Cf Concilio di Trento: Denz.-Schönm., 1515.
[244] Giovanni Paolo II, Lett. enc. *Dominum et Vivificantem,* 55.
[245] Erma, *Mandata pastoris,* 2, 1.
[246] Cf *1 Tm* 4,3-9; *2 Tm* 2,22.
[247] Cf *1 Ts* 4,7; *Col* 3,5; *Ef* 4,19.
[248] Cf *Tt* 1,15; *1 Tm* 1,3-4; *2 Tm* 2,23-26.

chino il loro cuore, e purificando il loro cuore, comprendano quanto credono ».[249] 158

2519 Ai « puri di cuore » è promesso che vedranno Dio faccia a faccia e che saranno simili a lui.[250] La purezza del cuore è la condizione preliminare per la visione. Fin d'ora essa ci permette di vedere *secondo* Dio, di accogliere l'altro come un « prossimo »; ci consente di percepire il corpo umano, il nostro e quello del prossimo, come un tempio dello Spirito Santo, una manifestazione della bellezza divina. 2548 2819 2501

II. La lotta per la purezza

2520 Il Battesimo conferisce a colui che lo riceve la grazia della purificazione da tutti i peccati. Ma il battezzato deve continuare a lottare contro la concupiscenza della carne e i desideri disordinati. Con la grazia di Dio giunge alla purezza del cuore 1264

— mediante la *virtù* e il *dono della castità,* perché la castità permette di amare con un cuore retto e indiviso; 2337

— mediante la *purezza d'intenzione* che consiste nel tener sempre presente il vero fine dell'uomo: con un occhio semplice, il battezzato cerca di trovare e di compiere in tutto la volontà di Dio;[251] 1752

— mediante la *purezza dello sguardo,* esteriore ed interiore; mediante la disciplina dei sentimenti e dell'immaginazione; mediante il rifiuto di ogni compiacenza nei pensieri impuri, che inducono ad allontanarsi dalla via dei divini comandamenti: « La vista provoca negli stolti il desiderio » (*Sap* 15,5); 1762

— mediante la *preghiera:* 2846

> Pensavo che la continenza si ottiene con le proprie forze e delle mie non ero sicuro. A tal segno ero stolto da ignorare che, come sta scritto, nessuno può essere continente, se Tu non lo concedi. E Tu l'avresti concesso, se avessi bussato alle tue orecchie col gemito del mio cuore e lanciato in Te la mia pena con fede salda.[252]

2521 La purezza esige il *pudore*. Esso è una parte integrante della temperanza. Il pudore preserva l'intimità della persona. Consiste nel rifiuto di svelare ciò che deve rimanere nascosto. È ordinato alla castità, di cui esprime

[249] SANT'AGOSTINO, *De fide et symbolo,* 10, 25: PL 40, 196.
[250] Cf *1 Cor* 13,12; *1 Gv* 3,2.
[251] Cf *Rm* 12,2; *Col* 1,10.
[252] SANT'AGOSTINO, *Confessiones,* 6, 11, 20.

la delicatezza. Regola gli sguardi e i gesti in conformità alla dignità delle persone e della loro unione.

2492 2522 Il pudore custodisce il mistero delle persone e del loro amore. Suggerisce la pazienza e la moderazione nella relazione amorosa; richiede che siano rispettate le condizioni del dono e dell'impegno definitivo dell'uomo e della donna tra loro. Il pudore è modestia. Ispira la scelta dell'abbigliamento. Conserva il silenzio o il riserbo là dove trasparisse il rischio di una curiosità morbosa. Diventa discrezione.

2354 2523 Esiste non soltanto un pudore dei sentimenti, ma anche del corpo. Insorge, per esempio, contro l'esposizione del corpo umano in funzione di una curiosità morbosa in certe pubblicità, o contro la sollecitazione di certi mass-media a spingersi troppo in là nella rivelazione di confidenze intime. Il pudore detta un modo di vivere che consente di resistere alle suggestioni della moda e alle pressioni delle ideologie dominanti.

2524 Le forme che il pudore assume variano da una cultura all'altra. Dovunque, tuttavia, esso appare come il presentimento di una dignità spirituale propria dell'uomo. Nasce con il risveglio della coscienza del soggetto. Insegnare il pudore ai fanciulli e agli adolescenti è risvegliare in essi il rispetto della persona umana.

2344 2525 La purezza cristiana richiede una *purificazione dell'ambiente sociale*. Esige dai mezzi di comunicazione sociale un'informazione attenta al rispetto e alla moderazione. La purezza del cuore libera dal diffuso erotismo e tiene lontani dagli spettacoli che favoriscono la curiosità morbosa e l'illusione.

1740 2526 La cosiddetta *permissività dei costumi* si basa su una erronea concezione della libertà umana. La libertà, per costruirsi, ha bisogno di lasciarsi educare preliminarmente dalla legge morale. È necessario chiedere ai responsabili della educazione di impartire alla gioventù un insegnamento rispettoso della verità, delle qualità del cuore e della dignità morale e spirituale dell'uomo.

2527 « La Buona Novella di Cristo rinnova continuamente la vita e la
1204 cultura dell'uomo decaduto, combatte e rimuove gli errori e i mali derivanti dalla sempre minacciosa seduzione del peccato. Continuamente purifica ed eleva la moralità dei popoli. Con la ricchezza soprannaturale feconda, come dall'interno, fortifica, completa e restaura in Cristo le qualità dello spirito e le doti di ciascun popolo e di ogni età ».[253]

[253] Conc. Ecum. Vat. II, *Gaudium et spes*, 58.

In sintesi

2528 *« Chiunque guarda una donna per desiderarla, ha già commesso adulterio con lei nel suo cuore »* (*Mt* 5,28).

2529 *Il nono comandamento mette in guardia dal desiderio smodato o concupiscenza carnale.*

2530 *La lotta contro la concupiscenza carnale passa attraverso la purificazione del cuore e la pratica della temperanza.*

2531 *La purezza del cuore ci farà vedere Dio: fin d'ora ci consente di vedere ogni cosa secondo Dio.*

2532 *La purificazione del cuore esige la preghiera, la pratica della castità, la purezza dell'intenzione e dello sguardo.*

2533 *La purezza del cuore richiede il pudore, che è pazienza, modestia e discrezione. Il pudore custodisce l'intimità della persona.*

Articolo 10
IL DECIMO COMANDAMENTO

Non desiderare... alcuna cosa che appartenga al tuo prossimo (*Es* 20,17).
Non desiderare la casa del tuo prossimo, né il suo campo, né il suo schiavo, né la sua schiava, né il suo bue, né il suo asino, né alcuna delle cose che sono del tuo prossimo (*Dt* 5,21).

Là dov'è il tuo tesoro, sarà anche il tuo cuore (*Mt* 6,21).

2534 Il decimo comandamento sdoppia e completa il nono, che verte sulla concupiscenza della carne. Il decimo proibisce la cupidigia dei beni altrui, che è la radice del furto, della rapina e della frode, vietati dal settimo comandamento. « La concupiscenza degli occhi » (*1 Gv* 2,16) porta alla violenza e all'ingiustizia, proibite dal quinto comandamento.[254] La bramosia, come la fornicazione, trova origine nell'idolatria vietata nelle prime tre prescrizioni della Legge.[255] Il decimo comandamento riguarda l'intenzione del cuore; insieme con il nono riassume tutti i precetti della Legge.

2112
2069

[254] Cf *Mi* 2,2.
[255] Cf *Sap* 14,12.

I. Il disordine delle cupidigie

2535 L'appetito sensibile ci porta a desiderare le cose piacevoli che non abbiamo. Così, quando si ha fame si desidera mangiare, quando si ha freddo si desidera riscaldarsi. Tali desideri, in se stessi, sono buoni; ma spesso non restano nei limiti della ragione e ci spingono a bramare ingiustamente ciò che non ci spetta e appartiene, o è dovuto ad altri.

1767

2536 Il decimo comandamento proibisce l'*avidità* e il desiderio di appropriarsi senza misura dei beni terreni; vieta la *cupidigia* sregolata, generata dalla smodata brama delle ricchezze e del potere in esse insito. Proibisce anche il desiderio di commettere un'ingiustizia, con la quale si danneggerebbe il prossimo nei suoi beni temporali:

2445

> La formula « non desiderare » è come un avvertimento generale che ci spinge a moderare il desiderio e l'avidità delle cose altrui. C'è infatti in noi una latente sete di cupidigia per tutto ciò che non è nostro; sete mai sazia, di cui la Sacra Scrittura scrive: « L'avaro non sarà mai sazio del suo denaro » (*Sir* 5,9).[256]

2537 Non si trasgredisce questo comandamento desiderando ottenere cose che appartengono al prossimo, purché ciò avvenga con giusti mezzi. La catechesi tradizionale indica con realismo « coloro che maggiormente devono lottare contro le cupidigie peccaminose » e che, dunque, « devono con più insistenza essere esortate ad osservare questo comandamento »:

> Sono, cioè, quei commercianti e quegli approvvigionatori di mercati che aspettano la scarsità delle merci e la carestia per trarne un profitto con accaparramenti e speculazioni;... quei medici che aspettano con ansia le malattie; quegli avvocati e magistrati desiderosi di cause e di liti...[257]

2538 Il decimo comandamento esige che si bandisca dal cuore umano l'*invidia.* Allorché il profeta Natan volle suscitare il pentimento del re Davide, gli narrò la storia del povero che possedeva soltanto una pecora, la quale era per lui come una figlia, e del ricco che, malgrado avesse bestiame in gran numero, invidiava quel povero e finì per portargli via la sua pecora.[258] L'invidia può condurre ai peggiori misfatti.[259] È per l'invidia del diavolo che la morte è entrata nel mondo.[260]

2317 391

> Noi ci facciamo guerra vicendevolmente, ed è l'invidia ad armarci gli uni contro gli altri... Se tutti si accaniscono così a far vacillare il corpo di Cristo,

[256] *Catechismo Romano,* 3, 37.
[257] *Ibid.*
[258] Cf *2 Sam* 12,1-4.
[259] Cf *Gn* 4,3-7; *1 Re* 21,1-29.
[260] Cf *Sap* 2,24.

dove si arriverà? Siamo quasi in procinto di snervarlo... Ci diciamo membra di un medesimo organismo e ci divoriamo come farebbero delle belve.[261]

2539 L'invidia è un vizio capitale. Consiste nella tristezza che si prova davanti ai beni altrui e nel desiderio smodato di appropriarsene, sia pure indebitamente. Quando arriva a volere un grave male per il prossimo, l'invidia diventa un peccato mortale. 1866

Sant'Agostino vedeva nell'invidia « il peccato diabolico per eccellenza ».[262] « Dall'invidia nascono l'odio, la maldicenza, la calunnia, la gioia causata dalla sventura del prossimo e il dispiacere causato dalla sua fortuna ».[263]

2540 L'invidia rappresenta una delle forme della tristezza e quindi un rifiuto della carità; il battezzato lotterà contro l'invidia mediante la benevolenza. L'invidia spesso è causata dall'orgoglio; il battezzato si impegnerà a vivere nell'umiltà. 1829

Vorreste vedere Dio glorificato da voi? Ebbene, rallegratevi dei progressi del vostro fratello, ed ecco che Dio sarà glorificato da voi. Dio sarà lodato — si dirà — dalla vittoria sull'invidia riportata dal suo servo, che ha saputo fare dei meriti altrui il motivo della propria gioia.[264]

II. I desideri dello Spirito

2541 L'Economia della Legge e della Grazia libera il cuore degli uomini dalla cupidigia e dall'invidia: lo rivolge al desiderio del Sommo Bene; lo apre ai desideri dello Spirito Santo, che appaga il cuore umano. 1718 2764

Il Dio delle promesse da sempre ha messo in guardia l'uomo dalla seduzione di ciò che, fin dalle origini, appare « buono da mangiare, gradito agli occhi e desiderabile per acquistare saggezza » (*Gn* 3,6). 397

2542 La Legge data a Israele non è mai bastata a giustificare coloro che le erano sottomessi; anzi, è diventata lo strumento della « concupiscenza ».[265] Il fatto che il volere e il fare non coincidano[266] indica il conflitto tra la legge di Dio, la quale è la « legge della mia mente » e un'altra legge « che mi rende schiavo della legge del peccato che è nelle mie membra » (*Rm* 7,23). 1963

[261] San Giovanni Crisostomo, *Homiliae in secundam ad Corinthios,* 28, 3-4: PG 61, 594-595.
[262] Sant'Agostino, *De catechizandis rudibus,* 4, 8.
[263] San Gregorio Magno, *Moralia in Job,* 31, 45: PL 76, 621.
[264] San Giovanni Crisostomo, *Homilia in ad Romanos,* 7, 3: PG 60, 445.
[265] Cf *Rm* 7,7.
[266] Cf *Rm* 7,15.

1992 2543 « Ora, indipendentemente dalla Legge, si è manifestata la giustizia di Dio, testimoniata dalla Legge e dai profeti; giustizia di Dio per mezzo della fede in Gesù Cristo, per tutti quelli che credono » (*Rm* 3,21-22). Da allora i credenti in Cristo « hanno crocifisso la carne con le sue passioni e i suoi desideri » (*Gal* 5,24); essi sono guidati dallo Spirito [267] e seguono i desideri dello Spirito.[268]

2443-2449 **III. La povertà di cuore**

2544 Ai suoi discepoli Gesù chiede di preferirlo a tutto e a tutti, e propone di « rinunziare a tutti » i loro « averi » (*Lc* 14,33) per lui e per il Vangelo.[269] Poco prima della sua Passione ha additato loro come esempio la povera vedova di Gerusalemme, la quale, nella sua miseria, ha dato tutto quanto aveva per vivere.[270] Il precetto del distacco dalle ricchezze è vincolante per entrare nel Regno dei cieli. 544

2545 Tutti i fedeli devono sforzarsi « di rettamente dirigere i propri affetti, affinché dall'uso delle cose di questo mondo e dall'attaccamento alle ricchezze, contrario allo spirito della povertà evangelica, non siano impediti di tendere alla carità perfetta ».[271] 2013

2546 « Beati i poveri in spirito » (*Mt* 5,3). Le beatitudini rivelano un ordine di felicità e di grazia, di bellezza e di pace. Gesù esalta la gioia dei poveri, ai quali già appartiene il Regno: [272] 1716

> Il Verbo chiama « povertà di spirito » l'umiltà volontaria di uno spirito umano e il suo rinnegamento; e l'Apostolo ci addita come esempio la povertà di Dio quando dice: « Si è fatto povero per noi » (*2 Cor* 8,9).[273]

2547 Il Signore apostrofa i ricchi, perché trovano la loro consolazione nell'abbondanza dei beni (*Lc* 6,24). « Il superbo cerca la potenza terrena, mentre il povero in spirito cerca il Regno dei cieli ».[274] L'abbandono alla Provvidenza del Padre del cielo libera dall'apprensione per il domani.[275] La fiducia in Dio prepara alla beatitudine dei poveri. Essi vedranno Dio. 305

[267] Cf *Rm* 8,14.
[268] Cf *Rm* 8,27.
[269] Cf *Mc* 8,35.
[270] Cf *Lc* 21,4.
[271] Conc. Ecum. Vat. II, *Lumen gentium,* 42.
[272] Cf *Lc* 6,20.
[273] San Gregorio di Nissa, *Orationes de beatitudinibus,* 1: PG 44, 1200D.
[274] Sant'Agostino, *De sermone Domini in monte,* 1, 1, 3: PL 34, 1232.
[275] Cf *Mt* 6,25-34.

IV. « Voglio vedere Dio »

2548 Il desiderio della vera felicità libera l'uomo dallo smodato attaccamento ai beni di questo mondo, per avere compimento nella visione e nella beatitudine di Dio. « La promessa di vedere Dio supera ogni felicità. Nella Scrittura, vedere equivale a possedere. Chi vede Dio, ha conseguito tutti i beni che si possano concepire ».[276] 2519

2549 Il popolo santo deve lottare, con la grazia che viene dall'Alto, per ottenere i beni che Dio promette. Per possedere e contemplare Dio, i cristiani mortificano le loro brame e trionfano, con la grazia di Dio, sulle seduzioni del piacere e del potere. 2015

2550 Lungo questo cammino della perfezione lo Spirito e la Sposa chiamano chi li ascolta [277] alla piena comunione con Dio:

> Là sarà la vera gloria, dove nessuno verrà lodato per sbaglio o per adulazione; il vero onore, che non sarà rifiutato a nessuno che ne sia degno, non sarà riconosciuto a nessuno che ne sia indegno; né d'altra parte questi potrebbe pretenderlo, perché vi sarà ammesso solo chi è degno. Vi sarà la vera pace, dove nessuno subirà avversità da parte di se stesso o da parte di altri. Premio della virtù sarà colui che diede la virtù e che promise se stesso come ciò di cui non può esservi nulla di migliore e di più grande... « Sarò vostro Dio e voi sarete mio popolo » (*Lv* 16,12)... Ancora questo indicano... le parole dell'Apostolo: « Perché Dio sia tutto in tutti » (*1 Cor* 15,28). Egli sarà il fine di tutti i nostri desideri, contemplato senza fine, amato senza fastidio, lodato senza stanchezza. Questo dono, questo affetto, questo atto sarà certamente comune a tutti, come la stessa vita eterna.[278] 314

In sintesi

2551 *« Là dov'è il tuo tesoro, sarà anche il tuo cuore »* (*Mt* 6,21).

2552 *Il decimo comandamento proibisce la sfrenata cupidigia generata dalla brama smodata delle ricchezze e del potere insito in esse.*

2553 *L'invidia è la tristezza che si prova davanti ai beni altrui e l'irresistibile desiderio di appropriarsene. È un vizio capitale.*

[276] San Gregorio di Nissa, *Orationes de beatitudinibus,* 6: PG 44, 1265A.
[277] Cf *Ap* 22,17.
[278] Sant'Agostino, *De civitate Dei,* 22, 30.

2554 *Il battezzato combatte l'invidia con la benevolenza, l'umiltà e l'abbandono alla Provvidenza di Dio.*

2555 *I cristiani « hanno crocifisso la carne con le sue passioni e i suoi desideri »* (Gal 5,24); *sono guidati dallo Spirito e seguono i suoi desideri.*

2556 *Il distacco dalle ricchezze è indispensabile per entrare nel Regno dei cieli. « Beati i poveri in spirito ».*

2557 *Il vero desiderio dell'uomo è: « Voglio vedere Dio ». La sete di Dio è estinta dall'acqua della vita eterna.*[279]

[279] Cf *Gv* 4,14.

Miniatura del codice 587 del Monastero Dionysiou (Monte Athos), eseguita a Costantinopoli verso l'anno 1059.

Cristo si rivolge in preghiera al Padre. Egli prega da solo, in un luogo deserto, mentre i suoi discepoli lo osservano a rispettosa distanza.

San Pietro si volge verso gli altri discepoli per indicare in Gesù il Maestro e la Via della preghiera cristiana.

« Signore, insegnaci a pregare » (*Lc* 11,1).

PARTE QUARTA

LA PREGHIERA CRISTIANA

SEZIONE PRIMA

LA PREGHIERA NELLA VITA CRISTIANA

2558 « Grande è il Mistero della fede ». La Chiesa lo professa nel Simbolo degli Apostoli (parte prima) e lo celebra nella Liturgia sacramentale (parte seconda), affinché la vita dei fedeli sia conformata a Cristo nello Spirito Santo a gloria di Dio Padre (parte terza). Questo Mistero richiede quindi che i fedeli vi credano, lo celebrino e ne vivano in una relazione viva e personale con il Dio vivo e vero. Tale relazione è la preghiera.

CHE COS'È LA PREGHIERA?

Per me la *preghiera* è uno slancio del cuore, un semplice sguardo gettato verso il cielo, un grido di gratitudine e di amore nella prova come nella gioia.[1]

La preghiera come dono di Dio

2559 « La preghiera è l'elevazione dell'anima a Dio o la domanda a Dio di beni convenienti ».[2] Da dove noi partiamo pregando? Dall'altezza del nostro orgoglio e della nostra volontà o « dal profondo » (*Sal* 130,1) di un cuore umile e contrito? È colui che si umilia ad essere esaltato.[3] L'*umiltà* è il fondamento della preghiera. « Nemmeno sappiamo che cosa sia conveniente domandare » (*Rm* 8,26). L'umiltà è la disposizione necessaria per ricevere gratuitamente il dono della preghiera: « L'uomo è un mendicante di Dio ».[4]

2613
2736

2560 « Se tu conoscessi il dono di Dio! » (*Gv* 4,10). La meraviglia della preghiera si rivela proprio là, presso i pozzi dove andiamo a cercare la nostra acqua: là Cristo viene ad incontrare ogni essere umano; egli ci cerca per primo ed è lui che ci chiede da bere. Gesù ha sete; la sua domanda sale dalle profondità di Dio che ci desidera. Che lo sappiamo o no, la preghiera è l'incontro della sete di Dio con la nostra sete. Dio ha sete che noi abbiamo sete di lui.[5]

2561 « Tu gliene avresti chiesto ed egli ti avrebbe dato acqua viva » (*Gv* 4,10). La nostra preghiera di domanda è paradossalmente una risposta. Risposta al lamento del Dio vivente: « Essi hanno abbandonato me, sorgente d'acqua viva, per scavarsi cisterne, cisterne screpolate » (*Ger* 2,13), risposta di fede alla promessa gratuita della salvezza,[6] risposta d'amore alla sete del Figlio unigenito.[7]

[1] Santa Teresa di Gesù Bambino, *Manoscritti autobiografici,* C 25r.
[2] San Giovanni Damasceno, *De fide orthodoxa,* 3, 24: PG 94, 1089D.
[3] Cf *Lc* 18,9-14.
[4] Sant'Agostino, *Sermones,* 56, 6, 9: PL 38, 381.
[5] Cf Sant'Agostino, *De diversis quaestionibus octoginta tribus,* 64, 4: PL 40, 56.
[6] Cf *Gv* 7,37-39; *Is* 12,3; 51,1.
[7] Cf *Gv* 19,28; *Zc* 12,10; 13,1.

La preghiera come Alleanza

2562 Da dove viene la preghiera dell'uomo? Qualunque sia il linguaggio della preghiera (gesti e parole), è tutto l'uomo che prega. Ma, per indicare il luogo dal quale sgorga la preghiera, le Scritture parlano talvolta dell'anima o dello spirito, più spesso del cuore (più di mille volte). È il *cuore* che prega. Se esso è lontano da Dio, l'espressione della preghiera è vana.

368 2563 Il cuore è la dimora dove sto, dove abito (secondo l'espressione semitica o biblica: dove « discendo »). È il nostro centro nascosto, irraggiungibile dalla nostra ragione e dagli altri; solo lo Spirito di Dio può scrutarlo e conoscerlo. È il luogo della decisione, che sta nel più profondo delle nostre facoltà psichiche. È il luogo della verità, là dove scegliamo la vita o la morte. È il luogo dell'incontro, poiché, ad immagine di Dio, viviamo in relazione: è il luogo dell'Alleanza. (2699; 1696)

2564 La preghiera cristiana è una relazione di Alleanza tra Dio e l'uomo in Cristo. È azione di Dio e dell'uomo; sgorga dallo Spirito Santo e da noi, interamente rivolta al Padre, in unione con la volontà umana del Figlio di Dio fatto uomo.

La preghiera come Comunione

2565 Nella Nuova Alleanza la preghiera è la relazione vivente dei figli di Dio con il loro Padre infinitamente buono, con il Figlio suo Gesù Cristo e con lo Spirito Santo. (260) La grazia del Regno è « l'unione della Santa Trinità tutta intera con lo spirito tutto intero ».[8] La vita di preghiera consiste quindi nell'essere abitualmente alla presenza del Dio tre volte Santo e in comunione con lui. Tale comunione di vita è sempre possibile, perché, mediante il Battesimo, siamo diventati un medesimo essere con Cristo.[9] La preghiera è *cristiana* in quanto è comunione con Cristo e si dilata nella Chiesa, che è il suo Corpo. (792) Le sue dimensioni sono quelle dell'Amore di Cristo.[10]

[8] San Gregorio Nazianzeno, *Orationes,* 16, 9: PG 35, 954C.
[9] Cf *Rm* 6,5.
[10] Cf *Ef* 3,18-21.

CAPITOLO PRIMO

LA RIVELAZIONE DELLA PREGHIERA

La chiamata universale alla preghiera

2566 *L'uomo è alla ricerca di Dio.* Mediante la creazione Dio chiama ogni essere dal nulla all'esistenza. Coronato « di gloria e di splendore » (*Sal* 8,6), l'uomo, dopo gli angeli, è capace di riconoscere che il Nome del Signore « è grande... su tutta la terra » (*Sal* 8,2). Anche dopo aver perduto la somiglianza con Dio a causa del peccato, l'uomo rimane ad immagine del suo Creatore. Egli conserva il desiderio di colui che lo chiama all'esistenza. Tutte le religioni testimoniano questa essenziale ricerca da parte degli uomini.[1]

296
355
28

2567 *Dio, per primo, chiama l'uomo.* Sia che l'uomo dimentichi il suo Creatore oppure si nasconda lontano dal suo Volto, sia che corra dietro ai propri idoli o accusi la divinità di averlo abbandonato, il Dio vivo e vero chiama incessantemente ogni persona al misterioso incontro della preghiera. Questo passo d'amore del Dio fedele viene sempre per primo nella preghiera; il passo dell'uomo è sempre una risposta. Man mano che Dio si rivela e rivela l'uomo a se stesso, la preghiera appare come un appello reciproco, un evento di Alleanza. Attraverso parole e atti, questo evento impegna il cuore. Si svela lungo tutta la storia della salvezza.

30
142

Articolo 1

NELL'ANTICO TESTAMENTO

2568 La rivelazione della preghiera nell'Antico Testamento si iscrive tra la caduta e il riscatto dell'uomo, tra la domanda accorata di Dio ai suoi primi figli: « Dove sei?... Che hai fatto? » (*Gn* 3,9.13) e la risposta del Figlio unigenito al suo entrare nel mondo: « Ecco, io vengo... per fare, o Dio, la tua volontà » (*Eb* 10,5-7). La preghiera in tal modo è legata alla storia degli uomini, è la relazione a Dio nelle vicende della storia.

410
1736
2738

[1] Cf *At* 17,27.

La creazione – sorgente della preghiera

288 2569 È a partire innanzitutto dalle realtà della *creazione* che vive la preghiera. I primi nove capitoli della Genesi descrivono questa relazione a Dio come offerta dei primogeniti del gregge da parte di Abele,[2] come invocazione del Nome divino da parte di Enos,[3] come cammino con Dio.[4] L'offerta 58 di Noè è gradita a Dio, che lo benedice — e, attraverso lui, benedice tutta la creazione[5] — perché il suo cuore è giusto e integro: egli pure cammina con Dio.[6] Questa qualità della preghiera è vissuta da una moltitudine di giusti in tutte le religioni.

Nella sua Alleanza indefettibile con gli esseri viventi,[7] Dio sempre chia- 59 ma gli uomini a pregarlo. Ma è soprattutto a partire dal nostro padre Abramo che nell'Antico Testamento viene rivelata la preghiera.

La Promessa e la preghiera della fede

2570 Non appena Dio lo chiama, Abramo parte « come gli aveva ordinato il Signore » (*Gn* 12,4): il suo cuore è tutto « sottomesso alla Parola »; egli 145 obbedisce. L'ascolto del cuore che si decide secondo Dio è essenziale alla preghiera: le parole sono relative rispetto ad esso. Ma la preghiera di Abramo si esprime innanzitutto con azioni: uomo del silenzio, ad ogni tappa costruisce un altare al Signore. Solo più tardi troviamo la sua prima preghiera in parole: un velato lamento che ricorda a Dio le sue promesse che non sembrano realizzarsi.[8] Così, fin dall'inizio, appare uno degli aspetti del dramma della preghiera: la prova della fede nella fedeltà di Dio.

2571 Avendo creduto in Dio,[9] camminando alla sua presenza e in alleanza con lui,[10] il patriarca è pronto ad accogliere sotto la propria tenda l'Ospite 494 misterioso: è la stupenda ospitalità di Mamre, preludio all'Annunciazione del vero Figlio della Promessa.[11] Da quel momento, avendogli Dio confidato il proprio Disegno, il cuore di Abramo è in sintonia con la compassione 2635 del suo Signore per gli uomini, ed egli osa intercedere per loro con una confidenza audace.[12]

[2] Cf *Gn* 4,4.
[3] Cf *Gn* 4,26.
[4] Cf *Gn* 5,24.
[5] Cf *Gn* 8,20–9,17.
[6] Cf *Gn* 6,9.
[7] Cf *Gn* 9,8-16.
[8] Cf *Gn* 15,2-3.
[9] Cf *Gn* 15,6.
[10] Cf *Gn* 17,1-2.
[11] Cf *Gn* 18,1-15; *Lc* 1,26-38.
[12] Cf *Gn* 18,16-33.

2572 Quale ultima purificazione della sua fede, proprio a lui « che aveva ricevuto le promesse » (*Eb* 11,17) viene chiesto di sacrificare il figlio che Dio gli ha donato. La sua fede non vacilla: « Dio stesso provvederà l'agnello per l'olocausto » (*Gn* 22,8); « pensava infatti che Dio è capace di far risorgere anche dai morti » (*Eb* 11,19). Così il padre dei credenti è configurato al Padre che non risparmierà il proprio Figlio, ma lo darà per tutti noi.[13] La preghiera restituisce all'uomo la somiglianza con Dio e lo rende partecipe della potenza dell'amore di Dio che salva la moltitudine.[14] 603

2573 Dio rinnova la propria Promessa a Giacobbe, l'antenato delle dodici tribù d'Israele.[15] Prima di affrontare il fratello Esaù, Giacobbe lotta per l'intera notte con un misterioso personaggio, che si rifiuta di rivelargli il proprio nome, ma lo benedice prima di lasciarlo allo spuntar del sole. La tradizione spirituale della Chiesa ha visto in questo racconto il simbolo della preghiera come combattimento della fede e vittoria della perseveranza.[16] 162

Mosè e la preghiera del mediatore

2574 Quando incomincia a realizzarsi la Promessa (la Pasqua, l'Esodo, il dono della Legge e la stipulazione dell'Alleanza), la preghiera di Mosè è la toccante figura della preghiera di intercessione, che raggiungerà il pieno compimento nell'unico « Mediatore tra Dio e gli uomini, l'Uomo Cristo Gesù » (*1 Tm* 2,5). 62

2575 Anche qui l'iniziativa è di Dio. Egli chiama Mosè dal roveto ardente.[17] Questo avvenimento rimarrà una delle figure fondamentali della preghiera nella tradizione spirituale ebraica e cristiana. In realtà, se « il Dio di Abramo, il Dio di Isacco, il Dio di Giacobbe » chiama il suo servo Mosè, è perché egli è il Dio Vivente che vuole la vita degli uomini. Egli si rivela per salvarli, ma non da solo, né loro malgrado: chiama Mosè per inviarlo, per associarlo alla sua compassione, alla sua opera di salvezza. C'è come un'implorazione divina in questa missione, e Mosè, dopo un lungo dibattito, adeguerà la sua volontà a quella del Dio Salvatore. Ma in quel dialogo in cui Dio si confida, Mosè impara anche a pregare: cerca di tirarsi indietro, muove obiezioni, soprattutto pone interrogativi, ed è in risposta alla sua domanda che il Signore gli confida il proprio Nome indicibile, che si rivelerà nelle sue grandi gesta. 205

[13] Cf *Rm* 8,32.
[14] Cf *Rm* 4,16-21.
[15] Cf *Gn* 28,10-22.
[16] Cf *Gn* 32,25-31; *Lc* 18,1-8.
[17] Cf *Es* 3,1-10.

555

2576 Ora, « il Signore parlava con Mosè faccia a faccia, come un uomo parla con un altro » (*Es* 33,11), con un suo amico. La preghiera di Mosè è tipica della preghiera contemplativa, grazie alla quale il servo di Dio è fedele alla propria missione. Mosè « s'intrattiene » spesso e a lungo con il Signore, salendo la montagna per ascoltarlo e implorarlo, discendendo verso il popolo per riferirgli le parole del suo Dio e guidarlo. « Egli è l'uomo di fiducia in tutta la mia casa. Bocca a bocca parlo con lui, in visione » (*Nm* 12,7-8); infatti « Mosè era molto più mansueto di ogni uomo che è sulla terra » (*Nm* 12,3).

210 2635 214

2577 In questa intimità con il Dio fedele, lento all'ira e ricco di grazia,[18] Mosè ha attinto la forza e la tenacia della sua intercessione. Non prega per sé, ma per il popolo che Dio si è acquistato. Già durante il combattimento contro gli Amaleciti [19] o per ottenere la guarigione di Maria,[20] Mosè intercede. Ma è soprattutto dopo l'apostasia del popolo che egli sta « sulla breccia » di fronte a Dio (*Sal* 106,23) per salvare il popolo.[21] Gli argomenti della sua preghiera (l'intercessione è anch'essa un misterioso combattimento) ispireranno l'audacia dei grandi oranti del popolo ebreo come della Chiesa: Dio è amore; dunque, è giusto e fedele; non può contraddirsi, deve ricordarsi delle sue meravigliose gesta; è in gioco la sua Gloria, non può abbandonare questo popolo che porta il suo Nome.

Davide e la preghiera del re

2578 La preghiera del popolo di Dio si sviluppa all'ombra della Dimora di Dio, cioè dell'Arca dell'Alleanza e più tardi del Tempio. Sono innanzitutto le guide del popolo i pastori e i profeti che gli insegneranno a pregare. Il fanciullo Samuele ha dovuto apprendere dalla propria madre Anna come « stare davanti al Signore » [22] e dal sacerdote Eli come ascoltare la Parola di Dio: « Parla, Signore, perché il tuo servo ti ascolta » (*1 Sam* 3,9-10). Più tardi, anch'egli conoscerà il prezzo e il peso dell'intercessione: « Quanto a me, non sia mai che io pecchi contro il Signore, tralasciando di supplicare per voi e di indicarvi la via buona e retta » (*1 Sam* 12,23).

709 436

2579 Davide è per eccellenza il re « secondo il cuore di Dio », il pastore che prega per il suo popolo e in suo nome, colui la cui sottomissione alla volontà di Dio, la lode, il pentimento saranno modello di preghiera per il popolo. Unto di Dio, la sua preghiera è fedele adesione alla Promessa divi-

[18] Cf *Es* 34,6.
[19] Cf *Es* 17,8-13.
[20] Cf *Nm* 12,13-14.
[21] Cf *Es* 32,1–34,9.
[22] Cf *1 Sam* 1,9-18.

na,[23] fiducia colma di amore e di gioia in colui che è il solo Re e Signore. Nei Salmi, Davide, ispirato dallo Spirito Santo, è il primo profeta della preghiera ebraica e cristiana. La preghiera di Cristo, vero Messia e figlio di Davide, rivelerà e compirà il senso di questa preghiera.

2580 Il Tempio di Gerusalemme, la casa di preghiera che Davide voleva costruire, sarà l'opera di suo figlio, Salomone. La preghiera della Dedicazione del Tempio [24] fa affidamento sulla Promessa di Dio e sulla sua Alleanza, sulla presenza operante del suo Nome in mezzo al suo Popolo e sulla memoria delle mirabili gesta dell'Esodo. Il re alza le mani verso il cielo e supplica il Signore per sé, per tutto il popolo, per le generazioni future, per il perdono dei peccati e per le necessità quotidiane, affinché tutte le nazioni sappiano che egli è l'unico Dio e il cuore del suo popolo sia tutto per lui. 583

Elia, i profeti e la conversione del cuore

2581 Il Tempio doveva essere per il popolo di Dio il luogo dell'educazione alla preghiera: i pellegrinaggi, le feste, i sacrifici, l'offerta della sera, l'incenso, i pani della « proposizione », tutti questi segni della Santità e della Gloria del Dio, Altissimo e Vicinissimo, erano appelli e cammini della preghiera. Il ritualismo spesso però trascinava il popolo verso un culto troppo esteriore. Era necessaria l'educazione della fede, la conversione del cuore. Questa fu la missione dei profeti, prima e dopo l'Esilio. 1150

2582 Elia è il padre dei profeti, della generazione di coloro che cercano Dio, che cercano il suo Volto.[25] Il suo Nome, « il Signore è il mio Dio », annuncia il grido del popolo in risposta alla sua preghiera sul monte Carmelo.[26] San Giacomo rimanda a lui, per esortarci alla preghiera: « Molto vale la preghiera del giusto fatta con insistenza » (*Gc* 5,16b).

2583 Dopo aver imparato la misericordia nel suo ritiro presso il torrente Cherit, Elia insegna alla vedova di Zarepta la fede nella Parola di Dio, fede che egli conferma con la sua preghiera insistente: Dio fa tornare in vita il figlio della vedova.[27]

Al momento del sacrificio sul monte Carmelo, prova decisiva per la fede del popolo di Dio, è per la sua supplica che il fuoco del Signore consuma l'olocausto, « all'ora in cui si presenta l'offerta della sera »: « Rispondimi, 696

[23] Cf *2 Sam* 7,18-29.
[24] Cf *1 Re* 8,10-61.
[25] Cf *Sal* 24,6.
[26] Cf *1 Re* 18,39.
[27] Cf *1 Re* 17,7-24.

Signore, rispondimi! » (*1 Re* 18,37); queste stesse parole di Elia sono riprese dalle Liturgie orientali nell'Epiclesi eucaristica.[28]

Infine, riprendendo il cammino nel deserto verso il luogo dove il Dio vivo e vero si è rivelato al suo popolo, Elia, come Mosè, entra « in una caverna » finché « passi » la presenza misteriosa di Dio.[29] Ma è soltanto 555 sul monte della Trasfigurazione che si svelerà colui di cui essi cercano il Volto: [30] la conoscenza della gloria di Dio rifulge sul volto di Cristo crocifisso e risorto.[31]

2709 2584 Stando « da solo a solo con Dio » i profeti attingono luce e forza per la loro missione. La loro preghiera non è una fuga dal mondo infedele, ma un ascolto della Parola di Dio, talora un dibattito o un lamento, sempre un'intercessione che attende e prepara l'intervento del Dio salvatore, Signore della storia.[32]

I Salmi, preghiera dell'Assemblea

2585 Dopo Davide, fino alla venuta del Messia, i Libri Sacri contengono 1093 testi di preghiera che testimoniano come si sia fatta sempre più profonda la preghiera per se stessi e per gli altri.[33] I salmi sono stati a poco a poco riuniti in una raccolta di cinque libri: i Salmi (o « Lodi »), capolavoro della preghiera nell'Antico Testamento.

2586 I Salmi nutrono ed esprimono la preghiera del Popolo di Dio come Assemblea, in occasione delle solenni feste a Gerusalemme e ogni sabato nelle sinagoghe. Questa preghiera è insieme personale e comunitaria; riguarda coloro che pregano e tutti gli uomini; sale dalla Terra santa e dalle comunità della Diaspora, ma abbraccia l'intera creazione; ricorda gli eventi salvifici del passato e si estende fino al compimento della storia; fa memoria delle promesse di Dio già realizzate ed attende il Messia che le compirà definitiva- 1177 mente. Pregati e attuati in pienezza in Cristo, i Salmi restano essenziali per la preghiera della sua Chiesa.[34]

2587 Il Salterio è il libro in cui la Parola di Dio diventa preghiera dell'uomo. Negli altri libri dell'Antico Testamento « le parole dichiarano le opere » (di Dio per gli uomini) « e chiariscono il mistero in esse contenuto ».[35]

[28] Cf *1 Re* 18,20-39.
[29] Cf *1 Re* 19,1-14; *Es* 33,19-23.
[30] Cf *Lc* 9,28-36.
[31] Cf *2 Cor* 4,6.
[32] Cf *Am* 7,2.5; *Is* 6,5.8.11; *Ger* 1,6; 15,15-18; 20,7-18.
[33] Cf *Esd* 9,6-15; *Ne* 1,4-11; *Gio* 2,2-10; *Tb* 3,11-16; *Gdt* 9,2-14.
[34] Cf *Principi e norme per la Liturgia delle Ore,* 100-109.
[35] Conc. Ecum. Vat. II, *Dei Verbum,* 2.

Nel Salterio le parole del salmista esprimono, cantandole per Dio, le sue opere salvifiche. Il medesimo Spirito ispira l'opera di Dio e la risposta dell'uomo. Cristo unirà l'una e l'altra. In lui, i Salmi non cessano di insegnarci a pregare. 2641

2588 Le espressioni multiformi della preghiera dei Salmi nascono ad un tempo nella liturgia del Tempio e nel cuore dell'uomo. Si tratti di un inno, di una preghiera di lamentazione o di rendimento di grazie, di una supplica individuale o comunitaria, di un canto regale o di pellegrinaggio, di una meditazione sapienziale, i Salmi sono lo specchio delle meraviglie di Dio nella storia del suo popolo e delle situazioni umane vissute dal salmista. Un Salmo può rispecchiare un avvenimento del passato, ma è di una sobrietà tale da poter essere pregato in verità dagli uomini di ogni condizione e di ogni tempo.

2589 Nei Salmi si scorgono dei tratti costanti: la semplicità e la spontaneità della preghiera; il desiderio di Dio stesso attraverso e con tutto ciò che nella creazione è buono; la situazione penosa del credente il quale, nel suo amore preferenziale per il Signore, è esposto a una folla di nemici e di tentazioni; e, nell'attesa di ciò che farà il Dio fedele, la certezza del suo amore e la consegna alla sua volontà. La preghiera dei Salmi è sempre animata dalla lode ed è per questo che il titolo della raccolta si addice pienamente a ciò che essa ci consegna: « Le Lodi ». Composta per il culto dell'Assemblea, ci fa giungere l'invito alla preghiera e ne canta la risposta: « Hallelou-Ya! » (Alleluia), « Lodate il Signore! ». 304

> Che cosa vi è di più bello del Salmo? Bene ha detto lo stesso Davide: « Lodate il Signore, poiché bello è il Salmo. Al nostro Dio sia lode gioiosa e conveniente ». Ed è vero! Il Salmo infatti è benedizione del popolo, lode a Dio, inno di lode del popolo, applauso generale, parola universale, voce della Chiesa, canora professione di fede...[36]

In sintesi

2590 *« La preghiera è l'elevazione dell'anima a Dio o la domanda a Dio di beni convenienti ».*[37]

2591 *Dio instancabilmente chiama ogni persona all'incontro misterioso con lui. La preghiera accompagna tutta la storia della salvezza come un appello reciproco tra Dio e l'uomo.*

[36] SANT'AMBROGIO, *Enarrationes in psalmos*, 1, 9: PL 14, 924, cf *Liturgia delle Ore*, III, Ufficio delle letture del sabato della decima settimana.
[37] SAN GIOVANNI DAMASCENO, *De fide orthodoxa*, 3, 24: PG 94, 1089D.

2592 *La preghiera di Abramo e di Giacobbe si presenta come una lotta della fede ancorata alla fiducia nella fedeltà di Dio e alla certezza della vittoria promessa alla perseveranza.*

2593 *La preghiera di Mosè è la risposta all'iniziativa del Dio vivente per la salvezza del suo popolo. Prefigura la preghiera d'intercessione dell'unico mediatore, Cristo Gesù.*

2594 *La preghiera del Popolo di Dio si sviluppa all'ombra della Dimora di Dio, dell'Arca dell'Alleanza e del Tempio, sotto la guida dei pastori, il re Davide principalmente, e dei profeti.*

2595 *I profeti chiamano alla conversione del cuore e, mentre ricercano ardentemente il Volto di Dio, come Elia, intercedono per il popolo.*

2596 *I Salmi costituiscono il capolavoro della preghiera nell'Antico Testamento. Presentano due componenti inseparabili: personale e comunitaria. Abbracciano tutte le dimensioni della storia, facendo memoria delle promesse di Dio già realizzate e sperando nella venuta del Messia.*

2597 *Pregati e pienamente attuati in Cristo, i Salmi sono un elemento essenziale e permanente della preghiera della sua Chiesa. Sono adatti agli uomini di ogni condizione e di ogni tempo.*

Articolo 2
NELLA PIENEZZA DEL TEMPO

2598 L'evento della preghiera ci viene pienamente rivelato nel Verbo che si è fatto carne e dimora in mezzo a noi. Cercare di comprendere la sua preghiera, attraverso ciò che i suoi testimoni ci dicono di essa nel Vangelo, è avvicinarci al Santo Signore Gesù come al Roveto ardente: dapprima contemplarlo mentre prega, poi ascoltare come ci insegna a pregare, infine conoscere come egli esaudisce la nostra preghiera.

GESÙ PREGA

2599 Il Figlio di Dio diventato Figlio della Vergine ha imparato a pregare secondo il suo cuore d'uomo. Lo apprende da sua Madre, che serbava e meditava nel suo cuore tutte le « grandi cose » fatte dall'Onnipotente.[38] Lo apprende nelle parole e nei ritmi della preghiera del suo popolo, nella sinagoga di Nazaret e al Tempio. Ma la sua preghiera sgorga da una sorgente ben più

470
584

[38] Cf *Lc* 1,49; 2,19; 2,51.

segreta, come lascia presagire già all'età di dodici anni: « Io devo occuparmi delle cose del Padre mio » (*Lc* 2,49). Qui comincia a rivelarsi la novità della preghiera nella pienezza dei tempi: la *preghiera filiale,* che il Padre aspettava dai suoi figli, viene finalmente vissuta dallo stesso Figlio unigenito nella sua Umanità, con e per gli uomini. 534

2600 Il Vangelo secondo san Luca sottolinea l'azione dello Spirito Santo e il senso della preghiera nel ministero di Cristo. Gesù prega *prima* dei momenti decisivi della sua missione: prima che il Padre gli renda testimonianza, al momento del suo Battesimo[39] e della Trasfigurazione,[40] e prima di realizzare, mediante la sua Passione, il Disegno di amore del Padre.[41] Egli prega anche prima dei momenti decisivi che danno inizio alla missione dei suoi Apostoli: prima di scegliere e chiamare i Dodici,[42] prima che Pietro lo confessi come « il Cristo di Dio »[43] e affinché la fede del capo degli Apostoli non venga meno nella tentazione.[44] La preghiera di Gesù prima delle azioni salvifiche che il Padre gli chiede di compiere, è un'adesione umile e fiduciosa della sua volontà umana alla volontà piena d'amore del Padre. 535; 554 612 858; 443

2601 « Un giorno Gesù si trovava in un luogo a pregare e, quando ebbe finito, uno dei discepoli gli disse: "Signore, insegnaci a pregare" » (*Lc* 11,1). Non è forse anzitutto contemplando il suo Maestro orante che nel discepolo di Cristo nasce il desiderio di pregare? Può allora impararlo dal Maestro della preghiera. È *contemplando* ed ascoltando il Figlio che i figli apprendono a pregare il Padre. 2765

2602 Gesù si ritira spesso in disparte, *nella solitudine,* sulla montagna, generalmente di notte, per pregare.[45] *Egli porta gli uomini* nella sua preghiera, poiché egli ha pienamente assunto l'umanità nella sua Incarnazione, e li offre al Padre offrendo se stesso. Egli, il Verbo che « si è fatto carne », nella sua preghiera umana partecipa a tutto ciò che vivono i « suoi fratelli » (*Eb* 2,12); compatisce le loro infermità per liberarli da esse.[46] Proprio per questo il Padre l'ha mandato. Le sue parole e le sue azioni appaiono allora come la manifestazione visibile della sua preghiera « nel segreto ». 616

2603 Gli evangelisti hanno riportato in modo esplicito due preghiere pronunciate da Gesù durante il suo ministero. Ognuna comincia con il rendi- 2637

[39] Cf *Lc* 3,21.
[40] Cf *Lc* 9,28.
[41] Cf *Lc* 22,41-44.
[42] Cf *Lc* 6,12.
[43] Cf *Lc* 9,18-20.
[44] Cf *Lc* 22,32.
[45] Cf *Mc* 1,35; 6,46; *Lc* 5,16.
[46] Cf *Eb* 2,15; 4,15.

mento di grazie. Nella prima,[47] Gesù confessa il Padre, lo riconosce e lo benedice perché ha nascosto i misteri del Regno a coloro che si credono dotti e lo ha rivelato ai « piccoli » (i poveri delle Beatitudini). Il suo trasalire « Sì, Padre! » esprime la profondità del suo cuore, la sua adesione al beneplacito del Padre, come eco al « Fiat » di sua Madre al momento del suo concepimento e come preludio a quello che egli dirà al Padre durante la sua agonia. Tutta la preghiera di Gesù è in questa amorosa adesione del suo cuore di uomo al « mistero della...volontà » del Padre (*Ef* 1,9).

2546
494

2604 La seconda preghiera è riferita da san Giovanni [48] prima della risurrezione di Lazzaro. L'azione di grazie precede l'evento: « Padre, ti ringrazio che mi hai ascoltato », il che implica che il Padre ascolta sempre la sua supplica; e Gesù subito aggiunge: « Io sapevo che sempre mi dai ascolto », il che implica che Gesù, dal canto suo, *domanda* in modo costante. Così, introdotta dal rendimento di grazie, la preghiera di Gesù ci rivela come chiedere: *prima* che il dono venga concesso, Gesù aderisce a colui che dona e che nei suoi doni dona se stesso. Il Donatore è più prezioso del dono accordato; è il « Tesoro », ed il cuore del Figlio suo è in lui; il dono viene concesso « in aggiunta ».[49]

478

2746

La « preghiera sacerdotale » di Gesù [50] occupa un posto unico nell'Economia della salvezza. Su di essa si mediterà nella parte conclusiva della sezione prima. In realtà essa rivela la preghiera sempre attuale del nostro Sommo Sacerdote, e, al tempo stesso, è intessuta di ciò che Gesù ci insegna nella nostra preghiera al Padre nostro, che sarà commentata nella sezione seconda.

2605 Quando giunge l'Ora in cui porta a compimento il Disegno di amore del Padre, Gesù lascia intravvedere l'insondabile profondità della sua preghiera filiale, non soltanto prima di consegnarsi volontariamente (« Padre,... non... la mia, ma la tua volontà »: *Lc* 22,42), ma anche nelle *ultime sue parole* sulla croce, là dove pregare e donarsi si identificano: « Padre, perdonali, perché non sanno quello che fanno » (*Lc* 23,34); « In verità ti dico, oggi sarai con me in Paradiso » (*Lc* 23,43); « Donna, ecco il tuo figlio » « Ecco la tua Madre » (*Gv* 19,26-27); « Ho sete! » (*Gv* 19,28); « Dio mio, Dio mio, perché mi hai abbandonato? » (*Mc* 15,34); [51] « Tutto è compiuto! » (*Gv* 19,30); « Padre, nelle tue mani consegno il mio spirito » (*Lc* 23,46), fino a quel « forte grido » con il quale muore, rendendo lo spirito.[52]

614

403

2606 Tutte le angosce dell'umanità di ogni tempo, schiava del peccato e della morte, tutte le implorazioni e le intercessioni della storia della salvezza

[47] Cf *Mt* 11,25-27 e *Lc* 10,21-22.
[48] Cf *Gv* 11,41-42.
[49] Cf *Mt* 6,21.33.
[50] Cf *Gv* 17.
[51] Cf *Sal* 22,2.
[52] Cf *Mc* 15,37; *Gv* 19,30b.

confluiscono in questo Grido del Verbo incarnato. Ed ecco che il Padre le accoglie e, al di là di ogni speranza, le esaudisce risuscitando il Figlio suo. Così si compie e si consuma l'evento della preghiera nell'Economia della creazione e della salvezza. Il Salterio ce ne offre la chiave in Cristo. È nell'Oggi della Risurrezione che il Padre dice: « Tu sei mio Figlio, io oggi ti ho generato. *Chiedi* a me, ti *darò* in possesso le genti e in dominio i confini della terra! » (*Sal* 2,7-8).[53]

653
2587

La Lettera agli Ebrei esprime in termini drammatici come la preghiera di Gesù operi la vittoria della salvezza: « Nei giorni della sua vita terrena egli offrì preghiere e suppliche con forti grida e lacrime a colui che poteva liberarlo da morte e fu esaudito per la sua pietà; pur essendo Figlio, imparò tuttavia l'obbedienza dalle cose che patì e, reso perfetto, divenne causa di salvezza eterna per tutti coloro che gli obbediscono » (*Eb* 5,7-9).

Gesù insegna a pregare

2607 Quando Gesù prega, già ci insegna a pregare. Il cammino teologale della nostra preghiera è la sua preghiera al Padre. Ma il Vangelo ci offre un esplicito insegnamento di Gesù sulla preghiera. Come un pedagogo, egli ci prende là dove siamo e, progressivamente, ci conduce al Padre. Rivolgendosi alle folle che lo seguono, Gesù prende le mosse da ciò che queste già conoscono della preghiera secondo l'Antica Alleanza e le apre alla novità del Regno che viene. Poi rivela loro tale novità con parabole. Infine, ai suoi discepoli, che dovranno essere pedagoghi della preghiera nella sua Chiesa, parlerà apertamente del Padre e dello Spirito Santo.

520

2608 Fin dal *Discorso della montagna,* Gesù insiste sulla *conversione del cuore:* la riconciliazione con il fratello prima di presentare un'offerta sull'altare,[54] l'amore per i nemici e la preghiera per i persecutori,[55] la preghiera al Padre « nel segreto » (*Mt* 6,6), senza sprecare molte parole,[56] il perdono dal profondo del cuore nella preghiera,[57] la purezza del cuore e la ricerca del Regno.[58] Tale conversione è tutta orientata al Padre: è filiale.

541; 1430

2609 Il cuore, deciso così a convertirsi, apprende a pregare nella *fede.* La fede è un'adesione filiale a Dio, al di là di ciò che sentiamo e comprendiamo. È diventata possibile perché il Figlio diletto ci apre l'accesso al Padre.

153
1814

[53] Cf *At* 13,33.
[54] Cf *Mt* 5,23-24.
[55] Cf *Mt* 5,44-45.
[56] Cf *Mt* 6,7.
[57] Cf *Mt* 6,14-15.
[58] Cf *Mt* 6,21.25.33.

Egli può chiederci di « cercare » e di « bussare », perché egli stesso è la porta e il cammino.[59]

2610 Come Gesù prega il Padre e rende grazie prima di ricevere i suoi doni, così egli ci insegna questa *audacia filiale:* « Tutto quello che domandate nella preghiera, abbiate fede di averlo ottenuto » (*Mc* 11,24). Tale è la forza della preghiera: « Tutto è possibile per chi crede » (*Mc* 9,23), con una fede che non dubita.[60] Quanto Gesù è rattristato dalla « incredulità » (*Mc* 6,6) dei discepoli e dalla « poca fede » (*Mt* 8,26) dei suoi compaesani, tanto si mostra pieno di ammirazione davanti alla fede davvero grande del centurione romano [61] e della cananea.[62]

165

2611 La preghiera di fede non consiste soltanto nel dire: « Signore, Signore », ma nel disporre il cuore a fare la *volontà del Padre* (*Mt* 7,21). Gesù esorta i suoi discepoli a portare nella preghiera questa passione di collaborare al Disegno divino.[63]

2827

2612 In Gesù « il Regno di Dio è molto vicino »; esso chiama alla conversione e alla fede, ma anche alla *vigilanza.* Nella preghiera, il discepolo veglia attento a colui che È e che Viene, nella memoria della sua prima Venuta nell'umiltà della carne e nella speranza del suo secondo Avvento nella Gloria.[64] La preghiera dei discepoli, in comunione con il loro Maestro, è un combattimento, ed è vegliando nella preghiera che non si entra in tentazione.[65]

672 2725

546

2613 Tre *parabole* sulla preghiera di particolare importanza ci sono tramandate da san Luca:

La prima, « l'amico importuno »,[66] esorta ad una preghiera fatta con *insistenza:* « Bussate e vi sarà aperto ». A colui che prega così, il Padre del cielo « darà tutto ciò di cui ha bisogno », e principalmente lo Spirito Santo che contiene tutti i doni.

La seconda, « la vedova importuna »,[67] è centrata su una delle qualità della preghiera: si deve pregare sempre, senza stancarsi, con la *pazienza* della fede. « Ma il Figlio dell'uomo, quando verrà, troverà la fede sulla terra? ».

[59] Cf *Mt* 7,7-11.13-14.
[60] Cf *Mt* 21,21.
[61] Cf *Mt* 8,10.
[62] Cf *Mt* 15,28.
[63] Cf *Mt* 9,38; *Lc* 10,2; *Gv* 4,34.
[64] Cf *Mc* 13; *Lc* 21,34-36.
[65] Cf *Lc* 22,40.46.
[66] Cf *Lc* 11,5-13.
[67] Cf *Lc* 18,1-8.

La terza parabola, « il fariseo e il pubblicano »,[68] riguarda l'*umiltà* del cuore che prega: « O Dio, abbi pietà di me, peccatore ». La Chiesa non cessa di fare sua questa preghiera: « Kyrie eleison! ». 2559

2614 Quando Gesù confida apertamente ai suoi discepoli il mistero della preghiera al Padre, svela ad essi quale dovrà essere la loro preghiera, e la nostra, allorquando egli, nella sua Umanità glorificata, sarà tornato presso il Padre. La novità, attualmente, è di chiedere *nel suo Nome*.[69] La fede in lui introduce i discepoli nella conoscenza del Padre, perché Gesù è « la Via, la Verità e la Vita » (*Gv* 14,6). La fede porta il suo frutto nell'amore: osservare la sua Parola, i suoi comandamenti, dimorare con lui nel Padre, che in lui ci ama fino a prendere dimora in noi. In questa nuova Alleanza, la certezza di essere esauditi nelle nostre suppliche è fondata sulla preghiera di Gesù.[70] 434

2615 Ancor più, quando la nostra preghiera è unita a quella di Gesù, il Padre ci dà l'« altro Consolatore perché rimanga » con noi « per sempre, lo Spirito di verità » (*Gv* 14,16-17). Questa novità della preghiera e delle sue condizioni appare attraverso il Discorso di addio.[71] Nello Spirito Santo, la preghiera cristiana è comunione di amore con il Padre, non solamente per mezzo di Cristo, ma anche *in lui:* « Finora non avete chiesto nulla nel mio nome. Chiedete e otterrete, perché la vostra gioia sia piena » (*Gv* 16,24). 728

Gesù esaudisce la preghiera

2616 La preghiera *a Gesù* è già esaudita da lui durante il suo ministero, mediante segni che anticipano la potenza della sua Morte e della sua Risurrezione: Gesù esaudisce la preghiera di fede, espressa a parole,[72] oppure in silenzio.[73] La supplica accorata dei ciechi: « Figlio di Davide, abbi pietà di noi » (*Mt* 9,27) o « Figlio di Davide, Gesù, abbi pietà di me » (*Mc* 10,47) è stata ripresa nella tradizione della *Preghiera a Gesù:* « Gesù, Cristo, Figlio di Dio, Signore, abbi pietà di me peccatore! ». Si tratti di guarire le malattie o di rimettere i peccati, alla preghiera che implora con fede Gesù risponde sempre: « Va' in pace, la tua fede ti ha salvato! ». 548 2667

Sant'Agostino riassume in modo mirabile le tre dimensioni della preghiera di Gesù: « Prega per noi come nostro sacerdote; prega in noi come nostro capo; è pregato da noi come nostro Dio. Riconosciamo, dunque, in lui la nostra voce, e in noi la sua voce ».[74]

[68] Cf *Lc* 18,9-14.
[69] Cf *Gv* 14,13.
[70] Cf *Gv* 14,13-14.
[71] Cf *Gv* 14,23-26; 15,7.16; 16,13-15; 16,23-27.
[72] Il lebbroso: cf *Mc* 1,40-41; Giairo: cf *Mc* 5,36; la cananea: cf *Mc* 7,29; il buon ladrone: cf *Lc* 23,39-43.
[73] Coloro che portano il paralitico: cf *Mc* 2,5; l'emorroissa che tocca il suo mantello: cf *Mc* 5,28; le lacrime e l'olio profumato della peccatrice: cf *Lc* 7,37-38.
[74] Sant'Agostino, *Enarratio in Psalmos*, 85,1; cf *Principi e norme per la Liturgia delle Ore*, 7.

La preghiera della Vergine Maria

148 2617 La preghiera di Maria ci è rivelata all'aurora della Pienezza dei tempi. Prima dell'Incarnazione del Figlio di Dio e prima dell'effusione dello Spirito Santo, la sua preghiera coopera in una maniera unica al Disegno
494 benevolo del Padre: al momento dell'Annunciazione per il concepimento di Cristo,[75] e in attesa della Pentecoste per la formazione della Chiesa, Corpo di Cristo.[76] Nella fede della sua umile serva il Dono di Dio trova l'accoglienza che fin dall'inizio dei tempi aspettava. Colei che l'Onnipotente ha fatto
490 « piena di grazia », risponde con l'offerta di tutto il proprio essere: « Eccomi, sono la serva del Signore, avvenga di me quello che hai detto ». *Fiat,* è la preghiera cristiana: essere interamente per lui, dal momento che egli è interamente per noi.

2674 2618 Il Vangelo ci rivela come Maria preghi e interceda nella fede: a Cana [77] la Madre di Gesù prega il Figlio suo per le necessità di un banchetto di nozze, segno di un altro Banchetto, quello delle nozze dell'Agnello che, alla richiesta della Chiesa, sua Sposa, offre il proprio Corpo e il proprio Sangue. Ed è nell'ora della Nuova Alleanza, ai piedi della croce,[78] che
726 Maria viene esaudita come la Donna, la nuova Eva, la vera « madre dei viventi ».

2619 È per questo che il cantico di Maria [79] (il « Magnificat » latino, il « Megalinario » bizantino) rappresenta ad un tempo il cantico della Madre di Dio e quello della Chiesa, cantico della Figlia di Sion e del nuovo Popolo
724 di Dio, cantico di ringraziamento per la pienezza di grazie elargite nell'Economia della salvezza, cantico dei « poveri », la cui speranza si realizza mediante il compimento delle Promesse fatte « ai nostri padri, ad Abramo e alla sua discendenza per sempre ».

In sintesi

2620 *Nel Nuovo Testamento il modello perfetto della preghiera si trova nella preghiera filiale di Gesù. Fatta spesso nella solitudine, nel silenzio, la preghiera di Gesù comporta un'adesione piena d'amore alla volontà del Padre fino alla croce e una assoluta fiducia di essere esaudito.*

2621 *Nel suo insegnamento, Gesù educa i suoi discepoli a pregare con un cuore purificato, con una fede viva e perseverante, con un'audacia*

[75] Cf *Lc* 1,38.
[76] Cf *At* 1,14.
[77] Cf *Gv* 2,1-12.
[78] Cf *Gv* 19,25-27.
[79] Cf *Lc* 1,46-55.

filiale. Li esorta alla vigilanza e li invita a rivolgere le loro domande a Dio nel suo Nome. Gesù Cristo stesso esaudisce le preghiere che Gli vengono rivolte.

2622 *La preghiera della Vergine Maria, nel suo Fiat e nel suo Magnificat, è caratterizzata dalla generosa offerta di tutto il suo essere nella fede.*

Articolo 3
NEL TEMPO DELLA CHIESA

2623 Il giorno di Pentecoste lo Spirito della Promessa è stato effuso sui discepoli, che « si trovavano tutti insieme nello stesso luogo » (*At* 2,1) ad attenderlo, « assidui e concordi nella preghiera » (*At* 1,14). Lo Spirito che istruisce la Chiesa e le ricorda tutto ciò che Gesù ha detto,[80] la forma anche alla vita di preghiera. 731

2624 Nella prima comunità di Gerusalemme, i credenti « erano assidui nell'ascoltare l'insegnamento degli Apostoli e nell'unione fraterna, nella frazione del pane e nelle preghiere » (*At* 2,42). La sequenza è tipica della preghiera della Chiesa: fondata sulla fede apostolica ed autenticata dalla carità, essa è nutrita nell'Eucaristia. 1342

2625 Le preghiere sono prima di tutto quelle che i fedeli ascoltano e leggono nelle Scritture, attualizzandole però, specialmente quelle dei Salmi, a partire dal loro compimento in Cristo.[81] Lo Spirito Santo, che in tal modo ricorda Cristo alla sua Chiesa orante, la conduce anche alla Verità tutta intera e suscita nuove formulazioni, le quali esprimeranno l'insondabile Mistero di Cristo, che opera nella vita, nei sacramenti e nella missione della sua Chiesa. Queste formulazioni si svilupperanno nelle grandi tradizioni liturgiche e spirituali. Le *forme della preghiera,* quali sono espresse negli Scritti apostolici e canonici rimarranno normative per la preghiera cristiana. 1092 1200

I. La benedizione e l'adorazione

2626 La *benedizione* esprime il moto di fondo della preghiera cristiana: essa è incontro di Dio e dell'uomo; in essa il Dono di Dio e l'accoglienza dell'uomo si richiamano e si congiungono. La preghiera di benedizione è la 1078

[80] Cf *Gv* 14,26.
[81] Cf *Lc* 24,27.44.

risposta dell'uomo ai doni di Dio: poiché Dio benedice, il cuore dell'uomo può rispondere benedicendo colui che è la sorgente di ogni benedizione.

1083 2627 Due forme fondamentali esprimono questo moto: talvolta la benedizione si eleva, portata, nello Spirito Santo, da Cristo verso il Padre (lo benediciamo per averci benedetti); [82] talvolta implora la grazia dello Spirito Santo che, per mezzo di Cristo, discende dal Padre (è lui che ci benedice).[83]

2096-2097 2628 L'*adorazione* è la disposizione fondamentale dell'uomo che si riconosce creatura davanti al suo Creatore. Essa esalta la grandezza del Signore che ci ha creati [84] e l'onnipotenza del Salvatore che ci libera dal male. È la prosternazione dello spirito davanti al « Re della gloria » (*Sal* 24,9.10) e il silenzio rispettoso al cospetto del Dio « sempre più grande di noi ».[85] 2559 L'adorazione del Dio tre volte santo e sommamente amabile ci colma di umiltà e dà sicurezza alle nostre suppliche.

II. La preghiera di domanda

2629 Il vocabolario della supplica è ricco di sfumature nel Nuovo Testamento: domandare, implorare, chiedere con insistenza, invocare, impetrare, gridare e perfino « lottare nella preghiera ».[86] Ma la sua forma più abituale, perché la più spontanea, è la domanda: proprio con la preghiera di domanda 396 noi esprimiamo la coscienza della nostra relazione con Dio: in quanto creature, non siamo noi il nostro principio, né siamo padroni delle avversità, né siamo il nostro ultimo fine; anzi, per di più, essendo peccatori, noi, come cristiani, sappiamo che ci allontaniamo dal Padre. La domanda è già un ritorno a lui.

2630 Il Nuovo Testamento non contiene preghiere di lamentazione, frequenti invece nell'Antico Testamento. Ormai, in Cristo risorto, la domanda della Chiesa è 2090 sostenuta dalla speranza, quantunque siamo ancora nell'attesa e dobbiamo convertirci ogni giorno. Scaturisce da ben altra profondità la domanda cristiana, quella che san Paolo chiama il *gemito:* quello della creazione « nelle doglie del parto » (*Rm* 8,22); ma anche il nostro, nell'attesa della « redenzione del nostro corpo; poiché nella speranza noi siamo stati salvati » (*Rm* 8,23-24); infine i « gemiti inesprimibili » dello stesso Spirito Santo, il quale « viene in aiuto alla nostra debolezza, perché nemmeno sappiamo che cosa sia conveniente domandare » (*Rm* 8,26).

[82] Cf *Ef* 1,3-14; *2 Cor* 1,3-7; *1 Pt* 1,3-9.
[83] Cf *2 Cor* 13,13; *Rm* 15,5-6.13; *Ef* 6,23-24.
[84] Cf *Sal* 95,1-6.
[85] Cf Sant'Agostino, *Enarratio in Psalmos,* 62, 16.
[86] Cf *Rm* 15,30; *Col* 4,12.

2631 La *domanda del perdono* è il primo moto della preghiera di domanda.[87] Essa è preliminare ad una preghiera giusta e pura. L'umiltà confidente ci pone nella luce della comunione con il Padre e il Figlio suo Gesù Cristo, e gli uni con gli altri:[88] allora « qualunque cosa chiediamo la riceviamo da lui » (*1 Gv* 3,22). La domanda del perdono è l'atto preliminare della liturgia eucaristica, come della preghiera personale. 2838

2632 La domanda cristiana è imperniata sul desiderio e sulla *ricerca del Regno* che viene, conformemente all'insegnamento di Gesù.[89] Nelle domande esiste una gerarchia: prima di tutto si chiede il Regno, poi ciò che è necessario per accoglierlo e per cooperare al suo avvento. Tale cooperazione alla missione di Cristo e dello Spirito Santo, che ora è quella della Chiesa, è l'oggetto della preghiera della comunità apostolica.[90] È la preghiera di Paolo, l'Apostolo per eccellenza, che ci manifesta come la sollecitudine divina per tutte le Chiese debba animare la preghiera cristiana.[91] Mediante la preghiera ogni battezzato opera per l'avvento del Regno. 2816 1942 2854

2633 Quando si condivide in questo modo l'amore salvifico di Dio, si comprende come *ogni necessità* possa diventare oggetto di domanda. Cristo, che tutto ha assunto al fine di tutto redimere, è glorificato dalle domande che noi rivolgiamo al Padre nel suo Nome.[92] È in forza di questa certezza che Giacomo[93] e Paolo ci esortano a pregare *in ogni circostanza*.[94] 2830

III. La preghiera di intercessione

2634 L'intercessione è una preghiera di domanda che ci conforma da vicino alla preghiera di Gesù. È lui l'unico Intercessore presso il Padre in favore di tutti gli uomini, particolarmente dei peccatori.[95] Egli « può salvare perfettamente quelli che per mezzo di lui si accostano a Dio, essendo egli sempre vivo per intercedere a loro favore » (*Eb* 7,25). Lo Spirito Santo stesso « intercede per noi » e la sua intercessione « per i credenti » è « secondo i disegni di Dio » (*Rm* 8,26-27). 432

2635 Intercedere, chiedere in favore di un altro, dopo Abramo, è la prerogativa di un cuore in sintonia con la misericordia di Dio. Nel tempo della 2571

[87] Cf il pubblicano: « abbi pietà di me peccatore »: *Lc* 18,13.
[88] Cf *1 Gv* 1,7–2,2.
[89] Cf *Mt* 6,10.33; *Lc* 11,2.13.
[90] Cf *At* 6,6; 13,3.
[91] Cf *Rm* 10,1; *Ef* 1,16-23; *Fil* 1,9-11; *Col* 1,3-6; 4,3-4.12.
[92] Cf *Gv* 14,13.
[93] Cf *Gc* 1,5-8.
[94] Cf *Ef* 5,20; *Fil* 4,6-7; *Col* 3,16-17; *1 Ts* 5,17-18.
[95] Cf *Rm* 8,34; *1 Tm* 2,5-8; *1 Gv* 2,1.

Chiesa, l'intercessione cristiana partecipa a quella di Cristo: è espressione della comunione dei santi. Nell'intercessione, colui che prega non cerca solo 2577 « il proprio interesse, ma anche quello degli altri » (*Fil* 2,4), fino a pregare per coloro che gli fanno del male.[96]

2636 Le prime comunità cristiane hanno intensamente vissuto questa forma di condivisione.[97] L'Apostolo Paolo le rende così partecipi del suo ministero del Vangelo,[98] ma intercede anche per esse.[99] L'intercessione dei 1900 cristiani non conosce frontiere: « per tutti gli uomini... per tutti quelli che 1037 stanno al potere » (*1 Tm* 2,1), per coloro che perseguitano,[100] per la salvezza di coloro che rifiutano il Vangelo.[101]

IV. La preghiera di ringraziamento

224 2637 L'azione di grazie caratterizza la preghiera della Chiesa, la quale, ce-1328 lebrando l'Eucaristia, manifesta e diventa sempre più ciò che è. In realtà, nell'opera della salvezza, Cristo libera la creazione dal peccato e dalla morte, per consacrarla nuovamente e farla tornare al Padre, per la sua Gloria. Il 2603 rendimento di grazie delle membra del Corpo partecipa a quello del Capo.

2638 Come nella preghiera di domanda, ogni avvenimento e ogni necessità può diventare motivo di ringraziamento. Le Lettere di san Paolo spesso cominciano e si concludono con un'azione di grazie e sempre vi è presente il Signore Gesù. « In ogni cosa rendete grazie; questa è infatti la volontà di Dio in Cristo Gesù verso di voi » (*1 Ts* 5,18). « Perseverate nella preghiera e vegliate in essa, rendendo grazie » (*Col* 4,2).

V. La preghiera di lode

2639 La lode è la forma di preghiera che più immediatamente riconosce 213 che Dio è Dio! Lo canta per se stesso, gli rende gloria perché EGLI È, a prescindere da ciò che fa. È una partecipazione alla beatitudine dei cuori puri, che amano Dio nella fede prima di vederlo nella Gloria. Per suo mezzo, lo Spirito si unisce al nostro spirito per testimoniare che siamo figli di Dio,[102]

[96] Cf Stefano che prega per i suoi uccisori, come Gesù: cf *At* 7,60; *Lc* 23,28.34.
[97] Cf *At* 12,5; 20,36; 21,5; *2 Cor* 9,14.
[98] Cf *Ef* 6,18-20; *Col* 4,3-4; *1 Ts* 5,25.
[99] Cf *Fil* 1,3-4; *Col* 1,3; *2 Ts* 1,11.
[100] Cf *Rm* 12,14.
[101] Cf *Rm* 10,1.
[102] Cf *Rm* 8,16.

rende testimonianza al Figlio unigenito nel quale siamo adottati e per mezzo del quale glorifichiamo il Padre. La lode integra le altre forme di preghiera e le porta verso colui che ne è la sorgente e il termine: il « solo Dio, il Padre, dal quale tutto proviene e noi siamo per lui » (*1 Cor* 8,6).

2640 San Luca annota spesso nel suo Vangelo l'ammirazione e la lode davanti alle meraviglie operate da Cristo; le sottolinea anche per le azioni dello Spirito Santo che sono negli Atti degli Apostoli: la vita della comunità di Gerusalemme,[103] la guarigione dello storpio operata da Pietro e Giovanni,[104] l'esultanza della folla che glorifica Dio per l'accaduto,[105] la gioia dei pagani di Pisidia che glorificano « la Parola di Dio » (*At* 13,48).

2641 « Siate ricolmi dello Spirito intrattenendovi a vicenda con salmi, inni, cantici spirituali, cantando e inneggiando al Signore con tutto il vostro cuore » (*Ef* 5,19).[106] Come gli scrittori ispirati del Nuovo Testamento, le prime comunità cristiane rileggono il libro dei Salmi cantando in essi il Mistero di Cristo. Nella novità dello Spirito, esse compongono anche inni e cantici ispirandosi all'Evento inaudito che Dio ha realizzato nel Figlio suo: la sua Incarnazione, la sua Morte vincitrice della morte, la sua Risurrezione, la sua Ascensione alla propria destra.[107] È da questa « meraviglia » di tutta l'Economia della salvezza che sale la dossologia, la lode di Dio.[108]

2587

2642 La Rivelazione delle « cose che devono presto accadere », l'Apocalisse, poggia sui cantici della Liturgia celeste,[109] ma anche sull'intercessione dei « testimoni » (martiri: *Ap* 6,10). I profeti e i santi, tutti coloro che furono uccisi sulla terra per la testimonianza da loro data a Gesù,[110] l'immensa folla di coloro che, venuti dalla grande tribolazione, ci hanno preceduto nel Regno, cantano la lode di gloria di colui che siede sul Trono e dell'Agnello.[111] In comunione con loro, anche la Chiesa della terra canta questi cantici, nella fede e nella prova. La fede, nella domanda e nell'intercessione, spera contro ogni speranza e rende grazie al « Padre della luce », dal quale « discende ogni dono perfetto » (*Gc* 1,17). La fede è così una pura lode.

1137

2643 L'Eucaristia contiene ed esprime tutte le forme di preghiera: è « l'oblazione pura » di tutto il Corpo di Cristo a gloria del suo Nome.[112] Secondo le tradizioni d'Oriente e d'Occidente, essa è « *il* sacrificio di lode ».

1330

[103] Cf *At* 2,47.
[104] Cf *At* 3,9.
[105] Cf *At* 4,21.
[106] Cf *Col* 3,16.
[107] Cf *Fil* 2,6-11; *Col* 1,15-20; *Ef* 5,14; *1 Tm* 3,16; 6,15-16; *2 Tm* 2,11-13.
[108] Cf *Rm* 16,25-27; *Ef* 1,3-14; *Ef* 3,20-21; *Gd* 24-25.
[109] Cf *Ap* 4,8-11; 5,9-14; 7,10-12.
[110] Cf *Ap* 18,24.
[111] Cf *Ap* 19,1-8.
[112] Cf *Ml* 1,11.

In sintesi

2644 *Lo Spirito Santo che ammaestra la Chiesa e le ricorda tutto ciò che Gesù ha detto, la educa anche alla vita di preghiera, suscitando espressioni che si rinnovano in seno a forme permanenti: benedizione, domanda, intercessione, azione di grazie e lode.*

2645 *Per il fatto che Dio lo benedice, il cuore dell'uomo può a sua volta benedire colui che è la sorgente di ogni benedizione.*

2646 *La preghiera di domanda ha per oggetto il perdono, la ricerca del Regno, come pure ogni vera necessità.*

2647 *La preghiera di intercessione consiste in una domanda in favore di un altro. Non conosce frontiere e si estende anche ai nemici.*

2648 *Ogni gioia e ogni sofferenza, ogni avvenimento e ogni necessità può essere materia dell'azione di grazie, che, partecipando a quella di Cristo, deve riempire l'intera vita: « In ogni cosa rendete grazie »* (*1 Ts* 5,18).

2649 *La preghiera di lode, completamente disinteressata, si concentra su Dio; lo canta per se stesso, gli rende gloria perché egli È, a prescindere da ciò che egli fa.*

CAPITOLO SECONDO

LA TRADIZIONE DELLA PREGHIERA

2650 La preghiera non si riduce allo spontaneo manifestarsi di un impulso interiore: per pregare, bisogna volerlo. Non basta neppure sapere quel che le Scritture rivelano sulla preghiera: è necessario anche imparare a pregare. È attraverso una trasmissione vivente (la sacra Tradizione) che lo Spirito Santo insegna a pregare ai figli di Dio, nella Chiesa « che crede e che prega ».[1] 75

2651 La tradizione della preghiera cristiana è una delle forme di crescita della Tradizione della fede, in particolare per mezzo della contemplazione e dello studio dei credenti, i quali conservano nel loro cuore gli eventi e le parole dell'Economia della salvezza, e mediante la profonda comprensione delle realtà spirituali di cui fanno esperienza.[2] 94

Articolo 1

ALLE SORGENTI DELLA PREGHIERA

2652 Lo Spirito Santo è « l'acqua viva » che, nel cuore orante, « zampilla per la vita eterna » (*Gv* 4,14). È lui che ci insegna ad attingerla alla stessa Sorgente: Cristo. Nella vita cristiana ci sono delle fonti dove Cristo ci attende per abbeverarci dello Spirito Santo. 694

La Parola di Dio

2653 La Chiesa « esorta con forza e insistenza tutti i fedeli... ad apprendere "la sublime scienza di Gesù Cristo" con la frequente lettura delle divine Scritture... Però la lettura della Sacra Scrittura dev'essere accompagnata dalla preghiera, affinché possa svolgersi il colloquio tra Dio e l'uomo; 133 1100

[1] Conc. Ecum. Vat. II, *Dei Verbum*, 8.
[2] Cf *ibid.*

poiché "gli parliamo quando preghiamo e lo ascoltiamo quando leggiamo gli oracoli divini" ».[3]

2654 I Padri della vita spirituale, parafrasando Mt 7,7, così riassumono le disposizioni del cuore nutrito dalla Parola di Dio nella preghiera: « Cercate leggendo e troverete meditando; bussate pregando e vi sarà aperto dalla contemplazione ».[4]

La Liturgia della Chiesa

1073 2655 La missione di Cristo e dello Spirito Santo che, nella Liturgia sacramentale della Chiesa, annunzia, attualizza e comunica il Mistero della salvezza, prosegue nel cuore che prega. I Padri della vita spirituale talvolta 368 paragonano il cuore a un altare. La preghiera interiorizza ed assimila la Liturgia durante e dopo la sua celebrazione. Anche quando è vissuta « nel segreto » (*Mt* 6,6), la preghiera è sempre preghiera *della Chiesa,* è comunione con la Santissima Trinità.[5]

1812-1829 Le virtù teologali

2656 Si entra nella preghiera come si entra nella Liturgia: per la porta stretta della *fede.* Attraverso i segni della sua Presenza, è il Volto del Signore che cerchiamo e desideriamo, è la sua Parola che vogliamo ascoltare e custodire.

2657 Lo Spirito Santo, che ci insegna a celebrare la Liturgia nell'attesa del ritorno di Cristo, ci educa a pregare nella *speranza.* A loro volta, la preghiera della Chiesa e la preghiera personale alimentano in noi la speranza. In modo particolarissimo i Salmi, con il loro linguaggio concreto e ricco, ci insegnano a fissare la nostra speranza in Dio: « Ho sperato, ho sperato nel Signore, ed egli su di me si è chinato, ha dato ascolto al mio grido » (*Sal* 40,2). « Il Dio della speranza vi riempia di ogni gioia e pace nella fede, perché abbondiate nella speranza per la virtù dello Spirito Santo » (*Rm* 15,13).

2658 « La speranza non delude, perché l'*Amore* di Dio è stato riversato nei nostri cuori per mezzo dello Spirito Santo che ci è stato dato » (*Rm* 5,5). La

[3] Conc. Ecum. Vat. II, *Dei Verbum,* 25; cf Sant'Ambrogio, *De officis ministrorum:* PL 16, 50A.
[4] Guigo il Certosino, *Scala claustralium:* PL 184, 476C.
[5] Cf *Principi e norme per la Liturgia delle Ore,* 9.

preghiera, plasmata dalla vita liturgica, tutto attinge all'Amore con cui siamo amati in Cristo e che ci concede di rispondervi amando come lui ci ha amati. L'Amore è *la* sorgente della preghiera; chi vi attinge, tocca il culmine della preghiera: 826

> Vi amo, o mio Dio, e il mio unico desiderio è di amarvi fino all'ultimo respiro. Vi amo, o mio Dio infinitamente amabile, e preferisco morire amandovi, che vivere senza amarvi. Vi amo, Signore, e la sola grazia che vi chiedo è di amarvi eternamente... Mio Dio, se la mia lingua non può ripetere, ad ogni istante, che vi amo, voglio che il mio cuore ve lo ripeta tutte le volte che respiro.[6]

« Oggi »

2659 Noi impariamo a pregare in momenti particolari, quando ascoltiamo la Parola del Signore e quando partecipiamo al suo Mistero pasquale; ma è in ogni tempo, nelle vicende di *ogni giorno,* che ci viene dato il suo Spirito perché faccia sgorgare la preghiera. L'insegnamento di Gesù sulla preghiera al Padre nostro è nella medesima linea di quello sulla Provvidenza:[7] il tempo è nelle mani del Padre; è nel presente che lo incontriamo: né ieri né domani, ma oggi: « Ascoltate oggi la sua voce: "Non indurite il cuore" » (*Sal* 95,8). 1165 2837 305

2660 Pregare negli avvenimenti di ogni giorno e di ogni istante è uno dei segreti del Regno rivelati ai « piccoli », ai servi di Cristo, ai poveri delle beatitudini. È cosa buona e giusta pregare perché l'avvento del Regno di giustizia e di pace influenzi il cammino della storia, ma è altrettanto importante « impastare » mediante la preghiera le umili situazioni quotidiane. Tutte le forme di preghiera possono essere quel lievito al quale il Signore paragona il Regno.[8] 2546 2632

In sintesi

2661 *È attraverso una trasmissione vivente, la Tradizione, che, nella Chiesa, lo Spirito Santo insegna ai figli di Dio a pregare.*

2662 *La Parola di Dio, la Liturgia della Chiesa, le virtù della fede, della speranza e della carità sono fonti della preghiera.*

[6] Cf San Giovanni Maria Vianney, *Preghiera.*
[7] Cf *Mt* 6,11.34.
[8] Cf *Lc* 13,20-21.

Articolo 2
IL CAMMINO DELLA PREGHIERA

1201 2663 Nella tradizione vivente della preghiera, ogni Chiesa, in rapporto al contesto storico, sociale e culturale, propone ai propri fedeli il linguaggio della loro preghiera: parole, melodie, gesti, iconografia. Spetta al Magistero[9] discernere la fedeltà di tali cammini di preghiera alla tradizione della fede apostolica, ed è compito dei pastori e dei catechisti spiegarne il senso, che è sempre legato a Gesù Cristo.

La preghiera al Padre

2664 Per la preghiera cristiana non c'è altra via che Cristo. La nostra pre- 2780 ghiera, sia essa comunitaria o personale, vocale o interiore, giunge al Padre soltanto se preghiamo « nel Nome » di Gesù. Quindi, la santa Umanità di Gesù è la via mediante la quale lo Spirito Santo ci insegna a pregare Dio nostro Padre.

La preghiera a Gesù

2665 La preghiera della Chiesa, nutrita dalla Parola di Dio e dalla celebra- 451 zione della Liturgia, ci insegna a pregare il Signore Gesù. Sebbene sia rivolta soprattutto al Padre, essa comprende però, in tutte le tradizioni liturgiche, forme di preghiera rivolte a Cristo. Alcuni Salmi, secondo la loro attualizzazione nella Preghiera della Chiesa, e il Nuovo Testamento mettono sulle nostre labbra e imprimono nei nostri cuori le invocazioni di questa preghiera a Cristo: Figlio di Dio, Verbo di Dio, Signore, Salvatore, Agnello di Dio, Re, Figlio diletto, Figlio della Vergine, buon Pastore, nostra Vita, nostra Luce, nostra Speranza, nostra Risurrezione, Amico degli uomini...

2666 Ma il Nome che comprende tutto è quello che il Figlio di Dio riceve 432 nell'Incarnazione: GESÙ. Il Nome divino è indicibile dalle labbra umane,[10] ma il Verbo di Dio, assumendo la nostra umanità, ce lo consegna e noi possiamo invocarlo: « Gesù », « YHWH salva ».[11] Il Nome di Gesù 435 contiene tutto: Dio e l'uomo e l'intera Economia della creazione e della salvezza. Pregare « Gesù » è invocarlo, chiamarlo in noi. Il suo Nome è il solo che contiene la Presenza che esso significa. Gesù è risorto, e chiunque

[9] Cf Conc. Ecum. Vat. II, *Dei Verbum,* 10.
[10] Cf *Es* 3,14; 33,19-23.
[11] Cf *Mt* 1,21.

invoca il suo Nome accoglie il Figlio di Dio che lo ha amato e ha dato se stesso per lui.[12]

2667 Questa invocazione di fede estremamente semplice è stata sviluppata, nella tradizione della preghiera, sotto varie forme in Oriente e in Occidente. La formulazione più abituale, trasmessa dai monaci del Sinai, di Siria e dell'Athos, è l'invocazione: « Gesù, Cristo, Figlio di Dio, Signore, abbi pietà di noi, peccatori! ». Essa coniuga l'inno cristologico di Fil 2,6-11 con l'invocazione del pubblicano e dei mendicanti della luce.[13] Mediante essa il cuore entra in sintonia con la miseria degli uomini e con la misericordia del loro Salvatore. 2616

2668 L'invocazione del santo Nome di Gesù è la via più semplice della preghiera continua. Ripetuta spesso da un cuore umilmente attento, non si disperde in fiumi di parole,[14] ma custodisce la Parola e produce frutto con la perseveranza.[15] Essa è possibile « in ogni tempo », giacché non è un'occupazione accanto ad un'altra, ma l'unica occupazione, quella di amare Dio, che anima e trasfigura ogni azione in Cristo Gesù. 435

2669 La preghiera della Chiesa venera e onora il *Cuore di Gesù,* come invoca il suo santissimo Nome. Essa adora il Verbo incarnato e il suo Cuore che, per amore degli uomini, si è lasciato trafiggere dai nostri peccati. La preghiera cristiana ama seguire la *via della croce* (Via Crucis) sulle orme del Salvatore. Le stazioni dal Pretorio al Golgota e alla Tomba scandiscono il cammino di Gesù, che con la sua santa Croce ha redento il mondo. 478 1674

« Vieni, Santo Spirito »

2670 « Nessuno può dire "Gesù è Signore" se non sotto l'azione dello Spirito Santo » (*1 Cor* 12,3). Ogni volta che incominciamo a pregare Gesù, è lo Spirito Santo che, con la sua grazia preveniente, ci attira sul cammino della preghiera. Poiché egli ci insegna a pregare ricordandoci Cristo, come non pregare lui stesso? Ecco perché la Chiesa ci invita ad implorare ogni giorno lo Spirito Santo, soprattutto all'inizio e al termine di qualsiasi azione importante. 683 2001 1310

> Se lo Spirito non deve essere adorato, come mi divinizza mediante il Battesimo? E se deve essere adorato, non deve essere oggetto di un culto particolare? [16]

2671 La forma tradizionale di chiedere lo Spirito è invocare il Padre per mezzo di Cristo nostro Signore perché ci doni lo Spirito Consolatore.[17]

[12] Cf *Rm* 10,13; *At* 2,21; 3,15-16; *Gal* 2,20.
[13] Cf *Mc* 10,46-52; *Lc* 18,13.
[14] Cf *Mt* 6,7.
[15] Cf *Lc* 8,15.
[16] San Gregorio Nazianzeno, *Orationes theologicae,* 5, 28: PG 36, 165C.
[17] Cf *Lc* 11,13.

Gesù insiste su questa domanda nel suo Nome nel momento stesso in cui promette il dono dello Spirito di Verità.[18] Ma la preghiera più semplice e più diretta è anch'essa tradizionale: « Vieni, Santo Spirito », e ogni tradizione liturgica l'ha sviluppata in antifone e inni:

> Vieni, Santo Spirito, riempi il cuore dei tuoi fedeli e accendi in essi il fuoco del tuo amore.[19]
>
> Re celeste, Spirito Consolatore, Spirito di Verità, che sei presente ovunque e tutto riempi, tesoro di ogni bene e sorgente della Vita, vieni, abita in noi, purificaci e salvaci, Tu che sei Buono! [20]

695 2672 Lo Spirito Santo, la cui Unzione impregna tutto il nostro essere, è il Maestro interiore della preghiera cristiana. È l'artefice della tradizione vivente della preghiera. Indubbiamente, vi sono tanti cammini di preghiera quanti sono coloro che pregano, ma è lo stesso Spirito che agisce in tutti e con tutti. È nella comunione dello Spirito Santo che la preghiera cristiana è preghiera nella Chiesa.

In comunione con la Santa Madre di Dio

689 2673 Nella preghiera, lo Spirito Santo ci unisce alla Persona del Figlio unigenito, nella sua Umanità glorificata. Per essa ed in essa la nostra preghiera filiale entra in comunione, nella Chiesa, con la Madre di Gesù.[21]

494 2674 Dopo il consenso dato nella fede al momento dell'Annunciazione e mantenuto, senza esitazione, sotto la croce, la maternità di Maria si estende ora ai fratelli e alle sorelle del Figlio suo, « ancora pellegrini e posti in mezzo a pericoli e affanni ».[22] Gesù, l'unico Mediatore, è la Via della nostra preghiera; Maria, Madre sua e Madre nostra, è pura trasparenza di lui: ella « mostra la Via » [« Hodoghitria »], ne è « il Segno », secondo l'iconografia tradizionale in Oriente e in Occidente.

970 2675 È a partire da questa singolare cooperazione di Maria all'azione dello Spirito Santo, che le Chiese hanno sviluppato la preghiera alla santa
512 Madre di Dio, incentrandola sulla Persona di Cristo manifestata nei suoi misteri. Negli innumerevoli inni e antifone in cui questa preghiera si espri-
2619 me, si alternano di solito due movimenti: l'uno « magnifica » il Signore per le « grandi cose » che ha fatto per la sua umile serva e, mediante lei, per tutti

[18] Cf *Gv* 14,16-17; 15,26; 16,13.
[19] Sequenza di Pentecoste.
[20] Liturgia bizantina, Tropario dei Vespri di Pentecoste.
[21] Cf *At* 1,14.
[22] Conc. Ecum. Vat. II, *Lumen gentium,* 62.

gli uomini;[23] l'altro affida alla Madre di Gesù le suppliche e le lodi dei figli di Dio, dal momento che ora ella conosce l'umanità, che in lei è sposata dal Figlio di Dio.

2676 Questo duplice movimento della preghiera a Maria ha trovato un'espressione privilegiata nella preghiera dell'Ave Maria:

« Ave, Maria [rallegrati, Maria] ». Il saluto dell'angelo Gabriele apre la preghiera dell'Ave. È Dio stesso che, tramite il suo angelo, saluta Maria. La nostra preghiera osa riprendere il saluto a Maria con lo sguardo che Dio ha rivolto alla sua umile serva,[24] e ci fa rallegrare della gioia che egli trova in lei.[25] 722

« Piena di grazia, il Signore è con te ». Le due espressioni del saluto dell'angelo si chiariscono reciprocamente. Maria è piena di grazia perché il Signore è con lei. La grazia della quale è colmata è la presenza di colui che è la sorgente di ogni grazia. « Rallegrati... figlia di Gerusalemme... il Signore » è « in mezzo a te » (*Sof* 3,14.17a). Maria, nella quale il Signore stesso prende dimora, è la personificazione della figlia di Sion, dell'Arca dell'Alleanza, il luogo dove abita la Gloria del Signore: ella è la « dimora di Dio con gli uomini » (*Ap* 21,3). « Piena di grazia », Maria è interamente donata a colui che prende dimora in lei e che lei donerà al mondo. 490

« Tu sei benedetta fra le donne e benedetto è il frutto del tuo seno, Gesù ». Dopo il saluto dell'angelo, facciamo nostro quello di Elisabetta. « Piena di Spirito Santo » (*Lc* 1,41), Elisabetta è la prima della lunga schiera di generazioni che chiama Maria beata:[26] « Beata colei che ha creduto... » (*Lc* 1,45); Maria è « benedetta fra le donne », perché ha creduto nell'adempimento della parola del Signore. Abramo, per la sua fede, è diventato una benedizione per « tutte le famiglie della terra » (*Gn* 12,3). Per la sua fede, Maria è diventata la Madre dei credenti, grazie alla quale tutte le nazioni della terra ricevono colui che è la benedizione stessa di Dio: Gesù, il frutto benedetto del suo grembo. 435 146

2677 *« Santa Maria, Madre di Dio, prega per noi... ».* Con Elisabetta ci meravigliamo: « A che debbo che la Madre del mio Signore venga a me? » (*Lc* 1,43). Maria, poiché ci dona Gesù, suo figlio, è la Madre di Dio e la Madre nostra; possiamo confidarle tutte le nostre preoccupazioni e le nostre implorazioni: ella prega per noi come ha pregato per sé: « Avvenga di me quello che hai detto » (*Lc* 1,38). Affidandoci alla sua preghiera, con lei ci abbandoniamo alla volontà di Dio: « Sia fatta la tua volontà ». 495

« Prega per noi, peccatori, adesso e nell'ora della nostra morte ». Chiedendo a Maria di pregare per noi, ci riconosciamo poveri peccatori e ci rivolgiamo alla « Madre della misericordia », alla Tutta Santa. Ci affidiamo a lei « adesso », nell'oggi delle nostre esistenze. E la nostra fiducia si dilata per consegnare a lei, fin da adesso, « l'ora della nostra morte ». Maria sia ad essa presente come alla morte in croce del 1020

[23] Cf *Lc* 1,46-55.
[24] Cf *Lc* 1,48.
[25] Cf *Sof* 3,17b.
[26] Cf *Lc* 1,48.

Figlio suo, e nell'ora del nostro transito ci accolga come nostra Madre,[27] per condurci al suo Figlio Gesù, in Paradiso.

971; 1674 2678 La pietà medievale dell'Occidente ha sviluppato la preghiera del Rosario, sostitutiva per il popolo della Preghiera delle Ore. In Oriente, la forma litanica dell'Acatisto e della Paraclisis è rimasta più vicina all'ufficio corale delle Chiese bizantine, mentre le tradizioni armena, copta e siriaca, hanno preferito gli inni e i cantici popolari in onore della Madre di Dio. Ma nell'Ave Maria, nelle theotokia, negli inni di sant'Efrem o di san Gregorio di Narek, la tradizione della preghiera rimane fondamentalmente la stessa.

967 2679 Maria è l'Orante perfetta, figura della Chiesa. Quando la preghiamo, con lei aderiamo al Disegno del Padre, che manda il Figlio suo per salvare tutti gli uomini. Come il discepolo amato, prendiamo con noi [28] la Madre di Gesù, diventata la Madre di tutti i viventi. Possiamo pregare con lei e pregarla. La preghiera della Chiesa è come sostenuta dalla preghiera di 972 Maria, alla quale è unita nella speranza.[29]

In sintesi

2680 *La preghiera è principalmente rivolta al Padre; tuttavia essa è indirizzata anche a Gesù, soprattutto attraverso l'invocazione del suo santo Nome: « Gesù, Cristo, Figlio di Dio, Signore, abbi pietà di noi, peccatori! ».*

2681 *« Nessuno può dire "Gesù è Signore" se non sotto l'azione dello Spirito Santo »* (*1 Cor* 12,3). *La Chiesa ci esorta a invocare lo Spirito Santo come il Maestro interiore della preghiera cristiana.*

2682 *In forza della sua singolare cooperazione all'azione dello Spirito Santo, la Chiesa ama pregare in comunione con la Vergine Maria, per magnificare con lei le grandi cose che Dio in lei ha fatto e per affidarle suppliche e lodi.*

[27] Cf *Gv* 19,27.
[28] Cf *ibid.*
[29] Cf Conc. Ecum. Vat. II, *Lumen gentium,* 68-69.

Articolo 3
GUIDE PER LA PREGHIERA

Una nube di testimoni

2683 I testimoni che ci hanno preceduto nel Regno,[30] specialmente coloro che la Chiesa riconosce come « santi », partecipano alla tradizione vivente della preghiera, mediante l'esempio della loro vita, la trasmissione dei loro scritti e la loro preghiera oggi. Essi contemplano Dio, lo lodano e non cessano di prendersi cura di coloro che hanno lasciato sulla terra. Entrando nella « gioia » del loro Signore, essi sono stati stabiliti « su molto ».[31] La loro intercessione è il più alto servizio che rendono al Disegno di Dio. Possiamo e dobbiamo pregarli d'intercedere per noi e per il mondo intero. 956

2684 Nella comunione dei santi si sono sviluppate, lungo la storia delle Chiese, diverse *spiritualità*. Il carisma personale di un testimone dell'Amore di Dio per gli uomini si è potuto trasmettere, come « lo spirito » di Elia a Eliseo[32] e a Giovanni Battista,[33] perché alcuni discepoli avessero parte a tale spirito.[34] Una spiritualità è anche alla confluenza di altre correnti, liturgiche e teologiche, e testimonia dell'inculturazione della fede in un contesto umano e nella sua storia. Le spiritualità cristiane partecipano alla tradizione vivente della preghiera e sono guide indispensabili per i fedeli. Esse, nella loro ricca diversità, riflettono l'unica e pura Luce dello Spirito Santo. 917 919 1202

> Lo Spirito è veramente il luogo dei santi, e per lo Spirito il santo è una dimora particolarmente adatta, poiché il santo si offre ad abitare con Dio ed è chiamato suo tempio.[35]

Servitori della preghiera

2685 La *famiglia cristiana* è il primo luogo dell'educazione alla preghiera. Fondata sul sacramento del Matrimonio, essa è « la Chiesa domestica » dove i figli di Dio imparano a pregare « come Chiesa » e a perseverare nella preghiera. Per i fanciulli in particolare, la preghiera familiare quotidiana è 1657

[30] Cf *Eb* 12,1.
[31] Cf *Mt* 25,21.
[32] Cf *2 Re* 2,9.
[33] Cf *Lc* 1,17.
[34] Cf Conc. Ecum. Vat. II, *Perfectae caritatis,* 2.
[35] San Basilio di Cesarea, *Liber de Spiritu Sancto,* 26, 62: PG 32, 184A.

la prima testimonianza della memoria vivente della Chiesa pazientemente risvegliata dallo Spirito Santo.

1547 2686 I *ministri ordinati* sono anch'essi responsabili della formazione alla preghiera dei loro fratelli e delle loro sorelle in Cristo. Servitori del buon Pastore, essi sono ordinati per guidare il popolo di Dio alle vive sorgenti della preghiera: la Parola di Dio, la Liturgia, la vita teologale, l'Oggi di Dio nelle situazioni concrete.[36]

916 2687 Numerosi *religiosi* hanno dedicato l'intera loro vita alla preghiera. Dopo gli anacoreti del deserto d'Egitto, eremiti, monaci e monache hanno consacrato il loro tempo alla lode di Dio e all'intercessione per il suo popolo. La vita consacrata non si sostiene e non si diffonde senza la preghiera; questa è una delle vive sorgenti della contemplazione e della vita spirituale nella Chiesa.

2688 La *catechesi* dei fanciulli, dei giovani e degli adulti mira a che la Parola di Dio sia meditata nella preghiera personale, sia attualizzata nella preghiera liturgica ed interiorizzata in ogni tempo perché dia il suo frutto in 1674 una vita nuova. La catechesi rappresenta anche il momento in cui la pietà popolare può essere vagliata ed educata.[37] La memorizzazione delle preghiere fondamentali offre un supporto indispensabile alla vita della preghiera, però è di somma importanza che se ne faccia gustare il senso.[38]

2689 I *gruppi di preghiera,* come pure le « scuole di preghiera » sono, oggi, uno dei segni e uno degli stimoli al rinnovamento della preghiera nella Chiesa, a condizione che si attinga alle fonti autentiche della preghiera cristiana. La sollecitudine per la comunione è segno della vera preghiera nella Chiesa.

2690 Lo Spirito Santo dà ad alcuni fedeli doni di saggezza, di fede e di discernimento in vista di quel bene comune che è la preghiera (*direzione spirituale*). Gli uomini e le donne che ne sono dotati sono veri servitori della vivente tradizione della preghiera:

> Per questo l'anima che vuole progredire nella perfezione, deve, secondo il consiglio di san Giovanni della Croce, « guardare attentamente in quali mani si mette perché il discepolo sarà uguale al maestro, il figlio al padre ». E ancora: « È necessario che [la guida] sia saggia, prudente e ricca di esperienza... Se i direttori non hanno anche l'esperienza di quanto è più sublime, mai riusciranno ad incamminarvi le anime, allorché Dio ve le vorrà condurre », anzi non le comprenderanno neppure.[39]

[36] Cf CONC. ECUM. VAT. II, *Presbyterorum ordinis,* 4-6.
[37] Cf GIOVANNI PAOLO II, Esort. ap. *Catechesi tradendae,* 54.
[38] Cf *ibid.,* 55.
[39] Cf SAN GIOVANNI DELLA CROCE, *Fiamma viva d'amore,* strofa 3.

Luoghi favorevoli alla preghiera

2691 La chiesa, casa di Dio, è il luogo proprio della preghiera liturgica per la comunità parrocchiale. È anche il luogo privilegiato dell'adorazione della presenza reale di Cristo nel Santissimo Sacramento. La scelta di un luogo adatto non è indifferente alla verità della preghiera: 1181 2197 1379

— per la preghiera personale, questo luogo può essere un « angolo di preghiera », con la Sacra Scrittura e delle icone, per essere là, « nel segreto » davanti al nostro Padre.[40] In una famiglia cristiana, questa specie di piccolo oratorio favorisce la preghiera in comune;

— nelle regioni in cui ci sono monasteri, è vocazione di queste comunità favorire condivisione della Preghiera delle Ore con i fedeli e permettere la solitudine necessaria ad una preghiera personale più intensa;[41] 1175

— i pellegrinaggi evocano il nostro cammino sulla terra verso il cielo. Sono tradizionalmente tempi forti di rinnovamento della preghiera. I santuari, per i pellegrini che sono alla ricerca delle loro vive sorgenti, sono luoghi eccezionali per vivere « come Chiesa » le forme della preghiera cristiana. 1674

In sintesi

2692 *Nella sua preghiera la Chiesa pellegrina sulla terra è unita a quella dei santi, dei quali chiede l'intercessione.*

2693 *Le varie spiritualità cristiane partecipano alla tradizione vivente della preghiera e sono guide preziose per la vita spirituale.*

2694 *La famiglia cristiana è il primo luogo dell'educazione alla preghiera.*

2695 *I ministri ordinati, la vita consacrata, la catechesi, i gruppi di preghiera, la « direzione spirituale » assicurano, nella Chiesa, un aiuto per la preghiera.*

2696 *I luoghi più propizi per la preghiera sono l'oratorio personale o familiare, i monasteri, i santuari meta di pellegrinaggio e, soprattutto, la chiesa, che è il luogo proprio della preghiera liturgica per la comunità parrocchiale e il luogo privilegiato dell'adorazione eucaristica.*

[40] Cf *Mt* 6,6.
[41] Cf Conc. Ecum. Vat. II, *Perfectae caritatis*, 7.

CAPITOLO TERZO

LA VITA DI PREGHIERA

2697 La preghiera è la vita del cuore nuovo. Deve animarci in ogni momento. Noi, invece, dimentichiamo colui che è la nostra Vita e il nostro Tutto. Per questo i Padri della vita spirituale, nella tradizione del Deuteronomio e dei profeti, insistono sulla preghiera come « ricordo di Dio », risveglio frequente della « memoria del cuore »: « È necessario ricordarsi di Dio più spesso di quanto si respiri ».[1] Ma non si può pregare « in ogni tempo » se non si prega in determinati momenti, volendolo: sono i tempi forti della preghiera cristiana, per intensità e durata.

1099

1168 1174 2177

2698 La Tradizione della Chiesa propone ai fedeli dei ritmi di preghiera destinati ad alimentare la preghiera continua. Alcuni sono quotidiani: la preghiera del mattino e della sera, prima e dopo i pasti, la Liturgia delle Ore. La domenica, al cui centro sta l'Eucaristia, è santificata soprattutto mediante la preghiera. Il ciclo dell'anno liturgico e le sue grandi feste rappresentano i ritmi fondamentali della vita di preghiera dei cristiani.

2699 Il Signore conduce ogni persona secondo strade e modi che a lui piacciono. Ogni fedele, a sua volta, gli risponde secondo la risoluzione del proprio cuore e le espressioni personali della propria preghiera. Tuttavia la tradizione cristiana ha conservato tre espressioni maggiori della vita di preghiera: la preghiera vocale, la meditazione, l'orazione. Esse hanno in comune un tratto fondamentale: il raccoglimento del cuore. Tale vigilanza nel custodire la Parola e nel rimanere alla presenza di Dio fa di queste tre espressioni dei momenti forti della vita di preghiera.

2563

[1] San Gregorio Nazianzeno, *Orationes Theologicae,* 1, 4: PG 36, 16B.

Articolo 1
LE ESPRESSIONI DELLA PREGHIERA

I. La preghiera vocale

2700 Con la sua Parola Dio parla all'uomo. E la nostra preghiera prende corpo mediante parole, mentali o vocali. Ma la cosa più importante è la presenza del cuore a colui al quale parliamo nella preghiera. « Che la nostra preghiera sia ascoltata dipende non dalla quantità delle parole, ma dal fervore delle nostre anime ».[2] 1176

2701 La preghiera vocale è una componente indispensabile della vita cristiana. Ai discepoli, attratti dalla preghiera silenziosa del loro Maestro, questi insegna una preghiera vocale: il « Padre nostro ». Gesù non ha pregato soltanto con le preghiere liturgiche della sinagoga; i Vangeli ce lo presentano mentre esprime ad alta voce la sua preghiera personale, dalla esultante benedizione del Padre,[3] fino all'angoscia del Getsemani.[4] 2603 612

2702 Il bisogno di associare i sensi alla preghiera interiore risponde ad una esigenza della natura umana. Siamo corpo e spirito, e quindi avvertiamo il bisogno di tradurre esteriormente i nostri sentimenti. Dobbiamo pregare con tutto il nostro essere per dare alla nostra supplica la maggior forza possibile. 1146

2703 Questo bisogno risponde anche ad una esigenza divina. Dio cerca adoratori in Spirito e Verità, e, conseguentemente, la preghiera che sale viva dalle profondità dell'anima. Vuole anche l'espressione esteriore che associa il corpo alla preghiera interiore, affinché la preghiera gli renda l'omaggio perfetto di tutto ciò a cui egli ha diritto. 2097

2704 Essendo esteriore e così pienamente umana, la preghiera vocale è per eccellenza la preghiera delle folle. Ma anche la più interiore delle preghiere non saprebbe fare a meno della preghiera vocale. La preghiera diventa interiore nella misura in cui prendiamo coscienza di colui « al quale parliamo ».[5] Allora la preghiera vocale diventa una prima forma della preghiera contemplativa.

[2] San Giovanni Crisostomo, *Eclogae ex diversis homiliis,* 2: PG 63, 583A.
[3] Cf *Mt* 11,25-26.
[4] Cf *Mc* 14,36.
[5] Santa Teresa di Gesù, *Cammino di perfezione,* 26.

II. La meditazione

158 · 127

2705 La meditazione è soprattutto una ricerca. Lo spirito cerca di comprendere il perché e il come della vita cristiana, per aderire e rispondere a ciò che il Signore chiede. Ci vuole un'attenzione difficile da disciplinare. Abitualmente ci si aiuta con qualche libro, e ai cristiani non mancano: la Sacra Scrittura, particolarmente il Vangelo, le sante icone, i testi liturgici del giorno o del tempo, gli scritti dei Padri della vita spirituale, le opere di spiritualità, il grande libro della creazione e quello della storia, la pagina dell'« Oggi » di Dio.

2706 Meditare quanto si legge porta ad appropriarsene, confrontandolo con se stessi. Qui si apre un altro libro: quello della vita. Si passa dai pensieri alla realtà. A misura dell'umiltà e della fede che si ha, vi si scoprono i moti che agitano il cuore e li si può discernere. Si tratta di fare la verità per venire alla Luce: « Signore, che cosa vuoi che io faccia? ».

2690 · 2664

2707 I metodi di meditazione sono tanti quanti i maestri spirituali. Un cristiano deve meditare regolarmente, altrimenti rassomiglia ai tre primi terreni della parabola del seminatore.[6] Ma un metodo non è che una guida; l'importante è avanzare, con lo Spirito Santo, sull'unica via della preghiera: Cristo Gesù.

516; 2678

2708 La meditazione mette in azione il pensiero, l'immaginazione, l'emozione e il desiderio. Questa mobilitazione è necessaria per approfondire le convinzioni di fede, suscitare la conversione del cuore e rafforzare la volontà di seguire Cristo. La preghiera cristiana di preferenza si sofferma a meditare « i misteri di Cristo », come nella « lectio divina » o nel Rosario. Questa forma di riflessione orante ha un grande valore, ma la preghiera cristiana deve tendere più lontano: alla conoscenza d'amore del Signore Gesù, all'unione con lui.

III. L'orazione

2562-2564

2709 Che cosa è l'orazione? Santa Teresa risponde: « L'orazione mentale, a mio parere, non è che un intimo rapporto di amicizia, nel quale ci si intrattiene spesso da solo a solo con quel Dio da cui ci si sa amati ».[7]

L'orazione cerca « l'amore dell'anima mia » (*Ct* 1,7).[8] È Gesù e, in lui, il Padre. Egli è cercato, perché il desiderio è sempre l'inizio dell'amore, ed è cercato nella fede pura, quella fede che ci fa nascere da lui e vivere in lui. Si può meditare anche nell'orazione, ma lo sguardo è rivolto al Signore.

[6] Cf *Mc* 4,4-7.15-19.
[7] Santa Teresa di Gesù, *Libro della mia vita,* 8.
[8] Cf *Ct* 3,1-4.

2710 La scelta *del tempo e della durata dell'orazione* dipende da una volontà determinata, rivelatrice dei segreti del cuore. Non si fa orazione quando si ha tempo: si prende il tempo di essere per il Signore, con la ferma decisione di non riprenderglielo lungo il cammino, qualunque siano le prove e l'aridità dell'incontro. Non si può meditare sempre; sempre si può entrare in orazione, indipendentemente dalle condizioni di salute, di lavoro o di sentimento. Il cuore è il luogo della ricerca e dell'incontro, nella povertà e nella fede. 2726

2711 L'*entrata in orazione* è analoga a quella della Liturgia eucaristica: « raccogliere » il cuore, concentrare tutto il nostro essere sotto l'azione dello Spirito Santo, abitare la dimora del Signore che siamo noi, ridestare la fede per entrare nella Presenza di colui che ci attende, far cadere le nostre maschere e rivolgere il nostro cuore verso il Signore che ci ama, al fine di consegnarci a lui come un'offerta da purificare e da trasformare. 1348 2100

2712 L'orazione è la preghiera del figlio di Dio, del peccatore perdonato che si apre ad accogliere l'amore con cui è amato e che vuole corrispondervi amando ancora di più.[9] Ma egli sa che l'amore con cui risponde è quello che lo Spirito effonde nel suo cuore; infatti, tutto è grazia da parte di Dio. L'orazione è l'abbandono umile e povero all'amorosa volontà del Padre in unione sempre più profonda con il Figlio suo diletto. 2822

2713 Così l'orazione è la più semplice espressione del mistero della preghiera. L'orazione è un *dono,* una grazia; non può essere accolta che nell'umiltà e nella povertà. L'orazione è un rapporto di *alleanza,* concluso da Dio nella profondità del nostro essere.[10] L'orazione è *comunione:* in essa la Santissima Trinità conforma l'uomo, immagine di Dio, « a sua somiglianza ». 2259

2714 L'orazione è anche il *tempo forte* per eccellenza della preghiera. Durante l'orazione, il Padre ci rafforza potentemente con il suo Spirito nell'uomo interiore, perché Cristo abiti per la fede nei nostri cuori e noi veniamo radicati e fondati nella carità.[11]

2715 La contemplazione è *sguardo* di fede fissato su Gesù. « Io lo guardo ed egli mi guarda » diceva al suo santo curato il contadino d'Ars in preghiera davanti al Tabernacolo. Questa attenzione a lui è rinuncia all'« io ». Il suo sguardo purifica il cuore. La luce dello sguardo di Gesù illumina gli occhi del nostro cuore; ci insegna a vedere tutto nella luce della sua verità e della sua compassione per tutti gli uomini. La contemplazione porta il suo 1380

[9] Cf *Lc* 7,36-50; 19,1-10.
[10] Cf *Ger* 31,33.
[11] Cf *Ef* 3,16-17.

521 sguardo anche sui misteri della vita di Cristo. In questo modo conduce alla « conoscenza interiore del Signore » per amarlo e seguirlo di più.[12]

2716 L'orazione è *ascolto* della Parola di Dio. Lungi dall'essere passivo, 494 questo ascolto s'identifica con l'obbedienza della fede, incondizionata accoglienza del servo e adesione piena d'amore del figlio. Partecipa al « sì » del Figlio fattosi Servo e al « fiat » della sua umile serva.

533 2717 L'orazione è *silenzio,* « simbolo del mondo futuro »[13] o « silenzioso amore ».[14] Nell'orazione le parole non sono discorsi, ma come ramoscelli che alimentano il fuoco dell'amore. È in questo silenzio, insopportabile all'uomo « esteriore », che il Padre ci dice il suo Verbo incarnato, soffe-498 rente, morto e risorto, e che lo Spirito filiale ci fa partecipare alla preghiera di Gesù.

2718 L'orazione è *unione* alla preghiera di Cristo nella misura in cui fa partecipare al suo Mistero. Il Mistero di Cristo è celebrato dalla Chiesa nell'Eucaristia, e lo Spirito Santo lo fa vivere nella orazione, affinché sia manifestato attraverso la carità in atto.

2719 L'orazione è una *comunione d'amore* portatrice di Vita per la molti-165 tudine, nella misura in cui è consenso a dimorare nella notte oscura della fede. La Notte pasquale della Risurrezione passa attraverso quella dell'agonia e della tomba. Sono questi tre tempi forti dell'Ora di Gesù che il suo Spirito (e non « la carne » che « è debole ») fa vivere nell'orazione. È necessario 2730 acconsentire a « vegliare un'ora » con lui (*Mt* 26,40-41).

In sintesi

2720 *La Chiesa esorta i fedeli a una preghiera regolare: preghiere quotidiane, Liturgia delle Ore, Eucaristia domenicale, feste dell'anno liturgico.*

2721 *La tradizione cristiana comprende tre espressioni maggiori della vita di preghiera: la preghiera vocale, la meditazione e l'orazione. Esse hanno in comune il raccoglimento del cuore.*

2722 *La preghiera vocale, basata sull'unità del corpo e dello spirito nella natura umana, associa il corpo alla preghiera interiore del cuore,*

[12] Cf Sant'Ignazio di Loyola, *Esercizi spirituali,* 104.
[13] Cf Sant'Isacco di Ninive, *Tractatus mystici,* editio Bedjan, 66.
[14] San Giovanni della Croce, *Parole di luce e di amore,* 2, 53.

sull'esempio di Cristo che prega il Padre suo e insegna il « Padre nostro » ai suoi discepoli.

2723 *La meditazione è una ricerca orante che mobilita il pensiero, l'immaginazione, l'emozione, il desiderio. Essa ha come fine l'appropriazione nella fede del soggetto considerato, confrontato con la realtà della propria vita.*

2724 *L'orazione mentale è l'espressione semplice del mistero della preghiera. uno sguardo di fede fissato su Gesù, un ascolto della Parola di Dio, un silenzioso amore. Realizza l'unione alla preghiera di Cristo nella misura in cui ci fa partecipare al suo Mistero.*

Articolo 2
IL COMBATTIMENTO DELLA PREGHIERA

2725 La preghiera è un dono della grazia e da parte nostra una decisa risposta. Presuppone sempre uno sforzo. I grandi oranti dell'Antica Alleanza prima di Cristo, come pure la Madre di Dio e i santi con lui ce lo insegnano: la preghiera è una lotta. Contro chi? Contro noi stessi e contro le astuzie del Tentatore che fa di tutto per distogliere l'uomo dalla preghiera, dall'unione con il suo Dio. Si prega come si vive, perché si vive come si prega. Se non si vuole abitualmente agire secondo lo Spirito di Cristo, non si può nemmeno abitualmente pregare nel suo Nome. Il « combattimento spirituale » della vita nuova del cristiano è inseparabile dal combattimento della preghiera.

2612 409 2015

I. Le obiezioni alla preghiera

2726 Nel combattimento della preghiera dobbiamo affrontare, in noi stessi e intorno a noi, delle *concezioni erronee della preghiera.* Alcuni vedono in essa una semplice operazione psicologica, altri uno sforzo di concentrazione per arrivare al vuoto mentale. C'è chi la riduce ad alcune attitudini e parole rituali. Nell'inconscio di molti cristiani, pregare è un'occupazione incompatibile con tutto ciò che hanno da fare: non ne hanno il tempo. Coloro che cercano Dio mediante la preghiera si scoraggiano presto allorquando ignorano che la preghiera viene anche dallo Spirito Santo e non solo da loro.

2710

2727 Dobbiamo anche affrontare alcune *mentalità* di « questo mondo »; se non siamo vigilanti, ci contaminano, per esempio: l'affermazione secondo cui vero sarebbe soltanto ciò che è verificato dalla ragione e dalla scienza (pregare è, invece, un mistero che oltrepassa la nostra coscienza e il nostro

37

inconscio); i valori della produzione e del rendimento (la preghiera, improduttiva, è dunque inutile), il sensualismo e il comfort, eretti a criteri del vero, del bene e del bello (la preghiera, invece, « amore della Bellezza » [filocalia], è passione per la Gloria del Dio vivo e vero); per reazione contro l'attivismo, ecco la preghiera presentata come fuga dal mondo (la preghiera cristiana, invece, non è un estraniarsi dalla storia né un divorzio dalla vita).

2500

2728 Infine la nostra lotta deve affrontare ciò che sentiamo come *nostri insuccessi nella preghiera:* scoraggiamento dinanzi alle nostre aridità, tristezza di non dare tutto al Signore, poiché abbiamo « molti beni »,[15] delusione per non essere esauditi secondo la nostra volontà, ferimento del nostro orgoglio che si ostina sulla nostra indegnità di peccatori, allergia alla gratuità della preghiera, ecc. La conclusione è sempre la stessa: perché pregare? Per vincere tali ostacoli, si deve combattere in vista di ottenere l'umiltà, la fiducia e la perseveranza.

II. L'umile vigilanza del cuore

Di fronte alle difficoltà della preghiera

2729 La difficoltà abituale della nostra preghiera è la *distrazione.* Può essere relativa alle parole e al loro senso, nella preghiera vocale; può invece riguardare, più profondamente, colui che preghiamo, nella preghiera vocale (liturgica o personale), nella meditazione e nell'orazione. Andare a caccia delle distrazioni equivarrebbe a cadere nel loro tranello, mentre basta tornare al nostro cuore: una distrazione ci rivela ciò a cui siamo attaccati, e questa umile presa di coscienza davanti al Signore deve risvegliare il nostro amore preferenziale per lui, offrendogli risolutamente il nostro cuore, perché lo purifichi. Qui si situa il combattimento: nella scelta del Padrone da servire.[16]

2711

2730 Positivamente, la lotta contro il nostro io possessivo e dominatore è la *vigilanza,* la sobrietà del cuore. Quando Gesù insiste sulla vigilanza, essa è sempre relativa a lui, alla sua venuta nell'ultimo giorno ed ogni giorno: « oggi ». Lo Sposo viene a mezzanotte; la luce che non deve spegnersi è quella della fede: « Di Te ha detto il mio cuore: cercate il suo Volto » (*Sal* 27,8).

2659

2731 Un'altra difficoltà, specialmente per coloro che vogliono sinceramente pregare, è l'*aridità.* Fa parte dell'orazione nella quale il cuore è insen-

[15] Cf *Mc* 10,22.
[16] Cf *Mt* 6,21.24.

sibile, senza gusto per i pensieri, i ricordi e i sentimenti anche spirituali. È il momento della fede pura, che rimane con Gesù nell'agonia e nella tomba. « Il chicco di grano... se muore, produce molto frutto » (*Gv* 12,24). Se l'aridità è dovuta alla mancanza di radice, perché la Parola è caduta sulla pietra, il combattimento rientra nel campo della conversione.[17]

1426

Di fronte alle tentazioni nella preghiera

2732 La tentazione più frequente, la più nascosta, è la nostra *mancanza di fede*. Si manifesta non tanto in una incredulità dichiarata, quanto piuttosto in una preferenza di fatto. Quando ci mettiamo a pregare, mille lavori o preoccupazioni, ritenuti urgenti, si presentano come prioritari; ancora una volta è il momento della verità del cuore e del suo amore preferenziale. Talvolta ci rivolgiamo al Signore come all'ultimo rifugio: ma ci crediamo veramente? Talvolta prendiamo il Signore come alleato, ma il cuore è ancora nella presunzione. In tutti i casi, la nostra mancanza di fede palesa che non siamo ancora nella disposizione del cuore umile: « Senza di me non potete far *nulla* » (*Gv* 15,5).

2609 2089 2092 2074

2733 Un'altra tentazione, alla quale la presunzione apre la porta, è l'*accidia*. Con questo termine i Padri della vita spirituale intendono una forma di depressione dovuta al rilassamento dell'ascesi, ad un venir meno della vigilanza, alla mancata custodia del cuore. « Lo spirito è pronto, ma la carne è debole » (*Mt* 26,41). Quanto più si cade dall'alto, tanto più ci si fa male. Lo scoraggiamento, doloroso, è l'opposto della presunzione. L'umile non si stupisce della propria miseria; essa lo conduce ad una maggior fiducia, a rimaner saldo nella costanza.

2094 2559

III. La confidenza filiale

2734 La confidenza filiale è messa alla prova — e si manifesta — nella tribolazione.[18] La difficoltà principale riguarda la *preghiera di domanda,* per sé o per gli altri nell'intercessione. Alcuni smettono perfino di pregare perché, pensano, la loro supplica non è esaudita. Qui si pongono due interrogativi: Perché riteniamo che la nostra domanda non sia stata esaudita? In che modo la nostra preghiera è esaudita, « efficace »?

2629

[17] Cf *Lc* 8,6.13.
[18] Cf *Rm* 5,3-5.

Perché lamentarci di non essere esauditi?

2735 Una costatazione dovrebbe innanzi tutto sorprenderci. Quando lodiamo Dio o gli rendiamo grazie per i suoi benefici in generale, noi non ci preoccupiamo affatto di sapere se la nostra preghiera gli è gradita. Invece abbiamo la pretesa di vedere il risultato della nostra domanda. Qual è, dunque, l'immagine di Dio che motiva la nostra preghiera: un mezzo di cui servirci oppure il Padre di nostro Signore Gesù Cristo? 2779

2559 2736 Siamo convinti che « nemmeno sappiamo che cosa sia conveniente domandare » (*Rm* 8,26)? Chiediamo a Dio « i beni convenienti »? Il Padre nostro sa di quali cose abbiamo bisogno, prima che gliele chiediamo,[19] ma aspetta la nostra domanda perché la dignità dei suoi figli sta nella loro libertà. Pertanto è necessario pregare con il suo Spirito di libertà, per poter veramente conoscere il suo desiderio.[20] 1730

2737 « Non avete perché non chiedete; chiedete e non ottenete perché chiedete male, per spendere per i vostri piaceri » (*Gc* 4,2-3).[21] Se noi chiediamo con un cuore diviso, adultero,[22] Dio non ci può esaudire, perché egli vuole il nostro bene, la nostra vita. « O forse pensate che la Scrittura dichiari invano: fino alla gelosia ci ama lo Spirito che egli ha fatto abitare in noi? » (*Gc* 4,5). Il nostro Dio è « geloso » di noi, e questo è il segno della verità del suo amore. Entriamo nel desiderio del suo Spirito e saremo esauditi:

> Non rammaricarti se non ricevi subito da Dio ciò che gli chiedi; egli vuole beneficiarti molto di più, per la tua perseveranza nel rimanere con lui nella preghiera.[23]
>
> Egli vuole che nella preghiera si eserciti il nostro desiderio, in modo che diventiamo capaci di ricevere ciò che egli è pronto a darci.[24]

In che modo la nostra preghiera è efficace?

2738 La rivelazione della preghiera nell'Economia della salvezza ci insegna che la fede si appoggia sull'azione di Dio nella storia. La confidenza filiale è suscitata dall'azione di Dio per eccellenza: la Passione e la Risurrezione del Figlio suo. La preghiera cristiana è cooperazione alla Provvidenza di Dio, al suo Disegno di amore per gli uomini. 2568 307

[19] Cf *Mt* 6,8.
[20] Cf *Rm* 8,27.
[21] Cf tutto il contesto: *Gc* 4,1-10; 1,5-8; 5,16.
[22] Cf *Gc* 4,4.
[23] Evagrio Pontico, *De oratione,* 34: PG 79, 1173.
[24] Sant'Agostino, *Epistulae* 130, 8, 17: PL 33, 500.

2739 In san Paolo questa confidenza è audace,[25] fondata sulla preghiera dello Spirito in noi e sull'amore fedele del Padre che ci ha donato il suo unico Figlio.[26] La trasformazione del cuore che prega è la prima risposta alla nostra domanda. 2778

2740 La preghiera di Gesù fa della preghiera cristiana una domanda efficace. Egli ne è il modello, egli prega in noi e con noi. Poiché il cuore del Figlio non cerca se non ciò che piace al Padre, come il cuore dei figli di adozione potrebbe attaccarsi ai doni piuttosto che al Donatore? 2604

2741 Gesù prega anche per noi, al nostro posto e in nostro favore. Tutte le nostre domande sono state raccolte una volta per sempre nel suo Grido sulla croce ed esaudite dal Padre nella sua Risurrezione, ed è per questo che egli non cessa di intercedere per noi presso il Padre.[27] Se la nostra preghiera è risolutamente unita a quella di Gesù, nella confidenza e nell'audacia filiale, noi otteniamo tutto ciò che chiediamo nel suo Nome; ben più di questa o quella cosa: lo stesso Spirito Santo, che comprende tutti i doni. 2606 2614

IV. Perseverare nell'amore

2742 « Pregate incessantemente » (*1 Ts* 5,17), « rendendo continuamente grazie per ogni cosa a Dio Padre nel Nome del Signore nostro Gesù Cristo » (*Ef* 5,20); « pregate incessantemente con ogni sorta di preghiere e di suppliche nello Spirito, vigilando a questo scopo con ogni perseveranza e pregando per tutti i santi » (*Ef* 6,18). « Non ci è stato comandato di lavorare, di vegliare e di digiunare continuamente, mentre la preghiera incessante è una legge per noi ».[28] Questo ardore instancabile non può venire che dall'amore. Contro la nostra pesantezza e la nostra pigrizia il combattimento della preghiera è quello dell'*amore* umile, confidente, perseverante. Questo amore apre i nostri cuori su tre evidenze di fede, luminose e vivificanti: 2098 162

2743 Pregare è *sempre possibile:* il tempo del cristiano è quello di Cristo risorto, che è con noi « tutti i giorni » (*Mt* 28,20), quali che siano le tempeste.[29] Il nostro tempo è nelle mani di Dio:

> È possibile, anche al mercato o durante una passeggiata solitaria, fare una frequente e fervorosa preghiera. È possibile pure nel vostro negozio, sia mentre comperate sia mentre vendete, o anche mentre cucinate.[30]

[25] Cf *Rm* 10,12-13.
[26] Cf *Rm* 8,26-39.
[27] Cf *Eb* 5,7; 7,25; 9,24.
[28] Evagrio Pontico, *Capita practica ad Anatolium,* 49: PG 40, 1245C.
[29] Cf *Lc* 8,24.
[30] San Giovanni Crisostomo, *Eclogae ex diversis homiliis,* 2: PG 63,585A.

2744 Pregare è una *necessità vitale*. La prova contraria non è meno convincente: se non ci lasciamo guidare dallo Spirito, ricadiamo sotto la schiavitù del peccato.[31] Come può lo Spirito Santo essere la « nostra Vita », se il nostro cuore è lontano da lui?

> Niente vale quanto la preghiera; essa rende possibile ciò che è impossibile, facile ciò che è difficile. È impossibile che cada in peccato l'uomo che prega.[32]
>
> Chi prega, certamente si salva; chi non prega certamente si danna.[33]

2745 *Preghiera* e *vita cristiana* sono *inseparabili,* perché si tratta del medesimo amore e della medesima abnegazione, che scaturisce dall'amore. La medesima conformità filiale e piena d'amore al Disegno d'amore del Padre. La medesima unione trasformante nello Spirito Santo, che sempre più ci configura a Cristo Gesù. Il medesimo amore per tutti gli uomini, quell'amore con cui Gesù ci ha amati. « Tutto quello che chiederete al Padre nel mio nome ve lo concederà. Questo vi comando: amatevi gli uni gli altri » (*Gv* 15,16-17).

2660

> Prega incessantemente colui che unisce la preghiera alle opere e le opere alla preghiera. Soltanto così noi possiamo ritenere realizzabile il principio di pregare incessantemente.[34]

V. La preghiera dell'Ora di Gesù

2746 Quando la sua Ora è giunta, Gesù prega il Padre.[35] La sua preghiera, la più lunga trasmessaci dal Vangelo, abbraccia tutta l'Economia della creazione e della salvezza, come la sua Morte e la sua Risurrezione. La preghiera dell'Ora di Gesù rimane sempre la sua, così come la sua Pasqua, avvenuta « una volta per tutte », resta presente nella Liturgia della sua Chiesa.

1085

2747 La tradizione cristiana a ragione la definisce la « preghiera sacerdotale » di Gesù. È quella del nostro Sommo Sacerdote, è inseparabile dal suo Sacrificio, dal suo « passaggio » [pasqua] al Padre, dove egli è interamente « consacrato » al Padre.[36]

[31] Cf *Gal* 5,16-25.
[32] San Giovanni Crisostomo, *Sermones de Anna,* 4, 5: PG 54, 666.
[33] Sant'Alfonso de Liguori, *Del gran mezzo della preghiera.*
[34] Origene, *De oratione,* 12.
[35] Cf *Gv* 17.
[36] Cf *Gv* 17,11.13.19.

2748 In questa preghiera pasquale, sacrificale, tutto è « ricapitolato » in lui:[37] Dio e il mondo, il Verbo e la carne, la vita eterna e il tempo, l'amore che si consegna e il peccato che lo tradisce, i discepoli presenti e quelli che per la loro parola crederanno in lui, l'annientamento e la Gloria. È la preghiera dell'Unità. 518 820

2749 Gesù ha portato a pieno compimento l'opera del Padre, e la sua preghiera, come il suo Sacrificio, si estende fino alla consumazione dei tempi. La preghiera dell'Ora riempie gli ultimi tempi e li porta verso la loro consumazione. Gesù, il Figlio al quale il Padre ha dato tutto, è interamente consegnato al Padre, e, al tempo stesso, si esprime con una libertà sovrana[38] per il potere che il Padre gli ha dato sopra ogni essere umano. Il Figlio, che si è fatto Servo, è il Signore, il Pantocratore. Il nostro Sommo Sacerdote che prega per noi è anche colui che prega in noi e il Dio che ci esaudisce. 2616

2750 È entrando nel santo Nome del Signore Gesù che noi possiamo accogliere, dall'interno, la preghiera che egli ci insegna: « Padre nostro! ». La sua « preghiera sacerdotale » ispira, dall'interno, le grandi domande del Pater: la sollecitudine per il Nome del Padre,[39] la passione per il suo Regno (la Gloria),[40] il compimento della volontà del Padre, del suo Disegno di salvezza[41] e la liberazione dal male.[42] 2815 2815

2751 Infine è in questa preghiera che Gesù ci rivela e ci dona la « conoscenza » indissociabile del Padre e del Figlio,[43] che è il mistero stesso della Vita di preghiera. 240

In sintesi

2752 *La preghiera suppone uno sforzo e una lotta contro noi stessi e contro le insidie del Tentatore. Il combattimento della preghiera è inseparabile dal « combattimento spirituale », necessario per agire abitualmente secondo lo Spirito di Cristo: si prega come si vive, perché si vive come si prega.*

2753 *Nel combattimento della preghiera dobbiamo affrontare concezioni erronee, varie mentalità diffuse, l'esperienza dei nostri insuccessi. A*

[37] Cf *Ef* 1,10.
[38] Cf *Gv* 17,11.13.19.24.
[39] Cf *Gv* 17,6.11.12.26.
[40] Cf *Gv* 17,1.5.10.22.23-26.
[41] Cf *Gv* 17,2.4.6.9.11.12.24.
[42] Cf *Gv* 17,15.
[43] Cf *Gv* 17,3.6-10.25.

queste tentazioni, che inducono a dubitare dell'utilità e perfino della possibilità della preghiera, occorre rispondere con l'umiltà, la confidenza e la perseveranza.

2754 *Le principali difficoltà nell'esercizio della preghiera sono la distrazione e l'aridità. Il rimedio si trova nella fede, nella conversione e nella custodia del cuore.*

2755 *Due tentazioni frequenti minacciano la preghiera: la mancanza di fede e l'accidia, che è una forma di depressione, dovuta al rilassamento dell'ascesi, e che porta allo scoraggiamento.*

2756 *La confidenza filiale viene messa alla prova quando abbiamo la sensazione di non essere sempre esauditi. Il Vangelo ci invita a interrogarci sulla conformità della nostra preghiera al desiderio dello Spirito.*

2757 *« Pregate incessantemente »* (*1 Ts* 5,17). *È sempre possibile pregare. Anzi, è una necessità vitale. Preghiera e vita cristiana sono inseparabili.*

2758 *La preghiera dell'Ora di Gesù, detta a ragione « preghiera sacerdotale »,*[44] *ricapitola l'intera Economia della creazione e della salvezza. Essa ispira le grandi petizioni del « Padre nostro ».*

[44] Cf *Gv* 17.

SEZIONE SECONDA

LA PREGHIERA DEL SIGNORE: « PADRE NOSTRO »

2759 « Un giorno Gesù si trovava in un luogo a pregare e quando ebbe finito uno dei discepoli gli disse: "Signore, insegnaci a pregare, come anche Giovanni ha insegnato ai suoi discepoli" » (*Lc* 11,1). È in risposta a questa domanda che il Signore affida ai suoi discepoli e alla sua Chiesa la preghiera cristiana fondamentale. San Luca ne dà un testo breve (di cinque richieste),[1] san Matteo una versione più ampia (di sette richieste).[2] La tradizione liturgica della Chiesa ha sempre usato il testo di san Matteo:

Padre nostro che sei nei cieli,
sia santificato il tuo Nome,
venga il tuo Regno,
sia fatta la tua Volontà
come in cielo così in terra.
Dacci oggi il nostro pane quotidiano,
e rimetti a noi i nostri debiti
come noi li rimettiamo ai nostri debitori,
e non ci indurre in tentazione,
ma liberaci dal Male.

2760 Ben presto l'uso liturgico ha concluso la Preghiera del Signore con una dossologia. Nella Didaché: « Perché tuo è il potere e la gloria nei secoli ».[3] Le Costituzioni apostoliche, aggiungono all'inizio della dossologia: « il regno »;[4] ed è questa la formula usata ai nostri giorni nella preghiera ecumenica. La tradizione bizantina aggiunge dopo « la gloria »: « Padre, Figlio e Spirito Santo ». Il Messale romano sviluppa l'ultima domanda[5] nella prospettiva esplicita della « attesa della beata speranza » (*Tt* 2,13) e della Venuta del Signore nostro Gesù Cristo; segue l'acclamazione dell'assemblea, che riprende la dossologia delle Costituzioni apostoliche.

2855
2854

Articolo 1

« LA SINTESI DI TUTTO IL VANGELO »

2761 « L'Orazione domenicale è veramente la sintesi di tutto il Vangelo ».[6] « Dopo che il Signore ci ebbe trasmesso questa formula di preghiera, aggiunse: "Chiedete e vi sarà dato" (*Lc* 11,9). Ognuno può, dunque, innalzare

[1] Cf *Lc* 11,2-4.
[2] Cf *Mt* 6,9-13.
[3] *Didaché,* 8, 2.
[4] *Costituzioni Apostoliche,* 7, 24, 1.
[5] Cf *Embolismo.*
[6] TERTULLIANO, *De oratione,* 1.

al cielo preghiere diverse secondo i suoi propri bisogni, però incominciando sempre con la Preghiera del Signore, la quale resta la preghiera fondamentale ».[7]

I. Al centro delle Scritture

2762 Dopo aver mostrato come i Salmi siano il principale alimento della preghiera cristiana e confluiscano nelle richieste del Padre nostro, sant'Agostino conclude:

> Se passi in rassegna tutte le parole delle preghiere contenute nella Sacra Scrittura, per quanto io penso, non ne troverai una che non sia contenuta e compendiata in questa preghiera insegnataci dal Signore.[8]

102 2763 Tutte le Scritture (la Legge, i Profeti e i Salmi) sono compiute in Cristo.[9] Il Vangelo è questa « Lieta notizia ». Il suo primo annunzio è riassunto da san Matteo nel Discorso della montagna.[10] Ebbene, la preghiera del Padre nostro è al centro di questo annuncio. È in questo contesto che si illumina ogni domanda della preghiera che ci ha lasciato il Signore:

> La preghiera del Pater Noster è perfettissima... Nella Preghiera del Signore 2541 non solo vengono domandate tutte le cose che possiamo rettamente desiderare, ma anche nell'ordine in cui devono essere desiderate: cosicché questa preghiera non solo insegna a chiedere, ma plasma anche tutti i nostri affetti.[11]

1965 2764 Il Discorso della montagna è dottrina di vita, l'Orazione domenicale è preghiera, ma nell'uno e nell'altra lo Spirito del Signore dà una nuova forma ai nostri desideri, a questi moti interiori che animano la nostra vita. Gesù ci insegna la vita nuova con le sue parole e ci educa a chiederla me- 1969 diante la preghiera. Dalla rettitudine della nostra preghiera dipenderà quella della nostra vita in lui.

II. « La Preghiera del Signore »

2765 L'espressione tradizionale « Orazione domenicale » [cioè « preghiera del Signore »] significa che la preghiera al Padre nostro ci è insegnata e do- 2701 nata dal Signore Gesù. Questa preghiera che ci viene da Gesù è veramente

[7] Tertulliano, *De oratione,* 10.
[8] Sant'Agostino, *Epistulae,* 130, 12, 22: PL 33, 502.
[9] Cf *Lc* 24,44.
[10] Cf *Mt* 5–7.
[11] San Tommaso d'Aquino, *Summa theologiae* II-II, 83, 9.

unica: è « del Signore ». Da una parte, infatti, con le parole di questa preghiera, il Figlio Unigenito ci dà le parole che il Padre ha dato a lui: [12] è il Maestro della nostra preghiera. Dall'altra, Verbo incarnato, egli conosce nel suo cuore di uomo i bisogni dei suoi fratelli e delle sue sorelle di umanità, e ce li manifesta: è il Modello della nostra preghiera.

2766 Ma Gesù non ci lascia una formula da ripetere meccanicamente.[13] Come per qualsiasi preghiera vocale, è attraverso la Parola di Dio che lo Spirito Santo insegna ai figli di Dio a pregare il loro Padre. Gesù non ci dà soltanto le parole della nostra preghiera filiale: ci dà al tempo stesso lo Spirito, per mezzo del quale quelle parole diventano in noi « spirito e vita » (*Gv* 6,63). Di più: la prova e la possibilità della nostra preghiera filiale è che il Padre « ha mandato nei nostri cuori lo Spirito del suo Figlio che grida: Abbà, Padre! » (*Gal* 4,6). Poiché la nostra preghiera interpreta i nostri desideri presso Dio, è ancora « colui che scruta i cuori », il Padre, che « sa quali sono i desideri dello Spirito, poiché egli intercede per i credenti secondo i desideri di Dio » (*Rm* 8,27). La preghiera al Padre nostro si inserisce nella missione misteriosa del Figlio e dello Spirito.

690

III. La preghiera della Chiesa

2767 Questo dono inscindibile, delle parole del Signore e dello Spirito Santo che le vivifica nel cuore dei credenti, è stato ricevuto e vissuto dalla Chiesa fin dalle origini. Le prime comunità pregano la Preghiera del Signore « tre volte al giorno »,[14] in luogo delle « Diciotto benedizioni » in uso nella pietà ebraica.

2768 Secondo la Tradizione apostolica, la Preghiera del Signore è essenzialmente radicata nella preghiera liturgica:

> Il Signore ci insegna a pregare insieme per tutti i nostri fratelli. Infatti egli non dice Padre « mio » che sei nei cieli, ma Padre « nostro », affinché la nostra preghiera salga, da un cuore solo, per tutto il Corpo della Chiesa.[15]

In tutte le tradizioni liturgiche la Preghiera del Signore è parte integrante delle Ore maggiori dell'Ufficio divino. Ma il suo carattere ecclesiale appare in tutta evidenza particolarmente nei tre sacramenti dell'iniziazione cristiana.

1243

2769 Nel *Battesimo* e nella *Confermazione* la consegna [« traditio »] della Preghiera del Signore significa la nuova nascita alla vita divina. Poiché la

[12] Cf *Gv* 17,7.
[13] Cf *Mt* 6,7; *1 Re* 18,26-29.
[14] Cf *Didaché* 8, 3.
[15] San Giovanni Crisostomo, *Homilia in Matthaeum,* 19, 4: PG 57, 278D.

preghiera cristiana è parlare a Dio con la Parola stessa di Dio, coloro che sono stati « rigenerati... dalla Parola di Dio viva ed eterna » (*1 Pt* 1,23) imparano ad invocare il loro Padre con la sola Parola che egli sempre esaudisce. Ed ormai lo possono, perché il sigillo dell'Unzione dello Spirito Santo è impresso, indelebile, sul loro cuore, sulle loro orecchie, sulle loro labbra, su tutto il loro essere filiale. Per questo la maggior parte dei commenti patristici del Padre nostro sono destinati ai catecumeni e ai neofiti. Quando la Chiesa prega la Preghiera del Signore, è sempre il Popolo dei « ri-nati » che prega e ottiene misericordia.[16]

1350 2770 Nella *Liturgia eucaristica* la Preghiera del Signore appare come la preghiera di tutta la Chiesa. È lì che si rivela il suo pieno senso e la sua efficacia. Posta tra l'Anafora (Preghiera eucaristica) e la Liturgia della Comunione, essa da un lato ricapitola tutte le domande e le intercessioni espresse lungo lo sviluppo dell'Epiclesi, e, dall'altro, bussa alla porta del Banchetto del Regno, di cui la Comunione sacramentale è un anticipo.

2771 Nell'Eucaristia, la Preghiera del Signore manifesta anche il carattere 1403 *escatologico* delle proprie domande. Essa è la preghiera tipica degli « ultimi tempi », i tempi della salvezza, che sono cominciati con l'effusione dello Spirito Santo e che si compiranno con il Ritorno del Signore. Le domande al Padre nostro, a differenza delle preghiere dell'Antica Alleanza, si fondano sul mistero della salvezza già realizzato, una volta per tutte, in Cristo crocifisso e risorto.

1820 2772 Da questa fede incrollabile sgorga la speranza che anima ognuna delle sette domande. Esse esprimono i gemiti del tempo presente, di questo tempo della pazienza e dell'attesa, in cui « ciò che noi saremo non è stato ancora rivelato » (*1 Gv* 3,2).[17] L'Eucaristia e il Pater sono protesi verso la venuta del Signore, « finché egli venga! » (*1 Cor* 11,26).

In sintesi

2773 *In risposta alla domanda dei suoi discepoli (« Signore, insegnaci a pregare »:* Lc 11,1), *Gesù consegna loro la preghiera cristiana fondamentale del « Padre nostro ».*

[16] Cf *1 Pt* 2,1-10.
[17] Cf *Col* 3,4.

2774 *« L'Orazione domenicale è veramente la sintesi di tutto il Vangelo »,*[18] *« la preghiera perfettissima ».*[19] *Essa è al centro delle Scritture.*

2775 *È chiamata « Orazione domenicale » perché ci viene dal Signore Gesù, Maestro e Modello della nostra preghiera.*

2776 *L'Orazione domenicale è, per eccellenza, la preghiera della Chiesa. È parte integrante delle Ore maggiori dell'Ufficio divino e dei sacramenti dell'iniziazione cristiana: Battesimo, Confermazione ed Eucaristia. Inserita nell'Eucaristia, manifesta il carattere « escatologico » delle proprie domande, nella speranza del Signore, « finché egli venga »* (*1 Cor* 11,26).

Articolo 2

« PADRE NOSTRO CHE SEI NEI CIELI »

I. « Osare avvicinarci in piena confidenza »

2777 Nella Liturgia romana l'assemblea eucaristica è invitata a pregare il Padre nostro con filiale audacia; le Liturgie orientali utilizzano e sviluppano espressioni analoghe: « Osare con tutta sicurezza », « Rendici degni di ». Davanti al roveto ardente fu detto a Mosè: « Non avvicinarti! Togliti i sandali dai piedi » (*Es* 3,5). Solo Gesù poteva superare la soglia della Santità divina: è lui che avendo « compiuto la purificazione dei peccati » (*Eb* 1,3), ci introduce davanti al Volto del Padre: « Eccoci, io e i figli che Dio mi ha dato » (*Eb* 2,13):

> La consapevolezza che abbiamo della nostra condizione di schiavi ci farebbe sprofondare sotto terra, il nostro essere di terra si scioglierebbe in polvere se l'autorità dello stesso nostro Padre e lo Spirito del Figlio suo non ci spingessero a proferire questo grido: « Abbà, Padre! » (*Rm* 8,15)... Quando la debolezza di un mortale oserebbe chiamare Dio suo Padre, se non soltanto allorché l'intimo dell'uomo è animato dalla potenza dall'alto?[20]

270

2778 Questa potenza dello Spirito che ci introduce alla Preghiera del Signore è indicata nelle Liturgie d'Oriente e di Occidente con una felice espressione tipicamente cristiana: *« parresìa »,* vale a dire semplicità schietta, fiducia filiale, gioiosa sicurezza, umile audacia, certezza di essere amati.[21]

2828

[18] TERTULLIANO, *De oratione,* 1.
[19] SAN TOMMASO D'AQUINO, *Summa theologiae* II-II, 83, 9.
[20] SAN PIETRO CRISOLOGO, *Sermones,* 71: PL 52, 401CD.
[21] Cf *Ef* 3,12; *Eb* 3,6; 4,16; 10,19; *1 Gv* 2,28; 3,21; 5,14.

II. « Padre! »

2779 Prima di fare nostro questo slancio iniziale della Preghiera del Signore, non è superfluo purificare umilmente il nostro cuore da certe false immagini di « questo mondo ». L'*umiltà* ci fa riconoscere che « nessuno conosce il Padre, se non il Figlio e colui al quale il Figlio lo voglia rivelare », cioè « ai piccoli » (*Mt* 11,25-27). La *purificazione* del cuore concerne le immagini paterne e materne, quali si sono configurate nella nostra storia personale e culturale, e che influiscono sulla nostra relazione con Dio. Dio, nostro Padre, trascende le categorie del mondo creato. Trasporre su di lui, o contro di lui, le nostre idee in questo campo, equivarrebbe a fabbricare idoli da adorare o da abbattere. Pregare il Padre è entrare nel suo mistero, quale egli è, e quale il Figlio ce lo ha rivelato:

239

> L'espressione Dio-Padre non era mai stata rivelata a nessuno. Quando lo stesso Mosè chiese a Dio chi fosse, si sentì rispondere un altro nome. A noi questo nome è stato rivelato nel Figlio: questo nome, infatti, implica il nuovo nome di Padre.[22]

240

2780 Possiamo invocare Dio come « Padre » perché *ci è rivelato* dal Figlio suo fatto uomo e perché il suo Spirito ce lo fa conoscere. Ciò che l'uomo non può concepire, né le potenze angeliche intravvedere, cioè la relazione personale del Figlio nei confronti del Padre,[23] ecco che lo Spirito del Figlio lo comunica a noi, a noi che crediamo che Gesù è il Cristo e che siamo nati da Dio.[24]

2665

2781 Quando preghiamo il Padre, siamo *in comunione con lui* e con il Figlio suo Gesù Cristo.[25] È allora che lo conosciamo e lo riconosciamo in uno stupore sempre nuovo. La prima parola della Preghiera del Signore è una benedizione di adorazione, prima di essere un'implorazione. Questa è infatti la Gloria di Dio: che noi lo riconosciamo come « Padre », Dio vero. Gli rendiamo grazie per averci rivelato il suo Nome, di averci fatto il dono di credere in esso e di essere inabitati dalla sua Presenza.

1267

2782 Possiamo adorare il Padre perché egli ci ha fatti rinascere alla sua vita *adottandoci* come suoi figli nel suo Figlio unigenito: per mezzo del Battesimo, ci incorpora al Corpo del suo Cristo, e, per mezzo dell'Unzione del suo Spirito che scende dal Capo nelle membra, fa di noi dei « cristi » (unti):

[22] TERTULLIANO, *De oratione*, 3.
[23] Cf *Gv* 1,1.
[24] Cf *1 Gv* 5,1.
[25] Cf *1 Gv* 1,3.

In realtà, Dio che ci ha predestinati all'adozione di figli, ci ha resi conformi al Corpo glorioso di Cristo. Ormai divenuti partecipi di Cristo, siete naturalmente chiamati « cristi ».[26]

L'uomo nuovo, che è rinato e restituito, mediante la grazia, al suo Dio, dice innanzitutto: « Padre », perché è diventato figlio.[27]

2783 In tal modo, attraverso la Preghiera del Signore, noi siamo *rivelati a noi stessi,* mentre ci viene rivelato il Padre.[28] 1701

O uomo, tu non osavi levare il tuo volto verso il cielo, rivolgevi i tuoi occhi verso terra, e, ad un tratto, hai ricevuto la grazia di Cristo: ti sono stati rimessi tutti i tuoi peccati. Da servo malvagio sei diventato un figlio buono... Leva, dunque, gli occhi tuoi al Padre... che ti ha redento per mezzo del Figlio e di': Padre nostro!... Ma non rivendicare per te un rapporto particolare. Del solo Cristo è Padre in modo speciale, per noi tutti è Padre in comune, perché ha generato lui solo, noi, invece, ci ha creati. Di' anche tu per grazia: Padre nostro, per meritare di essere suo figlio.[29]

2784 Questo dono gratuito dell'adozione esige da parte nostra una conversione continua e una *vita nuova.* Pregare il Padre nostro deve sviluppare in noi due disposizioni fondamentali: il *desiderio* e la *volontà di somigliargli.* Creati a sua immagine, per grazia ci è restituita la somiglianza e noi dobbiamo corrispondervi. 1428 1997

Bisogna che, quando chiamiamo Dio « Padre nostro », ci ricordiamo del dovere di comportarci come figli di Dio.[30]

Non potete chiamare vostro Padre il Dio di ogni bontà, se conservate un cuore crudele e disumano; in tal caso, infatti, non avete più in voi l'impronta della bontà del Padre celeste.[31]

È necessario contemplare incessantemente la bellezza del Padre e impregnarne l'anima.[32]

2785 Un *cuore umile e confidente* che ci faccia « diventare come bambini » (*Mt* 18,3): infatti è ai « piccoli » che il Padre si rivela (*Mt* 11,25). 2562

È uno sguardo su Dio solo, un grande fuoco d'amore. L'anima allora sprofonda e s'innalza nella carità e tratta con Dio come con il proprio Padre, in una tenerezza specialissima di pietà.[33]

[26] San Cirillo di Gerusalemme, *Catecheses mistagogicae,* 3, 1: PG 33, 1088A.
[27] San Cipriano di Cartagine, *De oratione dominica,* 9: PL 4, 525A.
[28] Cf Conc. Ecum. Vat. II, *Gaudium et spes,* 22.
[29] Sant'Ambrogio, *De sacramentis,* 5, 19: PL 16, 450C.
[30] San Cipriano di Cartagine, *De oratione dominica,* 11: PL 4, 526B.
[31] San Giovanni Crisostomo, *Homilia in illud « Angusta est porta » et de oratione Domini:* PG 51, 44B.
[32] San Gregorio di Nissa, *Homiliae in orationem dominicam,* 2: PG 44, 1148B.
[33] San Giovanni Cassiano, *Collationes,* 9, 18: PL 49, 788C.

Padre nostro: questo nome suscita in noi, contemporaneamente, l'amore, il fervore nella preghiera,... ed anche la speranza di ottenere ciò che stiamo per chiedere... Che cosa infatti può Dio negare alla preghiera dei suoi figli, dal momento che ha loro concesso, prima di tutto, di essere suoi figli? [34]

III. Padre « nostro »

443 2786 Padre « nostro » è riferito a Dio. L'aggettivo, per quel che ci riguarda, non esprime un possesso, ma una relazione con Dio totalmente nuova.

2787 Quando diciamo Padre « nostro » riconosciamo anzitutto che tutte le sue Promesse d'amore annunziate dai Profeti sono compiute nella *nuova ed* 782 *eterna Alleanza* nel suo Cristo: noi siamo diventati il « suo » Popolo ed egli è ormai il « nostro » Dio. Questa nuova relazione è un'appartenenza reciproca donata gratuitamente: è con l'amore e la fedeltà [35] che dobbiamo rispondere alla « grazia » e alla « verità » che ci sono date in Gesù Cristo (*Gv* 1,17).

2788 Poiché la Preghiera del Signore è quella del suo Popolo negli « ultimi tempi », questo « nostro » esprime anche la nostra speranza nell'ultima promessa di Dio: nella nuova Gerusalemme egli dirà del vincitore: « Io sarò il suo Dio ed egli sarà mio figlio » (*Ap* 21,7).

2789 Pregando il Padre « nostro » ci rivolgiamo personalmente al Padre del Signore nostro Gesù Cristo. Non dividiamo la divinità, poiché il Padre 245 ne è « la sorgente e l'origine », ma confessiamo in tal modo che il Figlio è eternamente generato da lui e che da lui procede lo Spirito Santo. Non confondiamo neppure le Persone, perché confessiamo che la nostra comunione è con il Padre e il Figlio suo, Gesù Cristo, nel loro unico Santo Spirito. La 253 *Santissima Trinità* è consustanziale e indivisibile. Quando preghiamo il Padre, Lo adoriamo e Lo glorifichiamo con il Figlio e lo Spirito Santo.

2790 Grammaticalmente, « nostro » qualifica una realtà comune a più persone. Non c'è che un solo Dio ed è riconosciuto Padre da coloro che, mediante la fede nel suo Figlio unigenito, da lui sono rinati mediante l'acqua e 787 lo Spirito.[36] La *Chiesa* è questa nuova comunione di Dio e degli uomini: unita al Figlio unico diventato « il primogenito di molti fratelli » (*Rm* 8,29), essa è in comunione con un solo e medesimo Padre, in un solo e medesimo Spirito Santo.[37] Pregando il « Padre nostro », ogni battezzato prega in que-

[34] SANT'AGOSTINO, *De sermone Domini in monte,* 2, 4, 16: PL 34, 1276.
[35] Cf *Os* 2,21-22; 6,1-6.
[36] Cf *1 Gv* 5,1; *Gv* 3,5.
[37] Cf *Ef* 4,4-6.

sta comunione: « La moltitudine di coloro che erano venuti alla fede aveva un cuor solo e un'anima sola » (*At* 4,32).

2791 Per questo, nonostante le divisioni dei cristiani, la preghiera al Padre « nostro » rimane il bene comune e un appello urgente per tutti i battezzati. In comunione con Cristo mediante la fede e il Battesimo, essi devono partecipare alla preghiera di Gesù per l'unità dei suoi discepoli.[38] 821

2792 Infine, se preghiamo in verità il « Padre nostro », usciamo dall'individualismo, perché ne siamo liberati dall'Amore che accogliamo. Il « nostro » dell'inizio della Preghiera del Signore, come il « noi » delle ultime quattro domande, non esclude nessuno. Perché sia detto in verità,[39] le nostre divisioni e i nostri antagonismi devono essere superati.

2793 I battezzati non possono pregare il Padre « nostro » senza portare davanti a lui tutti coloro per i quali egli ha dato il Figlio suo diletto. L'amore di Dio è senza frontiere, anche la nostra preghiera deve esserlo.[40] Pregare il Padre « nostro » ci apre alle dimensioni del suo amore, manifestato in Cristo: pregare con e per tutti gli uomini che ancora non Lo conoscono, affinché siano riuniti in unità.[41] Questa sollecitudine divina per tutti gli uomini e per l'intera creazione ha animato tutti i grandi oranti: deve dilatare la nostra preghiera agli spazi immensi dell'amore, quando osiamo dire: Padre « nostro ». 604

IV. « Che sei nei cieli »

2794 Questa espressione biblica non significa un luogo [« lo spazio »], bensì un modo di essere; non la lontananza di Dio ma la sua maestà. Il nostro Padre non è « altrove »: egli è « al di là di tutto » ciò che possiamo concepire della sua Santità. Proprio perché è tre volte Santo, egli è vicinissimo al cuore umile e contrito: 326

> Ben a ragione queste parole « Padre nostro che sei nei cieli » si intendono riferite al cuore dei giusti, dove Dio abita come nel suo tempio. Pertanto colui che prega desidererà che in lui prenda dimora colui che invoca.[42]
>
> I « cieli » potrebbero essere anche coloro che portano l'immagine del cielo tra i quali Dio abita e si muove.[43]

[38] Cf Conc. Ecum. Vat. II, *Unitatis redintegratio,* 8; 22.
[39] Cf *Mt* 5,23-24; 6,14-16.
[40] Cf Conc. Ecum. Vat. II, *Nostra aetate,* 5.
[41] Cf *Gv* 11,52.
[42] Sant'Agostino, *De Sermone Domini in monte,* 2, 5, 17: PL 34, 1277.
[43] San Cirillo di Gerusalemme, *Catecheses mistagogicae,* 5, 11: PG 33, 1117B.

2795 Il simbolo dei cieli ci rimanda al mistero dell'Alleanza che viviamo quando preghiamo il Padre nostro. Egli è nei cieli: questa è la sua Dimora; la Casa del Padre è dunque la nostra « patria ». Il peccato ci ha esiliati dalla terra dell'Alleanza [44] ed è verso il Padre, verso il cielo, che ci fa tornare la conversione del cuore.[45] Ora, è in Cristo che il cielo e la terra sono riconciliati,[46] perché il Figlio « è disceso dal cielo », da solo, e al cielo fa tornare noi insieme con lui, per mezzo della sua croce, della sua Risurrezione e della sua Ascensione.[47]

1024

2796 Quando la Chiesa prega « Padre nostro che sei nei cieli », professa che siamo il Popolo di Dio, già « fatti sedere nei cieli, in Cristo Gesù » (*Ef* 2,6), nascosti « con Cristo in Dio » (*Col* 3,3), mentre, al tempo stesso, « sospiriamo in questo nostro stato, desiderosi di rivestirci del nostro corpo celeste » (*2 Cor* 5,2).[48]

1003

I cristiani sono nella carne, ma non vivono secondo la carne. Passano la loro vita sulla terra, ma sono cittadini del cielo.[49]

In sintesi

2797 *La confidenza semplice e filiale, la sicurezza umile e gioiosa sono le disposizioni che convengono a chi prega il « Padre nostro ».*

2798 *Possiamo invocare Dio come « Padre » perché ce lo ha rivelato il Figlio di Dio fatto uomo, nel quale, mediante il Battesimo, siamo incorporati e adottati come figli di Dio.*

2799 *La Preghiera del Signore ci mette in comunione con il Padre e con il Figlio suo, Gesù Cristo. Nel medesimo tempo rivela noi a noi stessi.*[50]

2800 *Pregare il Padre nostro deve sviluppare in noi la volontà di somigliargli e [far crescere] in noi un cuore umile e confidente.*

2801 *Dicendo Padre « nostro » noi invochiamo la nuova Alleanza in Gesù Cristo, la comunione con la Santissima Trinità e l'amore divino che, attraverso la Chiesa, abbraccia il mondo intero.*

[44] Cf *Gn* 3.
[45] Cf *Ger* 3,19–4,1a; *Lc* 15,18.21.
[46] Cf *Is* 45,8; *Sal* 85,12.
[47] Cf *Gv* 12,32; 14,2-3; 16,28; 20,17; *Ef* 4,9-10; *Eb* 1,3; 2,13.
[48] Cf *Fil* 3,20; *Eb* 13,14.
[49] *Lettera a Diogneto,* 5, 8-9.
[50] Cf Conc. Ecum. Vat. II, *Gaudium et spes,* 22.

2802 *L'espressione « che sei nei cieli » non indica un luogo, ma la maestà di Dio e la sua presenza nel cuore dei giusti. Il cielo, la Casa del Padre, costituisce la vera patria, verso la quale siamo in cammino e alla quale già apparteniamo.*

Articolo 3
LE SETTE DOMANDE

2803 Dopo averci messo alla presenza di Dio nostro Padre per adorarlo, amarlo, benedirlo, lo Spirito filiale fa salire dai nostri cuori sette domande, sette benedizioni. Le prime tre, più teologali, ci attirano verso la gloria del Padre, le ultime quattro, come altrettante vie verso di lui, offrono alla sua grazia la nostra miseria. « L'abisso chiama l'abisso » (*Sal* 42,8). 2627

2804 Il primo gruppo di domande ci porta verso di lui, a lui: il *tuo* Nome, il *tuo* Regno, la *tua* volontà. È proprio dell'amore pensare innanzi tutto a colui che si ama. In ognuna di queste tre petizioni noi non « ci » nominiamo, ma siamo presi dal « desiderio ardente », dall'« angoscia » stessa del Figlio diletto per la gloria del Padre suo: [51] « Sia santificato... Venga... Sia fatta... »: queste tre suppliche sono già esaudite nel Sacrificio di Cristo Salvatore, ma sono ora rivolte, nella speranza, verso il compimento finale, in quanto Dio non è ancora tutto in tutti.[52]

2805 Il secondo gruppo di domande si snoda con il movimento di certe Epiclesi eucaristiche: è offerta delle nostre attese e attira lo sguardo del Padre delle misericordie. Sale da noi e ci riguarda, adesso, in questo mondo: « dac*ci*... rimetti *a noi*... non *ci* indurre... libera*ci* ». La quarta e la quinta domanda riguardano la nostra vita in quanto tale, sia per sostenerla con il nutrimento, sia per guarirla dal peccato; le ultime due riguardano il nostro combattimento per la vittoria della Vita, lo stesso combattimento della preghiera. 1105

2806 Attraverso le prime tre domande veniamo rafforzati nella fede, colmati di speranza e infiammati di carità. Creature e ancora peccatori, dobbiamo supplicare per noi, questo « noi » a misura del mondo e della storia, che offriamo all'amore senza misura del nostro Dio. Infatti è per mezzo del Nome del suo Cristo e mediante il Regno del suo Santo Spirito che il Padre nostro realizza il suo Disegno di salvezza per noi e per il mondo intero. 2656-2658

[51] Cf *Lc* 22,14; 12,50.
[52] Cf *1 Cor* 15,28.

2142-2159

I. Sia santificato il tuo Nome

2097

2807 Il termine « santificare » qui va inteso non già nel suo senso causativo (Dio solo santifica, rende santo), ma piuttosto nel suo senso estimativo: riconoscere come santo, trattare in una maniera santa. Per questo, nell'adorazione, tale invocazione talvolta è sentita come una lode e un'azione di grazie.[53] Ma questa petizione ci è insegnata da Gesù come un ottativo: una domanda, un desiderio e un'attesa in cui sono impegnati Dio e l'uomo. Fin dalla prima domanda al Padre nostro, siamo immersi nell'intimo mistero della sua Divinità e nel dramma della salvezza della nostra umanità. Chiedergli che il suo Nome sia santificato ci coinvolge nel Disegno che [egli] « nella sua benevolenza aveva... prestabilito », « per essere santi e immacolati al suo cospetto nella carità ».[54]

203; 432

2808 Nei momenti decisivi della sua Economia, Dio rivela il suo Nome, ma lo rivela compiendo la sua opera. Questa però si realizza per noi e in noi solo se il suo Nome da noi e in noi è santificato.

293; 705

2809 La Santità di Dio è il centro inaccessibile del suo mistero eterno. Ciò che di esso è manifestato nella creazione e nella storia, dalla Scrittura viene chiamato la *Gloria,* l'irradiazione della sua maestà.[55] Creando l'uomo « a sua immagine e somiglianza » (*Gn* 1,26), Dio lo corona « di gloria » (*Sal* 8,6), ma l'uomo, peccando, viene privato « della Gloria di Dio » (*Rm* 3,23). Da allora, Dio manifesta la propria Santità rivelando e donando il proprio Nome per restaurare l'uomo « a immagine del suo Creatore » (*Col* 3,10).

63

2810 Nella promessa fatta ad Abramo e nel giuramento che l'accompagna,[56] Dio si impegna personalmente ma senza svelare il proprio Nome. Incomincia a rivelarlo a Mosè [57] e lo manifesta agli occhi di tutto il popolo salvandolo dagli Egiziani: si è coperto di Gloria.[58] Dopo l'Alleanza del Sinai, questo popolo è il « suo » e deve essere una « nazione santa »,[59] perché il Nome di Dio abita in mezzo ad essa.

2143

2811 Ma, nonostante la Legge santa che il Dio Santo gli dà e torna a dargli: (« Siate santi, perché io, il Signore, Dio vostro, sono santo »: *Lv* 19,2) e benché il Signore, « per riguardo al suo Nome », usi pazienza, il popolo si

[53] Cf *Sal* 111,9; *Lc* 1,49.
[54] Cf *Ef* 1,9.4.
[55] Cf *Sal* 8; *Is* 6,3.
[56] Cf *Eb* 6,13.
[57] Cf *Es* 3,14.
[58] Cf *Es* 15,1
[59] O consacrata; nella lingua ebraica la parola è la medesima: cf *Es* 19, 5-6.

allontana dal Santo d'Israele e profana il suo Nome in mezzo alle nazioni.[60] Per questo i giusti dell'Antica Alleanza, i poveri tornati dall'esilio e i profeti sono stati infiammati dalla passione per il Nome.

2812 Infine, è in Gesù che il Nome del Dio Santo ci viene rivelato e donato, nella carne, come Salvatore: [61] rivelato da ciò che egli È, dalla sua Parola e dal suo Sacrificio.[62] È il cuore della sua preghiera sacerdotale: « Padre santo... per loro io consacro me stesso; perché siano anch'essi consacrati nella verità » (*Gv* 17,19). È perché egli stesso « santifica » il suo Nome [63] che Gesù ci fa conoscere il Nome del Padre.[64] Compiuta la sua Pasqua, il Padre gli dà « il Nome che è al di sopra di ogni altro nome »: Gesù « è il Signore a gloria di Dio Padre » (*Fil* 2,9-11). 434

2813 Nell'acqua del Battesimo siamo stati « lavati... santificati... giustificati nel Nome del Signore Gesù Cristo e nello Spirito del nostro Dio » (*1 Cor* 6,11). Lungo tutta la nostra vita il Padre nostro ci chiama « alla santificazione » (*1 Ts* 4,7), e, poiché è per lui che noi siamo « in Cristo Gesù, il quale... è diventato per noi santificazione » (*1 Cor* 1,30), ne va della sua Gloria e della nostra vita che il suo Nome sia santificato in noi e da noi. Sta qui l'urgenza della nostra prima domanda. 2013

> Chi potrebbe santificare Dio, giacché è lui che santifica? Ma traendo ispirazione da queste parole: « Sarete santi... poiché io, il Signore, sono santo » (*Lv* 20,26), noi chiediamo che, santificati dal Battesimo, possiamo perseverare in ciò che abbiamo incominciato ad essere. E lo chiediamo ogni giorno, perché ogni giorno ci lasciamo sedurre dal male, e perciò dobbiamo purificarci dai nostri peccati con una purificazione incessantemente ricominciata... Ricorriamo, dunque, alla preghiera perché la santità dimori in noi.[65]

2814 Dipende inseparabilmente dalla nostra *vita* e dalla nostra *preghiera* che il suo Nome sia santificato tra le nazioni: 2045

> Chiediamo a Dio di santificare il suo Nome, perché è mediante la santità che egli salva e santifica tutta la creazione... Si tratta del Nome che dà la salvezza al mondo perduto, ma domandiamo che il Nome di Dio sia santificato in noi *dalla nostra vita*. Infatti, se viviamo con rettitudine, il Nome divino è benedetto; ma se viviamo nella disonestà, il Nome divino è bestemmiato, secondo quanto dice l'Apostolo: « Il Nome di Dio è bestemmiato per causa vostra tra

[60] Cf *Ez* 20; 36.
[61] Cf *Mt* 1,21; *Lc* 1,31.
[62] Cf *Gv* 8,28; 17,8; 17,17-19.
[63] Cf *Ez* 20,39; 36,20-21.
[64] Cf *Gv* 17,6.
[65] San Cipriano di Cartagine, *De oratione dominica,* 12: PL 4, 526A-527A.

> i pagani » (*Rm* 2,24).[66] Noi, dunque, preghiamo per meritare di essere santi come è santo il Nome del nostro Dio.[67]
>
> Quando diciamo « Sia santificato il tuo Nome », chiediamo che venga santificato in noi, che siamo in lui, ma anche negli altri che non si sono ancora lasciati raggiungere dalla grazia di Dio; ciò per conformarci al precetto che ci obbliga a *pregare per tutti,* perfino per i nostri nemici. Ecco perché non diciamo espressamente: Il tuo Nome sia santificato « in noi »; non lo diciamo perché chiediamo che sia santificato in tutti gli uomini.[68]

2815 Questa domanda, che le compendia tutte, è esaudita attraverso la *preghiera di Cristo,* come le sei domande successive. La preghiera al Padre nostro è preghiera nostra se è pregata *« nel Nome »* di Gesù.[69] Gesù nella sua preghiera sacerdotale chiede: « Padre santo, custodisci nel tuo Nome coloro che mi hai dato » (*Gv* 17,11).

2750

II. Venga il tuo Regno

541 2632 560 1107

2816 Nel Nuovo Testamento la parola « Basileia » può essere tradotta con regalità (nome astratto), regno (nome concreto) oppure signoria (nome d'azione). Il Regno di Dio è prima di noi; si è avvicinato nel Verbo incarnato, viene annunciato in tutto il Vangelo, è venuto nella Morte e Risurrezione di Cristo. Il Regno di Dio viene fin dalla santa Cena e nell'Eucaristia, esso è in mezzo a noi. Il Regno verrà nella gloria allorché Cristo lo consegnerà al Padre suo:

> È anche possibile che il Regno di Dio significhi Cristo in persona, lui che invochiamo con i nostri desideri tutti i giorni, lui di cui bramiamo affrettare la venuta con la nostra attesa. Come egli è la nostra Risurrezione, perché in lui risuscitiamo, così può essere il Regno di Dio, perché in lui regneremo.[70]

451; 2632 671

2817 Questa richiesta è il « Marana tha », il grido dello Spirito e della Sposa: « Vieni, Signore Gesù ».

> Anche se questa preghiera non ci avesse imposto il dovere di chiedere l'avvento del Regno, noi avremmo, con incontenibile spontaneità, lanciato questo grido, bruciati dalla fretta di andare ad abbracciare ciò che forma l'oggetto delle nostre speranze. Le anime dei martiri, sotto l'altare, invocano il Signore gridando a gran voce: « Fino a quando, Sovrano, non vendicherai

[66] Cf *Ez* 36,20-22.
[67] San Pietro Crisologo, *Sermones* 71: PL 52, 402A.
[68] Tertulliano *De oratione,* 3.
[69] Cf *Gv* 14,13; 15,16; 16,23-24.26.
[70] San Cipriano di Cartagine, *De oratione dominica,* 13: PL 4, 527C-528A.

il nostro sangue sopra gli abitanti della terra? » (*Ap* 6,10). A loro, in realtà, dev'essere fatta giustizia, alla fine dei tempi. Signore, affretta, dunque, la venuta del tuo Regno! [71]

2818 Nella Preghiera del Signore si tratta principalmente della venuta finale del Regno di Dio con il ritorno di Cristo.[72] Questo desiderio non distoglie però la Chiesa dalla sua missione in questo mondo, anzi, la impegna maggiormente. Infatti, dopo la Pentecoste, la venuta del Regno è l'opera dello Spirito del Signore, inviato « a perfezionare la sua opera nel mondo e compiere ogni santificazione ».[73] 769

2819 « Il Regno di Dio... è giustizia, pace e gioia nello Spirito Santo » (*Rm* 14,17). Gli ultimi tempi, nei quali siamo, sono quelli dell'effusione dello Spirito Santo. Pertanto è ingaggiato un combattimento decisivo tra « la carne » e lo Spirito: [74] 2046 2516

Solo un cuore puro può dire senza trepidazione alcuna: « Venga il tuo Regno ». Bisogna essere stati alla scuola di Paolo per dire: « Non regni più dunque il peccato nel nostro corpo mortale » (*Rm* 6,12). Colui che nelle azioni, nei pensieri, nelle parole si conserva puro, può dire a Dio: « Venga il tuo Regno! ».[75] 2519

2820 Con un discernimento secondo lo Spirito, i cristiani devono distinguere tra la crescita del Regno di Dio e il progresso della cultura e della società in cui sono inseriti. Tale distinzione non è una separazione. La vocazione dell'uomo alla vita eterna non annulla ma rende più imperioso il dovere di utilizzare le energie e i mezzi ricevuti dal Creatore per servire in questo mondo la giustizia e la pace.[76] 1049

2821 Questa domanda è assunta ed esaudita nella preghiera *di* Gesù,[77] presente ed efficace nell'Eucaristia; produce il suo frutto nella vita nuova secondo le Beatitudini.[78] 2746

[71] TERTULLIANO, *De oratione*, 5.
[72] Cf *Tt* 2,13.
[73] *Messale Romano*, Preghiera eucaristica IV.
[74] Cf *Gal* 5,16-25.
[75] SAN CIRILLO DI GERUSALEMME, *Catecheses mistagogicae*, 5, 13: PG 33, 1120A.
[76] CON. ECUM. VAT. II, *Gaudium et spes*, 22; 32; 39; 45; PAOLO VI, Esort. ap. *Evangelii nuntiandi*, 31.
[77] Cf *Gv* 17,17-20.
[78] Cf *Mt* 5,13-16; 6,24; 7,12-13.

III. Sia fatta la tua Volontà come in cielo così in terra

851 2822 La Volontà del Padre nostro è « che tutti gli uomini siano salvati e arrivino alla conoscenza della verità » (*1 Tm* 2,4). Egli « usa pazienza... non
2196 volendo che alcuno perisca » (*2 Pt* 3,9).[79] Il suo comandamento, che compendia tutti gli altri e ci manifesta la sua Volontà, è che ci amiamo gli uni gli altri, come egli ci ha amato.[80]

59 2823 « Egli ci ha fatto conoscere il mistero della sua Volontà, secondo quanto nella sua benevolenza aveva... prestabilito... il disegno cioè di ricapitolare in Cristo tutte le cose... In lui siamo stati fatti anche eredi, essendo stati predestinati secondo il piano di colui che tutto opera efficacemente conforme alla sua Volontà » (*Ef* 1,9-11). Noi chiediamo con insistenza che si realizzi pienamente questo Disegno di benevolenza sulla terra, come già è realizzato in cielo.

2824 È in Cristo e mediante la sua volontà umana che la Volontà del Pa-
475 dre è stata compiuta perfettamente e una volta per tutte. Gesù, entrando in questo mondo, ha detto: « Ecco, Io vengo,... per fare, o Dio, la tua Volontà » (*Eb* 10,7; *Sal* 40,7). Solo Gesù può affermare: « Io faccio sempre le cose
612 che Gli sono gradite » (*Gv* 8,29). Nella preghiera della sua agonia, egli acconsente totalmente alla Volontà del Padre: « Non sia fatta la mia, ma la tua volontà! » (*Lc* 22,42).[81] Ecco perché Gesù « ha dato se stesso per i nostri peccati... secondo la Volontà di Dio » (*Gal* 1,4). « È appunto per quella Volontà che noi siamo stati santificati, per mezzo dell'offerta del Corpo di Gesù Cristo » (*Eb* 10,10).

2825 Gesù « pur essendo Figlio, imparò tuttavia l'obbedienza dalle cose che patì » (*Eb* 5,8); a maggior ragione, noi, creature e peccatori, diventati in
615 lui figli di adozione. Noi chiediamo al Padre nostro di unire la nostra volontà a quella del Figlio suo per compiere la sua Volontà, il suo Disegno di salvezza per la vita del mondo. Noi siamo radicalmente incapaci di ciò, ma, uniti a Gesù e con la potenza del suo Santo Spirito, possiamo consegnare a lui la nostra volontà e decidere di scegliere ciò che sempre ha scelto il Figlio suo: fare ciò che piace al Padre:[82]

> Aderendo a Cristo, possiamo diventare un solo Spirito con lui e così compiere la sua Volontà; in tal modo essa sarà fatta perfettamente in terra come in cielo.[83]

[79] Cf *Mt* 18,14.
[80] Cf *Gv* 13,34; *1 Gv* 3; 4; *Lc* 10,25-37.
[81] Cf *Gv* 4,34; 5,30; 6,38.
[82] Cf *Gv* 8,29.
[83] ORIGENE, *De oratione*, 26.

> Considerate come Gesù Cristo ci insegni ad essere umili, mostrandoci che la nostra virtù non dipende soltanto dai nostri sforzi, ma anche dalla grazia di Dio. Egli comanda ad ogni fedele che prega, di farlo con respiro universale, cioè per tutta la terra. Egli, infatti, non dice « sia fatta la tua Volontà » in me o in voi, « ma in terra, su tutta la terra »; e ciò perché dalla terra sia eliminato l'errore e sulla terra regni la verità, sia distrutto il vizio, rifiorisca la virtù, e la terra non sia diversa dal cielo.[84]

2826 È mediante la preghiera che possiamo « discernere la Volontà di Dio » (*Rm* 12,2) [85] ed ottenere la costanza nel compierla.[86] Gesù ci insegna che si entra nel Regno dei cieli non a forza di parole, ma facendo « la Volontà del Padre » suo « che è nei cieli » (*Mt* 7,21).

2827 Se uno fa la Volontà di Dio, egli lo ascolta.[87] Tale è la potenza della preghiera della Chiesa nel Nome del suo Signore, soprattutto nell'Eucaristia; essa è comunione d'intercessione con la Santissima Madre di Dio [88] e con tutti i santi che sono stati « graditi » al Signore per non aver voluto che la sua Volontà: 2611

> Possiamo anche, senza offendere la verità, dare alle parole: « Sia fatta la tua Volontà come in cielo così in terra » questo significato: sia fatta nella Chiesa come nel Signore nostro Gesù Cristo; sia fatta nella Sposa, che a lui è stata fidanzata, come nello Sposo che ha compiuto la Volontà del Padre.[89] 796

IV. Dacci oggi il nostro pane quotidiano

2828 « *Dacci* »: è bella la fiducia dei figli che attendono tutto dal loro Padre. Egli « fa sorgere il suo sole sopra i malvagi e sopra i buoni e fa piovere sopra i giusti e sopra gli ingiusti » (*Mt* 5,45) e dà a tutti i viventi « il cibo in tempo opportuno » (*Sal* 104,27). Gesù ci insegna questa domanda, che in realtà glorifica il Padre nostro perché è il riconoscimento di quanto egli sia Buono al di là di ogni bontà. 2778

2829 « Dacci » è anche l'espressione dell'Alleanza: noi siamo suoi ed egli è nostro, è per noi. Questo « noi » però lo riconosce anche come il Padre di tutti gli uomini, e noi lo preghiamo per tutti, solidali con le loro necessità e le loro sofferenze. 1939

[84] San Giovanni Crisostomo, *Homilia in Matthaeum,* 19, 5: PG 57, 280B.
[85] Cf *Ef* 5,17.
[86] Cf *Eb* 10,36.
[87] Cf *Gv* 9,31; *1 Gv* 5,14.
[88] Cf *Lc* 1,38.49.
[89] Sant'Agostino, *De Sermone Domini in monte,* 2, 6, 24: PL 34, 1279.

2830 « *Il nostro pane* ». Il Padre, che ci dona la vita, non può non darci il
2633 nutrimento necessario per la vita, tutti i beni « convenienti », materiali e spirituali. Nel Discorso della montagna Gesù insiste su questa confidenza filiale che coopera con la Provvidenza del Padre nostro.[90] Egli non ci spinge alla passività,[91] ma vuole liberarci da ogni affanno e da ogni preoccupazione. Tale è l'abbandono filiale dei figli di Dio:

> A chi cerca il Regno di Dio e la sua giustizia, egli promette di dare tutto in
> 227 aggiunta. In realtà, tutto appartiene a Dio e nulla manca all'uomo che possiede Dio, se egli stesso non manca a Dio.[92]

2831 Il fatto però che ci siano coloro che hanno fame per mancanza di pane, svela un'altra profondità di questa domanda. Il dramma della fame nel mondo chiama i cristiani che pregano in verità ad una responsabilità fattiva nei confronti dei loro fratelli, sia nei loro comportamenti personali sia nella loro solidarietà con la famiglia umana. Questa petizione della Preghiera del
1038 Signore non può essere isolata dalle parabole del povero Lazzaro[93] e del giudizio finale.[94]

2832 Come il lievito nella pasta, così la novità del Regno deve « fermentare » la terra per mezzo dello Spirito di Cristo.[95] Deve rendersi
1928 evidente attraverso l'instaurarsi della giustizia nelle relazioni personali e sociali, economiche e internazionali; né va mai dimenticato che non ci sono strutture giuste senza uomini che vogliono essere giusti.

2790; 2546 2833 Si tratta del « nostro » pane, « uno » per « molti ». La povertà delle Beatitudini è la virtù della condivisione: sollecita a mettere in comune e a condividere i beni materiali e spirituali, non per costrizione, ma per amore, perché l'abbondanza degli uni supplisca alla indigenza degli altri.[96]

2834 « Prega e lavora ».[97] « Dobbiamo pregare come se tutto dipendesse da
2428 Dio, e agire come se tutto dipendesse da noi ».[98] Dopo aver eseguito il nostro lavoro, il cibo resta un dono del Padre nostro; è giusto chiederglielo rendendogli grazie. Questo è il senso della benedizione della mensa in una famiglia cristiana.

[90] Cf *Mt* 6,25-34.
[91] Cf *2 Ts* 3,6-13.
[92] San Cipriano di Cartagine, *De oratione dominica,* 21: PL 4, 534A.
[93] Cf *Lc* 16,19-31.
[94] Cf *Mt* 25,31-46.
[95] Cf Conc. Ecum. Vat. II, *Apostolicam actuositatem,* 5.
[96] Cf *2 Cor* 8,1-15.
[97] Cf San Benedetto, *La Regola,* 20; 48.
[98] Attribuito a Sant'Ignazio di Loyola, citato in E. Bianco, *Dizionario di pensieri citabili,* Torino 1990, 26.

2835 Questa domanda e la responsabilità che comporta, valgono anche per un'altra fame di cui gli uomini soffrono: « L'uomo non vive soltanto di pane, ma... di quanto esce dalla bocca del Signore » (*Dt* 8,3),[99] cioè della sua Parola e del suo Soffio. I cristiani devono mobilitare tutto il loro impegno per « annunziare il Vangelo ai poveri ». C'è una fame sulla terra, « non fame di pane, né sete di acqua, ma di ascoltare la Parola di Dio » (*Am* 8,11). Perciò il senso specificamente cristiano di questa quarta domanda riguarda il Pane di Vita: la Parola di Dio da accogliere nella fede, il Corpo di Cristo ricevuto nell'Eucaristia.[100] 2443 1384

2836 « *Oggi* ». È anch'essa un'espressione di fiducia. Ce la insegna il Signore;[101] non poteva inventarla la nostra presunzione. Poiché si tratta soprattutto della sua Parola e del Corpo del Figlio suo, questo « oggi » non è soltanto quello del nostro tempo mortale: è l'Oggi di Dio: 1165

> Se ricevi il Pane ogni giorno, per te ogni giorno è oggi. Se oggi Cristo è tuo, egli risorge per te ogni giorno. In che modo? « Tu sei mio Figlio, oggi Io ti ho generato » (*Sal* 2,7). L'oggi è quando Cristo risorge.[102]

2837 « *Quotidiano* » (di questo giorno e di ogni giorno). Questa parola, « épiousios », non è usata in nessun altro passo del Nuovo Testamento. Intesa nel suo significato temporale, è una ripresa pedagogica di « oggi »,[103] per confermarci in una confidenza « senza riserve ». Intesa in senso qualitativo, significa il necessario per la vita e, in senso lato, ogni bene sufficiente per il sostentamento.[104] Presa alla lettera [épiousios: « sovra-sostanziale »] la parola indica direttamente il Pane di Vita, il Corpo di Cristo, « farmaco d'immortalità »[105] senza il quale non abbiamo in noi la Vita.[106] Infine, legato al precedente, è evidente il senso celeste: « questo Giorno » è quello del Signore, quello del Banchetto del Regno, anticipato nell'Eucaristia, che è già pregustazione del Regno che viene. Per questo è bene che la Liturgia eucaristica sia celebrata « ogni giorno ». 2659 2633 1405 1166 1389

> L'Eucaristia è il nostro pane quotidiano... La virtù propria di questo nutrimento è quella di produrre l'unità, affinché, resi Corpo di Cristo, divenuti sue membra, siamo ciò che riceviamo... ma anche le letture che ascoltate ogni giorno in chiesa sono pane quotidiano, e l'ascoltare e recitare inni è pane quotidiano. Questi sono i sostegni necessari al nostro pellegrinaggio terreno.[107]

[99] Cf *Mt* 4,4.
[100] Cf *Gv* 6,26-58.
[101] Cf *Mt* 6,34; *Es* 16,19.
[102] SANT'AMBROGIO, *De sacramentis,* 5, 26: PL 16, 453A.
[103] Cf *Es* 16,19-21.
[104] Cf *1 Tm* 6,8.
[105] SANT'IGNAZIO DI ANTIOCHIA, *Epistula ad Ephesios,* 20, 2: PG 5, 661.
[106] Cf *Gv* 6,53-56.
[107] SANT'AGOSTINO, *Sermones,* 57, 7, 7: PL 38, 389.

Il Padre del cielo ci esorta a chiedere come bambini del cielo il Pane del cielo.[108] Cristo « egli stesso è il pane che, seminato nella Vergine, lievitato nella carne, impastato nella Passione, cotto nel forno del sepolcro, conservato nella chiesa, portato sugli altari, somministra ogni giorno ai fedeli un alimento celeste ».[109]

V. Rimetti a noi i nostri debiti come noi li rimettiamo ai nostri debitori

1425 2838 Questa domanda è sorprendente. Se consistesse soltanto nel primo membro della frase — « Rimetti a noi i nostri debiti » — potrebbe essere implicitamente inclusa nelle prime tre domande della Preghiera del Signore, 1933 dal momento che il sacrificio di Cristo è « per la remissione dei peccati ». Ma, secondo l'altro membro della frase, la nostra domanda verrà esaudita solo a condizione che noi, prima, abbiamo risposto ad un'esigenza. La 2631 nostra richiesta è rivolta verso il futuro, la nostra risposta deve averla preceduta; una parola le collega: « come ».

Rimetti a noi i nostri debiti...

2839 Abbiamo iniziato a pregare il Padre nostro con una confidenza audace. Implorando che il suo Nome sia santificato, gli abbiamo chiesto di essere 1425 sempre più santificati. Ma, sebbene rivestiti della veste battesimale, noi non cessiamo di peccare, di allontanarci da Dio. Ora, con questa nuova doman- 1439 da, torniamo a lui, come il figlio prodigo,[110] e ci riconosciamo peccatori, davanti a lui, come il pubblicano.[111] La nostra richiesta inizia con una « confessione », con la quale confessiamo ad un tempo la nostra miseria e la sua misericordia. La nostra speranza è sicura, perché, nel Figlio suo, « abbiamo la redenzione, la remissione dei peccati » (*Col* 1,14; *Ef* 1,7). Il 1422 segno efficace ed indubbio del suo perdono lo troviamo nei sacramenti della sua Chiesa.[112]

2840 Ora, ed è cosa tremenda, questo flusso di misericordia non può giungere al nostro cuore finché noi non abbiamo perdonato a chi ci ha offeso. L'Amore, come il Corpo di Cristo, è indivisibile: non possiamo amare Dio che non vediamo, se non amiamo il fratello, la sorella che vediamo.[113] Nel rifiuto di perdonare ai nostri fratelli e alle nostre sorelle, il nostro cuore si 1864 chiude e la sua durezza lo rende impermeabile all'amore misericordioso del

[108] Cf *Gv* 6,51.
[109] San Pietro Crisologo, *Sermones,* 71: PL 52, 402D.
[110] Cf *Lc* 15,11-32.
[111] Cf *Lc* 18,13.
[112] Cf *Mt* 26,28; *Gv* 20,23.
[113] Cf *1 Gv* 4,20.

Padre; nella confessione del nostro peccato, il nostro cuore è aperto alla sua grazia.

2841 Questa domanda è tanto importante che è la sola su cui il Signore torna sviluppandola nel Discorso della montagna.[114] All'uomo è impossibile soddisfare questa cruciale esigenza del mistero dell'Alleanza. Ma « tutto è possibile a Dio ».

... COME NOI LI RIMETTIAMO AI NOSTRI DEBITORI

2842 Questo « come » non è unico nell'insegnamento di Gesù: « Siate perfetti "come" è perfetto il Padre vostro celeste » (*Mt* 5,48); « Siate misericordiosi "come" è misericordioso il Padre vostro » (*Lc* 6,36); « Vi dò un comandamento nuovo: che vi amiate gli uni gli altri; "come" io vi ho amati, così amatevi anche voi » (*Gv* 13,34). È impossibile osservare il comandamento del Signore, se si tratta di imitare il modello divino dall'esterno. Si tratta invece di una partecipazione vitale, che scaturisce « dalla profondità del cuore », alla Santità, alla Misericordia, all'Amore del nostro Dio. Soltanto lo Spirito, che è la nostra Vita,[115] può fare « nostri » i medesimi sentimenti che furono in Cristo Gesù.[116] Allora diventa possibile l'unità del perdono, perdonarci « a vicenda "come" Dio ha perdonato » a noi « in Cristo » (*Ef* 4,32). 521

2843 Così prendono vita le parole del Signore sul perdono, questo Amore che ama fino alla fine.[117] La parabola del servo spietato, che corona l'insegnamento del Signore sulla comunione ecclesiale,[118] termina con queste parole: « Così anche il mio Padre celeste farà a ciascuno di voi, se non perdonerete di cuore al vostro fratello ». È lì, infatti, « nella profondità del *cuore* » che tutto si lega e si scioglie. Non è in nostro potere non sentire più e dimenticare l'offesa; ma il cuore che si offre allo Spirito Santo tramuta la ferita in compassione e purifica la memoria trasformando l'offesa in intercessione. 368

2844 La preghiera cristiana arriva fino al *perdono dei nemici*.[119] Essa trasfigura il discepolo configurandolo al suo Maestro. Il perdono è un culmine della preghiera cristiana; il dono della preghiera non può essere ricevuto che in un cuore in sintonia con la compassione divina. Il perdono sta anche a testimoniare che, nel nostro mondo, l'amore è più forte del peccato. I martiri 2262

[114] Cf *Mt* 6,14-15; 5,23-24; *Mc* 11,25.
[115] Cf *Gal* 5,25.
[116] Cf *Fil* 2,1.5.
[117] Cf *Gv* 13,1.
[118] Cf *Mt* 18,23-35.
[119] Cf *Mt* 5,43-44.

di ieri e di oggi rinnovano questa testimonianza di Gesù. Il perdono è la condizione fondamentale della Riconciliazione [120] dei figli di Dio con il loro Padre e degli uomini tra loro.[121]

1441 2845 Non c'è né limite né misura a questo perdono essenzialmente divino.[122] Se si tratta di offese (di « peccati » secondo Lc 11,4 o di « debiti » secondo Mt 6,12), in realtà noi siamo sempre debitori: « Non abbiate alcun debito con nessuno, se non quello di un amore vicendevole » (*Rm* 13,8). La comunione della Santissima Trinità è la sorgente e il criterio della verità di ogni relazione.[123] Essa è vissuta nella preghiera, specialmente nell'Eucaristia: [124]

> Dio non accetta il sacrificio di coloro che fomentano la divisione; dice loro di lasciare sull'altare l'offerta e di andare, prima, a riconciliarsi con i loro fratelli. Dio vuole che ce lo riconciliamo con preghiere che salgono da cuori pacificati. Ciò che più fortemente obbliga Dio è la nostra pace, la nostra concordia, l'unità di tutto il popolo dei credenti, nel Padre nel Figlio e nello Spirito Santo.[125]

VI. Non ci indurre in tentazione

2846 Questa domanda va alla radice della precedente, perché i nostri peccati sono frutto del consenso alla tentazione. Noi chiediamo al Padre nostro di non « indurci » in essa. Tradurre con una sola parola il termine greco è difficile: significa « non permettere di entrare in »,[126] « non lasciarci soccombere alla tentazione ». « Dio non può essere tentato dal male e non tenta nessuno al male » (*Gc* 1,13); al contrario, vuole liberarcene. Noi gli chiediamo di non lasciarci prendere la strada che conduce al peccato. Siamo impegnati nella lotta « tra la carne e lo Spirito ». Questa richiesta implora lo Spirito di discernimento e di fortezza.

164

2516

2847 Lo Spirito Santo ci porta a *discernere* tra la prova, necessaria alla crescita dell'uomo interiore [127] in vista di una « virtù provata » (*Rm* 5,3-5) e la tentazione, che conduce al peccato e alla morte.[128] Dobbiamo anche distinguere tra « essere tentati » e « consentire » alla tentazione. Infine, il di-

2284

[120] Cf *2 Cor* 5,18-21.
[121] Cf GIOVANNI PAOLO II, Lett. enc. *Dives in misericordia,* 14.
[122] Cf *Mt* 18,21-22; *Lc* 17,3-4.
[123] Cf *1 Gv* 3,19-24.
[124] Cf *Mt* 5,23-24.
[125] Cf SAN CIPRIANO DI CARTAGINE, *De oratione dominica,* 23: PL 4, 535C-536A.
[126] Cf *Mt* 26,41.
[127] Cf *Lc* 8,13-15; *At* 14,22; *2 Tm* 3,12.
[128] Cf *Gc* 1,14-15.

scernimento smaschera la menzogna della tentazione: apparentemente il suo oggetto è « buono, gradito agli occhi e desiderabile » (*Gn* 3,6), mentre, in realtà, il suo frutto è la morte.

> Dio non vuole costringere al bene: vuole esseri liberi... La tentazione ha una sua utilità. Tutti, all'infuori di Dio, ignorano ciò che l'anima nostra ha ricevuto da Dio; lo ignoriamo perfino noi. Ma la tentazione lo svela, per insegnarci a conoscere noi stessi e, in tal modo, a scoprire ai nostri occhi la nostra miseria e per obbligarci a rendere grazie per i beni che la tentazione ci ha messo in grado di riconoscere.[129]

2848 « Non entrare nella tentazione » implica una *decisione del cuore:* « Là dov'è il tuo tesoro, sarà anche il tuo cuore... Nessuno può servire a due padroni » (*Mt* 6,21.24). « Se viviamo dello Spirito, camminiamo anche secondo lo Spirito » (*Gal* 5,25). In questo « consenso » allo Spirito Santo il Padre ci dà la forza. « Nessuna tentazione vi ha finora sorpresi se non umana; infatti Dio è fedele e non permetterà che siate tentati oltre le vostre forze; ma con la tentazione vi darà anche la via d'uscita e la forza per sopportarla » (*1 Cor* 10,13). 1808

2849 Il combattimento e la vittoria sono possibili solo nella preghiera. È per mezzo della sua preghiera che Gesù è vittorioso sul Tentatore, fin dall'inizio[130] e nell'ultimo combattimento della sua agonia.[131] Ed è al suo combattimento e alla sua agonia che Cristo ci unisce in questa domanda al Padre nostro. La *vigilanza* del cuore, in unione alla sua, è richiamata insistentemente.[132] La vigilanza è « custodia del cuore » e Gesù chiede al Padre di custodirci nel suo Nome.[133] Lo Spirito Santo opera per suscitare in noi, senza posa, questa vigilanza.[134] Questa richiesta acquista tutto il suo significato drammatico in rapporto alla tentazione finale del nostro combattimento quaggiù; implora la *perseveranza finale.* « Ecco, Io vengo come un ladro. Beato chi è vigilante » (*Ap* 16,15). 540; 612 2612 162

VII. Ma liberaci dal Male

2850 L'ultima domanda al Padre nostro si trova anche nella preghiera di Gesù: « Non chiedo che Tu li tolga dal mondo, ma che li custodisca dal Maligno » (*Gv* 17,15). Riguarda ognuno di noi personalmente; però siamo sempre « noi » a pregare, in comunione con tutta la Chiesa e per la liberazione

[129] ORIGENE, *De oratione,* 29.
[130] Cf *Mt* 4,1-11.
[131] Cf *Mt* 26,36-44.
[132] Cf *Mc* 13,9.23.33-37; 14,38; *Lc* 12,35-40.
[133] Cf *Gv* 17,11.
[134] Cf *1 Cor* 16,13; *Col* 4,2; *1 Ts* 5,6; *1 Pt* 5,8.

dell'intera famiglia umana. La Preghiera del Signore ci apre continumente alle dimensioni dell'Economia della salvezza. La nostra interdipendenza nel 309 dramma del peccato e della morte diventa solidarietà nel Corpo di Cristo, nella « comunione dei santi ».[135]

2851 In questa richiesta, il Male non è un'astrazione; indica invece una persona: Satana, il Maligno, l'angelo che si oppone a Dio. Il « diavolo » 391 [« dia-bolos », colui che « si getta di traverso »] è colui che « vuole ostacolare » il Disegno di Dio e la sua « opera di salvezza » compiuta in Cristo.

2852 « Omicida fin dal principio », « menzognero e padre di menzogna » (*Gv* 8,44), « Satana, che seduce tutta la terra » (*Ap* 12,9), è a causa sua che il peccato e la morte sono entrati nel mondo, ed è in virtù della sua sconfitta definitiva che tutta la creazione sarà liberata « dalla corruzione del peccato e della morte ».[136] « Sappiamo che chiunque è nato da Dio non pecca: chi è nato da Dio preserva se stesso e il Maligno non lo tocca. Noi sappiamo che siamo nati da Dio, mentre tutto il mondo giace sotto il potere del Maligno » (*1 Gv* 5,18-19):

> Il Signore, che ha cancellato il vostro peccato e ha perdonato le vostre colpe, è in grado di proteggervi e di custodirvi contro le insidie del diavolo che è il vostro avversario, perché il nemico, che suole generare la colpa, non vi sorprenda. Ma chi si affida a Dio, non teme il diavolo. « Se infatti Dio è dalla nostra parte, chi sarà contro di noi? » (*Rm* 8,31).[137]

677 2853 La vittoria sul « principe del mondo » (*Gv* 14,30) è conseguita, una volta per tutte, nell'Ora in cui Gesù si consegna liberamente alla morte per darci la sua Vita. Avviene allora il giudizio di questo mondo e il principe di questo mondo è « gettato fuori » (*Gv* 12,31).[138] Si avventa « contro la 490 Donna »,[139] ma non la può ghermire: la nuova Eva, « piena di grazia » dello Spirito Santo, è liberata dal peccato e dalla corruzione della morte 972 (Concezione immacolata e Assunzione della Santissima Madre di Dio, Maria, sempre vergine). Allora si infuria « contro la Donna » e se ne va « a far guerra contro il resto della sua discendenza » (*Ap* 12,17). È per questo che lo Spirito e la Chiesa pregano: « Vieni, Signore Gesù » (*Ap* 22,17.20): la sua venuta, infatti, ci libererà dal Maligno.

2854 Chiedendo di essere liberati dal Maligno, noi preghiamo nel contempo per essere liberati da tutti i mali, presenti, passati e futuri, di cui egli è l'artefice o l'istigatore. In quest'ultima domanda la Chiesa porta davanti al

[135] Cf Giovanni Paolo II, Esort. ap. *Reconciliatio et paenitentia,* 16.
[136] *Messale Romano,* Preghiera eucaristica IV.
[137] Sant'Ambrogio, *De sacramentis,* 5, 30: PL 16, 454AB.
[138] Cf *Ap* 12,10.
[139] Cf *Ap* 12,13-16.

Padre tutta la miseria del mondo. Insieme con la liberazione dai mali che schiacciano l'umanità, la Chiesa implora il dono prezioso della pace e la grazia dell'attesa perseverante del ritorno di Cristo. Pregando così, anticipa nell'umiltà della fede la ricapitolazione di tutti e di tutto in colui che ha « potere sopra la Morte e sopra gli Inferi » (*Ap* 1,18), « colui che è, che era e che viene, l'Onnipotente! » (*Ap* 1,8): [140] 2632

> Liberaci, o Signore, da tutti i mali, concedi la pace ai nostri giorni e con l'aiuto della tua misericordia vivremo sempre liberi dal peccato e sicuri da ogni turbamento, nell'attesa che si compia la beata speranza e venga il nostro Salvatore Gesù Cristo.[141] 1041

LA DOSSOLOGIA FINALE

2855 La dossologia finale « perché tuo è il regno, la gloria e il potere » riprende, per inclusione, le prime tre domande al Padre nostro: la glorificazione del suo Nome, la venuta del suo Regno e il potere della sua Volontà salvifica. Ma questa ripresa ha la forma dell'adorazione e dell'azione di grazie, come nella liturgia celeste.[142] Il principe di questo mondo si era attribuito in modo menzognero questi tre titoli di regalità, di potere e di gloria;[143] Cristo, il Signore, li restituisce al Padre suo e Padre nostro, finché gli consegnerà il Regno, quando il Mistero della salvezza sarà definitivamente compiuto e Dio sarà tutto in tutti.[144] 2760

2856 « Al termine della preghiera, tu dici: *Amen,* sottolineando con l'Amen, che significa "Così sia",[145] ciò che è nella preghiera da Dio insegnata ».[146] 1061-1065

In sintesi

2857 *Nel « Padre nostro » le prime tre domande hanno come oggetto la Gloria del Padre: la santificazione del Nome, l'avvento del Regno e il compimento della Volontà divina. Le altre quattro presentano a lui i*

[140] Cf *Ap* 1,4.
[141] *Messale Romano,* Embolismo.
[142] Cf *Ap* 1,6; 4,11; 5,13.
[143] Cf *Lc* 4,5-6.
[144] Cf *1 Cor* 15,24-28.
[145] Cf *Lc* 1,38.
[146] San Cirillo di Gerusalemme, *Catecheses mistagogicae,* 5, 18: PG 33, 1124A.

nostri desideri: queste domande riguardano la nostra vita per nutrirla e guarirla dal peccato, e si ricollegano al nostro combattimento per la vittoria del Bene sul Male.

2858 *Chiedendo: « Sia santificato il tuo Nome », entriamo nel Disegno di Dio: la santificazione del suo Nome — rivelato a Mosè, poi in Gesù — da parte nostra e in noi, come in ogni popolo e in ogni uomo.*

2859 *Con la seconda domanda la Chiesa guarda principalmente al ritorno di Cristo e alla venuta finale del Regno di Dio. Ma prega anche per la crescita del Regno di Dio nell'« oggi » delle nostre vite.*

2860 *Nella terza domanda preghiamo il Padre nostro di unire la nostra volontà a quella del Figlio suo, perché si compia il suo Disegno di salvezza nella vita del mondo.*

2861 *Nella quarta domanda, dicendo « Dacci », esprimiamo, in comunione con i nostri fratelli, la nostra fiducia filiale verso il Padre nostro dei cieli. « Il nostro pane » significa il nutrimento terreno a tutti necessario per il proprio sostentamento, ma indica pure il Pane di Vita: Parola di Dio e Corpo di Cristo. Esso è ricevuto nell' « Oggi » di Dio, come il cibo indispensabile, (sovra-)essenziale del Banchetto del Regno, che l'Eucaristia anticipa.*

2862 *La quinta domanda implora la misericordia di Dio per le nostre offese; essa però non può giungere al nostro cuore, se non abbiamo saputo perdonare ai nostri nemici, sull'esempio e con l'aiuto di Cristo.*

2863 *Dicendo « Non ci indurre in tentazione », chiediamo a Dio che non ci permetta di prendere la strada che conduce al peccato. Questa domanda implora lo Spirito di discernimento e di fortezza e chiede la grazia della vigilanza e della perseveranza finale.*

2864 *Nell'ultima domanda « ma liberaci dal Male », il cristiano insieme con la Chiesa prega Dio di manifestare la vittoria, già conseguita da Cristo, sul « Principe di questo mondo », su Satana, l'angelo che si oppone personalmente a Dio e al suo Disegno di salvezza.*

2865 *Con l'« Amen » finale esprimiamo il nostro « fiat » alle sette domande: « Così sia ».*

INDICI

Indice dei riferimenti

La seconda colonna si riferisce ai numeri del Catechismo.
L'asterisco che segue i numeri relativi ai riferimenti biblici indica che essi si trovano in nota.

SACRA SCRITTURA

ANTICO TESTAMENTO

Genesi

Esodo

Proverbi

Qoelet

Cantico dei Cantici

Sapienza

Siracide

Isaia

Geremia

Marco

Luca

Giovanni

Atti degli Apostoli

Romani

1 Corinzi

2 Corinzi

Galati

Efesini

Filippesi

Giacomo

1 Pietro

2 Pietro

1 Giovanni

2 Giovanni

3 Giovanni

Giuda

Apocalisse

SIMBOLI DELLA FEDE

(citati secondo DENZ.-SCHÖNM.)

CONCILI ECUMENICI

(citati secondo DENZ.-SCHÖNM., a eccezione del Concilio Vaticano II)

C. di Nicea I (325)

C. di Costantinopoli I (381)

C. di Efeso (431)

C. di Calcedonia (451)

C. di Costantinopoli II (553)

C. di Costantinopoli III (680-681)

C. di Nicea II (787)

C. di Costantinopoli IV (869-870)

C. Lateranense IV (1215)

C. di Lione II (1274)

C. di Vienne (1311-1312)

C. di Costanza (1414-1418)

C. di Firenze (1439-1445)

CONCILI E SINODI

(citati secondo DENZ.-SCHÖNM.)

C. di Roma (382)

Decretum Damasi

DOCUMENTI PONTIFICI

DOCUMENTI ECCLESIALI

Catechismo Romano

Tommaso More, san

Ugo da San Vittore

INDICE TEMATICO

A

B

C

D

G

I

L

M

N

O

P

Q

R

S

T

U

V

Y

Z

INDICE GENERALE

PARTE TERZA
LA VITA IN CRISTO

SEZIONE PRIMA: LA VOCAZIONE DELL'UOMO: LA VITA NELLO SPIRITO

PARTE QUARTA
LA PREGHIERA CRISTIANA

SEZIONE PRIMA: LA PREGHIERA NELLA VITA CRISTIANA

Finito di stampare
il 21 novembre 1992
per i tipi
della Tipografia Vaticana